中华人民共和国史长编

第五卷 1992-2002

HISTORY OF THE PEOPLE'S REPUBLIC OF CHINA

刘国新 贺耀敏 刘晓 武力 主编

天津人民出版社

图书在版编目（CIP）数据

中华人民共和国史长编．第5卷，1992～2002／刘国新等主编．—天津：天津人民出版社，2010.2
ISBN 978-7-201-06466-6

Ⅰ．①中… Ⅱ．①刘… Ⅲ．①中国—现代史—1992～2002 Ⅳ．①K27

中国版本图书馆CIP数据核字(2010)第017618号

天津人民出版社出版
出版人：刘晓津
（天津市西康路35号 邮政编码：300051）
邮购部电话：（022）23332469
网址：http://www.tjrmcbs.com.cn
电子信箱：tjrmcbs@126.com
山东新华印刷厂德州厂印刷 新华书店经销

2010年2月第1版 2010年2月第1次印刷
787×1092毫米 16开本 48印张 5插页
字数:998千字
定 价:265.00元

第　五　卷

（1992　—　2002）

第五卷　编委会

主　编　刘国新　武　力

作　者　**（按姓氏笔画排序）**

丁　明　方晓东　母稷祥　石善涛
刘国新　孙翠萍　汤　涛　何虎生
余万里　吴　超　宋淑玉　张　蒙
张清敏　李晓雨　李腾宇　杨　涓
肖　翔　彤新春　苏　浩　邹　君
陈琦然　武　力　武烈珍　姜长青
贺　赞　钟　瑛　晋红艳　郭　芳
高　华　高　敏　常远定　梁守磊
黄　黎　傅　强　傅玉能　韩玉喻
戴晨京

前 言

《中华人民共和国史长编》在中华人民共和国成立60周年之际由天津人民出版社出版，这是作者与编者共同努力的结晶。

写这本书的初衷就是“存史”。至于怎么存？却是有些说道的。

就共和国史而言，以单一的体裁述说历史，有时会显得力不从心。因为人类社会一旦搭上现代化这趟快车，就不太可能是一个直线的轨迹了，社会的整体性和网络化以及与外部世界的关联程度都决定了历史面貌的立体化结构。为了能对此有一个很好的表达，《中华人民共和国史长编》由“总论”、“重大事件”、“文献资料”、“人物”及“大事记”五部分组成。五个部分既是独立的，又能互为补充。

“总论”，顾名思义，是史论，是论说本阶段历史概貌。这部分内容侧重分析历史发展的阶段性，每个阶段有哪些不同的特点。此外，对主要成就的归纳和经验教训的总结，也是“总论”的题中之义。在写作方法上，不是就事论事，而是以事引论。在对成败的判断上虽然不可能用太多的笔墨，但也不是浅尝辄止。读者通过“总论”会得到一个总括性的印象。

“重大事件”就是按照中国传统史学纪事本末体的写法，尽可能完整地揭示重要事件的起因、过程和结局。哪些属于“重大事件”呢？首先是政治运动和社会变革，比如“三反”、“五反”运动，新中国成立初期的“禁毒运动”；接下来是重要的事件、决策和会议，比如抗美援朝战争、国民经济五年计划、全国人大和全国政协会议；再接下来就是治国理念和方略、重要的思想、重要成就，比如“三步走”发展战略、“三个代表”重要思想、科学发展观、中国成功举办奥运会等;还有主要的社会现象、社会思潮、社会习俗、突发公共事件以及重大自然灾害,比如知识青年上山下乡、防治"非典"、抗震救灾等等。大体说来,前30年因为政治运动较多,一个事件基本上就是一次运动,比较容易独立成篇;后30年国家各项工作的重点转到经济建设,不再搞运动,所以,"事件"更多的是表现为某个领域的发展、某项政策的贯彻、某一方略的提出。不管是政治运动也好,还是发展方略也罢,它们都是历史的关节点,点点相连,就组成共和国历史的脉络主线。我们在这部分里面还安排了"港澳台"专题,对于1997年前的香港和1999年前的澳门,为了照顾历史的完整性,也作了简单的引述性记载。在编排上,依照政治、经济、文化、军事、外交几大板块排列,每个板块内按时间的先后为序。

"人物"吸收了传统史学纪传体的长处,简述人物的经历。传主为在共和国创立、建设和改革过程中建功立业的人物,也适当地收录了其他方面的代表人物。这里有两个具体的标准,首先是已经去世的,仍然健在的不收。其次是凡党政军系统人物一般按正部级以上出条,其他方面如教育界、科技界、文艺界、学术界的人物则以其学术成就和社会影响为依据,这里面虽然很难定出一个明确的标准,但从约定俗成或公众认可的角度看,还是能够画出一个杠杠的。人物按姓氏音序排列。

"大事记"是学习传统史学编年史体例,以年、月、日为经,以事件为纬。在遵守通常的编写大事记体例的基础上,本书还有自己的考虑。其一,从史学定位看,本书的"大事记"是中观史学,甚至包括一点点微观事件。因为以全书的互补关系,"重大事件"主要反映宏观史学,那么,"大事记"定位于中观带点微观就是恰如其分的,这充分体现本书各个部分所代表的不同层次。其二,从收录的领域看,"大事记"除了政治、经济、文化、军事、外交以外,还有教育、科技、新闻、出版、学术、卫生、体育、民族、宗教、国土、人口、气象等林林总总的事,它编织的是一幅更为细密的网络。"大事记"有部分内容同"重大事件"相重复,本书的处理办法是,凡"重大事件"已有的,"大事记"一概从简。

"文献资料"包括从中央到地方各级党、政、军、民主党派、人民团体的组织沿革和职官,以及研究成果总目。

本书的九卷分别是"重大事件"六卷:第一卷(1949—1956)、第二卷(1956—1966)、第三卷(1966—1978)、第四卷(1978—1991)、第五卷(1992—2002)、第六卷(2002—2009)。这种分法,不是本书的独创,完全是参照近些年学术界,包括党史学界和国史学界关于阶段的划分法,同时也自觉这六卷的编排无论从其所呈现出来明显的阶段性,还是从国家最高层级的对应上也还说得过去。第七卷为“人物”卷，第八卷和第九卷为“大事记”卷。

粗粗算来，国内对于共和国史研究有近30年了，出版著作百十来部，时间和数量能不能成为一个标志，还很难说，因为绝大多数著作都是教材。我们认为，共和国史若真正成为一门学科，按史书范式写出一批论著是基本条件。本书不敢妄谈水平多高，但宽领域、多视角的记述，多多少少还是做到了存史的目的。把过去发生的事情娓娓道来，写清楚它们的来龙去脉，应了孔子所说的“物有本末，事有始终，知所先后，则近道矣”和刘知几所强调的“良史以实录直书为贵”的要求。如果条件允许，本书每隔10年重新补充修订一次，长此下去，也会成为一个可观的文化建设。

中华人民共和国史长编
（第五卷　1992—2002）

目　录

总论

改革开放的新阶段 ……………… （1）

重大事件

邓小平南方谈话 ………………… （18）
中国共产党第十四次全国代表大会 ……………………………… （26）
中国共产党第十五次全国代表大会 ……………………………… （35）
“三个代表”重要思想的提出与贯彻 ……………………………… （43）
第八届全国人民代表大会 ……… （53）
中国人民政治协商会议第八届全国委员会 …………………… （67）
第九届全国人民代表大会 ……… （81）
中国人民政治协商会议第九届全国委员会 …………………… （98）
“八五”计划 …………………… （115）
“九五”计划 …………………… （127）
国有企业改革和“三年脱困” … （139）
中国金融体制改革（1992—2001 年） …………………………… （147）
分税制改革 …………………… （156）
个人所得税的修订和完善 …… （164）
住房制度改革和房地产业的形成 …………………………… （173）
期货市场的形成、发展和整顿 …………………………… （181）
1992—2002 年的扶贫开发工程 …………………………… （198）
西部大开发战略 ……………… （206）
加入世界贸易组织 …………… （217）

铁路大提速 …………………… (229)
香港回归 ……………………… (243)
澳门回归,世纪庆典 …………… (255)
1992—2002年间的对台政策 ……………………………… (261)
1992—2002年中国共产党宗教工作理论与实践 ………… (277)
教育战略与教育改革 ………… (287)
教育的发展 …………………… (305)
文化建设的繁荣与发展 ……… (330)
农村合作医疗的探索和重建 … (337)
'98抗洪 ……………………… (349)
向市场经济体制转轨中的信访工作 ……………………… (361)
中国新安全观的形成及实践 … (372)
新时期国防和军队建设思想 … (382)
中国特色的精兵之路 ………… (393)
20世纪90年代的中美关系 …… (402)
20世纪90年代的中俄关系 …… (415)
1992—2002年的中日关系 …… (425)
冷战结束后中国与周边国家关系 ……………………………… (441)
台湾地区概况 ………………… (463)

附录

党、政、军、民主党派、人民团体、各级组织沿革和领导成员名录 ……………………………… (543)
国史研究论著索引 …………… (669)

总　论

改革开放的新阶段

从1992年至2002年的10年是中国改革开放和现代化建设进入新阶段的重要时期。称这个时期为新阶段，是因为这个时期的发展表现出不同于以往的一些新的特征。

一

新的理论指导

在中国这样的大国进行改革开放，没有一个正确的理论为指导是无法取得成功的。中共十五大指出：旗帜至关重要，旗帜就是方向，旗帜就是形象。十五大首次使用了“邓小平理论”这一概念，把邓小平理论作为我们党的指导思想，有着深刻的时代意义。

邓小平理论是马克思主义同当代中国实践和时代特征相结合的产物，是毛泽东思想在新的历史条件下的继承和发展，是当代中国的马克思主义，是马克思主义在中国发展的新阶段。

邓小平理论坚持解放思想、实事求是，在新的实践基础上继承前人又突破陈规，开拓了马克思主义的新境界。在社会主义的发展道路问题上，强调走自己的路，不把书本当教条，不照搬外国模式，以马克思主义为指导，以实践作为检验真理的唯一标准，解放思想，实事求是，尊重群众的首创精神，建设有中国特色的社会主义。在社会主义的发展阶段问题上，强调我国还处于并将长期处于社会主义初级阶段，这是一个至少上百年的很长的历史阶段，制定一切方针政策都必须以这个基本国情为依据，不能脱离实际，超越阶段。社会主义初级阶段的主要矛盾，是人民日益增长的物质文化需要同落后的社会生产力之间的矛盾，必须把发展生产力摆在首要位置，以经济建设为中心，推动社会全面进步。

邓小平理论认为，社会主义初级阶段的基本纲领包括建设有中国特色社会主义的经济，就是在社会主义条件下发展市场经济，不断解放和发展生产力，科学技术是第一生产力，经济建设必须依靠科技进步和劳动者素质的提高；建设有中国特色社会主义的政治，就是在中国共产党领导下，在人民当家做主的基础上，依法治国，发展社会主义民主政治；建设有中国特色社会主义的文化，就是以马克思主义为指导，以培育有理想、有道德、有文化、有纪律的公民为目标，发展面向现代化、面向世界、面向未来的，民族的科学的大众的社会主义文化。

邓小平理论坚持科学社会主义理论和实践的基本成果，抓住搞清楚"什么是社会主义、怎样建设社会主义"这个基本理论问题，深刻地揭示社会主义的本质，把对社会主义的认识提高到新的科学水平。提出社会主义的本质是解放生产力，发展生产力，消灭剥削，消除两极分化，最终达到共同富裕。判断各方面工作的是非得失，归根到底，要以是否有利于发展社会主义社会的生产力，是否有利于增强社会主义国家的综合国力，是否有利于提高人民的生活水平为标准。社会主义基本制度建立以后，还要从根本上改变束缚生产力发展的经济体制，建立起充满生机和活力的社会主义经济体制，促进生产力的发展。革命是解放生产力，改革也是解放生产力。基于对社会主义本质这样的认识，邓小平鲜明地指出计划多一点还是市场多一点，不是社会主义与资本主义的本质区别。计划经济不等于社会主义，资本主义也有计划；市场经济不等于资本主义，社会主义也有市场。邓小平关于计划和市场的论述，为全党大张旗鼓地进行以市场经济体制为改革取向的经济体制改革，奠定了理论基础。邓小平关于社会主义本质和市场与计划的论述，极大地解放了人们的思想。

邓小平理论在社会主义建设的政治保证问题上，强调坚持社会主义道路、坚持人民民主专政、坚持中国共产党的领导、坚持马克思列宁主义毛泽东思想。四项基本原则是立国之本，是改革开放和现代化建设健康发展的保证，又从改革开放和现代化建设中获得新的时代内容。在社会主义的领导力量和依靠力量问题上，强调作为工人阶级先锋队的中国共产党是社会主义事业的领导核心，党必须适应改革开放和现代化建设的需要，不断改善和加强对各方面工作的领导，改善和加强自身建设。执政党的党风，党同人民群众的联系，是关系党生死存亡的问题。必须依靠广大工人、农民、知识分子，依靠各民族人民的团结，依靠全体社会主义劳动者、拥护社会主义的爱国者和拥护祖国统一的爱国者的最广泛的统一战线。党领导的人民军队是社会主义祖国的保卫者和建设社会主义的重要力量。

邓小平理论坚持用马克思主义的宽广眼界观察世界，对当前时代特征和国际形势变化进行正确分析，作出新的科学判断。论述了社会主义必然代替资本主义是历史发展不可逆转的总趋势，但道路是曲折的。邓小平说：资本主义发展了几百年，我们干社会主义才多长时间！何况我们还耽误了二十年。一些国家出现严重挫折，社会主义好像被削弱了，但人民经受锻炼，从中吸取教训，将促使社会主义向着更加健康的方向发展。邓小平要求全党从现在起到下一个世纪中叶，要埋头苦干，“我们肩膀上的担子重，责任大啊”！邓小平讲这些话，是向全党指出社会发展规律，要求全党结合中国的社会主义实践，推动世界社会主义运动的发展。尽管世界社会主义运动处于低潮，但从世界局势分析，认为和平与发展仍是世界的两大主题。在和平与发展仍是世界的两大没有解决的问题的情况下，中国应该用自己的实践证明中国是维护世界和平的坚定力量，中国反对霸权主义和强权政治，永不称霸。必须坚持独立自主的和平外交政策，为我国现代化建设争取有利的国际环境。强调实行对外开放是改革和建设必不可少的，应当吸收和利用世界各国包括资本主义发达国家所创造的一切先进文明成果来发展社会主义，封闭只能导致落后。

2000年2月，江泽民同志在广东深圳、顺德和广州考察工作时，第一次系统提出了“三个代表”重要思想。他指出：总结我们党七十多年的历史，可以得出一个重要的结论，这就是，我们党所以赢得人民的拥护，是因为我们党作为中国工人阶级的先锋队，在革命、建设、改革的各个历史时期，总是代表着中国先进社会生产力的发展要求，代表中国先进文化的前进方向，代表着中国最广大人民的根本利益，并通过制定正确的路线方针政策，为实现国家和人民的根本利益而不懈奋斗。

2001年7月1日，江泽民同志在庆祝中国共产党成立八十周年大会上的讲话中全面阐述了“三个代表”重要思想的科学内涵和基本内容。“三个代表”重要思想内涵丰富、博大精深，涵盖了经济、政治、文化和党的建设各个领域，体现在改革发展稳定、内政外交国防、治党治国治军各个方面，是一个系统的科学理论，其科学内涵主要包括以下内容：

始终代表中国先进生产力的发展要求。提出我们党要始终代表中国先进生产力的发展要求，就是党的理论、路线、纲领、方针、政策和各项工作，必须努力符合生产力发展的规律，体现不断推动社会生产力的解放和发展的要求，尤其要体现推动先进生产力发展的要求，通过发展生产力不断提高人民群众的生活水平；强调社会主义的根本任务是发展生产力；强调生产力是最活跃最革命的因素，是社会发展的最终决定力量；强调在社会主义社会的各个历史阶段，都需要根据经济社会发展的要求，适时地通过改革不断推进社会主义制度自我完善和发展；强调人是生产力中最具有决定性的力量，提出包括知识分子在内的我国工人阶级，是推动我国先进生产力发展的基本力量，提出我国农民阶级和其他劳动群众，同工人阶级紧密团结，是推动我国社会生产力发展的重要力量；强调科学技术是第一生产力，而且是先进生产力的集中体现和主要标志。

始终代表中国先进文化的前进方向。提出我们党要始终代表中国先进文化的前进方向，就是党的理论、路线、纲领、方针、政策和各项工作，必须努力体现发展面向现代化、面向世界、面向未来的，民族的科学的大众的社会主义文化的要求，促进全民族思想道德素质和科学文化素质的不断提高，为我国经济发展和社会进步提供精神动力和智力支持；强调社会主义社会是全面发展、全面进步的社会，社会主义现代化事业是物质文明和精神文明相辅相成、协调发展的事业；强调发展社会主义文化的根本任务，是培养一代又一代有理想、有道德、有文化、有纪律的公民；强调加强社会主义思想道德建设，是发展先进文化的重要内容和中心环节。

始终代表中国最广大人民的根本利益。提出我们党要始终代表中国最广大人民的根本利益，就是党的理论、路线、纲领、方针、政策和各项工作，必须坚持把人民的根本利益作为出发点和归宿，充分发挥人民群众的积极性主动性创造性，在社会不断发展进步的基础上，使人民群众不断获得切实的经济、政治、文化利益；强调全心全意为人民服务，立党为公，执政为民，是我们党同一切剥削阶级政党的根本区别；强调人民群众的整体利益总是由各方面的具体利益构成的。我们所有的政策措施和工作，都应该正确反映并有利于妥善处理各种利益关系，都应认真考虑和兼顾不同阶层、不同方面群众的利益，但是，最重要的是必须首先考虑并满足最大多数人的利益要求；强调我们党始终坚持人民的利益高于一切，党除了最广大人民的利益，没有自己特殊的利益。

把发展作为党执政兴国的第一要务。强调能不能解决好发展问题，直接关系人心向背、事业兴衰；强调我们党要承担起推动中国社会进步的历史责任，必须始终紧紧抓住发展这个执政兴国的第一要务，把坚持党的先进性和发挥社会主义制度的优越性，落实到发展先进生产力、发展先进文化、实现最广大人民的根本利益上来，推动社会全面进步，促进人的全面发展；强调发展必须坚持以经济建设为中心，立足中国现实，顺应时代潮流，不断开拓促进先进生产力和先进文化发展的新途径；强调必须相信和依靠人民，要集中全国人民的智慧和力量，毫不动摇地坚持党在社会主义初级阶段的基本路线，聚精会神搞建设，一心一意谋发展。

正确处理改革发展稳定的关系。提出改革、发展、稳定，好比是我国现代化建设棋盘上的三着紧密关联的战略性棋子，每一着棋都下好了，相互促进，全盘皆活，有一着下不好，则其他两者也会陷入困境，甚至全局受挫；强调要正确把握改革、发展、稳定之间的内在关系，做到相互协调，相互促进，改革是动力，发展是目的，稳定是前提；强调要把改革的力度、发展的速度和社会可承受的程度统一起来，确保社会稳定和国家长治久安，要把不断改善人民生活作为处理改革发展稳定关系的重要结合点，在社会稳定中推进改革发展，通过改革发展促进社会稳定。

建立社会主义市场经济。明确提出"社会主义市场经济体制"概念，正式把这一概念确定为我国经济体制改革的目标；积极探索，勇于实践，勾画了建立社会主义市场经济体制的蓝图和基本框架；强调要坚持社会主义市场经济的根本方向，使市场在国家宏观调控下对资源配置起基础作用；强调要加强国民经济市场化的进程，提出要着重发展资本、劳动力、技术等生产要素市场，完善生产要素价格形成机制。

完善公有制为主体、多种所有制共同发展的基本经济制度。强调要调整和完善所有制结构。公有制为主体、多种所有制经济共同发展，是我国社会主义初级阶段的一项基本经济制度；强调要全面认识公有制经济的含义，公有制经济不仅包括国有经济和集体经济，还包括混合所有制经济中的国有成分和集体成分；强调公有制的主体地位主要体现在公有资产在社会总资产中占优势，国有经济控制国民经济命脉，对经济发展起主导作用，提出这是就全国而言，有的地方、有的产业可以有所差别；强调公有制实现形式可以而且应当多样化。

完善按劳分配为主体、多种分配方式并存的分配制度。强调把按劳分配和按生产要素分配结合起来，坚持效率优先、兼顾公平，有利于优化资源配置，促进经济发展，保持社会稳定；强调要依法保护合法收入，允许和鼓励一部分人通过诚实劳动和合法经营先富起来，允许和鼓励资本、技术等生产要素参与收益分配；强调取缔非法收入，整顿不合理收入，对凭借行业垄断和某些特殊条件获得个人额外收入的，必须纠正；强调防止两极分化。

提高对外开放水平。强调对外开放是一项长期的基本国策；强调面对经济、科技全球化趋势，我们要以更加积极的姿态走向世界，完善全方位、多层次、宽领域的对外开放格局，发展开放型经济，增强国际竞争力，促进经济结构优化和国民经济素质提高；强调以提高效益为中心，努力扩大商品和服务的对外贸易，优化进出口结构；强调积极合理有效地利用外资，有步骤地推进服务业的对外开放；强调进一步办好经济特区、上海浦东新区，鼓励这些地区在体制创新、产业升级、扩大开放等方面继续走在前面，发挥对全国的示范、辐射、带动作用。

建设社会主义政治文明。强调发展社会主义民主政治，建设社会主义政治文明，是社会主义现代化建设的重要目标。必须在坚持四项基本原则的前提下，继续积极稳妥地推进政治体制改革，扩大社会主义民主，健全社会主义法制，建设社会主义法治国家，巩固和发展民主团结、生动活泼、安定和谐的政治局面；强调没有民主就没有社会主义，就没有社会主义现代化；强调我国实行的人民民主专政的国体和人民代表大会制度的政体是人民奋斗的成果和历史的选择，必须坚持和完善这个根本政治制度，不照搬西方政治制度的模式；强调推进政治体制改革，必须有利于增强党和国家的活力，保持和发挥社会主义制度的特点和优势，维护国家统一、民族团结和社会稳定，充分发挥人民群众的积极性，促进生产力发展和社会进步。

坚持党的领导、人民当家做主和依法治国的有机统一。强调发展社会主义民主政治，最根本的是要把坚持党的领导、人民当家做主和依法治国有机统一起来；强调党的领导是人民当家做主和依法治国的根本保证；强调社会主义民主的本质是人民当家做主，国家一切权力属于人民；强调发展民主必须同健全法制紧密结合，实行依法治国；强调依法治国是党领导人民治理国家的基本方略，是发展社会主义市场经济的客观需要，是社会文明进步的重要标志，是国家长治久安的重要保障。

改革和完善党的领导方式和执政方式。强调这对于推进社会主义民主政治建设，具有全局性作用；强调党的领导主要是政治、思想和组织领导，通过制定大政方针，提出立法建议，推荐重要干部，进行思想宣传，发挥党组织和党员的作用，坚持依法执政，实施党对国家和社会的领导；强调党委在同级各种组织中发挥领导核心作用，集中精力抓好大事，支持各方独立负责、步调一致地开展工作；强调要进一步改革和完善党的工作机构和工作机制；强调加强对工会、共青团和妇联等人民团体的领导，支持他们依照法律和各自章程开展工作，更好地成为党联系广大人民群众的桥梁和纽带。

依法治国和以德治国相结合。强调对一个国家的治理来说，法治与德治，从来都是相辅相成、相互促进，二者缺一不可，也不可偏废；强调法治属于政治建设、属于政治文明，德治属于思想建设、属于精神文明，二者范畴不同，但其地位和功能都非常重要；强调依法治国，就是广大人民群众在党的领导下，依照宪法和法律规定，通过各种途径和形式管理国家事务，管理经济文化事业，管理社会事务，保证国家各项工作都依法进行，逐步实现社会主义民主的制度化、法律化，使这种制度和法律不因领导人的改变而改变，不因领导人看法和注意力的改变而改变；要建立与社会主义市场经济相适应、与社会主义法律规范相协调、与中华民族传统美德相承接的社会主义思想道德体系。

走中国特色的精兵之路。强调建立巩固的国防是我国现代化建设的战略任务，是维护国家安全统一和全面建设小康社会的重要保障；强调坚持国防建设与经济建设协调发展的方针；强调坚持以毛泽东军事思想、邓小平新时期军队建设思想为指导，全面贯彻“三个代表”重要思想，按照政治合格、军事过硬、作风优良、纪律严明、保障有力的总要求，紧紧围绕打得赢、不变质两个历史性课题，坚定不移地走中国特色的精兵之路，加强军队的革命化现代化正规化建设；强调始终把思想政治建设摆在军队各项建设的首位，永葆人民军队的性质、本色和作风；强调党对军队的绝对领导是我军永远不变的军魂，要毫不动摇地坚持党领导人民军队的根本原则和制度；强调贯彻积极防御的军事战略方针。

维护世界和平、促进共同发展。强调和平与发展是当今时代的主题；强调不公正不合理的国际政治经济旧秩序没有根本改变，影响和平与发展的不确定因素在增加；强调我们始终不渝地奉行独立自主的和平外交政策，中国外交政策的宗旨，是维护世界和平，促进共同发展；强调我们主张建立公正合理的国际政治经济新秩序，主张维护世界多样性，提倡国际关系民主化和发展模式多样化。

党的建设新的伟大工程。强调加强和改进党的建设，一定要高举邓小平理论伟大旗帜，全面贯彻“三个代表”重要思想，保证党的路线方针政策全面反映人民的根本利益和时代发展的要求；一定要坚持党要管党、从严治党的方针，进一步解决提高党的领导水平和执政水平、提高拒腐防变和抵御风险能力这两大历史性课题；一定要准确把握当代中国社会前进的脉搏，改革和完善党的领导方式和执政方式、领导体制和工作制度，使党的工作充满活力；一定要把思想建设、组织建设和作风建设有机结合起来，把制度建设贯穿其中，既立足于做好经常性工作，又抓紧解决存在的突出问题；强调要通过锲而不舍的努力，保证我们党始终是中国工人阶级的先锋队，同时是中国人民和中华民族的先锋队，始终是中国特色社会主义事业的领导核心，始终代表中国先进生产力的发展要求，代表中国先进文化的前进方向，代表中国最广大人民的根本利益。

“三个代表”重要思想内容丰富，思想深刻，贯彻“三个代表”关键在坚持与时俱进，核心在坚持党的先进性，本质在坚持执政为民。

“三个代表”重要思想是对马克思列宁主义、毛泽东思想和邓小平理论的继承和发展，是马克思主义在中国发展的新阶段，是中国特色社会主义理论体系承上启下的极为重要的组成部分。这一科学理论反映了改革开放之后，特别是十三届四中全会之后当代世界和中国的发展变化对党和国家工作的新要求，是加强和改进党的自身建设、推进我国社会主义自我完善和发展的强大理论武器。

邓小平理论和“三个代表”重要思想指引中国特色社会主义伟大事业蓬勃发

展，并把这一事业成功推向21世纪。

二

以建立社会主义市场经济为目标的经济体制改革

1992年我党明确提出“社会主义市场经济体制”概念，正式把其确定为我国经济体制改革的目标，从而使我国改革开放事业进入新的时期。经济体制改革的纵深发展主要表现在以下几个方面。

1. 财税制度改革，实行分税制

所谓分税制就是将各种收入分为中央财政固定收入、地方财政固定收入、中央和地方共享收入。对共享收入部分，中央与地方按“五五”比例进行分税。1992年6月，分税制试点工作在天津、辽宁、沈阳、大连、浙江、武汉、重庆、青岛、新疆维吾尔自治区（民族地区新疆与中央按“二八”分税）9个省、市、自治区全面铺开。

分税制试点取得成效，第一，扩大了地方固定收入范围，使地方收入增长与共享税增收相挂钩，调动了地方政府组织收入的积极性。第二，地方上解额和上解比重都有所增长，促进了中央收入的稳定增长。第三，促进了其他各项配套改革，如价格改革。分税制把国营企业所得税、调节税及利润全部作为地方的固定收入，促使地方政府更加关注企业的经济效益。第四，一定程度上缓解了区域封锁和盲目建设，分税制在流转税上也是“五五”分享，这与原来财政包干体制各地上项目流转税大部分留给地方的做法不同，淡化了地方政府对流转税的追求，也就遏制了地方政府盲目开发高税率产品和片面追求产值、速度的冲动，有利于产业政策的调整。

在试点的基础上，1994年1月，开始全面实施分税制财政管理体制改革。对于分税制改革的成功，前国家财政部部长项怀诚认为“怎么评价都不过分”①。1993年11月，国务院总理办公会议和国务院常务会议先后审议并原则通过国家税务总局草拟的《工商税制改革实施方案》和增值税、消费税、营业税、企业所得税、资源税、土地增值税等6个税收暂行条例。有关法律、法规与1993年底陆续公布，从1994年起在全国实施。新税制改革的成效在于，建立了财政稳定增长的机制，促进了企业的改革和发展，也促进了大一统市场的形成，强化宏观调控的功能。此外，税制改革还缩小了与国外税制间的差距，有利于对外经贸合作和企业在国际市场上的竞争能力。简化了税制结构，税种由原来的32种减少至18种，方便了征管。

2. 金融体制改革

1993年12月，国务院颁布了《国务院关于金融体制改革的决定》，明确提出了中国金融体制改革的目标是：

第一，建立在国务院领导下，独立执行货币政策的中央银行宏观调控体系；政策性金融与商业性金融分离，以国有商业银行为主体、多种金融机构并存的金融组织体系；统一开放、有序竞争、严格管理的金融市场体系的“三大体系”。第二，把中央银行办成真正的中央银行，把国有专业银行办成真正的商业银行“两个真正”的金融实体。第三，引入“优胜劣汰”机制，对经营不善的金融机构要允许破产，债权债务尽可能实现平稳转移；要建立存款保险基金，保障社会公众利益。

---

① 刘克崮、贾康主编：《中国财税改革30年：亲历与回顾》，经济科学出版社，2008年版，第381页。

新组建的国家开发银行、中国进出口信贷银行和中国农业发展银行等政策性银行开始投入运营。通过改革，中央银行在宏观调控中的作用显著增强，金融总体运行正常，金融市场秩序有所改善。

1997年亚洲国家发生金融危机，中国的金融改革转入了以防范和化解金融风险为重点、深化金融体制改革的新阶段。1997年11月，中共中央和国务院召开全国金融工作会议，提出中国金融体制改革的目标是：到2000年初步建立与社会主义市场经济相适应的现代金融组织体系、金融市场体系和金融调控监管体系。1998年3月，中国政府明确宣布中国金融体制改革要在3年内基本到位。2001年中国加入世贸组织，面临着与国际金融体制接轨、建立开放型的市场金融体制、以全面提升金融机构国际竞争力的挑战和机遇。在开放型的国际背景下，围绕着构筑现代金融组织体系、金融市场体系和金融调控监管体系，中国金融体制改革深的主题是整顿金融秩序、加强金融监管、防范金融风险。

3. 外汇管理体制改革

1993年12月国务院颁布的《关于进一步改革外汇管理体制的通知》明确指出，建立以市场供求为基础的有管理的浮动汇率制，稳步推进贸易项下人民币可兑换。改革的主要内容是：取消外汇限制和外汇留成，实现汇率并轨，建立结售汇制度，停止发行外汇兑换券，建立统一的银行间外汇市场，完善进出口核销制度，对资本项下的外汇收支继续实行计划管理和审批制度，完善外债和外汇储备管理。中国外汇管理体制改革的长期目标是实现人民币可自由兑换。此次改革的内容十分广泛，影响深远，标志着中国的外汇管理体制开始进入规范化、法制化、国际化轨道。改革进展顺利，国际反响良好。

1994年1月1日，国务院宣布国家外汇挂牌价和市场外汇调剂并轨，实现了经常项目下人民币有条件可兑换，建立了以市场供求为基础的、单一的有管理的浮动汇率制度，结束了长达四十多年的国家垄断的汇率制度。1996年12月，中国宣布履行《国际货币基金协定》第八条第二款，实现了人民币经常项目下的完全可兑换，国家外汇储备增至1050亿美元。初步建立了以人民币为交易标的的全国银行同业拆借交易网络和以外币为交易标的的全国银行间统一的外汇交易市场。

汇率并轨的成功，为进一步沟通国内外市场、改善我国对外经济环境、进一步吸引外资、发展开放型经济起了重要作用。

4. 外贸体制改革

首先是取消了中央外贸进口指令性计划，改为指导性计划，对国内生产建设和市场需要的商品，由企业根据市场需求状况自行组织进口，减少配额商品管理数量，规范进口配额商品管理办法。其次是赋予具备条件的企业进出口经营权，改变外贸企业经营机制转换滞后的状态，提高其应变能力以适应日趋激烈的国际市场竞争，培育和壮大了一大批具有国际竞争实力的大型外贸企业，同时也培养和引进了高素质的企业管理人才。再次是结合国际惯例健全对外贸易法律法规，积极推行国际质量认证标准，加快外贸体制与国际的接轨。同时加快自主降税步伐，降低关税总水平。从1996年4月1日起，我国4000多种商品进口税总水平降至23%，1997年10月1日再降至17%左右。这些措施不仅有助于更多的有竞争力的外国商品进入中国市场，同时也促进了中国的经济发展，加快了中国进入世界贸易组织的步伐。

5. 投资融资体制改革

进一步强化企业的投资主体地位，在投资融资领域更多地引入市场竞争机制；对各种经营性固定资产投资项目试行资本金制度，使投资项目必须先落实资本金后才能进行建设；各地在基础设施、基础产业和公共事业的基础建设中引入多种融资方式，直接融资在固定资产投资中所占比重不断上升。

6. 国有企业的改革

国有企业是国民经济的支柱，长期以来为国家的建设和发展作出了巨大贡献。但由于长期在计划经济体制下运行，国家对企业统得过多，忽视市场作用等问题和弊端也相当突出。根据中共十四届三中全会提出的“产权清晰、权责明确、政企分开、管理科学”的要求，国有企业改革开始进入转换经营机制、建立现代企业制度的阶段。随着体制的转换和市场环境的急剧变化，国有企业在计划体制下积累的诸多矛盾和问题也集中暴露出来，主要表现为相当多的企业经营机制僵化、不适应市场经济的要求。而且国有经济的布局和结构不合理，战线长而分散，企业规模偏小、素质不高，造成高投入、低产出、高消耗、低效益的局面，在激烈的市场竞争中，陷入前所未有的困境。

国有企业摆脱困境的唯一出路，就是适应发展社会主义市场经济的需要，继续加快和深化改革，建立现代企业制度。为此，党的十五大进一步明确了国有企业改革方向，提出了力争到20世纪末大多数国有大中型骨干企业初步建立现代企业制度，经营状况明显改善，开创国有企业改革和发展新局面的目标，同时要从战略上调整国有经济布局，对关系国民经济命脉的重要行业和关键领域，国有经济必须占支配地位；在其他领域，可以通过资产重组和调整结构，以加强重点，提高国有资产的整体质量。要把国有企业改革同改组、改造、加强管理结合起来，着眼于搞好整个国有经济，抓好大的，放活小的，对国有企业实施战略性改组。

现代企业制度的基本特征是公司制，而公司制的典型形态就是股份有限公司和有限责任公司，其突出特点就是小额资本以股份化的方式组合形成一个法人资本，以适应社会化大生产的需要，追求资本的更大增值。这是现代经济社会中一种典型的企业组织形式。我国的股份制改革从 20 世纪 80 年代中后期逐步开始，到 90 年代初全国各地已出现了一大批股份制试点企业。

从 1997 年起建立现代企业制度试点大幅度扩展。建立企业集团试点由 56 家扩大到 120 家。通过这些试点，按照发展社会主义市场经济的要求，对整个国有企业实施战略性改组，建立新的管理体制。中国石油天然气公司、中国石油化工集团公司、上海新宝钢集团公司、国防工业十大集团、有色金属三大集团、信息产业四大集团等一批大型企业集团相继组建。这些大型企业集团按市场要求运作，不再承担行政性职能，由政府授权经营国有资产，增强了自我发展和参与国际竞争的能力。1998 年后，大批国有企业进行了公司制和股份制改革。不少大型企业和企业集团按照国际惯例进行资产重组后，在境内或境外的资本市场成功上市，不仅募集了大量社会资金，改善了资产结构和经营状况，而且在建立现代企业制度、促进多元化的投融资体系形成、扩大国家的财政收入渠道、提高经济运行效率方面都发挥了重要作用。

“优化资本结构”试点城市由 18 个增

加到111个，通过鼓励兼并，规范破产，下岗分流，减员增效，开始形成优胜劣汰的竞争机制。对国有小企业则采取改组、联合、兼并、租赁、承包和股份合作制、出售等多种形式放开搞活，并对小企业出售中的一些关键环节进行规范。

搞好国有企业下岗职工的基本生活保障和再就业，是保证国有企业改革攻坚成功的重要环节，对于部分下岗职工群众遇到的暂时困难，1998年5月，中共中央、国务院在北京召开下岗职工生活保障和再就业工作会议，制定企业富余人员下岗分流和实施再就业工程的措施。会议提出：下岗职工的基本生活费一定要有保证。资金由政府、企业、社会共同承担，基本生活费要按时发放到每个下岗职工手里，不能拖延，不能挪用，不能克扣，否则要追究责任。最重要的是帮助下岗职工实现再就业。这项工作关系到国企改革成败，关系职工切身利益，是改革过程中不可逾越的阶段，是全局的大事，重要的任务。

6月，中共中央、国务院发出《关于切实做好国有企业下岗职工基本生活保障和再就业工作的通知》，指出，今后一个时期，要确保党的十五大提出的国有企业改革目标的实现，完成国有经济战略性调整，必须把解决国有企业下岗职工的基本生活保障和再就业问题作为首要任务，并力争每年实现再就业的人数大于当年新增下岗职工人数，1998年使已下岗职工和当年新增下岗职工的50%以上实现再就业。争取用五年左右的时间，初步建立适应社会主义市场经济体制要求的社会保障体系和就业机制。

各地按照中央的部署先后为下岗职工建立起“三条保障线”：一是下岗职工基本生活保障费；二是三年后未就业者转为享受失业保险；三是失业保险满二年仍未就业者，可按规定享受城镇居民最低生活保障。与此同时，各级政府通过加强多种形式职业培训，拓宽就业渠道，建立起再就业服务中心，引导职工转变择业观念，大力推进下岗职工再就业工程。1998年到2000年，全国累计有2100万国有企业下岗职工进入再就业服务中心，其中1300万人实现了再就业，为国有企业改革的顺利进行提供了有力保障。

7. 进一步完善农村改革

农业、农村和农民的“三农”问题，始终是关系改革开放和现代化建设全局的重大问题。1992年以后，在新一轮的经济加速发展中，一度出现农村大量资金、人力、物力流向工业的现象，致使1992年至1994年农业发展相对滞后，粮食出现连年减产，粮价上涨。1992年、1993年、1994年大米价格分别上升19%、24.6%和70.5%，①进而又带动了整个物价上涨。

从1995年起，实行“米袋子”省长负责制和“菜篮子”市长负责制，同时制定了一系列政策稳定和完善家庭联产承包责任制，延长土地承包期30年不变，发展农业产业化经营；改革农产品购销体制；建立对农业的支持和保护体系，多渠道增加对农业的投入；提高农民的种粮积极性。1995年至1997年连续三年获得大丰收，1996年粮食产量首次突破5亿吨大关，我国粮食生产能力跨上一个新台阶。在粮食生产稳步增长的同时，粮食价格也逐步下降，为抑制通货膨胀创造了必要条件。

在实现农业生产稳步增长的同时，1996年后又出现了农产品供给的相对过

① 《1996年经济绿皮书》，中国社会科学出版社，1996年版，第37页。

剩,市场粮价持续下降,农民收入增速放慢的局面。为此,十五大以后,党和政府把继续深化农村改革,确保农业和农村经济发展,增加农民收入,作为农业和农村工作的中心任务。

第一,深化粮食流通体制改革。自1985年国家不再向农民下达农产品统购派购任务,实行合同定购和市场收购的“双轨制”后,农村改革得到有力推动,农产品的市场调节范围日益扩大,但也对农产品的正常流通带来一些负面影响。1993年粮食价格、购销渠道全面放开,粮食购销结束“双轨制”后,粮食流通体制仍然没有摆脱“大锅饭”的模式。特别是国有粮食企业管理落后,政企不分,人员膨胀,成本上升,同时又严重挤占挪用粮食收购资金,导致经营亏损和财务挂账剧增,不能担当起粮食流通主渠道的重任。深化粮食流通体制改革已势在必行。

1998年初,中央在《关于1998年农业和农村工作的意见》中,确定了“四分开、一完善”的思路,即实行政企分开、储备与经营分开、中央与地方责任分开、新老粮食财务挂账分开,完善粮食价格形成机制。同年5月,国务院又下发了《关于进一步深化粮食流通体制改革的决定》,进一步提出了按保护价敞开收购农民余粮、粮食收储企业实行顺价销售、粮食收购资金封闭运行的三项政策和加快粮食收储企业自身改革的措施。

这些措施出台后,各地区和各有关部门认真贯彻,坚持按保护价敞开收购农民余粮,维护农民利益;在稳定粮食生产能力的前提下,推动农业和粮食生产结构的调整;增强了国家粮食宏观调控能力,为促进经济发展和维护社会稳定提供了可靠的物质基础。

第二,推进农业和农村经济结构的战略性调整,全面提高农业的素质和效益。在我国农产品长期供给不足的问题得到基本解决后,20世纪90年代后期又出现了阶段性供过于求的状况。针对这一问题,中央及时地提出了对农业结构实施战略性调整的方针。在贯彻这一方针时,各地着重抓了全面优化农作物品种,努力提高农产品质量;积极发展畜牧水产业,优化农业的产业结构;调整农业生产布局,发挥区域比较优势等三个环节。同时,积极发展小城镇和乡镇企业,转移农村富余劳动力,拓宽城乡市场,以优化国民经济整体结构。通过这些调整,种植业结构进一步优化,畜牧业发展步伐加快,促进了农产品的加工转化增值,农产品质量明显提高,农村劳动力在非农产业就业的数量继续增加,农民收入也得到相应增长。

第三是实施扶贫攻坚计划。1993年底,全国农村没有解决温饱的贫困人口尚有8000万人,主要集中在国家重点扶持的592个贫困县,分布在中西部的深山区、石山区、荒漠区、高寒山区、黄土高原区、地方病高发区以及水库库区,而且多为革命老区和少数民族地区。

尽管贫困人口只占全国农村总人口的8.87%,但扶贫开发的任务十分艰巨。在发展社会主义市场经济条件下,尽快解决贫困地区群众的温饱问题,改变这些地区经济、文化、社会的落后状态,缓解以至彻底消灭贫困,不仅关系到逐步缩小东西部地区的差距,而且也关系到社会安定、民族团结、共同富裕以及为全国深化改革创造条件。

1994年初,党中央和国务院决定实施国家《八七扶贫攻坚计划》,即从1994年到2000年,集中人力、物力、财力,动员社会各界力量,力争用七年左右的时间,基本解决8000万农村贫困人口的温饱问题。

由此，中国的扶贫开发进入了最艰巨的攻坚阶段。1996年9月，党中央、国务院作出《关于尽快解决农村贫困人口温饱问题的决定》，要求动员全党和全社会，切实做好扶贫攻坚决战阶段的工作，确保实现在20世纪末基本解决农村贫困人口温饱问题的战略目标。1999年中央再次召开扶贫开发工作会议，制定了《关于进一步加强扶贫开发工作的决定》。

在党中央、国务院的高度重视，社会各界的有力支援和贫困地区广大干部群众的积极努力下，我国扶贫开发工作进展不断加快，贫困人口逐年减少，贫困地区的基础设施和生产生活条件得到明显改善。一些集中连片的贫困地区，如沂蒙山区、井冈山区、大别山区、闽西南地区等革命老区，都在较短的时间内基本解决了温饱问题。重点贫困地区包括部分偏远山区、少数民族地区，面貌也有了很大改变。1999年，全国592个贫困县的农民人均纯收入达到1347元。到2000年，农村贫困人口由1978年的2.5亿人减少到3000万人，①国家“八七”扶贫攻坚计划基本完成。这是党中央在90年代高度重视和加强农村工作取得的显著成就。

在农村改革走过二十年的光辉历程后，1998年10月，党中央召开十五届三中全会，对跨世纪的农村改革和农业发展作出进一步部署，通过了《中共中央关于农业和农村工作若干重大问题的决定》。

这个《决定》从经济、政治、文化三个方面，提出了从20世纪末到2010年建设有中国特色社会主义新农村的奋斗目标，即：在经济上，坚持以公有制为主体、多种所有制经济共同发展，不断解放和发展农村生产力；在政治上，坚持中国共产党的领导，加强农村社会主义民主政治建设，进一步扩大基层民主，保证农民依法直接行使民主权利；在文化上，坚持全面推进农村社会主义精神文明建设，培养有理想、有道德、有文化、有纪律的新型农民。

《决定》指出，实现这样的目标，必须始终把农业放在国民经济发展的首位；必须长期稳定以家庭承包经营为基础、统分结合的双层经营体制；深化农产品流通体制改革，完善农产品市场体系；加快以水利为重点的农业基本建设，改善农业生态环境；依靠科技进步，优化农业和农村经济结构；推进农村小康建设，加大扶贫攻坚力度；加强农村基层民主法制建设；加强农村社会主义精神文明建设；加强农村基层党组织建设和干部队伍建设。

十五届三中全会召开以后，农村改革和农业发展迈出了新的步伐。其中最主要的，就是针对多年来农民负担过重、增收困难、税费制度不合理而进行的农村税费改革。2000年3月2日，中共中央、国务院发出《关于进行农村税费改革试点工作的通知》。主要内容是：取消乡统筹费和农村教育集资，取消屠宰税，取消统一规定的劳动积累工和义务工；调整农业税和农业特产税；改革村提留征收使用办法。

这项改革首先在安徽全省和另外九个省的部分县市进行试点。经过一年多的试点，取得初步成效：大幅度减轻了农民负担；初步规范了农村分配关系，推动了乡镇财税征管体制改革和各项配套改革；促进了农村基层民主政治建设；改善了党群干群关系，维护了农村社会稳定。

① 国务院研究室编：《九届全国人大四次会议“十五”计划纲要报告学习辅导》，中国言实出版社，2001年版，第186页。

实践证明,中央关于农村税费改革的决策完全正确,符合农村实际,深得广大农民的拥护和支持。在此基础上,2001 年 11 月召开的中央经济工作会议又作出决定,2002 年要在总结经验,完善政策,加强指导的基础上,进一步扩大农村税费改革试点的范围。

农村改革的不断深化,有力地促进了农村经济的发展和农民收入的不断增加,为全国的改革和发展,为整个社会主义现代化建设事业,提供了可靠支持和保证。

三

改革开放取得巨大成就

改革开放到世纪之交,国民经济第九个五年计划胜利完成,中国在经济与社会发展、市场化改革、对外开放方面都取得了突出进展,宏观调控方面也积累了丰富的经验。

中国经济与社会全面发展,顺利完成了社会主义现代化建设的第二步战略目标,即在 1995 年提前实现国民生产总值比 1980 年翻两番的基础上,1997 年又比预期目标提前三年实现了人均国民生产总值比 1980 年翻两番的目标,人民生活总体上达到了小康水平,为进一步实现第三步战略目标奠定了良好的基础。

1. 国民经济总量跃上新的台阶

1996－2000 年间,国内生产总值(GDP)年均增长 8.3%,大大高于世界平均 3.8%的增长速度。2000 年 GDP 达到 8.94 万亿元,用当年汇率折合成美元,突破 1 万亿美元。按照当年人口 12.7 亿计算,人均国内生产总值达到 850 美元,进入世界银行划分的下中等收入国家。国家财政收入平均每年增长 16.5%,五年累计超过 5 万亿元,比“八五”时期增加 1.3 倍。从增收的幅度看,“七五”期间财政年均增收 186 亿元;“八五”年均增收 661 亿元,比“七五”增长了 2.6 倍;“九五”年均增收 1428 亿元,比“八五”增长 1.2 倍,其中“九五”前三年年均增收 1211 亿元,1999 年增收 1568 亿元,2000 年增收 1936 亿元,上了一个大台阶。

2. 主要工农业产品产量有较大提高

粮食等主要农产品供给实现了由长期短缺到总量基本平衡、丰年有余的历史性转变。2000 年粮食年生产能力达到 5 亿吨左右的水平;其他主要农产品产量与五年前相比,油料增长 31.1%,水产品增长 70.4%,肉类增长 19.2%。主要工农业产品产量位居世界前列。谷物、油菜籽、花生、肉类、烟叶、水产品、棉花、水果、钢、煤炭、水泥、化肥、电视机等产量位居世界第一,茶叶、羊毛、化学纤维、发电量位居世界第二,甘蔗、黄麻、糖、轮胎、棉布产量位居世界第三。

3. 产业结构调整取得积极进展

农业结构进一步优化,中国农业积极适应市场需求变化,大力调整生产结构,发展多种经营。2000 年在种植业内部,粮食作物播种面积占农作物总播种面积的比重由 1995 年的 73.4%下降到 2000 年的 69.4%,五年下降了 4 个百分点,而经济作物和饲料作物的种植面积明显扩大,占农作物种植面积的比重 2000 年首次上升到 30%以上;在畜禽产品中,草食家畜和家禽的比重继续上升,猪肉的比重下降,猪肉在肉类总产量中的比重由 1995 年的 68.7%下降到 2000 年的 65.8%;在农林牧渔业总产值中,农业的比重由 1995 年的 58.4%下降到 2000 年的 55.7%,林牧渔业的比重则由 41.6%上升到 44.3%。与此同时,农产品品种结构调整步伐加快，高产优质高效农业有较大发展。优质早稻、专用小麦、特用玉米、“双低”油菜、名特优水果和蔬菜等种植面积增加，名特优新养殖产品快速增长。此外，农产品生产区域结构也发生了重大变化，布局进一步向比较优势明显的地区集中，农业生产不断向区域化布局、规模化生产、产业化经营方向迈进。

工业结构调整取得成效。一方面，采取措施淘汰落后和压缩过剩的生产能力。1997年纺织行业以压锭为突破口，三年累计压缩和淘汰落后的1000万棉纺锭的生产能力；冶金行业按照市场需求，限制长线产品生产，淘汰落后工艺设备，关闭小钢铁企业100多户；煤炭行业三年累计取缔和关闭非法及布局不合理的各类小煤矿47300处，压缩产量3.48亿吨；石油化工行业共取缔6000多座土炼油厂，关闭了100多家小炼油厂，压缩原油加工能力1100余万吨；电力行业关停小火电机组305台，压缩装机容量420万千瓦；建材行业到2000年累计关闭小水泥窑3125座，淘汰落后生产能力7933万吨，关闭小玻璃生产线187条，淘汰落后生产能力2592万重量箱；制糖行业共关闭小糖厂150户，淘汰生产能力273万吨。这些总量调控措施使上述行业明显减亏增盈。与此同时，按照增加品种、改善质量、提高效益和替代进口的要求，加快企业技术改造；同时积极发展电子、信息等一大批新兴产业和高新技术产业，培育新的经济增长点。2000年与1995年相比，信息产业年均增长速度超过30%。电子及通信设备制造业产值增加了1.9倍，电子计算机、微型电子计算机和大规模半导体集成电路的产量分别增长了5.1倍、7倍和2.1倍。1999年电子信息产品制造业首次超过纺织、化工、冶金、电力等传统行业，位列工业各行业之首，成为中国工业经济的第一支柱。随着电子信息产业的发展，中国社会经济信息化的程度也迅速提高。中国固定电话网和移动通信网平均每年扩容4600万线，新增用户3700万户，2000年末固定电话网和移动电话网规模均居世界第二位。

第三产业稳定增长，对经济增长的拉动作用有所增强。第三产业增加值由“八五”末期的17947.2亿元增加到29878.7亿元，净增11931.5亿元，按可比价计算年均增长8.2%；占国内生产总值的比重由30.7%提高到33.4%，上升了2.7个百分点；第三产业对新增GDP的贡献率达到38.5%。第三产业就业增长迅速，成为吸收就业的主要渠道。第一产业增加了513万人，第二产业增加了564万人，第三产业则增加了2943万人，占全部新增就业的73.2%。第三产业不仅吸纳了大量新增的劳动力，而且还吸收了部分第一、二产业转移出来的劳动力。到2000年底，全社会从业人员共72085万人，其中第一产业为36043万人，占50%；第二产业为16219万人，占22.5%；第三产业为19823万人，占27.5%。与1995年相比，第一产业就业比重下降2.2个百分点，第二产业下降了0.5个百分点，第三产业则上升了2.7个百分点。

基础产业和基础设施建设成绩显著，“瓶颈”制约得到缓解。在积极财政政策的持续作用下，20世纪的最后五年，全社会固定资产投资总规模达13.87万亿元，集中力量办成了一些多年想办而未办成的大事。城乡基础设施方面：新建城市道路1308公里，新增城市日供水能力1887万吨，日污水处理能力824万吨，日垃圾处理能力3.13万吨；利用国债资金加固大江大河大湖堤防1.64万公里，建成中央储备粮库仓容500多亿斤，新建和改造农村电网高、低压线路近200万公里。能源工业方面:新增天然气开采能力150亿立方米,新增原油开采能力5900万吨,新增大中型发电机组容量9400万千瓦,新增原煤开采能力9600万吨。交通运输方面:新建铁路主线正线交付运营里程6140公里,增建铁路复线交付运营里程4365公里。公路建设新增通车里程24万公里,新建高速公路1.15万公里。2000年末中国公路总里程达到140万公里,其中高速公路1.62万公里,居世界第三。全国98.3%的乡镇、90.1%的行政村通达公路。新建、扩建和改造民航机场40个,其中枢纽和干线机场22个,新增航线里程39万公里。新增内河千吨级以上航道1140公里,新增沿海港口万吨以上泊位180个。通信设施方面:基本实现了以"八纵八横"光缆为主体的省际干线传输网的建设,数字微波和卫星通信也得到长足发展。

4.区域发展战略作出重大调整

中国政府将区域经济协调发展放到一个新的高度来认识,并对区域发展战略和区域政策重新作了调整。1999年党中央、国务院提出实施西部大开发战略,进而出台了一系列有利于区域协调发展的重大举措,区域协调发展获得了前所未有的动力。这期间,东部与中西部地区的GDP增长速率差距缩小并出现了持平的趋势。在此阶段东部地区的GDP年均增长率降为10.43%,西部地区的GDP增长速度则始终维持在9.77%的较高水平,中部地区的GDP增长速度也出现了下降趋势,但其下降幅度明显慢于东部地区,该阶段其GDP年均增长率为10.1%。到20世纪末,三大地带的GDP增长速度基本持平,东中西部地区以大体相近的速度向协调化方向迈进。随着整体经济实力的增强,中西部地区出现了一系列经济快速增长的亮点区域。同20世纪90年代前期相比,后五年期间区域发展速度高于全国GDP平均增长速度的中西部省市增加了5个,达到13个;相比于其他省市,湖北、安徽、宁夏、河南、江西等省的发展速度更为突出,已基本接近东部省市的发展速度。西安、重庆、成都、昆明、乌鲁木齐等城市业已成为中西部地区辐射功能强大的经济核心,长江、黄河、新亚欧大陆桥、京九铁路和南昆铁路也逐渐确立了在中西部地区的发展主轴线地位。

5.居民收入稳步增长

2000年,城镇居民家庭人均可支配收入和农村居民家庭人均纯收入分别达到6280元和2253元,剔除价格变动因素,五年均增长5.8%和4.7%。居民消费水平提高,生活条件改善。2000年城镇居民家庭人均消费性支出和农村居民家庭人均生活消费支出分别为4998元和1670元,与1995年的3538元和1310元相比,分别增长41.3%和27.5%。城镇居民消费中,食物性消费的比重(恩格尔系数)由1995年的49.9%降低到2000年的39.2%,下降了10.7个百分点;同时,人均粮食消费量下降了15.2%,而牛羊肉、禽类、水产品、蛋类的消费量则分别增长10.9%~37.5%,鲜乳品及酸奶增加1.3倍。在农村,食物性消费所占比重,即恩格尔系数由58.6%下降到49.1%,下降了9.5个百分点。

居民金融资产大幅增加。到2000年底城乡居民储蓄存款余额达6.4万亿元,比1995年增长1.2倍;股票、债券等其他金融资产也迅速增加,2000年人均购置有价证券43元,比1995年增长45.7%。农村贫困人口大幅减少,"八七"扶贫攻坚目标基本实现。"九五"期间,中央投向扶贫领域的资金累计高达940多亿元,是"八五”期间的2.4倍。全国未解决温饱问题的贫困人口从1995年的6500万人减少到2000年的3000万人，农村贫困发生率下降到3%左右。到2000年底，贫困地区通电、通路、通邮、通电话、广播电视覆盖的行政村分别达到95.5%、89%、69%、67.7%和95%。

6. 科技教育加快发展，社会事业全面进步

(1)科技体制改革迈出坚实步伐。20世纪最后五年间，累计科技经费投入5828亿元，每年平均取得科技成果3万余项。两系法杂交水稻技术、水稻基因图谱的绘制、体细胞克隆羊的诞生、转基因试管牛的问世以及重大疾病的基因测序和诊断治疗等技术的突破，使中国生物技术总体水平接近发达国家；高清晰度电视、“神威”计算机、12英寸单晶硅材料、6000米无缆自制水下机器人的研制成功，皮肤干细胞再生技术、纳米技术等重大成就的取得，使中国在相应领域跃入世界先进行列。五年间，选育粮食、经济作物、蔬菜品种上千个，普遍增产10%以上，农业新技术得到了广泛的推广应用，有力地促进了农业科技进步。工业科技在数字程控交换机、镍氢电池、非晶材料等方面取得了重大技术突破，提升了中国重点产业技术水平；计算机辅助设计(CAD)、计算机集成制造系统(CIMS)等一大批重大共性技术的推广应用，大幅度提高了企业技术创新能力。

(2)教育全面发展。2000年全国普及九年义务教育的人口覆盖率达到85%，比1995年的36.2%明显提高。小学学龄儿童入学率达99.1%。初中阶段在校学生达到6256万人，比1995年增长32%，初中毛入学率达到88.6%。青壮年文盲率下降到5%以下，基本普及九年义务教育和基本扫除青壮年文盲的目标初步实现。高中阶段教育得到较大规模发展，平均每年招生753万人，比“八五”增长36%。2000年全国普通高校招生数达到220.6万人，比1995年增长138%，在校学生数达到556.1万人，增长91%。在学研究生人数和招生数分别达到30.12万人和12.85万人，比1995年增长107%和151%。高等教育规模的扩大，使中国高等教育毛入学率在1999年突破了10%，2000年提高到11%左右。

(3)积极实施可持续发展战略，人口、资源、环境、生态工作得到进一步的重视和加强。在人口控制方面，到2000年底，全国人口总数为12.66亿，实现了到2000年将全国人口规模控制在13亿以内的目标。人口自然增长率由1995年的10.55‰下降到2000年的8.7‰。在资源合理利用和保护方面，实行基本农田保护和耕地占补平衡制度，以遏制耕地逐渐减少的势头；依法关闭了一批破坏资源的小煤窑、小炼油厂、小矿山，促进了矿产资源的保护；在加强水资源管理、开展节水工程，以及其他资源的节约和合理开发利用方面也都取得了一些进展。在防治环境污染方面，结合产业结构调整和技术改造，关闭技术落后、质量低劣、浪费资源、污染严重的小厂小矿8.4万家，对降低污染物排放总量，控制环境质量恶化局面起到了重要作用。同时大力推进“一控双达标”(控制主要污染物排入总量，工业污染源排放达标和重点城市的环境质量按功能区达标)工作，全面展开“三河”(淮河、海河、辽河)、“三湖”(太湖、滇池、巢湖)水污染防治，“两控区”(酸雨污染控制区和二氧化硫污染控制区)大气污染防治、一市(北京市)、“一海”(渤海)的污染防治，环境污染防治取得阶段性进展。12项主

要污染物2000年排放总量比1995年下降了10%～15%。到2000年底，47个环境保护重点城市中，近20个城市的空气和地面水质量可以按功能区达标。1997年实现了淮河流域工业企业水污染源的达标排放，1998年又实现了太湖流域工业企业水污染源的达标排放，滇池和巢湖也已基本实现了全流域工业企业水污染源的达标排放。“两区”二氧化硫排放量有较大幅度削减，达80万吨。首都的环境质量得到改善。可以说，“九五”期间，全国环境污染加剧的趋势开始得到控制，大部分城市和地区的环境质量有所改善。

在生态保护方面，在继续加强实施“三北”防护林、长江中上游防护林、沿海防护林等建设工程的同时，从1998年起，国家启动了天然林资源保护工程和重点地区生态环境建设综合治理工程；结合西部大开发，在长江、黄河中上游地区开展了“退耕还林（草）”试点，采取封山育林、荒山绿化、控制草原过度放牧等综合性措施，恢复植被；积极开展全国自然保护区和农村生态示范区的建设，建成各类自然保护区1000多个，自然保护区总面积达到9821万公顷，占国土总面积的9.9%，县、乡、村各级生态农业试点达到2000多个；进一步加强水土保持和小流域综合治理，全国治理面积连续几年超过5万平方公里。同时重点加强了环境法制建设，增加环保的资金投入（1999年环保投入占GDP比重首次达到1%），加强了环保科研，培育环保产业，拓展有关国际合作。

（4）文化、卫生、体育等各项社会事业继续发展。到2000年底，中国广播人口覆盖率和电视人口覆盖率分别达到92.5%和93.7%，比1995年分别提高13.7个百分点和9.2个百分点。医疗保险体制改革和医疗卫生体制改革迈出新的步伐，城镇社区卫生服务、农村合作医疗和初级卫生保健体系得到发展，居民的健康水平有了新的提高。全国卫生机构总数达32万个，增加13万个；城乡每万人拥有医生数17人，增加1人；人均预期寿命达到71—72岁，居民主要健康指标居发展中国家前列。体育战线捷报频传，全民健身形成热潮。

重大事件

邓小平南方谈话

1992年春邓小平的南方谈话，是对党的十一届三中全会以来的基本理论和实践的深刻总结，是改革开放和现代化建设推进到新阶段的宣言书，根据邓小平南方谈话精神，中共中央和国务院作出一系列战略部署，中国大地迅速掀起改革开放和加速发展的新一轮热潮。

一

20世纪90年代初中国改革开放基本状况

1989年至1991年是中国经济治理整顿时期。

三年治理整顿取得成效。突出的一点是经济基本恢复了正常的发展速度。国内生产总值比上年增长的数字为1988年为11.3%，1989年降至4.1%，1990年进一步降至3.8%，1991年增速恢复到9.2%。

这个凹形曲线反映的一是投资需求和消费需求双膨胀的局面明显缓解，严重的通货膨胀得到有效的控制。治理整顿的三年，社会总需求超过总供给的平均供需差率由1985年至1988年的11.8%，缩小到8%左右。商品零售物价指数由1988年的118.5逐步降至1989年的117.8和1990年的102.1、1991年的102.9。

二是流通领域的混乱现象得到整顿。经过清理整顿，党政机关所办的各种公司绝大多数已经撤销或同机关脱钩，一批在公司中兼职的国家机关工作人员从公司中退出，价格混乱现象也得到比较有效的治理。

三是产业结构调整取得一定的成效。

农业、能源、交通、原材料等产业部门均获得不同程度的发展，而一直处于长线的加工工业则受到一定的限制，国民经济各部门发展不平衡的状况得到改善。

三年治理整顿正好跨“七五”计划（1986－1990）时期。在国家和各类投资主体的努力之下，“七五”时期成为中国基础设施建设投资增长最为迅速的时期之一。特别是由于能源的短缺引起了各方面的重视，对能源工业的投资比“六五”时期增长1.92倍，使其占基本建设投资的比重达到27.5％，增长了7.1个百分点，其中1990年的比重达到32.8％。邮电的投资增长1.71倍，比重增加了0.2个百分点；交通运输投资的比重虽然下降了0.6个百分点，但投资量也增长了1.05倍。能源、交通、邮电投资占基本建设投资的比重达到403％，超过了“七五”计划2.9个百分点。①

在治理同时，外贸和利用外资方面取得比较大的进展。1990年全国外贸进出口总额在继续增长的同时，首次实现顺差87.4亿美元，国家结存外汇由此进入了持续增长时期。1989年至1991年，中国实际利用外资额达318.02亿美元，是改革开放十三年历史中利用外资额最多的阶段。与此同时，1989年和1990年粮食生产都获得丰收，从而结束了农业生产从1985年到1988年连续四年徘徊的局面。

但是，治理整顿最后攻坚阶段的主要任务是调整结构、提高效益，这一任务并没有取得明显的成效。

三年治理整顿是中国改革开放历史过程中一个特殊的承上启下阶段，它不但恢复了经济发展的势头，而且创造了一个相对宽松的经济环境。在治理整顿期间，形成了持续、稳定、协调发展国民经济的指导思想，这对20世纪90年代国民经济的发展具有重要的意义。为1992年以后中国经济的快速发展和经济体制改革的重大突破打下了良好的基础。

经济环境和经济秩序由乱到治的过程，也使一些人产生了一种误解，似乎经济过热现象是因为计划体制的削弱引起的，而恢复使用过去惯用的行政干预的手段并迅速产生效果，似乎也证明了还是计划经济具有较大的优越性。因此，在治理整顿时期，理论界在改革方向这个关键问题上产生了严重的分歧，出现了改革的“市场取向”和“计划取向”之争。有些人主张放弃十三大提出的“国家调节市场，市场引导企业”的方针，要在改革中加大计划经济的分量。进而有人提出改革开放究竟是姓“社”还是姓“资”的问题。这种认识，成为20世纪90年代初期实现经济体制改革要突破的思想障碍。

二

邓小平对中国改革开放的思考

从80年代末开始，几乎每一个冬天邓小平都要去上海过春节，看一看上海这个南中国经济中心的建设情况。应该说，邓小平对上海的工作是很满意的，对上海寄予了很大的希望，并把上海作为全国的一个重要的特定地区来看，进而考虑全国的问题。

1990年春节，邓小平提出，请上海的同志思考一下，能采取什么大的动作，在国际上树立我们更加改革开放的旗帜。2月13日晚，邓小平离开上海返回北京。在

① 曾培炎主编：《新中国经济50年》，中国计划出版社，1999年版，第322页。

前往火车站的途中，他建议时任上海市委书记、上海市市长的朱镕基开发浦东，说你搞晚了。但现在搞也快，上海条件比广东好，你们的起点可以高一点。从80年代到90年代，我就在鼓动改革开放这件事。胆子要大一点，怕什么。他还主张浦东开发要有优惠政策。①

3月3日，邓小平在住地同江泽民、杨尚昆、李鹏谈话，指出，我们要真正扎扎实实地抓好这十年建设，不要耽搁。现在特别要注意经济发展速度滑坡的问题，我担心滑坡。世界上一些国家发生问题，从根本上说，都是因为经济上不去。如果经济发展老是停留在低速度，生活水平就很难提高。人民现在为什么拥护我们？就是这十年有发展，发展很明显。假设我们有五年不发展，或者是低速度发展，这不只是经济问题，实际上是个政治问题。他说：最根本的因素，还是经济增长速度，而且要体现在人民的生活逐步地好起来。要实现适当的发展速度，不能只在眼前的事务里面打圈子，要用宏观战略的眼光分析问题，拿出具体措施。机会要抓住，决策要及时。比如抓上海，就是一个大措施。上海是我们的王牌，把上海搞起来就是一条捷径。邓小平在谈到农业问题时说：中国社会主义农业的改革和发展，从长远的观点看，要有两个飞跃。第一个飞跃，是废除人民公社，实行家庭联产承包为主的责任制。这是一个很大的前进，要长期坚持不变。第二个飞跃，是适应科学种田的生产社会化的需要，发展适度规模经营，发展集体经济。这是又一个很大的前进，当然这是很长的过程。他最后指出：中国能不能顶住霸权主义、强权政治的压力，坚持我们的社会主义制度，关键就看能不能争得较快的增长速度，实现我们的发展战略。② 在这次谈话中，邓小平强调发展经济要有速度。

3月28日至4月7日，受江泽民、李鹏委托，姚依林带领国务院有关部门负责人在上海对浦东开发问题进行专题研究。4月18日，李鹏在上海视察时正式宣布中共中央、国务院同意上海开放浦东，在浦东实行经济技术开发区和某些经济特区的政策。6月2日，中共中央、国务院批复同意上海市委、上海市政府《关于开发和开放浦东问题的请示》，指出，开发和开放浦东是深化改革、进一步实行对外开放的重大部署，必将对上海和全国的政治稳定与经济发展产生重要的影响。

12月24日，邓小平同江泽民、杨尚昆、李鹏谈话。谈到改革问题时指出：我们必须从理论上搞懂，资本主义与社会主义的区分不在于是计划还是市场这样的问题。社会主义也有市场经济，资本主义也有计划控制。不要以为搞点市场经济就是资本主义道路，没有那么回事。计划和市场都要搞。不搞市场，连世界上的信息都不知道，是自甘落后。他又指出：不要怕冒一点风险。我们处理问题，要完全没有风险不可能，冒点风险不怕。改革开放越前进，承担和抵抗风险的能力就越强。邓小平还谈到沿海如何帮助内地发展、共同富裕、稳定压倒一切等问题。③ 在这次谈话中，邓小平明确指出要从理论上搞懂，计划和市场问题不是区分资本主义与社会主义的标准。

1991年春节，邓小平再次来到上海。

① 冷溶、汪作玲主编：《邓小平年谱》(1975—1997)下，中央文献出版社，2004年版，第1307—1308页。
② 同上书，第1309—1310页。
③ 同上书，第1322—1324页。

1月28日，抵达上海的晚上，他同朱镕基谈到浦东开发问题，说：浦东开发至少晚了五年。浦东如果像深圳经济特区那样，早几年开发就好了。开发浦东，不只是浦东的问题，是关系上海发展的问题，是利用上海这个基地发展长江三角洲和长江流域的问题。

1月31日，邓小平视察上海航空工业公司，听取公司负责人汇报时说：闭关自守不行。"文化大革命"时有个"风庆轮事件"，我跟"四人帮"吵过架，才一万吨的船，吹什么牛！1920年我到法国去留学时，坐的就是五万吨的外国邮船。现在我们开放了，十万、二十万吨的船也可以造出来了。①

2月6日上午，邓小平视察上海大众汽车公司等，指出：如果不是开放，我们生产汽车还会像过去一样用锤子敲敲打打，现在大不相同了，这是质的变化。质的变化反映在各个领域，不只是汽车这个行业。不开放坚决不行，现在还有好多障碍阻挡着我们。在视察途中，当陪同的朱镕基谈到外滩的一些大楼，新中国成立前是银行大楼，新中国成立后是政府办公楼，这些楼可以租赁给外资银行，但又有顾虑时，邓小平说：我赞成！你们试一试，什么事情总要有人试第一个，才能开拓新路。试第一个就要准备失败，失败也不要紧。当朱镕基说到还有不少人认为合资企业不是民族工业，害怕它的发展等问题时，邓小平说：说"三资"企业不是民族经济，害怕它的发展，这不好嘛。发展经济，不开放是很难搞起来的。世界各国的经济发展都要搞开放，西方国家在资金和技术上就是互相融合、交流的。改革开放还要讲，我们的党还要讲几十年。会有不同意见，但那也是出于好意，一是不习惯，二是怕，怕出问题。光我一个人说话还不够，我们党要说话，要说几十年。当然，太着急也不行，要用事实来证明。当时提出农村实行家庭联产承包，有许多人不同意，家庭承包还算社会主义吗？嘴里不说，心里想不通，行动上就拖，有的顶了两年，我们等待。不要以为，一说计划经济就是社会主义，一说市场经济就是资本主义，不是那么回事，两者都是手段，市场也可以为社会主义服务。② 这次谈话，邓小平形象地讲了开放的意义，并且再次强调市场也可以为社会主义服务的观点。2月18日，邓小平视察正在建设中的南浦大桥工地，说：抓紧浦东开发，不要动摇，一直到建成。只要守信用，按照国际惯例办事，人家首先会把资金投到上海，竞争就要靠这个竞争。我们说上海开发晚了，要努力干啊！还指出：金融很重要，是现代经济的核心。金融搞好了，一着棋活，全盘皆活。上海过去是金融中心，是货币自由兑换的地方，今后也要这样搞。中国在金融方面取得国际地位，首先要靠上海。希望上海人民思想更解放一点，胆子更大一点，步子更快一点。③

《解放日报》以《做改革开放的"带头羊"》(2月15日)、《改革开放要有新思路》(3月2日)、《扩大开放的意识要更强些》(3月22日)、《改革开放需要大批德才兼备的干部》(4月12日)为题连续发表了四篇社论，把邓小平在上海谈话的精神透露出来。在当时的思想界和理论界引起一些议论。有的人是出于担忧：党的"一个

① 冷溶、汪作玲主编：《邓小平年谱》(1975—1997)下，中央文献出版社，2004年版，第1325—1326页。

② 同上书，第1326—1327页。

③ 同上书，第1328页。

中心、两个基本点”的基本路线还要不要坚持？中国的改革开放要不要坚持？中国的发展能不能加快？有的人则是责难和反诘。说明当时的思想状况确实有必要“思想更解放一点”。

三

邓小平南方谈话

1991年治理整顿结束和“七五”计划完成后的中国，又走到一个重要而关键的时期。在党和国家历史发展的重要关头，1992年1月18日到2月21日，88岁高龄的邓小平，先后视察了武昌、深圳、珠海、上海等地。在视察途中，他就坚定不移地贯彻执行党的“一个中心、两个基本点”的基本路线，坚持走有中国特色的社会主义道路，特别是抓住当前有利时机，加快改革开放的步伐，集中精力把经济建设搞上去，什么是社会主义、怎样建设社会主义等一系列重大问题，发表了极为重要的谈话，明确回答了改革开放以来经常困扰和束缚人们思想的许多重大理论问题。

1. 强调要坚持党的基本路线一百年不动摇

路线问题，特别是党的基本路线，是关系到党的命运和社会主义事业成败的核心问题。党的路线就是党的主要行动纲领，就是一面旗帜。制定一条好的正确的路线不容易，是要经过许多成功与曲折，甚至经历一些失败，付出长期和惨重的代价后，才能制定出来的。而这条路线一经制定出来，并经实践反复检验是正确的，就应该坚持不动摇，并且长期坚持下去，才能把党从事的事业推向前进。邓小平说：在短短的十几年，我们国家发展得这么快，使人民高兴，世界瞩目，这就足以证明三中全会以来路线、方针、政策的正确性，谁想变也变不了。邓小平还强调：说过去说过来，就是一句话，坚持这个路线、方针、政策不变。① 邓小平讲这些话是有很强的针对性的，在当时社会上，确有一股否定改革开放的社会思潮，也有一股否定四项基本原则的思潮，已经产生了不可低估的影响。因此，邓小平要求全党基本路线要管一百年，动摇不得。要坚持党的十一届三中全会以来的路线、方针、政策，关键是坚持“一个中心，两个基本点”。邓小平1月20日在深圳视察时对广东省和深圳市的负责同志说：不坚持社会主义，不改革开放，不发展经济，不改善人民生活，只能是死路一条。

2. 概括了社会主义的本质问题

邓小平指出：社会主义的本质，是解放生产力，发展生产力，消灭剥削，消除两极分化，最终达到共同富裕。② 基于对社会主义本质这样的认识，邓小平鲜明地指出计划多一点还是市场多一点，不是社会主义与资本主义的本质区别。计划经济不等于社会主义，资本主义也有计划；市场经济不等于资本主义，社会主义也有市场。邓小平的这一论述与他在70年代末和80年代初关于市场经济性质和作用的一系列观点是一脉相承的，是进一步的发展。邓小平说：革命是解放生产力，改革也是解放生产力……社会主义基本制度建立以后，还要从根本上改变束缚生产力发展的经济体制，建立起充满生机和活力的社会主义经济体制，促进生产力的发

---

① 邓小平南方谈话的内容均引自《邓小平文选》第三卷，人民出版社，1993年版，第371页。

② 陈锡添：《东方风来满眼春——邓小平同志在深圳纪实》，见《深圳特区报》，1992年3月26日。

展，这是改革，所以改革也是解放生产力。过去，只讲在社会主义条件下发展生产力，没有讲还要通过改革解放生产力，不完全。应该把解放生产力和发展生产力两个讲全了。

3. 如果不敢闯，改革开放也是搞不好的

邓小平1月22日在深圳市与广东省和深圳市负责同志谈话时说：没有一点闯的精神，没有一点“冒”的精神，没有一股气呀、劲呀，就走不出一条好路。走不出一条好路，就干不出新的事业。

很显然，邓小平把能否大胆改革开放，看做能否走出一条中国特色社会主义道路的根本问题，他把能否在改革开放方面大胆地试、大胆地闯，上升到相当高的政治高度来看，认为搞改革开放敢不敢“闯”，事关中国的前途命运。只有大胆地闯大胆地试，建设中国式社会主义的经验才会一天比一天丰富。

邓小平在分析改革开放迈不开步子的原因时，一针见血地指出：说来说去就是怕资本主义的东西多了，走了资本主义道路。要害是姓“资”还是姓“社”的问题。邓小平为了解决人们思想上的顾虑，提出了判断姓“社”姓“资”的三条标准：判断的标准，应该主要看是否有利于发展社会主义社会的生产力，是否有利于增强社会主义国家的综合国力，是否有利于提高人民的生活水平。邓小平依据这三条标准指出，特区姓“社”不姓“资”。他说：对办特区，一开始就有不同意见，担心是不是搞资本主义。深圳的建设成就，明确回答了那些有这样那样担心的人。邓小平为了进一步消除人们对加快改革开放的疑虑，以深圳为例，说明了国家吸收外资对社会主义是有好处的。从深圳的情况看，公有制是主体，外商投资只占四分之一，就是外资部分，我们还可以从税收、劳务等方面得到益处嘛！多搞点“三资”企业，不要怕。只要我们头脑清醒，就不怕。我们有优势，有国营大中型企业，有乡镇企业，更重要的是政权在我们手里。邓小平在讲话中还批驳了那些认为多一分外资就是多一分资本主义，三资企业多了，就是资本主义多了，就是发展资本主义的人，“连基本常识都没有”。邓小平指出：按照现行的法规政策，外商总是要赚些钱，但更主要的是“三资”企业给国家带来了好处：国家还要拿回税收，工人还要拿回工资，我们还可以学习技术和管理，还可以得到信息、打开市场。因此，“三资”企业受到我国整个政治、经济条件的制约，是社会主义经济的有益补充，归根到底是有利于社会主义的。邓小平认为，要加快改革开放必须彻底打破束缚人们头脑的对每走一步都要考虑一下姓“社”姓“资”的忧虑，必须准确说明什么是社会主义，必须揭示社会主义的本质。

从十一届三中全会后进行的一系列的经济体制改革，实际上都是一步步走向市场经济体制的，不过只是邓小平关于市场经济的论述一开始并没有被全党所认识，并公开写在党的文件上。这说明对一个重大的、正确的、具有决定性意义的观点的接受，有一个过程。这次邓小平关于计划和市场的论述，为全党大张旗鼓地进行以市场经济体制为改革取向的经济体制改革，奠定了理论基础。邓小平关于社会主义本质和市场与计划的论述，极大地解放了人们的思想。只要符合社会主义的本质，就可以大胆地干，而社会主义的本质又被邓小平概括得如此清晰可见，人们心里有了底。市场也是经济手段，社会主义也可以用，如此明确的论断，使一切希望加快中国特色社会主义建设的人们，对改革开放的信心和决心大大增加了。

邓小平为了进一步解开束缚改革开放步伐的枷锁，还专门讲到了防“左”的问题。他指出：现在，有右的东西影响我们，也有“左”的东西影响我们，根深蒂固的还是“左”的东西……中国要警惕右，但主要是防止“左”。邓小平这一论断指出了当时中国政治气候和舆论环境的症结之所在，为人们大胆地解放思想注入了强大的动力。

4. 重点讲了经济发展的速度问题

邓小平指出：抓住时机，发展自己，关键是发展经济。邓小平认为：要抓住机会，现在就是好机会。邓小平是在对当时国际形势科学分析和比较的基础上，结合中国当时的实际，看待抓住时机发展自己问题的。应该说，制定并坚持一条正确的路线，采取正确的步骤，抓住时机，尽最大的努力，争取经济发展的较高速度，实现预期的在下一个世纪中叶达到中等发达国家水平的雄心壮志，是邓小平的一贯思想。他是最讲实事求是的，他认为不应盲目追求高速度，但也绝不应放弃加速发展国家经济的机遇而放慢经济发展速度。对于中国这样一个发展中国家来说，邓小平的这一思想是完全正确的。我们如果不抓住时机加快发展自己，中国就没有希望。在我国1989年至1991年进行治理整顿的三年，周边一些国家以及香港和台湾地区发展速度就比我们快。在中国这样的一个国家，速度低于5%，许多社会问题就会严重起来。在当时，国际环境和国内条件允许争取较高的发展速度，因此，邓小平对有关同志说：能发展就不要阻挡，有条件的地方要尽可能搞快点，只要是讲效益，讲质量，搞外向型经济，就没有什么可以担心的。低速度就等于停步，甚至等于后退。要抓住机会，现在就是好机会。我就担心丧失机会。不抓呀，看到的机会就丢掉了，时间一晃就过去了。邓小平指出，我国的经济发展，总要力争几年上一个台阶，而且也可以办到，这是一个规律，1984年至1989年五年，国家经济就上了一个大台阶。从国际经验来看，一些国家在发展过程中，都曾经有过高速发展时期，或若干高速发展阶段。日本、韩国、东南亚一些国家和地区，就是如此。现在我们国内条件具备，国际环境有利，再加上发挥社会主义制度能够集中力量办大事的优势，在今后的现代化建设长过程中，出现若干个发展速度比较快、效益比较好的阶段，是必要的，也是能够办到的。我们就是要有这个雄心壮志！

对于如何实现经济快一点发展，邓小平指出：必须依靠科技和教育。邓小平历来对教育科技十分重视。1988年9月他就提出了“科学技术是第一生产力”的著名论断。这是对马克思主义关于科学技术是生产力观点的一个重大发展。现在世界经济和科技的发展越来越证明，邓小平这一论断是无比正确的，这一论断对推动我国科技和经济的发展起了重大的作用。邓小平在这次视察南方的重要谈话中再次强调了科技和教育对发展经济的重大作用，更加发人深省。邓小平说：近一二十年来，世界科学技术发展得多快啊！高科技领域的一个突破，带动一批产业的发展。我们自己这几年，离开科学技术能增长得这么快吗？要提倡科学，靠科学才有希望。邓小平还充满深情地说：搞科技，越高越好，越新越好。越高越新，我们也就越高兴。不只我们高兴，人民高兴，国家高兴。邓小平在讲到科技和教育的极端重要性时还强调：“老科学家、中年科学家很重要，青年科学家也很重要。”他还特地讲到对出国学习人员应采取的正确态度：希望所有的出国学习的人回来。不管他们过去的政治态度怎么样，都可以回来，回来后妥善安排。这个政策不能变。

5. 坚持两手抓，两手都要硬

邓小平指出，在建设中国特色社会主义的整个过程中，要坚持两手抓，一手抓改革开放，一手抓打击各种犯罪活动。这两手都要硬。对各种犯罪活动和各种丑恶现象，不能手软。搞中国特色的社会主义，不仅经济要上去，社会风气和社会秩序也要搞好。邓小平在讲话中指出，要一手抓改革开放，一手抓反对腐败，在整个改革开放过程中都要反对腐败。为了反对腐败，必须把廉政建设作为大事来抓。反腐败要靠法制。邓小平要求全党，在整个改革开放过程中，必须始终坚持四项基本原则。邓小平说：社会主义建设必须靠人民民主专政来保卫，这没有输理的地方，巩固和发展社会主义制度更需要几代人、十几代人，甚至几十代人坚持不懈地努力奋斗，决不能掉以轻心。

6. 强调正确的政治路线要靠正确的组织路线来保证

邓小平告诫全党，中国问题的关键是选好人。他说：现在还要继续选人，选更年轻的同志，帮助培养……他们成长起来，我们就放心了。邓小平指出：中国的事情能不能办好，社会主义的改革开放能不能坚持，经济能不能快一点发展起来，国家能不能长治久安，从一定意义上说，关键在人。邓小平所说的人当然是全党、全军、全国人民，要教育好他们，但主要是指共产党员。共产党内部要不出问题，因为中国共产党是执政党，“中国要出问题，还是出在共产党内部”。因此，邓小平强调要培养好、选拔好党的干部，要按照“革命化、年轻化、知识化、专业化”的标准，选拔德才兼备的人进班子。他指出：我们说党的基本路线要管一百年，要长治久安，就要靠这一条。真正关系到大局的是这个事。这是眼前的一个问题，并不是已经顺利解决了，希望解决得好。邓小平为了使全党高度重视这个问题，再次重申：我在 1989 年 5 月底还说过，现在就是要选人民公认是坚持改革开放路线并有政绩的人，大胆地放进新的领导机构里，使人民感到我们真心诚意搞改革开放。人民，是看实践。人民一看，还是社会主义好，还是改革开放好，我们的事业就会万古长青……说到底，关键是我们共产党内部要搞好，不出事。邓小平在讲话中对党的干部提出要讲实事求是，要坚持实事求是，无论是革命和建设的成功，都要靠实事求是，“实事求是”是马克思主义的精髓。

7. 论述了社会主义必然代替资本主义是历史发展不可逆转的总趋势，但道路是曲折的

邓小平说：资本主义发展了几百年，我们干社会主义才多长时间！何况我们还耽误了 20 年。一些国家出现严重挫折，社会主义好像被削弱了，但人民经受锻炼，从中吸取教训，将促使社会主义向着更加健康的方向发展。邓小平要求全党从现在起到下一个世纪中叶，要埋头苦干，我们肩膀上的担子重，责任大啊！邓小平讲这些话，是向全党指出社会发展规律，要求全党结合中国的社会主义实践，推动世界社会主义运动的发展。

8. 强调和平与发展仍是世界的两大主题

邓小平在视察南方的重要谈话中谈到社会主义的前途时，还对世界局势进行了分析，认为在和平与发展仍是世界的两大没有解决的问题的情况下，中国应该用自己的实践证明中国是维护世界和平的

坚定力量，中国反对霸权主义和强权政治，永不称霸。邓小平视察南方的重要谈话，不仅涉及以前建设中国特色社会主义的几乎所有重大问题，并进一步作了更加明确的概括和叙述，深化了他原有的理论，而且在分析了新情况的基础上回答了新问题，提出了新观点，把中国特色社会主义理论推向了一个新的阶段。因此，邓小平视察南方的重要谈话，是邓小平建设有中国特色社会主义理论的概括，是新一轮解放思想的动员令，是推动建设中国特色社会主义进入新阶段的宣言书，其重大意义是十分深远的。邓小平视察南方的重要谈话的部分内容，是在东欧和苏联发生历史性的剧变，世界社会主义运动遭受了十分严重的挫折，西方对中国的压力空前加大，中国国内"左"的思潮在舆论的一些领域占据了主导地位，改革开放遇到了前所未有的困难和挑战的情况下，首先通过香港等地区媒体公开报道而披露的。他1992年1月19日到达深圳并开始考察和发表谈话，与新华社香港分社关系密切的香港《文汇报》和《大公报》，在1月22日后便连续跟踪报道了邓小平在深圳和珠海经济特区活动的情况和谈话的内容。在国内，邓小平视察南方的重要谈话迅速成为消息灵通人士，进而成为知识阶层，甚至许多城市居民交谈的重要内容。之后，中国大地改革开放的春雷声声，春潮阵阵，中国进入了改革开放的新阶段。

邓小平视察南方的重要谈话，是对党的十一届三中全会以来的基本理论和基本实践的深刻总结，它科学回答了长期束缚人们思想的许多重大认识问题，是把改革开放和现代化建设推进到新阶段的又一个解放思想、实事求是的宣言书。

中国共产党第十四次全国代表大会

一

中共十四大概述

1992年10月12日至18日，中国共产党第十四次全国代表大会在北京召开。参加这次大会的正式代表1989人，特邀代表46人，代表全国5100万党员。不是十四大代表的十三届中央委员会及中央顾问委员会、中央纪律检查委员会的成员，不是十四大代表或特邀代表的党内部分老同志，以及其他有关负责同志307人列席了这次大会。

大会还邀请了全国人大常委会党外副委员长、全国政协党外副主席、各民主党派、全国工商联负责人和无党派人士，以及全国人大、全国政协常委中在京党外人士和部分少数民族、宗教界人士等139人，作为来宾列席了大会开幕式和闭幕式。

这次代表大会的主要任务是，以邓小平同志建设有中国特色社会主义的理论为指导，认真总结十一届三中全会以来14年的实践经验，确定今后一个时期的战略部署，动员全党同志和全国各族人民，进一步解放思想，把握有利时机，加快改革开放和现代化建设步伐，夺取有中国特色社会主义事业的更大胜利。

大会的议程是：听取和审查第十三届中央委员会的报告；审查中央顾问委员会的报告（书面）；审查中央纪律检查委员会的报告（书面）；审议并通过中国共产党章程（修正案）；选举第十四届中央委员会；选举新一届中央纪律检查委员会。

李鹏主持大会开幕式，江泽民代表十三届中央委员会作工作报告。大会审议并批准了江泽民代表第十三届中央委员会所作的题为《加快改革开放和现代化步伐，夺取有中国特色社会主义事业的更大胜利》的报告。

报告分为四部分：①14年伟大实践的基本总结；②90年代改革和建设的主要任务；③国际形势和我们的对外政策；④加强党的建设和改善党的领导。报告明确指出，我国经济体制改革的目标是建立社会主义市场经济体制。

报告对14年的伟大实践进行了科学总结，深刻指出：总起来说，全党全国人民公认的事实，是这14年是真正集中力量进行社会主义现代化建设的14年，是人民生活水平提高最快的14年，开创了历史的新局面，取得了举世瞩目的成就，党赢得了广大人民群众的拥护。

报告强调指出，我们之所以能够取得这样的胜利，根本原因是在14年的伟大实践中，坚持把马克思主义基本原理同中国具体实际相结合，逐步形成和发展了建设有中国特色社会主义的理论。这个理论，第一次比较系统地初步回答了中国这样的经济文化比较落后的国家如何建设社会主义、如何巩固和发展社会主义的一系列基本问题，用新的思想、观点继承和发展了马克思主义。大会提出，建设有中国特色社会主义理论的主要内容是：

第一，在社会主义的发展道路问题上，强调走自己的路，不把书本当教条，不照搬外国模式，以马克思主义为指导，以实践作为检验真理的唯一标准，解放思想，实事求是，尊重群众的首创精神，建设有中国特色的社会主义。

第二，在社会主义的发展阶段问题上，作出了我国还处在社会主义初级阶段的科学论断，强调这是一个至少上百年的很长的历史阶段，制定一切方针政策都必须以这个基本国情为依据，不能脱离实际，超越阶段。

第三，在社会主义的根本任务问题上，指出社会主义的本质是解放生产力，发展生产力，消灭剥削，消除两极分化，最终达到共同富裕。强调现阶段我国社会的主要矛盾，是人民日益增长的物质文化需要同落后的社会生产力之间的矛盾，必须把发展生产力摆在首要位置，以经济建设为中心，推动社会全面进步。判断各方面工作的是非得失，归根到底，要以是否有利于发展社会主义社会的生产力，是否有利于增强社会主义国家的综合国力，是否有利于提高人民的生活水平为标准。科学技术是第一生产力，经济建设必须依靠科技进步和劳动者素质的提高。

第四，在社会主义的发展动力问题上，强调改革也是一场革命，也是解放生产力，是实现中国现代化的必由之路，僵化停滞是没有出路的。经济体制改革的目标，是在坚持公有制和按劳分配为主体、其他经济成分和分配方式为补充的基础上，建立和完善社会主义市场经济体制。政治体制改革的目标是以完善人民代表大会制度、共产党领导的多党合作和政治协商制度为主要内容，发展社会主义民主政治。同经济、政治的改革和发展相适应，以“有理想、有道德、有文化、有纪律”为目标，建设社会主义精神文明。

第五，在社会主义建设的外部条件问

题上，指出和平与发展是当代世界两大主题，必须坚持独立自主的和平外交政策，为我国现代化建设争取有利的国际环境。强调实行对外开放是改革和建设必不可少的，应当吸收和利用世界各国包括资本主义发达国家所创造的一切先进文明成果来发展社会主义，封闭只能导致落后。

第六，在社会主义建设的政治保证问题上，强调坚持社会主义道路、坚持人民民主专政、坚持中国共产党的领导、坚持马克思列宁主义毛泽东思想。四项基本原则是立国之本，是改革开放和现代化建设健康发展的保证，又从改革开放和现代化建设中获得新的时代内容。

第七，在社会主义建设的战略步骤问题上，提出基本实现现代化分三步走。在现代化建设的长过程中要抓住时机，争取出现若干个发展速度比较快、效益又比较好的阶段，每隔几年上一个台阶。允许和鼓励一部分地区一部分人先富起来，以带动越来越多的地区和人们逐步达到共同富裕。

第八，在社会主义的领导力量和依靠力量问题上，强调作为工人阶级先锋队的中国共产党是社会主义事业的领导核心，党必须适应改革开放和现代化建设的需要，不断改善和加强对各方面工作的领导，改善和加强自身建设。执政党的党风，党同人民群众的联系，是关系党生死存亡的问题。必须依靠广大工人、农民、知识分子，必须依靠各民族人民的团结，必须依靠全体社会主义劳动者、拥护社会主义的爱国者和拥护祖国统一的爱国者的最广泛的统一战线。党领导的人民军队是社会主义祖国的保卫者和建设社会主义的重要力量。

第九，在祖国统一的问题上，提出"一个国家，两种制度"的创造性构想。在一个中国的前提下，国家的主体坚持社会主义制度，香港、澳门、台湾保持原有的资本主义制度长期不变，按照这个原则来推进祖国和平统一大业的完成。

报告高度赞扬邓小平对建设有中国特色社会主义理论的创立作出了历史性的重大贡献，并强调指出：14 年伟大实践的经验，集中到一点，就是要毫不动摇地坚持以建设有中国特色社会主义理论为指导的党的基本路线。这是我们事业能够经受风险考验，顺利达到目标的最可靠的保证。

10 月 18 日下午，到会的 2007 位代表以无记名投票方式，选举出 189 位第十四届中央委员会委员，130 位中央委员会候补委员；选举中央纪律检查委员会委员 108 人。随后召开的十四届一中全会选举了中央政治局及其常务委员会；选举江泽民为中央委员会总书记；决定江泽民为中央军事委员会主席；批准尉健行为中央纪律检查委员会书记。

大会还依次通过了关于十三届中央委员会报告的决议、关于中央顾问委员会工作报告的决议、关于中央纪律检查委员会工作报告的决议。

大会对十三届中央委员会的工作表示满意，赞成报告对 14 年伟大实践的基本总结，同意报告提出的加快改革开放和现代化建设步伐的决策和部署，同意报告对国际形势的分析和阐述的对外政策，强调要进一步加强党的建设和改善党的领导。

大会同意关于不再设立中央顾问委员会的建议，并向中央顾问委员会的老同志表示衷心感谢和崇高的敬意，对中央纪律检查委员会的工作表示满意。

会议还通过了关于《中国共产党章程》(修正案)的决议。大会认为，把建设有中国特色社会主义理论和党的基本路线写进党章，对于统一全党的思想和行动，夺取有中国特色社会主义的更大胜利，具有十分重要的意义。

党的第十四次全国代表大会，在党的历史上是一次继往开来、团结奋进的重要会议。它对我国20世纪90年代的改革开放和社会主义现代化建设，提出了要求并作出了战略部署。这对于加快改革开放和现代化建设步伐，保证党和国家的长治久安，具有重大而深远的影响。同时，它也标志着我国建设有中国特色社会主义的伟大事业已进入到了一个新的历史阶段。

十四大对建设有中国特色社会主义理论作出了新的科学概括，并将其写入了新的党章，这标志着中国共产党对科学社会主义的认识，已经达到了一个新的高度，也标志着党的指导思想发生了一次巨大的飞跃。以江泽民为核心的中国共产党第三代领导集体更加成熟，在复杂的国际国内形势下，展现了高超的驾驭能力，在党中央第三代领导集体率领下，党的各项工作更加符合人民的愿望、适应时代的要求。十四大是党的事业兴旺发达，中国走向经济繁荣和政治稳定的重要标志。

二

中共十四届一中全会

1992年10月19日，中国共产党第十四届中央委员会第一次全体会议在北京召开。出席会议的有中央委员188人，中央候补委员129人，江泽民主持会议并讲了话。

会议选举了中央政治局委员、候补委员、中央政治局常务委员会委员、中央委员会总书记，根据中央政治局常务委员会的提名，通过了中央书记处成员；决定了中央军事委员会组成人员；批准了中央纪律检查委员会第一次全体会议选举产生的书记、副书记和常务委员会委员人选。

作为党的十四大的特邀代表，邓小平同新当选的党中央领导同志一起，在人民大会堂与出席十四大的全体代表亲切见面，并合影留念，共祝大会胜利闭幕。

三

中共十四届二中全会

1993年3月5日至7日，中国共产党第十四届中央委员会第二次全体会议在北京召开。出席全会的有中央委员184人，中央候补委员125人。有关负责同志49人列席了会议。中央政治局主持会议，中央委员会总书记江泽民同志作了重要讲话。

全会审议通过了《关于调整“八五”计划若干指标的建议》，审议通过了《关于党政机构改革的方案》。

全会科学分析了我国当前的经济形势，强调指出，在当前和整个90年代，抓住国内和国际的有利时机，加快改革开放和现代化建设步伐，这个指导思想要坚定不移。全会认为，“八五”计划若干指标的调整是必要的、符合实际的，调整后的指标经过全党和全国人民的共同努力是能够实现的。要继续保持经济发展的好势头，在提高质量、优化结构、增进效益的基础上求得较快的发展速度，促进社会全面进步。

全会认为，党政机构改革，是政治体制改革和社会主义政治建设的重要内容，也是深化经济体制改革、加快社会主义现代化建设步伐的重要条件，必须抓紧进行。机构改革应以适应社会主义市场经济发展的要求为目标，转变职能，理顺关系，精兵简政，提高效率。这项改革，直接关系着经济发展和社会稳定，要切实加强领导，统筹规划，精心组织，分步实施。

全会指出，为保证改革开放和经济建设的顺利进行，必须坚决维护安定团结的政治局面，加强新形势下的思想政治工作，加强廉政建设，大力改进领导方法和工作作风。

全会审议通过了中央政治局提出，经过与党内外协商形成的，拟向八届全国人大一次会议推荐的国家机构领导人员人选名单和拟向全国政协八届一次会议推荐的全国政协领导人员人选名单。全会决定，将上述两个名单分别向八届全国人大一次会议主席团和全国政协八届一次会议主席团推荐。

全会号召，全党同志和全国各族人民要在邓小平同志建设有中国特色社会主义理论和党的基本路线的指引下，更紧密地团结在以江泽民同志为核心的党中央周围，抓住时机，深化改革，扩大开放，集中力量把经济搞上去，为全面完成党的十四大确定的各项任务而继续努力奋斗！

四

中共十四届三中全会

1993 年 11 月 11 日至 14 日，中国共产党第十四届中央委员会第三次全体会议在北京召开。出席全会的有中央委员 182 人，候补中央委员 128 人。有关负责同志 54 人列席了会议。全会由中央政治局主持，中央委员会总书记江泽民同志作了重要讲话。

全会审议并通过了《中共中央关于建立社会主义市场经济体制若干问题的决定》。《决定》共五十条，分十个部分：①我国经济体制改革面临的新形势和新任务；②转换国有企业经营机制，建立现代企业制度；③培育和发展市场体系；④转变政府职能，建立健全宏观经济调控体系；⑤建立合理的个人收入分配和社会保障制度；⑥深化农村经济体制改革；⑦深化对外经济体制改革，进一步扩大对外开放；⑧进一步改革科技体制和教育体制；⑨加强法律制度建设；⑩加强和改善党的领导，为本世纪末初步建立社会主义市场经济体制而奋斗。

《决定》指出：社会主义市场经济体制是同社会主义基本制度结合在一起的。建立社会主义市场经济体制，就是要使市场在国家宏观调控下对资源配置起基础性作用。为实现这个目标，必须坚持以公有制为主体、多种经济成分共同发展的方针，进一步转换国有企业经营机制，建立适应市场经济要求，产权清晰、权责明确、政企分开、管理科学的现代企业制度；建立全国统一开放的市场体系，实现城乡市场紧密结合，国内市场与国际市场相互衔接，促进资源的优化配置；转变政府管理经济的职能，建立以间接手段为主的完善的宏观调控体系，保证国民经济的健康运行；建立以按劳分配为主体，效率优先、兼顾公平的收入分配制度，鼓励一部分地区一部分人先富起来，最终走共同富裕的道路；建立多层次的社会保障制度，为城乡居民提供同我国国情相适应的社会保障，促进经济发展和社会稳定。这些主要环节是相互联系和相互制约的有机整体，构成社会主义市场经济体制的基本框架。必须围绕这些主要环节，建立相应的法律体系，采取切实措施，积极而有步骤地全面推进改革，促进社会生产力的发展。

《决定》还指出：建立社会主义市场经济体制，是一项前无古人的开创性事业，对于我国现代化建设事业具有重大而深远的意义。在本世纪末初步建立起新的经济体制，是全党和全国各族人民在新时期的伟大历史任务。

全会指出，建立社会主义市场经济体制，加快现代化建设步伐，必须坚持和改善党的领导，加强党的自身建设。要用邓小平同志建设有中国特色社会主义的理论武装全党，提高贯彻执行党的基本路线和发展社会主义市场经济的方针政策的坚定性和自觉性。适应建立社会主义市场经济体制和经济发展的要求，积极推进政治体制改革，加强社会主义民主政治和法制建设。坚持两手抓、两手都要硬的方针，加强社会主义精神文明建设。深入开展反腐败斗争，切实抓好廉政建设。加强社会治安综合治理。巩固和发展安定团结的政治局面。

五

中共十四届四中全会

1994 年 9 月 25 日至 28 日，中国共产党第十四届中央委员会第四次全体会议在北京召开。出席这次会议的中央委员 182 人，候补中央委员 122 人。中央纪律检查委员会委员、有关负责同志列席了会议。全会由中央政治局主持，中央委员会总书记江泽民同志作了重要讲话。

全会集中讨论了党的建设问题，并作出了《中共中央关于加强党的建设几个重大问题的决定》。

全会认为，十一届三中全会以来，我国在各方面取得了举世瞩目的伟大胜利，这同党在思想、理论、政治、组织和作风建设等方面取得的巨大成绩是分不开的。我们党肩负着历史的重任。必须认真研究和解决在自身建设中遇到的新矛盾新问题，努力把党建设成为用建设有中国特色社会主义理论武装起来、全心全意为人民服务、思想上政治上组织上完全巩固、能够经受住各种风险、始终走在时代前列的马克思主义政党。

《决定》在确立了新时期党的建设目标的同时，提出了党的建设的各项任务。这就是“两个继续”、“一个突出”，即继续把党的思想建设放在首要地位，推动全党对邓小平同志建设有中国特色社会主义理论的学习不断向广度和深度发展；继续抓好党的作风建设，把反腐败斗争深入持久地进行下去；在全面贯彻落实思想建设和作风建设的同时，当前还要突出解决组织建设中的坚持和健全民主集中制、加强党的基层组织建设、选拔培养德才兼备的领导干部这三个重要问题。

全会强调，民主集中制是我们党的根本组织制度和领导制度，是科学的合理的有效率的制度。我国正在进行的广泛而深刻的社会变革，要求我们党必须更好地坚持和健全民主集中制。建立社会主义市场经济体制，需要调动一切积极因素，发挥全党全国人民的主动性和创造力；需要统筹规划、协调配套、有秩序有步骤地进行；需要在实践中不断认识和运用客观规律；需要以完备的法制来规范和保障。这一切都离不开党和国家按照民主集中制实行的正确领导。当前要在全党特别是领导干部中切实加强民主集中制的教育，健全贯彻民主集中制的各项具体制度，完善党内政治生活的各项准则。要努力发展党内民主，疏通和拓宽党内民主渠道，充分发挥全党的积极性；要加强民主基础上的集中，维护中央权威，有力地执行党的路线方针政策；要坚持和完善集体领导和个人分工负责相结合的制度，重大问题必须由集体讨论决定；要加强和健全党内监督，严肃党的纪律，保证党的肌体的健康和各项任务的顺利完成。

全会指出，党的基层组织是党的全部工作和战斗力的基础，担负着直接联系群众、宣传群众、组织群众、团结群众，把党的路线方针政策落实到基层的重要责任。必须适应新的形势和任务，下大力气把党的基层组织建设好。党的基层组织建设，要紧紧围绕党的基本路线，为党的中心任务服务。基层党组织要不断改进活动内容和工作方式，严格党内生活，结合各自特点做好工作，努力成为团结带领群众进行改革和建设的战斗堡垒。要以提高素质、增强党性为目标，加强和改进党员教育和管理工作。要在全体党员中有计划有步骤地开展建设有中国特色社会主义理论和党章的学习活动。各级党委都要建立健全抓好基层组织建设的责任制。

全会指出，培养和选拔德才兼备的领导干部是关系全局的重大问题。建设有中国特色社会主义的全新事业和错综复杂的国际环境，对各级领导干部提出了新的更高的要求。必须全面提高现有领导干部的素质，把各级领导班子建设成坚决贯彻党的基本路线、全心全意为人民服务、具有领导现代化建设能力的坚强领导集体。必须高度重视人才的发现和使用，抓紧培养和选拔优秀年轻干部，努力造就大批能够跨世纪担当重任的领导人才。要加快党政领导干部选拔任用等重要制度的改革，扩大民主，完善考核，推进交流，加强监督，逐步形成优秀人才能够脱颖而出、富有生机与活力的用人机制。

全会增选黄菊同志为中央政治局委员，决定增补吴邦国、姜春云同志为中央书记处书记。

六

中共十四届五中全会

1995年9月25日至28日，中国共产党第十四届中央委员会第五次全体会议在北京召开。出席这次会议的中央委员176人，候补中央委员125人。中央纪律检查委员会常务委员会委员和有关方面的负责同志列席会议。全会由中央政治局主持。江泽民同志作了重要讲话。

全会审议并通过了《中共中央关于制定国民经济和社会发展“九五”计划和2010年远景目标的建议》。

《建议》实事求是地、鼓舞人心地提出了今后15年跨世纪的奋斗目标，并强调实现这些奋斗目标的关键是实现两个根本性转变：一是经济体制从传统的计划经济体制向社会主义市场经济体制转变，二是经济增长方式从粗放型向集约型转变。

全会高度评价了改革开放以来特别是“八五”期间我国社会主义现代化建设取得的伟大历史性成就，强调指出，在国际格局深刻变动和我国经济体制根本转变的历史条件下，在十多亿人口的大国推进现代化建设，是一项既充满希望又非常艰巨的开创性事业。要有效地调动和发挥全党全国各族人民的积极性和创造力，必须始终坚持以邓小平建设有中国特色社会主义理论和党的基本路线为指导，牢牢把握“抓住机遇、深化改革、扩大开放、促进发展、保持稳定”的基本方针，妥善处理好改革、发展、稳定的关系，高度重视和下大力气解决关系全局的重大问题。在经济和社会发展中，要认真贯彻以下重要方针：①保持国民经济持续、快速、健康发展。②积极推进经济增长方式转变，把提高经济效益作为经济工作的中心。③实施科教兴国战略，促进科技、教育与经济紧密结合。④把加强农业放在发展国民经济的首位。⑤把国有企业改革作为经济体制改革的中心环节。⑥坚定不移地实行对外开放。⑦实现市场机制和宏观调控的有机结合，把各方面的积极性引导好、保护好、发挥好。⑧坚持区域经济协调发展，逐步缩小地区发展差距。⑨坚持物质文明和精神文明共同进步，经济和社会协调发展。

全会指出，今后15年，要下大力气切实转变经济增长方式，显著提高国民经济整体素质和效益，使社会生产力有一个大的发展。经济建设的主要任务是：优化产业结构，着力加强第一产业，调整和提高第二产业，积极发展第三产业；广泛采用先进技术装备社会生产各部门，重点改造国有大中型企业，加快国民经济信息化进程；大力发展科技教育，普遍提高劳动者素质，培养各级各类人才，缩小我国科学技术同世界先进水平的差距；引导地区经济协调发展，形成若干各具特色的区域经济，促进全国经济布局合理化。在经济建设中，重点加强农业、水利、能源、交通、通信、科技、教育。同时，振兴支柱产业，培育高技术产业，促进和带动国民经济全面发展。加强国防现代化建设，增强国防实力。

全会指出，建立和完善社会主义市场经济体制是今后15年的战略任务。必须按照十四届三中全会决定的要求，围绕国民经济发展中的深层次矛盾和问题，深化改革，扩大开放，进一步解放和发展社会生产力。要坚持以公有制为主体、多种经济成分共同发展的方针，深化国有企业改革，建立现代企业制度；积极发展和完善市场体系，充分发挥市场机制的作用；转变政府职能，形成以间接方式为主的宏观调控体系；进一步扩大对外开放，完善对外经济体制；加强经济法制建设，建立和完善与新体制相适应的法律体系。

全会增补张万年、迟浩田同志为中央军事委员会副主席；王克、王瑞林同志为中央军事委员会委员；耿全礼、马启智（回族）同志为中央委员。

全会审议并通过了中央纪律检查委员会《关于陈希同同志问题的审查报告》，决定撤销陈希同的中央政治局委员、中央委员会委员的职务，并建议依照法律程序，罢免其全国人大代表职务。鉴于他在经济等方面的问题有些还没有完全查清，决定对他的问题继续进行审查。

七

中共十四届六中全会

1996年10月7日至10日，中国共产党第十四届中央委员会第六次全体会议在北京召开。出席这次会议的中央委员181人，候补中央委员124人。中央纪律检查委员会委员和有关方面的负责同志列席会议。

全会由中央政治局主持。中央委员会总书记江泽民同志作了重要讲话。

全会根据全面实现我国国民经济和社会发展“九五”计划和2010年远景目标的要求，分析了社会主义精神文明建设面临的形势，总结了经验和教训。鉴于教育和科学的发展中央已有全面部署，这次会议主要讨论思想道德和文化建设方面的问题，审议并通过了《中共中央关于加强社会主义精神文明建设若干重要问题的决议》。

全会明确指出，社会主义精神文明建设的指导思想是：以马克思列宁主义、毛泽东思想和邓小平建设有中国特色社会主义理论为指导，坚持党的基本路线和基本方针，加强思想道德建设，发展教育科学文化，以科学的理论武装人，以正确的舆论引导人，以高尚的精神塑造人，以优秀的作品鼓舞人，培育有理想、有道德、有文化、有纪律的社会主义公民，提高全民族的思想道德素质和科学文化素质，团结和动员各族人民把我国建设成为富强、民主、文明的社会主义现代化国家。今后十五年的主要目标是：在全民族牢固树立建设有中国特色社会主义的共同理想，牢固树立坚持党的基本路线不动摇的坚定信念；实现以思想道德修养、科学教育水平、民主法制观念为主要内容的公民素质的显著提高，以积极健康、丰富多彩、服务人民为主要要求的文化生活质量的显著提高，以社会风气、公共秩序、生活环境为主要标志的城乡文明程度的显著提高；在全国范围形成物质文明建设和精神文明建设协调发展的良好局面。实现这一目标，首先要抓好今后五年的工作，特别是要从大局着眼，认真解决当前精神文明建设中干部和群众普遍关心的重要问题。

全会强调，社会主义思想道德集中体现着精神文明建设的性质和方向。我们现在建设和发展有中国特色的社会主义，最终目的是实现共产主义，应当在全社会认真提倡社会主义、共产主义思想道德。同时要把先进性要求同广泛性要求结合起来，鼓励支持一切有利于国家统一、民族团结、经济发展、社会进步的思想道德。加强思想建设，必须坚持马克思列宁主义、毛泽东思想，特别是用邓小平建设有中国特色社会主义理论武装全党、教育干部和人民，树立崇高的理想和正确的世界观、人生观、价值观；必须深入持久地开展爱国主义教育，发扬自尊、自信、自强的民族精神；必须深入进行艰苦创业精神的教育，牢固树立勤俭建国、勤俭办一切事业的思想；必须深入开展以为人民服务为核心，以集体主义为原则，以爱祖国、爱人民、爱劳动、爱科学、爱社会主义为基本要求的社会公德、职业道德、家庭美德教育，在全社会形成团结互助、平等友爱、共同前进的人际关系；必须加强青少年思想道德教育，帮助他们树立远大理想，培育优良品德；必须加强法制教育，增强人们的民主法制观念和权利义务观念，形成扶正祛邪、扬善惩恶的社会风气。

全会指出，要积极发展社会主义文化事业，满足人民群众日益增长的精神文化需求。全会指出，社会主义精神文明建设是群众性的事业。深入开展群众性的精神文明创建活动，对于移风易俗、改造社会、实现两个文明建设的有机结合，具有重大作用。要以提高市民素质和城市文明程度为目标，开展创建文明城市活动；以提高农民素质、奔小康和建设社会主义新农村为目标，开展创建文明村镇活动；以服务人民、奉献社会为宗旨，开展创建文明行业活动。要大力宣传现代化建设中涌现出来的先进集体和先进人物，在全社会形成崇尚先进、学习先进的风气。各项精神文明创建活动，都要务求实效，坚决反对形式主义。

全会强调，建设物质文明关键在党，建设精神文明关键也在党。各级党委要正确认识和处理物质文明和精神文明的关系，始终坚持两手抓、两手都要硬，把两个文明作为统一的奋斗目标，一起部署，一起落实，一起检查。任何时候都不能以牺牲精神文明为代价换取经济一时的发展。要增加精神文明建设的投入，切实解决目前宣传文化事业投入总量偏少、比例偏低的问题。按照政治强、业务精、作风正的要求,造就一支高素质的宣传思想文化教育队伍。认真搞好党风廉政建设,对县级以上领导干部要进行以讲学习、讲政治、讲正气为主要内容的党性党风教育。共产党员要在全社会发挥表率作用,党的领导干部要在全党发挥表率作用。精神文明建设贯穿在经济和社会生活的各个方面,要在党委统一领导下,党政各部门和工会、共青团、妇联等人民团体齐抓共管,形成合力。要十分重视民主党派的作用。为加强协调,全会决定,中央成立精神文明建设指导委员会。各省、自治区、直辖市可建立相应的机构。

全会审议并通过了《关于召开党的第十五次全国代表大会的决议》,确定党的十五大于1997年下半年在北京举行。

全会按照党章规定,决定递补中央候补委员孙文盛同志为中央委员。

八

中共十四届七中全会

中国共产党第十四届中央委员会第七次全体会议,1997年9月6日至9日在北京举行。出席会议的有中央委员182人,候补中央委员123人。中央纪律检查委员会委员和有关负责同志列席会议。

会议由中央政治局主持。中央委员会总书记江泽民同志作了重要讲话。

会议决定,中国共产党第十五次全国代表大会于9月12日在北京召开。

全会讨论并通过了中央委员会向党的第十五次全国代表大会的报告,讨论并通过了《中国共产党章程修正案》,一致决定将这两个文件提请党的第十五次全国代表大会审议。

全会按照党章规定,决定递补中央候补委员克尤木·巴吾东同志为中央委员。

全会审议通过了中央纪律检查委员会关于陈希同问题的审查报告。

全会在民主、团结的气氛中,就我国改革开放和社会主义现代化建设跨世纪发展的若干重大问题,进行了热烈讨论,为十五大的胜利召开作了充分的准备。

中国共产党第十五次全国代表大会

一

中共十五大概述

1997年9月12日至18日,中国共产党第十五次全国代表大会在北京召开。这次大会应到正式代表2048人、特邀代表60人(出席开幕式的代表和特邀代表2074人),代表了全党5900多万党员。此外,不是十五大代表的十四届中央委员会委员、候补委员和中央纪律检查委员会委员,不是十五大代表或特邀代表的党内部分老同志,以及其他有关的同志296人列席了这次大会。大会还邀请了国家副主席、全国人大常委会党外副委员长、全国政协党外副主席,各民主党派、全国工商联负责人和无党派人士,以及全国人大、全国政协常委中在京党外人士和部分少数民族、宗教界人士等140位作为来宾列席大会开幕式和闭幕式。

这次大会的主题是：高举邓小平理论伟大旗帜，把建设有中国特色社会主义事业全面推向二十一世纪。大会的主要议程是：听取和审查十四届中央委员会的报告；审查中央纪律检查委员会的工作报告（书面）；审议通过《中国共产党章程修正案》；选举第十五届中央委员会，选举新一届中央纪律检查委员会。

大会由李鹏同志主持。全体同志为毛泽东、周恩来、刘少奇、朱德等已故的老一辈无产阶级革命家和革命先烈，为不久前逝世的邓小平、陈云、彭真等老一辈无产阶级革命家默哀。

江泽民同志代表第十四届中央委员会向大会作了题为《高举邓小平理论伟大旗帜，把建设有中国特色社会主义事业全面推向二十一世纪》的报告。

江泽民的报告对20世纪中国的历史发展道路作出了高度概括的科学总结。他指出：从1900年八国联军占领北京，中华民族蒙受巨大耻辱，国家濒临灭亡边缘，到2000年中国在社会主义基础上进入小康，大踏步走向繁荣富强，是中国发生翻天覆地变化的一百年。从鸦片战争后，中华民族一直面对着两大历史任务：一个是求得民族独立和人民解放，一个是实现国家繁荣富强和人民共同富裕。前一任务是为后一任务扫清障碍，创造必要的前提。而前一任务就是中国革命的基本任务，即彻底反帝反封建的历史任务。一百多年来，为完成这两大任务，中国人民奋斗不息。一个世纪以来，中国人民在前进的道路上经历了三次历史性的巨大变化，产生了三位站在时代前列的伟大人物：孙中山、毛泽东、邓小平。第一次是孙中山领导的辛亥革命，推翻了统治中国几千年的封建君主专制制度。他首先喊出了“振兴中华”的时代强音，开创了完全意义上的近代民族民主革命。辛亥革命未能改变旧中国的社会性质和人民的悲惨境遇，但为中国的进步打开了闸门，使反动统治秩序再也无法稳定下来。第二次是中华人民共和国的成立和社会主义制度的建立。这是在党中央第一代领导集体领导下完成的。经过长期艰苦的武装斗争，中国革命终于取得了胜利，在此基础上又实现了从新民主主义向社会主义的转变。这是中国从古未有的人民革命的大胜利。第三次是改革开放，为实现社会主义现代化而奋斗，这是在以邓小平为核心的党中央第二代领导集体的领导下开始的新的革命。

在三次历史巨变中，产生了中华民族三个伟大思想成果，孙中山三民主义、毛泽东思想和邓小平理论。百年巨变得出的结论是：只有中国共产党才能领导中国人民取得民族独立、人民解放和社会主义的胜利，才能开创建设有中国特色社会主义的道路，实现民族振兴、国家富强和人民幸福——我们党对中华民族的命运担负着崇高的历史责任。

报告提出了党在21世纪的目标：第一个10年实现国民生产总值比2000年翻一番，使人民的小康生活更加宽裕，形成比较完善的社会主义市场经济体制；再经过10年的努力，到建党100年时，使国民经济更加发展，各项制度更加完善；到世纪中叶建国100年时，基本实现现代化，建成富强民主文明的社会主义国家。这个宏伟的目标，正如邓小平所说：“现在，我们国内条件具备，国际环境有利，再加上发挥社会主义制度能够集中力量办大事的优势，在今后的现代化建设长过程中，出现若干个发展速度比较快、效益比较好的阶段，是必要的，也是能够办到的。我们就是要有这个雄心壮志!”

江泽民在报告中指出:我们这次大会的灵魂,就是高举邓小平理论的伟大旗帜。十五大无疑将以这一点为标志载入史册。旗帜至关重要,旗帜就是方向,旗帜就是形象。坚持十一届三中全会以来的路线不动摇,就是坚持邓小平理论的旗帜不动摇。江泽民指出,在十一届三中全会和十二大、十三大、特别是十四大的基础上,中央建议十五大在党章中把邓小平理论确立为党的指导思想。十五大修改后的党章总纲明确规定:“中国共产党以马克思列宁主义、毛泽东思想、邓小平理论作为自己的行动指南。”

关于社会主义初级阶段基本路线和基本纲领,十五大指出,我国社会主义初级阶段的基本国情,是党制定基本路线及其纲领的依据。坚持十一届三中全会以来的路线、方针不动摇,高举邓小平理论的旗帜不动摇,首先就要坚持党在社会主义初级阶段的基本理论不动摇。

十五大从九个方面对初级阶段的特征进行了进一步的阐释,并系统地、完整地论述了我国社会主义初级阶段的基本纲领,即:建设有中国特色社会主义的经济,就是在社会主义条件下发展市场经济,不断解放和发展生产力;建设有中国特色社会主义的政治,就是在中国共产党领导下,在人民当家做主的基础上,依法治国,发展社会主义民主政治;建设有中国特色社会主义的文化,就是以马克思主义为指导,以培育有理想、有道德、有文化、有纪律的公民为目标,发展面向现代化、面向世界、面向未来的,民族的、科学的大众的社会主义文化。

以上三个方面的基本目标和政策,构成了我国社会主义初级阶段的基本纲领。这个纲领是邓小平理论的重要内容,是党的基本路线在经济、政治、文化等方面的展开,是党多年来主要经验的集中总结。

报告还对中国共产党跨世纪发展战略进行了全面而系统的阐述,为我们党进一步指明了前进方向。

大会首次使用“邓小平理论”概念。大会通过的《中国共产党章程修正案》明确规定把邓小平理论确立为党的指导思想。

大会批准了江泽民同志代表十四届中央委员会所作的报告,通过了关于十四届中央委员会报告的决议,通过了关于中央纪律检查委员会工作报告的决议,通过了关于《中国共产党章程修正案》的决议。

大会选举了由193名委员和151名候补委员组成的中央委员会,选举了由115名委员组成的中央纪律检查委员会。随后召开的十五届一中全会选举了中央政治局及其常务委员会,选举江泽民为中央委员会总书记,决定江泽民为中央军事委员会主席,批准尉健行为中央纪律检查委员会书记。

大会选举产生的新的一届中央委员会,使中国共产党的中央领导集体向着革命化、年轻化、知识化、专业化的方向又迈进了一步。

中共十五大是20世纪的最后一次党的全国代表大会。大会第一次完整、系统地论述了党在社会主义初级阶段的基本纲领。根据这个基本纲领,十五大报告对我国现代化建设的跨世纪发展作出了部署,向全党和全国人民明确了我们在整个社会主义初级阶段的总任务、奋斗方向和努力目标。这对于动员亿万人民群众参加建设有中国特色社会主义事业,是一个伟大的号召和极大的鼓舞。

大会高举邓小平理论伟大旗帜,总结了我国改革和建设的新经验,把邓小平理论确定为党的指导思想，把依法治国确定为治国的基本方略，把坚持公有制为主体、多种所有制经济共同发展，坚持按劳分配为主体、多种分配方式并存，确定为我国在社会主义初级阶段的基本经济制度和分配制度，这些都为我们党抓住机遇，开拓进取，把建设有中国特色社会主义事业推向21世纪指明了前进的方向。

二

中共十五届一中全会

1997年9月19日，中国共产党第十五届中央委员会第一次全体会议在北京举行。出席会议的有中央委员191人，候补中央委员151人。江泽民同志主持会议并作了重要讲话。

全会选举了中央政治局委员、候补委员，中央政治局常务委员会委员，中央委员会总书记；根据中央政治局常务委员会的提名，通过了中央书记处成员；决定了中央军事委员会组成人员；批准了中央纪律检查委员会第一次全体会议选举产生的书记、副书记和常务委员会委员人选。

三

中共十五届二中全会

1998年2月25日至26日，中国共产党第十五届中央委员会第二次全体会议在北京举行。出席这次全会的有，中央委员192人，候补中央委员149人，有关负责同志列席了会议。中央政治局主持会议，中央委员会总书记江泽民同志作了重要讲话。

全会审议通过了中央政治局提出，经与党内外协商形成的，拟向九届全国人大一次会议推荐的国家机构领导人员人选名单和拟向全国政协九届一次会议推荐的全国政协领导人员人选名单，决定将上述两个名单分别向九届全国人大一次会议主席团和全国政协九届一次会议主席团推荐。全会审议通过了《国务院机构改革方案》，建议国务院将这个方案提交九届全国人大一次会议审议。

全会指出，人民代表大会制度，是我国的根本政治制度。中国共产党领导的多党合作和政治协商制度，是我国的一项基本政治制度。必须坚持和完善这些制度。要加强党对立法工作的领导，积极推进依法治国，建设社会主义法治国家。继续发挥人民政协作为党领导的统一战线组织在团结社会各界群众中的重要作用。

全会全面分析了我国目前的经济形势，认为总的形势是好的。中央关于经济工作的决策和部署是完全正确的，全党要认真贯彻执行。面对亚洲一些国家发生的金融危机，最根本的是要做好国内的经济工作，增强承受和抵御风险的能力。我们有比较雄厚的物质技术基础，有适合我国国情的正确的理论、路线、方针和政策，有能够驾驭各种复杂局势的中央领导集体。只要全党同志坚持党的基本理论、基本路线和基本纲领，紧紧依靠人民群众，正确处理改革发展稳定的关系，认真解决前进中的突出问题，就一定能够保持国民经济持续快速健康发展的良好势头。

全会指出，实现今年的各项任务和十五大制定的跨世纪发展目标，关键在于提高干部队伍的素质和水平。各级干部特别是领导干部要加强学习，在实践中增长才干，以坚韧不拔、奋发有为的精神状态，投入到各项工作中去。要创造优秀人才脱颖而出的良好环境，造就一支高素质的干部队伍。

四

中共十五届三中全会

1998年10月12日至14日，中国共产党第十五届中央委员会第三次全体会议在北京举行。出席这次会议的中央委员185人，中央候补委员148人。中央纪律检查委员会常务委员会委员和有关方面的负责同志列席会议。

全会由中央政治局主持，中央委员会总书记江泽民同志作了重要讲话。

这次会议集中研究农业和农村问题，全会审议通过了《中共中央关于农业和农村工作若干重大问题的决定》。

全会认为，农业、农村和农民问题是关系我国改革开放和现代化建设全局的重大问题。完成十五大确定的我国跨世纪发展的宏伟任务，必须进一步加强农业的基础地位，保持农业和农村经济的持续发展，保持农民收入的稳定增长，保持农村社会的稳定。我国改革率先从农村突破，在改革开放二十周年之际，面对亚洲金融危机的冲击和经济全球化的挑战，这次会议集中研究农业和农村问题是适时和必要的。

全会高度评价农村改革二十年所取得的巨大成就和创造的丰富经验，按照十五大确定的我国社会主义初级阶段的基本纲领和总体部署，从经济、政治、文化三个方面，提出了从现在起到2010年，建设有中国特色社会主义新农村的奋斗目标，确定了实现这些目标必须坚持的方针。

全会强调，以公有制为主体、多种所有制经济共同发展的基本经济制度，以家庭承包经营为基础、统分结合的经营制度，以劳动所得为主和按生产要素分配相结合的分配制度，必须长期坚持。家庭承包经营，不仅适应以手工劳动为主的传统农业，也能适应采用先进科学技术和生产手段的现代农业，具有广泛的适应性和旺盛的生命力。要坚定不移地贯彻土地承包期再延长三十年的政策，同时抓紧制定确保农村土地承包关系长期稳定的法律法规，赋予农民长期而有保障的土地使用权。要积极探索实现农业现代化的具体途径，大力发展产业化经营。继续完善所有制结构，在积极发展公有制经济的同时，采取灵活有效的政策措施，鼓励和引导农村个体、私营等非公有制经济有更大的发展。要深化农产品流通体制改革，在国家宏观调控下充分发挥市场对资源配置的基础性作用。加强市场设施建设，健全市场法规，维护市场秩序。

全会指出，发展农村生产力，推进农业现代化，是一项长期任务。必须着力解决制约我国农业长期稳定发展的突出问题，全面提高农业综合生产能力。全会认为，实现农村经济和社会的协调发展，保持农村社会稳定，必须切实加强农村基层民主法制建设、社会主义精神文明建设、基层党组织和干部队伍建设。实行村民自治，是党领导亿万农民建设有中国特色社会主义民主政治的伟大创造。这项工作要在党的统一领导下有步骤、有秩序地进行，建立健全各项制度，并同健全法制紧密结合。要加强农村的思想道德教育和法制教育，广泛开展创建"文明户"、"文明村镇"活动，大力发展农村教育事业，全面提高农民的思想道德素质和科学文化素质。建设富裕民主文明的社会主义新农村，关键在于加强和改善党的领导。要充分发挥乡镇党委和村党支部的领导核心作用，造就一支高素质的农村基层干部队伍。从中央到地方各级党委和政府，都要把农业和农村工作摆在重要地位，各行各业都要大力支持农业。

全会按照党章规定，决定递补中央委员会候补委员欧泽高同志为中央委员会委员，决定增补曹刚川同志为中央军事委员会委员。

五

中共十五届四中全会

1999年9月19日至22日，中国共产党第十五届中央委员会第四次全体会议在北京召开。出席这次会议的中央委员189人，中央候补委员147人。中央纪律检查委员会常务委员会委员和有关方面的负责同志列席会议。

全会由中央政治局主持。中央委员会总书记江泽民同志作了重要讲话。

全会审议通过了《中共中央关于国有企业改革和发展若干重大问题的决定》。

全会认为，国有企业是国民经济的支柱。完成十五大确定的我国跨世纪发展的宏伟任务，建立和完善社会主义市场经济体制，保持国民经济持续快速健康发展，必须大力促进国有企业的体制改革、机制转换、结构调整和技术进步。全会高度评价国有企业在推进我国经济社会发展和巩固社会主义制度中的重要作用。

全会确定了从现在起到2010年国有企业改革和发展的主要目标和必须坚持的指导方针。全会强调，完成这一历史任务，首先要尽最大努力实现国有企业改革和脱困的三年目标。全会指出，建立现代企业制度，是国有企业改革的方向，是公有制与市场经济相结合的有效途径。要继续推进政企分开，按照国家所有、分级管理、授权经营、分工监督的原则，积极探索国有资产管理的有效形式。全会认为，改善国有企业资产负债结构和减轻企业社会负担，要同深化企业内部改革、建立新机制、加强科学管理结合起来。全会指出，适应全球产业结构调整的大趋势和国内外市场需求的变化，必须加快国有企业的技术进步和产业升级。全会强调，加强和改善党的领导，是加快国有企业改革和发展的根本保证。

全会决定增补胡锦涛同志为中央军事委员会副主席，郭伯雄、徐才厚同志为中央军事委员会委员。

全会审议并通过了《中共中央纪律检查委员会关于许运鸿问题的审查报告》。全会决定，撤销许运鸿中央委员会候补委员职务，开除其党籍。鉴于许运鸿的有些问题涉嫌触犯刑律，由司法机关对其依法处理。

六

中共十五届五中全会

中国共产党第十五届中央委员会第五次全体会议，于2000年10月9日至11日在北京举行。出席这次会议的中央委员183人，中央候补委员144人。中央纪律检查委员会常务委员会委员和有关方面的负责同志列席会议。

会议由中央政治局主持，中央委员会总书记江泽民同志作了重要讲话。

全会审议并通过了《中共中央关于制定国民经济和社会发展第十个五年计划的建议》。朱镕基同志就《建议》草案作了说明。

全会高度评价了改革开放二十多年，特别是“九五”计划以来，我国经济建设和社会发展所取得的巨大成就。深入分析了世纪之交我国改革开放和现代化建设面临的国际和国内形势，认为从新世纪开始，我国将进入全面建设小康社会，加快推进现代化的新的发展阶段。今后五到十年，是我国经济和社会发展的重要时期，是进行经济结构战略性调整的重要时期，也是完善社会主义市场经济体制和扩大对外开放的重要时期。

全会按照十五大对新世纪我国现代化建设的总体展望和部署，提出了"十五"时期我国经济社会发展的主要奋斗目标：国民经济保持较快发展速度，经济结构战略性调整取得明显成效，经济增长质量和效益显著提高，为到2010年国内生产总值比2000年翻一番奠定坚实基础；国有企业建立现代企业制度取得重大进展，社会保障制度比较健全，完善社会主义市场经济体制迈出实质性步伐，在更大范围内和更深程度上参与国际经济合作与竞争；就业渠道拓宽，城乡居民收入持续增加，物质文化生活有较大改善，生态建设和环境保护得到加强；科技教育加快发展，国民素质进一步提高，精神文明建设和民主法制建设取得明显进展。会议认为，发展是硬道理，是解决中国所有问题的关键。实现国民经济持续快速健康发展，必须以提高经济效益为中心，对经济结构进行战略性调整。这是提高国民经济的整体素质，扩大国内需求，增强国际竞争力的根本性措施。会议认为，不断提高城乡居民的物质和文化生活水平，是发展经济的出发点和归宿。推进社会主义现代化建设，必须实现经济发展和社会全面进步。建设社会主义精神文明，发展有中国特色社会主义文化，是社会主义现代化建设的重要内容和保证。进入新世纪，继续推进现代化建设、完成祖国统一、维护世界和平与促进共同发展，是我们必须抓好的三大任务。党的建设，是实现这三大任务的根本保证。

全会按照党章规定，决定递补中央候补委员岳海岩、黄智权、王正福同志为中央委员。

全会审议并通过了《中共中央纪律检查委员会关于徐鹏航同志问题的审查报告》。全会决定：撤销徐鹏航同志中央委员会候补委员职务，给予其留党察看二年处分。

七

中共十五届六中全会

2001年9月24日至26日，中国共产党第十五届中央委员会第六次全体会议在北京举行。出席这次会议的中央委员190人，中央候补委员139人。中央纪律检查委员会委员和有关方面负责同志列席会议。

全会由中央政治局主持，中央委员会总书记江泽民同志作了重要讲话。

全会审议通过了《中共中央关于加强和改进党的作风建设的决定》。

全会指出，我国已进入全面建设小康社会、加快推进社会主义现代化的新的发展阶段，党所处的国内外环境和党的队伍状况都发生了重大变化。党要团结和带领全国各族人民，继续推进现代化建设，完成祖国统一，维护世界和平与促进共同发展，就必须始终代表中国先进生产力的发展要求，代表中国先进文化的前进方向，代表中国最广大人民的根本利益，围绕提高党的领导水平和执政水平、提高拒腐防变和抵御风险能力这两大历史性课题，全面推进党的建设新的伟大工程。

全会指出，执政党的党风，关系党的形象，关系人心向背，关系党和国家的生死存亡。现在，党的作风总的是好的，但也存在一些亟待解决的问题。全党同志要居安思危，增强忧患意识，充分认识加强和改进党的作风建设，是全面贯彻党的基本理论、基本路线、基本纲领和实践“三个代表”重要思想的迫切需要，是开创改革开放和现代化建设新局面的必然要求，是党永远立于不败之地的重要保证。全党要坚持讲学习、讲政治、讲正气，在推进党的思想建设、组织建设的同时，把加强和改进党的作风建设放在更加突出的位置，切实抓紧抓好。

全会强调，在新的发展阶段，加强和改进党的作风建设的指导思想和总体要求是：坚持马克思列宁主义、毛泽东思想、邓小平理论的指导，按照“三个代表”重要思想，紧紧围绕经济建设这个中心和改革发展稳定的大局，坚持党要管党、从严治党，以进一步密切党同人民群众的联系为核心，以保持党的先进性、纯洁性和增强党的创造力、凝聚力、战斗力为目标，发扬优良传统，加强思想教育，推进制度建设，解决突出问题，努力把党的作风建设提高到一个新的水平。

党的作风建设既是一项长期而艰巨的任务，又是一项现实而紧迫的工作。必须把总体要求同阶段性目标结合起来。当前和今后一个时期，要抓住重点，集中解决党的思想作风、学风、工作作风、领导作风和干部生活作风方面的突出问题。主要任务是：坚持解放思想、实事求是，反对因循守旧、不思进取；坚持理论联系实际，反对照抄照搬、本本主义；坚持密切联系群众，反对形式主义、官僚主义；坚持民主集中制原则，反对独断专行、软弱涣散；坚持党的纪律，反对自由主义；坚持清正廉洁，反对以权谋私；坚持艰苦奋斗，反对享乐主义；坚持任人唯贤，反对用人上的不正之风。全党要进行卓有成效的工作，全面贯彻落实“八个坚持、八个反对”，使党的作风有新的明显进步，使党群关系和干群关系有新的明显改善，使广大群众看到实效，增强信心。

全会指出，加强和改进党的作风建设，必须把思想作风建设摆在第一位。坚持解放思想、实事求是的思想路线和思想作风，是党顺应时代进步潮流、永葆先进性的根本要求。

加强和改进党的作风建设，核心问题是保持党同人民群众的血肉联系。党要经受住长期执政、改革开放和发展社会主义市场经济的考验，就必须始终不渝地贯彻党的群众路线，密切联系群众。各级干部要体察民情，了解民意，集中民智，珍惜民力，把群众的安危冷暖时刻放在心上，诚心诚意为群众谋利益。正确运用批评与自我批评的武器，同不符合人民意愿和利益的行为作斗争。要勤政为民，真抓实干，坚持讲真话、报实情，力戒浮躁浮夸。

艰苦奋斗是党的优良传统，是党团结和带领人民实现国家富强、民族振兴的强大精神力量，对抵御各种腐朽思想侵蚀、保持党和国家政权永不变质具有重大意义。全党要发扬不畏艰难、奋力拼搏、克己奉公、甘于奉献的革命精神，办一切事情都要遵循勤俭节约、艰苦创业的原则，反对讲排场，比阔气，铺张浪费。党员干部要树立革命的人生观，加强思想道德修养，养成良好的生活作风。正确对待权力、地位和自身利益，为人民掌好权、用好权，做人民的公仆。党的各级组织和领导干部必须旗帜鲜明地反对腐败，坚决查处以权谋私案件，严惩腐败分子。

全会强调，坚持任人唯贤，是加强和

改进党的作风建设的组织保证。用什么人，不用什么人，对党的作风建设具有重要的导向作用。必须全面贯彻干部队伍革命化、年轻化、知识化、专业化的方针和德才兼备的原则，加快干部人事制度改革步伐，完善制度，健全机制，坚持用好的作风选人，选作风好的人。

全会指出，加强和改进党的作风建设，要服务大局，整体推进，从严要求，标本兼治。坚持一靠教育，二靠制度，从源头上预防和治理各种不良作风。各级党组织要抓紧落实《决定》精神，明令禁止的，要立即停止；能够做到的，要马上去办；需要统筹兼顾逐步解决的，要创造条件积极推进。各级领导干部要身体力行，尽快从文山会海中解脱出来，从繁杂的应酬中摆脱出来，深入实际，深入群众，切实解决存在的突出问题和群众生产生活中的困难。领导机关、领导班子、领导干部要在作风建设中起表率作用。

全会认为，当前，我们国家经济繁荣，民族团结，社会稳定，正处在全面发展的重要时期。我们党有科学的理论和正确的路线，有八十年奋斗积累的优良作风和宝贵经验，有全党同志加强和改进作风建设的迫切愿望和共同努力，有人民群众的信任和支持，我们完全有信心有能力把党的作风建设提高到一个新的水平。

全会审议并通过了《关于召开党的第十六次全国代表大会的决议》。

全会按照党章规定，决定递补中央候补委员汤洪高同志为中央委员。

全会审议并通过了《中共中央纪律检查委员会关于石兆彬问题的审查报告》、《中共中央纪律检查委员会关于李嘉廷问题的审查报告》。全会决定：撤销石兆彬、李嘉廷中央委员会候补委员职务，给予其开除党籍处分。

八

中共十五届七中全会

2002 年 11 月 3 日至 5 日，中国共产党第十五届中央委员会第七次全体会议在北京举行。出席会议的有中央委员 186 人，候补中央委员 139 人。中央纪律检查委员会委员和有关负责同志列席会议。

会议由中央政治局主持，中央委员会总书记江泽民同志作了重要讲话。

会议决定，中国共产党第十六次全国代表大会于 2002 年 11 月 8 日在北京召开。

全会讨论并通过了十五届中央委员会向党的第十六次全国代表大会的报告，讨论并通过了《中国共产党章程（修正案）》，全会决定将这两个文件提请党的第十六次全国代表大会审议。

全会审议并通过了《中共中央纪律检查委员会关于王雪冰问题的审查报告》。全会决定，撤销王雪冰中央委员会候补委员职务，给予其开除党籍处分。

“三个代表”重要思想的提出与贯彻

十三届四中全会之后，以江泽民为核心的第三代中央领导集体集中全党智慧，创立了“三个代表”重要思想。这一科学理论创造性地运用马克思列宁主义、毛泽东思想特别是邓小平理论，从中国和世界的历史、现状和未来着眼，准确把握时代特点和党的任务，科学制定并正确执行党的路线方针政策，认真研究和解决推动中国社会进步和加强党的建设的问题，形成了一系列富有独创性的理论成果，进一步回答了什么是社会主义、怎样建设社会主义的问题，创造性地回答了建设什么样的党、怎样建设党的问题，进一步发展了中国特色社会主义理论体系，为党的自身建设的胜利推进和中国特色社会主义事业的蓬勃发展，进一步指明了方向。

一

“三个代表”重要思想的形成和发展

1.“三个代表”重要思想形成的社会历史条件

“三个代表”重要思想的形成有着深刻的社会历史背景，是在科学判断党的历史方位的基础上提出来的。我们党历经革命、建设和改革，已经从领导人民为夺取全国政权而奋斗的党，成为领导人民掌握全国政权并长期执政的党；已经从受到外部封锁和实行计划经济条件下领导国家建设的党，成为对外开放和发展社会主义市场经济条件下领导国家建设的党。党所面对的世情、国情和党情都进一步发生了深刻变化：在世情上，虽然和平与发展仍然是时代的两大主题，但世界很不安定，霸权主义和强权政治有新的表现，恐怖主义危害上升，东西方思想文化相互激荡，西方敌对势力对我国“西化”、“分化”的战略图谋加紧实施；在国情上，我国的改革开放取得了伟大成就，逐步进入全面建设小康社会，加快推进社会主义现代化新的发展阶段，我国社会生活发生的广泛而深刻的变化，给我们党执政和领导各项事业提出新的更高要求；在党情上，经过八十年的发展，我们的党员队伍，党所处的地位和环境，党所肩负的任务，都发生了重大变化，新的历史条件要求党进一步提高执政能力和领导水平，充分发挥好中国特色社会主义事业领导核心作用，等等。这就要求全党集中智慧，坚持运用马克思主义的基本原理和立场、观点、方法，从中国和世界的历史、现状和未来着眼，充分总结我们党八十年奋斗的基本经验，特别是十三届四中全会之后的基本经验，准确把握时代特点和党的任务，进一步深化全党对共产党执政的规律、对社会主义建设的规律、对人类社会发展的规律的认识，进一步推动马克思主义中国化的历史进程。这些正是“三个代表”重要思想产生的时代背景和实践基础。

2.“三个代表”重要思想的形成与发展

2000年2月21至25日，江泽民同志在广东深圳、顺德和广州考察工作时，第一次系统提出了“三个代表”重要思想。他指出：总结我们党七十多年的历史，可以得出一个重要的结论，这就是，我们党所以赢得人民的拥护，是因为我们党作为中国工人阶级的先锋队，在革命、建设、改革的各个历史时期，总是代表着中国先进社会生产力的发展要求，代表中国先进文化的前进方向，代表着中国最广大人民的根本利益，并通过制定正确的路线方针政策，为实现国家和人民的根本利益而不懈奋斗。

此后，2000年5月8日至15日，江泽民同志到江苏、浙江和上海等地就新时期党建工作进行调研和考察时，对“三个代表”重要思想又作了进一步的阐发。他指出：始终做到“三个代表”，是我们党的立党之本、执政之基、力量之源。按照“三个代表”的要求抓党的建设，同新时期党的建设的伟大工程的总目标总要求是一致的。推进党的思想建设、政治建设、组织建设和作风建设，都应贯穿“三个代表”的要求。各级党委要全面贯彻党的十五大关于加强党的建设的总体部署，抓住用邓小平理论武装全党这个根本，围绕不断提高领导水平和执政水平、增强拒腐防变和抵御风险的能力这两大历史课题，全面推进党的建设工作。

江泽民这一重要讲话发表后，中央和各地纷纷行动起来，以举办理论研讨班、组成宣讲团宣讲等方式对讲话进行学习、研讨和宣传。中央有关部门还专门组织有关方面就新的历史条件下党的自身建设等一系列问题展开专题调研，取得很好效果。

为使这一重要思想得到贯彻，中共中央还积极开展了“三个代表”重要思想的学习教育活动，决定从2000年冬到2001年春开始，用两年左右的时间，在全国县(市)部门、乡镇、村领导班子和基层干部中，有计划、有步骤地开展“三个代表”重要思想的学习教育活动。2000年11月30日，中共中央办公厅专门制定了《关于在农村开展“三个代表”重要思想学习教育活动的意见》。《意见》认真分析了开展学习教育活动的重要性和必要性，明确阐述了学习教育活动的指导思想、应把握的原则以及基本要求，规定了学习教育活动的方法步骤。《意见》明确提出，要切实加强对学习教育活动的领导，指出各级党委要把这次学习教育活动列入重要议事日程，精心部署，周密安排。党委书记要亲自抓，领导班子成员分工抓。在党委统一领导下，党委组织部门牵头，纪检、宣传、农业、民政、财政、教育、编办、共青团、妇联、科协等有关方面，要通力协作，齐抓共管。为加强对学习教育活动的具体领导和指导，各级党委要有专门工作机构。其后，在中央的统一部署下，各级党委和政府纷纷行动起来，制订了实施方案，落实了责任制，并选派得力干部组建精干的工作机构，把学习教育活动不断推向深入。在活动中，各地坚持学习教育与推动农村工作相结合，坚持正面教育、自我教育为主，坚持从实际出发，分类指导。坚持上下结合，综合治理，标本兼治，使学习教育活动取得了显著成效。

2001年7月1日，江泽民同志在庆祝中国共产党成立八十周年大会上的讲话中全面阐述了“三个代表”重要思想的科学内涵和基本内容。讲话对党八十年的奋斗历程和基本经验进行了全面总结，提出：总结八十年的奋斗历程和基本经验，展望新世纪的艰巨任务和光明前途，我们党要继续站在时代前列，带领人民胜利前进，归结起来，就是必须始终代表中国先进生产力的发展要求，代表中国先进文化的前进方向，代表中国最广大人民的根本利益。

讲话强调，在新的世纪，继续推进现代化建设，完成祖国统一大业，维护世界和平与促进共同发展，是我们党肩负的重大历史任务。面对国内外形势的深刻变化，我们党要胜利完成这三大历史任务，必须坚定不移地贯彻落实“三个代表”要求。“三个代表”要求，是我们党的立党之本、执政之基、力量之源，也是我们在新世纪全面推进党的建设，不断推进理论创新、制度创新和科技创新，不断夺取建设有中国特色社会主义事业新胜利的根本要求。

讲话全面地阐述了“三个代表”重要思想的丰富内涵，指出：我们党要始终代表中国先进生产力的发展要求，就是党的理论、路线、纲领、方针、政策和各项工作，必须努力符合生产力发展的规律，体现不断推动社会生产力的解放和发展的要求，尤其要体现推动先进生产力发展的要求，通过发展生产力不断提高人民群众的生活水平。我们党要始终代表中国先进文化的前进方向，就是党的理论、路线、纲领、方针、政策和各项工作，必须努力体现发展面向现代化、面向世界、面向未来的，民族的科学的大众的社会主义文化要求，促进全民族思想道德素质和科学文化素质的不断提高，为我国经济发展和社会进步提供精神动力和智力支持。我们党要始终代表中国最广大人民的根本利益，就是党的理论、路线、纲领、方针和各项工作，必须坚持把人民的根本利益作为出发点和归宿，充分发挥人民群众的积极性主动性创造性，在社会不断发展进步的基础上，使人民群众不断获得切实的经济、政治、文化利益。

这一重要讲话发表后，全党全国对这一科学理论进一步深入学习并在实践中努力贯彻落实，有力地推动了党的自身建设和中国特色社会主义事业进程。此后，以江泽民为核心的第三代中央领导集体在实践中继续把马克思主义基本原理同中国实践和时代特征结合起来，积极探索，深入思考，不断深化对“三个代表”历史地位和贯彻“三个代表”重要意义、精神实质和根本要求的认识，使“三个代表”重要思想不断得以充实、丰富和完善。2002年，党的十六大把“三个代表”重要思想同马克思列宁主义、毛泽东思想、邓小平理论一道确立为党必须长期坚持的指导思想。十六大党章明确规定：中国共产党是中国工人阶级的先锋队，同时是中国人民和中华民族的先锋队，是中国特色社会主义事业的领导核心，代表中国先进生产力的发展要求，代表中国先进文化的前进方向，代表中国最广大人民的根本利益。中国共产党以马克思列宁主义、毛泽东思想、邓小平理论和“三个代表”重要思想作为自己的行动指南，“三个代表”重要思想是党必须长期坚持的指导思想。如同党的七大把毛泽东思想确立为党的指导思想、党的十五大把邓小平理论确立为党的指导思想，对中国革命和建设的胜利发展产生的巨大影响一样，十六大把“三个代表”重要思想确立为党的指导思想，对全面开创中国特色社会主义事业新局面产生了极其重要的推动作用。

3. 在全党开展以实践“三个代表”重要思想为主要内容的保持共产党员先进性教育活动

深入学习实践“三个代表”重要思想，是党的十六大提出的一项战略任务，也是推进党的自身建设伟大工程的一个重要内容。2003年6月8日，中共中央发出通知，要求全党一定要按照十六大的要求，兴起学习贯彻“三个代表”重要思想新高潮，把思想和行动进一步统一到邓小平理论和“三个代表”重要思想上来，把智慧和力量进一步凝聚到实现十六大确定的各项任务上来。

2003年7月1日，胡锦涛在“三个代表”重要思想理论研讨会上发表重要讲话，对兴起学习贯彻“三个代表”重要思想新高潮作了进一步动员。

根据党中央的统一部署，学习贯彻“三个代表”重要思想的新高潮迅速在全国兴起。2003年上半年，中央宣传部组织编写了《“三个代表”重要思想学习纲要》，从16个方面对“三个代表”重要思想进行了全面阐述。从2003年7月下旬开始，中共中央组织中央宣讲团，分赴各地宣讲，收到了很好效果。在中央的统一领导下，各级党委切实加强领导，结合本地区、本部门和本单位的工作实际，精心组织、周密安排、及时指导、加强督促，各级领导机关和领导干部纷纷做好表率，带头学习，带头运用，从而不断将学习贯彻活动引向深入。此外，在学习贯彻活动中，中央和各地还先后举办各种形式的学习研讨班，新闻媒体也积极参与，这些都对社会形成自觉学习贯彻“三个代表”重要思想、万众一心为全面建设小康社会而团结奋斗的生动局面作出了积极贡献。

为切实推进党的自身建设，确保党始终走在时代的前列，更好地完成历史和人民赋予的艰巨使命，在经过2003年半年试点的基础上，2004年11月，中共中央下发了《关于在全党开展以实践“三个代表”重要思想为主要内容的保持共产党员先进性教育活动的意见》，决定从2005年1月开始，用一年半左右的时间，在全党开展一次保持共产党员先进性的教育活动，关于这次教育的目标要求，《意见》明确指出，就是要提高党员素质，加强基层组织，服务人民群众，促进各项工作。《意见》还明确规定了这次教育活动的总体进程，即：教育活动分三批进行，每批半年左右，具体来说，就是第一批是县及县以上党政机关和部分企事业单位，时间为2005年1月至2005年6月；第二批是城市基层和乡镇机关，时间为2005年7月至2005年12月；第三批是农村和部分党政机关，时间为2006年1月至2006年6月。《意见》明确规定集中教育分学习动员、分析评议和整改提高等三个阶段进行。

《意见》下发后，中共中央于2005年1月5日至6日召开保持共产党员先进性教育活动工作会议，就教育活动各项工作进行部署。同月14日，胡锦涛在新时期保持共产党员先进性教育专题报告会上发表重要讲话，深刻阐述了加强党的先进性建设、开展先进性教育活动的重要性及必要性、新时期共产党员保持先进性的基本要求等重要问题，在讲话中，胡锦涛要求全体共产党员积极投身先进性教育活动，领导干部尤其要发挥表率作用，切实把先进性教育活动抓好。

在中央的正确领导下，保持共产党员先进性教育从2005年1月在全党范围内分三批逐步展开，据统计，从活动开始到2006年6月结束，全党共有350多万个基层党组织、近7000万名党员参加了活动。这次先进性教育活动，我们党在改革开放和发展社会主义市场经济条件下用发展着的马克思主义武装全党的一项重大举措，也是在全面建设小康社会、加快推进社会主义现代化的关键时期加强党的执政能力建设和先进性建设的一次成功实践。按照党中央提出的关键是要取得实效、真正成为群众满意工程的要求，各级党组织精心组织，广大党员积极参加，人民群众大力支持，以学习实践“三个代表”重要思想为主线，全面落实科学发展观，坚持正面教育、自我教育为主，坚持理论联系实际，坚持教育活动与生产工作“两不误、两促进”，主题鲜明，领导有力，措施得当，健康有序、工作扎实、进展顺利、成效明显，基本实现了提高党员素质、加强基层组织、服务人民群众、促进各项工作的目标，取得了显著的实践成果、制度成果、理论成果。党在推进自身建设，特别是先进性建设和执政能力建设上取得了长足进展。

二

“三个代表”重要思想的科学内涵、精神实质和根本要求

1.“三个代表”重要思想的科学内涵

“三个代表”重要思想内涵丰富、博大精深，涵盖了经济、政治、文化和党的建设各个领域，体现在改革发展稳定、内政外交国防、治党治国治军各个方面，是一个系统的科学理论，其科学内涵主要包括以下内容：

始终代表中国先进生产力的发展要求。提出我们党要始终代表中国先进生产力的发展要求，就是党的理论、路线、纲领、方针、政策和各项工作，必须努力符合生产力发展的规律，体现不断推动社会生产力的解放和发展的要求，尤其要体现推动先进生产力发展的要求，通过发展生产力不断提高人民群众的生活水平；强调社会主义的根本任务是发展生产力；强调生产力是最活跃最革命的因素，是社会发展的最终决定力量；强调在社会主义社会的各个历史阶段，都需要根据经济社会发展的要求，适时地通过改革不断推进社会主义制度自我完善和发展；强调人是生产力中最具有决定性的力量，提出包括知识分子在内的我国工人阶级，是推动我国先进生产力发展的基本力量，提出我国农民阶级和其他劳动群众，同工人阶级紧密团结，是推动我国社会生产力发展的重要力量；强调科学技术是第一生产力，而且是先进生产力的集中体现和主要标志；等等。

始终代表中国先进文化的前进方向。提出我们党要始终代表中国先进文化的前进方向，就是党的理论、路线、纲领、方针、政策和各项工作，必须努力体现发展面向现代化、面向世界、面向未来的，民族的科学的大众的社会主义文化的要求，促进全民族思想道德素质和科学文化素质的不断提高，为我国经济发展和社会进步提供精神动力和智力支持；强调社会主义社会是全面发展、全面进步的社会，社会主义现代化事业是物质文明和精神文明相辅相成、协调发展的事业；强调发展社会主义文化的根本任务，是培养一代又一代有理想、有道德、有文化、有纪律的公民；强调加强社会主义思想道德建设，是发展先进文化的重要内容和中心环节；等等。

始终代表中国最广大人民的根本利益。提出我们党要始终代表中国最广大人民的根本利益，就是党的理论、路线、纲领、方针、政策和各项工作，必须坚持把人民的根本利益作为出发点和归宿，充分发挥人民群众的积极性、主动性、创造性，在社会不断发展进步的基础上，使人民群众不断获得切实的经济、政治、文化利益；强调全心全意为人民服务，立党为公，执政为民，是我们党同一切剥削阶级政党的根本区别；强调人民群众的整体利益总是由各方面的具体利益构成的。我们所有的政策措施和工作，都应该正确反映并有利于妥善处理各种利益关系，都应认真考虑和兼顾不同阶层、不同方面群众的利益，但是，最重要的是必须首先考虑并满足最大多数人的利益要求；强调我们党始终坚持人民的利益高于一切，党除了最广大人民的利益，没有自己特殊的利益；等等。

把发展作为党执政兴国的第一要务。强调能不能解决好发展问题，直接关系人心向背、事业兴衰；强调我们党要承担起推动中国社会进步的历史责任，必须始终紧紧抓住发展这个执政兴国的第一要务，

把坚持党的先进性和发挥社会主义制度的优越性，落实到发展先进生产力、发展先进文化、实现最广大人民的根本利益上来，推动社会全面进步，促进人的全面发展；强调发展必须坚持以经济建设为中心，立足中国现实，顺应时代潮流，不断开拓促进先进生产力和先进文化发展的新途径；强调必须相信和依靠人民，要集中全国人民的智慧和力量，毫不动摇地坚持党在社会主义初级阶段的基本路线，聚精会神搞建设，一心一意谋发展；等等。

正确处理改革发展稳定的关系。提出改革、发展、稳定，好比是我国现代化建设棋盘上的三着紧密关联的战略性棋子，每一着棋都下好了，相互促进，全盘皆活，有一着下不好，则其他两者也会陷入困境，甚至全局受挫；强调要正确把握改革、发展、稳定之间的内在关系，做到相互协调，相互促进，改革是动力，发展是目的，稳定是前提；强调要把改革的力度、发展的速度和社会可承受的程度统一起来，要把改革的力度、发展的速度和社会可承受的程度统一起来，确保社会稳定和国家长治久安，要把不断改善人民生活作为处理改革发展稳定关系的重要结合点，在社会稳定中推进改革发展，通过改革发展促进社会稳定；等等。

建立社会主义市场经济。明确提出“社会主义市场经济体制”概念，正式把其确定为我国经济体制改革的目标；积极探索，勇于实践，勾画了建立社会主义市场经济体制的蓝图和基本框架；强调要坚持社会主义市场经济的根本方向，使市场在国家宏观调控下对资源配置起基础作用；强调要加强国民经济市场化的进程，提出要着重发展资本、劳动力、技术等生产要素市场，完善生产要素价格形成机制；等等。

公有制为主体、多种所有制共同发展的基本经济制度。强调要调整和完善所有制结构。公有制为主体、多种所有制经济共同发展，是我国社会主义初级阶段的一项基本经济制度。强调要全面认识公有制经济的含义。公有制经济不仅包括国有经济和集体经济，还包括混合所有制经济中的国有成分和集体成分；强调公有制的主体地位主要体现在：公有资产在社会总资产中占优势，国有经济控制国民经济命脉，对经济发展起主导作用，提出这是就全国而言，有的地方、有的产业可以有所差别；强调公有制实现形式可以而且应当多样化；等等。

按劳分配为主体、多种分配方式并存的分配制度。强调把按劳分配和按生产要素分配结合起来，坚持效率优先、兼顾公平，有利于优化资源配置，促进经济发展，保持社会稳定；强调要依法保护合法收入，允许和鼓励一部分人通过诚实劳动和合法经营先富起来，允许和鼓励资本、技术等生产要素参与收益分配；强调取缔非法收入，整顿不合理收入，对凭借行业垄断和某些特殊条件获得个人额外收入的，必须纠正；强调防止两极分化；等等。

提高对外开放水平。强调对外开放是一项长期的基本国策；强调面对经济、科技全球化趋势，我们要以更加积极的姿态走向世界，完善全方位、多层次、宽领域的对外开放格局，发展开放型经济，增强国际竞争力，促进经济结构优化和国民经济素质提高；强调以提高效益为中心，努力扩大商品和服务的对外贸易，优化进出口结构；强调积极合理有效地利用外资，有步骤地推进服务业的对外开放；强调进一步办好经济特区、上海浦东新区，鼓励这些地区在体制创新、产业升级、扩大开放等方面继续走在前面，发挥对全国的示范、辐射、带动作用;等等。

社会主义政治文明。强调发展社会主义民主政治,建设社会主义政治文明,是社会主义现代化建设的重要目标,必须在坚持四项基本原则的前提下,继续积极稳妥地推进政治体制改革,扩大社会主义民主,健全社会主义法制,建设社会主义法治国家,巩固和发展民主团结、生动活泼、安定和谐的政治局面;强调没有民主就没有社会主义,就没有社会主义现代化;强调我国实行的人民民主专政的国体和人民代表大会制度的政体是人民奋斗的成果和历史的选择,必须坚持和完善这个根本政治制度,不照搬西方政治制度的模式;强调推进政治体制改革,必须有利于增强党和国家的活力,保持和发挥社会主义制度的特点和优势,维护国家统一、民族团结和社会稳定,充分发挥人民群众的积极性,促进生产力发展和社会进步;等等。

坚持党的领导、人民当家做主和依法治国的有机统一。强调发展社会主义民主政治,最根本的是要把坚持党的领导、人民当家做主和依法治国有机统一起来;强调党的领导是人民当家做主和依法治国的根本保证;强调社会主义民主的本质是人民当家做主,国家一切权力属于人民;强调发展民主必须同健全法制紧密结合,实行依法治国;强调依法治国是党领导人民治理国家的基本方略,是发展社会主义市场经济的客观需要,是社会文明进步的重要标志,是国家长治久安的重要保障;等等。

改革和完善党的领导方式和执政方式。强调这对于推进社会主义民主政治建设,具有全局性作用;强调党的领导主要是政治、思想和组织领导,通过制定大政方针,提出立法建议,推荐重要干部,进行思想宣传,发挥党组织和党员的作用,坚持依法执政,实施党对国家和社会的领导;强调党委在同级各种组织中发挥领导核心作用,集中精力抓好大事,支持各方独立负责、步调一致地开展工作;强调要进一步改革和完善党的工作机构和工作机制;强调加强对工会、共青团和妇联等人民团体的领导,支持他们依照法律和各自章程开展工作,更好地成为党联系广大人民群众的桥梁和纽带。

依法治国和以德治国相结合。强调对一个国家的治理来说,法治与德治,从来都是相辅相成、相互促进,二者缺一不可,也不可偏废;强调法治属于政治建设、属于政治文明,德治属于思想建设、属于精神文明,二者范畴不同,但其地位和功能都非常重要;强调依法治国,就是广大人民群众在党的领导下,依照宪法和法律规定,通过各种途径和形式管理国家事务,管理经济文化事业,管理社会事务,保证国家各项工作都依法进行,逐步实现社会主义民主的制度化、法律化,使这种制度和法律不因领导人的改变而改变,不因领导人看法和注意力的改变而改变;要建立与社会主义市场经济相适应、与社会主义法律规范相协调、与中华民族传统美德相承接的社会主义思想道德体系;等等。

走中国特色的精兵之路。强调建立巩固的国防是我国现代化建设的战略任务,是维护国家安全统一和全面建设小康社会的重要保障;强调坚持国防建设与经济建设协调发展的方针;强调坚持以毛泽东军事思想、邓小平新时期军队建设思想为指导,全面贯彻“三个代表”重要思想,按照政治合格、军事过硬、作风优良、纪律严明、保障有力的总要求,紧紧围绕打得赢、不变质两个历史性课题,坚定不移地走中国特色的精兵之路,加强军队的革命化现代化正规化建设；强调始终把思想政治建设摆在军队各项建设的首位，永葆人民军队的性质、本色和作风；强调党对军队的绝对领导是我军永远不变的军魂，要毫不动摇地坚持党领导人民军队的根本原则和制度；强调贯彻积极防御的军事战略方针；等等。

维护世界和平、促进共同发展。强调和平与发展是当今时代的主题；强调不公正不合理的国际政治经济旧秩序没有根本改变，影响和平与发展的不确定因素在增加；强调我们始终不渝地奉行独立自主的和平外交政策，中国外交政策的宗旨，是维护世界和平，促进共同发展；强调我们主张建立公正合理的国际政治经济新秩序，主张维护世界多样性，提倡国际关系民主化和发展模式多样化；等等。

党的建设新的伟大工程。强调加强和改进党的建设，一定要高举邓小平理论伟大旗帜，全面贯彻“三个代表”重要思想，保证党的路线方针政策全面反映人民的根本利益和时代发展的要求；一定要坚持党要管党、从严治党的方针，进一步解决提高党的领导水平和执政水平、提高拒腐防变和抵御风险能力这两大历史性课题；一定要准确把握当代中国社会前进的脉搏，改革和完善党的领导方式和执政方式、领导体制和工作制度，使党的工作充满活力；一定要把思想建设、组织建设和作风建设有机结合起来，把制度建设贯穿其中，既立足于做好经常性工作，又抓紧解决存在的突出问题；强调要通过锲而不舍的努力，保证我们党始终是中国工人阶级的先锋队，同时是中国人民和中华民族的先锋队，始终是中国特色社会主义事业的领导核心，始终代表中国先进生产力的发展要求，代表中国先进文化的前进方向，代表中国最广大人民的根本利益。

2.“三个代表”重要思想的精神实质和根本要求

党的十六大报告指出：“贯彻‘三个代表’重要思想，关键在坚持与时俱进，核心在坚持党的先进性，本质在坚持执政为民。全党同志要牢牢把握这个根本要求，不断增强贯彻‘三个代表’重要思想的自觉性和坚定性。”这就为全党点明了“三个代表”重要思想的主要精神实质和学习贯彻这一科学理论的根本要求。

关键在与时俱进。所谓与时俱进，就是党的全部理论和工作要体现时代性，把握规律性，富于创造性。坚持一切从实际出发，理论联系实际，实事求是，在实践中检验真理和发展真理，是马克思主义最重要的理论品质。此外，坚持党的思想路线，解放思想、实事求是、与时俱进，也是我们党能否坚持先进性和增强创造力的决定性因素，是一个政党、一个国家和一个民族永葆生机的源泉。能否始终做到这一点，决定着党和国家的前途命运。

核心在坚持党的先进性。党的先进性，指的是马克思主义政党在人类社会发展进程中始终立于时代前列，引领社会前进方向的一种特质。党的先进性是具体的、历史的，必须放到推动当代中国先进生产力和先进文化的发展中去考察，放到维护和实现最广大人民根本利益的奋斗中去考察，归根到底要看党在推动历史前进中的作用。因此，保持党的先进性，必须把发展作为党执政兴国的第一要务，不断开创现代化建设的新局面，必须把坚持党的先进性和发挥社会主义制度的优越性，落实到发展先进生产力、发展先进文化、实现最广大人民的根本利益上来，推动社会全面进步，促进人的全面发展。

本质在坚持执政为民。“三个代表”重要思想的本质是立党为公、执政为民。

建党以来，我们全部工作的出发点和落脚点，就是不断实现好、维护好、发展好最广大人民的根本利益。立党为公，执政为民，正是我们党同一切剥削阶级政党的根本区别。因此，无论在什么时候，我们都必须在实践中始终坚持立党为公、执政为民，并把这一要求落实到党和国家制定和实施方针政策的工作中去，落实到各级领导干部的思想和行动中去，落实到关心群众生产生活的工作中去。

三

“三个代表”重要思想的历史地位

“三个代表”重要思想是对马克思列宁主义、毛泽东思想和邓小平理论的继承和发展，是中国特色社会主义理论体系承上启下的极为重要的组成部分。这一科学理论反映了改革开放之后，特别是十三届四中全会之后当代世界和中国的发展变化对党和国家工作的新要求，是加强和改进党的自身建设、推进我国社会主义自我完善和发展的强大理论武器。

1.“三个代表”重要思想是马克思主义在中国发展的新阶段

这一科学理论坚持马克思主义的世界观和方法论，创造性地运用它们分析当今世界和中国的实际，为我们在新的时代条件下运用辩证唯物主义和历史唯物主义认识和把握社会发展规律、更好地推进我国社会主义事业作出了新的理论概括；这一科学理论坚持马克思主义关于无产阶级政党必须植根于人民的政治立场，注重从人民群众的实践中吸取养分，为我们坚持马克思主义的群众观点、不断实现最广大人民的根本利益提出了新的理论要求；这一科学理论坚持马克思主义与时俱进的理论品质，体现了马克思主义理论创新的巨大勇气，为我们坚持马克思主义基本原理、不断在实践中推进理论创新打开了新的理论视野。“三个代表”重要思想创造性地运用马克思列宁主义、毛泽东思想特别是邓小平理论，紧密结合新的实践，提出了关于建立社会主义市场经济体制的思想，关于公有制为主体、多种所有制经济共同发展是我国社会主义初级阶段的基本经济制度的思想，关于按劳分配为主体、多种分配方式并存的思想，等等。这些都是对马克思主义理论的重大贡献。“三个代表”重要思想既坚持马克思主义基本原理，又不从书本、概念和抽象的原则出发，而是一切从实际出发，深刻总结实践创造的新鲜经验并上升到理论，在推动马克思主义的发展中卓有成效地坚持了马克思主义。

2.“三个代表”重要思想为加强党的自身建设进一步指明了前进方向

进入改革开放新时期以后，特别是十三届四中全会之后，面对党所处的环境和肩负任务的新变化，面对党在前进道路上所遇到的一些问题，“三个代表”重要思想进行了认真探索，并给予了科学解答。这一科学理论把党的建设新的伟大工程同中国特色社会主义伟大事业紧密联系起来，赋予党的性质、宗旨、指导思想和任务以丰富的时代内容，确定了党的建设的总体部署，为我们党能在世界形势深刻变化的历史进程中始终走在时代前列，在应对国内外各种风险考验的历史进程中始终成为全国人民的主心骨，在建设中国特色社会主义的历史进程中始终成为坚强领导核心，进一步指明了前进的方向。

3.“三个代表”重要思想为我国社会主义现代化建设进一步指明了方向

“三个代表”重要思想强调树立共产

主义的远大理想和坚定信念，同时强调共产主义只有在社会主义社会充分发展和高度发达的基础上才能实现，实现共产主义是一个非常漫长的历史过程，要立足我国正处于并将长期处于社会主义初级阶段这个实际，脚踏实地地为实现党在现阶段的基本纲领而不懈努力。“三个代表”重要思想在全面审视当今世界格局的变化，准确判断国际形势的发展趋势的基础上，紧紧把握我国社会生活和社会结构的深刻变化，系统概括了我们党对社会主义建设规律的探索成果，科学判断了建设中国特色社会主义的依靠力量，深刻预测现代化建设的发展趋势，规划了中国特色社会主义发展的宏伟蓝图和一整套发展战略，这些都为我们在适合中国国情的社会主义发展道路上昂首前进，进一步指明了方向。

第八届全国人民代表大会

一

第八届全国人民代表大会工作概述

第八届全国人民代表大会自 1993 年 3 月第八届全国人民代表大会一次会议至 1998 年 3 月第九届全国人民代表大会第一次会议上结束，历时 5 年。

在八届全国人大及其常委会任期内，制定社会主义市场经济方面的法律步伐加快，共审议法律和有关法律问题的决定草案 129 个；通过法律 85 个、有关法律问题的决定 33 个，共计 118 个；还批准双边或多边国际条约、公约和重要协定 60 个。立法不仅数量多，质量也有所提高，为形成具有中国特色社会主义法律体系奠定了基础。八届全国人大第一次会议通过的宪法修正案，把“我国正处于社会主义初级阶段”、“建设有中国特色社会主义的理论”和“坚持改革开放”等内容载入了宪法，以国家根本大法的形式确立了建设有中国特色社会主义理论的指导地位。宪法修正案还规定“国家实行社会主义市场经济”，“国家加强经济立法，完善宏观调控”，这就为建立和发展社会主义市场经济提供了宪法依据，具有重大意义。

代表工作制度建设加强。依照代表法的规定，采取多种方式加强同全国人大代表的联系。继续坚持邀请部分全国人大代表列席常委会会议的制度；在作出重大决议、决定，审议法律草案时，征求有关代表的意见；有计划地组织代表开展视察活动。不断改进办理代表议案和建议的工作。本届以来，代表团和代表共提出议案 3369 件，其中交专门委员会审议的 566 件。各专门委员会在深入调查研究的基础上，向常委会提出了审议结果的报告，已经常委会批准。其余 2803 件作为建议处理，连同代表提出的 11730 件建议、批评和意见，分别交有关部门办理，答复了代表，办理代表议案和建议的工作制度逐步完善。5 年来，共办理人民来信 30 多万件，接待群众来访 6 万多人次。通过建立健全信访工作制度，加强催办督办，督促有关部门纠正了一批冤假错案，处理了一些违法案件，帮助群众解决了一些困难和问题。

（第一次、二次会议见第四卷）

二

八届全国人大三次会议

1995年3月5日至18日，八届全国人大三次会议在北京举行，出席会议的代表共2977人。会议的主要议程是：听取李鹏的《政府工作报告》，陈锦华的《关于1994年国民经济和社会发展计划执行情况与1995年国民经济和社会发展计划草案的报告》，刘仲藜的《关于1994年国家预算执行情况和1995年中央及地方预算草案的报告》和田纪云、任建新、张思卿分别作的全国人大常委会、最高人民法院、最高人民检察院的工作报告；审议、通过《中华人民共和国教育法》、《中华人民共和国人民银行法》以及人事任免。

李鹏的《政府工作报告》分为七个部分：①1994年国内工作的回顾。②促进国民经济持续、快速、健康发展。③以国有企业为重点深化经济体制改革。④发展科技教育文化和卫生体育事业。⑤为改革和发展创造良好的社会环境。⑥积极促进祖国和平统一大业。⑦外交工作。

陈锦华的《关于1994年国民经济和社会发展计划执行情况与1995年国民经济和社会发展计划草案的报告》提出1995年国民经济和社会发展的主要任务是：继续加强和改善宏观调控，抑制通货膨胀，保持国民经济发展的好势头；增加农业投入，确保农副产品供应，全面发展和繁荣农村经济；以深化国有企业改革为重点，推进各项配套改革，完善宏观管理体制；加大结构调整力度，强化管理和推动技术进步，提高经济的整体素质和效益。为此，要着重抓好以下工作：以提高经济增长的质量和效益为中心，保持经济适度增长；坚决抑制通货膨胀，确保价格调控目标的实现；切实加强农业，保证主要农产品稳定增长；把调整工业生产结构、提高经济效益放在突出位置；保持合理的固定资产投资规模，优化投资结构；进一步扩大对外开放，积极有效地利用外资；坚持把科技、教育放到优先发展的战略地位，积极发展各项社会事业，继续改善人民生活。根据当前新的情况和全年改革发展的要求，宏观调控要围绕抑制通货膨胀这个首要任务，重点抓好以下几个方面：实行适度从紧的财政、货币政策；严格控制固定资产投资和消费基金的过快增长；整顿流通秩序，加强对市场价格的调控和监管；努力为深化国有企业改革创造必要的宏观环境；进一步完善宏观调控体系，增强宏观调控的统一性和有效性。

刘仲藜的《关于1994年国家预算执行情况和1995年中央及地方预算草案的报告》指出，根据初步统计，1994年国家财政收入5181.75亿元，完成预算的108.9%，比上年增长19.2%；国家财政支出5819.76亿元，完成预算的107.2%，比上年增长25.4%。收入和支出相抵，支出大于收入638.01亿元。其中，中央财政赤字668.14亿元，没有突破预算确定的数额，地方财政结余30.13亿元。1994年财政收入大幅度超过预算，主要有三方面原因：一是经济增长速度超过计划目标，使财政收入中与经济增长密切相关的一些主要税种超收较多；二是新的税收制度为严格税收征管创造了良好条件，税收流失情况比过去有所减少；三是实行分税制较好地处理了中央与地方的分配关系，确定了中央返还地方的税收基数和有关政策，调动了各地加强税收征管、努力增加收入的积极性，地方税及中央与地方共享税都有较大幅度增长。财政支出超过预算较多，一是受去年行政事业单位职工调整工资的影响；二是物价上涨幅度较大，也抬高了各项开支的费用水平；三是许多地方用超收相应增加了本地需要的支出，这是现行财政体制允许的。1995年全国财政收入安排5692.4亿元，比上年执行数增长9.9%，其中，中央本级收入3219亿元，地方本级收入2473.4亿元；财政支出安排6359.2亿元，比上年执行数增长9.3%，其中，中央本级支出2044.74亿元，地方本级支出4314.46亿元；收支相抵，支出大于收入666.8亿元。财税部门将从以下几个方面做好今年的财税工作，确保预算任务的完成：深入细致地做好财税改革的完善工作；注重经济增长的质量与效益，狠抓企业扭亏增盈工作；严格以法治税，强化税收征管；动员各方力量，确保国债发行计划的顺利完成；坚持适度从紧的财政政策、严格支出管理。

田纪云的《全国人民代表大会常务委员会工作报告》指出，一年来，常委会继续把立法工作放在首位，加快经济立法，共审议了31个法律和关于法律问题决定的草案，通过了21个法律和关于法律问题的决定；坚持把对法律实施情况的检查监督放在与立法同等重要位置，重点检查了反不正当竞争法、消费者权益保护法、产品质量法、关于称之生产、销售伪劣商品犯罪的决定和农业法的实施情况；开展对人民代表大会制度的宣传，加强法制教育；认真办理代表议案和建议，密切同代表和地方人大的联系；开展外事工作，充分发挥议会外交的作用。今后一年常委会的主要工作包括：加快立法步伐，提高立法质量；健全监督机制，增强监督效果；加强法制宣传教育，增强全社会的法律意识；加强对乡镇人大换届选举的指导，做好联系代表和地方人大的工作；搞好议会外交，加强对外交往与合作；按照民主集中制原则，加强常委会建设。

任建新的《最高人民法院工作报告》指出，在同严重刑事犯罪斗争，维护社会稳定方面，全国法院进一步加强了严打斗争，严厉打击严重危害社会治安、贪污、贿赂、挪用公款、严重破坏经济秩序的犯罪活动，严惩危害社会治安的犯罪分子的同时，密切结合审判工作，积极参与社会治安综合治理。在依法调解经济关系，保护公民、法人合法权益方面，及时审理与经济体制改革相关的案件，保障改革措施的落实；积极审理商品流通领域中的纠纷案件，维护市场的正常秩序；妥善审理涉及农业生产和乡镇企业的纠纷案件，促进农村经济的发展；依法保护公民的人身权利和财产权利，行政诉讼制度的建立和发展是我国社会主义民主和法制日益完善的一个重要标志；认真审理知识产权案件，加强对知识产权的司法保护；公正审理涉外、涉港澳、涉台经济纠纷案件，为扩大开放创造良好的法制环境。在严肃执法，加强队伍建设方面，一年来，全国法院狠抓严肃执法，努力提高司法水平；为保证严肃执法，各级人民法院加强了队伍建设，努力提高队伍的政治思想水平，加强法院干部业务培训工作。《报告》指出，1995年人民法院的主要工作任务是：继续围绕全党和全国工作的大局，全面加强审判工作，加强严打斗争，调节经济关系，保护公民、法人的合法权益，坚持严肃执法，狠抓队伍建设，努力提高司法水平，为改革、发展、稳定提供更加有力的司法保障。

张思卿的《最高人民检察院工作报告》指出，在过去的一年，全国各级人民检察院认真履行法律监督职能，各项检察业务和自身建设都有了进一步发展，表现为：集中力量查办贪污贿赂等犯罪大案要案，深入开展反腐败斗争；严厉打击严重刑事犯罪，努力维护社会稳定；加强执法监督，促进严格执法；依法建院，从严治检，进一步加强自身建设。《报告》指出1995年检察工作的主要任务是：坚持“严格执法，狠抓办案”的工作方针，突出抓好查办贪污贿赂等大案要案工作，依法从重从快打击严重刑事犯罪活动，进一步加强执法监督，抓好检察队伍建设，积极推进检察体制改革和法制建设，充分发挥检察职能。

会议审议通过了《关于1994年国家预算执行情况和1995年中央及地方预算的决议》，决定批准国务院提出的1995年中央预算，批准刘仲藜的报告。会议授权全国人大常委会审查和批准1994年国家决算。会议通过了《关于全国人民代表大会常务委员会工作报告的决议》、《关于最高人民法院工作报告的决议》、《关于最高人民检察院工作报告的决议》。

会议还审议通过了《中华人民共和国教育法》、《中华人民共和国中国人民银行法》。

《教育法》共10章84条。其主要内容是：①公民有受教育的权利和义务，依法享有平等的受教育机会；②国家实行学前教育、初等教育、中等教育、高等教育的学校教育制度、九年制义务教育制度、职业教育制度、成人教育制度、国家教育考试制度、学业证书制度、学位制度、教育督导制度和教育机构教育评估制度；③国家举办并鼓励有关组织和公民个人举办学校及其他教育机构，规定学校及其他教育机构、教育者和受教育者的权利和义务，社会其他方面对教育、学校和学生发展创造良好社会环境、提供便利条件；④国家以财政拨款和其他多种渠道筹措教育经费，其他举办者自行筹措办学经费，教育经费在财政预算中单独列项，教育费附加由教育行政部门统筹管理，主要用于实施义务教育；⑤国家鼓励开展教育对外交流与合作。同日，《教育法》由《中华人民共和国主席令》第45号公布，自1995年9月1日起施行。《人民银行法》共8章51条。主要内容是：①中国人民银行是中华人民共和国的中央银行，在国务院领导下，制定和实施货币政策，对金融业实施监督管理，依法独立执行货币政策，履行职责，开展业务，不受地方政府、各级政府部门、社会团体和个人的干涉；②中国人民银行采取行长负责制，设立货币政策委员会和分支机构；③中华人民共和国的法定货币是人民币，人民币由中国人民银行统一印制、发行；④中国人民银行为执行货币政策，可以运用相关货币政策工具，依法经理国库，可代理国务院财政部门发行、兑付国债和其他政府债券，依法对金融机构及其业务实施监督管理；⑤中国人民银行实行独立的财务预算管理制度。《中国人民银行法》是稳定币值、加强金融监管、完善和加强国家宏观调控、保障金融体制改革顺利进行的一部重要法律。同日，《人民银行法》由《中华人民共和国主席令》第46号公布，自公布之日起施行。

会议决定任命吴邦国、姜春云为国务院副总理，补选张毓茂、普朝柱为全国人大常委会委员。

这次会议收到代表和代表团提出的议案共732件。经大会主席团审议决定，将110件议案交有关专门委员会审议，提出是否列入全国人大或全国人大常委会的议程的意见，由全国人大常委会审议决定。其余622件连同代表提出的建议、批评和意见，由全国人大常委会办公厅交由有关机关、组织研究处理，并负责答复。

八届全国人大三次会议是在我国改

革开放和社会主义现代化建设发展的关键时刻召开的，显著特点是充满了求实精神和建设精神，一个重要成果是全面正确地分析形势，达到思想认识的统一。代表和委员们一致赞同，看形势要看全面、看主流、看发展，去年经济体制改革在许多重要方面取得了突破性进展，国民经济保持持续、快速、健康发展的强劲势头，综合国力和人民生活继续提高，各项事业欣欣向荣；但也面临一些新的问题和挑战，工作中确有一些经验教训值得总结，不能掉以轻心，不能骄傲自满。会议通过的《教育法》和《中国人民银行法》，是全国人大及其常委会在立法工作特别是经济立法工作上取得的重大成就，对我国教育事业和金融工作的健康发展提供了法律保障，具有重要意义。

三

八届全国人大四次会议

1996 年 3 月 5 日至 17 日，八届全国人大四次会议在北京举行，出席会议的代表共 2974 人。会议的主要议程是：听取李鹏《关于国民经济和社会发展"九五"计划和 2010 年远景目标纲要的报告》，陈锦华《关于 1995 年国民经济和社会发展计划执行情况与 1996 年国民经济和社会发展计划草案的报告》，刘仲藜《关于 1995 年中央和地方预算执行情况及 1996 年中央和地方预算草案的报告》和田纪云、任建新、张思卿分别作的全国人大常委会、最高人民法院、最高人民检察院的工作报告；审议、通过《中华人民共和国行政处罚法》，《中华人民共和国刑事诉讼法修正案》，《全国人民代表大会关于授权汕头市和珠海市人民代表大会及其常务委员会、人民政府分别制定法规和规章在各自的经济特区实施的决定》。

李鹏的《报告》指出，过去的五年，是我国人民沿着建设有中国特色社会主义道路阔步前进的五年，国民经济持续快速增长，经济体制改革取得突破性进展，对外开放的总体格局基本形成，城乡人民生活继续改善，各项社会事业全面发展。今后十五年，是我国改革开放和社会主义现代化建设事业承前启后、继往开来的重要时期。未来十五年的主要奋斗目标是："九五"时期，全面完成现代化建设的第二步战略部署，2000 年在人口将比 1980 年增长 3 亿左右的情况下，实现人均国民生产总值比 1980 年翻两番；基本消除贫困现象，人民生活达到小康水平；加快现代企业制度建设，初步建立社会主义市场经济体制。2010 年，实现国民生产总值比 2000 年翻一番，使人民的小康生活更加宽裕，形成比较完善的社会主义市场经济体制。在推进改革和发展的同时，社会主义精神文明和民主法制建设要取得显著进展，实现社会全面进步。指导方针是：保持国民经济持续、快速、健康发展；积极推进经济增长方式转变，把提高经济效益作为经济工作的中心；实施科教兴国战略，促进科技、教育与经济紧密结合；把加强农业放在发展国民经济的首位；把国有企业改革作为经济体制改革的中心环节；坚定不移地实行对外开放；实现市场机制和宏观调控的有机结合，把各方面的积极性引导好、保护好、发挥好；坚持区域经济协调发展，逐步缩小地区发展差距；坚持物质文明和精神文明共同进步，经济和社会协调发展。关于"九五"和后十年经济建设的主要任务和战略布局，着重考虑以下几点：确保农业和农村经济持续稳定增长；积极推进产业结构的调整；促进区域经济协调发展；努力保持宏观经济的稳定；不断提高城乡人民生活水平。国防现代化是我国现代化建设的一项重要任务。《报告》指出，要以企业改革为中心积极推进经济体制改革，主要是：建立现代企业制度，搞好国有企业的改革和发展；积极培育统一开放、竞争有序的市场体系；转变政府职能，增强国家宏观调控能力；提高对外开放水平。《报告》指出，实施科教兴国和可持续发展两大战略对于今后十五年的发展乃至整个现代化的实现具有重要意义。要面向经济建设，加快科技进步；优先发展教育，提高国民素质；坚持计划生育基本国策，严格控制人口增长；加强环境、生态保护，合理开发利用资源，实现经济社会相互协调和可持续发展。《报告》指出，发展经济的同时，必须把精神文明和民主法制建设提到更加突出的地位，切实加强思想道德和文化建设，加强社会主义民主和法制建设，加强勤政廉政建设和反腐败斗争，维护社会稳定和国家安全，促进社会全面进步，强调巩固和发展民族团结是全国人民的根本利益所在。《报告》最后指出，要努力做好1996年的工作，为“九五”创造一个良好开端。

陈锦华的《关于1995年国民经济和社会发展计划执行情况与1996年国民经济和社会发展计划草案的报告》指出，总的看，1995年国民经济和社会发展计划执行情况是好的，实现了宏观调控的主要目标。主要表现为：抑制通货膨胀取得初步成效，国民经济持续增长，重点建设得到进一步加强，财政收支差额和信贷货币控制较好，经济体制改革继续推进，对外开放取得新进展，科技教育和各项社会事业蓬勃发展，城乡人民生活进一步改善。1996年国民经济和社会发展的主要宏观调控目标是：国内生产总值增长8%；全社会固定资产投资率32%左右；全国商品零售价格上涨幅度控制在10%左右；货币发行量控制在1000亿元；中央财政收支差额比上年减少50亿元，国债发行1952亿元；外贸进出口总额2810亿美元；人口自然增长率控制在12‰以内；城镇新就业700万人以上，农村劳动力由第一产业向第二、三产业转移500万人以上。按照上述目标，1996年国民经济和社会发展计划的主要任务有以下几个方面：保持经济适度增长，提高国民经济的整体素质和效益；继续抑制通货膨胀，确保实现物价调控目标；切实加强农业，全力夺取农业丰收；继续深化国有企业改革，搞好各项配套改革；进一步优化投资结构，努力提高投资效益；提高对外贸易效益，加强对利用外资的引导；加快科技成果转化，优先发展教育事业；全面发展社会事业，继续改善人民生活。《报告》指出，从1996年起，要在转变经济增长方式上迈出有效步伐，使国民经济和社会发展出现新的气象。经济增长要立足于充分利用现有基础，提高科技进步对经济增长的贡献率，狠抓资源节约与有效利用，进一步优化企业组织结构和投资结构，充分发挥市场机制优胜劣汰的作用，为促进经济增长方式转变创造良好的宏观环境。

刘仲藜的《关于1995年中央和地方预算执行情况及1996年中央和地方预算草案的报告》指出，初步统计，1995年全国财政收入6187.73亿元，完成预算的108.7%，比上年增加969.63亿元，增长18.6%；全国财政支出6809.17亿元，完成预算的107.1%，比上年增加1016.55亿元，增长17.6%。收入与支出相抵，支出大于收入621.44亿元。1996年中央和地方预算草案的汇总情况是：全国财政收入安排6872.18亿元，比上年执行数增长

11.1%。全国财政支出7486.6亿元,比上年执行数增长9.9%。收支相抵,支出大于收入614.42亿元。《报告》指出,1996年的财税工作要继续以经济建设为中心,正确处理改革、发展、稳定三者的关系,积极推进经济体制和经济增长方式的根本性转变,切实加强农业基础地位,认真实施科教兴国战略,继续实行适度从紧的财政政策,努力抑制通货膨胀,提高对外开放总水平,促进国民经济持续、快速、健康发展和社会全面进步,为"九五"计划和2010年远景目标的实现创造一个良好的开端。为此,要做好以下工作:发展经济,开辟财源,积极推动经济增长方式转变;巩固和完善新财税体制,进一步理顺分配关系;大力加强税收征管,确保收入预算的完成;合理调整支出结构,控制财政支出;加强财政法制建设,大力整顿财经秩序。

田纪云的《全国人民代表大会常务委员会工作报告》指出,一年来,立法工作取得重要成果,监督工作有所改进和加强,外事工作取得新的进展,加强与代表和地方人大的联系,充分发挥专门委员会和办事机构的作用;同时,常委会的工作还存在一些不足,主要是:现实生活中一些急需的重要法律还没有制定出来,立法工作的程序尚需进一步理顺,立法工作的效率和水平有待进一步提高;监督工作特别是对法律实施的监督不够有力,执法检查的力度还需要继续加强;常委会的自身建设也还不完全适应日益繁重的人大工作的需要。今后一年,要继续加强立法工作,尽快建立与社会主义市场经济体制相适应的法律体系;进一步改进和加强监督工作,增强监督实效;积极开展对外交往与合作,为创造改革开放和现代化建设的良好国际环境服务;加强常委会的自身建设,更好地完成各项任务。

任建新的《最高人民法院工作报告》指出,1995年,全国法院严厉打击严重危害社会治安的犯罪,严厉惩办贪污、贿赂等经济犯罪,全力保障社会稳定;依法调节经济关系,促进社会主义市场经济的发展;保护公民、法人的合法权益,促进社会主义民主与法制建设;加强法院改革和建设,不断提高司法水平。《报告》指出,最高人民法院确定了"九五"期间乃至2010年人民法院工作的基本方针和任务。

张思卿的《最高人民检察院工作报告》指出,过去的一年,最高人民检察院领导地方各级人民检察院和专门人民检察院紧紧围绕党和国家的工作大局,坚决贯彻党中央关于维护稳定和深入开展反腐败斗争的总体部署,按照八届全国人大三次会议的要求,坚持"严格执法,狠抓办案"的工作方针,认真履行法律监督职责,各项检察工作都取得了新的进展。1996年要着重抓好以下几项工作:坚持查办大案要案,推动反腐败斗争不断深入;坚持"严打"斗争,全力维护国家安全和社会稳定;进一步加强执法监督,促进严格执法;大力开展调查研究,加强工作指导;认真执行检察官法,加强队伍建设。

会议审议通过了《关于国民经济和社会发展"九五"计划和2010年远景目标纲要及关于〈纲要〉报告的决议》,决定批准《国民经济和社会发展"九五"计划和2010年远景目标纲要》;审议通过了《关于1995年国民经济和社会发展计划执行情况与1996年国民经济和社会发展计划的决议》、《关于1995年中央和地方预算执行情况及1996年中央和地方预算的决议》,决定批准国务院提出的1996年中央预算。会议通过了《关于全国人民代表大会常务委员会工作报告的决议》、《关于最高人民法院工作报告的决议》和《关于最高人民检察院工作报告的决议》。

会议还审议通过了《中华人民共和国行政处罚法》、《关于修改〈中华人民共和国刑事诉讼法〉的决定》、《关于授权汕头市和珠海市人民代表大会及其常务委员会、人民政府分别制定法规和规章在各自的经济特区实施的决定》。

《行政处罚法》共8章64条。其主要内容是：①公民、法人或者其他组织违反行政管理秩序的行为，应当给予行政处罚的，依照该法由法律、法规或者规章规定，并由行政机关依照该法规定的程序实施。②行政处罚由法律和行政法规设定，其中涉及限制人身自由的行政处罚只能由法律设定。③行政处罚由具有行政处罚权的行政机关在法定职权范围内实施；国务院或者经国务院授权的省、自治区、直辖市人民政府可以决定一个行政机关行使有关行政机关的行政处罚权，但限制人身自由的行政处罚权只能由公安机关行使；法律、法规授权的具有管理公共事务职能的组织可以在法定授权范围内实施行政处罚；行政机关依照法律、法规或者规章的规定，可以在其法定权限内委托符合规定条件的组织实施行政处罚。④行政处罚必须依法律规定和法定程序进行，遵循教育与处罚相结合、公正、公开的原则。⑤公民、法人或者其他组织对行政机关所给予的行政处罚，享有陈述权、申辩权，对于责令停产停业、吊销许可证或者执照、较大数额罚款的行政处罚，有要求听证的权利；对行政处罚不服的，有权依法申请行政复议或者提起行政诉讼，因行政机关违法给予行政处罚受到损害的，有权依法提出赔偿要求。《行政处罚法》的颁布，对于规范行政机关有效地依法行政，改进行政管理工作，加强廉政建设，维护社会秩序和公共利益，保护公民合法权益，促进社会主义市场经济健康发展，都具有重要意义。同日，《行政处罚法》由《中华人民共和国主席令》第63号公布，自1996年10月1日起施行。

《关于修改〈中华人民共和国刑事诉讼法〉的决定》对1979年7月1日五届全国人大二次会议通过的刑事诉讼法的一些条款作了适当修改和补充。其主要内容是：第一，关于强制措施。①取消了收容审查，对过去公安机关收容审查的主要对象，即不讲真实姓名、住址，身份不明和有流窜作案、多次作案、结伙作案的现行犯或者重大嫌疑分子，规定由公安机关先行拘留，并将这几种对象的拘留期限规定可延长至30日；②放宽逮捕条件，将“主要犯罪事实已经查清”改为“有证据证明有犯罪事实”；③完善取保候审、监视居住，除保证人外增加了财产保，规定保证人应当履行的义务和承担的责任，明确了被取保候审和监视居住的人应当遵守的规定及违反的后果，此外，对取保候审、监视居住的对象和期限等也作了具体规定。第二，关于公、检、法三机关的分工制约。①明确人民检察院自侦案件的范围，限于国家工作人员利用职务的犯罪；②取消免于起诉制度，扩大了不起诉的范围，规定对犯罪情节轻微，依照刑法规定不需要判处刑罚或者免除刑罚的，人民检察院可以不起诉；③加强刑事诉讼程序的监督和制约，在总则增加人民检察院依法对刑事诉讼实行法律监督的规定，增加人民检察院对公安机关立案侦查、逮捕执行的监督，规定人民检察院对人民法院违反法定程序的审判，有权提出纠正意见，对批准暂予监外执行决定和人民法院减刑、假释裁定的监督程序等。第三，关于诉讼参加人部分。①吸收无罪推定原则合理的权利，增加规定“未经人民法院依法判决，对任何人都不得确定有罪”，区分“被告人”和“犯罪嫌疑人”称谓，明确规定经过人民法院依法审理，对证据不足、不能认定被告人有罪的，应当作出证据不足、指控罪名不能确定的无罪判决；②修改律师参加诉讼的规定，保障犯罪嫌疑人、被告人的合法权益，这次修改对辩护律师的调查取证权作出了明确规定，增加规定了在侦查阶段，犯罪嫌疑人可以请律师给予法律帮助，并规定了律师的职权；③关于被害人的诉讼地位和诉讼权利，这次修改适当扩大自诉案件的范围，明确规定被害人的诉讼地位是当事人，有权申请回避，可以委托诉讼代理人参加刑事诉讼，增加规定对于检察机关起诉的案件，“被害人及其法定代理人不服地方各级人民法院第一审判决的，自收到判决书后五日内，有权请求人民检察院提出抗诉”。第四，关于庭审改革。取消开庭前的实体审查，改革法庭调查程序，公诉人首先讯问被告人，由公诉人、辩护人向法庭出示证据，扩大控、辩各方的参与权，设立简易程序，使轻微案件得到迅速处理。这次刑事诉讼法的重大修改，对进一步完善我国刑事诉讼制度，具有重大作用。同日，《关于修改〈中华人民共和国刑事诉讼法〉的决定》由《中华人民共和国主席令》第 64 号公布，自 1997 年 1 月 1 日起施行。

《关于授权汕头市和珠海市人民代表大会及其常务委员会、人民政府分别制定法规和规章在各自的经济特区实施的决定》，授权汕头市和珠海市人民代表大会及其常务委员会根据其经济特区的具体情况和实际需要，遵循宪法的规定以及法律和行政法规的基本原则，制定法规，分别在汕头和珠海经济特区实施，并报全国人民代表大会常务委员会、国务院和广东省人民代表大会常务委员会备案；授权汕头市和珠海市人民政府制定规章并分别在汕头和珠海经济特区组织实施。

这次会议共收到代表和代表团提出的议案共 603 件。经大会主席团审议决定，将 124 件议案交有关专门委员会审议，提出是否列入全国人大或全国人大常委会的议程的意见，由全国人大常委会审议决定。其余 479 件连同代表提出的建议、批评和意见，由全国人大常委会办公厅交由有关机关、组织研究处理，并负责答复。

八届全国人大四次会议为推进我国改革开放和社会主义现代化建设作出了历史性的新贡献。会议通过的《关于国民经济和社会发展“九五”计划和 2010 年远景目标纲要的报告》和批准的《纲要》，是中华民族跨世纪的宏伟纲领，对于推进建设有中国特色社会主义伟大事业具有重大而深远的意义。《纲要》是在发展社会主义市场经济条件下制定的第一个中长期发展规划，是民主和科学决策的产物，凝聚了全国各族人民的意志和智慧。《纲要》提出的奋斗目标，展示了 20 世纪末、21 世纪初我国现代化建设的美好前景，对我国未来十五年的发展具有重要意义。

四

八届全国人大五次会议

1997 年 3 月 1 日至 14 日，八届全国人大五次会议在北京举行，出席会议的代表共 2962 人。会议的主要议程是：听取李鹏的《政府工作报告》，陈锦华的《关于 1996 年国民经济和社会发展计划执行情况与 1997 年国民经济和社会发展计划草案的报告》，刘仲藜的《关于 1996 年中央和地方预算执行情况和 1997 年中央和地方预算草案的报告》，田纪云、任建新、张思卿分别作的全国人大常委会、最高人民法院、最高人民检察院的工作报告，全国人大常委会关于检查《中华人民共和国农业法》实施情况的报告和全国人民代表大会香港特别行政区筹备委员会工作报告；审议、通过《中华人民共和国刑法》的修订、《中华人民共和国国防法》、《中华人民共和国香港特别行政区选举第九届全国人民代表大会代表的办法》，通过《关于第九届全国人民代表大会代表名额和选举问题的决定》和《关于批准设立重庆直辖市的决定》。

李鹏的《政府工作报告》指出，1996年是实施"九五"计划和2010年远景目标纲要的第一年，在中国共产党领导下，全国各族人民团结奋斗，积极进取，改革开放和现代化建设事业取得新的成就，为实现跨世纪宏伟纲领开了一个好头。国民经济持续快速增长，通货膨胀得到有效抑制；经济体制改革稳步推进，对外开放继续扩大；科技、教育和各项社会事业取得新成就；城乡人民生活进一步改善。《报告》指出，今年保持国民经济发展的良好势头，要着重做好以下几方面的工作：继续把加强农业放在经济工作的首位；保持合理的投资规模，加大结构调整力度；继续实行适度从紧的财政货币政策；努力提高对外开放水平；继续改善城乡人民生活。国有企业改革是今年经济体制改革的重点，也是政府工作的突出任务，一要集中力量抓好国有大型企业和企业集团；二要进一步放活国有小企业；三要规范破产，鼓励兼并，推进再就业；四要多渠道增资减债；五要切实加强企业经营管理；六要认真抓好企业扭亏增盈工作；还要积极推进社会保障制度改革。《报告》指出，要积极发展科技教育文化和各项社会事业，加强社会主义精神文明建设，促进经济与社会协调发展。《报告》指出，要巩固和发展团结稳定的社会政治局面，为此，要认真抓好社会治安综合治理；深入开展反腐败斗争，加强勤政廉政建设；巩固和发展民族大团结；加强国防现代化建设；发展社会主义民主，健全社会主义法制，依法治国。1997年，我国将对香港恢复行使主权，成立香港特别行政区，要确保香港政权的顺利交接与平稳过渡，推进祖国统一大业。香港回归后，将坚持"一国两制"的方针，认真执行基本法，保证香港特别行政区享有高度自治权；有关澳门政权交接的准备工作也正在顺利进行；台湾海峡两岸人员往来增多，经济、文化交流继续发展，反分裂、反"台独"的斗争取得重大成果。关于外交工作，《报告》指出，我国奉行独立自主的和平外交政策，外交工作取得积极成果；在新的一年，中国政府坚定不移地奉行睦邻友好政策，加强同广大发展中国家的团结与合作，继续改善并发展同西方国家的关系，坚定不移地实行对外开放政策。

陈锦华的《关于1996年国民经济和社会发展计划执行情况与1997年国民经济和社会发展计划草案的报告》指出，1996年是"九五"计划的第一年，比较好地实现了宏观经济调控目标，完成了国民经济和社会发展的主要任务。国民经济持续快速增长，抑制通货膨胀取得显著成效；粮食生产再创历史最高水平，农村经济全面发展；固定资产投资继续增长，国家重点建设得到加强；财政收入增长较快，金融形势保持平稳；国有企业改革步伐加快，各项配套改革继续深化；对外贸易持续发展，利用外资进一步扩大；科技、教育和各项社会事业取得新成就，社会主义精神文明建设明显加强。《报告》指出，1997年国民经济和社会发展的主要任务有以下几个方面:继续加强农业基础地位,全面发展农村经济;进一步搞好国有企业,保持工业适度增长;保持适度投资规模,大力优化投资结构;加强价格调控监管,降低物价上涨幅度;转变外贸增长方式,提高利用外资质量;进一步减少财政赤字,继续保持金融稳定;努力发展科技教育和各项社会事业,推进社会主义精神文明建设;继续改善人民生活,加快实施再就业工程。《报告》指出,实现1997年国民经济和社会发展计划,保持和发展"九五"开局的良好势头,关键是加大结构调整力度,提高国民经济增长的质量和效益。以增量带动和促进存量调整,努力解决经济生活中"大而全、小而全"和盲目重复建设问题;以市场需求为导向,培育新的经济增长点;继续深化经济体制改革,形成有利于结构调整的体制环境。

刘仲藜的《关于1996年中央和地方预算执行情况及1997年中央和地方预算草案的报告》指出,初步统计,1996年全国财政收入7366.61亿元,完成预算的107.2%,比上年增加1124.41亿元,增长18%;全国财政支出7914.38亿元,完成预算的105.7%,比上年增加1090.66亿元,增长16%。收入与支出相抵,支出大于收入547.77亿元。《报告》指出,1997年中央和地方预算草案的汇总情况是:全国财政收入安排8397.94亿元,比上年执行数增长14%,与国民经济保持了同步增长。全国财政支出8967.94亿元,比上年执行数增长13.3%;重点保证了国家明确规定需要增加的重点支出。1997年要努力增收节支,整顿财经秩序,全面完成1997年的预算任务。为此,要做好以下工作:牢牢把握大局,推动两个转变,促进经济发展,保持社会稳定;加强收入征管,继续保持财政收入快速增长的势头;建立严格的预算约束机制,遏制财政支出过快增长的势头;继续深化财税改革,完善财税立法,为逐步振兴国家财政创造良好的条件;进一步规范和整顿财经秩序,加强财政监督。

田纪云的《关于全国人民代表大会常务委员会工作报告的决议》指出,全国人大常委会各方面工作都取得了重要进展:抓紧立法,在建立社会主义市场经济法律体系方面迈出重要步伐;改进监督工作,促进法律的实施;推进法制宣传教育,提高全社会的法制观念;认真办理代表的议案和建议,密切与代表和人民群众的联系;加强外事工作,开展同外国议会和议会国际组织的交往与合作。在新的一年,常委会要进一步完善人民代表大会制度,切实改进和加强立法、监督等工作,在推进依法治国、建设社会主义法治国家的进程中发挥更大的作用。

任建新的《最高人民法院工作报告》指出,1996年人民法院工作情况主要是:集中力量严厉打击严重危害社会治安的犯罪,严惩贪污、贿赂等犯罪,全力维护社会稳定;依法调节经济关系和其他社会关系,保护公民、法人的合法权益;坚持严肃执法、公正裁判;加强队伍建设,提高法官素质。《报告》指出,1997年人民法院的主要工作任务是:坚持不懈地开展"严打"斗争;继续依法严惩贪污、贿赂等犯罪分子;依法调节经济关系;依法保护公民、法人的合法权益;进一步提高司法水平;努力建设一支高素质的法官队伍。

张思卿的《最高人民检察院工作报告》指出,1996年人民检察院各项检察工作全面开展,取得了显著成效:坚决查办贪污、贿赂、徇私舞弊等职务犯罪大案要案,促进反腐败斗争深入发展;依法严厉打击严重刑事犯罪活动，维护社会稳定；加大执法监督力度，维护司法公正和法制尊严；狠抓检察机关精神文明建设，努力提高检察队伍素质。1997年是我们国家历史发展上的重要一年，人民检察院要扎扎实实做好各项检察工作。更加深入、扎实、有效地开展查办贪污、贿赂、徇私舞弊等国家工作人员职务犯罪大案要案工作，推动反腐败斗争向纵深发展；持之以恒地开展"严打"斗争，维护社会持续稳定；全面开展执法监督工作；严格执行修改后的《刑事诉讼法》，坚决打击各种刑事犯罪活动，依法办事，依法办案，注重保护诉讼当事人的合法权益；大力加强调查研究；进一步加强社会主义精神文明建设，努力建设高素质的检察队伍。

会议审议、通过了《关于〈政府工作报告〉的决议》，决定批准李鹏的报告；通过了《关于1996年国民经济和社会发展计划执行情况与1997年国民经济和社会发展计划的决议》，决定批准国务院提出的1997年国民经济和社会发展计划；通过了《关于1996年中央和地方预算执行情况及1997年中央和地方预算的决议》，决定批准国务院提出的1997年中央预算。会议通过了《关于全国人民代表大会常务委员会工作报告的决议》、《关于最高人民法院工作报告的决议》、《关于最高人民检察院工作报告的决议》。

会议还通过《关于全国人民代表大会常务委员会关于检查〈中华人民共和国农业法〉实施情况的报告的决议》、《关于全国人民代表大会香港特别行政区筹备委员会工作报告的决议》。

自1994年以来，全国人大常委会根据《全国人民代表大会常务委员会关于加强对法律实施情况检查监督的若干规定》的要求，组成执法检查组对《农业法》的实施情况进行检查监督。关于检查《中华人民共和国农业法》实施情况的报告指出，此次执法检查工作：精心组织执法检查组，抓住突出问题进行重点检查和跟踪检查，采取切合实际的执法检查方式，坚持执法检查报告的审议和反馈制度。全国人大常委会的执法检查，推动了《农业法》的学习、宣传和贯彻实施，促进了《农业法》实施主管机关的执法工作，使执法检查中反映出的一些问题得到不同程度的解决。主要表现在：国务院和地方政府依法增加了对农业的投入；农业生产资料价格上涨过猛的势头有所遏制；加强了对主要农产品购销活动的宏观调控；加大了减轻农民负担工作的力度；依法实施科教兴农战略，大力推广农业先进科学技术；加强了对农业生产经营组织和农民合法权益的司法保护。报告指出，《农业法》实施过程中仍存在一些亟待解决的问题，特别是农业投入不足、农民负担过重、粮食调销不畅等问题在一些地方还比较突出，必须继续采取切实有效措施，进一步贯彻实施《农业法》，促进我国农业和农村经济的全面发展。要牢固树立农业法制观念，进一步提高执法水平；采取坚决有力的措施，切实解决农民负担过重问题；依法增加农业投入，提高农业综合生产能力；深化农村改革，推动农村经济体制和农业增长方式的根本转变；加快制定配套法律法规，保障《农业法》的贯彻实施。

《关于全国人民代表大会香港特别行政区筹备委员会工作报告的决议》指出，筹委会成立一年来，就筹备成立香港特别行政区的有关事宜紧张而有序地开展工作。主要有：组建香港特别行政区第一届政府推选委员会，选举香港特别行政区第一任行政长官人选，设立香港特别行政区临时立法会，开展对与香港政权交接和平稳过渡有关的重大经济问题的研究，关于法律方面的工作，庆祝活动方面的有关安排。筹委会下一阶段的重要工作是抓紧制定香港特别行政区第一届立法会的具体产生办法，以便在1998年早些时候进行香港特别行政区第一届立法会的选举。

会议于3月14日审议通过了《中华人民共和国刑法》的修订、《中华人民共和国国防法》、《中华人民共和国香港特别行政区选举第九届全国人民代表大会代表的办法》、《关于第九届全国人民代表大会代表名额和选举问题的决定》、《关于批准设立重庆直辖市的决定》。

修订后的刑法分为总则、分则和附则，共15章452条。刑法是国家的基本法律，修订刑法是健全社会主义法制，完善我国刑事法律的重要步骤。修订的主要内容是：①进一步明确规定刑法的基本原则，包括罪刑法定原则、法律面前人人平等原则、罪刑相当原则，取消类推的规定。②关于减刑和假释。针对实践中的问题，修订对减刑、假释条件作了更具体的规定，并且规定："对累犯以及因杀人、爆炸、抢劫、强奸、绑架等暴力性犯罪被判处十年以上有期徒刑和无期徒刑的犯罪分子，不得假释。"同时明确规定了减刑、假释的程序。③关于法定刑以下判处刑罚，修改为"经最高人民法院审判委员会核准"。④关于正当防卫，增加规定："对正在进行行凶、杀人、抢劫、强奸、绑架以及其他严重危及人身安全的暴力犯罪，采取防卫行为，造成不法侵害人伤亡和其他后果的，不属于防卫过当，不负刑事责任。"⑤关于自首和立功，修订对自首、立功的作了较宽大的处刑规定，改为"犯罪以后自首的，可以从轻或者减轻处罚"，"其中，犯罪较轻的，可以免除处罚"。⑥关于反革命罪。修订把反革命罪一章改为危害国家安全罪，除保留原有的勾结外国，阴谋危害祖国的主权、领土完整和安全的规定外，对现在危害国家危险性最大的分裂国家、武装暴乱、颠覆国家政权和推翻社会主义制度以及与境外机构、组织、人员相勾结实施这些危害国家安全犯罪的，作了更加明确、具体的规定。对反革命罪原来的规定中实际属于普通刑事犯罪性质的，都规定按普通刑事犯罪追究。反革命罪原有15条，修改为危害国家安全罪后共有12条，反革命罪规定的条款没有列入危害国家安全罪的，均分别编入危害公共安全罪和妨害社会管理秩序罪。⑦关于投机倒把罪。修订根据十几年来按投机倒把罪追究刑事责任的具体行为作出规定，有些已在生产、销售伪劣商品罪、破坏金融管理秩序罪中作了规定，在扰乱市场秩序罪中增加了对合同诈骗、非法经营专营专卖物品、买卖进出口许可证等犯罪行为的规定；不再笼统规定投机倒把罪，这样有利于避免执法的随意性。⑧关于流氓罪。修订将流氓罪分解为四条具体规定：一是侮辱、猥亵妇女的犯罪，二是聚众进行淫乱活动的犯罪，三是聚众斗殴的犯罪，四是寻衅滋事的犯罪。⑨关于贪污贿赂罪。关于国家工作人员的范围，修订原则上维持刑法修订前规定的国家工作人员的范围，规定："本法所称国家工作人员，是指国家机关中从事公务的人员。""国有公司、企业、事业单位、人民团体中从事公务的人员和国家机关、国有公司、企业、事业单位委派到非国有公司、企业、事业单位、社会团体从事公务的人员，以及其他依照法律从事公务的人员，以国家工作人员论。"修订将原贪污贿赂犯罪法定最低刑的数额两千元以下修改为五千元以下，法定最高刑的数额五万元以上修改为十万元以上。⑩关于渎职罪。修订将其他法律中“依照”、“比照”刑法玩忽职守罪、徇私舞弊罪追究刑事责任的条文，改为刑法的具体条款，增加规定了一些具体的渎职犯罪行为，并对法定刑也作了修改。⑪关于完备刑事法律条文问题。关于黑社会犯罪，修订增加了相应的规定，并对境外的黑社会组织的人员到中国境内发展组织成员的，规定了刑罚；增加了关于恐怖活动犯罪的规定；增加关于煽动民族仇恨，破坏民族团结等犯罪的规定；对洗钱行为规定了刑罚；增加了关于计算机犯罪和利用计算机犯罪的规定；增加了内幕交易、操纵证券交易价格、编造并传播虚假信息等犯罪的规定；增加了对于破坏土地资源行为追究刑事责任的规定。⑫关于危害国防利益罪。修订增加了危害国防利益罪一章，将以暴力、威胁方法阻碍军人依法执行职务，故意阻碍武装部队军事行动，破坏军事设施或者武器装备，明知是不合格的军事设施、武器装备而提供给武装部队，聚众冲击军事禁区和军事管理区，煽动军人逃离部队，在征兵工作中徇私舞弊，输送不合格兵员等 14 种危害国防利益的犯罪作了规定。此次刑法修订基本符合我国的实际情况，有利于打击犯罪，保护人民，维护社会主义改革开放和现代化建设事业的顺利进行。同日，《中华人民共和国刑法》的修订由《中华人民共和国主席令》第 83 号公布，自 1997 年 10 月 1 日起施行。

《国防法》是国防方面的基本法，规定国家的防务政策、基本原则和制度，共 12 章 70 条。其主要内容是：①国防法的适用范围，第 2 条规定“国家为防备和抵抗侵略，制止武装颠覆，保卫国家的主权、统一、领土完整和安全所进行的军事活动，以及与军事有关的政治、经济、外交、科技、教育等方面的活动，适用本法”。②关于党对武装力量的领导，第 19 条规定“中华人民共和国的武装力量接受中国共产党的领导。武装力量中的中国共产党组织依照中国共产党章程进行活动”。③关于国家机构的国防职权，法律规定了国务院在国防方面的 9 项职权和中央军委的 10 项职权，规定了国务院和中央军委召开协调会议、地方人民政府和驻地军事机关召开军地联席会议的制度。④关于国防经费，第 35 条规定“国家保障国防事业的必要经费。国防经费的增长应当与国防需求和国民经济发展水平相适应”。第 36 条规定“国家对国防经费实行财政拨款制度”。⑤关于国防资产，法律明确“国防资产归国家所有”，“国务院和中央军事委员会共同领导国防资产的管理工作”，“国家保护国防资产不受侵害，保障国防资产的安全、完整和有效”。⑥关于国防教育，第 42 条第 3 款规定：“学校的国防教育是全民国防教育的基础。各级各类学校应当设置适当的国防教育课程，或者在有关课程中增加国防教育的内容。”⑦关于国防动员，法律规定了动员的条件、动员的要求、战略物资储备、动员的组织实施和征用。⑧关于军人权益保护，第 60 条第 3 款规定：“国家实行军人保险制度。”⑨关于特别行政区的防务，第 69 条规定：“中华人民共和国特别行政区的防务，由特别行政区基本法和有关法律规定。”国防法的出台，对于加强和巩固国防建设，保卫国家的主权、统一、领土完整和安全，具有重要意义。同日，《中华人民共和国国防法》由《中华人民共和国主席令》第 84 号公布，自公布之日起施行。

《中华人民共和国香港特别行政区选举第九届全国人民代表大会代表的办法》是香港回归后，根据香港特别行政区基本法和全国人民代表大会和地方各级人民代表大会选举法制定，其主要内容是：①香港特别行政区应选第九届全国人民代表大会代表的名额为三十六名；②香港特别行政区成立第九届全国人民代表大会代表选举会议，应选代表必须是香港特别行政区居民中的中国公民；③规定了选举的程序。

《关于第九届全国人民代表大会代表名额和选举问题的决定》规定了九届全国人大代表的名额以及各省、自治区、直辖市和中国人民解放军应选代表的名额；规定了少数民族代表、归侨代表及妇女代表的比例；规定各省、自治区、直辖市和中国人民解放军选举的代表选出的时间。

《关于批准设立重庆直辖市的决定》批准设立重庆直辖市，并规定其所管辖的地域范围，授权国务院对其管辖的行政区域的建置和划分作相应的调整。

这次会议共收到代表和代表团提出的议案共700件。经大会主席团审议决定，将140件议案交有关专门委员会审议，提出是否列入全国人大或全国人大常委会的议程的意见，由全国人大常委会审议决定。其余560件连同代表提出的建议、批评和意见，由全国人大常委会办公厅交由有关机关、组织研究处理，并负责答复。

八届全国人大五次会议是一次民主、求实、团结、奋进的大会，开得很成功。它对于动员全国各族人民，坚定不移地沿着邓小平同志开创的建设有中国特色社会主义道路继续前进，夺取改革开放和现代化建设事业的新胜利，具有十分重要的意义。

中国人民政治协商会议第八届全国委员会

一

全国政协第八届全国委员会工作概况

中国人民政治协商会议第八届全国委员会（以下简称“八届政协”）的任期是1993年3月至1998年3月。其间，共召开5次全体会议，23次常务委员会会议，3次常委专题座谈会和53次主席会议。

八届政协始终坚持正确的政治方向，紧紧围绕经济建设这个中心，自觉服从服务于国家的大局；牢牢把握团结和民主两大主题，高举社会主义和爱国主义两面旗帜，不断巩固和发展爱国统一战线；积极履行主要职能，在集中民情民意民智的基础上，对国家一系列重大决策提供了有力的支持；努力推进政协工作的规范化制度化，加强机关建设，逐步形成了新形势下的工作机制。在这个过程中，八届全国政协继承了优良传统，创造了新鲜经验，加强了同地方政协的交流与联系，营造了民主和谐的气氛，得到了社会各界的好评。

根据中共中央的建议，1993年，全国人大八届一次会议审议通过的《中华人民共和国宪法修正案》，将“中国共产党领导的多党合作和政治协商制度将长期存在和发展”，首次载入我国宪法。中共中央还要求，“对国家和地方的大政方针以及政治、经济、文化和社会生活中的重要问题，要在决策之前在政协进行协商”。

在中国共产党的正确引领下，八届政协的工作主要体现在以下方面：

第一，拓宽政协的工作领域。八届二次会议通过的政协章程修正案，把“参政议政”与原来的“政治协商、民主监督”并列为人民政协的主要职能。参政议政是政治协商和民主监督的拓展和延伸，为广大委员及其所联系的各界人士参与国是、发挥专长、建言献策提供了更多的机会。广大政协委员在深入调研的基础上认真撰写会议发言稿和提案等，共计形成专题调研报告或专项建议187件、视察报告80份、会议发言稿近2000份、提案11711件（立案11078件）。共有1980位委员41331人次参与提案，参与面超过历届政协。截至1997年12月31日，八届政协的提案已办复10988件，占总数的99.2%，所提问题得到解决和列入计划解决的9056件，占总数的82.4%。实践表明，参政议政已经成为人民政协最经常、最活跃、最富有成效的工作领域之一。

第二，推进政协工作规范化制度化。1994年3月修订了《中国人民政治协商会议章程》，使之同修改后的宪法相衔接，增加了人民政协是中国共产党领导的多党合作和政治协商的重要机构等内容；1995年1月制定了《政协全国委员会关于政治协商、民主监督、参政议政的规定》，进一步明确了政治协商、民主监督、参政议政的目的和内容，对政协履行职能的主要形式、基本程序及工作运行机制作了进一步的规范。此外，八届政协还修订了《政协全国委员会常务委员会工作规则》、《政协全国委员会提案工作条例》、《政协全国委员会专门委员会通则》等规章制度。

第三，开辟反映社情民意的新渠道。八届政协把了解和反映社情民意作为人民政协履行职能的重要基础和关键环节，为委员参政议政提供了更加广阔的舞台。八届政协期间，共收到全国政协委员和各级地方政协、各民主党派中央、全国工商联等单位反映社情民意的各类信息8000多条，人民群众来信59917封。其中，许多来自基层和有识之士的诤言、良策，如关于我国能源发展的新思路、保护发展民族工业、加强保护生态环境等建议，受到中共中央的高度重视，中央领导分别作出重要批示，并责成有关方面予以采纳和认真处理。通过开展反映社情民意工作，八届政协还配合有关部门，帮助人民群众办了不少实事，受到广大群众的欢迎和称赞。

第四，致力增强政府决策民主化科学化。八届政协对国家的重大事务进行协商讨论，从政治上对国家的全局工作提供具有广泛民主基础的支持。就每年政府工作报告征求意见稿，以及对建立社会主义市场经济体制、制订国民经济和社会发展计划、加强社会主义精神文明建设等一系列关系全局的重大问题，在充分协商讨论的基础上，八届政协郑重地提出了意见、建议，并结合政协的实际，作出了工作安排和部署。八届全国政协主席会议加强对专门委员会重要调研成果的审议，并以建议案的形式报送中共中央和国务院，其中，关于抑制通货膨胀、调动多方面的力量参与制订“九五”计划和2010年远景目标纲要、关于实行“两个转变”的动态分析与看法、切实解决农民负担问题、加强社会主义精神文明建设等建议，对中共中央、国务院及有关部门的决策起到了重要的参考作用，有些意见还被直接吸收到中央有关文件中。

此外，八届政协在加强同地方政协组

织的联系、促进团结稳定和祖国统一及探索对外交往新形式等方面也做了大量的工作。

全国政协主席李瑞环回顾八届政协的工作时形象地总结道：八届全国政协确实尽了职而没有越位，帮了忙而没有添乱，切实有效地开展了工作而没有做表面文章。

二

全国政协八届一次会议

1993年3月14日至3月27日，全国政协八届全国委员会第一次会议在北京举行。全国政协第八届委员会委员总数为2093人。其中，中共党员831人，占39.7%，民主党派成员和无党派人士1262人，占60.3%；女委员283人，占13.5%；大专以上学历的1321人，占63.2%；有高级职称的1175人，占56.1%。委员平均年龄61.65岁，比政协七届全国委员会一次会议时下降了4岁；少数民族委员241人，56个少数民族都有代表人士担任政协全国委员会委员。香港、澳门委员共110人。

全国政协八届一次会议主席团常务主席李瑞环受主席团委托主持会议。政协第七届全国委员会副主席叶选平在大会上作了政协第七届全国委员会常务委员会工作报告。他说，七届常委会五年来着重抓了以下几方面的工作：①巩固人民政协各参加单位和各方面代表人士在共同政治基础上的团结合作，努力维护改革开放和现代化建设所必需的安定团结局面。②围绕经济建设中心，以国计民生重大问题为重点，积极开展政治协商和民主监督。③发挥人民政协的优势，运用多种形式开展经常性工作，促进社会主义物质文明和精神文明建设的发展。④拓展同台港澳人士和海外侨胞的交往，祖国统一联谊工作有很大发展。⑤适应国际形势变化，积极开展人民外交工作，为改革开放和现代化建设争取有利的国际环境。⑥逐步建立和完善工作制度，各项工作开始走上规范化、制度化轨道。⑦密切同地方政协的联系，加强对地方政协的指导。⑧加强宣传报道工作，扩大人民政协的社会影响。叶选平说，总结七届常委会的工作，我们的体会是：必须毫不动摇地全面贯彻以建设有中国特色社会主义理论为指导的基本路线，积极主动地围绕经济建设这个中心抓大事议大事；要充分发扬社会主义民主，切实履行政治协商、民主监督职能，努力完善共产党领导的多党合作和政治协商制度；要进一步贯彻大团结、大统一的精神，增进统一战线的团结合作，共同致力于振兴中华、统一祖国的事业。

3月16日上午和3月22日上午，出席全国政协八届一次会议的委员列席了八届全国人大一次会议第二次大会，依次听取了国务院副总理兼国家计委主任邹家华《关于1992年国民经济和社会发展计划执行情况与1993年计划草案的报告》、财政部部长刘仲藜《关于1992年国家预算执行情况和1993年国家预算草案的报告》、国务院秘书长罗干《关于国务院机构改革方案的说明》和最高人民法院院长任建新《关于最高人民法院的工作报告》、最高人民检察院检察长刘复之《关于最高人民检察院的工作报告》。

会议期间，委员们就转换国有企业经营机制、建立社会主义市场经济体制、教育、科技、医药等方面的问题发表意见和建议。

3月24日下午，全国政协八届一次会议第二次常务主席会议在政协礼堂举行。会议由常务主席李瑞环主持，常务主席叶选平汇报了各小组讨论八届政协主席、副主席、秘书长、常务委员候选人名单（草案）的情况，会议还听取了大会选举组组长刘小萍关于各组推举监票人的情况汇报和卢之超副秘书长关于各小组讨论政协八届一次会议政治决议（草案）的情况汇报。会议审议通过了八届政协主席、副主席、秘书长、常务委员候选人名单（草案）；监票人、总监票人名单（草案）；政协八届一次会议政治决议（草案）；政协八届一次会议关于县级政协组织任期的决议（草案）；政协八届一次会议提案委员会关于政协八届一次会议提案审查情况的报告（草案）。

当日下午，全国政协八届一次会议主席团在常务主席李瑞环的主持下举行了第三次会议。会议审议通过了八届全国政协主席、副主席、秘书长、常务委员候选人员名单，审议通过了监票人、总监票人名单，审议通过政协八届一次会议政治决议（草案）、关于县级组织任期的决议（草案），并根据主席团部分成员的建议将这一决议（草案）的名称改为政协八届一次会议"关于修改《中国人民政治协商会议章程》第四章第四十一条的决议（草案）"。审议通过了政协八届一次会议提案委员会关于政协八届一次会议提案审查情况的报告（草案）。3月25日下午，全国政协八届一次会议举行第五次全体会议，会议的执行主席是钱正英、丁光训、孙孚凌、安子介。会议由安子介主持。孙孚凌、王厚德、徐四民等10名委员就建立社会主义市场经济体制等问题发言。中共中央政治局委员李岚清、国务委员宋健和国务院部分部委负责人到会听取发言。

3月26日下午，全国政协八届一次会议举行第六次全体会议，选举政协第八届全国委员会主席、副主席、秘书长、常务委员。到会参加选举的委员1865名。大会的执行主席是王兆国、赛福鼎·艾则孜、霍英东、马万祺。会议由王兆国主持。大会采用无记名投票方式和等额选举的办法，选举中共中央政治局常委李瑞环为政协第八届全国委员会主席。选举叶选平、吴学谦、杨汝岱、王兆国、阿沛·阿旺晋美、赛福鼎·艾则孜、洪学智、杨静仁、周培源、邓兆祥、赵朴初、巴金、刘靖基、钱学森、钱伟长、胡绳、钱正英、苏步青、侯镜如、丁光训、董寅初、孙孚凌、安子介、霍英东、马万祺为政协第八届全国委员会副主席；选举宋德敏为政协第八届全国委员会秘书长；选举丁石孙等288人为政协第八届全国委员会常务委员。这25位政协副主席中，中共党员11人，民主党派和无党派人士14人，3人是少数民族，女性1人；其中港澳知名人士3人。

会议通过了《中国人民政治协商会议第八届全国委员会第一次会议政治决议》、《中国人民政治协商会议第八届全国委员会第一次会议关于修改〈中国人民政治协商会议章程〉第四章第四十一条政协组织任期的决议》和"政协八届一次会议提案委员会关于提案审查情况的报告"。

《中国人民政治协商会议第八届全国委员会第一次会议政治决议》指出，中国人民政治协商会议第八届全国委员会第一次会议，赞同李鹏总理所作的政府工作报告，赞同对《中华人民共和国宪法》部分内容进行修改。会议坚决支持我国政府关于香港问题的严正立场，坚信我国政府有决心有能力恢复对香港行使主权。会议坚决反对任何旨在制造台湾独立、分裂祖国的企图和行径。坚信按照"和平统

一、一国两制”的方针，中华民族的祖国统一大业一定能够实现。会议认为，政协第七届全国委员会的各项工作有了进一步发展，为维护国家稳定，增进各族各界人民团结，推动社会主义现代化建设事业作出了重要贡献。会议要求人民政协各参加单位、各级组织和全体委员，继续深入学习和贯彻中共十四大精神，以邓小平同志建设有中国特色社会主义理论和“一个中心、两个基本点”的基本路线为指导，积极支持和协助政府加快改革开放和经济建设，努力完成今后五年后各项任务；切实履行政治协商、民主监督职能，更好地发挥在多党合作和协商监督中的作用，推进社会主义民主政治建设；巩固和发展爱国统一战线，维护国家和社会的稳定；加强各级政协的自身建设，进一步发展政协工作的新局面。会议号召各党派、无党派人士、各人民团体、各族各界人士更紧密地团结在以江泽民同志为核心的中共中央周围，在振兴中华和统一祖国的伟大事业中作出新贡献！

提案委员会公布，本次会议期间共收到提案1799件，经认真审查，已立案1727件，占全部提案的96%，这些提案将分别送请中共中央、国务院有关部委、直属机构等147个单位承办。

新当选的八届全国政协主席李瑞环致闭幕词，指出，中国人民政治协商会议是我国最广泛的爱国统一战线组织，是中国共产党领导中国人民长期革命斗争的胜利成果，是具有中国特色社会主义政治体制的重要组成部分。人民政协是实现中国共产党领导的多党合作和政治协商这一基本政治制度的重要组织形式，在社会主义民主建设中发挥着积极作用。建设高度的社会主义民主，是历史发展的必然趋势，是人民群众的共同愿望，是中国共产党长期奋斗的目标之一。中国共产党和各民主党派、无党派民主人士共同开创的人民政协事业，是我们的传家宝，我们一定要百倍地珍惜，很好地继承和发展。我们要充分认识人民政协在新时期的重要地位和作用，适应新形势，摸索新路子，作出新贡献。他说，如何促进和实现中华民族的大团结，人民政协积累了宝贵的经验。我们要通过卓有成效的工作，使全体社会主义劳动者、拥护社会主义的爱国者和拥护祖国统一的爱国者的最广泛的联盟不断巩固和发展。

李瑞环要求新一届政协要高举大团结的旗帜，为调动一切积极因素，化消极因素为积极因素，团结一切可以团结的力量而尽心竭力。新一届政协必须努力搞好自身建设。要加强学习。政协组织要发扬自我教育的优良传统。要重视调查研究。努力创造条件，鼓励政协委员深入实际，深入群众，了解情况，并紧紧围绕经济建设这个中心，抓住群众普遍关心、人民政府亟待解决的问题，提出切实可行的意见和建议。要总结经验。在长期实践中，全国政协和各地政协在参政议政、发挥人才库智力库优势、开展海内外联谊活动等方面，积累了丰富的经验，应认真总结交流。要搞好机关工作。不断提高工作质量和效率，更好地为委员们服务，为政协工作服务。希望一切热爱祖国、赞成祖国统一的中华儿女，为推进统一大业多做好事，多办实事，共同谱写中华民族光辉历史的新篇章。

三

全国政协八届二次会议

1994年3月8日至3月19日，全国

政协八届二次会议在人民大会堂举行开幕大会。全国政协主席李瑞环主持了大会。他宣布，八届全国政协委员总数为2097人，已经向会议报到的委员有1917人，出席开幕会议的委员1860人，符合法定人数。

委员们首先审议通过了全国政协八届二次会议的议程。根据议程，这次会议要审议政协第八届全国委员会常务委员会工作报告；列席第八届全国人民代表大会第二次会议；审议通过《中国人民政治协商会议章程(修正案)》；审议通过政协第八届全国委员会提案委员会关于政协八届二次会议提案审查情况的报告；审议通过政协第八届全国委员会第二次会议的各项决议；增选政协第八届全国委员会副主席、常务委员，补选秘书长。

全国政协副主席叶选平受常务委员会委托在会上作了政协第八届全国委员会常务委员会工作报告。报告从九个方面总结全国政协常委会一年来工作取得的新进展：①切实开好常委会议，加强对国家重大事务的讨论协商；②加强专门委员会的工作，组织委员开展经常性活动；③拓宽对外交往领域，增进友谊与合作；④扩大海内外联谊，促进祖国和平统一；⑤积极参加反腐败斗争，协助国家机关搞好廉政建设；⑥改进委员视察工作，为改革和发展建言献策；⑦加强提案工作，推动办复落实；⑧认真听取各方面意见，筹备修改政协章程；⑨密切同地方政协的联系，加强工作上的指导和协作。

叶选平阐述了1994年全国政协常委会工作的要点：①深入学习建设有中国特色社会主义理论，不断增进共识；②选择经济建设、改革开放、精神文明建设和人民生活中的重要课题，有组织地开展调查研究，切实搞好参政议政；③发扬优良传统，更好地发挥民主党派和人民团体在参政议政中的作用；④密切同各族各界人士的联系，认真做好下情上达、协调关系的工作，维护政治和社会的稳定；⑤改进和加强视察、提案等项工作，切实推进民主监督；⑥拓宽海外联谊渠道，促进祖国和平统一工作；⑦发挥政协的优势，继续发展同各国议会和民间组织的友好往来；⑧全面加强机关建设，提高干部素质，提高工作效率。

开幕会上还审议了《中国人民政治协商会议章程(修正案草案)》。《章程(修正案草案)》共5章50条，与过去的章程相比，主要补充了有关建设有中国特色的社会主义理论、社会主义初级阶段的基本路线、社会主义市场经济等内容。在肯定政协是中国人民爱国统一战线组织的同时，进一步肯定了它是中国共产党领导的多党合作和政治协商的政治机构；明确规定了政协的主要职能为政治协商、民主监督等。总纲中增加了“中华人民共和国宪法规定：中国共产党领导的多党合作和政治协商制度将长期存在和发展”。总纲中还在规定人民政协是爱国统一战线组织之后，增加了“是中国共产党领导的多党合作和政治协商的重要机构”以及“中国人民政治协商会议的主要职能是政治协商和民主监督，组织参加本会的各党派、团体和各族各界人士参政议政”；“政治协商是对国家和地方的大政方针以及政治、经济、文化和社会生活中的重要问题在决策之前进行协商和就决策执行过程中的重要问题进行协商。中国人民政治协商会议全国委员会和地方委员会可根据中国共产党、人民代表大会常务委员会、人民政府、民主党派、人民团体的提议，举行有各党派、团体的负责人和各界爱国人士的代表参加的会议，进行协商，亦可建议上列单位将有关重要问题提交协商”；“民主监督是对国家宪法、法律和法规的实施，重大方针政策的贯彻执行、国家机关及其工作人员的工作，通过建议和批评进行监督”等。这些修改，比较具体地规定了政协的主要职能，说明了政治协商和民主监督的内容、形式和程序，对规范和推进政协工作具有重要意义。对政协主要职能增加这样的延伸说明，有利于广泛调动参加政协的单位和个人的积极性，发挥政协的整体优势和发挥政协工作的主动性，更好地为国家的现代化建设服务。

会议期间，委员们就深化国有企业改革，积极探索建立现代企业制度的有效途径、适应社会主义市场经济发展形势，抓紧做好人口工作、如何着力培养少年儿童适应跨世纪的整体素质，以及为澳门顺利实现“一国两制”、抑制通货膨胀，维护社会稳定，保证国民经济的健康发展等国家的大政方针发表意见和建议。

全国政协提案委员会主任周绍铮作了关于八届一次会议以来提案工作情况的报告。报告中说，政协八届一次会议以来，广大委员和民主党派、有关人民团体共提出提案1981件。经提案委员会审查，立案1900件，另81件转作来信处理。提案已分别送请中共中央、国务院有关部委和有关省、自治区、直辖市党委、人民政府等157个单位研究办理。截至2月15日，已办复提案1881件，占全部提案的99%。

3月19日下午，全国政协八届二次会议在人民大会堂举行闭幕大会。全国政协副主席吴学谦主持会议。委员们用电子表决器逐个进行表决的方式，增选朱光亚、万国权为政协第八届全国委员会副主席，选举朱训为秘书长，王蒙、王思明、吴冠中、张永珍、赵乙生、梅向明、谢晋等7人为常务委员；通过《政协第八届全国委员会第二次会议政治决议》、《政协第八届全国委员会第二次会议关于常务委员会工作报告的决议》、《关于〈中国人民政治协商会议章程(修正案)〉的决议》、《政协第八届全国委员会提案委员会关于政协八届二次会议提案审查情况的报告》。

《政治决议》指出：会议赞同李鹏总理所作的政府工作报告，赞同1993年国民经济和社会发展计划执行情况与1994年国民经济和社会发展计划草案的报告、1993年国家预算执行情况和1994年国家预算草案的报告，赞同最高人民法院和最高人民检察院的工作报告。会议认为，1994年是我国推进改革开放和社会主义现代化建设非常重要的一年，必须坚定不移地以邓小平同志建设有中国特色社会主义的理论和中国共产党的基本路线为指导，全面贯彻中共十四大和十四届三中全会精神，加快建立社会主义市场经济体制，保持国民经济持续、快速、健康发展，加强民主、法制建设和社会主义精神文明建设，维护政治稳定，促进社会全面进步。抓住机遇，深化改革，扩大开放，促进发展，保持稳定，这是全国工作的大局。人民政协的各项工作都要服从和服务于这个大局。会议要求，人民政协的各参加单位、各级组织和委员，高举爱国主义和社会主义的旗帜，坚持“长期共存、互相监督、肝胆相照、荣辱与共”的方针，认真贯彻本次大会的精神，围绕经济建设这个中心，切实搞好政治协商、民主监督，积极参政议政，在以江泽民同志为核心的中共中央领导下，振奋精神，开拓进取，艰苦奋斗，为社会主义现代化建设和祖国和平统一作出新的贡献。

全国政协主席李瑞环在闭幕会上讲话。李瑞环指出，民主是历史的、具体的、相对的，必然要受一定的社会经济、政治、文化等条件的制约。民主建设不能脱离现实，不能超越阶段，离开具体条件谈民主，不但达不到发展民主的目的，而且还会对经济发展和社会稳定带来不良影响。民主必然要随着社会的发展而发展。当前，我国改革不断深化，社会主义市场经济体制逐步建立，人民群众的文化素质进一步提高，人们的参与意识和竞争观念日益增强，积极稳妥地推进社会主义民主政治建设，既是客观需要，也有现实可能。必须把民主建设同法制建设结合起来。要把社会公认的、具有普遍意义的、体现群众当家做主的做法和经验从制度上、法律上确认下来，使之成为社会政治生活的共同准则；要逐步建立健全比较完备的法律体系，实现民主的制度化、法律化，使这种制度和法律不因领导人的改变而改变，不因领导人的看法和注意力的改变而改变；要维护法律、制度的严肃性和权威性，增强群众依法维护自身权益的意识，制止和制裁一切侵害群众民主权利的行为，使群众享有的各项民主权利得到可靠保障。

李瑞环说，本次会议新通过的政协章程修正案把参政议政列入政协的主要职能，是政协工作的经验总结，是本次会议的重要成果。他要求各级政协组织和政协委员紧紧围绕经济建设这个中心，结合各自的实际情况，把参政议政更加生动活泼、更富有成效地开展起来。他表示相信，有以往政协工作的成功经验，有广大委员的共同努力，有社会各界的大力支持，我们应该也能够把人民政协的参政议政工作提高到新的水平。

四

全国政协八届三次会议

1995 年 3 月 3 日至 3 月 14 日，全国政协八届三次会议在北京举行。应出席委员 2099 人，实到 1850 人，符合法定人数。大会审议通过了政协第八届全国委员会第三次会议议程。根据议程，与会委员将审议政协第八届全国委员会常务委员会工作报告；列席第八届全国人民代表大会第三次会议；听取政协第八届全国委员会提案委员会关于政协八届二次会议以来提案工作情况的报告；审议通过政协第八届全国委员会提案委员会关于政协八届三次会议提案审查情况的报告；审议通过政协第八届全国委员会第三次会议的各项决议；增选中国人民政治协商会议第八届全国委员会常务委员。

受政协第八届全国委员会常务委员会的委托，全国政协副主席叶选平在会上作了常委会工作报告。他在报告中回顾了过去一年政协常委会的工作：①服从大局围绕中心积极参政议政；②改进提案和委员视察工作，常委会把进一步提高提案质量和提案办理效果，作为改进提案工作的重点；③进一步扩大对外友好交往；④积极开展促进祖国统一活动；⑤加强对地方政协工作的指导；⑥完成全国政协机关的机构改革。叶选平说，1995 年是全面完成国民经济和社会发展“八五”计划的最后一年，是继续推进改革开放和现代化建设的重要一年。全国政协常委会本年度的工作要点是：深入学习建设有中国特色社会主义理论；紧紧围绕国家中心任务参政议政；认真落实政治协商、民主监督、参政议政的规定；切实做好反映社情民意的工作；充分发挥民主党派、无党派民主人士、人民团体和各族各界代表人士在政协中的作用；密切同地方政协的联系与协作；进一步开展与台湾同胞、港澳同胞和海外侨胞联谊工作；积极主动开展对外交往活动。

3 月 4 日下午，中共中央总书记江泽民、全国政协主席李瑞环到民盟、民建组参加分组讨论，听取委员们对政协常委会工作报告和对国家大政方针的意见、建议。江泽民在讲话中说，中国共产党领导的爱国统一战线，过去在战争年代是我们夺取革命胜利的一大法宝，今天仍然是建设有中国特色社会主义的重要法宝。我们要始终坚持把这个法宝运用好。政协工作是我们党和国家工作全局的重要组成部分。他希望各级政协组织和政协委员认真履行政治协商、民主监督和参政议政的职能，多做团结群众的工作，多调动社会的积极因素，多反映各方面的意见和建议，多为改革开放和现代化建设献计献策。

会议期间，委员们就农村和农业问题、完善中介组织，加强行业自律、大幅度增加科学技术方面的投入、建立市场化国有资产管理体制和促进祖国和平统一大业、共创两岸关系新局面等国家大政方针发表意见和建议。

3 月 11 日，政协八届全国委员会常务委员会举行第十一次会议。李瑞环主席主持。主要议题：①听取秘书长朱训关于政协八届三次会议各组讨论情况的综合汇报；②通过政协第八届全国委员会第三次会议的政治决议草案；③通过政协第八届全国委员会第三次会议关于常委会工作报告的决议草案；④通过常委增选名单草案；⑤通过政协第八届全国委员会提案委员会关于政协八届三次会议提案审查情况的报告草案。

3 月 14 日下午，全国政协八届三次会议在人民大会堂举行闭幕会。会议由全国政协副主席叶选平主持。增选杨成哲（朝鲜族）、吴福、胡政光、韩文藻、傅锡寿为八届全国政协常务委员。会议通过了《政协第八届全国委员会第三次会议政治决议》、《政协第八届全国委员会第三次会议关于常务委员会工作报告的决议》、《政协第八届全国委员会提案委员会关于政协第八届全国委员会第三次会议提案审查情况的报告》。

《政治决议》表示赞同李鹏总理在八届全国人大三次会议上所作的政府工作报告，赞同 1994 年国民经济和社会发展计划执行情况与 1995 年国民经济和社会发展计划草案的报告、1994 年国家预算执行情况和 1995 年中央及地方预算草案的报告。决议强调，完成祖国统一大业、实现中华民族全面振兴，是包括台湾同胞、港澳同胞和海外侨胞在内的所有中国人的神圣使命和崇高目标。参加人民政协的各党派、无党派民主人士、人民团体和各族各界人士坚决拥护中共中央总书记、国家主席江泽民就现阶段发展两岸关系、推进祖国和平统一进程提出的八项主张，坚决支持我国政府为对香港、澳门恢复行使主权所做的各项准备工作。决议要求人民政协的各参加单位、各级组织和委员要认真贯彻落实本次大会精神，切实履行人民政协的职能，进一步推进政治协商、民主监督、参政议政的规范化、制度化，为社会主义现代化建设和祖国和平统一作出更大贡献。

截至 3 月 9 日 17 时，提案委员会共收到提案 1995 件，参加提出提案的委员 1429 人，占委员总人数的 68.1%。经提案委员会分组审查，共立案 1852 件，占全部提案的92.8%。其中,经济建设方面769件,占41.5%,科教文卫体方面516件,占27.9%,政治法律、统战综合方面567件,占30.6%。

全国政协主席李瑞环在闭幕会上发表讲话。他说,政治协商、民主监督、参政议政是人民政协的主要职能。八届全国政协常委会第九次会议制定和通过了《政协全国委员会关于政治协商、民主监督、参政议政的规定》。最近,中共中央正式发出通知,要求各地区各部门结合实际认真贯彻执行《规定》,各级党委要加强和改善对政协工作的领导,为政协开展工作积极创造条件,进一步推进政治协商、民主监督和参政议政的规范化、制度化。各级政协组织要把贯彻中共中央通知的精神,落实《规定》的各项要求,作为当前和今后一个时期的主要任务。

李瑞环指出,政协是以界别为单位组成的机构,政协委员必须与本界的群众保持密切联系,倾听群众的呼声,体察群众的情绪,反映群众的愿望,维护群众的利益。人民政协在反映社情民意方面具有自己的优势。把了解和反映社情民意作为政协和政协委员一项重要的经常性的工作,认真地开展起来,对于提高委员自身素质,增强参政议政能力,对于活跃政协工作,履行政协职能,对于帮助执政党和政府全面地掌握实际情况,推进决策民主化和科学化,都有非常重要的作用和意义。

李瑞环强调,团结稳定是国家的大局,人民的愿望,也是政协工作的一个主题。当前,在社会生活中确实存在一些问题,在我们工作中确实存在一些缺点,在人民群众中确实存在一些情绪。问题当然要正视而不能回避,缺点当然要改正而不可掩饰,情绪当然要理顺而不容大意。但是,一切困难和问题,都不应成为悲观失望、无所作为的理由,而应成为团结一致、艰苦奋斗的根据;不应成为心烦气躁、怨天尤人的借口,而应成为磨炼意志、施展才干的机会。人民政协是最广泛的爱国统一战线组织,是全国各族人民大团结的象征,应该而且能够在促进团结、维护稳定中发挥更大作用。

五

全国政协八届四次会议

1996年3月3日至3月13日,全国政协八届四次会议在北京举行。应出席委员2111人,实到1862人,符合法定人数。

大会首先审议通过了政协第八届全国委员会第四次会议议程:①审议通过政协第八届全国委员会常务委员会工作报告;②列席第八届全国人民代表大会第四次会议;③听取政协第八届全国委员会提案委员会关于政协八届三次会议以来提案工作情况的报告;④审议通过政协第八届全国委员会提案委员会关于政协八届四次会议提案审查情况的报告;⑤审议通过政协第八届全国委员会第四次会议的各项决议;⑥增选中国人民政治协商会议第八届全国委员会副主席、常务委员。

全国政协副主席叶选平受常务委员会委托,在会上作了中国人民政治协商会议第八届全国委员会常务委员会工作报告。他在报告中回顾了过去一年政协常委会的工作:①贯彻中共中央通知精神,推进履行职能的规范化制度化;②围绕国家重大决策,切实搞好参政议政;③改进视察工作,提高视察质量;④加强提案和信息工作,积极反映社情民意;⑤重视专题调研，搞好专门委员会工作；⑥举办重要纪念活动，弘扬团结爱国的民族精神；⑦拓宽联谊渠道，促进祖国统一；⑧贯彻国家外交方针，积极扩大对外交往；⑨加强机关建设，提高工作效率。报告提出了1996年度工作安排：深入学习建设有中国特色社会主义理论；紧紧围绕制定和实施《纲要》参政议政；继续推进履行职能的各项工作；进一步发挥民主党派、无党派民主人士、人民团体和各族各界代表人士在政协中的作用；切实做好反映社情民意和文史资料工作；进一步开展祖国统一联谊工作；积极开展对外友好交往；加强政协自身建设。

3月5日，委员们列席八届全国人大四次会议开幕大会，听取李鹏总理《关于国民经济和社会发展"九五"计划和2010年远景目标纲要的报告》。委员们还列席了八届全国人大四次会议第二次全体会议，听取国家计委主任陈锦华《关于1995年国民经济和社会发展计划执行情况与1996年国民经济和社会发展计划草案的报告》，听取财政部部长刘仲藜《关于1995年中央和地方预算执行情况及1996年中央和地方预算草案的报告》。

3月8日上午，提案委员会副主任周同善在会上作政协全国委员会提案委员会关于政协八届三次会议以来提案工作情况的报告：提案委员会共收到委员、民主党派和专门委员会提出的提案2377件，经提案委员会审查，立案2177件，占91.6％，有200件转作来信处理。参加提案的委员1621人，占委员总数的76.46％。已立案的提案中，有关经济建设的提案887件(占40.7％)，有关科、教、文、卫、体方面的提案618件(占28.4％)，有关政治法律、统战工作、人事福利方面的提案672件(占30.9％)。截至1996年2月10日，提案办复2144件，占98.5％，问题已经解决、正在解决和列入计划解决的1766件，占82.4％，因条件限制一时难于解决问题的提案，各承办单位实事求是地作了说明。

会议期间，委员们就加强社会主义精神文明建设、"一国两制"与祖国统一问题、扫除迷信、愚昧和伪科学、我国高等教育发展、切实维护职工合法权益、努力实现我国农村初级卫生保健的目标、强化科技兴农、发展两岸经贸交流、积极引导非公有制经济为社会主义建设服务等问题发表了意见和建议。

3月13日下午，全国政协八届四次会议在人民大会堂举行闭幕会。会议由全国政协副主席叶选平主持。增选何鲁丽为八届全国政协副主席；增选艾知生、厉无畏、刘毅、刘诗白、成思危、何光远、宋汉良、胡平为常务委员会委员。会议通过了《政协第八届全国委员会第四次会议政治决议》、《政协第八届全国委员会第四次会议关于常务委员会工作报告的决议》、《通过了政协提案委员会关于政协八届四次会议提案审查情况的报告》。

《政治决议》指出，中国人民政治协商会议第八届全国委员会第四次会议，赞同《国民经济和社会发展"九五"计划和2010年远景目标纲要》与李鹏总理就《纲要》所作的报告，赞同《关于1995年国民经济和社会发展计划执行情况与1996年国民经济和社会发展计划草案的报告》、《关于1995年中央和地方预算执行情况及1996年中央和地方预算草案的报告》，赞同最高人民法院和最高人民检察院的工作报告。会议对过去一年我国社会主义现代化建设取得新的成就，对国民经济和社会发展"八五"计划胜利完成表示满意，对"九五"计划和2010年远景目标纲要提出的指导方针和宏伟目标，深感振奋和鼓舞。

全国政协主席李瑞环在闭幕会上发表讲话。他说，实现“九五”计划和2010年远景目标，是中国人民在中国共产党领导下创造历史的过程。在这个过程中，处理好领导与群众的关系，坚持一切为了人民、一切依靠人民，把群众的积极性充分调动起来并合理发挥出去，始终是我们必须高度重视并认真解决的重大问题。要使我们的干部真正懂得，群众观点是马克思主义的基本观点，人民群众是实践和认识的主体，在改造自然、改造社会的斗争中始终是主人、是主角。要使我们的干部充分理解，群众的拥护与支持是我们最大的政治优势，离开群众，我们将一无所有、一事无成，我们讲要把握好改革的力度、发展的速度、稳定的程度，归根到底取决于人民群众理解、支持、参与和承受的程度。要使我们的干部深刻领会，群众路线是我们的根本工作路线，养成遇事同群众商量的习惯，学会从群众中来到群众中去、集中起来坚持下去的工作方法。要使我们的干部牢牢记住，全心全意为人民服务是我们的最高宗旨，不管现实生活发生多少变化，但万变不离其宗，全心全意为人民服务的最高宗旨不能改变，否则就会变质、变色。在新的历史条件下，我们应当不断研究新情况，解决新问题，总结新经验，把坚持群众观点、群众路线提高到新的水平，并逐步形成风气、形成制度。

李瑞环指出，围绕大目标，建立大联合，是邓小平新时期统一战线思想的核心内容。实现“九五”计划和2010年远景目标，是今后一个时期全国人民的大目标，我们也必须建立起最广泛的大团结大联合，组成浩浩荡荡的队伍，形成千军万马共图大业的局面。他说，和睦的人际关系是实现大联合的重要条件。我们的祖先历来重视“和”，崇尚“人和”，主张“和为贵”。今天，我国的社会历史条件发生了根本性变化，人们的奋斗目标是共同的，根本利益是一致的，应当使这一传统美德更加发扬光大，人们之间应当相互尊重、相互理解、相互关心，形成和发展平等、友爱、团结、互助的新型人际关系。人民政协由各党派、各团体、各族各界人士组成，在组织上具有最广泛的代表性，在政治上具有最大限度的包容性，是大联合的象征。人民政协要为实现海内外全体中华儿女的大团结大联合积极工作，尽职尽责，发挥应有的作用。

六

全国政协八届五次会议

1997年2月27日至3月12日，全国政协八届五次会议在北京举行。全国政协八届五次会议应出席委员2081人，实到1846人，符合法定人数。全国政协主席李瑞环主持大会。李瑞环说，在政协第八届全国委员会第五次会议开幕前夕，我们敬爱的邓小平同志不幸逝世。我们要化悲痛为力量，继承邓小平同志的遗志，更加紧密地团结在以江泽民同志为核心的中共中央周围，高举邓小平建设有中国特色社会主义理论的伟大旗帜，坚持党的基本路线，把邓小平同志开创的社会主义改革开放和现代化建设的伟大事业继续推向前进。在李瑞环提议下，全体起立，为邓小平同志默哀。

大会首先审议通过了全国政协八届五次会议议程：①听取和审议政协第八届全国委员会常务委员会工作报告；②列席第八届全国人民代表大会第五次会议；③

听取政协第八届全国委员会提案委员会关于政协八届四次会议以来提案工作情况的报告；④审议通过政协第八届全国委员会第五次会议的各项决议和提案委员会关于政协八届五次会议提案审查情况的报告。

全国政协副主席叶选平受常务委员会的委托，在会上作了中国人民政治协商会议第八届全国委员会常务委员会工作报告。报告总结了常委会一年来的工作：①围绕中心服务大局，履行职能成效显著；②切实加强提案工作，及时反映社情民意；③落实中共中央(1995)13号《通知》精神，继续推进规范化、制度化建设；④举办重要纪念活动，弘扬爱国主义精神；⑤广泛开展联谊工作，促进祖国和平统一；⑥根据人民政协特点，扩大对外友好交往；⑦搞好政协自身建设，努力创建文明机关。报告提出了政协全国委员会1997年度工作安排：①高举邓小平建设有中国特色社会主义理论的伟大旗帜，进一步巩固团结合作的共同政治基础；②紧紧围绕实施“九五”计划与2010年远景目标纲要和加强社会主义精神文明建设决议，履行职能，建言献策；③继续推进政治协商、民主监督、参政议政的规范化、制度化；④更加扎实有效地做好反映社情民意工作；⑤协助党和政府巩固与发展团结稳定的社会政治局面；⑥进一步做好与台湾同胞、港澳同胞和广大侨胞的联谊工作；⑦加强对地方政协工作的指导；⑧积极开展对外友好交往活动；⑨继续加强政协自身建设；⑩认真总结经验，做好换届的准备工作。

2月28日下午，中共中央总书记、国家主席江泽民，中共中央政治局常委、全国政协主席李瑞环，中共中央政治局委员、国务院副总理钱其琛到贵宾楼饭店看望香港同胞、澳门同胞界委员，听取了徐四民、杨孙西、曾钰成等12位委员的发言。江泽民在讲话中希望广大香港同胞，在爱国爱港的旗帜下，实现最广泛的团建，继续按照基本法和全国人大的有关决定，把筹建香港特别行政区的各项工作做好，排除一切干扰，为实现政权的顺利交接，为特别行政区7月1日起正常运作，打下良好的基础。

3月1日和2日，出席全国政协八届五次会议的委员列席了全国人大八届五次会议，听取了国务院总理李鹏代表国务院向大会作的《政府工作报告》和国家计委主任陈锦华《关于1996年国民经济和社会发展计划执行情况与1997年国民经济和社会发展计划草案的报告》；财政部部长刘仲藜《关于1996年中央和地方预算执行情况及1997年中央和地方预算草案的报告》。

3月5日下午，全国政协提案委员会副主任张文寿报告了提案工作情况：政协八届四次会议以来，提案委员会共收到提案2498件，经提案委员会审查，立案2380件，占95.3%，有118件转作来信处理。参加提案的委员有1620人，占委员总数的77%。八个民主党派和全国工商联共提提案30件。截至1997年2月14日，提案办复2334件，占98.1%，问题得到解决和计划解决的1937件，占83%，对于因条件限制难于较快解决的问题，各承办单位作了认真的说明。

会议期间，委员们就民建中央进一步深化经济体制改革、坚决维护好香港国际经济大都会的优势、广开就业渠道，促进社会稳定、全面贯彻《义务教育法》、防止行业垄断、努力提高农村医疗卫生整体水平、中西部地区农业产业化、祖国统一、社会发展方面的一些问题发表了意见和建议。

3月12日下午，中国人民政治协商会议第八届全国委员会第五次会议在人民大会堂举行闭幕会。会议由全国政协副主席叶选平主持。叶选平宣布，政协第八届全国委员会第五次会议应出席委员2080人，出席会议1773人，符合法定人数。会议通过了《政协第八届全国委员会第五次会议政治决议》、《政协第八届五次会议关于常务委员会工作报告决议》、《关于政协八届五次会议提案审查情况的报告》。

《政治决议》赞同李鹏总理所作的《政府工作报告》，赞同《关于1996年国民经济和社会发展计划执行情况与1997年国民经济和社会发展计划草案的报告》、《关于1996年中央和地方预算执行情况及1997年中央和地方预算草案的报告》，赞同最高人民法院工作报告和最高人民检察院工作报告。会议通过了政协提案委员会。截至3月7日下午5时，提案委员会共收到提案2528件。其中委员提案2485件，参加提出提案的委员1476人，占委员总数的71%；民革、民盟、民建、民进、农工、致公、九三、台盟八个民主党派、全国工商联和科教文卫体、社会与法制等专门委员会共提出集体提案39件；委员小组提案4件。提案委员会根据《中国人民政治协商会议全国委员会提案工作条例》的有关规定，对收到的提案进行了审查，共立案2426件，占收到提案的96%，其中经济建设方面1027件，占42.3%；科教文卫体方面746件，占30.8%；政法、统战、人事方面653件，占26.9%。其余102件经过与委员协商，作为委员来信转给有关部门处理。

全国政协主席李瑞环在会上发表讲话。他说，八届政协已进入最后一个年头，要在继续推进履行主要职能各项工作的同时，把总结经验作为一项重要任务认真抓好。总结经验是马克思主义认识论的基本要求，是事业兴旺的有效途径，也是个人进步的重要环节。希望各级政协组织和广大政协委员，把几年来做过的事情认真总结一下，冷静、深入地想一想本届政协工作有哪些得失，自己作为委员有哪些收获和缺憾，使我们用心血换来的经验教训，变成今后搞好工作的宝贵财富。

李瑞环指出，维护团结稳定，必须讲大局、讲历史责任感。在新中国建立前的一个多世纪里，我们的民族蒙受了多少屈辱，遭受了多少苦难，令人痛心疾首；在新中国建立后的几十年中，我们的国家经历了多少曲折，付出了多少代价，真是刻骨铭心。为了把一个半殖民地半封建的旧中国变成独立自主的新中国，无数志士仁人前仆后继，浴血奋斗；为了找到一条符合中国国情的正确发展道路，我们的党和人民百折不挠，艰辛探索。今天的局面确实来之不易！我们这一代人正处在我国发展的重要时期，肩负着重大的历史责任。今天我们评价历史，将来历史也会评价我们。只要我们多想想这些，还有什么一己私利不可以割舍，还有什么个人恩怨不可以超越，还有什么缺点毛病不可以抛弃！我们完全应该同心同德，团结奋斗，共同创造更加美好的未来。

第九届全国人民代表大会

一

第九届全国人民代表大会工作概述

第九届全国人民代表大会自 1998 年 3 月第九届全国人民代表大会一次会议至 2003 年 3 月第十届全国人民代表大会第一次会议上结束，历时 5 年。这五年，是我国改革开放和社会主义现代化建设波澜壮阔的五年。在中国共产党领导下，全国各族人民高举邓小平理论伟大旗帜，以“三个代表”重要思想为指导，深入贯彻党的十五大、十六大精神，团结奋斗，开拓创新，经受住了各种困难和风险的考验，推动改革开放和现代化建设事业取得了巨大成就。

五年来，立法工作取得显著成绩。常委会把加强立法工作、提高立法质量作为首要任务，共审议了 124 件法律、法律解释和有关法律问题的决定草案。其中，由常委会审议通过 102 件，由常委会审议后提请代表大会审议通过 7 件。另有 4 件有关法律问题的决定由代表大会审议通过。在前几届工作的基础上，经过不懈努力，构成中国特色社会主义法律体系的各个法律部门已经齐全，每个法律部门中主要的法律已经基本制定出来，加上国务院制定的行政法规和地方人大制定的地方性法规，以宪法为核心的中国特色社会主义法律体系已经初步形成。五年来，常委会把监督工作放在与立法工作同等重要的位置，先后对 22 件法律和法律问题决定的实施情况进行了检查，听取并审议了国务院、最高人民法院、最高人民检察院的 40 个专题工作报告。各专门委员会也对一些法律的实施情况进行了检查，并听取了有关部门的工作汇报。通过监督，推动了宪法、法律的实施，促进了国务院依法行政、最高人民法院和最高人民检察院公正司法。常委会高度重视、认真办理代表们依法提出的各项议案。本届任期内，代表们提出的议案中，有 365 件属于立法议案，涉及需要制定和修改的法律 131 件。其中，有 57 件已经由常委会审议通过，有 4 件正在审议之中，还有 11 件已列入立法规划，正在抓紧起草。

第九届全国人民代表大会依照宪法和全国人民代表大会组织法的规定，共举行了 5 次会议，选举产生了新的国家领导人；审议通过了国务院、全国人大常委会、最高人民法院、最高人民检察院分别在每次会议上所作的工作报告；审查和批准国民经济和社会发展计划、国家预算。常委会每年听取和审议中央决算的报告、中央预算执行情况和其他财政收支的审计报告、每年前八个月国民经济和社会发展计划执行情况的报告，还听取和审议了国务院关于改革开放、经济建设方面的其他一些报告，不断加强对预算工作和经济工作的监督。五年来，全国人大常委会根据国家工作的大局，认真履行宪法和法律所赋予的职责，各方面工作取得了新的进展，为加强社会主义民主法制建设，推进依法治国、建设社会主义法治国家的进程，保障和促进中国特色社会主义事业的顺利进行，作出了新的贡献。

二

九届全国人大一次会议

1998年3月5日至19日，九届全国人大一次会议在北京举行，出席会议的代表共2980人。会议的主要议程是：听取李鹏《政府工作报告》，陈锦华《关于1997年国民经济和社会发展计划执行情况与1998年国民经济和社会发展计划草案的报告》，刘仲藜《关于1997年中央和地方预算执行情况及1998年中央和地方预算草案的报告》和田纪云、任建新、张思卿分别作的全国人大常委会、最高人民法院、最高人民检察院的工作报告；审议批准国务院机构改革；通过《关于设立第九届全国人民代表大会专门委员会的决定》；选举和决定新一届国家领导人，组成新一届国家领导机构；通过第九届全国人民代表大会各专门委员会主任委员、副主任委员、委员的人选。

李鹏《政府工作报告》认为，过去的五年，经济发展保持良好势头，国家经济实力显著增强；以建立社会主义市场经济体制为目标的改革取得重大突破，新的宏观调控体系框架初步建立，市场在资源配置中的基础性作用显著增强；对外开放继续扩大，形成了全方位、多层次、宽领域的开放格局；科技教育文化事业在改革中前进，社会主义精神文明建设取得新的成绩；社会主义民主和法制建设得到加强，民族团结和社会稳定的局面进一步巩固；国防和军队现代化建设迈出新的步伐；城乡居民收入显著增加，生活水平进一步提高；香港顺利回归祖国，继续保持繁荣稳定。同时，我国经济和社会发展中还存在不少矛盾和问题。解决这些矛盾和问题，是今后政府工作的艰巨任务。《报告》提出1998年政府工作建议：进一步稳定和加强农业；国有企业改革要取得新的突破；继续加强和改善宏观调控；进一步提高对外开放水平；积极发展科技教育文化事业；努力改善城乡人民的物质文化生活；积极推进政府机构改革；推进祖国和平统一大业；加强国防和军队建设，是国家安全和现代化建设的重要保证。

陈锦华《关于1997年国民经济和社会发展计划执行情况与1998年国民经济和社会发展计划草案的报告》指出，1997年，改革开放和现代化建设取得了新成就，较好地实现了各项宏观调控目标，计划执行情况良好。国民经济继续快速增长，市场物价基本稳定；结构调整取得新进展，国民经济发展的“瓶颈”制约明显缓解；财政收入增加较快，金融形势保持平稳；以国有企业为重点的改革力度加大，在一些重要方面取得进展；对外贸易增长较快，利用外资的质量提高；科技教育蓬勃发展，各项社会事业全面进步。1998年国民经济和社会发展的主要任务有：稳定和加强农业基础地位，全面发展农村经济；提高工业运行质量，积极培育新的经济增长点；保持固定资产投资规模适度增长，调整和优化投资结构；进一步发展开放型经济，提高对外开放水平；加强财政收支管理，防范和化解金融风险；实施科教兴国和可持续发展战略，全面发展各项社会事业；加大再就业工程实施力度，继续改善人民生活。

刘仲藜《关于1997年中央和地方预算执行情况及1998年中央和地方预算草案的报告》指出，1997年中央和地方预算执行总体情况是好的。据统计，1997年中央财政总收入4819.64亿元，完成预算的

101.4%，比上年增长13%；中央财政总支出5379.64亿元，完成预算的101%，比上年增长10.4%；地方财政总收入7280.03亿元，完成预算的101.8%，比上年增长12.5%；地方财政总支出7275.09亿元，完成预算的101.7%，比上年增长13.8%；全国财政收入比预算超收244.06亿元，其中中央财政超收65.8亿元，地方财政超收178.26亿元。国家财政状况正在发生积极变化：一是财政收入总量增势不减，增长结构逐渐趋于合理；二是财政支出总量得到控制，支出结构有所调整。1998年中央和地方财政预算安排确定了五个方面的保障重点：确保国有企业改革的顺利推进；确保国家各项粮食政策的落实；为促进对外开放，推动产业结构调整，今年将对高新技术项目和国家产业政策鼓励的内外资项目、进口国内不能生产的设备和技术，免征关税和进口环节增值税，约减少进口税收100亿元；为保证农业、教育、科学等法律规定的重点项目支出增长高于经常性财政收入增长，将相应增加支出240亿元；为进一步巩固和发展宏观经济的良好局面，继续贯彻适度从紧的财政政策，1998年中央财政要在去年预算执行数的基础上，压缩财政赤字100亿元。《报告》指出，1998年中央财政总收入安排5309.19亿元，比上年执行数增加489.55亿元，增长10.2%；中央财政总支出5769.19亿元，比上年执行数增加389.55亿元，增长7.2%；地方财政总收入7989.35亿元，比上年执行数增长9.7%；地方财政总支出7989.35亿元，比上年执行数增长9.8%。为全面完成1998年预算任务，必须切实做好以下几项工作：努力保持经济和社会的稳定发展；继续深化和完善财税体制改革；进一步加强财税管理；加大财政监督力度，进一步规范财经秩序。

田纪云《全国人民代表大会常务委员会工作报告》指出，八届全国人大常委会五年来各方面工作取得重大成绩：①加快立法步伐，抓紧制定社会主义市场经济方面的法律。本届全国人大及其常委会任期内，共审议法律和有关法律问题的决定草案129个；通过法律85个、有关法律问题的决定33个，共计118个；还批准双边或多边国际条约、公约和重要协定60个。立法不仅数量多，质量也有所提高，为形成具有中国特色社会主义法律体系奠定了基础。②改进监督工作，进一步加强对法律实施的检查监督。五年来，常委会对21个法律和有关法律问题的决定的实施情况进行了检查，各专门委员会也分别对有关法律的实施情况进行了检查；工作监督方面，常委会听取和审议国务院及其部门和最高人民法院、最高人民检察院的工作报告已经形成制度，五年来共听取和审议上述机关的工作报告34个，包括金融、外贸、教育、廉政、农业、林业、民航、国有大中型企业改革、减轻农民负担等方面的报告；常委会重视总结和交流地方人大开展监督工作的经验和做法。③进一步完善选举制度，做好换届选举工作。1995年常委会通过了修改选举法和地方组织法的两个决定；本届任期内，在全国范围内进行了两次换届选举：一次是乡镇人大换届选举，一次是县级以上地方各级人大和全国人大换届选举。④积极开展议会外交，加强同外国议会的交往与合作。⑤加强制度建设，促进常委会工作逐步规范化、制度化。加强会议制度建设；加强自身工作制度建设；加强代表工作制度建设；加强信访工作制度建设；坚持同地方人大联系的制度；重视办事机构的建设。

任建新《最高人民法院工作报告》指

出，五年来，全国人民法院全面加强各项审判工作，取得了新的进展：一是审结的各类案件逐年上升；二是审判工作领域不断拓宽；三是审理的大案要案越来越多，经济犯罪案件涉及的金额越来越大；四是严格依法办案，办案质量和办案效率有所提高。人民法院严厉打击刑事犯罪活动，正确处理民事纠纷，公正审理经济案件，妥善审理行政和国家赔偿案件，加大执行工作力度，加强审判监督，进行法院改革，加强队伍建设。《报告》指出，1998 年和今后一个时期，人民法院要严格执行“两法”，坚持严打斗争，全力维护国家安全和社会稳定；依法调节经济关系，促进社会主义市场经济健康发展；依法保护公民、法人和其他组织的合法权益，促进社会全面进步；积极推进法院改革，保障依法独立公正地行使审判权；大力加强队伍建设，把队伍建设作为法院工作的突出任务抓紧抓好。

张思卿《最高人民检察院工作报告》指出，过去五年，全国人民检察院全面开展各项检察工作，坚决查办贪污贿赂、渎职等职务犯罪案件，促进反腐败斗争深入开展；严厉打击严重刑事犯罪，努力维护社会稳定；加强执法监督，维护司法公正和法制统一；积极推进司法改革和检察法制建设；狠抓检察队伍建设，提高整体素质和执法水平。《报告》指出，今后一个时期检察工作，继续查办贪污贿赂、渎职等职务犯罪案件；依法打击严重刑事犯罪，维护社会治安和社会主义市场经济秩序；加强执法监督工作，全面承担起法律赋予的刑事诉讼、民事审判和行政诉讼监督职责；努力实践，大胆探索，改革和完善有中国特色的社会主义检察制度；努力建设高素质的专业化检察队伍。

会议审议、通过了《关于〈政府工作报告〉的决议》，决定批准李鹏的报告。会议通过了《关于 1997 年国民经济和社会发展计划执行情况与 1998 年国民经济和社会发展计划的决议》和《关于 1997 年中央和地方预算执行情况及 1998 年中央和地方预算的决议》；会议通过了《关于全国人民代表大会常务委员会工作报告的决议》、《关于最高人民法院工作报告的决议》、《关于最高人民检察院工作报告的决议》。

会议于 3 月 10 日审议了国务院机构改革方案，决定批准这个方案。这次机构改革的重点是国务院组成部门，除国务院办公厅外，国务院组成部门减少为 29 个：①宏观调控部门，国家计划委员会更名为国家发展计划委员会，保留国家经济贸易委员会、财政部、中国人民银行；②专业经济管理部门，保留铁道部、交通部、建设部、农业部、水利部、对外贸易经济合作部，在邮电部和电子工业部的基础上组建信息产业部，组建新的国防科学技术工业委员会；③教育科技文化、社会保障和资源管理部门，国家科学技术委员会更名为科学技术部，国家教育委员会更名为教育部，在劳动部基础上组建劳动和社会保障部，由地质矿产部、国家土地管理局、国家海洋局和国家测绘局共同组建国土资源部；④国家政务部门，保留外交部、国防部、文化部、卫生部、国家计划生育委员会、国家民族事务委员会、司法部、公安部、国家安全部、民政部、监察部和审计署。

会议决定第九届全国人民代表大会设立民族委员会、法律委员会、内务司法委员会、财政经济委员会、教育科学文化卫生委员会、外事委员会、华侨委员会、环境与资源保护委员会、农业与农村委员会。

会议选举江泽民为中华人民共和国

主席，胡锦涛为中华人民共和国副主席；江泽民为中华人民共和国中央军事委员会主席；李鹏为全国人大常委会委员长，田纪云、谢非、姜春云、邹家华、帕巴拉·格列朗杰（藏族）、王光英、程思远、布赫（蒙古族）、铁木尔·达瓦买提（维吾尔族）、吴阶平、彭珮云（女）、何鲁丽（女）、周光召、成克杰（壮族）、曹志、丁石孙、成思危、许嘉璐、蒋正华为副委员长，何椿霖为秘书长，于兴隆（蒙古族）等134人为全国人大常委会委员；肖扬为中华人民共和国最高人民法院院长；韩杼滨为中华人民共和国最高人民检察院检察长。会议决定朱镕基为中华人民共和国国务院总理，张万年、迟浩田为中华人民共和国军事委员会副主席，傅全有、于永波（满族）、王克、王瑞林为中华人民共和国中央军事委员会委员。会议决定了国务院副总理、国务委员、各部部长、各委员会主任、审计长和秘书长。李岚清、钱其琛、吴邦国、温家宝为国务院副总理，迟浩田、罗干、吴仪（女）、司马义·艾买提（维吾尔族）、王忠禹为国务委员。会议还通过了九届全国人大各专门委员会主任委员、副主任委员、委员名单。

这次会议共收到代表和代表团提出的议案共830件。经大会主席团审议决定，将190件议案交有关专门委员会审议，提出是否列入全国人大或全国人大常委会的议程的意见，由全国人大常委会审议决定。其余640件连同代表提出的建议、批评和意见，由全国人大常委会办公厅交由有关机关、组织研究处理，并负责答复。

九届全国人大一次会议是一次民主团结的大会，继往开来跨世纪的大会。会议审议批准了国务院机构改革方案。这是建立社会主义市场经济体制的需要，也是提高国家行政效率的重大举措；会议选举和决定了新一届国家机构领导人，为实现跨世纪的任务提供了重要的组织保证。这次会议进一步激励和动员各族人民，高举邓小平理论伟大旗帜，满怀信心地把建设有中国特色社会主义的伟大事业全面推向21世纪。

三

九届全国人大二次会议

1999年3月5日至16日，九届全国人大二次会议在北京举行，出席会议的代表共2869人。会议的主要议程是：听取朱镕基《政府工作报告》，曾培炎《关于1998年国民经济和社会发展计划执行情况与1999年国民经济和社会发展计划草案的报告》，项怀诚《关于1998年中央和地方预算执行情况及1999年中央和地方预算草案的报告》和姜春云、肖扬、韩杼滨分别作的全国人大常委会、最高人民法院、最高人民检察院的工作报告；审议、通过《中华人民共和国宪法修正案》、《中华人民共和国合同法》、《中华人民共和国澳门特别行政区第九届全国人民代表大会代表的产生办法》。

朱镕基《政府工作报告》指出，1998年，面对复杂严峻的国内外经济环境，我们取得了改革开放和社会主义现代化建设的巨大成就，年初确定的改革和发展的各项目标基本实现。国民经济保持较快增长，有效应对亚洲金融危机的影响，取得抗洪抢险的伟大胜利；在经济发展的同时，改革继续推进；科技教育和各项社会事业继续发展；城乡人民生活水平继续提高。《报告》指出，今年工作总的要求是要继续推进改革开放，大力实施科教兴国战略和可持续发展战略，把扩大国内需求作为促进经济增长的主要措施，稳定和加强农业，深化国有企业改革，调整经济结构，努力开拓城乡市场，千方百计扩大出口，防范和化解金融风险，整顿经济秩序，保持国民经济持续快速健康发展，切实加强民主法制建设和精神文明建设，促进社会全面进步，进一步处理好改革、发展、稳定的关系，确保社会政治稳定。《报告》指出，要做好今年各方面工作：继续扩大内需和实施积极的财政政策；促进农业和农村经济全面发展；大力推进国有企业改革；认真做好金融工作，防范和化解金融风险；千方百计扩大出口和有效利用外资；实施科教兴国战略和可持续发展战略；贯彻依法治国方略，建设廉洁、勤政、务实、高效政府；努力促进祖国和平统一大业。《报告》指出，1998年，世界多极化和经济全球化趋势进一步发展，国际关系特别是大国关系正在调整；我国坚持奉行独立自主的和平外交政策，维护世界和平，促进共同发展，加强了同世界各国的友好合作关系，国际地位进一步提高。

曾培炎《关于1998年国民经济和社会发展计划执行情况与1999年国民经济和社会发展计划草案的报告》指出，总的看，1998年计划执行情况是好的，基本实现了各项宏观调控目标。国民经济继续较快增长，物价总水平有所下降；农业获得好收成，工业生产稳定增长；固定资产投资规模扩大，基础设施建设明显加快；财政收入增长较快，金融形势保持平稳；各项改革稳步推进，再就业工作取得进展，国有企业改革不断深化，粮食流通体制改革进展顺利，价格改革继续推进，金融体制改革取得新进展；进出口商品结构不断改善，利用外资质量继续提高；科技教育取得新成就，各项社会事业全面进步。1999年国民经济和社会发展的主要任务是：加强农业基本建设，调整和优化农业结构；努力为国有企业改革创造良好的外部条件，加大对中小企业的扶持力度；推进经济结构调整，积极培育新的经济增长点；进一步深化价格改革，大力整顿市场秩序；坚持实施科教兴国战略，依靠科技进步和提高劳动者素质推动经济增长；坚持可持续发展战略，积极发展各项社会事业，进一步改善人民生活。项怀诚的《关于1998年中央和地方预算执行情况及1999年中央和地方预算草案的报告》指出，1998年中央和地方预算执行情况是比较好的。1998年全国财政收入9853亿元，完成预算的101.8%，比上年增长13.9%；全国财政支出10771亿元，完成预算的106.2%，比上年增长16.7%。全国财政收支相抵，支出大于收入918亿元，其中，中央财政赤字960亿元，地方财政结余42亿元。在预算执行中，情况发生很大变化，亚洲金融危机对我国经济的影响比预料的要严重得多，中央决定加大宏观调控力度，实施积极的财政政策，财政赤字和债务规模扩大，但并没有导致货币超量发行，也没有引起通货膨胀，效果是好的。1999年中央财政总收入安排5886亿元，比上年执行数增加403亿元，增长7.3%；中央财政总支出7389亿元，比上年执行数增加946亿元，增长14.7%；中央财政收支相抵，赤字1503亿元，比上年执行数增加543亿元；1999年地方财政总收入8799亿元，比上年执行数增长6.1%；地方财政总支出8799亿元，比上年执行数增长6.7%；地方财政收支平衡。

姜春云《全国人民代表大会常务委员会工作报告》指出，过去一年，全国人大常委会主要工作有：加强和改进立法工作，提高立法质量；重视监督工作，增强监督实效；认真办理代表议案和建议，加强和改进代表工作；做好社会主义民主法制宣传报道工作；加强同外国议会和议会国际组织的交往与合作；加强常委会自身建设，努力提高工作水平。《报告》指出，常委会今后一年的主要工作任务是：继续加强立法工作，提高立法质量，努力完成立法任务；切实加大监督力度，完善监督方式，支持和促进依法行政和公正司法；加强社会主义民主法制宣传，提高全民的法制观念和法律意识；继续开展同外国议会的交往与合作。

肖扬《最高人民法院工作报告》指出，1998年全国人民法院，一手抓审判工作，一手抓队伍建设，各项工作取得了新的进展。①紧紧围绕全党全国工作大局，大力加强审判工作，维护司法公正。严惩刑事犯罪，参与综合治理，维护社会稳定；发挥审判职能，防范金融风险，维护国家经济安全；依法调节经济关系，化解人民内部矛盾，维护国家重大改革措施的实施；依法履行职责，强化执法力度，维护法律权威；推进审判方式改革，落实公开审判，维护裁判公正。②开展集中教育整顿，清除司法人员腐败，加强法院队伍建设。正确分析队伍现状，突出解决少数司法人员滥用审判权问题；周密部署，加强指导，防止教育整顿走过场；实行开门整顿，自觉接受人大和社会各界监督；从案件入手查问题，坚决处理裁判不公的人和事；切实抓好领导班子建设，增强凝聚力和战斗力；加强制度建设，健全内部和外部监督制约机制；堵塞漏洞，积极预防司法人员腐败的发生。1999年人民法院的工作任务是：依法裁判，为改革、发展、稳定提供可靠的司法保障；全面提高审判质量和效率，确保国家法律的正确实施；健全审判监督机制，确保公正司法；巩固和发展集中教育整顿成果，提高法院队伍整体素质；以司法公正为主线，加大法院改革力度。

韩杼滨《最高人民检察院工作报告》指出，1998年，教育整顿取得了比较明显的成效，队伍建设进一步加强，检察业务工作取得新的进展。①深入开展集中教育整顿，加强队伍建设，促进公正执法。认真部署，开门整顿，狠抓落实，推动教育整顿工作逐步深入；制定九条硬性规定，严肃查处群众反映强烈的违法违纪问题；开展执法大检查，复查纠正一批有问题的案件和错案；开展执法思想大讨论，统一认识，端正执法思想；全面考察地、县两级检察院和反贪局领导班子，清理机构和人员，加强基层建设；坚决贯彻中央关于政法机关不再从事经商活动的决定，清理撤销经营性公司；强化内部制约，规范检察权的行使，防止检察权的滥用；推行检务公开和检察长接待日制度，拓宽服务人民、接受监督的渠道。②认真履行检察职责，各项业务工作取得新进展。依法履行查办职务犯罪职能，从严惩治贪污贿赂、渎职犯罪；依法履行批捕、起诉职能，严厉打击各种刑事犯罪活动；依法履行诉讼监督职能，维护司法公正，保障国家法律的统一正确实施。1999年检察工作的主要任务是：认真履行法律监督职责，努力为改革开放和经济建设创造良好的法治环境；巩固和发展集中教育整顿成果，大力加强检察队伍建设；积极推进检察改革，为检察事业的发展注入新的活力。

会议审议、通过了《关于〈政府工作报告〉的决议》，决定批准朱镕基的报告。会议通过了《关于1998年国民经济和社会发展计划执行情况与1999年国民经济和社会发展计划的决议》、《关于1998年中央和地方预算执行情况及1999年中央和地方预算的决议》；通过了《关于全国人民代表大会常务委员会工作报告的决议》、《关于最高人民法院工作报告的决议》、《关于最高人民检察院工作报告的决议》。

会议于3月15日审议通过了《中华人民共和国宪法修正案》、《中华人民共和国合同法》和《中华人民共和国澳门特别行政区选举第九届全国人民代表大会代表的产生办法》。

《中华人民共和国宪法修正案》的主要内容是：①宪法序言第七自然段增加“邓小平理论”的内容，将“根据建设有中国特色社会主义的理论”修改为“沿着建设有中国特色社会主义的道路”，并将“我国正处于社会主义初级阶段”修改为“我国将长期处于社会主义初级阶段”，增加“发展社会主义市场经济”的内容。②关于宪法第五条，增加规定：“中华人民共和国实行依法治国，建设社会主义法治国家。”③关于宪法第六条，增加规定：“国家在社会主义初级阶段，坚持公有制为主体、多种所有制经济共同发展的基本经济制度，坚持按劳分配为主体、多种分配方式并存的分配制度。”④关于宪法第八条第一款，增加规定：“农村集体经济组织实行家庭承包经营为基础、统分结合的双层经营体制。”删去“家庭联产承包为主的责任制”的提法。⑤关于宪法第十一条，增加规定：“在法律规定范围内的个体经济、私营经济等非公有制经济，是社会主义市场经济的重要组成部分。”⑥关于宪法第二十八条，将其中“反革命的活动”修改为“危害国家安全的犯罪活动”。此次对宪法部分内容的适当修改，把改革开放和社会主义现代化建设的新经验在宪法中肯定下来。《中华人民共和国宪法修正案》同日公布实施。

《中华人民共和国合同法》的主要内容是：第一，关于调整范围。合同法调整的是平等主体之间的民事关系；合同法主要调整法人、其他组织之间的经济贸易合同关系，还包括自然人之间的买卖、租赁、借贷、赠予等合同关系。第二，关于基本原则。平等、自愿；公平、诚实信用；守法。第三，关于合同订立，合同法规定了订立合同的当事人的主体资格，合同的形式，合同的一般内容；规定了要约和承诺；规定了当事人在订立合同过程中的违法行为及赔偿责任。第四，关于合同的履行。合同法规定了全面履行原则；设置了防范合同欺诈，防止利用合并、分立来逃避债务的制度规定。①合同生效后，当事人不得因姓名、名称的变更或者法定代表人、负责人、承办人的变动而不履行合同义务。②当事人订立合同后合并的，由合并后的法人或者其他组织行使合同权利，履行合同义务。当事人订立合同后分立的，除债权人和债务人另有约定的以外，由分立的法人或者其他组织对合同的权利和义务享有连带债权，承担连带债务。③应当先履行债务的当事人，有确切证据证明对方有经营状况严重恶化；转移财产、抽逃资金，以逃避债务；丧失商业信誉等情形之一的，可以中止履行合同。为了防止当事人滥用这项权利，法律对中止履行合同的条件和程序作了严格的规定。④因债务人怠于行使其到期债权，对债权人造成损害的，债权人可以向人民法院请求以自己的名义代位行使债务人的债权。⑤因债务人放弃其到期债权或者无偿转让财产，对债权人造成损害的，债权人可以请求人民法院撤销债务人的行为。债务人以明显不合理的低价转让财产，对债权人造成损害，并且受让人知道该情形的，债权人也可以请求人民法院撤销债务人的行为。第五，关于违约责任。法律规定了继续履行、采取补救措施或者赔偿损失等违约责任；法律规定当事人可以约定违约金，并规定了违约金低于或高于实际损失的情况下可以向人民法院或仲裁机构予以增加或减少；损失赔偿额应相当于因违约所造成的损失，包括合同履行后可以获得的利益；当事人可以约定定金作为债权担保。第六，关于合同法分则。法律规定了购销、供用电、借款、承揽、建设工程、运输、仓储保管、技术、融资租赁、赠予、委托、行纪、居间等合同；规定其他法律对合同另有规定的，依照其规定。统一的、较为完备的合同法，对保护合同当事人的合法权益、维护社会经济秩序、促进社会主义现代化建设，具有重要作用。同日，《中华人民共和国合同法》由《中华人民共和国主席令》第15号公布，自1999年10月1日起施行。

《中华人民共和国澳门特别行政区选举第九届全国人民代表大会代表的产生办法》的主要内容是：①澳门特别行政区应选第九届全国人民代表大会代表的名额为12名；②澳门特别行政区成立第九届全国人民代表大会代表选举会议，以及选举会议的人员组成；③规定了选举的程序；④规定了代表的辞职和补选的办法。

这次会议共收到代表和代表团提出的议案759件。经大会主席团审议决定，将229件议案交有关专门委员会审议，提出是否列入全国人大或全国人大常委会的议程的意见，由全国人大常委会审议决定。其余530件连同代表提出的建议、批评和意见，由全国人大常委会办公厅交由有关机关、组织研究处理，并负责答复。

四

九届全国人大三次会议

1999年3月5日至16日，九届全国人大三次会议在北京举行，出席会议的代表共2895人。会议的主要议程是：听取朱镕基《政府工作报告》，曾培炎《关于1999年国民经济和社会发展计划执行情况与2000年国民经济和社会发展计划草案的报告》，项怀诚《关于1999年中央和地方预算执行情况及2000年中央和地方预算草案的报告》和李鹏、肖扬、韩杼滨分别作的全国人大常委会、最高人民法院、最高人民检察院的工作报告；审议、通过《中华人民共和国立法法》；通过《关于确认全国人大常委会接受何厚铧辞去全国人大常委会委员职务的请求的决定》。

朱镕基《政府工作报告》指出，1999年各方面工作都取得了新的成绩：国民经济发展质量提高；国有企业改革和脱困取得重要进展；科技教育和社会事业全面发展；城乡人民生活继续改善。《报告》指出，2000年是世纪交替之年，是全面实现我国社会主义现代化建设第二步战略目标的最后一年，做好今年政府工作具有承前启后的重要意义。①坚持实行扩大内需的方针。继续实施积极的财政政策；进一步发挥货币政策的作用；要提高改革措施的透明度，改善居民心理预期，鼓励居民增加即期消费。②大力推进经济结构的战略性调整。进一步稳定和加强农业的基础地位；加大工业结构调整力度；发展第三产业；实施西部地区大开发战略，加快中西部地区的发展；东部地区要继续发挥优势，不断提高经济素质和竞争力。③继续推进改革，全面加强管理。国有企业改革是深化经济体制改革的中心环节；继续贯彻执行中央关于粮食流通体制改革的方针政策；财税、金融、投融资、分配、流通等方面的体制改革，要继续有序推进。④加快科技、教育发展，加强精神文明建设。大力开发和推广对传统产业升级起关键作用、有共性的高新技术;深化教育改革,全面推进素质教育;改革和完善优秀人才的收入分配制度,形成激励机制;坚持走可持续发展道路;坚持"两手抓、两手都要硬"的方针,高度重视和加强社会主义精神文明建设。⑤进一步扩大对外开放。继续实行以质取胜和市场多元化战略,贯彻落实各项鼓励出口的政策,努力扩大出口;积极有效地利用外资适应我国加入世贸组织步伐加快的形势,抓紧做好各项准备工作。⑥搞好社会保障体系建设,维护社会稳定。要进一步办好国有企业再就业服务中心;大力促进下岗职工再就业;在切实做好上述工作的同时,要积极推进改革,逐步形成独立于企业事业单位之外、资金来源多渠道、管理服务社会化的有中国特色社会保障体系。⑦从严治政,加强政府自身建设。进一步加强廉政建设和反腐败斗争;厉行勤俭节约,反对奢侈浪费;进一步转变政府职能,推进政府机构改革;各级政府都要自觉接受同级人民代表大会及其常委会的监督,主动加强与人民政协的联系,认真听取民主党派、工商联、无党派民主人士和各人民团体的意见。《报告》指出,香港、澳门相继回归祖国,标志着实现祖国完全统一大业已经取得重大进展。我们将一如既往地坚持"和平统一、一国两制"的基本方针和江泽民主席提出的八项主张,继续努力做好发展两岸关系、推进祖国和平统一的各项工作。

曾培炎《关于1999年国民经济和社会发展计划执行情况与2000年国民经济和社会发展计划草案的报告》指出,总的看来,1999年计划执行情况是好的,基本实现了国民经济和社会发展的主要调控目标。国民经济发展继续保持良好态势,增长质量和效益有所提高;投资结构继续改善,工程质量得到提高;财政收支增长较快,金融持续平稳运行;国有企业改革和脱困取得明显进展,其他各项重要改革继续深化;外贸进出口增长较快,利用外资质量继续提高;科技和教育发展加快,各项社会事业全面进步;市场销售开始转旺,人民生活继续改善。《报告》指出,2000年国民经济和社会发展的主要任务是:继续扩大投资规模,进一步优化投资结构;大力推进农业和农村经济结构的战略性调整,全面提高农村经济的素质和效益;加大工业结构调整力度,提高增长的质量和效益;努力创造良好的外部环境,积极推进国有企业的改革和发展;加大实施积极财政政策的力度,进一步发挥货币政策的作用;实施西部大开发战略,促进区域经济协调发展;不断提高对外开放水平,更好地利用国内国外两个市场、两种资源;坚持可持续发展战略,搞好生态环境保护和建设;加快科教兴国步伐,全面发展各项社会事业。

项怀诚《关于1999年中央和地方预算执行情况及2000年中央和地方预算草案的报告》指出,在九届全国人大二次会议批准1999年中央预算以后,针对国民经济发展中出现的一些不利情况,党中央、国务院作出了进一步加大实施积极财政政策力度的重大决策;1999年8月,九届全国人大常委会第十一次会议审议批准了国务院提出的增发国债用于增加固定资产投入和中央预算调整方案的议案。执行结果表明,以实施积极财政政策为主要内容的宏观调控措施取得显著成效。1999年全国财政收入11377亿元,完成预算的105.3%;全国财政支出13136亿元,完成预算的104.2%。全国财政收支相抵,支出大于收入1759亿元。《报告》指出,2000年中央财政总收入安排6904亿元,比上年执行数增加508亿元,增长7.9%,中央财政总支出9203亿元(含债务利息支出),比上年执行数增加1010亿元,增长12.3%,中央财政收支相抵,赤字2299亿元;2000年地方财政预算总收入10434亿元,比上年执行数增长7.8%,地方财政预算总支出10434亿元,比上年执行数增长8.3%,地方财政收支平衡。

李鹏《全国人民代表大会常务委员会工作报告》指出,过去的一年,全国人大常委会立法工作取得重要成果,监督工作有一定进展,与人大代表、人民群众和地方人大的联系工作有改进,对外工作进一步加强。常委会在工作中始终注意把握好以下几点:一定要在人大工作中自觉地接受党的领导;一定要把对"一府两院"的监督和支持有机地结合起来,促进依法行政、公正司法;一定要加强与人民群众的联系,自觉接受人民群众的监督;一定要加强与地方人大的联系,共同推进国家的民主法制建设。《报告》指出,今后一年的主要工作任务是:围绕中心工作,突破立法难点,提高立法质量;继续加强监督工作,注重监督实效;更好地依靠人大代表做好常委会的工作;深入持久地开展社会主义民主法制的宣传教育,提高全民族的法律意识和法制观念;进一步开拓同外国议会和国际议会组织交往与合作的新局面;继续加强常委会的自身建设,提高依法履行职责的水平。

肖扬《最高人民法院工作报告》指出,1999年,全国人民法院审判工作和其他各项工作有了新的发展。认真履行审判职能,维护社会政治稳定,促进经济发展;积极推进法院改革,不断提高审判质量和效率,确保司法公正;加大执行力度,努力解决"执行难",维护司法权威;以公正廉洁为准则,坚决清除司法队伍中的腐败现象,加强法院队伍建设。《报告》指出,今年,人民法院将继续深化法院改革,确保司法公正,服务国家大局,维护社会稳定。为此,要努力做到:审判工作和执行工作水平要有新提高,法院改革要有新成效,队伍建设要有新进展。

韩杼滨《最高人民检察院工作报告》指出,1999年,检察工作取得了新的成绩。①公正执法,服务大局,检察业务取得新进展。依法严厉打击严重刑事犯罪,为维护社会稳定作出了积极贡献;加大查办贪污贿赂、渎职犯罪案件力度,推动了廉政勤政建设;加强诉讼监督工作,促进了公正司法。②狠抓基层,强化素质,队伍建设迈出新步伐。深入开展"三讲"教育,领导班子建设得到加强;广泛开展争创"五好"活动,基层检察院建设取得明显成效;加强教育培训,检察人员的整体素质有新的提高;严肃查处检察干警中发生的违法违纪行为,认真落实党风廉政建设责任制。③积极探索,勇于实践,检察改革取得新成效。检务公开进一步深化;主诉检察官办案责任制试点工作取得较大进展;检察人事管理制度改革迈出较大步伐;专家咨询委员会相继成立并发挥了积极作用;检察委员会工作得到改进和加强;机构改革已经启动。《报告》指出,2000年检察机关要做好以下工作:坚定不移地贯彻"严打"方针,全力维护社会政治稳定;坚定不移地严肃查办贪污贿赂、渎职犯罪案件,促进反腐败斗争不断深入;坚定不移地加强诉讼监督,努力维护司法公正;坚定不移地为国有企业改革和发展服务,不断提高服务大局工作的水平;坚定不移地加强队伍建设,全面提高队伍的整体素质;坚定不移地推进检察改革,确保公正执法。

会议审议、通过了《关于〈政府工作报

告〉的决议》,决定批准朱镕基的报告。会议通过了《关于1998年中央和地方预算执行情况及1999年中央和地方预算的决议》和《关于1999年国民经济和社会发展计划执行情况与2000年国民经济和社会发展计划的决议》;通过了《关于全国人民代表大会常务委员会工作报告的决议》、《关于最高人民法院工作报告的决议》、《关于最高人民检察院工作报告的决议》。

会议于3月15日审议通过了《中华人民共和国立法法》。主要内容是:①关于适用范围。法律、行政法规、地方性法规、自治条例和单行条例的制定、修改和废止适用本法。国务院部门规章和地方政府规章的制定、修改和废止程序,依照本法的有关规定执行。②关于立法活动应当遵循的基本原则。应当遵循宪法的基本原则;维护社会主义法制的统一和尊严;立法应当体现人民的意志,维护人民的利益;坚持从实际出发;立法应当依照法定的权限和程序进行。③关于立法权限的划分。立法法对只能由全国人大及其常委会立法的事项作了明确,所列事项都是关系国家基本的政治制度、经济制度和民事刑事等法律制度的重大事项;对行政法规、地方性法规、自治条例和单行条例的权限范围作了大致规定。④关于授权立法。立法法规定全国人大及其常委会有权作出决定,授权国务院可以根据实际需要,就应当由法律规定的部分事项先制定行政法规,但有关犯罪与刑罚、对公民政治权利的剥夺、限制人身自由的强制措施和处罚、司法制度等不能授权;并规定授权决定应当明确授权的目的、范围,条件成熟时应及时制定法律、终止授权,根据授权制定的法规应当备案。⑤关于立法程序。常委会审议法律案一般实行三审制;坚持统一审议,充分发挥各专门委员会在法律案审议中的作用;立法过程中发扬民主,走群众路线;常委会在分组会议审议的基础上,可以召开联组会议或全体会议,对主要问题进行讨论;法律案在审议中如果有重大问题需要进一步研究的,可以暂不付表决。还对行政法规、地方性法规和规章的制定程序作了原则规定。⑥关于法律解释。法律规定需要进一步明确具体含义的,法律制定后出现新的情况,需要明确适用法律依据的,由全国人大常委会进行法律解释。还对法律解释案的提出、草拟、审议、表决和公布程序,作了相应的规定。⑦关于适用规则。上位法效力高于下位法;同位法中,适用特别规定、新的规定;法不溯及既往。⑧关于法规、规章的备案。立法法规定了行政法规、地方性法规、规章的备案审查程序,以及有关规定与宪法、法律相抵触时的处理规则。同日,《中华人民共和国立法法》由《中华人民共和国主席令》第31号公布,自2000年7月1日起施行。

会议决定:确认第九届全国人民代表大会常务委员会第十四次会议关于接受何厚铧辞去第九届全国人民代表大会常务委员会委员职务的请求的决定。

本次会议共收到代表和代表团提出的议案共916件。经大会主席团审议决定,将195件议案交有关专门委员会审议,提出是否列入全国人大或全国人大常委会的议程的意见,由全国人大常委会审议决定。其余721件连同代表提出的建议、批评和意见,由全国人大常委会办公厅交由有关机关、组织研究处理,并负责答复。

五

九届全国人大四次会议

2000年3月5日至15日，九届全国人大四次会议在北京举行，出席会议的代表共2989人。会议的主要议程是：听取朱镕基《关于国民经济和社会发展第十个五年计划纲要的报告》，曾培炎《关于2000年国民经济和社会发展计划执行情况与2001年国民经济和社会发展计划草案的报告》，项怀诚《关于2000年中央和地方预算执行情况及2001年中央和地方预算草案的报告》和李鹏、肖扬、韩杼滨分别作的全国人大常委会、最高人民法院、最高人民检察院的工作报告；审议、通过修改《中华人民共和国中外合资经营企业法》的修改。

朱镕基《关于国民经济和社会发展第十个五年计划纲要的报告》首先对“九五”时期国民经济和社会发展作了回顾，过去五年，各个方面取得了重大成就。国民经济持续快速健康发展，综合国力进一步增强；经济体制改革全面推进，社会主义市场经济体制初步建立；对外开放水平不断提高，全方位对外开放格局基本形成；人民生活继续改善，总体上达到小康水平；科技、教育加快发展，社会事业全面进步。《报告》指出，“十五”期间经济和社会发展的主要目标是：国民经济保持较快发展速度，经济结构战略性调整取得明显成效，经济增长质量和效益显著提高，为到2010年国内生产总值比2000年翻一番奠定坚实基础；国有企业建立现代企业制度取得重大进展，社会保障制度比较健全，社会主义市场经济体制逐步完善，对外开放和国际合作进一步开展；就业渠道拓宽，城乡居民收入持续增加，物质文化生活有较大改善，生态建设和环境保护得到加强；科技、教育加快发展，国民素质进一步提高，精神文明建设和民主法制建设取得明显进展。指导方针是：坚持把发展作为主题；坚持把结构调整作为主线；坚持把改革开放和科技进步作为动力；坚持把提高人民生活水平作为根本出发点；坚持把经济发展和社会发展结合起来。

曾培炎《关于2000年国民经济和社会发展计划执行情况与2001年国民经济和社会发展计划草案的报告》指出，过去一年，国民经济和社会发展取得显著成绩，整体经济运行出现了走向良性循环的重要转机，计划执行情况是好的。国民经济保持较快发展，增长质量和效益不断提高；经济结构调整积极推进，有效供给能力进一步增强；固定资产投资稳定增长，国债项目建设成效显著；消费需求稳步回升，人民生活继续改善；财政收入大幅度增长，金融运行保持平稳；国有大中型企业改革和脱困三年目标基本实现，其他各项改革不断深化；西部大开发陆续展开，战略构想开始实施；外贸进出口增长迅猛，利用外资质量进一步提高；实施科教兴国战略取得新进展，各项社会事业全面进步。《报告》指出，2001年国民经济和社会发展的主要任务是：坚持扩大内需的战略方针，努力保持国民经济的较快发展；巩固和加强农业基础地位，千方百计增加农民收入；保持积极财政政策的连续性，继续执行稳健的货币政策；调整和优化产业结构，不断提高经济运行的质量和效益；巩固和扩大国有企业改革和脱困成果，积极推进各项改革；努力扩大就业，关心和解决好人民生活问题；做好加入世贸组织的各项准备，把对外开放提高到新水平；扎扎实实推进西部大开发，促进地区协调发展；坚持实施科教兴国战略和可持续发展战略，积极发展各项社会事业。

项怀诚《关于2000年中央和地方预算执行情况及2001年中央和地方预算草案的报告》指出，2000年，中央和地方预算执行情况都比较好，中央财政赤字较调整预算有所减少。全年预算执行情况是：2000年中央财政总收入7584.33亿元，比预算增加680亿元；中央财政总支出10182.54亿元，比调整预算增加479.75亿元；中央财政收支相抵，赤字2598.21亿元，比调整预算赤字2798.46亿元减少200.25亿元；地方财政总收入11062.17亿元，比预算增加628.35亿元；地方财政总支出10963.29亿元，比预算增加529.47亿元；地方财政收支相抵，结余98.88亿元，但地区间也不平衡，有的地区还相当困难。《报告》指出，过去的一年，积极财政政策继续发挥重要作用，促进了国民经济持续快速健康增长；财政收入稳步增长，国家财力进一步增强；加大了重点支出保障力度，促进了各项改革和社会事业发展；积极推进预算管理制度创新，支出管理改革迈出重要步伐；税费改革稳步推进，分配秩序得到进一步规范。《报告》指出，2001年中央财政总收入安排8422.91亿元，比上年执行数增加838.58亿元，增长11.1%；中央财政总支出11021.01亿元，比上年执行数增加838.47亿元，增长8.2%；中央财政收支相抵，赤字2598.1亿元，与上年持平；2001年地方财政预算总收入12106.04亿元，比上年执行数增加1043.87亿元，增长9.4%；地方财政预算总支出12106.04亿元，比上年执行数增加1142.75亿元，增长10.4%；地方财政收支平衡。

李鹏《全国人民代表大会常务委员会工作报告》指出，2000年，全国人大常委会各方面工作都取得了新的进展。立法工作成绩显著；监督工作得到加强；重视发挥人大代表的作用，密切与人民群众的联系；外事工作富有成效。《报告》指出，常委会今年的主要任务是：再接再厉，为在九届全国人大任期内初步形成有中国特色社会主义法律体系而继续努力；进一步依法做好监督工作；加强与地方人大的联系，总结地方人大的工作经验，共同推进社会主义民主法制建设；加强学习和宣传，更好地履行宪法和法律赋予的职责。

肖扬《最高人民法院工作报告》指出，1999年，全国人民法院审判工作和其他各项工作有了新的进展。加强审判和执行工作，为社会稳定和经济发展提供司法保障；加强法院改革，维护司法公正，提高审判效率；加强队伍建设，提高法官素质。《报告》指出，公正与效率是新世纪人民法院的工作主题，在新世纪的第一年，人民法院将紧扣这一主题，全面加强审判工作，深入推进法院改革，切实提高队伍素质，努力确保司法公正、提高审判效率，为“十五”计划顺利实施提供有力的司法保障和优质的法律服务。

韩杼滨《最高人民检察院工作报告》指出，2000年，全国人民检察院各项工作有了新的发展。加大查办贪污贿赂渎职犯罪力度促进党风廉政建设和反腐败斗争；依法严厉打击严重刑事犯罪维护社会政治稳定和治安秩序；加强诉讼监督努力维护司法公正和法制统一；拓宽工作思路，发挥职能作用为国家改革和发展的大局服务；加强队伍建设提高整体素质和执法水平。《报告》指出，今年是实施“十五”计划、迈向现代化建设第三步战略目标的开局之年。根据新的形势和新的任务，检察机关要深入贯彻“三个代表”重要思想，以强化监督、公正执法为主题，突出抓好维护社会稳定、查办和预防职务犯罪、强化诉讼监督三项重点工作，推进检察改革，提高队伍素质，加强基层检察院建设，努力提高检察工作的总体水平。

会议通过了《关于国民经济和社会发展第十个五年计划纲要及关于纲要报告的决议》，决定批准《国民经济和社会发展第十个五年计划纲要》和朱镕基的报告。会议通过了《关于2000年中央和地方预算执行情况及2001年中央和地方预算的决议》和《关于2000年国民经济和社会发展计划执行情况与2001年国民经济和社会发展计划的决议》；通过了《关于全国人民代表大会常务委员会工作报告的决议》、《关于最高人民法院工作报告的决议》、《关于最高人民检察院工作报告的决议》。

会议于3月15日通过《关于修改〈中华人民共和国中外合资经营企业法〉的决定》，对1979年7月1日五届全国人大二次会议通过的、1990年4月4日七届全国人大三次会议修改的中外合资经营企业法的一些条款作了适当的修改和补充。主要内容是：①关于企业生产经营计划问题，删去了第九条第一款“合营企业生产经营计划，应报主管部门备案，并通过经济合同方式执行”的规定。②关于尽先在中国采购的问题，将第九条第二款修改为：“合营企业在批准的经营范围内所需的原材料、燃料等物资，按照公平、合理的原则，可以在国内市场或者在国际市场购买。”③关于本法修改权的问题，不再保留“本法修改权属于全国人民代表大会”的规定。同日，《关于修改〈中华人民共和国中外合资经营企业法〉的决定》由《中华人民共和国主席令》第48号公布，自公布之日起施行。

会议补选王学萍(黎族)、贺一诚、贾志杰、盛华仁为第九届全国人民代表大会常务委员会委员。

这次会议共收到代表和代表团提出的议案共1040件。经大会主席团审议决定，将268件议案交有关专门委员会审议，提出是否列入全国人大或全国人大常委会的议程的意见，由全国人大常委会审议决定。其余772件连同代表提出的建议、批评和意见，由全国人大常委会办公厅交由有关机关、组织研究处理，并负责答复。

六

九届全国人大五次会议

2002年3月5日至15日，九届全国人大五次会议在北京举行，出席会议的代表共2987人。会议的主要议程是：听取朱镕基《政府工作报告》，曾培炎《关于2001年国民经济和社会发展计划执行情况与2002年国民经济和社会发展计划草案的报告》，项怀诚《关于2001年中央和地方预算执行情况及2002年中央和地方预算草案的报告》和李鹏、肖扬、韩杼滨分别作的全国人大常委会、最高人民法院、最高人民检察院的工作报告；审议、通过《关于第十届全国人民代表大会代表名额和选举问题的决定》、《中华人民共和国香港特别行政区选举第十届全国人民代表大会代表的办法》和《中华人民共和国澳门特别行政区选举第十届全国人民代表大会代表的办法》。

朱镕基《政府工作报告》指出，新世纪第一年，改革开放和社会主义现代化建设取得了新的重大成就。国民经济保持良好发展势头；经济体制改革进一步深化；科技、教育和社会事业全面发展；城乡人民生活继续改善。《报告》指出，按照今年工作的总体要求，要着重做好以下八个方面工作：扩大和培育内需，促进经济较快增长；加快农业和农村经济发展，努力增加农民收入；积极推进经济结构调整和经济体制改革；适应加入世贸组织新形势，全面提高对外开放水平；继续大力整顿和规范市场经济秩序；实施科教兴国战略和可持续发展战略，加强精神文明建设；进一步转变政府职能，加强政风建设；进一步做好外交工作。

曾培炎《关于2000年国民经济和社会发展计划执行情况与2001年国民经济和社会发展计划草案的报告》指出，总的看来，2001年国民经济和社会发展的预期目标基本实现，“十五”计划开局良好。坚持实施积极的财政政策和稳健的货币政策，充分发挥国债资金对促进经济社会发展的重要作用；积极推进产业结构调整，促进了经济增长质量和效益的提高；以国有企业改革为中心的各项改革继续推进，经济和社会发展的体制环境进一步改善；标本兼治、突出重点，整顿和规范市场经济秩序取得阶段性成果；积极发展开放型经济，经济增长空间不断拓宽；加强规划、完善政策，西部大开发迈出新的步伐；坚定不移地实施科教兴国战略和可持续发展战略，各项社会事业全面发展；城乡居民收入继续增加，人民群众生活不断改善。《报告》指出，为实现2002年经济社会发展的调控目标，要着力抓好以下工作：加强农业和农村基础设施建设，千方百计为农民增收创造条件；继续用好管好长期建设国债，带动经济持续快速增长；扩大就业、增加收入，培育和提高居民消费能力；加快“三化两改”步伐，提高工业整体素质；深化经济体制改革，为经济和社会发展增添新的动力；切实做好外贸外资工作，更加有效地利用两种资源、两个市场；继续实施西部大开发战略，促进地区经济协调发展；调整和优化财政支出结构，发挥金融对经济增长的支持作用；加快科教兴国和可持续发展步伐，积极发展各项社会事业。

项怀诚《关于2001年中央和地方预算执行情况及2002年中央和地方预算草案的报告》指出，2002年，全国财政收支超额完成预算，中央财政赤字控制在预算之内。全国财政收入完成16371亿元（不含债务收入，下同），比预算增加1611亿元，比上年增加2976亿元，增长22.2%。全国财政支出完成18844亿元，比预算增加1486亿元，比上年增加2957亿元，增长18.6%。收支相抵，支出大于收入2473亿元。《报告》指出，2001年，中央和地方增收较多，部分项目支出变化较大；积极财政政策得到较好落实，扩大和培育了内需；继续调整收入分配政策，努力解决基层工资拖欠问题；社会保障投入继续增加，社会保障体系逐步完善；农业投入力度进一步加大，农业基础地位不断巩固；科教投入逐步增加，科教兴国战略得到有效贯彻。《报告》指出，2002年中央财政总收入安排10646亿元，比上年增加765亿元，增长7.7%；中央财政总支出13744亿元，比上年增加1265亿元，增长10.1%；中央财政收支相抵，赤字3098亿元，比上年增加500亿元；地方财政预算总收入15305亿元，比上年执行数增加1497亿元，增长10.8%；地方财政预算总支出15305亿元，比上年执行数增加1622亿元，增长11.9%；地方财政收支平衡。《报告》指出，根据中央部署和我国政治、经济、社会发展对财政工作的要求，2002年中央预算安排和财政工作的重点是：稳妥安排财政收入，确保完成预算任务；认真落实积极财政政策，努力扩大和培育内需；确保社会保障和工资发放支出需要，维护社会稳定；增加农业和科教投入，促进重点事业发展；深化“收支两条线”管理改革，规范财政资金收支行为；稳步推进预算改革，强化预算管理；搞好所得税收入分享改革，促进地区经济协调发展；依法强化会计工作，严厉打击做假账；大力发扬艰苦奋斗的作风，勤俭办一切事业。

李鹏《全国人民代表大会常务委员会工作报告》指出，2001年，全国人大常委会立法、监督等各项工作都有新的进展。立法工作取得较好成绩，根据改革开放和建立社会主义市场经济体制的要求，适时制定、修改有关法律；把经过各地实践的成功做法和实施地方性法规的经验，上升为法律；把修改法律放在与制定法律同等重要的位置上；注重为经济、社会、环境的协调发展提供法律保障；发扬民主，走群众路线，不断提高立法质量。监督工作取得新的进展，对重要法律的实施情况连续进行检查；把监督工作与改进执法结合起来；把监督工作与落实常委会通过的监督决定结合起来；把执法检查与督促有关机关纠正重大违法案件结合起来；把执法检查与新闻舆论监督结合起来。代表工作进一步改进，对换届选举工作给予指导，与地方人大的联系得到加强，积极开展对外交往，常委会自身建设进一步加强。《报告》指出，今年是本届常委会任期的最后一年，常委会将努力完成本届任期内的各项任务。加强和改进立法工作；完善监督机制，增强监督实效；做好代表工作和换届选举的有关工作；进一步做好外事工作；大力加强法制宣传教育工作。

肖扬《最高人民法院工作报告》指出，2001年，人民法院各项工作取得新进展。①全面加强审判工作和执行工作，依法严惩严重刑事犯罪和严重破坏市场经济秩序犯罪；依法调节经济关系和其他社会关系；加强和改进执行工作。②积极做好加入世界贸易组织的司法准备工作。转变司法观念，作好思想准备；理顺涉外审判机制，作好组织准备；加强世贸组织规则的学习，作好人才准备；清理、制定司法解释，作好审判实务准备。③继续推进法院改革。以证据制度改革为重点，完善诉讼制度；以再审制度改革为重点，加强审判监督工作；以法官制度改革为重点，推进法官职业化建设；以审判组织改革为重点，促进审判机制创新。④努力加强法官队伍建设，加大思想政治建设、职业道德建设、培训工作、基层基础建设、廉政建设力度。《报告》指出，2002年，要继续开拓人民法院工作新局面，为此要着力抓好以下几项工作：强化职责意识，维护司法公正；强化审限意识，提高司法效率；强化服务意识，弘扬司法文明；强化创新意识，深化司法改革；加强队伍建设，确保司法廉洁。

韩杼滨《最高人民检察院工作报告》指出，2001年，检察工作取得了新的进展。积极投入严打整治斗争，维护社会稳定；加大查办和预防职务犯罪的力度，促进廉政建设和反腐败斗争；强化诉讼监督，维护司法公正和法制尊严；加强自身建设，提高队伍整体素质和执法水平。《报告》指出，2002年，人民检察院要重点做好以下工作：突出“强化监督，公正执法”的主题，推动法律监督工作与时俱进；做好应对加入世界贸易组织的检察工作，努力适应改革开放的新要求；深化检察改革，创新管理机制，提高执法水平和工作效率；以改进执法作风为重点，进一步加强队伍建设；坚持不懈地推进基层检察院建设。

会议审议、通过了《关于〈政府工作报告〉的决议》，决定批准朱镕基的报告；通过了《关于2001年国民经济和社会发展计划执行情况与2002年国民经济和社会发展计划的决议》和《关于2001年中央和地方预算执行情况及2002年中央和地方预算的决议》;通过了《关于全国人民代表大会常务委员会工作报告的决议》、《关于最高人民检察院工作报告的决议》、《关于最高人民法院工作报告的决议》。

会议于3月15日通过《关于第十届全国人民代表大会代表名额和选举问题的决定》、《中华人民共和国香港特别行政区选举第十届全国人民代表大会代表的办法》和《中华人民共和国澳门特别行政区选举第十届全国人民代表大会代表的办法》。

《关于第十届全国人民代表大会代表名额和选举问题的决定》规定了十届全国人大代表的名额以及各省、自治区、直辖市、中国人民解放军和香港、澳门特别行政区应选代表的名额;规定了少数民族代表、归侨代表及妇女代表的比例;规定各省、自治区、直辖市和中国人民解放军选举的代表选出的时间。

《中华人民共和国香港特别行政区选举第十届全国人民代表大会代表的办法》根据香港特别行政区基本法和全国人民代表大会和地方各级人民代表大会选举法制定,其主要内容是:①香港特别行政区应选第九届全国人民代表大会代表的名额为36名;②香港特别行政区成立第九届全国人民代表大会代表选举会议,行政长官为第十届全国人大代表选举会议成员;③香港特别行政区选举第十届全国人大代表,由全国人大常委会主持,选举会议主席团是选举会议的领导机构;④选举会议成员有权依法联名提出代表候选人,并参加投票选举;⑤对选举程序和代表辞职、补选作了规定。

《中华人民共和国澳门特别行政区选举第十届全国人民代表大会代表的办法》是根据澳门特别行政区基本法和全国人民代表大会和地方各级人民代表大会选举法制定,其主要内容是:①澳门特别行政区应选第九届全国人民代表大会代表的名额为12名;②澳门特别行政区成立第九届全国人民代表大会代表选举会议,行政长官为第十届全国人大代表选举会议成员;③澳门特别行政区选举第十届全国人大代表,由全国人大常委会主持,选举会议主席团是选举会议的领导机构;④选举会议成员有权依法联名提出代表候选人,并参加投票选举;⑤对选举程序和代表辞职、补选作了规定。

这次会议共收到代表和代表团提出的议案共1194件。经大会主席团审议决定,将285件议案交有关专门委员会审议,提出是否列入全国人大或全国人大常委会的议程的意见,由全国人大常委会审议决定。其余909件连同代表提出的建议、批评和意见,由全国人大常委会办公厅交由有关机关、组织研究处理,并负责答复。

中国人民政治协商会议第九届全国委员会

中国人民政治协商会议第九届全国委员会的任期自1998年3月至2003年3月。其间,共召开全体会议5次、常委会会议20次、主席会议48次。

九届政协在五年任期内,始终坚持中国共产党的领导,始终坚持共产党领导的多党合作和政治协商制度,始终坚持团结和民主两大主题，始终坚持服从和服务于改革发展稳定的大局，积极组织参加人民政协的各党派、各团体和各族各界人士，切实有效地履行政协职能，各方面工作都取得了可喜成效。

一

政协九届全国委员会工作概况

1. 参政议政，从政治上对国家全局工作提供有广泛民主基础的支持

九届政协充分采用全体委员会议、常务委员会议、主席会议、专题座谈会等形式，对国家重要事务进行广泛、认真的协商和讨论，郑重提出意见和建议，从政治上为国家的全局工作提供了有广泛民主基础的支持。每年度的政府工作报告、国民经济和社会发展计划报告、国家财政预算及预算执行情况的报告、“两高”报告，都有政协委员的意见和建议。许多关系到改革、发展、稳定大局和群众生活的重要问题，都在政协进行协商讨论。

在学习贯彻中共十五大、十六大精神，学习贯彻中共中央《关于农业和农村工作若干重大问题的决定》、《关于国有企业改革和发展若干重大问题的决定》、《关于国民经济和社会发展第十个五年计划的建议》、《关于进一步加强和改进党的作风建设的决定》等方面，以及在实施科教兴国战略、实施西部大开发战略、环境与发展问题、防治土地沙化问题、我国大江大河大湖的治理和水资源的开发利用问题、九年制义务教育问题、解决城市困难群体生活问题和“四矿”（矿山、矿业、矿工、矿城）问题等方面，九届政协提出了许多有深刻见解的意见和建议，为中共中央、国务院及有关部门的决策提供了重要参考和依据，有些意见被直接吸收到中央有关文件中。

对于我国实施的积极财政政策，2001年3月，全国政协副主席陈锦华建议多角度探讨其中存在的问题。从4月开始，经济委员会组成的调研组与国家计委、经贸委等部门座谈。11月，形成了《关于继续实行、适当调整积极财政政策的建议》，报送党中央、国务院，建议既要不断扩大需求、促进短期经济增长，又要增强经济的活力和后劲，形成可持续的、内在的稳定增长机制，为经济的长期发展奠定基础，得到中央的充分肯定。

统计表明，九届政协任期内，各党派、团体和政协委员共提交大会发言3000多份，内容涉及实施西部大开发战略、科教兴国、环境与发展、防治土地沙化、大江大河大湖的治理、解决城市困难群众生活、实施九年制义务教育等。

2. 及时吸纳新的社会阶层和群体的代表人物，发展爱国统一战线

切实贯彻“长期共存、互相监督、肝胆相照、荣辱与共”的方针，运用各种形式和方法，促进各党派、各团体和各族各界人士的团结合作，九届政协适时调整界别设置和委员构成，及时把新的社会阶层和群体的代表人物吸纳到政协组织中来，扩大了政协的团结面和联系面。

九届政协及时组织学习中共中央的方针政策和重要文件，举办各种内容的报告会、座谈会、研讨会及其他活动，帮助各界人士提高认识、增进共识；加强与各民主党派等单位的联系，邀请各民主党派中央、全国工商联负责人和无党派人士座谈统一战线和政协工作，认真听取他们的意见和建议，共同研究政协工作中的重要事项；高度重视民主党派、工商联和无党派人士的提案、发言，积极与各民主党派联

合开展调查研究，充分发挥他们在政协中的作用；在各个界别之间、委员之间，提倡相互尊重、相互学习，多联系、多沟通、多交流，在合作共事中加强理解、加深友谊。

九届政协举办了纪念周恩来诞辰100周年、戊戌变法100周年、辛亥革命90周年、人民政协成立50周年等重要活动，弘扬中华民族团结爱国、英勇奋斗的精神和统一战线的光荣传统；积极宣传贯彻国家的民族政策和宗教政策，认真反映少数民族和宗教界人士的意见要求，重视发挥少数民族和宗教界委员的作用，组织他们参观考察，了解有关民族政策、宗教政策的贯彻执行情况；支持政府依法打击邪教，采取多种形式对邪教组织进行坚决斗争，坚决反对任何民族分裂活动和宗教极端势力；就促进民族地区的经济发展和社会进步献计献策，并尽力协助解决一些实际问题，促进了民族团结和社会稳定。

九届政协共邀请接待港澳台侨团组300多个，4300多人次，促进了海内外各方面人士的相互沟通和了解，为维护香港、澳门的长期繁荣稳定，促进祖国和平统一作出了积极贡献。

3. 在党和国家决策过程中建言立论，起到重要参考作用

九届政协针对国家社会经济的重要问题积极开展专题调研和常委、委员视察活动，通过形成的专题调研报告和视察报告提出的意见和建议，得到中共中央、国务院及有关部门的高度重视，在党和国家的决策过程中起到重要参考作用。

九届政协进一步深化专题调研工作，提出要"建言立论"，为解决国家当前和今后若干重大问题提供有价值的思路与建议；调整专委会的设置，增设了人口资源环境委员会，充实了各专委会的办事机构，建立健全了专委会工作制度；加强调研工作的组织协调，密切了与民主党派、地方政协及有关部门的协调配合；强化对调研课题的研究论证，重视调研成果的转化。

九届政协组建的人口资源环境委员会在短短的五年间，开展了50多项专题调研，中央领导对调研报告作出重要批示达20次。李瑞环主席亲自审阅了委员会关于南水北调的专题汇报，这份《关于尽早实施南水北调工程的建议》以政协全国委员会的名义上报党中央、国务院后，受到中央领导的高度重视，对国家确定《南水北调总体规划》、尽早开工建设起到积极的促进作用。

九届政协任期内，各专委会就国有大中型企业建立现代企业制度、对国有经济布局进行战略性调整、发展非公有制经济、扩大就业和再就业、继续实行并适当调整积极财政政策、建立社会信用体系和信用制度、保险资金进入证券市场、建立统一有效的国有资产管理体制、推进农业产业化、减轻农民负担、组织实施国家重大科技产业化项目、制定长期能源发展战略、加快发展远洋渔业、尽快实施南水北调工程、振兴装备制造业、加快我国人口信息系统建设、解决拖欠县乡干部工资、发展文化产业、加强文物的保护与利用、医疗机构分类管理、体育后备人才的培养、促进少数民族地区经济发展、加强政法队伍建设、全面推进依法行政等一系列重要问题展开专题调研，共形成专题调研报告或专项建议186件。同时，九届政协组织常委、委员视察团123个，3300多人次的常委和委员参加了视察活动，形成视察报告103份。

提案是政协委员建言献策、民主监督的重要形式，也是了解和反映社情民意的重要渠道。这些提案受到党和政府的高

度重视，提案的办理已成为党和政府发扬民主、广开言路、了解民意、集中民智的重要形式。国务院许多部门的负责人都亲自为提案办复把关。国土资源部对每一份提案都由部领导按照业务分工审核、签发；国家审计署审计长亲自审核、修改和签发全部提案复函；国家环保总局对政协委员“关于加强环境监测、保护和资源开发利用建议”的提案，在正式答复前反复研究，五易其稿。

九届政协共收到提案17722件，立案16281件，98.8%的提案已经办复。

委员们提出的意见，许多是对制定政策的积极建议，有些是对存在问题包括消极腐败现象的批评监督。全国政协按照“建言立论”的要求，对委员们参政议政的成果进行精心筛选，共编辑出版了《国是建言》13辑。

4. 进一步拓宽了反映社情民意工作的渠道

密切联系群众是中国共产党的优良传统，也是人民政协的优良传统。人民政协只有坚持贴近群众，与最广大的人民群众保持密切联系，才能永葆生机和活力。反映社情民意是全国政协一项实际效果突出、富有政协特色、又有广阔发展前景的重要工作。这项工作为党和政府提供了许多来自基层和群众的真实情况，有效地发挥了民主监督作用。

九届政协把反映社情民意这一工作摆在十分重要的位置，强调政协工作都应当含有了解和反映社情民意的意义，要求把反映社情民意寓于各项工作之中。为此，九届政协建立健全了政协信息网络系统，加强了与各民主党派、地方政协及有关部门的联系，扩大了信息来源。

九届政协还召开第十四次常委会议，专门研究反映社情民意工作，制定了《关于进一步加强反映社情民意工作的若干意见（试行）》，推进了反映社情民意工作的规范化。

反映社情民意工作为党政领导机关提供了许多来自基层和群众的真实情况，反映了各界人士的愿望和呼声，较好地发挥了民主监督的作用，促使一些群众广泛关注、社会反映强烈的问题得到重视或解决。

九届政协共受理群众来信95900余件，收集整理各种信息27200多篇，通过《政协信息》、《参政议政动态》等途径，向中共中央、国务院报送了重要意见、建议和社情民意信息7740余份。反映社情民意成为全国政协一项实际效果突出、富有政协特色、又有广阔发展前景的重要工作。

综上所述，九届政协任职的五年，是人民政协的各项工作扎实深入、活跃有序向前发展的五年，是为改革开放、现代化建设和祖国和平统一大业做出重要贡献的五年。九届政协任职的五年，在开拓中前进，在前进中开拓，探索和积累了丰富的经验，为政协工作的进一步发展奠定了良好的基础。

二

全国政协九届一次会议

1998年1月19日至22日在北京举行的政协第八届全国委员会常务委员会第二十三次会议，审议通过了关于召开政协第九届全国委员会第一次会议的决定，协商通过了政协第九届全国委员会参加单位、委员名额和人选名单。九届全国政协包括34个界别，2196名委员，比八届政协委员增加103名，连任政协委员1045

人,新任政协委员1151人,九届政协委员比上届委员平均年龄下降两岁。在九届政协委员中,吸纳了各民主党派和工商联的新一代领导人,集中了各个领域成就卓著的专家学者,新增了一批经验丰富的党政领导干部,港澳人士和非公有制经济代表人士有所增加,55个少数民族都有自己的代表人士。九届政协委员实现了新老交替,为今后五年政协事业发展奠定了组织基础。

1998年3月3日—3月14日,中国人民政治协商会议第九届全国委员会第一次会议在北京人民大会堂举行。中国人民政治协商会议第九届全国委员会委员总数为2196人,已故委员1人。全国政协九届一次会议应出席委员2195人,当天大会实到代表2084人,符合法定人数。全国政协九届一次会议主席团常务主席会议主持人李瑞环受主席团委托主持开幕大会。叶选平代表政协第八届全国委员会常务委员会向大会作工作报告。

叶选平说,八届政协任期的五年,是在前进中开拓、在开拓中前进的五年;是不断推进政治协商、民主监督、参政议政规范化制度化,使政协工作积极、稳步、活跃、有序向前发展的五年;是服从和服务于全国工作大局,为改革开放、现代化建设和祖国和平统一大业作出重要贡献的五年。通过五年的努力,人民政协的工作迈上了一个新台阶,表现在六个方面:

1. 政治协商、民主监督、参政议政取得了可喜成效

五年来,本届政协重视开好每年一次的全委会议,认真听取和讨论政府工作报告及其他重要报告;在常委会议(共23次)、常委专题座谈会(共3次)、主席会议(共53次)上,分别就学习贯彻中共十四大、十五大精神,就每年的政府工作报告征求意见稿,以及对建立社会主义市场经济体制、制订国民经济和社会发展计划、加强社会主义精神文明建设等一系列关系全局的重大问题,在充分协商讨论的基础上,郑重地提出了意见、建议,并结合政协的实际,做出了工作安排和部署。同时,就国家经济形势、反腐倡廉、农业和农用土地、教育事业的发展、社会治安等问题,邀请中央及有关部门的领导同志进行了专题协商讨论。

五年来,围绕国家中心任务和群众普遍关心的重要问题,组织委员广泛开展了专题调研和视察考察活动;全国政协领导同志带队深入实际,深入基层,进行调查研究;广大委员在深入调研的基础上认真撰写会议发言稿和提案等,共计形成专题调研报告或专项建议187件、视察报告80份、会议发言稿近2000份、提案11700余件。其中,关于加强宏观调控、抑制通货膨胀的几点建议、调动多方面力量参与制订"九五"计划和2010年远景目标纲要的建议、关于实行"两个转变"的动态分析与看法、加强社会主义精神文明建设的若干建议、切实解决农民负担问题的建议等,对中共中央、国务院及有关部门的决策起到了重要参考作用,有些意见还被直接吸收到了中央有关文件之中。

2. 在履行职能方面拓展了新的领域

八届二次会议通过了政协章程修正案,把"参政议政"与原来的"政治协商、民主监督"并列为人民政协的主要职能,使人民政协的主要职能得到了拓展和延伸,工作的视野更加开阔,内容更加丰富。与此同时,还把反映社情民意作为人民政协履行职能的重要基础和关键环节,开辟了信息来源,创办了内部信息刊物,建立了包括专门工作机构和现代化处理手段的信息网络,开辟了向中央反映社情民意的

新渠道,为委员参政议政提供了更为广阔的舞台。五年来,全国政协委员、地方政协、各民主党派中央和全国工商联等共反映社情民意信息8000多条,人民群众各种来信59900余件。

3. 为促进团结稳定和祖国统一作出了积极贡献

围绕大目标,促进大团结大联合,是八届政协的重要工作。中共中央每次举行全会后,全国政协都及时召开常委会议组织学习贯彻,增进了参加政协的各党派、各团体以及广大委员对中共中央重大方针政策及工作部署的共识和共同政治基础上的团结。在政协开展的各项工作和活动中,充分发挥各民主党派、工商联及广大委员的积极作用,特别是在每一次全委会议和常委会议上,鼓励委员围绕议题,畅所欲言,活跃了合作共事的氛围。

八届政协按照我国政府的统一部署,积极配合有关部门做好香港、澳门回归祖国的有关工作。香港、澳门地区的政协委员团结各界人士,积极宣传香港特别行政区基本法和澳门特别行政区基本法,为香港的顺利回归和长期稳定繁荣,为迎接澳门回归作出了积极贡献。同时,扩大和加深了同香港各界人士、澳门同胞、台湾同胞和海外侨胞的联系与交往,大力宣传并坚持一个中国的原则立场,反对分裂,反对"台独",反对制造"两个中国"、"一中一台",努力推动两岸经济、文化的交流与合作,为加速实现两岸直接"三通",为最终实现祖国的完全统一做了大量工作。

4. 对外友好交往开创了新的局面

在国家总体外交格局下,人民政协展开了多层次对外交往。八届政协共组织了52个团(组)出访了56个国家,邀请并接待了34个国家的55个团(组)来访。到1997年底,全国政协已同68个国家的98个机构和4个国际组织建立了联系、开展了友好交往。李瑞环主席对一些国家进行的正式友好访问,提高了人民政协对外交往的层次,产生了重大影响。叶选平、吴学谦等副主席先后率全国政协代表团多次出访,以及全国政协领导人应邀出席有关国际性会议,扩大了政协的对外联系。

八届政协还积极探索对外交往的新形式,于1996年9月成功地举办了有18个国家的著名政治家、专家学者和我国专家学者参加的"展望21世纪论坛"首次会议。江泽民、李鹏、乔石、李瑞环等党和国家领导人分别会见了与会者,李鹏总理在开幕式上作了重要讲话。会议取得了圆满成功,在国内外获得了好评。

5. 同地方政协的联系得到了明显加强

通过邀请省、区、市政协负责人列席本会全委会议、常委会议,召开地方政协工作经验座谈会和地方政协主席座谈会,应邀参加地方政协有关会议,以及全国政协领导在深入各地视察和调研时,认真了解地方政协工作情况,听取地方同志意见等形式,加强了对地方政协工作的指导与推动。

6. 适应形势发展,加强了自身建设

八届政协重视发扬人民政协的优良传统,采取举办报告会、编发学习资料等多种形式,积极组织和推动委员在自愿基础上学习马列主义、毛泽东思想、邓小平理论,学习时事政治、业务知识和科技知识。重视开展人民政协基本理论的研究,多次就政协的基本理论问题进行专题研讨,组织选编了毛泽东、周恩来、邓小平等老一辈革命家和中共中央领导同志关于人民政协重要论述的学习读本,出版了政协理论书籍,开辟了理论研究园地等。

委员们先后就迎接知识经济时代的挑战，有计划有步骤地建设一批国家级技术创新基地；实施科教兴国，先要国兴科教；加大引进项目中的技术含量，促进高新技术产业发展，提高中华民族的技术创新能力；设立科普基金，切实提高我国公众的科学素养；要抓紧制定有关配套政策，促使我国高新技术产业蓬勃发展；国有企业改革；发展农村经济；金融改革与金融监管；发挥非公有制经济作用，促进区域经济发展，实施可持续发展战略；依法治国；机构改革；“一国两制”；政协职能；侨务工作和西藏问题等问题发表了意见。本次政协大会共收到发言稿400余份，创历次大会的纪录。

会议期间，政协委员列席九届人大一次会议开幕会，听取李鹏总理《政府工作报告》、国家计委主任陈锦华《关于1997年国民经济和社会发展计划执行情况与1998年国民经济和社会发展计划草案的报告》、财政部部长刘仲藜《关于1997年中央和地方预算执行情况及1998年中央和地方预算草案的报告》、国务委员兼国务院秘书长罗干《国务院机构改革方案的说明》、任建新《最高人民法院工作报告》、张思卿《最高人民检察院工作报告》。

根据选举办法草案，政协第九届全国委员会主席、副主席、秘书长和常务委员采用等额选举的办法产生。大会选举采用无记名投票方式。大会主席团常务主席、中共中央统战部部长王兆国受中共中央委托，就中共中央向全国政协九届一次会议推荐的新一届全国政协主席、副主席、秘书长、常务委员人选建议名单作了说明。王兆国说，选举新一届国家机构领导人员和选举新一届全国政协领导人员，是全国人大和全国政协两个大会的一项重要任务，是全国人民和全世界关注的一件大事。中共中央对搞好全国人大和全国政协换届人事安排十分重视。中共十五大闭幕后，中共中央政治局常委会和政治局会议就对全国人大、全国政协换届人事安排工作进行了部署。中共中央提出，新一届国家机构和全国政协领导班子，应该是高举邓小平理论伟大旗帜，认真贯彻党的路线、方针、政策，全心全意为人民服务，具有领导改革开放和现代化建设能力，团结坚强的领导集体。为了适应跨世纪发展的要求，应加快新老交替的步伐，充实一批比较年轻优秀的同志，同时也要保留一定数量的现有班子成员，以利于保持工作的连续性，以利于全国大局的稳定。

王兆国说，经过广泛听取党内外各方面的意见，包括各民主党派中央、全国工商联主要负责人和无党派代表人士及党内老同志的意见，中共中央政治局常委和政治局成员反复酝酿，认真研究，形成了新一届国家机构领导人员和全国政协领导人选建议名单。各方面对这个人事安排的建议是赞成和拥护的。中共十五届二中全会审议通过了这个建议名单。因年龄、本人意愿、职务变动等原因，有9位八届全国政协副主席不再提名。他们中有党内老同志，有杰出的科学家，有与中国共产党长期忠诚合作的老朋友。

九届全国政协拟提名主席人选1名，副主席人选31名，秘书长人选1名，常务委员人选290名。根据选举办法草案，政协第九届全国委员会主席、副主席、秘书长和常务委员采用等额选举的办法产生。大会选举采用无记名投票方式。

3月13日下午，全国政协九届一次会议选举产生了新一届全国政协领导人。中共中央政治局常委李瑞环再次当选为全国政协主席。叶选平、杨汝岱、王兆国、阿沛·阿旺晋美、赵朴初、巴金、钱伟长、卢嘉锡、任建新、宋健、李贵鲜、陈俊生、张思卿、钱正英、丁光训、孙孚凌、安子介、霍英东、马万祺、朱光亚、万国权、胡启立、陈锦华、赵南起、毛致用、白立忱、经叔平、罗豪才、张克辉、周铁农、王文元31位当选为政协副主席。会议选举郑万通为政协九届全国委员会秘书长，并选出290名政协常委。

3月14日上午9时，中国人民政治协商会议第九届全国委员会第一次会议圆满完成各项议程，在人民大会堂举行闭幕会。大会通过了全国政协九届一次会议政治决议、全国政协九届一次会议关于全国政协八届常委会工作报告的决议，同意叶选平同志代表政协第八届全国委员会常务委员会所作的工作报告。通过了全国政协九届一次会议提案审查委员会关于提案审查情况的报告：截至3月9日下午5时，政协第九届全国委员会第一次会议提案审查委员会共收到提案2863件。其中委员提案2827件，参加提出提案的委员1695人，占委员总人数的77.2%；各民主党派和全国工商联以组织名义提出提案31件；界别小组提案5件。提案审查委员会按照《中国人民政治协商会议全国委员会提案工作条例》的有关规定，对收到的提案进行了审查，共立案2517件，占收到提案的87.91%，其中经济建设方面1157件，占45.97%，科教文卫体方面748件，占29.72%，政法、统战、人事等方面612件，占24.31%。对内容相同的27件提案作了并案处理。没有立案的319件，经与委员协商，作为委员来信转交有关部门处理。

全国政协主席李瑞环致闭幕词。他说，全国政协九届一次会议“是一次民主、求实、团结、鼓劲的大会，是一次承前启后、继往开来的大会”。

李瑞环在回顾了20世纪中国的历史特别是新中国的历史后说，回顾百年历史，我们更加深切地感到，中国革命的胜利来之不易，有中国特色社会主义的道路来之不易，今天的大好局面来之不易。中国人民蕴藏着极大的积极性和创造力，只要我们不动摇、不松劲、不折腾，专心致志，艰苦奋斗，再干一个20年，再干几个20年，中国就一定能够以社会主义现代化强国的雄姿崛起在世界东方。

李瑞环说，中华民族的振兴注定要同整个人类的历史进步联系在一起。当今世界正在发生深刻变化。和平与发展仍然是时代的主题，世界格局进一步朝着多极化方向发展，以对话代替对抗、用协商解决争端越来越成为国际社会的要求。放眼世界，我们既面临难得的机遇，也面临严峻的挑战。我们必须认清自己在当今世界所处的位置，坚定信心，居安思危，埋头实干，把我们自己的事情做好。

李瑞环指出，团结、民主是政协工作的两大主题。政治协商、民主监督、参政议政是人民政协的主要职能。人民政协的主要工作就是履行职能。我们要认真落实中共中央精神，为推进履行职能的规范化、制度化作出不懈的努力。人民政协这座宏伟大厦，凝聚着一届又一届政协委员的心血和汗水；人民政协的辉煌业绩，与共和国历史上一大批闪光的名字紧密相连。作为这个组织的成员，作为他们的后来人，我们应该很好地把人民政协事业接过来、传下去，尽到自己的历史责任。

三

全国政协九届二次会议

1999年2月27日至3月1日政协第九届全国委员会常务委员会第二次会议在北京人民大会堂举行。本次会议应出席委员2209人，实到2013人，符合法定人数。这次大会的会期比去年有所缩短，会期8天半，拟安排大会9次，小组讨论8次。大会除开幕会和闭幕会外，安排3次大会发言，列席九届人大二次会议4次。

全国政协主席李瑞环主持开幕会。会议议程：①听取和审议政协第九届全国委员会常务委员会工作报告；②列席第九届人大二次会议；③听取政协第九届全国委员会提案委员会关于政协九届一次会议以来提案工作情况的报告；④审议通过政协第九届全国委员会第二次会议政治决议；⑤审议通过政协第九届全国委员会关于常务委员会工作报告的决议；⑥审议通过政协第九届全国委员会提案委员会关于政协九届二次会议提案审查情况的报告；⑦增选政协第九届全国委员会常务委员。

全国政协副主席叶选平受九届政协常委会委托，作了九届常委会工作报告。叶选平从8个方面回顾了过去的工作：①围绕国家大局参政议政。就国有企业下岗职工再就业问题、科教兴国问题、农业和农村工作问题，以及我国的洪涝灾害和水资源短缺等问题给予特别的关注。②专题调研活跃深入。一年来，各专委会紧密围绕国家工作重点确定调研题目，加强同国务院有关部门和地方政协的协作，组织专题调研51项，已上报中共中央、国务院的专题调研报告45件。③积极参与和支援抗洪救灾。全国政协举行第七次主席会议，作出了关于厉行节约、支援灾区重建的七项决定，要求全国政协机关压缩行政经费5%，精减会议，调整年度委员视察计划，严格控制出国访问，进一步开展捐款捐物活动。④认真反映社情民意。一年来，全国政协共收到反映社情民意信息3500多条、人民群众来信18000多封，整理报送信息1800多条。全国政协积极尝试把政协视察工作同反映社情民意工作结合起来，进一步提高了视察工作的实效。⑤加大提案办理力度。常委会主动加强与承办单位的联系，积极督促提案的办理和落实；对重点提案采取提案委员会、提案人和提案承办单位协商座谈、组织调研和实地考察等办法，进行重点办理。⑥开展对港澳台侨的联谊活动。一年来，共接待港澳台同胞和海外侨胞的46个团组，促进了相互沟通和了解。在澳门即将回归的形势下，主动配合有关方面，热情做好澳门来访团组的接待工作。全国政协还在广泛联络华侨华人的基础上，有计划地邀请海外新移民回国参观访问，为他们服务祖国现代化建设牵线搭桥。⑦扩大对外友好交往。截至1999年2月，全国政协已与71个国家的105个机构和4个国际组织开展了友好往来，其中3个国家、7个机构是九届一次会议期间新建立联系的。⑧加强政协自身建设。以“搞好服务、当好参谋”为目标，全国政协办公厅切实加强了机关的思想建设、组织建设、作风建设和制度建设。积极推进干部人事制度改革，进一步加强了机关干部队伍建设。

会议听取全国政协提案委员会主任何光远代表提案委员会报告提案工作情况：政协九届一次会议以来，提案委员会共收到提案3041件，经审查，立案2664

件，有377件转作委员来信处理。提出提案的委员有1722人，占委员总人数的78.4％。8个民主党派中央和全国工商联提案共36件，委员小组提案11件。这些提案内容广泛，为党和国家的科学决策和推进有关部门的工作提供了有价值的参考，受到各承办单位的重视。截至1999年2月10日，提案已办2577件，占全部提案的96.7％，所提意见和建议得到解决或列入计划解决的2021件，占75.9％。

会议期间，政协委员列席九届人大二次会议开幕会，听取朱镕基总理所作《政府工作报告》、国家发展计划委员会主任曾培炎《关于1998年国民经济和社会发展计划执行情况与1999年国民经济和社会发展计划草案的报告》、财政部部长项怀诚《关于1998年中央和地方预算执行情况及1999年中央和地方预算草案的报告》。

委员们先后就有关科技、教育和生态环境建设；祖国统一；做好国有企业下岗职工基本生活保障和再就业工作；加强社区建设；确保基础设施工程质量等国家经济社会发展的大政方针和一些难点热点问题发表意见。

3月11日下午，中国人民政治协商会议第九届全国委员会第二次会议在人民大会堂举行闭幕会。会议由全国政协副主席叶选平主持。叶选平宣布，政协第九届全国委员会第二次会议应出席委员2209人，实到1916人，符合法定人数。会议通过了政协九届全国委员会第二次会议政治决议，赞同朱镕基总理所作的《政府工作报告》；赞同最高人民法院的工作报告、最高人民检察院的工作报告以及《关于1998年国民经济和社会发展计划执行情况与1999年国民经济和社会发展计划草案的报告》、《关于1998年中央和地方预算执行情况及1999年中央和地方预算草案的报告》。

会议通过了政协九届全国委员会第二次会议关于常务委员会工作报告的决议：同意叶选平副主席代表常务委员会所作的工作报告。根据议程，会议经过表决增选卢荣景为政协九届全国委员会常务委员。

会议还通过了政协九届全国委员会提案委员会关于政协九届二次会议提案审查情况的报告。截至3月7日，提案委员会共收到提案3093件。其中：委员提案3005件，参加提出提案的委员1730人，占委员总数的78.3％；各民主党派中央和全国工商联提出提案61件，界别小组提案27件。提案委员会按照《中国人民政治协商会议全国委员会提案工作条例》的规定，对收到的提案进行了审查，共立案2937件，其中经济建设方面1257件，占42.8％；教科文卫体方面819件，占27.9％；政法、统战、人事等方面861件，占29.3％。没有立案的156件，经与提案人协商，作为委员来信转交有关部门处理。提案反映的主要内容有：保持国民经济持续快速健康发展，加强农业和做好农村工作，继续大力推进国有企业改革，防范和化解金融风险，扩大内需，继续贯彻对外开放方针和努力开拓国际市场，实施科教兴国战略和可持续发展战略，贯彻依法治国方略和反腐倡廉，促进祖国统一大业等。提案对中西部和民族地区经济发展、江河治理和水利建设、建筑工程质量、生态环境的保护和治理、教育改革、医疗制度改革、社会治安、下岗职工的再就业、社区建设等问题格外关注。

李瑞环在闭幕会上发表了讲话。他说，1999年是中华人民共和国成立50周年，也是中国人民政治协商会议成立50周年。50年来，人民政协始终与人民息息相通，同国家休戚与共。各级政协组织和全体政协委员应当以高度的历史责任感、使命感，按照“尽职不越位、帮忙不添乱、切实不表面”的要求，努力做好各项工作。要坚定信心，知难而进，保持奋发向上的势头；要发挥优势，进言献策，为国家和人民分忧解难；要联系各界，化解矛盾，促进社会的和谐与稳定。历届政协组织和政协委员为国家的繁荣、祖国的统一、社会的进步、人民的幸福，为人民政协的建设与发展，尽心竭力，作出了不可磨灭的贡献。中共十五大把坚持、完善中国共产党领导的多党合作和政治协商制度纳入社会主义初级阶段的基本纲领，要求人民政协更好地履行职能，继续推进政治协商、民主监督、参政议政的规范化、制度化。我们要提高认识，改进工作，把中共中央关于人民政协履行职能的各项要求进一步落到实处。

李瑞环说，自古以来，很多有识之士为国家大事建言立论，写下了若干著名的“疏”、“表”、“策”、“论”，有的在当朝当代发挥作用，有的对后人后世产生影响，有不少至今仍被人们所引用。我们的专题调研，也应当在建言立论上有所作为。如果我们对事关中华民族生存和发展的问题，能够提出一些带方略性的思路和主张，我们就尽到了责任，也就会感到由衷的欣慰！

四

全国政协九届三次会议

2000 年 3 月 3 日至 3 月 11 日，中国人民政治协商会议第九届全国委员会第三次会议在北京人民大会堂开幕。应出席委员 2207 人，实到 2006 人，符合法定人数。

在全国政协主席李瑞环主持下，大会首先审议通过了政协第九届全国委员会第三次会议议程：①听取和审议政协第九届全国委员会常务委员会工作报告；②列席第九届全国人民代表大会第三次会议；③审议通过中国人民政治协商会议章程修正案；④听取和审议政协第九届全国委员会常务委员会关于政协九届二次会议以来提案工作情况的报告；⑤审议通过政协第九届全国委员会第三次会议政治决议；⑥审议通过政协第九届全国委员会第三次会议关于常务委员会工作报告的决议；⑦审议通过政协第九届全国委员会提案委员会关于政协九届三次会议提案审查情况的报告；⑧增选政协第九届全国委员会常务委员。

全国政协副主席叶选平受常务委员会委托，作全国政协九届常委会工作报告。报告从六个方面回顾了过去一年的工作：①协商国是，服务大局；②调查研究，建言立论；③畅通民主渠道，反映社情民意；④维护团结稳定，发展统一战线；⑤开展人民外交，扩大友好往来；⑥加强自身建设，改进机关工作。全国政协副主席周铁农受常委会委托，作全国政协九届常委会关于政协九届二次会议以来提案工作情况的报告。报告说，政协九届二次会议期间和大会闭幕后，各民主党派、有关人民团体和政协委员，共提出提案 3341 件。根据《中国人民政治协商会议全国委员会提案工作条例》有关条款，提案委员会对收到的提案进行了审查，共立案 3118 件，有 223 件转作委员来信处理。提出提案的委员 1756 人，占委员总人数的 79.5%；8 个民主党派中央和全国工商联提案 63 件，委员界别小组提案 26 件。

政协九届二次会议期间审查立案的

提案，在大会结束以后，送交中共中央、全国人大常委会、国务院、全国政协、中央军委、高法、高检的所属有关部门，各省、自治区、直辖市党委和人民政府，以及有关人民团体，共159个承办单位办理。会后收到的提案，提案委员会也及时进行了审查和交办。截至2000年2月20日，提案已办复3004件，占全部提案的96.3%。所提意见和建议得到解决或列入计划解决的2542件，占84.6%。对因条件限制一时难于解决问题的提案，承办单位也实事求是地作了说明。委员们对976件提案的办理情况给予了反馈，满意和基本满意的占95.4%。

大会还提请委员们审议中国人民政治协商会议章程修正案草案。修正案草案拟对中国人民政治协商会议章程中的一些表述进行修改：

1. 将总纲第五自然段修改为："我国将长期（正）处于社会主义初级阶段，面临的主要矛盾是人民日益增长的物质、文化需要同落后的社会生产之间的矛盾。由于国内的因素和国际的影响，我国人民同国内外的敌对势力和敌对分子的斗争还将是长期的，阶级斗争还将在一定范围内长期存在，但已经不是我国社会的主要矛盾。我国各族人民的根本任务是，沿着（根据）建设有中国特色社会主义的道路（理论），坚持社会主义初级阶段的基本路线，集中力量进行社会主义现代化建设，自力更生、艰苦奋斗，逐步实现工业、农业、国防和科学技术现代化，把我国建设成为富强、民主、文明的社会主义国家。中国人民政治协商会议要在热爱中华人民共和国、拥护中国共产党的领导和拥护社会主义事业的政治基础上，尽一切努力，进一步巩固和发展爱国统一战线，调动一切积极因素，团结一切可能团结的人，同心同德，群策群力，以经济建设为中心，维护和发展安定团结的政治局面，促进社会主义民主和法制的建设，促进社会主义精神文明建设，推动社会主义市场经济的发展，为实现我国各族人民的根本任务而奋斗。"①

2. 将工作总则第三条修改为："中国人民政治协商会议全国委员会和地方委员会贯彻依法治国方略，宣传和（贯彻）执行国家的宪法、法律和各项方针、政策，推动社会力量积极参加物质文明和社会主义精神文明的建设事业（协助国家机关打击经济领域和其他领域内破坏社会主义的犯罪活动）。"

3. 在工作总则中新增一段作为第四条："中国人民政治协商会议全国委员会和地方委员会坚持公有制为主体、多种所有制经济共同发展的基本经济制度，坚持按劳分配为主体、多种分配方式并存的分配制度，促进社会生产力的解放和发展。"工作总则中原第四条及以后各条排列序号顺延。

将工作总则第九条修改为"中国人民政治协商会议全国委员会和地方委员会组织和推动委员在自愿的基础上学习马克思列宁主义、毛泽东思想、（学习建设有中国特色社会主义的）邓小平理论，学习时事政治，学习和交流业务和科学技术知识，增强为祖国服务的才能"。

会议期间，政协委员列席了九届全国人大三次会议开幕会，听取了朱镕基总理代表国务院向大会作的《政府工作报告》、国家发展计划委员会主任曾培炎《关于1999年国民经济和社会发展计划执行情

---

① 括号里的字是拟删除的。

况与2000年国民经济和社会发展计划草案的报告》、财政部部长项怀诚《关于1999年中央和地方预算执行情况及2000年中央和地方预算草案的报告》。

委员们先后就祖国统一、政协工作、加入世贸组织后的两岸经贸关系、西部大开发、台商投资经济建设、改革开放和可持续发展;文化建设、民主与法制建设和祖国统一以及实施西部开发战略中的有关问题等发表了意见和建议。

会议期间,全国政协主席李瑞环在友谊宾馆参加全国政协九届三次会议中共组联组讨论时指出,遇事商量是马克思主义认识论的要求,是民主、开明的表现。

3月11日下午,全国政协九届三次会议在人民大会堂举行闭幕大会。应出席委员2206人,实到1907人,符合法定人数。根据议程,会议经过逐一表决,增选叶连松、陈广元(回族)、陈邦柱、珠康·土登克珠(藏族)为政协九届全国委员会常务委员。

会议通过了政协九届全国委员会第三次会议政治决议,赞同朱镕基总理所作的《政府工作报告》;赞同最高人民法院的工作报告、最高人民检察院的工作报告以及其他重要报告。会议对我国前进中存在的困难和问题深表关注,并就依法治国、科教兴国、可持续发展、西部大开发问题,就稳定和加强农业的基础地位、实现国有企业改革和脱困的三年目标、保障城乡低收入群众的基本生活、我国加入世贸组织后的经济发展态势和对策问题,就加强民主监督、加大反腐败斗争力度问题等,提出了许多建设性的意见和建议。会议认为,在香港、澳门相继回归祖国之后,早日解决台湾问题、实现祖国完全统一的神圣使命,更加突出地摆在包括台湾同胞、海外侨胞在内的全体中华儿女面前。我们完全赞同中国政府在《一个中国的原则与台湾问题》白皮书中所阐述的原则和政策。我们要坚定不移地贯彻"和平统一、一国两制"的基本方针和江泽民主席提出的八项主张,加强同一切坚持一个中国原则、发展两岸关系的台湾各党派、团体和人士的接触交往,努力做好促进祖国和平统一的各项工作。参加人民政协的各党派、各团体和各族各界人士,坚决反对损害中国主权和领土完整、鼓吹"两国论"、制造"台湾独立"等分裂活动,坚决支持我国政府的严正立场和为此所采取的一切措施。

会议还通过了《关于常委会工作报告的决议》、《关于中国人民政治协商会议章程修正案的决议》、《关于九届二次会议以来提案工作情况报告的决议》,以及《政协九届全国委员会提案委员会关于政协九届三次会议提案审查情况的报告》。

全国政协主席李瑞环在闭幕会上发表了重要讲话。他说,人类社会已经跨入公元2000年。在这千年更迭、世纪交替之际,抚今追昔,倍感时光之易逝,时间之宝贵。正确认识时间,有效利用时间,对于我们的国家、我们的民族、我们的事业、我们的同志,具有特殊的重要意义。面对二十年辉煌,回顾千年往事,一个刻骨铭心的教训就是,过去耽误的时间实在太多了!我们应当继承和发扬中华民族惜时如金、与时俱进的精神,坚定信心,集中精力,埋头苦干,使我们的祖国在21世纪以更快的步伐走向现代化的辉煌。

李瑞环强调,团结和民主是人民政协工作的主题,也是我们国家抓紧时间发展自己的基本条件。加强团结、维护稳定、发扬民主、促进发展,是人民政协应尽的责任,我们一定要很好地担负起这个责任。他指出,完成改革发展的任务,提高政协工作的水平，必须努力改进工作方法，大力提倡到实践中去。建设有中国特色的社会主义是前所未有的崭新的事业，是中国人民创造历史的伟大实践，离开人民群众的实践活动，是不可能取得成功的。靠实践、靠群众，这是做好一切工作最基本的方法，也是发现人才、造就人才最根本的途径。他号召政协委员振奋起来，团结起来，在以江泽民同志为核心的中共中央领导下，高举邓小平理论的伟大旗帜，抓紧时间，加倍努力，总结过去，谋划未来，为人民政协事业的进一步发展，为国家的现代化建设和统一大业，为中华民族的伟大复兴，作出新的更大的贡献！

五

全国政协九届四次会议

2001年3月3日下午，中国人民政治协商会议第九届全国委员会第四次会议在人民大会堂举行。应出席委员2266人，实到2097人，符合法定人数。

中共中央政治局常委、全国政协主席李瑞环主持开幕会。大会首先审议通过了政协第九届全国委员会第四次会议议程：①听取和审议政协第九届全国委员会常务委员会工作报告；②听取和审议政协第九届全国委员会常务委员会关于政协九届三次会议以来提案工作情况的报告；③列席第九届全国人民代表大会第四次会议；④审议通过政协第九届全国委员会第四次会议政治决议；⑤审议通过政协第九届全国委员会第四次会议关于常务委员会工作报告的决议；⑥审议通过政协第九届全国委员会第四次会议关于政协九届三次会议以来提案工作情况报告的决议；⑦审议通过政协第九届全国委员会提案委员会关于政协九届四次会议提案审查情况的报告；⑧增选政协第九届全国委员会常务委员。

全国政协副主席叶选平受常务委员会委托，作了全国政协九届常委会工作报告。叶选平将一年来的工作总结为六个方面：围绕制定“十五”计划议政建言、为实施西部大开发战略献计出力、积极促进社会的团结稳定、广泛开展同港澳台侨人士的团结联谊、进一步扩大对外友好交往、不断改进为委员履行职能服务的各项工作。叶选平指出，我们面临着继续推进现代化建设、完成祖国统一、维护世界和平与促进共同发展的三大任务。在新的一年里，政协全国委员会要在以江泽民同志为核心的中共中央领导下，以邓小平理论和党的基本路线为指导，按照“三个代表”重要思想的要求，坚持和完善共产党领导的多党合作和政治协商制度，认真贯彻落实全国统战工作会议精神，牢牢把握团结和民主两大主题，切实履行政治协商、民主监督、参政议政职能，充分发挥政协委员的积极性、主动性，广泛联系社会各界人士，围绕中心，服务大局，维护团结稳定，为实施我国国民经济和社会发展第十个五年计划、推进改革开放和现代化建设作出应有的贡献。

全国政协副主席万国权受常委会委托，作全国政协九届常委会关于政协九届三次会议以来提案工作情况的报告。他说，政协九届三次会议以来，政协委员、各民主党派和有关人民团体，围绕我国经济和社会发展中的重大问题，以及人民群众关注的热点问题，运用提案形式履行人民政协职能，积极建言献策，共提出提案3733件，经审查立案3372件，转为委员来信处理的361件。截至2001年2月20日，已办复提案3302件，占全部提案的

97.9%。所提意见和建议得到解决或列入计划解决的2711件，占82.1%。

会议期间，政协委员列席了九届人大四次会议的全体会议，听取了国务院总理朱镕基作的《关于国民经济和社会发展第十个五年计划纲要（草案）的报告》，以及《2001年国民经济和社会发展计划主要指标（草案）》、《2000年全国预算执行情况与2001年全国预算（草案）》、《最高人民法院工作报告》、《最高人民检察院工作报告》等重要报告。

委员们先后就南水北调；产业结构优化升级；整顿规范市场经济秩序；农业和农民问题；我国东中西部经济一体化等经济建设问题，以及加快信息化建设，缩小数字鸿沟，发挥青少年在国家信息化建设中的重要作用；揭批"法轮功"；高度重视、妥善处理和化解人民内部矛盾，防止矛盾激化，确保稳定大局；妥善解决国有企业下岗职工与企业解除劳动关系问题、切实维护职工队伍和社会政治稳定；推动妇女儿童事业发展，保障妇女儿童权益，应当与国家经济和社会发展同步规划；促进祖国统一等问题作大会发言。本次会议应出席委员2266人，实到1952人，符合法定人数。按照议程，会议经过逐一表决，增选叶少兰、却西、张榕明、陈抗甫、邵华泽、郝建秀、桂世镛、梁从诫、舒圣佑为政协第九届全国委员会常务委员。

会议通过了《政协九届全国委员会第四次会议政治决议》，赞同《中华人民共和国国民经济和社会发展第十个五年计划纲要（草案）》和朱镕基总理就纲要所作的报告，赞同《最高人民法院工作报告》、《最高人民检察院工作报告》以及其他报告。会议还通过了《关于常委会工作报告的决议》，同意叶选平副主席代表常务委员会所作的工作报告；通过了《关于政协九届三次会议以来提案工作情况报告的决议》、《政协九届全国委员会提案委员会关于政协九届四次会议提案审查情况的报告》。政协九届四次会议截至3月7日下午5时，共收到提案3585件，其中，委员的提案3493件，参加提出提案的委员1815人，占委员总数的80.1%；各民主党派中央和全国工商联的提案58件；政协专门委员会的提案1件；委员界别小组的提案33件。按照《中国人民政治协商会议全国委员会提案工作条例》的规定，提案委员会对收到的提案进行了审查，共立案3442件，占总数的96.01%。其中，经济建设方面1633件，占47.44%；教科文卫体方面931件，占27.05%；政法、统战、人事等方面878件，占25.51%。没有立案的143件，作为委员来信转交有关部门研究处理。

全国政协主席李瑞环在闭幕会上发表了讲话。他说，人类已经进入新的世纪。放眼当今中国，经济蓬勃发展，社会充满生机，人民安居乐业，国际地位空前提高，中国人民正满怀喜悦和希望朝着现代化宏伟目标迈进。此时此刻，抚今追昔，深感大好局面来之不易。我们决不能忘记自己肩负的历史责任，前人呕心沥血、披荆斩棘，奠定了很好的基业，我们要继承下来、传留下去，在新的世纪有新的作为、新的进步。他指出，每个国家的经济社会都处在一定的发展阶段和水平上。只有准确地了解世界，正确地估量自己，才能跟上时代前进的步伐。改革开放以来，我们党认真总结历史经验，冷静观察世界变化，对自己的国情作出了正确的判断。由此出发，我们确定了"一个中心、两个基本点"的基本路线，制定了建设有中国特色社会主义的经济、政治、文化的基本纲领，以及一系列符合实际的方针政策，从而使我国在风云变幻的国际形势中站稳脚跟，取得了举世公认的成就，从胜利走向胜利。在谈到完善民主监督机制、加大民主监督力度时，李瑞环说，我国是人民当家做主的社会主义国家，我们的政府是人民政府，我们的军队是人民军队，我们的警察是人民警察，我们的法院是人民法院，我们的检察院是人民检察院，我们的干部是人民公仆。我们的社会制度之所以优越，从根本上说，就在于一切权力属于人民。我国的各种形式的监督，都是人民意志的体现，从本质上讲都属于人民监督。为了人民、依靠人民是我国监督的根本特点，也是我国监督的最大优势。我们必须根据我国的实际情况，研究创造各种能够充分发挥人民监督作用的制度和形式，使人民能够经常地、及时地、有序地防止和矫正权力在运行过程中脱轨变形，以保证人民的权力永远掌握在人民手中。他说，这些年来，各级政协组织在党委的领导下积极探索，创造了一些开展民主监督工作的好做法，但从总体上讲，政协履行监督职能还比较薄弱，还存在一定的差距，必须按照江泽民同志的要求，“完善民主监督机制，畅通下情上达的渠道，加大民主监督力度”，把人民政协的民主监督积极稳步、扎实有效地推向前进。

六

全国政协九届五次会议

2002年3月3日下午，中国人民政治协商会议第九届全国委员会第五次会议在人民大会堂举行。应出席委员2267人，实到2082人，符合法定人数。

全国政协主席李瑞环主持会议。大会首先审议通过了政协第九届全国委员会第五次会议议程：①听取和审议政协第九届全国委员会常务委员会工作报告；②听取和审议政协第九届全国委员会常务委员会关于政协九届四次会议以来提案工作情况的报告；③列席第九届全国人民代表大会第五次会议，听取并讨论政府工作报告及其他报告；④审议通过政协第九届全国委员会第五次会议政治决议；⑤审议通过政协第九届全国委员会第五次会议关于常务委员会工作报告的决议；⑥审议通过政协第九届全国委员会第五次会议关于政协九届四次会议以来提案工作情况报告的决议；⑦审议通过政协第九届全国委员会提案委员会关于政协九届五次会议提案审查情况的报告。

全国政协副主席叶选平受常务委员会委托，作全国政协九届常委会工作报告。叶选平从七个方面总结了去年的工作：学习贯彻“七一”讲话和中共十五届六中全会精神；围绕实施“十五”计划建言立论；为维护群众利益和社会稳定献计献策；深化反映社情民意工作；加强与港澳台侨人士的团结联谊；开展多层次的对外友好交往活动；通过总结经验推动工作。叶选平说，2002年是我国发展历史上非常重要的一年。新的形势和任务对政协工作提出了更高的要求，我们应当增强忧患意识、大局意识和责任意识，更加切实有效地推进政协工作，不辜负人民的厚望与重托。

全国政协副主席罗豪才受常委会委托，作全国政协九届常委会关于政协九届四次会议以来提案工作情况的报告。他说，政协九届四次会议以来，政协委员、各民主党派和有关人民团体，认真履行人民政协职能，围绕我国经济和社会发展的重大问题和社会关注的热点问题，运用提案形式积极建言献策，共提出提案3737件。

提案委员会对这些提案进行了审查，共立案 3566 件，其中，八个民主党派和全国工商联 58 件，政协专门委员会 1 件，界别小组 33 件。未予立案的有 171 件，已转委员来信处理。提出提案的委员 1845 人，占委员总人数的 79.8%。截至 2002 年 2 月 20 日，已办复提案 3527 件，占全部提案的 98.9%。

会议期间，政协委员列席了九届全国人大第五次会议，听取了国务院总理朱镕基所作的《政府工作报告》、国家发展计划委员会主任曾培炎作《关于 2001 年国民经济和社会发展计划执行情况与 2002 年国民经济和社会发展计划草案的报告》；财政部部长项怀诚作《关于 2001 年中央和地方预算执行情况及 2002 年中央和地方预算草案的报告》。

委员们先后就逐步推进农业产业化、农村工业化、城乡一体化，增加农民收入；引导民间投资、建立社会信用体系；发展电子政务，积极推进政府工作的信息化；以及加强哲学社会科学研究；大力发展和规范民办高等教育；构建与世贸组织相一致的社会主义市场经济信用秩序等发展教育科技文化事业；加大城市反贫困工作力度；加强医疗保障资金筹集和管理、改变长期以来形成的城乡隔绝体制和户籍制度；采取有效措施控制商品房价格；扩大就业和祖国统一等问题作大会发言。

3 月 13 日下午，全国政协九届五次会议在人民大会堂举行闭幕大会。应出席委员 2267 人，实到 1975 人，符合法定人数。会议通过了《中国人民政治协商会议第九届全国委员会第五次会议政治决议》，赞同朱镕基总理所作的《政府工作报告》，赞同《最高人民法院工作报告》和《最高人民检察院工作报告》以及其他报告；通过了《中国人民政治协商会议第九届全国委员会第五次会议关于常务委员会工作报告的决议》、《中国人民政治协商会议第九届全国委员会第五次会议关于九届四次会议以来提案工作情况报告的决议》。

会议还通过了《中国人民政治协商会议第九届全国委员会提案委员会关于九届五次会议提案审查情况的报告》。政协第九届全国委员会第五次会议截至 3 月 8 日下午 5 时，共收到提案 3583 件，其中，委员提案 3265 件，参加提出提案的委员 1781 人，占委员总数的 78.56%；各民主党派中央和有关人民团体提出提案 56 件，专门委员会提案 1 件，界别小组提案 46 件。按照《中国人民政治协商会议全国委员会提案工作条例》的规定，提案委员会对收到的提案进行了审查，共立案 3368 件，占总数的 94%。其中，经济建设方面 1460 件，占 43.35%。科教文卫体方面 889 件，占 26.40%；政法、人事、统战等方面 1019 件，占 30.25%。没有立案的 215 件，作为委员来信转有关部门研究和参考。

全国政协主席李瑞环在闭幕会上发表了讲话。他说，全国政协九届一次会议以来，各级政协组织在履行职能的过程中，解放思想、实事求是，不断实践、积极探索，创造了许多具有重要意义的经验。今年是九届全国政协的最后一年，我们要在继续履行各项职能的同时，把总结经验作为一项重要工作来抓。通过总结，深化认识、掌握规律，使我们的思想更加自觉；通过总结，发扬成绩、克服不足，使我们的工作不断进步；通过总结，使本届政协有一个圆满的结束，为新一届政协做好必要的准备。

在谈到政协发挥协调作用的问题时，李瑞环指出，各级政协组织要充分认识人民政协在协调关系方面的特点和优势，把发挥协调作用作为工作的一个着力点，认真抓，经常抓，切实抓好。要多做沟通、联谊的工作，促进中华民族的大团结、大联合。要积极宣传党的方针政策，及时反映社会各方面的真实情况和呼声。要保障各党派、各团体和各位委员充分发表意见的权利，使一些社会矛盾和群众情绪得到化解和疏导。要围绕关系国计民生的重大问题深入调研，促使有关政策的出台兼顾到各方面的利益。

在谈到政协创新的问题时，李瑞环说，江泽民同志号召全党全国人民勇于和善于根据实践的要求进行创新。人民政协工作如同其他各项事业一样，必须按照邓小平理论，按照“三个代表”要求，积极倡导创新。只要我们不断增强创新意识，敢于突破陈规旧习，做到与时俱进；只要我们时刻牢记人民群众是创造历史的动力，尊重人民群众的首创精神，经常从人民群众中汲取智慧和力量；只要我们切实遵循实践第一的观点，边实践边总结，用经验推动工作；只要我们始终注意把优良传统与时代特点结合起来，在继承中发展，在开拓中前进，人民政协的事业就一定能够充满生机与活力，就一定能够不断开创新的局面。

“八五”计划

“八五”计划，是在20世纪80年代国民经济高速增长和治理整顿经济环境的背景下制订和实施的，因此，最初“八五”计划的发展指标并不高，关于改革开放的步伐也不是太大，仍然设想建立计划经济与市场调节相结合的经济体制。但是，从1992年起，中国的观念和经济发展态势发生了巨大变化，不仅使得“八五”期间成为中国改革开放推进最快的时期，确立了社会主义市场经济目标，形成了由沿海到内地、由一般加工工业到基础工业和基础设施的总体开放格局，而且经济增长也成为改革开放以来最快的时期，国民生产总值五年平均年增长达到12%，是同期世界各国中经济增长最快的，也是新中国成立以来我国经济增长最快的时期。“八五”期间，我国国民经济又上了一个大台阶，提前5年实现了国民生产总值翻两番的任务。

一

制订“八五”计划的背景

“八五”计划是在国民经济治理整顿的背景下起草和制定的。治理整顿是在坚持改革开放的条件下，对国民经济又一次大调整。

1988年，在通货膨胀和人们对价格改革过关的预期影响下，社会出现了“抢购”风潮。在这种经济发展中的矛盾趋于尖锐、体制改革的环境严重恶化的关键时刻，1988年9月26日，中共中央召开了十三届三中全会。会议正确地分析了面临的经济形势，确定了治理经济环境，整顿经济秩序和全面深化改革的方针。从此，我国国民经济的发展，进入了治理整顿阶段。

1989年以后，中共中央在继续下大力气抓政治稳定的同时，于11月6日召开了十三届五中全会。会议深入分析了形势，统一了全党对治理整顿必要性和艰巨性的认识，并根据中央的有关方针政策，治理整顿已取得的初步成就和出现的新情况新问题，调整了治理整顿深化改革的部署。

1990年12月25日，中共中央十三届七中全会，会议通过了国家计委起草并经过中央政治局审议的《中共中央关于制定国民经济和社会发展十年规划合乎“八五”计划的建议》。《建议》除了提出1991年至2000年我国国民经济和社会发展的基本任务和方针政策外，还将建设有中国特色社会主义的基本理论和基本实践，概括为十二条原则。

1991年2月，国务院总理李鹏在论述制定“八五”计划的立足点时，在论述了国民经济和经济体制经过80年代的高速发展和改革，已经形成了强大基础和深刻变化后，指出在取得伟大成就的同时，过去的工作中也出现了一些缺点和失误，主要是：“一度忽视思想政治教育，存在物质文明建设和精神文明建设‘一手硬，一手软’的现象；在经济发展和改革中都出现过求成过急，一度造成经济过热、通货膨胀；国民经济的某些方面过于分散，国家宏观调控能力减弱。”认为：“当前社会经济生活中还存在许多矛盾和问题：产成品积压较多、经济循环不畅的问题还没有完全解决；经济效益差、产业结构不合理的状况还没有根本扭转，国家财政困难，收支矛盾突出；经济体制在许多方面还没有理顺；在安定团结的政治局面下，还存在着某些不安定的因素。我们必须正视这些问题，并且认真加以解决，决不可掉以轻心。”①

二

“八五”计划的主要内容

“八五”计划是在治理整顿经济环境的大环境下制订的。它的主要内容自然要反映出当时的特点和发展要求。

1.“八五”计划的基本任务和综合经济指标

《纲要》提出，今后十年，我们要实现第二步战略目标，其基本要求主要为：在大力提高经济效益和优化经济结构的基础上，国民生产总值按不变价格计算，到本世纪末比1980年翻两番；全国人民生活从温饱达到小康水平；发展教育事业，推动科技进步，改善经济管理，调整经济结构，加强重点建设，为下世纪初叶我国经济和社会的持续发展奠定物质技术基础；初步建立适应以公有制为基础的社会主义有计划商品经济发展的、计划经济与市场调节相结合的经济体制和运行机制；社会主义精神文明建设达到新的水平，社会主义民主和法制进一步健全。

为了实现上述战略目标，《纲要》提出今后十年国民生产总值平均每年增长6%左右。并且认为“这个要求是积极的，也是留有余地的。这个增长速度虽然比前十年低了一些，但由于现在的经济规模比十年前大得多，今后每增长一个百分点所包含的绝对量要大得多。达到了这个平均增长速度，就可以实现到本世纪末国民生产总值比1980年翻两番的既定目标。”

按照上述部署，“八五”的基本任务共

① 李鹏：《关于国民经济和社会发展十年规划和第八个五年计划纲要的报告》，1991年2月25日。

有以下8项:①努力保持社会总需求与社会总供给基本平衡,在控制通货膨胀的前提下,以提高经济效益为中心,促进经济的适度增长。②突出抓好经济结构调整。③立足现有基础,充分挖掘潜力,积极地、有重点地推进现有企业技术改造。④采取适当的办法和步骤,合理调整收入分配格局,逐步改善财政收支不平衡状况。同时保持合理的信贷规模和结构,严格控制货币发行。⑤进一步推动科技、教育事业发展。⑥更有效地开展对外贸易,积极吸引国外资金、技术和智力。⑦以增强国营大中型企业活力为中心推进各项改革。⑧努力加强社会主义精神文明建设,促进社会的全面发展和进步(包括控制人口增长、妥善安排就业、改善人民生活、发展文化、卫生、体育事业,加强环境保护,加强国防建设等)。

2.“八五”计划的基本指导方针

(1)坚定不移地走建设有中国特色的社会主义道路。中国共产党十一届三中全会以来,经过十二大和十三大,在深刻总结历史的和当前的实践经验的基础上,形成了党在社会主义初级阶段以经济建设为中心、坚持四项基本原则、坚持改革开放的基本路线,以及一系列行之有效的方针政策。

(2)坚定不移地推进改革开放。全面落实建设有中国特色社会主义的各项方针政策,关键在于坚定不移地实行改革开放。经过80年代的努力,经济体制改革取得重大进展,对外开放格局已经形成。但是,原有体制的弊端还没有完全消除,在发展过程中又出现了一些新的矛盾和问题。要妥善解决当前经济生活中的诸多矛盾,顺利实现第二步战略目标,在剧烈的国际竞争中立于不败之地,都要求我们继续深化改革,进一步扩大对外开放。我们的改革是社会主义制度的自我完善和发展,目的是为了促进生产力的发展和社会的全面进步,不断增强社会主义的生机与活力。把改革开放和不断巩固、完善社会主义制度有机地结合起来,这是我们最重要的一条经验。国内外的经验都证明,不改革开放不行,改革开放不坚持正确方向也不行。今后要继续坚持社会主义方向,并进一步努力探索,使改革不断深化,开放更有成效。

(3)坚定不移地贯彻执行国民经济持续、稳定、协调发展的方针。这条方针是长期正反两个方面历史经验的总结,是实现到本世纪末奋斗目标的重要保证。持续,就是保持经济每年都有适当的发展速度;稳定,就是稳步前进,避免大起大落;协调,就是按比例发展。持续、稳定、协调三者之间有着紧密的联系。比例协调,是持续稳定发展的基础,按比例的速度才是合理的、效益好的、能够持续稳定发展的速度。实现国民经济持续、稳定、协调发展,最重要的是努力保持社会总需求与总供给的基本平衡,防止急于求成的倾向。我们既要充分发挥各种资源的潜力,促进经济增长,又要防止国民收入超额分配,造成通货膨胀。要坚持速度与效益的统一,始终把提高经济效益作为全部经济工作的中心。

(4)坚定不移地执行独立自主、自力更生、艰苦奋斗、勤俭建国的方针。坚持自力更生与实行对外开放不是对立的,而是统一的。实行对外开放,利用国外的技术、经验和资金,有利于增强我国自力更生的能力。另一方面,只有坚持自力更生,把立足点放在自己力量的基础上,才有条件更好地扩大对外开放。90年代我们要进一步扩大对外开放,争取在对外贸易、利用外资、引进技术和智力等方面取得更大的进展，但也要准备更多地依靠国内资金和自己的力量进行建设。要克服经济建设中资源相对不足和资金短缺的困难，最重要的，是千方百计地节约一切可能节约的财力、物力和人力，努力克服生产、建设、流通、消费等领域中存在的严重浪费现象。今后十年乃至整个现代化建设时期，都必须牢固树立艰苦奋斗、勤俭建国的思想。

（5）坚定不移地贯彻物质文明建设和精神文明建设一起抓的方针。在推进物质文明建设的同时，必须加强精神文明建设，克服物质文明建设和精神文明建设“一手硬、一手软”的现象。建设社会主义精神文明，既是我们的重要目标，又是促进物质文明建设的重要保证。只有抓好精神文明建设，才能使人们有正确的前进方向，坚定社会主义的信念，增强民族的凝聚力。这是我们的真正优势所在。加强社会主义精神文明建设，需要各个部门、各个方面密切配合，共同努力，尽心尽责，广泛吸引群众自觉参与，把任务真正落实到基层。

3.关于经济和社会发展的具体设想和措施

关于经济建设，《纲要》提出要以提高经济效益为中心，努力保持国民经济持续、稳定、协调发展。为此，着重考虑了以下几个问题，并提出相应的计划指标。

①继续努力保持经济总量的平衡。②大力调整产业结构，促进产业结构的合理化并逐步走向现代化。③促进地区经济的合理分工和协调发展。④始终把提高经济效益作为全部经济工作的中心。⑤推动科技进步，发展教育事业，提高国民经济的整体素质和促进社会的全面进步。⑥在发展生产的基础上改善人民生活。

4.关于社会发展方面，“八五”期间主要强调要抓好以下几个方面的工作

①加强社会主义精神文明建设。②健全社会主义民主与法制。③加强政法工作，维护社会稳定。④深入开展反腐败斗争，进一步搞好廉政建设。⑤坚定不移地实行计划生育和环境保护的基本国策。⑥巩固和发展全国各民族的大团结。

5.关于经济体制改革和对外开放

《纲要》规定：“今后十年，要坚持计划经济与市场调节相结合的原则，围绕解决社会经济生活中的主要问题，有领导有步骤地全面推进改革，初步建立社会主义有计划商品经济的新体制。”基本要求是：

（1）坚持以社会主义公有制为主体，适当发展个体经济、私营经济和其他经济成分，按照生产力发展水平的要求，完善所有制结构。

（2）实行政企职责分开、所有权与经营权适当分离，逐步使绝大多数国营企业真正成为自主经营、自负盈亏、自我约束、自我发展的社会主义商品生产者和经营者，探索公有制经济多种有效的实现形式，建立富有活力的国营企业管理体制和运行机制。

（3）进一步完善消费资料市场，扩大生产资料市场，发展资金市场、技术市场、信息市场、房产市场和劳务市场，建立和健全在国家指导和管理下的全国统一的市场体系。

（4）理顺国家、集体和个人以及中央和地方之间的分配关系，形成合理的国民收入分配格局。坚持以按劳分配为主体，其他分配方式为补充，逐步完善个人收入分配制度。

（5）综合运用经济、行政、法律手段，特别是运用价格、税收、利率、汇率等经济手段调节经济运行，建立和健全直接调控

与间接调控相结合的中央与省、自治区、直辖市两级经济调控体系。

要按照这些基本要求，协调配套地搞好企业、流通、价格、财政、税收、金融、外贸、计划、投资、劳动工资、住房，医疗和社会保障等方面的体制改革。

国务院总理李鹏在对《纲要（草案）》的说明中，还谈了有关经济体制改革几个问题的认识：第一，继续探索计划经济与市场调节相结合的具体途径和形式。第二，进一步增强全民所有制大中型企业的活力。这是深化经济体制改革的中心环节。第三，积极推进住房制度和社会保障制度的改革。第四，增强国家宏观调控能力，正确处理中央与地方的关系。第五，继续实行和完善对外开放政策。

这个规划全面分析了90年代国内外形势，正确地提出了调整优化产业结构，加速科技进步，促进全国经济布局合理化的建设方针，强调：要重点加强农业、基础工业和基础设施，改组改造和提高加工工业，积极发展建筑业和第三产业；要按照统筹规划、合理分工、优势互补、协调发展、利益兼顾、共同富裕的原则，逐步实现生产力的合理布局；要把发展国民经济作为科学技术工作的主战场，加快科技成果向现实生产力转化。但是对经济发展的速度，则偏于保守，特别是认为“八五”初期还要继续进行治理整顿，是在治理整顿中求发展，即使转入正常发展后，还要继续完成治理整顿留下的某些任务，因而年增长速度只安排6%，这显然已落后于90年代的形势。

三

邓小平南方谈话后计划的调整

在国民经济治理整顿环境下制定和实施的“八五”计划，从第二年开始，就发生了巨大变化，国民经济和社会发展的速度完全超出了“八五”计划的设想，由此导致了“八五”计划的大幅度修改。

1991年是“八五”计划实施的第一年。这一年，宣布治理整顿结束，改革也有新的进展，国民经济增长幅度也有较大幅度的回升，但是，总的经济形势却不能令人满意。

针对90年代初经济发展中存在的上述问题，1992年初，邓小平先后在武昌、深圳、珠海、上海等地发表谈话，率先起来端正经济工作中的指导思想。他指出：“革命是解放生产力，改革也是解放生产力。”“社会主义基本制度确立以后，还要从根本上改变束缚生产力发展的经济体制，建立起充满生机和活力的社会主义经济体制，促进生产力的发展。”“改革开放胆子要大一点，看准了的，就大胆地试，大胆地闯。”“改革开放迈不开步子，不敢闯……要害是姓‘资’还是姓‘社’的问题。判断的标准，应该主要看是否有利于发展社会主义社会的生产力，是否有利于增强社会主义国家的综合国力，是否有利于提高人民的生活水平。”“计划多一点还是市场多一点，不是社会主义与资本主义的本质区别。计划经济不等于社会主义，资本主义也有计划；市场经济不等于资本主义，社会主义也有市场。计划和市场都是经济手段。”“社会主义的本质是解放生产力，消灭剥削，消除两极分化，最终达到共同富裕。”

根据邓小平谈话精神，3月9日至10日，中共中央政治局召开全体会议，讨论我国改革和发展问题。强调：要牢牢把握党的基本路线一百年不动摇；要抓住当前有利时机，加快改革开放的步伐，集中精力把经济建设搞上去。10月份，中共第十四次全国代表大会正式召开。这次会议以邓小平建设有中国特色社会主义的理论为指导，认真总结十一届三中全会以来的实践经验，确定了今后一个时期的战略部署。从此，进一步解放思想，把握有利时机，加快改革开放和现代化建设步伐，成为全党和全国人民的任务。

按照党的十四大的精神，国务院经过认真研究，对"八五"期间的经济增长速度、产业结构、利用外资、进出口贸易、投资规模等指标提出了调整意见。中央政治局经过讨论同意这些意见，并将其提交1993年3月召开的中共十四届二中全会。二中全会通过了《中共中央关于调整"八五"计划若干指标的建议》（以下简称《建议》）。

《建议》提出："'八五'后三年，我们要进一步抓住有利时机，充分利用一切有利因素，巩固和发展已经出现的大好形势，继续在提高质量、优化结构、增进效益的基础上，实现较高的经济增长速度。同时，要全面考虑财力、物力的可能，保持需求与供给的大体平衡，防止经济过热，避免大的损失。"

按照上述设想，"八五"计划的调整主要有以下几个方面：

1. 在经济增长速度方面，比原计划有较大幅度的提高

《建议》提出：①"八五"期间国民经济平均增长速度，原计划为6%，拟调整为8%～9%。但是各地不搞一刀切，有条件的地方可以搞得快一些，不要盲目攀比。其中，第一产业平均年增长速度由原定3.2%调整为3.5%（农业总产值平均年增4%）；第二产业平均年增长速度由5.6%调整为10%左右（工业总产值平均年增长14%）；第三产业平均年增长速度由9%调整为10%以上。②加强农业，促进农村经济全面发展。粮食产量指标不作调整，但力争较大幅度增加优质品种的产量；棉花、糖料、肉类、水产品增长速度则分别由1.2%、0.9%、1.4%和3.5%，调整为2.1%、3.3%、5.3%和5.9%。③动员各方面力量，加快交通运输的发展。要把铁路建设作为重中之重，集中力量抓出成效，"八五"期间新线建设里程和新建复线分别比原计划增加500公里和700公里。④加快能源和重要原材料的发展，扩大生产能力。1995年煤炭、电力的产量分别由原计划的12.3亿吨和8100亿千瓦时调整为12.5亿吨和9200亿千瓦时；钢的产量由原计划7200万吨提高到8800万吨。⑤合理确定和控制固定资产投资规模，加大投资结构调整的力度。"八五"期间投资率控制在30%之内，按1990年价格计算，全社会投资规模由原计划26000亿元提高到34000亿元。

2. 加强农业，促进农村经济的全面发展

①要保证粮食以及棉花、油料的稳定增产；同时继续调整农业内部结构，按照市场的需求，积极发展其他经济作物，抓好"菜篮子"工程，发展林牧副渔各业，走高产、优质、高效的路子。粮食产量不做调整，棉花产量则由原计划的475万吨调整到500万吨左右。糖料、肉类、水产品的产量指标，都比原计划适当提高。②"八五"后三年要继续大力发展乡镇企业，特别要扶持和加快中西部地区和少数民族地区乡镇企业的发展。③要把水利作为

基础产业认真抓好，安排好关系到全国和各地经济发展和人民生活的各项水利工程。

3. 动员各方面的力量，加快交通运输的发展

4. 加快能源和重要原材料的发展，扩大生产能力

5. 按照规模经济、合理布局和突出重点的原则，积极发展支柱产业

6. 放宽政策，正确引导，促进第三产业的发展

7. 充分发挥各地优势，促进地区经济合理布局和协调发展

8. 更大地发挥科技生产力的作用，加强人才的培养

9. 扩大利用外资规模，加快发展对外贸易

借用国外中长期贷款，“八五”计划原设想五年350亿美元。综合考虑加快经济发展的需要、国际市场筹资的可能和我国外汇支付能力，拟争取利用500亿美元。

外商直接投资，“八五”计划原设想5年吸收170亿美元。1992年外商来华投资十分踊跃，初步统计全年外商实际投资达112亿美元。根据实际情况的变化，拟将5年外商直接投资额调整为350亿美元以上。要按照国家产业政策，引导外商多兴办资本密集、技术密集型项目、高附加值产品出口项目以及基础设施和资源开发利用项目。

出口贸易额，考虑到近几年实际出口增长较快和今后几年出口继续增长的可能，拟按年均增长13%考虑，大体相当于80年代年均增长水平。

10. 合理确定和控制固定资产投资规模，加大投资结构调整的力度

11. 合理调整信贷、财政收支总量和结构，有效地发挥财政、金融的调节作用

四

社会主义市场经济目标的确立和计划管理的改革

1992年，邓小平“南方谈话”提出、中共十四大确定的社会主义市场经济改革目标，不仅是“八五”期间中国经济体制改革的重大转折，也在中国20多年的改革史上起到了划时代的作用。

1.“八五”计划对经济体制改革的设想和具体化

关于“八五”计划期间经济体制改革计划和目标的设想和规划，从“七五”计划末就开始了。1990年初，中共中央总书记和国家主席江泽民同志就要求体制改革领导部门抓紧研究治理整顿期间以及治理整顿任务完成以后如何进一步推进改革开放的问题。国务院总理李鹏也先后四次听取国家体改委关于经济体制改革规划设想的汇报。此后，江泽民、李鹏和其他政治局常委专门召开座谈会，听取国家体改委的汇报，讨论“八五”和整个九十年代经济体制改革的基本思路和指导方针。

国家体改委在经过一系列重要会议座谈讨论、反复征求意见和总结十二年改革经验基础上，形成了《经济体制改革“八五”纲要和十年规划》(以下简称《规划》)。1991年2月25日，国务院召开全国经济体制改革工作会议，讨论并通过了这个《规划》。

《规划》提出20世纪90年代中国经济体制改革的总目标是：初步建立起社会主义有计划商品经济的新体制和计划经济与市场调节相结合的运行机制。围绕这个总目标，提出了相互关联的五个方面的

主要任务：①建立以社会主义公有制为主体、多种经济成分共同发展的所有制结构；②建立适应社会化大生产发展的企业制度，除少数非竞争性企业外，大部分企业应自主经营、自负盈亏、自我发展、自我约束，成为既有生机活力又规范自身行为的商品经营者和生产者；③建立统一开放、平等竞争、规则健全的社会主义市场体系，除少数关系国计民生的重要商品和服务的收费实行国家定价外，其他商品的生产和流通放开，实行计划指导下的市场调节；④建立间接调控与直接调控相结合、以间接调控为主，中央和省市自治区两级调控、以中央调控为主的宏观调控体系；⑤建立以按劳分配为主体、其他分配方式为补充的个人收入分配制度和社会保障体系。

3月25日至4月9日，七届人大四次会议讨论通过了《国民经济和社会发展十年规划和第八个五年计划纲要》和李鹏的有关报告，其中有关经济体制改革的设想和规划，与上述基本相同。

从以上的改革规划可以看出，改革还是继续沿着十三大的基本方针和已经形成的势头前进，但是由于在计划与市场关系方面的认识含糊，未能明确提出建立市场经济体制的目标，因此在具体措施上就显得思想不够解放，例如过多地强调完善计划管理。

针对20世纪90年代初期经济发展中存在的问题，特别是关于经济体制改革目标选择上出现的分歧，1992年初，邓小平先后在武昌、深圳、珠海、上海等地发表谈话，率先起来端正经济工作中的指导思想。

根据邓小平谈话精神，中共中央政治局于3月9日—10日召开全体会议，讨论我国改革和发展问题。会议强调：要牢牢把握党的基本路线一百年不动摇；要抓住当前有利时机，加快改革开放的步伐，集中精力把经济建设搞上去。5月16日，中央政治局会议通过《中共中央关于加快改革，扩大开放，力争经济更好更快地上一个新台阶的意见》。

同年10月，中共第十四次全国代表大会在北京召开。这次会议以邓小平建设有中国特色社会主义的理论为指导，认真总结十一届三中全会以来的实践经验，确定了今后一个时期的战略部署。从此，进一步解放思想，把握有利时机，加快改革开放和现代化建设步伐，成为全党和全国人民的任务。

1993年11月，中共十四届三中全会通过了《中共中央关于建立社会主义市场经济体制若干问题的决定》。《决定》要求在本世纪末初步建立起社会主义市场经济体制，并紧紧抓住当时改革和发展中的突出矛盾和问题，对如何建立社会主义市场经济体制，提出了比较完整的总体设想和具体规划，其主要内容有以下五个方面。

(1)社会主义市场经济体制的框架由以下主要部分组成：以公有制为主体、多种经济成分共同发展，国有企业实行“产权清晰、权责明确、政企分开、管理科学”的现代企业制度；建立全国统一开放的市场体系，并且国内市场与国际市场相互衔接；建立以间接手段为主的完善的宏观调控体系；实行以按劳分配为主体，效率优先、兼顾公平的收入分配制度和多层次的社会保障制度。这些部分相互联系、相互制约，构成有机的整体。必须围绕这些主要环节，建立相应的法律体系，采取切实措施，积极而有步骤地全面推进改革。

(2)以公有制为主体的现代企业制度是社会主义市场经济体制的基础。

(3)培育和发展市场体系,发挥市场机制在资源配置中的基础性作用。

(4)转变政府职能,建立健全间接的宏观调控体系,是社会主义市场经济体系顺利运行的迫切要求。

(5)合理的个人收入分配和社会保障制度,是社会主义市场经济体系运转的原动力和稳定剂。

2. 建立市场经济体制的重大步骤

我国的经济体制改革在经历了 80 年代初以农村改革为重点的第一阶段,和 80 年代中后期以城市为重点、城乡联动和全面改革以来,以十四大为标志,改革进入了新阶段。90 年代初改革的总体态势是,传统的计划经济体制已被打破,新的经济体制初见端倪,但还远没有全面建立起来。新旧两种体制在转轨时期的碰撞和摩擦错综复杂,成为经济发展中诸多矛盾和问题的重要根源。因此,新阶段是改革的攻坚阶段,是以建立新体制为主要使命的阶段,并经历了由继续侧重于“放”到建立规范的市场经济运行机制的过程。

1992 年由于邓小平南方谈话和十四大精神的迅速传播,有力地推动了人们加快改革开放的热情,全国改革开放就迅速形成了热潮。

1993 年 11 月《关于建立社会主义市场经济体制若干问题的决定》在中共十四届三中全会获得通过,新阶段改革有了总体规划后,本拟继续抓住国有企业这个建立社会主义市场经济体制的中心环节深化改革,转换经营机制,但考虑到我国当时宏观经济存在一定程度的失控,改革的焦点已逐步转向政府职能的转变和宏观管理体系的建立,如果这方面改革的步伐不加快,会拖住企业的后腿。因此,中共中央、国务院在加强治理经济过热的同时,从 1994 年初开始,重点进行了财税、金融、外汇、外贸、计划和投资的配套改革,改善和加强宏观调控体制,在走出旧体制、建立社会主义市场经济新体制方面打了一场漂亮的攻坚战。1995 年起,又不失时机地把改革的重点转向国有企业改革,针对国有企业改革中出现的新形势、新问题,有效地探索了国有企业改革的方向、思路、方针、改革的着眼点和工作的着重点,极大地推动了国有企业的改革。至 1997 年中共十五大召开,改革已沿着社会主义市场经济体制目标有了很大突破。

第一,发展要素市场,大力推进价格和流通体制改革。

发挥市场机制在资源配置中的基础性作用,必须培育和发展市场体系。这项工作在邓小平谈话后,1992 年就在全国积极展开。

(1)进一步推进价格改革,全面建设市场价格机制和管理机制。

市场对资源的调节,是通过价格传导的,要充分发挥市场的调节作用,必须建立主要由市场形成价格的机制,同时建立和健全价格调控机制。1992 年由于经过治理整顿,全国物价稳定,是价格改革的好时机,为此大幅放开和调整了价格;1993 年为了抑制通货膨胀,物价改革在继续调整价格的同时,着重进行了建立健全价格调控机制和价格法制建设。

(2)进一步改革流通体系,发展商品市场。

改革开放以来,商品市场的发育是比较早的,但地区和部门分割和封锁问题还较严重,国有商业企业的经营方式,还不适应商品流通需要,市场的调控体系有待加强。为此,在前几年建立多种经济成分、多种经营方式、多渠道、少环节流通体制的基础上,1992 年起进行了以下工作:

首先,着重加强了市场建设。根据初

步建立起以市场机制为基础、具有比较先进的管理水平和较完善的基础设施、开放、高效、畅通统一、可流通新体系，形成大市场、大流通、大贸易新格局的目标要求，一是现货批发市场以中心城市为依托，逐步建立起了以全国性批发市场为龙头，以区域性批发市场为骨干，辐射全国、交易集中、信息畅通的具有现代化水平和调控能力的工农业批发市场网络。二是期货交易的探索取得一定进展。继郑州批发市场、深圳有色金属交易所后，又建立了上海金属交易所、苏州物资交易所等期货市场，商品内容涉及粮食、钢材、木材、食糖、肉类、石油、化工、煤炭等。三是城乡集贸市场随着农产品、小商品和日用工业品的放开，进入发展的高潮。经过规划和整顿，初步形成了布局合理、各类市场比较健全的局面。这样，一个包括生产资料和生活资料在内的批发与零售相结合、大中小相结合、有形市场与无形市场相结合、现货市场与期货市场相结合的多层次、多种运行方式并存的商品市场网络初步形成，为建立全国统一市场奠定了基础。

其次，继续改革国有流通企业，更新流通方式、流通业态。国有流通企业全面推广了重庆“四放开”的经验，转换经营机制；大中型企业按建立现代企业制度方向逐步进行改制，中小企业分别实行了“改、转、租、包、卖、并”；在不断提高服务质量的同时，积极发展多种经营形式，其中连锁经营、代理制、配送制、公司加农户等新的流通方式已日益显露其优越性，超市、便利店、专卖店、仓储式商场、购物中心等多种业态呈现一片蓬勃景象。

再次，改革粮食、棉花、原油、成品油、化肥及副食品购销体制，加强流通领域的宏观调控。改革的主要内容，一是理顺购销渠道，减少流通环节。二是建立储备制度和风险基金。粮食、棉花、食油、食糖、肉类，以及油品、化肥都建立了专项储备，并建立了相应的风险基金。三是粮食等国有企业建立两条线运行机制，即实行政策性业务和商业性经营分开运作，机构、人员也彻底分开。

最后，整顿市场秩序。在市场不断扩展中，市场混乱问题，如假冒伪劣品泛滥，谋取暴利和不正当竞争盛行，一直影响着商品市场的正常运行。为此，曾大张旗鼓地开展反暴利行动，积极查处假冒伪劣商品等，加强对市场的管理和监督；颁布《反不正当竞争法》、《消费者权益保护法》、《经济合同法》、《广告法》、《商标法》《产品质量法》等法律法规，力图规范市场行为。但这些问题仍时起时伏，说明治理市场秩序，是一项长期任务。

(3)积极培育以金融、劳动力、房地产为重点的要素市场。

发展和规范要素市场，是建立市场体系的重点。1992 年起，随着建立社会主义市场经济体制方向的肯定，金融和房地产市场迅速发展，劳动力市场也逐步形成规模。

第二，宏观经济体制改革的重大突破。

为了在通货膨胀的情况下，通过改革加强宏观调控，构筑抑制经济过热的机制，从 1994 年起，财税、金融、外汇、计划、投资等方面的重大改革，经过周密规划，同时配套出台实施，至 1997 年，适应社会主义市场经济的，以间接调控为主的宏观经济体制框架初步形成。

五

“八五”期间的经济发展成就和存在的问题

以1992年邓小平同志重要谈话和中国共产党的十四大为标志，中国改革开放和社会主义现代化建设进入了新的发展阶段。在全国人民的共同努力下，完成或超额完成“八五”计划提出的主要任务。社会生产力、综合国力和人民生活水平上了一个新台阶，为全面实现第二步战略目标和21世纪初的持续发展奠定了坚实的基础。“八五”计划是新中国成立以来执行得最好的五年计划之一，在各方面都取得了很大的成就。

第一，国民经济持续快速增长，提前五年实现国民生产总值翻两番，经济实力显著增强

1995年，国民生产总值达到57600亿元。在1988年比1980年翻一番的基础上，用七年时间又翻了一番。“八五”期间国民生产总值年均增长12%，是1949年以来增长速度最快、波动最小的五年。

“八五”期间，第一产业年均增长4.1%，第二产业年均增长17.3%，第三产业年均增长9.5%。国有单位固定资产投资累计完成43000亿元，其中基本建设投资完成23000亿元，技术改造投资完成11000亿元。建成投产大中型基建项目845个，限额以上重点技改项目374个。

主要工农业产品产量稳步增长。1995年，粮食产量达到46500万吨，比1990年增加1900万吨；油料2250万吨，增加630万吨；肉类总产量5000万吨，增加2140万吨；水产品2538万吨，增加1230万吨；原煤129800万吨，增加22000万吨；原油14900万吨，增加1078万吨；天然气174亿立方米，增加217800万立方米；发电量1万亿千瓦时，增加3780亿千瓦时；钢9400万吨，增加2800万吨；十种有色金属425万吨，增加190万吨；化肥（折纯）2450万吨，增加570万吨；乙烯243万吨，增加86万吨；化纤290万吨，增加125万吨；汽车150万辆，增加99万辆；彩电1958万台，增加925万台；集成电路31000万块，增加2亿块。

第二，经济体制改革取得突破性进展，国民经济市场化、社会化程度明显提高，社会主义市场经济体制正在逐步建立

“八五”期间，确立了建立社会主义市场经济体制的目标和基本框架，市场在资源配置中不同程度地发挥了基础性作用。推进了财税、金融、外汇、外贸、投资、价格和流通体制改革，在价格形成机制、税收制度、汇率并轨等方面取得重大突破。国有企业、农村、科技、教育以及各项社会事业的改革也取得新的进展；适应社会主义市场经济的宏观调控体系开始形成，经济政策、经济杠杆和法律法规等手段日益发挥重要的作用。

第三，对外开放总体格局基本形成，对外贸易迅速增长，利用外资大幅度增加

“八五”期间，对外开放由沿海扩展到沿边、沿江、沿主要铁路线和内陆省会城市，经济特区继续发挥对外开放窗口的重要作用，浦东开放开发取得很大进展；对外开放的领域由一般加工业扩展到基础工业和基础设施；外商直接投资由中小企业扩展到大企业，多方位、多层次、多形式的对外开放格局基本形成。进出口总额五年超过1万亿美元。五年实际利用外资超过1600亿美元。引进先进技术和管理经验，促进了国内生产技术和管理水平的提高。

第四，产业结构调整取得明显成效，水利建设得到加强，能源、交通、通信建设创造了历史最好水平，支柱产业快速成长

“八五”期间，长江三峡、黄河小浪底和北江飞来峡水利枢纽相继开工建设；建成了黄淮海平原灌溉、引大入秦等一批水利工程；农村人畜饮水工程建设有了较大发展。农田灌溉面积净增200万公顷。

能源、交通、通信建设步伐加快，生产能力提高，对国民经济发展的“瓶颈”制约有所缓解。“八五”期间，发电装机总容量新增七千五百万千瓦，年均增长9%，1995年达到2亿1000万千瓦；新增铁路营业里程3000公里，复线3848公里，电气化2973公里，基本建成京九、宝中、集通新线和兰新复线，增强了铁路干网运输能力；新建和改造公路92000公里，其中高等级公路8000公里；新建和改建沿海港口中级以上泊位170个，增加吞吐能力1亿3800万吨；新建和改造了一批机场，客机座位增长1.4倍；铺设长途光缆干线10万公里，电话交换机总容量新增5895万门，年均增长42%。

汽车、电子、石化等产业生产能力快速增长，形成了具有经济规模的年产15万辆轿车、45万吨乙烯、300万台彩电的生产基地。轻纺织产品满足了国内市场需要，在国际市场上发挥比较优势，出口大幅度增加。

第五，各地区因地制宜发展优势产业，区域经济不同程度地发展壮大

“八五”期间，各地区经济都取得了很大发展，经济社会面貌发生显著变化。东部沿海地区发挥资金、技术、人才和地缘优势，资金技术密集以及外向程度高的产业迅速发展，对外经济技术交流水平进一步提高，辐射和示范作用进一步增强。中西部地区发挥资源优势，农业、能源、原材料等产业进一步壮大，有力地支持了全国经济发展。国家加强了支持中西部发展的力度，在扶持民族地区、贫困地区发展和基础设施建设等方面取得成效。地区间的分工合作与经济交流有了新的进展。

第六，科技教育事业取得重大进步，社会事业全面发展

科学技术研究进一步加强，五年共取得国家级科研成果16万项。一批成套技术装备研制成功，在生产建设中推广应用。各类教育事业迅速发展，在占总人口90%以上的地区普及了小学教育，普及九年义务教育和发展中等职业教育的工作顺利推进，高等教育结构调整加快。制定了《中国21世纪议程》，确定了可持续发展战略，环境和生态保护得到重视。计划生育取得新成绩，人口过快增长的势头得到抑制，人口自然增长率由1990年的14.39‰降到1995年的10.55‰。文化、卫生、体育事业都得到很大发展。广播和电视人口覆盖率分别达到78.7%和84.4%，比1990年提高4和5个百分点。

第七，城乡居民生活水平提高较快，生活质量进一步改善

“八五”期间，城镇居民人均生活费收入实际年均增长7.7%，农民人均纯收入实际年均增长4.5%。社会消费品零售总额实际年均增长10.6%。人民生活水平在80年代基本解决温饱的基础上继续提高，贫困人口由80年代末的8500万人减少到1995年的6500万人，城乡居住条件进一步改善，城镇人均居住面积由6.7平方米提高到7.9平方米。电话普及率由1.1%提高到4.6%。城镇职工实行了每周五天工作制。城乡居民生活质量提高，文化生活更加丰富。

第八，国防建设在调整中发展，和平利用军工技术取得显著成效

为了保卫国家安全，坚决贯彻积极防御的战略方针，国防实力不断增强，国防现代化取得新进展。军民结合、平战结合的方针继续得到较好的实施，国防科研水平进一步提高，国防工业的结构和布局得到进一步调整，重点专项工程的研制取得重大突破。军转民在核电、民用卫星、民用船舶、民用飞机制造和卫星发射等方面取得重大进展，开拓了国内市场，进入了国际市场，对国民经济发展起了重要作用。

“八五”国民经济和社会发展中存在的主要问题是：经营管理比较粗放，经济素质不高，经济效益较差；农业基础薄弱，不适应人口增加、生活改善和经济发展的需要；国有企业生产经营困难较多，管理体制和经营机制不适应社会主义市场经济的要求；在经济快速增长和经济体制转换过程中，通货膨胀压力依然较大；国家财力不足，宏观调控实力不强；在全国经济发展和人民生活普遍提高的同时，地区发展差距扩大，部分社会成员之间收入差别悬殊；在经济和社会生活中，有些腐败现象有所滋长，社会主义精神文明和民主法制建设面临不少新的问题。

“九五”计划

1996—2000年，是中国国民经济和社会发展第九个五年计划时期。

国际上，以信息技术为代表的科技革命突飞猛进，世界范围的经济结构调整和产业升级步伐明显加快，生产、投资、贸易、金融的全球化趋势进一步增强，跨国公司成为全球资源配置的重要力量。在经济全球化趋势下，1997年始发于泰国的金融危机迅速波及整个亚洲，对中国的出口、利用外资以及经济增长都带来了较大的冲击。

在国内，“九五”前期，针对通货膨胀率过高的突出矛盾，把抑制通货膨胀作为宏观调控的首要任务。通过综合治理，高通胀得到了有效控制，需求“过热”的局面迅速扭转，国民经济顺利实现了“软着陆”。与此同时，经过20多年的改革开放，中国社会生产力水平大幅度提高，长期困扰社会生活的商品短缺状况基本改变，形成了买方市场。经济结构问题随之凸现，主要工农业产品出现了阶段性、结构性过剩，国内有效需求不足成为经济生活中的突出矛盾，出现了通货紧缩的迹象，经济增长速度有所减缓。

面对错综复杂的国际国内环境，党中央、国务院牢牢把握“抓住机遇、深化改革、扩大开放、促进发展、保持稳定”的大局，正确处理改革、发展、稳定的关系，坚持用发展的办法解决前进中的问题，根据经济形势的变化适时调整宏观调控政策的取向和力度，保持了国民经济持续快速健康发展，全面完成了现代化建设的第二步战略部署。

1995年9月中国共产党通过了《中共中央关于制定国民经济和社会发展“九五”计划和2010年远景目标的建议》（以下简称《建议》）。根据建议的精神，国务院组织有关部门编制了《中华人民共和国国民经济和社会发展“九五”计划和2010年远景目标纲要》（以下简称《纲要》），并于1996年3月经第八届全国人民代表大会第四次会议审议通过。

一

“九五”计划制定的背景

“九五”计划面临的国际环境是：

第一，从总体上看，谋求和平、稳定和发展仍将是世界形势发展的主流。这就为中国继续集中力量进行经济建设提供了比较有利的外部环境。冷战结束以后，中国作为发展中的大国在世界政治经济中的地位和作用日渐突出。特别是前十几年的经济高速发展和综合国力的迅速提高，使得世界各国普遍看好中国广阔的市场和经济发展前景，这为中国提供了进一步扩大对外经济技术合作与交流的可能性，从而也将增加中国在国际上的回旋余地。

第二，从世界经济发展的趋势看，各国都在竞相谋求经济发展和增强综合国力。综合国力的竞争演化为科技实力的竞争，促进了世界科技革命的日新月异，产业结构调整、高技术的产业化步伐加快。这些将使中国与国外产业的联系呈现出不同层次的分工和合作，在巩固和发展现有产业分工的基础上，有可能开拓新的领域，增加新的合作内容。

第三，全球经济一体化、区域经济集团化是世界经济发展的另一大趋势。资金、技术、劳动力等生产要素依据比较利益原则在世界范围内流动，而中国则在劳动力、土地等要素资源方面具有低成本的比较优势，在利用国外资源，尤其是资金和技术等方面，仍然存在着广泛的机遇。中国现实和潜在的巨大市场，对国外投资者具有很大的吸引力。

第四，亚太地区仍将是世界经济发展最活跃的地区，这将为中国扩大与周边国家和亚太地区的经济交往提供新的机遇。“九五”期间，中国将分别对香港、澳门恢复行使主权，以及与台湾经济交流的增加，也有利于促进经济发展。

“九五”面临的国内环境是：

①广阔的国内市场是经济发展的强大推动力。②较高的国民储蓄率是保证经济能够持续快速增长的基础条件。改革开放以来，中国保持了平均高达35%左右的国民储蓄率。截至1995年底，中国城乡居民储蓄存款余额高达29662亿元。③作为发展中国家，后发优势依然存在。从总体上看，中国大多数产业的整体技术水平距离世界先进水平仍有较大的差距，今后仍具有直接引进国外成熟先进技术的条件，用于加快中国产业的发展和技术水平的提高。中国在发展基本物质产品和劳动力密集型产业以及参与国际分工与竞争中，仍然有劳动力成本低廉的优势。④已有的物质技术基础是继续前进的支撑条件。⑤社会主义市场经济体制的理论框架已经基本形成，社会主义市场经济体制框架正在逐步建立，“九五”末期将基本形成，这将进一步解放生产力，调动各方面的积极因素，为经济发展注入新的活力。市场配置资源基础性作用的发挥和政府宏观经济调控制度和手段的建立、健全，将促进整体经济效益的提高。

“九五”时期国民经济和社会发展的指导理念在计划当局所制定的《纲要》中明确反映出来。《纲要》指出，“抓住机遇、深化改革、扩大开放、促进发展、保持稳定”，是必须长期坚持的基本方针；要正确处理改革、发展、稳定三者的关系，重点解决关系全局的重大问题。

《纲要》提出，促进国民经济持续、快速、健康发展，关键是实行两个具有全局意义的根本性转变：一是经济体制从传统的计划经济体制向社会主义市场经济体制转变;二是经济增长方式从粗放型向集约型转变。经济体制转变要遵循市场经济的一般规律,同时坚持社会主义方向。通过转变经济体制,建立起适应社会主义市场经济的激励机制和约束机制;建立起市场竞争的优胜劣汰机制,提高产业和企业的市场竞争能力,提高劳动生产率,提高资源的利用效率;建立起在提高效率基础上兼顾公平的分配机制,合理分配国民收入。经济增长方式转变,要提高经济整体素质和生产要素的配置效率,注重结构优化效益、规模经济效益和科技进步效益。通过转变经济增长方式,实现从主要依靠增加投入来推动的经济增长,到大力提高经济增长的质量及效益,降低消耗和减少浪费来推动经济的增长。

二

“九五”计划的内容

《建议》将“九五”国民经济和社会发展的主要奋斗目标确定为:全面完成现代化建设的第二步战略部署,到2000年,在全国人口控制在13亿以内,也就是将比1980年增长3亿人左右的情况下,实现人均国民生产总值比1980年翻两番;基本消除贫困现象,人民生活达到小康水平;加快现代企业制度建设,初步建立社会主义市场经济体制;推动科技进步,调整产业结构,提高经济效益,增强发展后劲。为21世纪初开始实施第三步战略部署奠定更好的物质技术基础和经济体制基础。

《纲要》按照《建议》的精神,对“九五”国民经济和社会发展的主要奋斗目标作了深入研究和进一步细化。

1.经济总量持续增长,人民生活水平不断提高

到2000年,按1995年价格计算,国民生产总值由1995年的5.76万亿元增长到8.5万亿元,年均增长8%;人均国民生产总值达到6650元。按1980年价格计算,国民生产总值达到28100亿元,比1980年翻2.64番;人均国民生产总值达到2200元,比1980年的460元增加1740多元,届时人均国民生产总值将是1980年的4.8倍。

2.初步建立社会主义市场经济体制,市场在国家宏观调控下对资源配置起基础性作用

“九五”期间,经济体制改革的目标是,以公有制为主体,多种经济成分共同发展的格局得到巩固;大多数国有大中型骨干企业初步建立现代企业制度;统一开放、竞争有序的市场体系初步形成;以按劳分配为主体,多种分配方式并存的分配制度进一步完善;适应社会主义市场经济体制的宏观调控体系和法律体系基本确立。

3.产业结构进一步改善,有效供给能力增强

按照国民经济年均增长8%预测,“九五”期间第一产业年均增长3.5%,第二产业年均增长10%,第三产业年均增长9%左右,第三产业占国民生产总值的比重超过三分之一以上。要使农业的基础地位得到巩固和加强,主要农产品稳定增长;基础设施和基础工业制约国民经济发展的矛盾基本缓解;机械、电子、石油化工、汽车和建筑业进一步发展壮大,成为带动经济增长和结构升级的支柱产业。

4.科技教育发展水平明显提高,社会事业全面进步

5.转变经济增长方式取得成效,国民经济整体素质和经济效益有所提高

6. 经济增长速度

《纲要》提出，根据经济发展趋势和条件，努力保持总供给和总需求基本平衡。“九五”期间按国民生产总值年均增长8%左右把握宏观调控的力度。

7. 价格总水平

“九五”期间价格总水平的调控目标，要低于“七五”、“八五”期间价格总水平年均上涨10.1%和11.5%的幅度，且价格波动的峰谷差要小于“七五”和“八五”，保持相对平缓，避免出现“七五”期间从18.5%到2.1%、“八五”期间从2.9%到21.7%的大起大落。

8. 固定资产投资

以“九五”期间国内生产总值平均增长8%、通货膨胀率低于经济增长率作为依据，从实现经济增长方式的转变，扭转固定资产投资总规模偏大、投资效益较差的状况，努力提高资本产出比率和缓解通货膨胀压力的需要出发，“九五”固定资产投资率按30%来把握比较适宜，加上流动资产投资率7%，全社会总投资率为37%。据此测算，“九五”全社会固定资产投资共计约为13万亿元，年均增长10%，其中国有单位投资共计约为8.8万亿元，占68%，与“八五”比重持平。

9. 财政收支

“九五”期间财政工作要完成三项基本任务：一是振兴国家财政；二是健全国家财政职能；三是必须实行适度从紧的财政政策，基本消除财政赤字，控制债务规模，确保每年财政支出增长低于收入增长两个百分点，财政赤字平均每年减少100亿元左右，2000年赤字控制在100亿元，“九五”期间年度债务规模占国民生产总值的比重控制在3%以内。同时围绕经济社会发展目标和产业政策，调整财政资金投向和分布结构，把增加的资金更多地投到国家战略重点方面。

10. 货币供应

《纲要》规定，“九五”期间，狭义货币供应量M1年均增长18%左右，广义货币供应量M2年均增长23%左右。

11. 国际收支

“九五”期间国际收支平衡要达到以下宏观目标：一是在进一步扩大国际收支借贷总规模的基础上，坚持国际收支的基本平衡或略有顺差；二是要完善外汇市场和人民币汇率管理机制，保持汇率的相对稳定，以减轻汇率变动过频过大对经济运行的不利影响；三是利用“八五”期末外汇体制改革以来国家外汇储备增长和汇率相对稳定的有利时机，调整外资结构，控制债务规模的进一步增长，加强对直接投资的结构调整和投向引导，以减轻未来期的偿债、分红等资金流出压力，实现从“不成熟债务国”向“成熟债务国”的平稳过渡。

12. 人口和劳动就业

“九五”人口规划目标，即到2000年，全国总人口控制在13亿以内，“九五”期间人口自然增长率年均为10.83‰。

“九五”期间劳动就业的主要目标是，扩大城乡就业规模，五年内城镇新增就业4000万人，向非农产业转移4000万农业劳动力，城镇失业率力争控制在4%左右。初步建立起全国统一、开放、竞争、有序的劳动力市场体系，实现利用市场机制合理配置劳动力资源。建立失业保险、救济、转化和促进再就业的新机制，力争使失业职工再就业率达到70%以上。

三

"九五"计划的调整

"九五"期间,中国经济环境所发生的复杂变化是前所未有的。前期,国民经济成功实现"软着陆"。紧接着就爆发了亚洲金融危机,国内新的矛盾和问题也逐渐显现,导致社会有效需求不足。决策当局及时作出新的战略部署,调整指导方针和政策重点,保持了宏观经济的稳定。

1998年3月,中国新一届政府成立。面对着严峻的国内和国际经济环境,新一届政府成立伊始就对中国改革和发展作出了新的部署,明确提出了"一个确保、三个到位、五项改革"的任务。

"一个确保",就是必须确保1998年中国的经济发展速度达到8%,通货膨胀率小于3%,人民币不能贬值。

"三个到位",就是确定在三年的时间里,①使大多数国有大中型亏损企业摆脱困境进而建立现代企业制度;②彻底改革金融系统,即中央银行强化监管,商业银行自主经营;③从中央到地方,展开新一轮政府机构的改革。

"五项改革",就是①粮食流通体制改革;②投资融资体制改革;③住房制度改革;④医疗制度改革;⑤财政税收制度改革。

1.1998年:扩大内需方针的提出和扩张性宏观政策的启动

1998年初,党中央、国务院提出了扩大内需、保持国民经济持续快速健康发展的方针政策。指出为了弥补出口增长幅度下降对经济增长带来的不利影响,确保国民经济的持续快速健康增长,必须立足于扩大国内需求,发挥国内市场的巨大潜力。在国内加工工业能力普遍过剩的情况下,为了避免重复建设,扩大内需应以加大基础设施建设为主,重点增加农林水利设施建设,铁路、公路、通信、环保等基础设施建设,城市公共设施建设,普通民用住宅建设,高新技术产业方面的投资,并适当增加对中小企业和乡镇企业在基础技术开发、人员培训和技术改造方面的投资。同时,要合理引导城乡居民消费,拓宽消费领域,扩大消费需求。这样实际上已经把1993年以来适度抑制需求扩张的政策基调,转变到积极扩大需求的方向上来。

1998年的情况表明:因应扩大内需的方针,宏观调控政策已经发生了转向,即从紧缩性的政策转向了扩张性的政策。

2.1999年:投资和消费需求双拉动

在部署1999年的经济工作时,党中央、国务院认为,1999年中国经济发展所遇到的困难将比1998年更大一些,特别是外贸出口形势将更加严峻,利用外资也将会遇到新的困难,而转变国内市场需求不足、社会投资不旺的状况还要有一个过程;同时考虑到1998年遭受了特大洪涝灾害,灾后重建、水利建设和水毁工程的修复刻不容缓,于是决定继续实施积极的财政政策,进一步扩大政府投资。1999年初,在1998年国债发行规模的基础上,增发500亿元长期国债,用于基础设施建设;同时加强了国债资金的管理工作。

1999年年中,我国经济发展所面临的外部环境仍然十分严峻,导致外贸出口和利用外资双下降。同时,国内经济生活中的一些问题也更加明显地表现出来:一是固定资产投资增长速度放慢;二是消费需求持续不振,市场销售仍然不旺。有鉴于此,决策层决定进一步加大积极财政政策的实施力度,同时采取综合对策,进一步扩大国内需求，鼓励出口，促进经济快速增长。

3.2000年：巩固已有调控成果

2000年是世纪之交的一年，也是完成“九五”计划和20世纪末重要奋斗目标的最后一年。鉴于经济运行中存在的主要问题仍然是有效需求不足，有必要坚持实行扩大内需的方针，努力增加有效需求。为此，决定继续加大实施积极财政政策的力度，年初财政预算安排发行1000亿元长期建设国债，用于扩大投资需求，同时综合运用各种货币政策工具，切实加大金融对经济发展的支持力度。

1998—2000年这三年，扩大内需的方针取代了原有的抑制需求膨胀的方针，扩张性的政策取代了原来的紧缩性政策。这是“九五”计划内容的重大调整。

四

“九五”计划实施的结果

“九五”期间，我国在经济与社会发展、市场化改革、对外开放方面均取得了不少进展，在宏观调控方面也积累了丰富的经验，这些成绩表明第九个五年计划胜利完成。

“九五”期间，我国经济与社会全面发展，顺利完成了社会主义现代化建设的第二步战略目标，即在1995年提前实现国民生产总值比1980年翻两番的基础上，1997年又比预期目标提前三年实现了人均国民生产总值比1980年翻两番的目标，人民生活总体上达到了小康水平，为进一步实现第三步战略目标奠定了良好的基础。

1.国民经济持续快速健康发展，综合国力进一步增强

(1)国民经济总量跃上新的台阶

五年间，国内生产总值(GDP)年均增长8.3%，大大高于世界平均3.8%的增长速度。2000年GDP达到8.94万亿元，用当年汇率折合成美元，突破1万亿美元。按照当年人口12.7亿计算，人均国内生产总值达到850美元，进入世界银行划分的下中等收入国家水平。

“九五”期间也是国家财力增长最多的一个时期，国家财政收入平均每年增长16.5%，五年累计超过5万亿元，比“八五”时期增加1.3倍。从增收的幅度看，“七五”期间财政年均增收186亿元；“八五”年均增收661亿元，比“七五”增长了2.6倍；“九五”年均增收1428亿元，比“八五”增长1.2倍，其中“九五”前三年年均增收1211亿元，1999年增收1568亿元，2000年增收1936亿元，上了一个大台阶。

(2)主要工农业产品产量有较大提高

“九五”期间，粮食等主要农产品供给实现了由长期短缺到总量基本平衡、丰年有余的历史性转变。粮食年生产能力达到5亿吨左右的水平；其他主要农产品产量2000年与1995年相比，油料增长31.1%，水产品增长70.4%，肉类增长19.2%。主要工农业产品产量位居世界前列。谷物、油菜籽、花生、肉类、烟叶、水产品、棉花、水果、钢、煤炭、水泥、化肥、电视机等产量位居世界第一，茶叶、羊毛、化学纤维、发电量位居世界第二，甘蔗、黄麻、糖、轮胎、棉布产量位居世界第三。

(3)产业结构调整取得积极进展

农业结构进一步优化。“九五”期间，中国农业积极适应市场需求变化，大力调整生产结构，发展多种经营。在种植业内部，粮食作物播种面积占农作物总播种面积的比重由“八五”末期1995年的73.4%下降到2000年的69.4%，5年下降了4个百分点，而经济作物和饲料作物的种植面

积明显扩大，占农作物种植面积的比重2000年首次上升到30%以上；在畜禽产品中，草食家畜和家禽的比重继续上升，猪肉的比重下降，猪肉在内类总产量中的比重由1995年的68.7%下降到2000年的65.8%；在农林牧渔业总产值中，农业的比重由1995年的58.4%下降到2000年的55.7%，林牧渔业的比重则由41.6%上升到44.3%。与此同时，农产品品种结构调整步伐加快，高产优质高效农业有较大发展。优质早稻、专用小麦、特用玉米、"双低"油菜、名特优水果和蔬菜等种植面积增加，名特优新养殖产品快速增长。此外，农产品生产区域结构也发生了重大变化，布局进一步向比较优势明显的地区集中，农业生产不断向区域化布局、规模化生产、产业化经营方向迈进。

工业结构调整不断取得成效。一方面，采取措施淘汰落后和压缩过剩的生产能力。1997年纺织行业以压锭为突破口，三年累计压缩和淘汰落后的1000万棉纺锭的生产能力；冶金行业按照市场需求，限制长线产品生产，淘汰落后工艺设备，关闭小钢铁企业100多户；煤炭行业三年累计取缔和关闭非法及布局不合理的各类小煤矿47300处，压缩产量3.48亿吨；石油化工行业共取缔6000多座土炼油厂，关闭了100多家小炼油厂，压缩原油加工能力1100余万吨；电力行业关停小火电机组305台，压缩装机容量420万千瓦；建材行业到2000年累计关闭小水泥窑3125座，淘汰落后生产能力7933万吨，关闭小玻璃生产线187条，淘汰落后生产能力2592万重量箱；制糖行业共关闭小糖厂150户，淘汰生产能力273万吨。这些总量调控措施使上述行业明显减亏增盈。与此同时，按照增加品种、改善质量、提高效益和替代进口的要求，加快企业技术改造；同时积极发展电子、信息等一大批新兴产业和高新技术产业，培育新的经济增长点。"九五"期间，信息产业年均增长速度超过30%。2000年与1995年相比，电子及通信设备制造业产值增加了1.9倍，电子计算机、微型电子计算机和大规模半导体集成电路的产量分别增长了5.1倍、7倍和2.1倍。1999年电子信息产品制造业首次超过纺织、化工、冶金、电力等传统行业，位列工业各行业之首，成为中国工业经济的第一支柱。随着电子信息产业的发展，中国社会经济信息化的程度也迅速提高。"九五"期间，中国固定电话网和移动通信网平均每年扩容4600万线，新增用户3700万户，2000年末固定电话网和移动电话网规模均居世界第二位。

第三产业稳定增长，对经济增长的拉动作用有所增强。"九五"时期，第三产业增加值由"八五"末期的17947.2亿元增加到29878.7亿元，净增11931.5亿元，按可比价计算年均增长8.2%；占国内生产总值比重的由30.7%提高到33.4%，上升了2.7个百分点；第三产业对新增GDP的贡献率达到38.5%，比"八五"时期的30.4%提高了8.1个百分点。不仅如此，第三产业就业增长迅速，成为吸收就业的主要渠道。"九五"期间，全社会从业人员共增加4020万人，其中第一产业增加了513万人，第二产业增加了564万人，第三产业则增加了2943万人，占全部新增就业的73.2%。第三产业不仅吸纳了大量新增的劳动力，而且还吸收了部分第一、二产业转移出来的劳动力。到2000年底，全社会从业人员共72085万人，其中第一产业为36043万人，占50%；第二产业为16219万人，占22.5%；第三产业为19823万人，占27.5%。与1995年相比，第一产业就业比重下降2.2个百分点，第二产业下降了0.5个百分点,第三产业则上升了2.7个百分点。

基础产业和基础设施建设成绩显著,"瓶颈"制约得到缓解。在积极财政政策的持续作用下,"九五"期间,全社会固定资产投资总规模达13.87万亿元,集中力量办成了一些多年想办而未办成的大事。城乡基础设施方面:新建城市道路1308公里,新增城市日供水能力1887万吨,日污水处理能力824万吨,日垃圾处理能力3.13万吨;利用国债资金加固大江大河大湖堤防1.64万公里,建成中央储备粮库仓容500多亿斤,新建和改造农村电网高、低压线路近200万公里。能源工业方面:新增天然气开采能力150亿立方米,新增原油开采能力5900万吨,新增大中型发电机组容量9400万千瓦,新增原煤开采能力9600万吨。交通运输方面:新建铁路主线正线交付运营里程6140公里,增建铁路复线交付运营里程4365公里。公路建设新增通车里程24万公里,新建高速公路1.15万公里。2000年末全国公路总里程达到140万公里,其中高速公路1.62万公里,居世界第三。全国98.3%的乡镇、90.1%的行政村通达公路。新建、扩建和改造民航机场40个,其中枢纽和干线机场22个,新增航线里程39万公里。新增内河千吨级以上航道1140公里,沿海港口万吨以上泊位新增180个。通信设施方面:基本实现了以"八纵八横"光缆为主体的省际干线传输网的建设,数字微波和卫星通信也得到长足发展。

(4)区域发展战略作出重大调整

从"九五"时期开始,中国政府将区域经济协调发展放到一个新的高度来认识,并对区域发展战略和区域政策重新作了调整。1999年党中央、国务院提出实施西部大开发战略,进而出台了一系列有利于区域协调发展的重大举措①,区域协调发展获得了前所未有的动力。"九五"期间,东部与中西部地区的GDP增长速率差距缩小并出现了持平的趋势。在此阶段东部地区的GDP年均增长率降为10.43%,西部地区的GDP增长速度则始终维持在9.77%的较高水平,中部地区的GDP增长速度也出现了下降趋势,但其下降幅度明显慢于东部地区,该阶段其GDP年均增长率为10.1%。由此到"九五"末期,三大地带的GDP增长速度基本持平,东中西部地区以大体相近的速度向协调化方向迈进。随着整体经济实力的增强,中西部地区出现了一系列经济快速增长的亮点区域。同"八五"时期相比,"九五"期间区域发展速度高于全国GDP平均增长速度的中西部省市增加了5个,达到13个;相比于其他省市,湖北、安徽、宁夏、河南、江西等省的发展速度更为突出,已基本接近东部省市的发展速度。西安、重庆、成都、昆明、乌鲁木齐等城市业已成为中西部地区辐射功能强大的经济核心,长江、黄河、新亚欧大陆桥、京九铁路和南昆铁路也逐渐确立了在中西部地区的发展主轴线地位。

2.人民生活不断改善,总体上达到小康水平

(1)居民收入稳步增长

2000年,城镇居民家庭人均可支配收

① 突出的是优先在中西部地区安排资源开发和基础设施建设项目,引导外资更多地投向中西部地区、逐步增加对中西部地区的财政支持(1999年中央财政向中西部地区增加转移支付358亿元,2000年达到600亿元左右,成为1994年以来最大规模的相对规范的转移支付),以及在西部地区实行"退耕还林(草)、封山绿化"等改善生态环境的措施。

入和农村居民家庭人均纯收入分别达到6280元和2253元,剔除价格变动因素,五年均增长5.8%和4.7%。

(2)居民消费水平提高,生活条件改善

"九五"期间,全社会消费品零售总额年均增长率达到10.6%。2000年城镇居民家庭人均消费性支出和农村居民家庭人均生活消费支出分别为4998元和1670元,与1995年的3538元和1310元相比,分别增长41.3%和27.5%。

(3)居民消费结构改善

城镇居民消费中,食物性消费的比重(恩格尔系数)由1995年的49.9%降低到2000年的39.2%,下降了10.7个百分点;同时,人均粮食消费量下降了15.2%,而牛羊肉、禽类、水产品、蛋类的消费量则分别增长10.9%～37.5%,鲜乳品及酸奶增加1.3倍。在农村,食物性消费所占比重,即恩格尔系数由58.6%下降到49.1%,下降了9.5个百分点。

(4)居民金融资产大幅增加

城乡居民储蓄存款余额到2000年底达6.4万亿元,比1995年增长1.2倍;股票、债券等其他金融资产也迅速增加,2000年人均购置有价证券43元,比1995年增长45.7%。

(5)农村贫困人口大幅减少,"八七"扶贫攻坚目标基本实现

"九五"期间,中央投向扶贫领域的资金累计高达940多亿元,是"八五"期间的2.4倍。全国未解决温饱问题的贫困人口从1995年的6500万人减少到2000年的3000万人,农村贫困发生率下降到3%左右。到2000年底,贫困地区通电、通路、通邮、通电话、广播电视覆盖的行政村分别达到95.5%、89%、69%、67.7%和95%。

3.科技教育加快发展,社会事业全面进步

(1)科技事业取得丰硕成果

"九五"期间,促进科技与经济的紧密结合,科技体制改革迈出坚实步伐。五年间,累计科技经费投入5828亿元,是"八五"的1.9倍。"九五"每年平均取得科技成果3万余项。两系法杂交水稻技术、水稻基因图谱的绘制、体细胞克隆羊的诞生、转基因试管牛的问世以及重大疾病的基因测序和诊断治疗等技术的突破,使中国生物技术总体水平接近发达国家;高清晰度电视、"神威"计算机、12英寸单晶硅材料、6000米无缆自制水下机器人的研制成功,皮肤干细胞再生技术、纳米技术等重大成就的取得,使中国在相应领域跃入世界先进行列。五年间,选育粮食、经济作物、蔬菜品种上千个,普遍增产10%以上,农业新技术得到了广泛的推广应用,有力地促进了农业科技进步。工业科技在数字程控交换机、镍氢电池、非晶材料等方面取得了重大技术突破,提升了中国重点产业技术水平;计算机辅助设计(CAD)、计算机集成制造系统(CIMS)等一大批重大共性技术的推广应用,大幅度提高了企业技术创新能力。

(2)各级各类教育全面发展

2000年全国普及九年义务教育的人口覆盖率达到85%,比1995年的36.2%明显提高。小学学龄儿童入学率达99.1%。初中阶段在校学生达到6256万人,比1995年增长32%,初中毛入学率达到88.6%。青壮年文盲率下降到5%以下,基本普及九年义务教育和基本扫除青壮年文盲的目标初步实现。

高中阶段教育得到较大规模发展,平均每年招生753万人,比"八五"增长36%。

高等教育快速增长。2000年全国普

通高校招生数达到220.6万人，比1995年增长138%，在校学生数达到556.1万人，增长91%。在学研究生人数和招生数分别达到30.12万人和12.85万人，比1995年增长107%和151%。高等教育规模的扩大，使中国高等教育毛入学率在1999年突破了10%，2000年提高到11%左右。

(3)积极实施可持续发展战略，人口、资源、环境、生态工作得到进一步的重视和加强

在人口控制方面，到2000年底，全国人口总数为12.66亿，实现了到2000年将全国人口规模控制在13亿以内的目标。人口自然增长率由1995年的10.55‰下降到2000年的8.7‰。

在资源合理利用和保护方面，实行基本农田保护和耕地占补平衡制度，以遏制耕地逐渐减少的势头；依法关闭了一批破坏资源的小煤窑、小炼油厂、小矿山，促进了矿产资源的保护；在加强水资源管理、开展节水工程，以及其他资源的节约和合理开发利用方面也都取得了一些进展。

在防治环境污染方面，结合产业结构调整和技术改造，关闭技术落后、质量低劣、浪费资源、污染严重的小厂小矿8.4万家，对降低污染物排放总量，控制环境质量恶化局面起到了重要作用。同时大力推进"一控双达标"(控制主要污染物排入总量，工业污染源排放达标和重点城市的环境质量按功能区达标)工作，全面展开"三河"(淮河、海河、辽河)、"三湖"(太湖、滇池、巢湖)水污染防治，"两控区"(酸雨污染控制区和二氧化硫污染控制区)大气污染防治、一市(北京市)、"一海"(渤海)的污染防治，环境污染防治取得阶段性进展。12项主要污染物2000年排放总量比1995年下降了10%～15%。到2000年底，47个环境保护重点城市中，近20个城市的空气和地面水质量可以按功能区达标。1997年实现了淮河流域工业企业水污染源的达标排放，1998年又实现了太湖流域工业企业水污染源的达标排放，滇池和巢湖也已基本实现了全流域工业企业水污染源的达标排放。"两区"二氧化硫排放量有较大幅度削减，达80万吨。首都的环境质量得到改善。可以说，"九五"期间，全国环境污染加剧的趋势开始得到控制，大部分城市和地区的环境质量有所改善。

在生态保护方面，在继续加强实施"三北"防护林、长江中上游防护林、沿海防护林等建设工程的同时，从1998年起，国家启动了天然林资源保护工程和重点地区生态环境建设综合治理工程；结合西部大开发，在长江、黄河中上游地区开展了"退耕还林(草)"试点，采取封山育林、荒山绿化、控制草原过度放牧等综合性措施，恢复植被；积极开展全国自然保护区和农村生态示范区的建设，建成各类自然保护区1000多个，自然保护区总面积达到9821万公顷，占国土总面积的9.9%，县、乡、村各级生态农业试点达到2000多个；进一步加强水土保持和小流域综合治理，全国治理面积连续几年超过5万平方公里。同时重点加强了环境法制建设，增加环保的资金投入(1999年环保投入占GDP比重首次达到1%)，加强了环保科研，培育环保产业，拓展有关国际合作。

(4)文化、卫生、体育等各项社会事业继续发展

到2000年底，中国广播人口覆盖率和电视人口覆盖率分别达到92.5%和93.7%，比1995年分别提高13.7个百分点和9.2个百分点。医疗保险体制改革和医疗卫生体制改革迈出新的步伐，城镇社区卫生服务、农村合作医疗和初级卫生保

健体系得到发展，居民的健康水平有了新的提高。全国卫生机构总数达32万个，增加13万个；城乡每万人拥有医生数17人，增加1人；人均预期寿命达到71—72岁，居民主要健康指标居发展中国家前列。体育战线捷报频传，全民健身形成热潮。

在取得上述成就的同时，“九五”期间中国经济与社会发展中也存在一些突出的问题。

一是产业结构不合理。表现在：①产品供求结构错位。一方面是低质量、低档次、低附加价值的产品的生产能力严重过剩，另一方面高质量、高档次、高附加值的产品却严重短缺，只得依赖进口。②地区间产业结构趋同，重复建设严重。产业的地区趋同，已从初级产品，延伸到以家电为代表的机电类产业，进而扩展到其他支柱产业。据统计，在制定“九五”计划和2010年远景目标规划中，将电子作为支柱产业的省、市、自治区有24个，汽车有22个，机械、化工各为16个，冶金为14个。③服务业发展仍然滞后。“九五”期间，中国经济处在工业化的中期阶段，从世界各国经济发展的经验看，这个阶段服务业的发展应快于整个国民经济的发展。但“九五”期间中国第三产业年平均增长速度却滞后于GDP年均增长速度0.1个百分点。④产业组织结构仍不合理。其一，大企业的发展速度不快，还没有形成真正具有全球竞争优势的大企业。其二，产业集中度较低，生产分散化。从产业集中度的国际比较来看，中国与发达国家的差距甚大，大多数行业不及发达国家的一半。其三，企业组织结构松散，大企业和中小企业之间缺乏合理的专业化分工协作。“大而全”、“小而全”的现象比较突出，处于同一行业的大中小型企业在产品结构、技术结构和劳动组织等方面有较大的相似性。⑤主要生产工艺、技术装备落后，资源利用率低。据对钢铁、煤炭、有色金属、石油化工等16个行业调查，多数大中型企业关键技术的开发和应用水平与国际先进水平有相当大的差距。国有工业企业关键设备达到国际先进水平的仅占15%左右。能源综合利用率仅为32%左右，比国外先进水平低10多个百分点，每万元国民生产总值能耗比发达国家高4倍多。

二是地区经济发展不协调。“九五”期间，尽管东西部的GDP增长速度逐渐持平，但地带间的经济差距仍然继续扩大。从人均GDP绝对值看，东部与中部地区的差距由1995年的3087元扩大到2000年的4790元，年均扩大差距341元；东部与西部地区的差距由1995年的3832元扩大到2000年的6162元，年均扩大差距466元。2000年，排在首位的上海的人均GDP达到34547元，而排在末位的贵州的人均GDP只有2662元，前者是后者的13倍。从GDP比重看，西部地区GDP占全国的比重只由“九五”之初的14.2%略微上升到2000年的14.8%，年均仅上升0.1个多百分点。

三是就业形势依然严峻。从城镇看，尽管“九五”期间城镇居民家庭人均可支配收入整体上增长较快，但城镇低收入群体的收入增长相对缓慢，城镇就业难度加大。2000年末，全国城镇登记失业人口为595万人，登记失业率为3.1%；国有企业下岗职工总数为657万人（1999年结转650万人，2000年新增448万人，同期出再就业服务中心441万人）。全国下岗职工再就业率从1996年的57.6%一路下降到2000年的35.4%，其中老工业基地、国有工业单一城市的下岗职工再就业尤其困难。而在农村，还有1.5亿左右的农业剩余劳动力需要转移。此外，还有每年近千万新增劳动力的就业压力。如何创造足够的就业机会，成为中国经济发展面临的巨大挑战之一。

四是农民收入的增幅连续四年下滑。“九五”期间，由于农产品阶段性和结构性过剩，以及农副产品价格下降，农民从农业中得到的现金收入增长几乎处于停滞状态，2000年农民通过出售农产品获得的收入比1997年下降了3.9%。

五是居民收入差距继续扩大。尤其是城乡居民收入差距的幅度加大，“九五”期间由于农村居民收入增长的幅度小于城镇居民收入增长的幅度，2000年农村居民实际人均收入只相当于城镇居民的40.7%，比1996年的44.2%下降了3.5个百分点。

六是城市化水平明显滞后。

七是科技、教育水平落后，人才资源不足。2000年中国的技术竞争力仅排名第28位。科技方面的突出问题是：①研究开发投入严重不足。②研究开发投入出现错置，企业的技术创新主体地位没有建立起来。

八是人口资源环境形势严峻。①人口压力仍然很大，人口老龄化问题日趋突出，人口文化素质不高。由于人口基数大，每年新增人口仍在1000万以上。“九五”末期，60岁以上的老龄人口达到1.3亿，约占全国总人口的10%。全国从业人员中初中和小学文化程度的比例为70%左右，文盲率仍然高达10%左右，尤其是大专以上的比例不到5%，远低于世界其他国家特别是一些高收入国家的平均水平（这些国家大学学历从业人员占从业人员总数的比例达到20%甚至更高）。农业劳动力素质偏低的问题尤为突出：农业劳动力中，文盲半文盲约占1/6，小学文化程度约占40%，受过职业教育和培训的仅占5%。②资源形势日趋严峻，不容乐观，突出的是耕地、石油和水等重要资源短缺。耕地总量因建设占用、生态退耕等因素还在继续减少，人均耕地只有0.1公顷，仅相当于世界平均水平的44%，而且由于荒漠化、水土流失、环境污染等，耕地质量呈总体下降趋势。“九五”期间，石油消费量与生产量之间的差额不断扩大，石油净进口量从1995年的1005万吨上升到2000年的6974万吨，平均每年增加1194万吨；“九五”末期石油对外依赖度接近30%。中国水资源总量仅占世界水资源总量的7%；人均占有水资源仅为世界平均水平的1/4，居世界第110位，被列为世界13个人均贫水的国家之一。按照联合国的标准，人均占有2000立方米属于严重缺水，人均1700立方米为用水紧张地区。依据这一标准，“九五”末期，中国有16个省（市、区）严重缺水，其中北方有9个省（市、区）的人均占有量只有500立方米；全国建制的600多个城市中，缺水的就达400多个，其中100多个严重缺水；2000年有1770多万城市人口发生临时性饮水困难。除了总量不足外，水资源的分布也不平衡，而且污染严重，利用率低。③生态环境问题仍很严重，表现在水土流失和荒漠化加剧，森林破坏还没有完全得到控制，城市污染和水系污染严重。“九五”时期，全国每年新增水土流失面积近1万平方公里，水土流失面积已占到国土总面积的40%左右。全国荒漠化面积达260多万平方公里，并且每年还以2460平方公里的速度扩展；此外，退化、沙化、盐碱化草地面积达135万平方公里，其中北方和青藏高原草地“三化”面积达90%。有15%～20%的动植物种类受到威胁，人均占有森林面积仅0.1公顷，只相当于世界平均水平的17%。全国符合大气质量环境一级标准的城市很少，据世界卫生组织1998年统计，世界上十个污染最严重城市中中国就占了七个。七大水系三分之一以上河段被严重污染，全国酸雨面积也呈扩大之势，已占到国土面积的三分之一左右。

国有企业改革和“三年脱困”

20世纪90年代我国加快了国有企业改革的步伐，取得许多新的进展。但是长期在国家保护下的国有企业陷入僵局，如何处理改革、发展、稳定三者关系成为这一时期的重要问题。十五大提出了“三年脱困”的目标，即从1998年开始到2000年三年内，使国有及国有控股大中型亏损企业扭亏为盈，基本脱困。从1992年到2002年的11年间，国有企业改革大致经历了以下历程并基本实现了整体脱困，走上了良性循环的道路。

一

逐步明确建立现代企业制度的目标

经过十几年的国有企业改革，我国采取扩大国有企业经营自主权、改革经营方式等措施，增强了企业活力，为企业进入市场奠定了初步基础。但进入20世纪90年代以来，改革陷入深水区，建立现代企业制度成为这一时期国有企业改革的目标。1992年10月，中共十四大明确指出，我国经济体制改革的目标是建立社会主义市场经济体制，并要求围绕社会主义市场经济体制的建立加快经济改革步伐。1993年11月，中共十四届三中全会通过了《中共中央关于建立社会主义市场经济体制若干问题的决定》（以下简称《决定》），明确指出，我国国有企业的改革方向是建立“适应市场经济和社会化大生产要求的、产权清晰、权责明确、政企分开和管理科学”的现代企业制度。要求通过建立现代企业制度，使企业成为自主经营、自负盈亏、自我发展、自我约束的法人实体和市场竞争主体。《决定》指出，现代企业制度基本特征，一是产权关系明晰，企业中的国有资产所有权属于国家，企业拥有包括国家在内的出资者投资形成的全部法人财产权，成为享有民事权利、承担民事责任的法人实体。二是企业以其全部法人财产，依法自主经营，自负盈亏，照章纳税，对出资者承担资产保值增值的责任。三是出资者按投入企业的资本额享有所有者的权益，即资产受益、重大决策和选择管理者等权利。企业破产时，出资者只以投入企业的资本额对企业债务负有限责任。四是企业按照市场需求组织生产经营，以提高劳动生产率和经济效益为目的，政府不直接干预企业的生产经营活动。企业在市场竞争中优胜劣汰，长期亏损、资不抵债的应依法破产。五是建立科学的企业领导体制和组织管理制度，调节所有者、经营者和职工之间的关系，形成激励和约束相结合的经营机制。所有企业都要向这个方向努力。

《决定》提出建立现代企业制度是一项艰巨复杂的任务，必须积累经验，创造条件，逐步推进。国有大中型企业是国民经济的支柱，推行现代企业制度，对于提高其经营管理水平和竞争能力，更好地发挥主导作用，具有重要意义。在社会主义市场经济体制框架下建立现代企业制度是国企改革实践的重大突破，具有划时代的意义，为国企改革指明了方向。

二

股份制和公司制的推进与资本市场发展

股份制试点在1986年就被提出了，但当时是为了增强企业活力，仅针对少数有条件的大中型全民所有制企业。投融资体制实行“拨改贷”之后，随着国有企业经营亏损日益增加，银行对国有企业的不良贷款率不断攀升，间接融资渠道很难满足国有企业改革资产重组、规模扩张等的融资需求，此外，解决国有企业历史遗留的过度负债和财产损失需注入庞大的资金，在国有企业改革中，仅靠银行的间接融资已难以满足其巨大的资金需求。因此，通过资本市场发展直接融资是必然的出路。1992年国务院颁布了《股份制企业试点办法》、《股份有限公司规范意见》、《有限责任公司规范意见》、《股份制试点企业财务管理若干问题的暂行规定》等11个法规，引导股份制试点走向规范化。1993年中共十四届三中全会提出的《中共中央关于建立社会主义市场经济体若干问题的决定》指出，要利用资本市场积极稳妥地发展债券、股票融资。同时，资本市场的发展有利于现代企业制度的建立。因为企业为了自己的股票能够上市，利用直接手段来融资，必须按照《公司法》要求，对企业进行公司制的改造，并完成上市公司的规范操作。在利用资本市场解决国企改革的融资问题的过程中，一方面大力发展国内的资本市场，另一方面让一些企业走出去，在国际资本市场上进行融资。1994年，为了落实《中共中央关于建立社会主义市场经济体制若干重大问题的决定》的精神，国家经贸委、体改委会同有关部门，选择100户不同类型的国有大中型企业，进行建立现代企业制度的试点。随后，全国各地根据本地区的实际情况，先后选定了2500多家国有企业参与现代企业制度试点。本着“产权清晰、权责明确、政企分开、管理科学”的要求，这些试点企业在清产核资、明确企业法人财产权基础上，逐步建立了国有资产出资人制度，建立了现代企业制度的领导体制和组织制度框架，初步形成了企业法人治理结构。

1995年，按照党的十四届三中全会确定建立现代企业制度的目标，政府开始进行百户现代企业制度试点、18个中心城市“优化资本结构试点”、57户企业集团试点和3户国家控股公司试点。除了国务院确定的100家试点企业外，各级地方政府也根据本地实际情况，选定了一些试点企业，全国累计达2000多家。调查表明，建立现代企业制度试点的企业生产经营总量稳定增长，国有控股企业和实行有限责任公司制的企业生产经营增长较快。1996年以来，我国加大了对120家大型企业集团进行试点工作的力度。1996年，全部试点企业销售收入或营业额达12125亿元，比上年增长40%。其中，国有控股企业增长9%，试点企业的资产经营情况有所好转，资产增值明显，资产负债率有所下降。全部试点企业资产负债率为65.8%，较上年下降2.4%，增产增值为26.5%。1996年，全部试点企业实现利润422.8亿元。与之相适应，政府进一步深化了税收体制、财政体制、投资体制、金融体制、外贸体制等配套改革。转变政府职能和培育市场体系也取得了进展。

1997年9月中共十五大提出，股份制

是现代企业的一种资本组织形式，资本主义可以用，社会主义也可以用。特别提出股份制是企业财产组织形式，没有“姓资姓社”的区别。中共十五大在推进国有产权改革方面有了新突破，强调要着眼于搞好整个国有经济，抓好大的，放活小的，以资本为纽带，通过市场形成具有较强竞争力的跨地区、跨行业、跨所有制和跨国经营的大企业集团；通过采取改组、联合、兼并、租赁、承包经营和股份合作制、出售等形式，加快搞活国有小型企业。1997年底，国务院又宣布了以下新措施。第一，重点抓好国有大型试点企业集团，带动一批企业改组，形成规模经济。第二，抓好1000户国有大中型重点企业(其中880家是工业企业，其产值约占全部国有企业工业产值的三分之二，其销售额、税收和利润占全部国有工业企业的一半)；重点是改革、改组、改造，加强经营管理；将优先考虑这些企业的股票发行与上市。第三，要求重点企业和银行协商签订银企协议，落实银行的权利、义务与责任。第四，鼓励各地因地制宜地采取改组、联合、兼并、股份合作制、承包经营、出售与破产等多种形式，进一步放活国有小型企业。1997年中试点企业普遍进行了公司制改造，经过一年的实施，全国2343家现代企业制度试点企业，共有84.8%的企业实行了不同形式的公司制，法人治理结构已初步建立。在现代企业制度试点企业中，改制为股份有限公司的有540家，占23%，改制为国有独资公司的909家，占38.8%；尚未实行公司制的国有独资企业有307家，占13.2%，其他类型企业有47家，占2%。

在国有企业大刀阔斧改革的同时，也出现一些国企资产运营失误，虚盈实亏或多盈少报，乃至少亏多报的现象突出，国有资产严重流失。其原因归根究底主要集中在国资所有者不到位，执法不到位。这就造成了经营者在一定程度上既是资产运营者，又是所有者，致使有的厂长、经理把企业视为自己个人财产，随便经营，为所欲为，根本不受监督和约束，也无法对他进行监督和约束。由此，没有监督和约束的权力，走向拍板失误，走向腐败，也就在所难免了。在这种情况下，1998年4月，国务院决定在国有资产管理中建立稽查特派员制度，并计划向一些国有重点大型企业派遣稽查特派员，实施财务和经营上监督工作。2000年，稽查特派员正式更名为国有企业监事会，对我国国有企业的运营起着监管的作用。

1999年，十五届四中全会提出，国有大中型企业尤其是优势企业，宜于实行股份制的，要通过规范上市、中外合资和企业互相参股等形式，改为股份制企业，发展混合所有制经济，重要的企业由国家控股。1999年9月根据党的十五大精神，十五届五中全会作出了《中共中央关于国有企业改革和发展若干重大问题的决定》，提出调整国有经济的布局要坚持“有进有退，有所为有所不为”的原则，大力提倡发展股份制经济和混合所有制经济，要求国有资本通过股份制组织更多的社会资本，要求积极发展多元投资主体公司，允许上市公司在一定条件下减持国有股。这一系列决策把我国国有企业改革引向调整战略布局、推进股份制改革、建立现代企业制度的新阶段。截至1999年9月，我国已有1000多家股份公司，其中700多家上市公司，上市公司总资产达2300亿元，占GDP的4%，总市值达16000亿元。

2001年6月13日国务院正式发布《减持国有股筹资社会保障资金管理暂行办法》(以下简称：《办法》)。《办法》明确规定，国有股减持主要采取国有股存量发行的方式。凡国家拥有股份的股份有限公司(包括境外上市的公司)向公共投资者首次发行和增发股票时,均应按融资额的10%出售国有股。国有股存量出售的收入,全部上缴全国社会保障基金。《办法》还规定,在采取国有股存量发行的同时,根据社会保障资金的需要和证券市场的发展状况,可以选择少量上市公司进行国有股配售及定向回购等方式的试点,并明确上市公司协议转让时,国有股权发生减持变化的,国有股东授权代表单位应按转让收入的一定比例上缴全国社会保障基金。减持国有股原则上采取市场定价方式。同年10月22日由于减持方案造成市场的极度恐慌,各种关于“崩盘”的说法层出不穷,沪深股市调整幅度达到30%以上,证监会紧急叫停执行《减持国有股筹集社会保障资金管理暂行办法》第五条关于“国家拥有股份的股份有限公司向公共投资者首次发行和增发股票时,均应按融资额的10%出售国有股”的规定,并公开征集国有股减持的建议与方案,收到了大量国有股减持的意见与方案。

2002年1月26日,中国证监会规划发展委员会在中国证监会网站上公布了《国有股减持方案阶段性成果—折让配售方案及配套措施》。国有股减持与流通应兼顾各方利益,争取多方共赢,对流通股股东进行合理补偿,充分考虑市场承受能力,维护市场稳定,积极发挥财务顾问的作用,采取稳妥的市场化方式,用充分长的时间,分期分批、逐步进行。2002年6月23日,国务院决定,除企业海外发行上市外,对国内上市公司停止执行《减持国有股筹集社会保障资金管理暂行办法》中关于利用证券市场减持国有股的决定,并不再出台具体实施办法。

1992—2002年对国有企业的股份制和公司制的改革与资本市场的发展,使得国有企业成为具有较强盈利能力和较高竞争力的市场主体。充分表明,社会主义基本经济制度与市场经济可以而且已经很好地结合。

三

国有企业战略性改组与国有经济布局调整

国有经济原来的布局是在计划经济体制下形成的。这种布局的特点是:全国资源可以由指令性计划统一配置,也只有国有企业能够全面地接受指令性计划的安排并保证其实施。正因为如此,计划经济要求国有经济的比重越大越好,在国民经济的各个部门中的涵盖面越广越好。而由于国有企业盘子铺得过大,国有企业普遍存在资本金不足、负债率过高、技术装备落后的问题。改革开放初期至90年代前半期,在卖方市场条件下,国有企业有着较大的发展空间,国有经济布局不合理的矛盾并不突出。伴随着改革和发展进入一个新的阶段,卖方市场逐步地向买方市场转变,市场结构也随之由以往的供给主导型转变为需求主导型。在激烈的市场竞争中,长期在计划经济体制下运行的国有企业,相当一部分由于转换经营机制不及时,产品结构不适应市场的需求而陷入困境,甚至出现较为严重的亏损。据财政部统计的4万户国有工业企业的亏损面,1995年为33%。

1995年9月中共十四届五中全会明确指出:“要着眼于搞好整个国有经济,通过存量资产的流动和重组,对国有企业实施战略性改组。这种改组要以市场和产业政策为导向,搞好大的,放活小的,把优化国有资产分布结构、企业结构同优化投资结构有机结合起来，择优扶强、优胜劣汰。”这次大会作出了对国有企业改组的战略部署。截至1997年底，在抓大方面，国家集中抓的1000家重点企业，确定了分类指导的方案。在放小方面，各地坚持“三个有利于”标准，不搞一刀切，采取改组、联合、兼并、股份合作、租赁、承包经营和出售等多种形式，把小企业直接推向市场，使一大批小企业机制得到转换，效益得到提高。山东诸城、四川宜宾、黑龙江宾县、山西朔州、广东顺德、河南桐柏、江苏南通、福建宁德等许多地区在探索搞活小企业方面先行一步，收到了较好的效果。此外，一大批新型的民营企业从自身发展的需要出发，参与国有企业改革。通过兼并、收购、投资控股、承包、租赁、委托经营等改革举措，将非公有制经济的管理理念和管理方式融入国有经济运行中，盘活了大量的国有资产。特别是中共十五大肯定股份合作制和提出调整所有制结构后，各地国有中小国企改革的步子加快，改制企业的比重迅速上升。

中共十五大的报告中进一步强调要调整国有经济布局，明确指出，国有经济起主导作用，主要体现在控制力上。要从战略上调整国有经济布局。对关系国民经济命脉的重要行业和关键领域，国有经济必须占支配地位。党的十五届四中全会通过的《中共中央关于国有企业改革和发展若干重大问题的决定》，把“从战略上调整国有经济布局和改组国有企业”确定为国有企业改革和发展的一条重要指导方针，明确了调整布局和改组企业的方向、重点和措施，提出要“推进国有企业战略性改组”。由于我国计划经济长期追求“小而全”、“大而全”，导致我国国有企业改革和发展重复建设严重，没有形成专业化生产、社会化协作体系和规模经济，市场应变能力和竞争力不足。随着国内外市场竞争的日益激烈，随着我国经济结构的变化，这一矛盾表现得愈加突出，直接导致国有企业生产经营困难，经济效益下降，亏损增大，很大程度上制约着国有经济主导作用的发挥和国民经济运行质量的提高。国有经济要在关系国民经济命脉的关键领域和重要行业中占据支配地位，支撑、引导和带动整个社会经济的发展，国家就应当把有限财力首先集中投向国民经济和社会发展的关键领域和重点项目。由于国有企业分布太广、太散，如果维持现有的行业和企业布局不变，国家难以集中力量满足重点关系国民经济的企业的资金需求。所以我国重点进行了国有经济布局的战略性调整和改组，以期适应经济结构变化的要求。国有大型企业是我国国民经济的支柱，掌握着国家经济命脉，是财政收入的主要来源。搞好国有大型企业，对发挥国有经济的主导作用，提高我国企业的国际竞争力，促进国民经济快速、持续、健康发展都具有极为重要的意义，这是巩固社会主义制度的基础，也是发展社会主义市场经济的基础。因此，国家要直接抓好一批大企业或企业集团，不断提高它们的整体素质和竞争力，带动一大批中小企业的健康发展。

十五届四中全会的《决定》指出：从战略上调整国有经济布局，应“坚持有进有退，有所为有所不为”的原则，并使之“同产业结构的优化升级和所有制结构的调整完善结合起来”。“部分的退和数量的减少，为的是达到国有经济分布的优化和整体素质的提高”；从那些“有所不为”的行业、领域和企业退出，正是为了加强国有经济在关系国家经济命脉的重要行业、关键领域和重点企业的力量。改革开放以来，我国国有经济规模已有显著的下降。按工业总产值计算，已从1978年的78.5％下降到1997年的26.5％；按国内生产总值计算，已从1978年的近60％下降到1997年的30％。但从总体上看，国有经济规模仍然偏大，即明显超越了经济发展的要求。随着市场机制在配置资源中的作用越来越大，国家配置资源的行为，在大多数行业可以由市场来替代，这就必然要求国有经济逐渐退出某些不适合其经营的领域，为其他所有制经济留下充分发展的空间。而且目前所有制结构的不合理，影响了整个国民经济的健康发展。

国有经济从一般竞争性行业逐步退出，将力量集中在需要控制的行业和领域。这些行业和领域主要包括涉及国家安全的行业（如武器制造企业、造币企业等）、自然垄断的行业（如铁路、电力等）、提供重要公共产品和服务的行业（如城市的公共交通企业、某些非营利的环保设施等）。支柱产业和高新技术产业中的重要骨干企业也应当是国有企业的重要组成部分。

目前，我国国有企业数量众多，遍布各行各业，对国有企业进行战略性改组，需要区别情况，分类实施而不能“一刀切”。《决定》把国有企业分为四类。一是必须由国家垄断经营的企业。它们往往具有特殊的功能，对它们不能完全推向市场，但也不能完全躺在国家身上。一般应是国家独资的企业或国家控股的有限责任公司。国家独资的企业（如公益性、政策性以及关系国家社会安全的国有企业等），不应要求它们自负盈亏，但它们应努力不发生亏损，如果不是因经营不善而发生亏损，政府应给予补贴。为使这类国有企业发挥其特有的功能，应加强政府和职工的监督；国家控股的有限责任公司（如一些自然垄断的国有企业、基础设施部门和高科技部门），应按照现代企业制度模式来建立和运作，同时要给予必要的支持。这类企业数量不能多，只能是少数。二是竞争性领域中有一定实力的企业。这些有一定实力的企业主要是如何更快地发展，途径是吸引多方投资。三是产品有市场，但负担过重，经营困难的企业。这类企业是战略性改组的重点对象，要通过兼并、联合等形式进行资产重组和结构调整，盘活它们的存量资产。四是需要破产、关闭的企业。这类企业大体分为两种情况：一种是产品没有市场、长期亏损、扭亏无望的企业和资源枯竭的矿山；另一种是浪费资源、技术落后、质量低劣、污染严重的小煤矿、小炼油、小水泥、小玻璃、小火电等。

为了让国有资本逐步集中到关系国民经济命脉的关键领域和重要行业的优势骨干企业，我国通过资产流动和重组加强重点，放开一般。要按照中央确定的从战略上调整国有经济布局的方向和重点，区别企业所处行业、在经济发展中的地位和经营状况，对现有国有企业实行分类改组，总体上做到集中有效资产、重组低效资产、盘活滞死资产、消除无效资产，逐步实现从战略上调整国有经济布局的目标。对极少数必须由国家垄断经营的企业，即涉及国家安全、提供重要公共产品和公共服务以及自然垄断行业的国有企业，国家要进行绝对控制，主要由国有资本来经营。国家对这类企业要给予必要支持，有的要实行独资经营，有的也可以采取由多个国有资产投资主体共同投资经营，形成不同经营主体间的竞争关系，提高这些行业的经营效率和服务水平，促使它们适应市场经济的要求，更好地发挥其应有的功能。必须由国家独资和独家企业经营的只是少数极特殊的行业和领域。国民经济发展的支柱产业和高新技术产业中的国有重点骨干企业，在行业中处于龙头地位，对推动我国企业技术进步、带动产业升级、提高国际竞争力、促进国民经济快速发展发挥着重要作用。对这些企业，国有资本要保持控股经营，同时，可通过多种途径补充其资本金，提高其技术创新和市场开拓能力，使其不断发展壮大，更好地发挥他们对经济发展的支撑和带动作用。在国家认定的520户重点企业中，国有及国有控股企业有514户，虽只占全国工业企业户数的0.3%，但2001年其资产总额占全部工业的59.2%，销售收入占41.9%，实现利税占47.6%，实现利润占49.4%。在一些重点行业中，产业集中度进一步提高。国有及国有控股大型企业在世界500强企业中的分量加重。1998年，我国内地国有大型企业有5户进入世界500强。2001年跻身世界500强的内地大型国有企业上升到11户，这从一个方面也反映国有企业组织结构得到优化和企业总体实力的增强。2002年共实施关闭破产项目533项，涉及核呆616.7亿元。推进国有企业战略性改组，要坚持“抓大放小”，放开搞活中小企业。相对于大型企业，中小企业在国民经济中基本不处于主导地位，完全可以也应该在改革的形式和具体做法上更加灵活，放得更开一些。中小企业进一步放开搞活了，不仅可以建立和形成为大企业配套服务、从事专业化生产经营的企业群体，而且还可以吸纳更多的劳动力，创造市场活力，减轻国有大型企业的负担和社会压力，有利于各方面更好地集中力量搞好大企业。一些中小企业，市场负担过重、经营困难，则提倡通过兼并、联合等形式进行资产重组和结构调整，盘活其有效的存量资产，防止国有资产进一步流失。

对于产品没有市场、长期亏损、扭亏无望或资源枯竭的企业，这类企业由于长期亏损或虚盈实亏，资产损失和资金挂账不断增加，其占用的国有资产正被“坐吃山空”，有的已经资不抵债或成为“空壳企业”。这批企业，实际上已没有多大重组价值，要下决心实行破产、关闭，避免造成更大的损失。对浪费资源、技术落后、质量低劣、污染严重的小煤矿、小炼油、小水泥、小玻璃、小火电等企业，进行破产、关闭。1998—2003年，全国国有及国有控股企业户数从23.8万户减少到15万户，减少了40%；职工人数从7500万人减少到4300万人，减少了43%。对这些企业的破产、关闭减轻了我国国有经济的包袱。

四

国有企业“三年脱困”

进入20世纪90年代中后期，与非公经济迅速发展形成鲜明对照的是，国有企业由于高负债率、冗员多、社会负担重、摊派严重、员工积极性不高等原因，陷入了发展的困境，效益逐年下滑，亏损面逐年增大。虽然对企业进行了股份制改造，但是我国的国有企业改组为股份制企业后，企业领导仍由上级行政部门任命，企业自主权并未完全落实。国家这个大股东不是通过股东会议制定公司章程，任命董事会成员，决定企业总体目标等来管理企业，而仍然对企业，特别是大型国有企业的生产经营、投融资等进行直接干预。企业内部人控制现象突出，企业领导往往集监督者与被监督者于一身，缺乏权力制衡。国资管理部门派出的国家产权代表由于兼职过多，分身乏术，根本无法代表和有效地行使国家股权。

据不完全统计，1996年上半年亏损的国有企业达到43.3%，1998年第一季度出现了全国性的亏损，国有资产的损失数额也逐年上升。1997年底，全国国有及国有控股大中型企业中亏损户为6599户。

1997年，党的十五大提出了“三年脱困”的目标，即从1998年开始到2000年三年内，使国有及国有控股大中型亏损企业扭亏为盈，基本脱困。就在提出国有企业“三年脱困”的目标之时，官方统计国有企业亏损超过70%，严重阻碍了我国国民经济健康发展。中央采取积极的财政政策和稳健的货币政策，扩大了国内需求；提高出口退税率，鼓励出口，拉动了经济增长；严厉打击走私和骗税，整顿市场秩序，严禁向企业乱收费、乱罚款和乱摊派，改善了企业外部环境。这些都对国有企业改革与脱困发挥了极为重要的作用。各地区、各部门、各级经贸委和广大企业克服重重困难，做了大量扎实细致的工作，付出了艰苦的努力。为了给国有企业解困，中央推出了多项政策。其中，影响最大的是结合国有商业银行集中处理不良资产的改革，成立四家专门的金融资产管理公司，对部分符合条件的重点困难企业实施“债权转”股权改革。此外，国务院还采取其他一些有效措施，努力解决企业冗员过多、企业办社会等问题，主要是将国有大中型企业的附属普通中小学校和医院等社会负担逐步分离或独立出来，转移到地方，由当地教育和卫生部门进行管理，取得了较好的效果。到2000年，最后确定了对符合条件的580户国有大中型企业实施债权转股权，涉及债转股总金额4050亿元。已实施债转股的企业，资产负债率明显下降，由原来的70%以上下降到50%以下，这些企业每年减少利息支出200亿元。

从1998年开始到2000年底的三年来，国有企业改革进一步深化，大多数国有大中型骨干企业初步建立现代企业制度，国务院确定的建立现代企业制度百户试点和各地选择的试点企业共2700多户，绝大部分实行了公司制改革，列入520户国家重点企业的514户国有及国有控股企业，已有430户进行了公司制改革，其中282户整体或部分改为有限责任公司或股份有限公司，实现了投资主体多元化。改制企业基本确立了公司法人治理结构，在实现政企分开、转换经营机制、加强企业管理、分离办社会职能和分流富余人员等方面，取得显著成效。国有企业改革与脱困三年目标基本实现。到2000年底，国有及国有控股工业实现利润大幅度增长。1997年，国有及国有控股工业实现利润806.5亿元，受亚洲金融危机影响，1998年减少到525亿元。2000年1—11月，国有及国有控股工业实现利润达2083亿元，与1999年同期相比，增长了1.4倍；全年可以达到2300亿元左右，比1999年增长1.3倍，比1997年增长1.85倍。

国家重点监测的14个行业，到2000年底，轻工、纺织、机械、冶金、石油化工、建材、烟草、有色金属、电子、黄金、医药、电力等12个行业实现利润都有增加或整体扭亏为盈，煤炭和军工行业净亏损也明显减少。作为三年改革与脱困突破口的纺织行业，提前一年实现了压锭、减员、扭亏的目标，为其他行业探索了路子。31个省(自治区、直辖市)都实现整体扭亏或盈利增加。1997年有12个省(自治区、直辖市)整体亏损。到2000年底，31个省(自治区、直辖市)都实现了整体扭亏或盈利增加。作为三年改革与脱困重点地区的东北老工业基地提前扭亏为盈，对全国起到了带动作用。

1997年,国有大中型亏损企业为6599户。到2000年11月,已减少4391户,占66.5%。这些企业有的实现了扭亏为盈,有些通过关闭破产退出了市场,有的被兼并或进行了改制。到2000年底,国有大中型亏损企业减少70%左右。

在积极推进国有大中型企业改革与脱困的同时,采取改组、联合、兼并、租赁、承包经营和股份合作制、出售等多种形式,放开搞活国有小企业,并把"放小"与"扶小"结合起来,促进了国有小企业的机制转换和经营状况的改善。2000年1－11月,国有小企业实现利润25.73亿元,到年底实现利润将会继续增加,从而结束连续6年净亏损的局面。2002年国有经济运行质量和效益好于预期,跃上历史新台阶,国有企业及国有控股工业企业完成增加值16638亿元,比2001年增长11.7%,实现利润平稳增长,全年实现利润2636亿元。

中国金融体制改革(1992－2001年)

随着经济体制改革的深入,经济货币化程度开始提高,国民收入分配格局出现了大调整。由此,通过银行信用渠道运用的资金占社会资金的比例快速上升,金融服务领域迅速拓展,国民经济各部门对资金的需求剧增。兼有中央银行和商业银行双重职能的高度集中统一的国家银行体制,明显适应不了经济体制改革的客观需求。1979年10月,邓小平提出:"必须把银行真正办成银行。"①在这一思想的指导下,中国金融开始进入了有计划、有步骤的进行金融体制改革的新时期。中国金融体制改革无疑是规模宏大的中国经济体制改革最重要和最复杂的方面之一,经过1979—1991年的金融改革起步阶段,1992—1996年进入金融体制全面改革阶段,1997—2001年是金融深化改革阶段。

一

金融体制的全面改革阶段:1992—1996年

1992年10月,党的十四大正式确定了建立社会主义市场经济体制的改革目标,从而为中国金融体制的全面改革提供了充分的理论与政策依据。1993年7月,国务院出台了金融、财税、投资、外贸和外汇五大体制改革方案。建立市场经济体制极大地推动了经济和金融的蓬勃发展,也加大了金融宏观调控的任务,中国金融业面临如何适应市场经济体制的一系列紧迫问题。1993年12月,国务院颁布了《国务院关于金融体制改革的决定》,其中明确提出了中国金融体制改革的目标是:①建立"三大体系",即建立在国务院领导下,独立执行货币政策的中央银行宏观调控体系;建立政策性金融与商业性金融分离,以国有商业银行为主体、多种金融机构并存的金融组织体系;建立统一开放、有序竞争、严格管理的金融市场体系。②办成"两个真正"的金融实体,亦即要把中央银行办成真正的中央银行,把国有专业

① 《邓小平文选》第二卷,人民出版社,1994年版,第91页。

银行办成真正的商业银行。③引入“优胜劣汰”机制，对经营不善的金融机构要允许破产，但债权债务要尽可能实现平稳转移；要建立存款保险基金，保障社会公众利益。由此，1993—1996年是中国金融制度向市场金融制度转变的探索阶段，中国金融体制进入全面改革的阶段。

1. 中央银行宏观调控体系改革

从1994年初开始实施的对中央银行的改革是全面性的。大体来说，它主要包括对中国人民银行的重新定位、货币政策的调整、金融调控机制的转变三大方面。

(1)中国人民银行的重新定位。进一步明确了中国人民银行的两大职能——稳定货币和监管金融业。为了实现职能的有效转变，从1994年起，中国人民银行不再直接对工商企业发放政策性贷款；同时集中货币发行权、基准利率调节权、央行资金管理权、信贷总量调控权、金融机构市场准入权等。与此相应，人民银行的分支机构业务仅限于金融监管、调查统计分析、横向头寸调剂、经理国库、现金调剂、外汇管理和联行清算。同时，人民银行的各级机构与举办的商业性金融机构和营利性的经济实体一律脱钩，把工作重点转向金融宏观调控、金融监管和金融服务。就金融监管而言，人民银行将通过健全法规、对银行业和证券业实行分业管理、控制金融机构的市场准入条件和提高金融从业人员的素质等手段，加强金融监督和管理，保护存款者和投资者的利益。

同时，调整中央银行内部组织结构，人民银行实行垂直领导和管理。重新划分了中央银行内部各级次的职守，强化金融监督管理，集中地对金融机构进行规范化管理，撤销或停止了600多家违规金融机构经营许可证。

(2)货币政策的调整。货币政策包括货币政策目标和实现这些目标的操作手段。多年来，我国一直执行“稳定货币，发展经济”的双重货币政策目标。长期的实践显示，在中国这样一个资金短缺、投资需求旺盛、企业和政府相互严重依赖的发展中国家中，在货币政策上实行双重目标，几乎总会牺牲货币的稳定，以过量的货币发行来支撑经济的暂时增长。其结果，往往诱发较高的通货膨胀，并导致国民经济周期性的大幅震荡和强制性调整。这一教训促使理论界和金融当局重新审视中国的货币政策目标。这种认识，在1994年的金融改革中终于得到确认。在《国务院关于金融体制改革的决定》以及1995年通过并颁布的《中华人民共和国中国人民银行法》中，货币政策的目标被定位在“保持货币的稳定，并以此来促进经济增长”。这一转变明确了货币政策在市场经济中的职能，确认了：货币政策对经济发展的贡献，主要在于创造一个良好的货币环境。偏离这一目标，可能使国民经济得益于一时，但却会给经济的发展和增长带来长期的隐患。

适应货币政策目标的调整，货币政策的中介目标也作了重大改变。1994年以前，在理论上和实际操作上，中国均没有明确的货币政策的中介目标，更无政策目标、中介目标和操作目标的区分。中国一直使用的是信贷计划和现金计划，它是与集中统一的计划经济体制、社会信用形式单一化的状况相适应的。在这种体制下，货币部门实际上只起到出纳的作用。改革开放以来，随着金融市场的出现和多种金融机构的发展，信贷计划和现金计划已经不能有效地控制住全社会的信用总量。因此，迫于现实需要，完善中国的货币政策体系已是刻不容缓。这种认识，在1994年的金融改革中也得到了确认。货币政策的中介目标的重大改变，在于由过去控制贷款规模和现金发行量转变为以基础货币作为近期操作目标。1994年9月，人民银行首次根据流动性的高低确认并公布了中国的M0、M1、M2等三个层次的货币供应指标。这表明，中国的货币政策已经开始逐步走向成熟。

(3)金融调控机制的转变。与货币政策目标和中介目标的调整相适应，金融调控机制也逐步从直接调控转向间接调控转变。1993年《国务院关于金融体制改革的决定》提出了利率市场化的基本设想，《决定》规定：中国人民银行要制定存、贷款利率的上下限，进一步理顺存款利率、贷款利率和有价证券利率之间的关系；各类利率要反映期限、成本、风险的区别，保持合理利差；逐步形成以中央银行利率为基础的市场利率体系。从1994年起，人民银行开始对流动资金贷款允许商业银行在下浮10%与上浮20%之间浮动，缩小了信贷规模的控制范围，对商业银行实行贷款限额控制下的资产负债比例管理，比如存贷比不得高于75%。随着贷款规模管理的放松，存款准备金制度、中央银行贷款制度等间接调控货币政策工具逐渐发挥实质性作用，一直只有象征意义的再贴现政策也开始发挥作用。更有意义的是，酝酿甚久的公开市场操作于1994年开始启动，并已取得初步成效。1996年放开同业拆借利率。

同时，人民银行对商业银行的资产负债比例管理，亦由过去的数量管理转向以风险质量管理为主，灵活确定调控的目标和考核标准；对同业拆借市场第二网络，银行间利率可以自由确定，不受中央银行干预。并且，通过体制和法律安排，切断了中央财政向人民银行透支、借款的渠道；人民银行也不再向非银行金融机构和非金融部门贷款；按季向社会公布货币供应量。等等。

2.金融组织体系改革

从1992年起，中国金融组织体系改革取得了一系列重大进展。尤其是，从1994年开始，根据政策性业务和商业性业务相分离，以及银行业、信托业和证券业分业经营和分业管理的原则，人民银行又对中国金融机构体系进行了大规模的改组。

(1)建立政策性银行，实行政策性业务和商业性业务分离。1994年成立了三家政策性银行，即国家开发银行、中国农业发展银行、中国进出口银行。将原来由四大国有专业银行承担的政策性功能由政策性银行独立行使，这就从金融业务的管理体制上为专业银行的商业化改革创造了条件，有利于国有专业银行逐步实现企业化经营。

(2)国有专业银行加快了向商业化银行转变的改革步伐。人民银行制定了商业银行资产负债比例管理办法，为强化商业银行的内部约束、自律机制和风险管理提供了经济和立法依据；减少了国有商业银行的管理层次和分支机构，合并省级分行和省会所在地城市分行，撤销一批长期亏损的基层分支机构，其业务逐步转向大中城市和国有大中型企业；逐步建立和完善银行制度，包括提高资本充足率、健全法人治理结构，改革贷款分类制度、完善财务管理制度等；剥离国有商业银行不良资产，分别组建了信达、长城、东方和华融四家资产管理公司。同时，中国工商银行、中国农业银行、中国银行和中国人民建设银行四大专业银行按照商业化改革的要求，转换机制，加强一级法人体制，强化内部管理和风险控制，改进金融服务。

(3)大力发展股份制商业银行。筹建新型的商业银行如华夏银行(1992年)、中国光大银行(1992年)、上海浦东发展银行(1993年)、中国民生银行(1996年)等，建立一批为地方经济发展服务的城市商业银行，持续引进外资银行和金融机构等。

(4)发展城乡合作金融组织，为金融市场培育民营主体。1994年，中国农业银行不再领导农村信用合作社，改由中国人民银行负责监管。在农村信用合作社迅速发展的同时，城市信用合作社在1979年起步，到1995年部分城市实行城市合作银行试点，部分城市的合作银行更名为城市商业银行。

(5)开始实行严格的银行、证券、保险分业经营，金融监管开始趋向实现分业管理。

经过长期不懈的改革，与社会主义市场经济相适应的中国金融组织体系的基本框架已经建立，并将在实践中不断完善和发展。

3. 金融市场体系改革

于20世纪80年代陆续建立的各类金融市场在20世纪90年代获得了长足发展，并实施了一些新的改革措施：

(1)同业拆借市场。在1988年整顿的基础上，1990年中国人民银行发布了《同业拆借管理试行办法》，对拆借利率实行上限控制，并严格规定了拆借主体、期限和用途等。针对拆借市场严重的违规现象，人民银行于1993年、1996年对拆借市场进行了大规模的整顿，整顿融资市场，理顺同业拆借关系，并于1996年1月3日起启动了全国统一同业拆借市场(一级网络和二级网络)。形成了全国范围内43家融资中心参与的松散式、无形的拆借市场，从此，国内同业拆借市场进入了规范化、现代化、网络化的发展阶段。

(2)票据市场。1988年停止了从1982年开始的银行票据承兑贴现业务，1995年《中华人民共和国票据法》颁布后，票据业务重新恢复并稳定市场，但业务量相应有限。可以说，在金融市场中，票据市场起步最早、技术和管理最成熟、法规准备最充分、操作最规范，但发展并不十分顺利。

(3)国债市场。在1991年实行的国债的承购包销，促进了国债二级市场的发展。1996年4月人民银行以债券为操作工具的本币公开市场业务正式启动，建立统一的一级自营商制度，选择国内17家规模较大的商业银行为操作对象，形成市场型货币政策传导机制，引进了三年期国库券存单等新品种，国债期限进一步多样化；1994年末和1995年初开展了国债期货交易；1996年国债市场实现了“发行市场化、品种多样化、券面无纸化、交易电脑化”的目标，全国统一的国债中央登记托管系统进入正常运转。证券交易所也同时开办了国债交易业务。国债市场快速发展，成为中国证券市场的重要组成部分。

(4)股票市场。1990年12月和1991年7月沪、深证券交易所的相继挂牌营业，股票集中交易市场正式宣布成立。此后，大批证券经营机构和证券服务机构迅速发展起来。由于处于中国股份制改革起步初期，各项基本制度在探索中逐步建立，资本市场还处于自我演进发展状态，股票市场的发行和交易缺乏全国统一的法律法规，缺乏统一规范和集中监管。同时，对资本市场的发展在思想认识上存在一定的分歧，姓“资”还是姓“社”，成为影响股市存活最重要的话题。1992年1、2月间邓小平同志在南方视察时指出：“证券、股市，这些东西究竟好不好，有没有危险，是不是资本主义独有的东西，社会主义能不能用？允许看，但要坚决地试。”①

① 中共中央文献研究室编：《邓小平年谱(1975—1997)》(下)，中央文献出版社，2004年版，第1343页。

此后,股份制成为国有企业改革的方向,更多的国有企业实行股份制改造并开始在资本市场发行上市。1993年,股票发行试点正式由上海、深圳推广至全国,打开了资本市场进一步发展的空间。在股票市场兴起初期,全国有90多家证券公司、26家证券交易中心、41个场外交易市场、14家期货交易所,私自设立的投资基金75只。由于尚未形成完善的供求机制和市场监控机制,高速发展的股市立即出现了许多问题,股市价格暴涨暴跌,投资者尚未树立正确的投资理念,投机之风盛行,黑市行为大量滋生等。打压整顿股市也因此成为接下来的宏观调控的内容之一。1993年国务院证券委和中国证监会成立,专门履行对证券市场的监管职能;1995年国务院提出了证券市场发展的"八字方针"(法制、监管、自律、规范)。经过两年多的时间,采取退出、关闭、合并、取缔、破产等办法进行清理,使市场秩序基本得到好转。中国股市也于1996年5月迎来了大牛市行情。本阶段是由中央与地方、中央各部门共同参与管理向集中统一管理的过渡阶段,股市的监管机制开始形成,监管体系初具雏形。

(5)保险市场。财险与寿险分开,实行股份制改革。从1993年开始,推进专业保险公司和股份制试点,将寿险公司独立出来。各级分公司将人身险业务全部实行独立核算,自计盈亏。1995年9月,经国务院批准,中国人民保险公司进行了全面改革,将总公司改为中国人民保险(集团)公司(简称中保集团),于1996年7月正式成立。下设财产保险、人寿保险、再保险3个专业子公司。1988年组建的综合性的中国平安保险公司,是全国第一家股份制保险公司,到1996年,已相继组建了太保、平保、华泰、新华、泰康等5家保险股份制公司,保险市场的竞争局面基本构成。除了中保集团做大做强之外,还放开国内保险市场的限制,允许各类投资者进入市场,组建新的保险机构参与保险市场竞争。1992年批准美国友邦保险在上海设立分公司之后,外资保险公司开始正式进入中国保险市场。

4.外汇管理体制改革

1993年12月国务院颁布的《关于进一步改革外汇管理体制的通知》明确指出,建立以市场供求为基础的有管理的浮动汇率制,稳步推进贸易项下人民币可兑换。改革的主要内容是:取消外汇限制和外汇留成,实现汇率并轨,建立结售汇制度,停止发行外汇兑换券,建立统一的银行间外汇市场,完善进出口核销制度,对资本项下的外汇收支继续实行计划管理和审批制度,完善外债和外汇储备管理。中国外汇管理体制改革的长期目标是实现人民币可自由兑换。此次改革的内容十分广泛,影响深远,标志着中国的外汇管理体制开始进入规范化、法制化、国际化轨道。改革进展顺利,国际反响良好。

1994年1月1日,国务院宣布国家外汇挂牌价和市场外汇调剂并轨,实现了经常项目下人民币有条件可兑换,建立了以市场供求为基础的、单一的有管理的浮动汇率制度,结束了长达40多年的国家垄断的汇率制度。1996年12月,中国宣布履行《国际货币基金协定》第八条第二款,实现了人民币经常项目下的完全可兑换,国家外汇储备增至1050亿美元。初步建立了以人民币为交易标的的全国银行同业拆借交易网络和以外币为交易标的的全国银行间统一的外汇交易市场。

5.以立法形式确立中国金融制度

经过我国改革的实践和总结,广泛借鉴了国外的经验,以立法形式确立中国金融制度的时机已经日趋成熟。1995年,全国人民代表大会先后通过了《中华人民共和国中国人民银行法》、《中华人民共和国商业银行法》、《中华人民共和国票据法》、《中华人民共和国保险法》和《中华人民共和国担保法》,以国家立法形式确立了中国人民银行作为中央银行的地位、商业银行体制和保险体制等重大问题,形成了中国金融体制的基本法律框架。这一系列规范中国的银行行为和金融活动的基本法规,标志着中国金融体制开始走上法制化、规范化的轨道,是中国金融制度建设的重要里程碑。

《中华人民共和国商业银行法》于1995年7月1日正式实施,标志着四大国有专业银行正式迈出了银行商业化改革的步伐。

由于存在各种制约因素,中国金融体制的全面改革,尤其是中央银行的改革及其调控机制的转变只能逐步实现。也就是说,在一段时间内,中国政府将采取若干过渡性办法。

1993年7月,人民银行颁布了16条金融整顿措施,其中包括提高利率;清理银行间随意拆借的三角债;禁止企业乱集资;缩减基本建设规模等等。1994年持续紧缩,政府力图恢复金融秩序,通货膨胀直到1995年方才渐渐降低到正常的水准。但就长期而言,在金融市场不断成长,金融环境不断开放的环境下,私营企业的比例也不断提高,计划信贷管理将会随着经济发展的脚步逐渐地减低其重要性。从1993年中期到1994年底,前半期是运用行政和法律手段整顿一度混乱的金融秩序,抑制房地产和股票的过度投机,以防止经济金融局势的恶化;后半期以实现人民币兑换为主,转换中国人民银行职能,强化货币发行权、基础货币管理权、信用总量控制权、基准利率和法定利率调节权为核心的改革,以有效控制现金和贷款的过度扩张。1995年以后,又提出了适度从紧的财政和货币政策,运用经济手段、经济政策和经济立法,继续控制通货膨胀,加强金融监管,防范和化解金融风险,以求经济的稳定增长。1996年"九五金融规划"进行后,货币市场的雏形出现,经过国库券与债券的流通,人民银行对金融市场的主控权大增,而在外汇存底激增、外资不断流入的压力下,人民银行利用市场的冲销操作也日臻成熟;同时,银行的利率水准正在逐渐开放,以便与市场互动,人民银行以重贴现率引导市场利率的机制,也随着贴现窗口的建立而产生功效等等。总之,人民银行开始逐步转为间接的金融工具,通过市场供需来调控金融,脱离以直接干预市场或直接干预经营者的手段来控制金融。

二

金融体制的深化改革阶段:1997—2001年

中国在1994—1995年成功地控制住通货膨胀势头,而1997年亚洲国家发生金融危机,在这种背景之下,中国的金融改革转入了以防范和化解金融风险为重点、深化金融体制改革的新时期。1997年11月,党中央和国务院召开全国金融工作会议,提出中国金融体制改革的目标是:到2000年初步建立与社会主义市场经济相适应的现代金融组织体系、金融市场体系和金融调控监管体系。1998年3月,中国政府明确宣布中国金融体制改革要在三年内基本到位。由此,我国新一轮金融体制改革开始启动。我国金融体制改革进入市场金融制度框架的调整和充实的深化改革阶段。

在上述改革目标和主要任务在2000年取得初步成效的基础上，2001年中国加入世贸组织后，又面临着与国际金融体制接轨、建立开放型的市场金融体制、以全面提升金融机构国际竞争力的挑战和机遇。在开放型的国际背景下，围绕着构筑现代金融组织体系、金融市场体系和金融调控监管体系，我国金融体制改革深化的三大目标必定要注入新的内容。

因此，本阶段改革的背景是1997年亚洲金融危机，以及1997年11月召开的全国金融工作会议；改革的主题是整顿金融秩序、加强金融监管、防范金融风险。

1.商业银行及其信贷资金管理体制改革

关于商业银行改革方面，由于长期以来的政策性贷款和指令性贷款，使得国有商业银行积累了大量的不良资产；1997年亚洲爆发金融危机，中国银行业的金融风险引起了中央政府的高度重视。中央政府先后采取了一系列重大举措对国有商业银行进行巩固：

(1)在1998年，财政部发行2700亿元的特别国债，用以补充国有独资商业银行的资本金，以满足《巴塞尔协议》规定的8%的资本充足率要求。为了配合这一举措，人民银行调整了国有商业银行的存款准备金率(从13%调减到6%)。通过这一轮运作，国有商业银行提高了资信度，完善了资产负债结构，增强了抵御金融风险的能力。

(2)在1999年和2000年先后成立了信达、华融、长城和东方四大金融资产管理公司，负责专门收购和处置从国有独资商业银行剥离出来的一部分不良资产，从四大国有商业银行剥离了约1.4万亿的不良资产。由此，国有独资商业银行的不良贷款率下降了10个百分点；到2000年底，国有独资商业银行逾期尚未收回的贷款占全部贷款的1/4，真正收不回的贷款比例为3%。

(3)为了减少国有商业银行的经营损失，国务院从1998年开始要求国有商业银行精简机构和人员，并且每年的不良贷款率要降低2%～3%(即每年减少600亿元人民币的不良贷款)。1998—2001年，四大国有商业银行都进行了大规模的裁员，并关闭了大量的分支机构。但这次调整还没有从根本上解决机构重叠和按行政区域设置分支机构的问题。

(4)2000年，国务院向15家国有重点金融机构派出了监事会，代表国家对国有金融机构实行监督。采取这一措施，强化了国有资产所有者的监督职能，完善了国有金融机构的法人治理结构，对于提高国有金融资产的运行质量具有十分重要的现实意义。

(5)2001年，根据国务院批准的《国有独资商业银行分支机构改革方案》，调整分支机构，改善盈利能力。为了提高经营效率、改善服务质量，对长期经营不善、效率不高和人员冗余的机构，从2001年到2002年进行较大的调整。这两年中，共撤并基层网点414万个，精简员工24万人。

(6)加快股份制商业银行上市。2000年11月，中国民生银行股份有限公司在上海证券交易所挂牌上市。加上此前的1991年深圳发展银行上市、1999年上海浦东发展银行上市，至此，中国的上市银行已达3家。由此，拉开了新一轮金融企业上市的序幕。股份制商业银行上市，对国有商业银行通过改制上市来建立现代商业制度是一个强有力的推动。

关于信贷资金管理体制改革方面，

1997年底人民银行颁布了《关于改进国有商业银行贷款规模管理的通知》,1998年1月1日起,取消对国有商业银行年度贷款增加量的限额控制,在推行资产负债比例管理和风险管理的基础上,实行“计划指导,自求平衡,比例管理,间接调控”的新管理体制。在新的管理体制下,人民银行对商业银行不再下达指令性贷款计划,而改为按年(季)下达指导性计划,作为中央银行宏观调控的监测目标,各商业银行筹集的资金,依法自主使用,对资金来源与资金运用实行自求平衡。2000年开始,为了强化法人管理,各国有商业还建立了总行垂直领导和相对独立的内部稽核和监察体制,完善了资产负债比例管理制度、贷款审贷分离和贷款抵押担保制度、信贷资产质量管理责任制等,进一步加强了内控制度建设。

2.金融市场改革

资本市场方面,1997年9月党的十五大第一次从宪法的层次上确认“股份制是公有制的一个特殊形式”,至此,股票市场的地位正式确立。从1998年开始,中国开始正式启用法律法规手段规范管理股票市场。1998年4月起建立了全国集中统一的证券监管体制,国务院确定中国证监会作为国务院直属单位,成为全国证券期货市场的主管部门,其职能得到了加强。1999年股市又一次出现牛市行情高潮,一直持续到2001年。然而,太过火爆的股市已经严重脱离了基本面的支持,市盈率奇高,大量违规行为也不断被暴露出来,银广夏、蓝田等上市公司事件的发生就是当时股市混乱的缩影。同时股市的作用被定义为“国企解困”的一个重要途径,大量国企进入股市寻找资金,其上市公司质量参差不齐。以1999年7月《中华人民共和国证券法》的颁布实施为标志,中国股票市场步入了以“规范与发展”为主题的新的发展阶段,同时,中国股票市场的制度建设也逐步走向成熟。经过几年的法制建设,中国证券法规体系逐步完善。到2001年底,中国证券期货市场初步形成了以《公司法》、《证券法》为核心,以行政法规为补充,以部门规章为主体的系统的证券期货市场法律法规体系。另外,1997年国务院颁布了《可转换公司债券管理暂行办法》,首批发行规模40亿元,选择了500家国家重点国有企业中的未上市公司进行试点。但是同国债和金融债券相比,中国的企业债券市场还是非常小的。到2001年底,企业债券的发行余额只占整个市场债券余额的4%,而国债和政策性银行发行的债券余额分别占到了62%和34%。1999年《证券法》颁布实施后,之前一直实行的股票上市“配额制”被取消了,取而代之的是“核准制”。在这一新的体制下,上市公司的质量有了一定改进,非国有企业上市的比重也增加了。

货币市场方面,1997年6月,银行间债券回购业务在中国外汇交易市场网上正式展开,它为中央银行开展以债券买卖为主的公开市场业务,以及商业银行充分运用证券资产,灵活调节资金头寸,减少金融风险都创造了条件。此后,货币市场交易量逐年增加,表明中国的货币市场一直处于一个加速发展的时期。2000年11月,中国工商银行率先在上海成立了全国第一家商业银行票据专营机构——中国工商银行上海票据营业部,并同步部署在北京、天津、广州、重庆、西安、沈阳、郑州等7城市设立票据分部。随后,各家商业银行也积极开展票据业务,设立了票据中心,业务蓬勃发展、客户遍及全国。

此外,从2001年6月开始实行黄金周报价制度,国内黄金价格与国际价格接轨。黄金制品零售业开始实行核准制，批准外贸进出口企业经营内销黄金饰品业务，并对进口K金饰品进行试点。2001年11月，上海黄金交易所筹建工作结束。

3.金融基础环境改革

关于金融监管体制改革方面，1997年开始采用国际监管标准，建立现代监管体系和制度。统一非现场各项指标报送口径，开始对商业银行本外币和表外科目合并监管。开始实施贷款质量五级分类考核办法。这些标志着中国金融监管开始走向制度化、规范化、科学化和国际化。1997年3月，人民银行建立了由经济权威部门和专家组成的“货币政策委员会”，作为咨询议事机构。同年4月《中国人民银行货币政策委员会条例》正式颁布。由此，人民银行的货币政策操作手段也逐步由过去的以直接控制贷款规模为主，转变为运用多种货币政策工具调控基础货币为主。人民银行的政策操作，主要以“窗口指导”为主，按照货币供应量的变化，加大存款准备率、中央银行贷款、再贴现以及中央银行债券等多种政策工具的综合调控力度，以及时调整基础货币，引导商业银行正确处理好促进经济发展与提高自身经营质量的关系，实现了调控方式的根本转变。1998年，为了更好地执行中央银行的职能，人民银行对其管理体制进行了重大改革，主要措施是撤销人民银行省级分行，跨省(自治区、直辖市)设立9个分行，同时把对证券机构的监管权由人民银行移交给中国证监会，以增强人民银行的独立性。1998年6月，成立中共中央金融工作委员会，实行国有金融机构党领导垂直化。同时，在1997年全国金融工作会议确定的“分业经营，分业监管”的总体思路下，开始建立分业管理体制。1998年11月中国保险业监督管理委员会成立，负责监管保险行业。这样，与此前1992年成立的中国证监会，以及负责银行监管的中国人民银行并列为三大监管机构，形成银行、证券、保险三个分业监管体系。

关于利率市场化改革方面，1998年允许农村信用社贷款利率浮动幅度由40%扩大到80%。1999年国务院颁布实施了《人民币利率管理规定》，对中央银行和商业银行的利率确定权有了明确的规定。同时，从2000年9月21日起，人民银行放开中资银行外币贷款利率，由金融机构根据国际金融市场利率的变动情况自行确定各种外币贷款利率及其计结利息方式；大额外币存款利率由金融机构和客户协商确定，小额外币存款利率由银行业协会统一制定，各金融机构执行。由此可见，中国的利率市场化改革，也在随着金融市场化改革的不断深入而深入。然而，迄今为止，金融体系中最重要的利率——商业银行的存贷款利率还没有完全放开，人民银行仍然负责制定和监督金融机构的存贷款利率。

4.多方位展开国际金融交往，发展国际金融业务

中国人民银行代表国家与世界各国中央银行建立双边和多边的往来，同货币制度与国际金融市场进行磋商。国内各金融机构也在国外广泛寻求合作，与全球绝大多数国家的金融机构开展了不同形式和内容的业务合作。既丰富了国内金融市场的投资品种，也为境内外外汇资金的有序流动提供了渠道。

同时，外资金融机构也积极加入中国金融体系。1997年末，外资银行在境内各大城市设立分行开办人民币业务的机构达到209家，在华设有代表处有242家。中国加入世贸组织后，境外各金融机构极其关注在中国内地获得经营全部金融业

务的机会，争相开办本外币银行、保险、信托、投资等业务，业务扩张迅猛。

从1992年到2001年，经济体制改革的重心是建立工业部门的现代企业制度，与之相适应，金融部门的改革旨在建立独立于财政的市场取向的金融体系，目的在于创造与企业改革相适应的外部环境。

在20世纪90年代以前的金融体系中，监管系统是中国人民银行；银行系统包括国家专业银行（工商银行、农业银行、中国银行和中国建设银行）、股份制银行（如交通银行、招商银行、光大银行、中信银行等）、区域性银行（如深圳发展银行、广东发展银行等）和信用合作社（城市、农村）；非银行金融中介主要有保险公司（如人保）、信托投资（如中信、光大）、租赁公司（如东方租赁公司）以及各大企业集团财务公司。可以说，20世纪90年代以前中国金融体系的最大特点就是有机构无市场，金融市场在当时不存在，更没有发展起来。

随着金融体制改革第一项基本任务的完成，20世纪90年代以后中国的金融体系发生了较大的变化。在明确“分业经营、分业监管”原则后，监管系统从原来只有中国人民银行发展到包括中国证监会、银监会和保监会以及自律性组织（协会）的完善监管体系；银行系统中，除了4大国有商业银行外，成立了政策性银行，发展了股份制银行，区域性城市商业银行纷纷建立，外资银行在2001年中国“入世”前后也开始加快步伐进入，还包括农村信用社、其他存款贷款类金融机构。总之，20世纪90年代后的银行系统呈现出多层次的金融市场活动主体。非银行金融中介也得到空前发展，除了之前就已经存在的保险公司、信托投资、租赁公司等，还出现了更多的新型非银行金融中介，如金融资产管理公司、证券公司、汽车金融、基金管理公司、产业基金、社保基金等等。同时，随着股票市场、债券市场、资金市场、外汇市场、金融衍生品市场（期货）等市场的建立，中国金融体系改变了之前有机构无市场的窘境。

然而，尽管金融体制改革初见成效，顺利完成了第一项基本任务，建立了独立于财政的金融体系，但作为市场微观主体的金融机构在当时仍然面临一系列问题。以银行业为例，主要表现在：①不良贷款过高；②资本金不足；③经营效率低下；④风险审核系统和风险管理系统技术落后；⑤信息科技落后等。

面对加入世贸组织后外资金融机构竞争的威胁，为了在逐步开放的市场中建立更完善的中国金融体系，建立有效地金融市场微观主体，并与经济体制改革中的宏观层次相配合，中国开始对金融机构进行企业化改造，力图使之成为真正的市场主体。由此，中国金融体制改革进入下一个时期。

分税制改革

分税制是按税种划分中央和地方收入来源的一种财政管理体制。实行分税制，要求按照税种实现“三分”：即分权、分税、分管。分税制实质上就是为了有效地处理中央政府和地方政府之间的事权和财权关系，通过划分税权，将税收按照税种划分为中央税、地方税（有时还有共享税）两大税类进行管理而形成的一种财政管理体制。它按市场经济原则确定各级政府的事权及其支出范围,根据事权和财权相统一的原则,按税种划分财政收入,以确定中央和地方政府以及各地方政府之间财政分配关系的一种财政管理体制。它的精髓在于运用商品经济的原则处理中央与地方收支权限的划分,把中央与地方的预算严格分开,实行自收自支、自求平衡的"一级财政、一级事权、一级预算"的财政管理体制。要说明的是,我国在清朝末期曾出现过分税制的萌芽。

一

实行分税制改革的原因分析

中国实行分税制改革,最重要的原因有两点,一是由于财政大包干,出现了两个比重下降的局面,中央的宏观调控能力遭到削弱;二是规范中央和地方的财政分配关系,建立适应社会主义市场经济体制的财政体制。

1.财政包干制的弊端

在分税制改革进行以前,我国实行的财政体制是财政包干制。这种体制对于调动地方的积极性、保证财政收入的增长、促进国民经济的发展产生过积极影响。但随着时间的推移,包干制的缺陷也很明显,如在形式上,包干制有六七种之多,在基数上、上交比例上等,都是不统一的,这显然很不规范,也给管理带来了困难;包干制对各地方之间来讲,也可以说是不平等的,而且,发展下去使这种不平等更加严重。相比而言,分税制达到了形式上的平等,虽然由于各省经济发展不平衡,会有事实上的不平等,但将来会减少这种事实上的不平等。税收作为经济运行最重要的杠杆在包干制下,发挥不了应有的作用,有时还会对经济产生逆调节作用。所以按企业隶属关系划分企业所得税,按属地原则划分流转税的做法,一方面造成了中央财政收入增长缺乏弹性,削弱了中央的宏观调控能力;另一方面,也不利于政企分开,企业经营机制难以转换;此外,还易形成地方割据,阻碍全国统一市场的形成与发育。因此,包干制已经越来越不适应市场经济的要求,改革成为一种必然。实行分税制是对包干制的一种否定,是发展市场经济的需要。

20世纪80年代末90年代初,中国的中央财政陷入了严重危机,由于财政收入占GDP的比重和中央财政收入占整个财政收入的比重迅速下降,中央政府面临前所未有的"弱中央"的状态。1981年中央财政收入约占全国财政收入的57%,1992年下降到38.6%,11年下降了近20个百分点。以实行财政大包大干的1988—1993年为例,中央财政每年从收入增量部分中取得的收入基本被包死,既不能与国民经济增长同步,也不能与财政总规模的增长同步,致使中央财政收入不断萎缩,赤字逐渐增加,中央财政缺乏应有的回旋余地。中央财力的薄弱,使那些需要国家财政投入的国防、基础研究和各方面必需的建设资金严重匮乏。

1992年,党的十四大确立了我国建立社会主义市场经济体制的改革目标后,市场在资源配置中的基础性作用不断扩大,使原有财政体制的弊端日益显露,以放权让利为特征的财政"分灶吃饭"体制推行到1993年时,中央财政收入占全国财政收入的比重已经下降至不足30%的水平,严重弱化了中央政府的宏观调控能力。

1993年7月23日,全国财政、税务工作会议在北京召开。朱镕基副总理到会对所有参加会议的人员说:"在现行体制下，中央财政十分困难，现在不改革，中央财政的日子过不下去了。目前中央财政收入占全国财政收入的比重不到40%，但中央支出却占50%多，收支明显有差额，中央只好大量发债券，不然维持不下去。去年，内外债务，向银行借款900多亿元，今年预计1000多亿元，中央背着大量的债务，而且越背越重，中央财政困难，而且是加剧的趋势。一般来说，发达的市场经济国家，中央财政收入比重都在60%以上。而中央支出一般占40%，地方占60%。但是我们正好相反，收支矛盾十分突出。这种状况是与市场经济发展背道而驰的，必须调整过来。”

2. 实行分税制是适应建立社会主义市场经济体制的需要

1987年党和国家领导人就有搞分税制的动议，1987年10月召开的党的十三大通过的报告极为简要地提到，在合理划分中央和地方财政收支范围前提下实行分税制。当时分税制只是一种理想主义的设计。在中央经济工作会议上，中共中央政治局常委、国务院副总理姚依林提出相关设想。由于当时社会经济环境没有要求实施分税制的动因，也不具备实施分税制所要求的市场经济财税体制，计划经济下是无法搞分税制的，所以遭到了几个省的强烈反对，因为这直接触及了地方的利益，因此这次尝试没有成功。在经济体制改革目标还不清晰和“包”字占改革主导思想的当时，也没有去具体实施的条件。

1990年，时任国务院总理的李鹏在《关于制定国民经济和社会发展十年规划和“八五”计划建议》中提出，要在“八五”期间，有计划地实施分税制。鉴于当时的状况还要不断完善财政包干制，同年，财政部提出了“分税包干”的体制方案。

1992年春天小平同志发表南方谈话。谈话精神最重要的就是确定了市场经济体制改革方向。谈话以当年中央“二号文件”形式下发，在全国引起了很大轰动。1992年秋天召开了中共十四大，在大会政治报告中，江泽民总书记代表党中央正式提出，今后中国经济体制改革的目标模式是社会主义市场经济，并提出“要逐步实行税利分流和分税制”。同年我国首先在天津、辽宁、沈阳、大连、浙江、新疆等九个地区进行了分税制试点。1993年全国人民代表大会审议通过了宪法修正案，将在中国实行社会主义市场经济写进了国家的根本大法。

1993年4月22日，中央政治局常委会专门听取了财政部部长刘仲藜和国家税务局局长金鑫关于财税体制改革的汇报。26日，中央领导专题听取了金鑫关于税制改革的汇报。江泽民同志指示财政部要研究财政与税收制度改革问题。他指出：现在这种包干体制是一种不适应市场经济的落后体制，没有哪一个国家是这样搞的，财税体制已经到了非改不可的地步。4月28日，中央政治局常委会正式批准了税制改革的基本思路。会后，项怀诚回到财政部传达了中央的税制改革基本思路。依据中共中央政治局常委会的决定，指示，在“五一”之前，成立若干个体制改革方案起草小组，其中分税制改革小组设在财政部。从那时起，方案小组进驻黑龙江驻北京办事处。

7月23日，朱镕基副总理在全国财政、税务工作会议上作了具体部署。他说：“我们准备根据决定，马上成立财政和税制领导小组，请刘仲藜负责，再请计委、经贸委、体改委、税务总局这些部门负责同志参加，还要调一些熟悉国内外财税制度、又懂得法律、能够动笔头子的人来讨论，设计、起草财政税制改革方案。”

1993 年 9 月，十四届三中全会召开。全会根据十四大提出的要求，形成了一个决议，即《中共中央关于建立社会主义市场经济体制若干问题的决定》。它标志着一轮宏观经济体制改革全面展开。在这个决定里，对财政体制改革提出了三项任务。第一项就是要实施工商税制改革，调整国家和企业之间的关系；第二是在中央和地方两级政府之间要实行分税制；第三是国家预算要实行复式预算。在分税制改革的历程上，十四届三中全会起了“一锤定音”的决定性作用。

据项怀诚的回忆：“十四届三中全会决议公布以后，分税制改革就在全党动员起来了。此前，就财税体制改革曾作了一系列准备工作。一是数据上的准备工作。财税体制改革要算很多账，调整分配关系，无论中央与地方之间还是国家与企业之间，都很复杂。地区之间要平衡，行业之间税负也要平衡，很难处理。二是要设计税种。精简哪些税种，新建哪些税种等等，税负的调整还要征求各方面意见。三是要介绍分税制，因为上上下下并不熟悉。时任财政部部长的刘仲藜在北京龙泉宾馆主持召开了一次体制改革座谈会，我当时是常务副部长，在会上有个发言，第一次比较全面地介绍了分税制。龙泉宾馆会议对统一思想非常有益，随后工商税制改革和分税制改革就开始紧锣密鼓地进行。1993 年下半年，无论财政部还是税务总局两个办公楼晚上经常灯火通明。那时已普遍使用计算机，大大提高了效率。税务总局出了很多改革方案，还开了很多座谈会，包括纳税人的、地方政府的、专家学者的、海外一些人的。就工商税制改革听取各方面意见而言，这次可能是历史上最充分的一次了。我认为在分税制改革中当时的国家税务总局做了大量工作。”

从 1993 年 9 月 9 日到 11 月 21 日两个多月的时间，朱镕基副总理带领 60 多人的工作班子，有体改办、财政部、国家税务总局及银行等部门的同志，其中主要是财税系统的同志，飞遍 17 个省、市、自治区，就即将进行的财税体制改革征求地方意见。在前后近 70 多天的时间内，他们首先是充分听取各省同志的意见，作调查研究，与省里认真细致地算财政体制账，每到一个省，了解历史上多次体制变更状况，另外按照十分税制后的 10 年，预测中央从地方拿多少钱、占地方税收比重。这种预测的结果，决定对分税制切割线的确定。中央既可以拿到必要的增量，又要考虑到地方的承受力。

二

1994 年分税制改革的主要内容

1993 年 12 月 15 日，国务院颁布《关于实行分税制财政管理体制的决定》，分税制方案的细则才得以公开。中国分税制改革的内容主要有：

1. 中央与地方事权和支出的划分

根据中央政府与地方政府事权的划分，中央财政主要承担国家安全、外交和中央国家机关运转所需经费，调整国民经济结构、协调地区发展、实施宏观调控所必需的支出以及由中央直接管理的事业发展支出。具体包括：国防费，武警经费，外交和援外支出，中央级行政管理费；中央统管的基本建设投资，中央直属企业的技术改造和新产品试制费，地质勘探费，由中央财政安排的支农支出，由中央负担的国内外债务的还本付息支出，以及中央一级负担的公检法支出和文化、教育、卫生、科学等各项事业费支出。

地方财政主要承担本地区政权机关运转所需支出以及本地区经济、事业发展所需支出。具体包括:地方行政管理费,公检法支出,部分武警经费,民兵事业费,地方统筹的基本建设投资,地方企业的技术改造和新产品试制经费,支农支出,城市维护和建设经费,地方文化、教育、卫生等各项事业费,价格补贴支出以及其他支出。

2. 中央与地方收入的划分

根据事权与财权相结合的原则,按税种划分中央与地方的收入。将维护国家权益、实施宏观调控所必需的税种划为中央税;将同经济发展直接相关的主要税种划为中央与地方共享税;将适合地方征管的税种划为地方税,并充实地方税税种,增加地方税收入。具体划分如下:中央固定收入包括:关税,海关代征消费税和增值税,消费税,中央企业所得税,地方银行和外资银行及非银行金融企业所得税,铁道部门、各银行总行、各保险总公司等集中交纳的收入(包括营业税、所得税、利润和城市维护建设税),中央企业上交利润等。外贸企业出口退税,除1993年地方已经负担的20%部分列入地方上交中央基数外,以后发生的出口退税全部由中央财政负担。

地方固定收入包括:营业税(不含铁道部门、各银行总行、各保险总公司集中交纳的营业税),地方企业所得税(不含上述地方银行和外资银行及非银行金融企业所得税),地方企业上交利润,个人所得税,城镇土地使用税,固定资产投资方向调节税,城市维护建设税(不含铁道部门、各银行总行、各保险总公司集中交纳的部分),房产税,车船使用税,印花税,屠宰税,农牧业税,对农业特产收入征收的农业税(简称农业特产税),耕地占用税,契税,遗产和赠予税,土地增值税,国有土地有偿使用收入等。

中央与地方共享收入包括:增值税、资源税、证券交易税。增值税中央分享75%,地方分享25%。资源税按不同的资源品种划分,大部分资源税作为地方收入,海洋石油资源税作为中央收入。证券交易税,中央与地方各分享50%。

3. 中央财政对地方税收返还数额的确定

为了保持现有地方既得利益格局,逐步达到改革的目标,中央财政对地方税收返还数额以1993年为基期年核定。按照1993年地方实际收入以及税制改革和中央与地方收入划分情况,核定1993年中央从地方净上划的收入数额(消费税+75%的增值税－中央下划收入)。1993年中央净上划收入,全额返还地方,保证现有地方既得财力,并以此作为以后中央对地方税收返还基数。1994年以后,税收返还额在1993年基数上逐年递增,递增率按全国增值税和消费税的平均增长率的1∶0.3系数确定,即上述两税全国平均每增长1%,中央财政对地方的税收返还增长0.3%。如若1994年以后中央净上划收入达不到1993年基数,则相应扣减税收返还数额。从这一规定可以看出,1994年虽然构建了分税制改革的框架,但原包干体制下的分配格局并没有发生根本变化,只是中央财政可以从每年的增量中多拿一部分收入,以适应加强宏观调控的需要。

4. 原体制中央补助、地方上解以及有关结算事项的处理

顺利推行分税制改革,1994年实行分税制以后,原体制的分配格局暂时不变,过一段时间再逐步规范化。原体制中央

对地方的补助继续按规定补助。原体制地方上解仍按不同体制类型执行：实行递增上解的地区，按原规定继续递增上解；实行定额上解的地区，按原确定的上解额，继续定额上解；实行总额分成的地区和原分税制试点地区，暂按递增上解办法，即按1993年实际上解数，并核定一个递增率，每年递增上解。原来中央拨给地方的各项专款，该下拨的继续下拨。地方1993年承担的20%部分出口退税以及其他年度结算的上解和补助项目相抵后，确定一个数额，作为一般上解或一般补助处理，以后年度按此定额结算。在分税制运行两年后，中央财政又进一步推行“过渡期转移支付办法”。即中央财政从收入增量中拿出部分资金，选取对地方财政收支影响较为直接的客观性与政策性因素，并考虑各地的收入努力程度，确定转移支付补助额，重点用于解决地方财政运行中的主要矛盾与突出问题，并适度向民族地区倾斜。税收返还和转移支付制度旨在调节地区间的财力分配，一方面既要保证发达地区组织税收的积极性，另一方面则要将部分收入转移到不发达地区去，以实现财政制度的地区均等化目标。

5. 分设中央和地方两套税务机构

国家税务局实行中央垂直领导，负责中央税和共享税的征收；地方税务局负责地方税的征收。海关的税务职责不变，即负责关税和进出口环节流转税的征收。这是分税制的一个重要特点，也是一个重要优点，机构不分就难以保证中央收入。初步开始改变过去按企业隶属关系上缴税收的办法。按分税制的设计，所有企业的主体税种（主要是增值税、消费税和企业所得税）都要纳入分税制的划分办法进行分配。2002年开始的所得税分享改革更是将企业所得税和个人所得税由地方税变为中央—地方共享税种。这些做法极大地影响了地方政府与企业的关系，它不但能够保证中央财政收入随着地方财政收入的增长而增长，而且能够保证“第一个比重”——财政收入在GDP中的比重随着地方经济的发展而不断提高。

关于这次分税制改革，财政部项怀诚副部长进一步明确了以下几点：第一，这次改革是渐进式的、老体制的分配格局不变，继续运转，以后再慢慢调整，当前先把分税制的新机制建立起来。第二，新的分税制中央只从增值税的增量中留一些，数量有限，取之有度，缓缓而行，地方承受得了，做法温和。第三，这次分税制改革，中央不卸包袱，不向地方转嫁负担。第四，这次改革体现了调动两个积极性的精神，在原体制分配格局不变和新体制规范化的前提下，尽可能照顾地方利益，具体体现在以1993年为基期年，1993年既得财力保持不变，共享税中央分成的增量部分适当给地方返还一些。

分税制改革还得到了老一辈领导人的支持，邓小平和陈云等同志多次提出要加强中央的权威，其中重要的一点就是提高中央财政在全国财政收入中的比重，加强中央财政的宏观调控能力。1994年2月9日，作为新中国成立以来长期主管经济工作的主要领导人陈云同志在同上海市负责同志谈话时指出：“中央决定从今年起实行分税制，使中央逐步集中必要的财力。上海和全国其他各地都表示赞成，说明大家是顾全大局的，我很高兴。”1995年1月1日起实施的《中华人民共和国预算法》第8条明确规定“国家实行中央和地方分税制”，从法律的高度肯定和确立了中国分税制的财政管理体制。

分税制改革的积极意义在于：①建立了向市场经济靠近的财政体制，规范中央和地方的分配关系和财税行为，符合市场经济的开放、规范、有序、公平、法制的要求；②分税制将大部分具有增长潜力的税种划分给中央，有利于中央增加收入；③分税制将流转税上收，一定程度上有利于产业结构调整和资源优化配置；④分税制为各地区的财力增长提供了有利条件，对中西部地区而言，中央将资源税留给地方，在确定各地增值税、消费税增长速度时也采取了按全国平均增速挂钩的办法，一定程度地平衡地区差距；对于东部地区则给予了更多的机会和条件。实行分税制后，税种和各税种形成的税收收入分别按照立法、管理和使用支配权，形成了中央税和地方税（中央和地方共享税）。把过去实行的财政大包干管理体制改为分税制财政管理体制，不仅初步理顺了国家与地方的关系，而且调整了国家与纳税人的关系。

三

对分税制财政体制的调整和完善

由于分税制对中国来说还是一件新事物，另外中国的社会主义市场经济体制还处在不断发展和完善之中，所以在实践中根据新的情况和问题对分税制进行调整和完善，就成为了一件很重要的工作。

分税制改革时就曾经设想按照建立社会主义市场经济体制的要求，打破企业隶属关系，对企业所得税实行分率共享或比例共享，但是由于当时条件尚未成熟，暂维持原划分格局。随着政府机构改革的实施、企业改革的深化以及地区间经济发展格局的变化，按企业隶属关系划分所得税收入的弊端日益显现：强化了政府干预，不利于深化企业改革，不利于公平竞争；收入混库问题日益突出，不利于征收管理；不利于扭转地区间财力差距扩大的趋势。在深入调查研究和广泛征求地方意见的基础上，2001 年 12 月 31 日，国务院下发《所得税收入分享改革方案》，就中国个人所得税和企业所得税的分享范围、比例、征管、分配使用等进行了新的调整。从 2002 年 1 月 1 日起，对企业所得税和个人所得税收入超过 2001 年的增量部分实行中央和地方按比例分享；2002 年按五五比例分享；2003 年按六四比例分享；2003 年以后年份的分享比例按实际收入情况再行考虑。并明确中央因改革所得税收入分享办法增加的收入，全部用于对地方主要是中西部地区的一般性转移支付。

为解决省以下横向和纵向财力不平衡问题，缓解部分地方基层财政的困难，2002 年国务院转发了财政部《关于完善省以下财政管理体制有关问题的意见》，督促各地在明确划分各级政府财政收支的基础上，调整和完善省以下体制，建立规范的转移支付制度。随着经济的发展和社会主义经济体制改革的深化，党的十六大提出进一步推进税制改革，十六届三中全会提出按照“简税制、宽税基、低税率、严征管”的要求推进税制改革，十七大进一步提出实行有利于科学发展的财税制度。按照中央的要求和部署，近年来，税制改革以农村税费改革为突破口，并逐步向增值税、企业所得税等税种推进。一是逐步取消农业税。从 2001 年起，农村税费改革试点逐步扩大，从 2006 年起废止《中华人民共和国农业税条例》。从 2005 年到 2006 年，国务院先后取消了牧业税和屠宰税，对过去征收农业特产农业税的烟叶产品改征烟叶税。二是稳步推进增值税改革。从 2004 年 7 月 1 日和 2007 年 7 月 1 日起，先后在东北老工业基地和中部地区

26个城市分别选取相关行业和产品进行扩大增值税转型改革试点；从2008年7月1日起将东北老工业基地现行的增值税抵扣范围试点政策范围扩大到内蒙古东部地区。2009年1月1日起，在全国全面推行增值税转型改革。三是统一内外企业所得税制度。2007年3月16日，第十届全国人民代表大会第五次会议公布《中华人民共和国企业所得税法》，2008年1月1日起实施，对内资企业和外资企业分别征收的所得税从此统一。四是推进出口退税机制改革。2004年1月1日起，中国实施了较大规模的出口退税机制改革，主要内容为适当降低出口退税率总体水平，建立中央和地方共同负担出口退税的新机制，加大中央财政对出口退税的支持力度。此后，根据产业结构发展和改善进出口贸易的需要，对于部分高耗能、高污染、资源性产品，或取消其出口退税，或降低其出口退税率。五是适时修改个人所得税法。从2005年至2007年，全国人民代表大会常务委员会先后三次修改个人所得税法：两次提高工资、薪金所得的费用减除标准，扣除标准从800元逐步提高到1600元和2000元，减轻了普通工薪阶层个税负担，另外还修改了关于纳税申报和储蓄存款利息所得征税的规定。六是完善其他税收制度。在消费税方面，调整了部分消费税税目和税率（税额标准），从2006年4月1日起，将一些高档消费品和资源消耗性产品纳入征税范围。在地方税方面，从2006年至2008年，国务院先后将车船使用税与车船使用牌照税合并为车船税，公布了《中华人民共和国车船税暂行条例》，实现了车船税制度的内外统一；修改了《中华人民共和国城镇土地使用税暂行条例》和《中华人民共和国耕地占用税暂行条例》，实现了土地税制度的内外统一；取消了筵席税。此外，陆续提高了资源税部分应税产品的税额标准。

经过上述改革，目前除海关负责征收的关税、船舶吨税和已暂停征收的固定资产投资方向调节税外，税务部门负责征收的税种共有17个。中国税制进一步简化、规范，税负更加公平，增强了税收筹集收入的功能，提高了税收对宏观经济的调控能力，加强了税收调节收入分配的作用，促进了经济社会稳定协调发展。

四

实行分税制的主要成效

1.促进了中央与地方财政收入的持续快速增长

分税制前，每年国家财政收入增收额基本徘徊在200亿—300亿元，年均增长率为10%左右。分税制实施以来，全国财政收入年均增长1360亿元，年均增长速度高达17%，这种持续的高速增长是以前从来没有过的。分税制财政体制由低增长弹性转变为高增长弹性。1980—1993年期间财政收入增长弹性为0.64，即经济增长率每提高1个百分点，财政收入增长率仅提高0.64个百分点；1994—2002年期间财政收入增长弹性为1.70，即经济增长率每提高1个百分点，而财政收入增长率提高1.70个百分点。财政体制对财政收入增长的贡献率由负变正，提高了9.3个百分点。

2.改变了原财政包干体制下多种体制并存的格局

分税制使中央对地方的财政管理体制在全国范围内统一起来，改变了包干制财政体制下多样的包干方式，从而实现了形式上的统一和公平。而过渡期财政转移支付办法的出台初步奠定了地区财力均衡的规范制度基础。另外，分税制最大限度地限制了地方政府对税收的随意减免，从而进一步规范了各级政府间的财政分配关系和分配秩序。

3.增强了中央政府的宏观调控能力

将实施宏观调控所必需的税种划为中央税，同经济发展直接相关的主要税种划为中央和地方共享税，中央财政在上划税收增量中拿大头，直接组织的收入占全国财政收入的比重比改革前大为提高，彻底改变了以往财政收入初次分配中“地方得大头”的状况，形成了“中央占财政收入大头”的分配格局。分税制体制建立之后，中央预算收支占全部预算收支不断下降的趋势得到根本的扭转。中央财政收入占总财政收入中的比重在1984年至1993年一直呈下降趋势，从40.5%下降至22.0%，而实行分税制后，该比例得以显著上升。2003年中央财政收入占总财政收入中的比重已达54.6%。地方的财政收入从1994年前的70%左右下降到1994年后的50%左右。中央税收占主导地位，国家容易集中财力，解决重大社会经济问题，稳定全局。中央对地方实行不同形式的补助金制度，既可以掌握地方政府的支出范围和财力配置方向的主动权，保证中央经济调控政策的贯彻，又可以调动地方政府的积极性，因地制宜地办一些实事。中央宏观经济调控能力明显提高，主要表现为经济波动系数明显下降，是1949年以来宏观经济最稳定时期，1980—1993年期间GDP增长率波动系数为37.5%，1994—2001年降至为20.9%。不仅避免了经济发展大起大落，也避免了财政收支大起大落；不仅财政收支高增长，也保持了稳定增长。

4.大大改善了政府向全社会提供公共物品、公共服务、公共投资的能力

分税制实行后，中央财政收入有了大幅度的提高，国家有能力和财力加大对国家长久发展起重要作用的“软件投资”比重，包括对教育投入、科研经费投入、卫生支出和社会保障支出等占GDP比重不同程度提高，公共财政转型初见成效。

1994年的税制改革，是新中国成立以来规模最大、范围最广泛、内容最深刻的一次税制改革，经过这次改革，我国初步建立了适应社会主义市场经济体制发展要求的税制框架。这对于保证财政收入，加强中央政府宏观调控能力，深化改革和扩大开放，促进经济和社会发展，起到了重要的作用。“1994年进行的财税体制改革是及时的、成功的，对形成当前经济的好形势发挥了重要作用。”“对财税体制取得的成功，怎么评价都不过分。”这是1998年时任国务院总理的朱镕基对分税制改革作出的评价。

个人所得税的修订和完善

个人所得税肇始于1799年的英国。在不同的经济体制下，财政调节个人收入分配的主要手段有所不同。市场经济体制下调节个人收入分配的主要手段是税收，即对个人所得征收所得税、遗产与赠与税等税收，属于国民收入再分配范畴。目前，个人所得税收入占财政收入的比重，发达国家和发展中国家差别很大。发达资本主义国家，个人所得税已经成为调

节个人收入分配的主要手段之一，在国际社会享有“经济内在调节器”和“社会减压阀”的美誉。中国个人所得税的发展相对较晚，期间的发展也经历了一个曲折的过程。

一

中国个人所得税的回顾

在我国，个人所得税始于20世纪初期。自清末提出开征个人所得税的设想，至1936年国民党政府正式付诸实施，它经历了近三十年的反复曲折。新中国成立后，个人所得税从1950年至1980年只是对部分项目开征。我国的个人所得税作为一个独立的税种，是在改革开放后的1980年9月立法开征的，但对个人所得的征税则始于解放初期。我国的个人所得税制经历了一个从不规范到比较规范，从不成熟到比较成熟的过程。

早在中华民国时期，曾开征薪给报酬所得税、证券存款利息所得税。中华人民共和国成立后，中央人民政府于1949年11月在北京召开了首届全国税务会议，会上制定和通过了《全国税政实施要则》，决定除农业税外，建立包括工商业税、存款利息所得税、薪给报酬所得税在内的14个税种，计划对个人的所得开征相应的税种。1950年，政务院公布的《税政实施要则》中，就曾列举有对个人所得课税的税种，当时定名为“薪给报酬所得税”。政务院于1950年1月和12月先后公布了《工商业税暂行条例》和《利息所得税暂行条例》，自公布之日起，分别对个体工商业户、临时商业及摊贩业户的所得征收工商业税，对在中国境内取得利息征收利息所得税。当时设立薪给报酬所得税的设想是对个人取得的工资、薪金和劳务报酬所得征收，但由于当时我国生产力水平比较低，实行的是低工资、广就业的政策，虽然设立了税种，可是一直到70年代末都没有开征。1956年“三大改造”任务基本完成以后，利息所得税实际上只对银行存款利息征收，税源大幅减少。1958年因银行降低存款利率，国务院决定从1959年起停征利息所得税。此后，我国对个人所得的征税，实际上只对个体工商业户的生产经营所得和其他所得征收。1958年国家对税制进行了重大改革，将工商业税中的营业税和其他税种合并为工商统一税，工商业税中的所得税独立为一个税种，形成工商所得税，继续对个体工商业户和集体企业的生产经营所得和其他所得征税。

1949年以来国家对个体经济历来都是征收所得税的。1963年以前，一直按照《工商业税条例》中有关所得税的规定执行。1963年调整所得税时，规定对个体经济适用十四级全额累进税率，并对全年所得额在1800元以上的实行加成征税。

改革开放之初的1979年6月，80多名来自全国各地的财税专家、各省税务局局长和中央有关部门领导被财政部召集到了大连渤海饭店，成立了一个培训班，原财政部国税总局局长当“班长”。几名来自美国著名大学的经济学教授也被悄悄地邀请到了大连，他们专程来传授美国个人所得税法的立法经验。三个月之后，中国首部《个人所得税法》草案诞生于这批中外精英之手。

1980年9月10日五届人大三次会议通过并公布了《中华人民共和国个人所得税法》，自公布之日起开征个人所得税。我国的个人所得税制度至此方始建立。1980年12月14日财政部公布了《中华人民共和国个人所得税法施行细则》，并规定施行细则以《中华人民共和国个人所得税法》的公布施行日期为施行日期。

《中华人民共和国个人所得税法》第一条规定的个人所得税纳税义务人为：在中华人民共和国境内居住满一年的个人。从中国境内和境外取得的所得，都按照本法的规定缴纳个人所得税。不在中华人民共和国境内居住或者居住不满一年的个人，只就从中国境内取得的所得，缴纳个人所得税。

法律还罗列规定了应纳个人所得税的各项所得：①工资、薪金所得；②劳务报酬所得；③特许权使用费所得；④利息、股息、红利所得；⑤财产租赁所得；⑥经中华人民共和国财政部确定征税的其他所得。

关于个人所得税的税率，法律规定工资、薪金所得适用超额累进税率；其他所得适用税率为20%的比例税率：

(1)工资、薪金所得，适用超额累进税率，税率为5%至45%(税率表附后)；

(2)劳务报酬所得，特许权使用费所得，利息、股息、红利所得，财产租赁所得和其他所得，适用比例税率，税率为20%。

《中华人民共和国个人所得税法》第四条还规定了免纳个人所得税的各项所得情况：

(1)科学、技术、文化成果奖金；

(2)在中华人民共和国的国家银行和信用合作社储蓄存款的利息；

(3)福利费、抚恤金、救济金；

(4)保险赔款；

(5)军队干部和战士的转业费、复员费；

(6)干部、职工的退职费、退休费；

(7)各国政府驻华使馆、领事馆的外交官员薪金所得；

(8)中国政府参加的国际公约、签订的协议中规定免税的所得；

(9)经中华人民共和国财政部批准免税的所得。

第五条规定了各项应纳税所得额的计算：

(1)工资、薪金所得，按每月收入减除费用八百元，就超过八百元的部分纳税；

(2)劳务报酬所得、特许权使用费所得、财产租赁所得，每次收入不满四千元的，减除费用八百元；四千元以上的，减除20%的费用，然后就其余额纳税；

(3)利息、股息、红利所得和其他所得，按每次收入额纳税。

关于个人所得税的缴纳，规定以所得人为纳税义务人，以支付所得的单位为扣缴义务人。没有扣缴义务人的，由纳税义务人自行申报纳税。扣缴义务人每月所扣的税款，自行申报纳税人每月应纳的税款，都应当在次月七日内缴入国库，并向税务机关报送纳税申报表。从中国境外取得所得的纳税义务人，应当在年度终了后三十日内，将应纳的税款缴入国库，并向税务机关报送纳税申报表。逾期不缴的，税务机关除限期缴纳税款外，从滞纳之日起，按日加收滞纳税款5‰的滞纳金。

当时规定起征点确定为800元，是个25年没有改动的数字。该法规定纳税人为在中国境内住满一年的个人和虽然不在中国境内居住但是有来源于中国境内所得的人；应纳税所得包括工资、薪金所得、劳务报酬所得、特许权使用费所得、利息等共6项；月免征额为800元(当时中国职工月平均工资63.5元)，鉴于当时绝大多数大陆居民个人收入还处于较低水平，由于免征额高，并且收入分配比较平均，因此实际缴纳个人所得税的，主要是在华工作并取得较高收入的外籍人员和港澳台人士，税源相对较窄。1981年中国个人所得税全年的征收总额仅为500万元。

二

改革开放初期的个人所得税

党的十一届三中全会后，为扩大劳动就业、搞活市场、鼓励扶持个体经济适当发展，经国务院批准，从1980年起对个体工商业户所得税作了适当调整，由各地比照八级超额累进税率自定征收办法，减轻了税收负担。但在实际执行中，各地做法不一，税负很不平衡。为公平税负，鼓励竞争，加强管理，正确处理国家与个体工商业户的分配关系，促进城乡个体经济的健康发展，国务院于1986年1月发布了《中华人民共和国城乡个体工商业户所得税暂行条例》，规定对从事工业、商业、服务业、建筑安装业、交通运输业及其他行业，经工商行政管理部门批准的城乡个体工商业户，从1986年开始按上述暂行条例规定征收所得税。城乡个体工商业户所得税，按十级超额累进税率征收，最低一级，年所得额不超过1000元的，税率为7%；最高一级，年所得额超过30000元的，税率为60%。对年所得额超过50000元的部分，加征10%～40%的所得税，自1986年1月1日起开征。

随着改革开放政策的实施，在工农业生产发展的基础上，城乡人民个人收入水平普遍提高，特别是个人取得收入的渠道有了很大的变化，除了过去作为主要收入来源的工资以外，还有种种奖金、劳务报酬、技术转让收入、承包所得以及股息、红利收入等。有相当一部分社会成员的个人收入已大大高于同期人均收入水平。为了调控消费基金增长，缓解社会成员之间收入过分悬殊的问题，以更好地贯彻按劳分配的原则，走共同富裕的道路，1986年9月，国务院发布了《中华人民共和国个人收入调节税暂行条例》，决定从1987年1月1日起，对个人收入开征个人收入调节税。该《条例》规定，个人收入调节税的纳税义务人是具有中国国籍、户籍，并在中国境内居住，取得应纳税收入的公民。应纳税的个人收入包括：工资、薪金收入；承包、转包收入；劳务报酬收入；投稿、翻译取得的收入；利息、股息、红利收入；经财政部确定征税的其他收入。个人收入调节税根据收入来源不同，设计了两种税率，分别计算征收。一种是把工资、薪金收入，承包、转包收入，劳务报酬收入，财产租赁收入，合并为综合收入，采用超额累进税率。另一种是对专利技术转让、稿酬、利息等项收入，采用20%的比例税率。超额累进税率按全国不同类别的工资地区，划分为四个档次，每个档次都确定一个计税基数，未超过计税基数三倍的部分免税，从超过地区计税基数三倍的部分起，按超过的倍数实行累进税率。纳税人每月综合收入超过计税基数三倍至四倍的部分，税率为20%；超过四倍至五倍的部分，税率为30%；超过五倍至六倍的部分，税率为40%；超过六倍到七倍的部分，税率为50%；超过七倍以上的部分，税率为60%。纳税的起征点定为400元，各地的起征点根据经济发达情况略有差异。而外籍人士的800元扣除标准并没有改变，内外双轨的标准由此产生。个人收入调节税的开征，有利于贯彻改革、开放、搞活的方针，促进经济体制改革顺利进行，调节公民个人之间的收入水平和增强公民依法纳税意识。

个体私营经济的迅猛发展，是改革开放初期中国社会的一个比较显著的特征，这给中国原来的社会经济分配结构带来深刻的变革。到1987年年底，全国私营企业已有22.5万户，雇工总数约360万人。私营企业在促进生产、活跃市场、扩大就业、满足人民生活需要等方面，显示了积极的作用。为了加强对私营经济的引导、监督和管理，调节私营企业主的收入差别，1988年6月25日，国务院发布了《关于征收私营企业投资者个人收入调节税的规定》。规定对私营企业投资者参加经营取得的工资收入，征收个人收入调节税；对私营企业投资者将私营企业税后利润用于个人消费的部分，按40%的比例税率征收个人调节税；但对用于发展生产基金的部分，国家不再征税。

国家这个时期还对来华工作的外籍人员实行了个人所得税的减免政策。为了促进对外经济合作和技术交流，鼓励外籍人员来华工作，根据《中华人民共和国第六届全国人民代表大会第三次会议关于授权国务院在经济体制改革和对外开放方面可以制定暂行的规定或者条例的决定》，1987年8月8日国务院颁布了《关于对来华工作的外籍人员工资、薪金所得减征个人所得税的暂行规定》第2条规定，下列外籍人员的工资、薪金所得，依照《中华人民共和国个人所得税法》的规定应缴纳的个人所得税税额，减半征收：①在中国境内设立的中外合资经营企业、中外合作经营企业和外资企业中工作的外籍人员；②在外国公司、企业和其他经济组织的驻华机构中工作的外籍人员；③其他来华工作的外籍人员。对于在中国境内工作的华侨、港澳同胞的工资、薪金所得应缴纳的个人所得税税额比照外籍人员确定。暂行规定从1987年8月1日起施行，这是我国政府在税收方面为改善投资环境而采取的一项重要措施。

这样由最初的个人所得税演变为个人收入调节税、个人所得税以及个体工商户所得税三种税种。我国就形成了对个人所得三税并征、互不交叉的制度。上述三个税收法规发布实施以后，对于调节个人收入水平、增加国家财政收入、促进对外经济技术合作与交流起到了积极作用，但也暴露出一些问题，主要是按内外个人分设两套税制、税政不统一、税负不够合理。

从1980年到1993年的14年里，由于中国居民的整体收入还没有大幅度的提高，经济工作的货币化进程还处在逐渐发展阶段，个人所得税收入有限，每年的个人所得税收入平均不过几亿元（1980—1993年的个人所得税为个人所得税、个人收入调节税及城乡个体工商业户所得税之和）。

三

1993年对个人所得税法的修正

随着中国社会主义市场经济的发展和改革开放的逐步深入，社会经济结构出现重大变化，多种经济成分的存在发展，居民收入分配之间的差距逐步拉大等，已经使得原来通过的个人所得税法难以完全适应新的形势的发展。通过修订个人所得税法，提高个人所得税地位，加大个人所得税对居民收入分配的调节作用，形成我国新的主体税种等都有着重要的意义。

1993年个人所得税改革的背景，首先，是因我国居民收入逐渐多元化以及收入水平差距的拉大，原先比较单一的收入方式和平均主义分配格局已经发生了巨大的变化，需要对居民收入差距过大的情况进行调节。其次，在我国加速对外开放的形势下，人才、劳务和各种生产要素的双向交流日益发展，个人税务问题的发生也愈加频繁，客观上要求我国个人所得税逐步向国际惯例靠拢。第三，个人所得税的改革也是税收法制化进程的一个重要方面。由于税法的不统一，我国原有的个人所得税与个人收入调节税在纳税人、征税项目、费用扣除、税收负担和优惠减免等诸多税制要素上，存在不统一、不规范、不合理的现象，有悖于税收的确实原则，修订个人所得税法也是完善我国税制结构的重要方面。

党的十四大以后，为适应建立社会主义市场经济体制的需要，统一税政、公平税负、规范税制，八届全国人大常委会第四次会议重新修订并于1993年10月31日通过《中华人民共和国个人所得税法》，新的税收制度将过去的个人收入调节税、适用于外籍人员的个人所得税和城乡个体工商户所得税简并，建立统一的个人所得税。从1994年1月1日起实施。规定不分内、外，所有中国居民和有来源于中国所得的非居民，均应依法缴纳个人所得税。这一次大修订，实现了个人所得税双轨制向内外统一税制的转变。但税收基础没有变化，起征点依然定为800元，最高边际税率仍是45%。1994年1月28日国务院配套发布了《中华人民共和国个人所得税法实施条例》。对个人所得税实施过程中可能产生的一些问题进行了定义和说明。新的个人所得税法适用于有纳税义务的中国公民和从中国境内取得收入的外籍人员，改革后的个人应纳税所得在原税法规定的6项基础上新增加了5项，即个体工商户的生产、经营所得，个人的承包经营、承租经营所得，稿酬所得，财产转让所得和偶然所得；税率采用国际通行的超额累进制即工资、薪金所得采用5%～45%的九级超额累进税率；个体工商户的生产、经营所得采用5%～35%的五级超额累进税率，同时根据对纳税人基本生活费不征税的国际惯例，合理确定了税收负担水平。在计税方法上，从本国实际出发，采取了分项征收的方法，并在对原个人所得税法规定的免税项目进行调整的基础上形成了规范的减免税规定，对外籍人员采用了加计扣除额的照顾办法。

个人所得税是我国税制中的主体税种之一，是这次税制改革中唯一的一项税收立法。这是经过全国人大常委会对1980年《中华人民共和国个人所得税法》修订后又重新颁布的一个重要的税收法律文件。它结束了我国对个人所得税存在的三税（个人所得税、个人收入调节税、城乡个体工商业户所得税）同时并立的状况，初步建立起比较规范、统一和符合国际惯例的个人所得税新制度。

改革后的个人所得税与原来相比，有以下六个方面的重要修改：

（1）适用范围扩大。对中国公民、外籍人员和从事生产经营的个体工商户，均统一依照个人所得税法征税。

（2）引入税收上的“居民”和“非居民”概念。按照国际惯例，采用了住所和时间两个标准，将纳税人区分为“居民”和“非居民”。居民承担无限纳税义务，就其来源于我国境内和境外的全部应税所得纳税；“非居民”承担有限纳税义务，只就其来源于我国境内的应税所得纳税。

（3）调整了应税项目和减免税项目。增加了五个应税项目：个体工商户的生产、经营所得，对企事业单位的承包经营、承租经营所得，稿酬所得，财产转让所得和偶然所得。加上原有的征税项目，即工资、薪金所得，劳务报酬所得，特许权使用费所得，利息、股息、红利所得，财产租赁所得，国务院财政部门确定征税的其他所得，应税项目共有11项。免税项目调整的有四项：省级人民政府、国务院部委和中国人民解放军军以上单位，以及外国组织、国际组织颁发的科学、教育、技术、文化、卫生、体育、环境保护方面的奖金；储蓄存款利息、国债和国家发行的金融债券的利息；按照国家统一规定发给的补贴、津贴；还规定了经批准可以酌情减征个人所得税的项目。

(4)调整了工资、薪金所得费用扣除额。每月收入额减除费用为800元，这对中国公民来说，提高了减除标准（原北京地区为400元）；对外籍人员的减除费用额，则在原来800元的基础上，附加减除费用3200元，达到了4000元。

(5)调整了税率。工资、薪金所得仍适用5%～45%的超额累进税率，但税率级数增加到九级，级距作了调整；个体工商户的生产、经营所得和对企事业单位的承包经营、承租经营所得适用5%～35%的五级超额累进税率；其他所得适用20%的比例税率，但对劳务报酬所得一次收入畸高的，实行加成征税办法；对稿酬所得，减征30%的税款。1994年是修改后的《个人所得税法》实施的第一年。这一年，我国个人所得税收入达72亿多元。

(6)增加了减征个人所得税项目。1980年的个人所得税法，只列举了9种免征个人所得税的情形，而对减征方面的项目则没有涉及。这次修订，增加了减征个人所得税项目的内容：①残疾、孤老人员和烈属的所得；②因严重自然灾害造成重大损失的；③其他经国务院财政部门批准减税的。

新的个人所得税法有这么几个重要的特点：①比较适合中国国情。新税法根据建立社会主义市场经济体制的要求，适应我国经济增长、个人收入来源及收入水平和物价等变化情况，简化了税制，降低了税负，比较合理地确定了内外有别的费用扣除标准。②比较符合国际惯例。新税法统一、规范了自然人所得税制度，不论个人的国籍如何，只要符合居民或非居民界定条件即为个人所得税的纳税义务人，就适用统一税法，须依法纳税。

1993年的个人所得税制改革，标志着中国的个人所得税制度朝着法制化、科学化、规范化的方向迈出了重要的一步，这对于促进中国的改革开放、经济发展、调节收入分配和维护国家权益都具有重大的意义。

此后不久，国务院办公厅转发了财政部、国家税务总局关于加强个人所得税征收管理的意见，针对新的个人所得税法在实施过程中存在的问题，要求各地区、各部门采取有力措施，切实加强个人所得税的征收管理工作。

四

1994年后对个人所得税的重要变化

1994年实行的个人所得税法在实践中不断得到修改完善。为了引导居民消费和调节个人收入，也为了增加财政收入以解决低收入者的生活保障和增加扶贫资金，1999年8月30日经第九届全国人大常委会第十一次会议修订，把个税法第四条第二款“储蓄存款利息”免征个人所得税项目删去，宣布从1999年11月1日起对居民储蓄利息开征利息所得税。

2002年1月1日，个人所得税收入实行中央与地方按比例分享的改革，中央财政分享多得的部分，将全部用于对中西部地区的一般性转移支付，主要用在职工工资和社会保障等方面的补助支出，这有利于缩小东西部地区之间的差距。

2003 年 7 月,财政部财政科学研究所公布了一份名为《我国居民收入分配状况及财税调节政策》的报告,建议改革现行的个人所得税税制,适度提高个人所得税起征点,同时对中等收入阶层采取低税率政策。根据国税总局的统计数字,2004 年,在个人所得税一项中,中低收入工薪阶层的纳税额占个税税收总额的 65%以上。不纳税或者应该成为政府补贴对象的中低收入阶层却成为了个税缴纳的主力,这也引起了纳税人对于起征点长久不动的质疑,调高起征点的民间呼声逐渐高涨。同年 10 月 22 日,商务部提出取消征收利息税,提高个人收入所得税免征额等多项建议。

根据国家统计局有关资料测算的数据也支持提高个税起征点的说法,2004 年全国城镇在岗职工年平均工资为 16024 元,城镇居民年人均消费支出为 7182 元,按人均负担率 1.91 计算,城镇职工年人均负担家庭消费支出为 13718 元,每月为 1143 元,具体包括衣、食、住、行等方面的开支。因此,在个人所得税法修正案(草案)中,将扣除标准确定为 1500 元,考虑了城镇居民生活水平,兼顾了东西部差别和各地财政承受能力。扣除标准调整至每月 1500 元后,工薪阶层纳税人数占总人数的比例将从现在的 60%降至 30%左右,纳税人数减少一半左右,有利于减轻中低工薪收入者的税收负担。

2004 年中,财政部有关负责人就征收个人所得税问题答记者问时指出,随着客观情况的变化,现行个人所得税制度也暴露出一些亟待解决的问题:一是按所得项目分项、按次征税,与综合各项所得按年征税相比,调节个人收入分配力度有一定局限,不能充分体现公平税负、合理负担的原则。二是对不同所得项目采取不同税率和扣除办法,容易造成纳税人分解收入、多次扣除费用,存在较多的逃税避税漏洞。因此,通过对个人所得税的改革和完善,进一步加大税收对个人收入分配的调节力度十分必要。

2005 年初,广东财政再次对个税起征点提高进行调研,以便为中央尽快出台税改政策提供参考依据。2005 年 7 月 26 日,国务院总理温家宝主持召开国务院常务会议,讨论并原则通过了《中华人民共和国个人所得税法修正案(草案)》。

随着改革开放的深化和中国经济持续快速增长,居民收入提高,收入差距不断加大,个人所得税中的一些规定已显示出许多的不适应,对收入的调节功能不能有效发挥,对个人所得税进行新一轮改革的呼声越来越高。2005 年 8 月 23 日,第十届全国人大常委会第十七次会议首次审议个人所得税法修正案草案。第十届全国人民代表大会常务委员会第十八次会议于 2005 年 10 月 27 日通过《全国人民代表大会常务委员会关于修改〈中华人民共和国个人所得税法〉的决定》,将起征点由每月 800 元提高至 1600 元,并自 2006 年 1 月 1 日起施行。此次调整前,全国人大常委会专门举行了听证会,这是全国人大成立以来首个立法听证会。全国人大法律委、财经委和全国人大常委会法工委《关于举行个人所得税工薪所得减除费用标准听证会的公告》称:2005 年 8 月十届全国人大常委会第十七次会议对《中华人民共和国个人所得税法修正案(草案)》进行了初次审议。修正案(草案)规定个人所得税工资、薪金所得减除费用标准为 1500 元,鉴于该减除费用标准涉及广大工薪收入者的切身利益,全社会普遍关注,为进一步广泛听取包括广大工薪收入者在内的社会各方面的意见，推进立法民主，全国人大法律委员会、财政经济委员会和全国人大常委会法制工作委员会决定就修正案（草案）有关工薪所得减除费用标准举行听证会。

如果按2005年统计口径，按照1600元扣除标准，工薪阶层纳税面将从60%左右进一步降至26%左右，财政总体减收280亿元左右。这个扣除标准由于综合考虑了各方面的因素，是比较适当的。个人所得税起征点的提高，是新形势下维护和实现社会公平的一个具体体现。

关于个人所得税的自行申报，2005年10月27日十届全国人大常委会第十八次会议审议通过的《关于修改〈中华人民共和国个人所得税法〉的决定》，扩大了纳税人自行纳税申报的范围，规定“个人所得超过国务院规定数额的”以及“国务院规定的其他情形”的纳税人应当自行纳税申报。随后，国务院通过了修订个人所得税法实施条例的决定，将“个人所得超过国务院规定数额的”明确为“年所得12万元以上的”情形，并授权国家税务总局制定具体管理办法。依据上述规定及其他税收相关规定，国家税务总局在广泛听取纳税人、扣缴义务人、专家、学者和基层税务机关意见的基础上，经过深入研究、反复论证，本着“方便纳税人、调节高收入、便于税收征管、突出管理重点”的原则，结合1995年国家税务总局制定的《个人所得税自行申报纳税暂行办法》中一些行之有效的条款，制订了《个人所得税自行纳税申报办法（试行）》。

2007年6月29日，第十届全国人民代表大会常务委员会第二十八次会议通过了《关于修改〈中华人民共和国个人所得税法〉的决定》，对个人所得税法进行了第四次修正。十届全国人大常委会第三十一次会议于2007年12月29日表决通过了关于修改个人所得税法的决定。根据决定，2008年3月1日起，我国个税免征额将从现在的1600元/月上调至2000元/月。

2007年7月20国务院总理温家宝签发了《国务院关于修改〈对储蓄存款利息所得征收个人所得税的实施办法〉的决定》，并自同年8月15日起施行。其中关于个人所得税方面的重要修改是第四条的修改，对储蓄存款利息所得征收个人所得税，从原来规定的20%减按5%的税率比例执行。这大大减轻了存款人存款利息所得税的负担，从而有利于居民收入的增加。

2000年以来，以“小步微调”为特征，现行个人所得税的调整大致围绕着如下三个线索而展开：其一，提高工资薪金所得减除费用标准，由原来的800元，先后提升至1600元、2000元；其二，对年收入超过12万元，或者在两处或两处以上取得工资薪金收入、在境外取得收入以及取得应税收入但无扣缴义务人的纳税人，实行自行办理个人所得税纳税申报；其三，减低乃至暂免征收利息所得税，先是将税率由20%调减至5%，后来又暂时免征。为加强个人所得税的征收管理，我国实行工资等收入支付单位代扣代缴税款的办法。按照税法规定代扣代缴个人所得税是扣缴义务人的法定义务，必须依法履行。

个人所得税的不断发展和完善，对中国社会发挥着越来越大的影响，其在国家税收收入中的地位也越来越重要。个人所得税的全面开征对于缓解社会分配不公，防止两极分化，增加财政收入都起到了一定作用。个人所得税成为增长最快的税种之一，统计数据显示，1989年个税总额为17.1亿元，1995年就突破百亿元，达131.5亿元；2002年更突破千亿元，达1211.1亿元。2005年我国实现个人所得税收入

2093.91亿元，占中国税收收入的比重达6.78%。2006年，中国个人所得税达2453.71亿元，占当年税收的7.05%，规模仅次于增值税、企业所得税和营业税，已成为中国的第四大税种。但中国个人所得税收入不但远低于发达国家，也远低于发展中国家。随着中国财政支出需求的增大和调节日益扩大的个人收入差距的迫切性，个人所得税地位有待进一步提高。

附表一：个人所得税税率表一
（工资、薪金所得适用）

级数	全月应纳税所得额	税率(%)
1	不超过500元的	5
2	超过500元至2000元的部分	10
3	超过2000元至5000元的部分	15
4	超过5000元至20000元的部分	20
5	超过20000元至40000元的部分	25
6	超过40000元至60000元的部分	30
7	超过60000元至80000元的部分	35
8	超过80000元至100000元的部分	40
9	超过100000元的部分	45

（注：本表所称全月应纳税所得额是指依照第四次修正后的《中华人民共和国个人所得税法》第六条的规定，以每月收入额减除费用1600元后的余额或者减除附加减除费用后的余额）

附表二：个人所得税税率表二
（个体工商户的生产、经营所得和对企事业单位的承包经营、承租经营所得适用）

级数	全月应纳税所得额	税率(%)
1	不超过5000元的	5
2*2	超过5000元至10000元的部分	10
3	超过10000元至30000元的部分	20
4	超过30000元至50000元的部分	30
5	超过50000元的部分	35

（注：本表所称全年应纳税所得额是指依照第四次修正后的《中华人民共和国个人所得税法》第六条的规定，以每一纳税年度的收入总额，减除成本、费用以及损失后的余额）

住房制度改革和房地产业的形成

建国后，我国的城市住房曾一度实行单一计划经济模式下的福利性供给制度，即由国家或单位安排固定资产投资，低租金分配给个人使用。这种机制导致我国住房供给严重不足，住房短缺情况比较严重。1992—2002年伴随着改革开放的不断深入，我国住房制度改革快速推进，房地产业也因之逐步形成并发展壮大。

一

1992—1998 年的住房改革与房地产业的发展

从 1992—1998 年我国确立指令性计划和指导性计划相结合的住房建设管理体制，建立与市场经济相适应的新型住房制度。住房投资由国家、单位、个人承担，改变原有单位管理住房体制，实现住房社会化。房地产业在这一时期逐步形成并有所发展。

1991 年 11 月国务院批准了住房制度改革领导小组提出的《关于全国推进城镇住房制度改革的意见》(以下简称《意见》)。该《意见》指出：城镇住房制度改革是经济体制改革的重要组成部分，其根本目的，是要缓解居民住房困难，不断改善住房条件，正确引导消费，逐步实现住房商品化，发展房地产业。按照社会主义有计划的商品经济的要求，从改革公房低租金制度着手，将现行公房的实物福利分配制度逐步转变为货币工资分配制度，由住户通过商品交换(买房或租房)，取得住房的所有权或使用权，使住房这种特殊商品进入消费品市场。该《意见》明确了我国住房改革的发展方向，吹响了房地产业快速发展的号角。

1994 年，国发(1994)43 号《关于深化城镇住房制度改革的决定》将全国住房制度改革继续推向深入。提出住房改革的主要内容是城镇住房制度改革。其基本内容是：把住房建设投资由国家、单位统包的体制改变为国家、单位、个人三者合理负担的体制；把各单位建设、分配、维修、管理住房的体制改变为社会化、专业化运行的体制；把住房实物福利分配的方式改变为以按劳分配为主的货币工资分配方式；建立以中低收入家庭为对象、具有社会保障性质的经济适用住房供应体系和以高收入家庭为对象的商品房供应体系；建立住房公积金制度；发展住房金融和住房保险，建立政策性和商业性并存的住房信贷体系；建立规范化的房地产交易市场和发展社会化的房屋维修、管理市场，逐步实现住房资金投入产出的良性循环，促进房地产业和相关产业的发展。

由于一套普通住房的价格，相当于一般职工家庭二三十年的收入总和，因此一般靠工资收入的普通家庭是不可能拿出这么大的投资购、建房的。以上海为先导，住房公积金制度从 1994 年开始在全国起步。住房公积金是一种长期性住房储金。住房公积金制度可以帮助职工从参加工作开始，每月拿出一部分工资收入，实行定向储蓄，三五年后这笔储蓄的金额就能够用来作为购房的首期付款了。在职工工作期间，职工个人和所在单位均应按职工个人工资和职工工资总额的一定比例逐月缴纳，归职工个人所有，作为职工个人住房基金，专户储存、统一管理、专项使用。

由于我国存在相当部分的中低收入人群，如果住房完全商品化，相当一部分人将无力支付按照市场因素决定的住房价格。我国建立了针对中低收入人群的经济适用房供应体系。该体系与针对高收入的商品房供应体系有许多不同之处。

(1)二者获得土地的方式不同，经济适用房建设用地实行行政划拨，免交土地出让金；商品房采用出让方式须交纳土地出让金；

(2)租售政策不同，经济适用房只售不租，商品房不受限制；购买条件和对象不同，经济适用房享受政府优惠，其购买对象是特定的，只供给城镇中低收入家庭，因而要实行申请审批制度，商品房购买对象和条件不受限制；

(3)价格政策不同，经济适用房出售实行政府指导价，不得擅自提价出售。商品房出售价格完全由市场决定。居民个人购买的经济适用房产权归个人；房屋的产权分四部分：使用权、占有权、处置权和收益权，与商品房相比经济适用房的产权只在收益权上与它们不同。商品房上市出售后，收益全部归个人所有。①

这一阶段我国政策性住房金融业务向委托性业务转变；商业性住房金融业务开始向普通住房建设倾斜；住房金融经营管理开始逐步规范，住房金融品种不断涌现；住房消费信贷有所启动；住房金融业务竞争围绕着争办政策性住房金融业务展开。推进租金改革，按照市场租金计租，并对经济困难户实行减、免、补政策。对公房出售执行双重价格，购房指标内按成本价出售，超过标准按市场价出售，逐步取消标准价、最低价。对分期付款也作出明确规定。

1995 年我国还推行了安居工程，在原有住房建设规模基础上，新增安居工程建筑面积 1.5 亿平方米，用 5 年左右时间完成。1995 年国家安居工程建设规模暂定 1250 万平方米，约需建设资金 125 亿元，其中国家在固定资产贷款计划中安排贷款规模 50 亿元，由国家专业银行提供贷款，其余资金由地方自筹解决。安居工程大大改善了我国的住房情况。1996 年，中国城市人均居住面积达到 8.4 平方米，75%的家庭居住楼房，其中近 30%的家庭居住为一室一厅或一室无厅，另有近 30%的家庭居住为三室一厅或者更大。

1992—1998 年我国逐步深化城镇居民住房制度改革，逐步建立了房地产市场体系。但这一时期也出现了房地产开发规模迅速扩张的问题。由于房地产的巨大利润空间，各行各业都参与房地产业，房地产开发企业数量急剧增加。商品房投资规模庞大，施工面积、新开工面积和竣工面积都屡创历史新高。仅 1994 年全国住房建设投资 2487.8 亿元，竣工面积突破 2 亿平方米。房地产开发建设每年平均以 30%以上速度增长，个别地方甚至成倍增长。有的地方政府乱批土地，乱建开发区；有的银行和金融机构行为不规范，把大量的资金投入住房，使住房的开发建设规模过大，另外由于住房开发建设企业的利润水平较高，也吸引了大批的国内外投资者。房地产业投资过热的现象，突出表现在商品房供过于求，空置面积和空置率迅速上升，造成商品房严重积压；住房供给结构失衡，高档房和花园别墅开发过多，出现烂尾楼，造成资金积压，银行不良资产增加。海南房地产业的泡沫与破灭比较典型的反应了房地产开发过快扩张的现象。

海南省与北海为代表的地区在这一时期房地产业产生了巨大泡沫，并且最终破灭。1991 年 6 月前海南省还是每平方米 1000 多元的公寓楼，到 1992 年 6 月已可卖到每平方米 2000—3000 元了，别墅也由 2000 多元涨到了 5000—6000 元一平方米。金贸区内的珠江广场、世界贸易中心的商品房价格更是曾一度突破 10000 元。与此相呼应的是，土地使用权的出让价格也大幅提高，有的地方仅过一年价格竟由十几万元一亩涨高到 600 多万元一亩。在海口和三亚等有限的区域内，房地产的价

① 国务院参事室：《经济适用房应根据市场供求关系进行调节》。

格几乎是打着滚往上翻，只要是持有与房地产沾边的文件，哪怕还没见着具体的土地和图纸，隔不隔夜都可发财。据统计，1992年1—9月，商品房新开工面积294万平方米，超过海南建省办特区三年多来住宅施工面积的总和，比1991年同比增长1倍多，商品房销售额76449万元，是1991年的3倍多，在短短的一年多的时间里，有4000多家房地产公司投资了58亿元资金，在海口市的有限范围内开发房地产面积达800万平方米。另据统计，在1992年和1993年里，投资海南房地产业开发的资金占社会固定投资的30%以上，海口市房地产业的投资更是差不多占了当年固定资产投入的一半，国内外的投资高达87亿多元。房地产业成为地方财政收入的主要来源，1992年海南全省财政收入的40%是直接或间接地由房地产而来，而在海口市则更是高达60%以上，这些为海口市的基础建设奠定了基础，并由此带动了商业、服务业、建筑业等产业的发展。而伴随着房地产业的膨胀，真正买来用于居住和商务活动的只有30%左右，70%是投机者囤积起来进行炒作的。由于房地产投机引起的房地产价格与价值严重背离，市场价格脱离了实际使用者支撑，严重的房地产泡沫引起了中央政府的高度重视。1993年6月23日，时任国务院副总理的朱镕基发表讲话，宣布终止房地产公司上市，釜底抽薪全面控制银行资金进入房地产。次日国务院发布《关于当前经济情况和加强宏观调控意见》，提出整顿金融秩序、加强宏观调控的16条政策措施，旨在引导过热经济实现软着陆。充满泡沫的海南房地产陷入危机。随着海南发展银行的倒闭，十几家信托投资公司消失，造成银行数百亿不良资产。海南人口占全国人口的0.6%，积压商品房的面积竟占全国积压商品房总面积的10%以上，仅海口市积压商品房就达750万平方米。海南泡沫经济造成的积压房地产800多亿元，其中四大商业银行占50%以上，即400多亿。20世纪90年代初，占全国人口0.6%的海南岛积压商品房却占到了全国的10%。到1998年底，全省已建成未销售的商品房703万平方米。在非农业建设用地中，项目未竣工但投资超过25%的用地16129公顷，投资不足25%的闲置土地18834公顷。①

1984年就成为全国首批14个沿海开放城市之一的北海市的市政府认为北海没有资金只有土地，以土地"引凤筑巢"是上策。推出一系列政策吸引房地产商进入北海市。北海市常住人口只有20万，加流动人口不过50万，而房地产开发规模足够200万人生活。没有强劲稳定的需求市场和雄厚工商业为后盾，以房地产支持起来的高速增长的经济只是空中楼阁。1993年7月全国信贷规模急剧紧缩，大量资金抽走，"击鼓传花"式的炒作资金骤然断源。400家开发公司自动消失。房价骤跌30%，市场泡沫崩溃。据房产部门2000年的调查，北海市在"房地产热"中共造成闲置土地1887公顷，积压空置房107万平方米，"半拉子"缓建项目108个、建设面积121万平方米，沉淀资金逾200亿元。市区随处可见的"半拉子"工程，荒草没膝，风雨剥蚀，使城市显出一片颓败。炒土地、炒楼花，土地和商品房闲置、半拉子工程、产权不清，债务链条……中国房地产业无序发展的种种现象和带来的诸多恶果，在北海市都有典型的表现，中央领导

① 以上参阅江南著:《中国式创富——解读30年12次财富机会》第四章，浙江人民出版社，2008年1月版。

当年对北海市的实地视察，直接促成了以银行银根紧缩为特征的国家宏观调控政府的出台。因此业内对北海有“房地产泡沫博物馆”之称。中央某督查组的领导尖锐批评北海市是全国沿海开放城市中“最落后、最没有生气”的一个。

随着中央政府的紧缩政策，房地产业泡沫破灭，1995 年房地产业进入了低迷时期。

二

1998—2002 年我国住房改革的快速推进与房地产业发展

1998 年是我国房地产业的里程碑。为应对亚洲金融危机，中央作出扩大内需的战略部署，指定“住宅产业成为新的消费热点和经济增长点”的战略方针，启动居民住房消费。房地产业消费潜力极大、产业关联度高，它的发展可以带动其上游诸多产业、行业如工业中的冶金、化工、水泥、建筑、建材业，服务业中的金融、装修等行业的发展；也可以为其下游诸多产业如水、电、煤气、保险、物业管理等的发展铺平道路。而且房地产业无太高技术障碍，对就业人口和经济增长具有明显的拉动作用。它在世界许多发达国家的经济发展中起到了重要作用。美国住宅产业作为建筑业的重要分支，其产值一直居建筑业总产值的 55%以上，而建筑业与汽车制造业和钢铁工业曾经并驾齐驱，是美国经济发展的“三大支柱”。日本无论是在经济起飞阶段和经济高度发展的今天，住房建设投资占国内生产总值的比重一直保持 5%～9%的水平。在 1998 年金融危机导致我国需要扩大国内需求的大背景下，房地产业的迅速发展在这一阶段不仅解决住房供求矛盾，也成为拉动经济增长的重要引擎。

1998 年国务院颁布 23 号文件《国务院关于进一步深化城镇住房制度改革加快住房建设的通知》，提出我国住房改革的总体思路：稳步推进住房商品化、社会化、逐步建立适应社会主义市场经济体制和我国国情的城镇住房新制度；加快住房建设，促使住宅业成为新的经济增长点，不断满足城镇居民日益增长的住房需求。改革的目标是停止住房实物分配，逐步实行住房分配货币化；建立和完善以经济适用住房为主的多层次城镇住房供应体系；发展住房金融，培育和规范住房交易市场。该文件明确提出：1998 年下半年开始停止住房实物分配，逐步实行住房分配货币化，新建经济适用住房原则上只售不租。停止实物分配之后，职工购房资金来源主要有：职工工资，住房公积金，个人住房贷款，以及有的地方由财政、单位原有住房建设资金转化的住房补贴等。这一规定的出台让长期的住房实物分配成为历史，掀开了我国房地产业发展的新的篇章。

住房分配货币化改变了公房实物分配的形式，使城镇居民可在获得由财政、单位原有住房建设资金转化的住房补贴的基础上，根据自身的条件和需求，自行到市场上去购房，解决住房问题。调动居民购房的积极性，有助于形成住宅市场的消费主体，促使住房交换市场化。同时也从根本上解决了实物分房下国家建房资金不足的问题，从而有利于形成住宅开发、建设、销售、再开发的良性循环。这使得我国住房资金来源多元化，房地产金融蓬勃发展并进一步促进了房地产业的高速发展。1998 年我国房地产业又进入了一个快速发展的时期。1998 年修订《个人住房贷款管理办法》，倡导贷款买房。规定无住房补贴的以不低于所购住房全部价款的30%作为购房的首期付款；有住房补贴的以个人承担部分的30%作为购房的首期付款；并调整个人住房贷款利率和期限，有力地推动了住房金融业务的发展。而住房金融的发展成为支撑房地产业快速推进的重要力量。

根据国家统计局城市社会经济调查总队组织的一次大规模的入户抽样调查结果显示：在购买住房的家庭中，1990年以前购房的家庭只占4.2%，1991—1994年购房的家庭占19.0%，1995—1996年购房的家庭占32.5%，1997—1999年购房的家庭占44.3%。可见，随着住房制度改革力度的加大，城镇居民"等、靠、要"的福利性住房观念已经向商品化的观念转变，住房"自住其力"的观念和住房保值增值的观念基本形成，住房投资和消费的积极性得到了充分调动。至2002年底，全国80%以上的城镇可售公房出售给了居民，私人住房占城镇住房的比例超过了82%。2002年我国个人购买商品住房占商品住房销售额的比重达到了95.3%。

1998年上半年房地产开发建设投资增幅达到15.2%，扭转了上一年房地产投资负增长的势头。1999年中国经济发展的基本立足点是扩大国内需求，开拓国内市场，实施投资和消费双向拉动。在此基础上，住宅建设作为新的经济增长点发挥了重要作用。据建设部1998年度统计，我国城镇居民人均居住面积为8.8平方米，相当于使用面积12.4平方米，低于欧美发达国家人均45平方米的水平，也低于新加坡和我国台湾省的人均28平方米的水平。此外，我国城镇住房成套率还不到60%，有40%多的城镇家庭住房没有独立的厨房和卫生间，还有300多万户人均居住面积在4平方米以下的住房困难户需要解决基本居住问题。我国住房市场空间还很大。

住房货币分配刺激居民住房消费、促进住房建设的发展。以1998年底开始实施货币化方案的苏州市为例，苏州市1999年共向2600多名职工发放住房补贴近4500万元，补贴面积15万平方米，而领取补贴后职工购房金额4.25亿元，购房面积23.75万平方米，分别占全市个人购买商品房面积的47%和销售额的40%，职工购房金额是住房补贴额的9.5倍。

住房制度改革以来，我国住宅建设保持了持续快速增长的势头。1998年，我国城镇建设住房4.76亿平方米，1999年突破了5亿平方米。1998年至2002年，全国城镇住宅竣工面积约34亿平方米，约5亿平方米的危旧住房得到改造，近5000万个城镇家庭改善了住房条件。年均住宅竣工面积达到6.8亿平方米。城镇人均住宅建筑面积由1997年的17.6平方米，提高到2002年的22平方米左右，户均住宅建筑面积已达70平方米，住宅功能、配套设施水平已有明显提高。我国基本上告别了住房严重短缺时代，城镇居民的住房需求已经由单纯的数量需求进入到数量和质量同时并重阶段。

1998年国家开始下达经济适用住房建设计划，到2002年底，经济适用房共完成投资3781亿元，销售面积3.2亿平方米；初步形成了以租金配租（发放租金补贴）为主、实物配租（分配给低租金住宅）为辅、多种方式并举的廉租住房制度。廉租住房和经济适用住房在解决中低收入家庭的住房问题上发挥了重要的作用。2002年，中国35个大中城市存量住房交易套数已相当于新建商品房交易套数的75%以上。住宅交易市场的重心开始由增量房向存量房转移。

1998—2002年，房地产投资占我国社会固定资产比重不断上升，房地产投资对我国整个经济增长贡献的比重维持在15%左右，平均对GDP拉动为1.2个百分点。从房地产的建设开发规模分析，1998—2002年我国累计新增住宅124598.3万平方米，销售商品房92759.9万平方米，其中住宅销售82451万平方米；从房地产开发投资情况分析，1998—2002年我国房地产投资总额为32424.7亿元，完成投资总额为36781.5亿元，年投资分别增长21.5%和21.1%。到2002年我国的房产开发资金总额和完成投资总额已经分别达到9537亿元和7736亿元，两项指标都直逼万亿大关。

这一时期，在我国房地产业高速发展的同时也出现了比较严重的房地产泡沫。

三

商业地产、二手房的兴起与房地产相关服务业的发展

伴随着住房建设的蓬勃发展，商业地产和二手房地产市场也逐步兴起。商业地产一般是指用于各种零售、餐饮、娱乐、健身服务、休闲等经营用途的房地产形式。它同时拥有地产、商业与投资三重特性，具有拉动投资、刺激需求的双重功能。在当前金融危机继续发展的情况下，商业地产的健康发展对促进我国经济平稳较快增长具有重要意义。2000年起商业地产首先在北京、上海、广州、深圳等发达城市兴起，随后逐渐迅速向其他城市蔓延。2002年12月14日，北京中关村写字楼项目“左岸工社”拍卖，一个使用面积仅为105平方米的商铺以668万元成交，比人们预估的价格高出一倍。同在中关村的另一综合房地产项目“中关村科技贸易中心”不久前发售的铺面，位置最好的单元价格冲到每平方米12.8万元，被业界惊为天价，买者还趋之若鹜。社区商业物业市场之火爆由此可窥一斑。北京、上海作为国内商业最为发达、竞争最为激烈的城市，历来是商家必争之地。仅沃尔玛一家2002年就申请在上海开3家店，家乐福则提出在上海开7家店的征询计划。而北京商委反映，截至2001年底，已经有800家外资、港澳台投资的商业企业落户北京。2002年世界零售巨头沃尔玛、家乐福、万克隆等都加快步伐进京抢地盘。商业地产的蓬勃发展必将带动商业物业的大规模建设，为房地产开发带来新商机。

一个成熟的房地产市场构成包括一级市场、二级市场、租赁市场等，而且二级市场的交易规模通常会远大于一级市场。发达国家中每年住房交易总量中八成以上是二级市场的成交，租赁市场也相应比较发达。就是在经济发达的美国，租房住的人也接近40%。二级市场、租赁市场的存在，使人们的住房需求在很大程度上可以通过存量资源的重新优化配置得到满足。我国房地产市场由于发展历史短，目前的市场结构过度倚重一级市场。说到房价涨落，几乎说的就是新房的价格涨落。由此造成，一方面新房面临过大的需求压力；另一方面存量资源被不合理地大量闲置，这一问题已引起国家高度重视。“对于一些中低收入的老百姓来说，拥有一套属于自己的住房，近乎成了一种奢望。所以，很多消费者就将目光转向了再交易住房，即老百姓俗称的“二手房”。随着住房市场消费群体观念的逐步转变，以及二手房的价格优势，我国“二手房”的成交量、面积、金额及平均单价等方面每年

均有大幅度提高，“二手房”买卖也由零散、无序走向市场化、规范化，这标志着“二手房”逐渐从住房消费市场的“冷门”成为关注热点。①

伴随着房地产市场的发展还推动了中国物业管理与中介服务等行业也都有所发展。

物业管理，是指物业管理企业受物业所有人的委托，依据物业管理委托合同，对物业的房屋建筑及其设备，市政公用设施、绿化、卫生、交通、治安和环境容貌等管理项目进行维护、修缮和整治，并向物业所有人和使用人提供综合性的有偿服务。中国的物业管理始于八十年代初。最早的物业管理开始于经济特区深圳。1988 年伴随深圳住房制度改革，房管制度的革新也连锁展开，物业管理迅速发展。此后的十几年内深圳的物业管理迅速发展，从大到小，从涉外商品房到全市物业管理的发展，初步从借鉴、探索，推广到规范化，由传统的房管式逐步发展为专业化、企业化、一体化招投标的三化一体的物业管理模式。1994 年 4 月建设部颁布《城市新建住宅小区管理办法》，明确指出：“住宅小区应当逐步推行社会化、专业化的管理模式，由物业管理公司统一实施专业化管理。”房地产业的蓬勃发展也使得物业公司如雨后春笋般涌现，逐步形成规模。

房地产中介服务，是指房地产咨询、房地产价格评估、房地产经纪等活动的总称。房地产咨询，是指有关机构为房地产活动的当事人提供房地产信息、技术、政策法规等方面服务的活动。如公民之间签订房屋租赁合同，要向有关机构咨询有关租金及国家和地方政策法规的具体要求等方面的情况；如房地产开发商要向有关机构咨询地价、土地使用权的出让条件与出让方式、待出让地块的具体情况等。此外，房地产咨询机构还可以从事编制房地产投资可行性报告、招商、促销与培训等方面的工作。深圳是中国房地产中介服务行业的发源地。20 世纪 80 年代到 90 年代初期，深圳地产中介业就开始起步。1988 年 12 月 28 日，内地首家房地产中介——深圳市国际房地产咨询股份有限公司诞生了。在中国走向城市化、市场化的历程中，房地产业自 1992 年开始变得浮躁和狂热，房地产中介也如雨后春笋般地涌现。1991 年，深圳地产中介服务机构仅有 11 家，但到 1994 年深圳注册的中介机构激增到 186 家，其中仅 1993 年一个年头就审批了 69 家。从 1993 年开始，深圳房地产行业进入一个低潮阶段，房地产中介的暴利时代暂告结束。为促使行业的健康发展，整顿市场的混乱局面，深圳市政府在 1993 年 10 月 19 日给深圳市规划国土局下发深编〔1993〕133 号文件，将“房地产中介交易所及经纪人、房地产估价、咨询、租赁、包销商等中介机构”的审批管理权划分清楚。深圳市规划国土局于 1994 年初开始对房地产中介行业进行系统的调查和整顿，并及时调整策略，暂停新中介机构的设立。1995 年 10 月 4 日深圳市中介服务行业协会成立，开始对中介行业进行疏导。组织专业机构管理层学习国外先进的经营理念，增加了行业间培训和业务交流的机会，缓解政府与中介机构之间的对立情绪。1996 年 7 月 28 日举办了深圳房地产中介从业人员考试，发放了第一批《房地产经纪人资格证书》和《房地产评估人员资格证书》，从业人员的资格认

① 胡昌平、刘清平：《对发展我国二手房市场的建议》，《中国房地产金融》，2007 年第 7 期。

证被摆在重要位置。《深圳经济特区房地产行业管理条例》实施后，深圳市规划国土局进行了更加全面的清理，筛选出第一批合格的中介公司68家。房地产业逐渐走向规范。2002年6月24日，全球最大的房地产服务提供商21世纪不动产在深圳开设公司，宣布深圳区域业务正式启动，全面介入深圳房地产中介业，深圳中介行业开始面对国际化竞争。

这一时期，我国随着大刀阔斧住房改革推动了房地产业的发展，改善长期困扰我国的住房问题。商业地产，二手市场在这一时期也有所发展，而物业管理和房地产中介也得到了一定的发展。房地产业的蓬勃发展有效拉动了我国经济增长，成为推动我国1992—2002年经济快速发展的重要力量。

期货市场的形成、发展和整顿

一

改革开放与中国期货市场的再生

1978年12月的中国共产党十一届三中全会批判了“两个凡是”，果断地停止使用“以阶级斗争为纲”的口号，作出了把工作重点转移到社会主义现代化建设上来的战略决策。

1980年至1984年，改革主要在农村进行。1982年9月，中国共产党十二大提出“以计划经济为主，市场调节为辅”。1984年10月，中国共产党十二届三中全会通过了《关于经济体制改革的决定》，指出“首先要突破把计划经济同商品经济对立起来的传统观念，明确认识社会主义计划经济必须自觉依据和运用价值规律，是在公有制基础上的有计划的商品经济”。“建立自觉运用价值规律的计划体制，发展社会主义商品经济”。《决定》指出：“各项经济体制的改革，包括计划体制和工资制度的改革，它们的成效都在很大程度上取决于价格体系的改革”，“价格体系的改革是整个经济体制改革成败的关键。”

1988年9月，党的十三届三中全会提出“建立自觉运用价值规律的计划体制，发展社会主义商品经济”。

1. 改革开放之初的经济风险：价格波动

计划经济体制改革首先从价格改革开始，而价格发现正是期货市场的首要功能，价格改革是期货市场萌芽的内在动力。

1985年1月之前，商品价格基本由中央计划制订，不能及时地反映市场供求状况的变化。1985年1月，中共中央、国务院发出《关于进一步活跃农村经济的十项政策》，对农产品实行合同定购和市场收购；同月，国家物价局、国家物资局发出《关于放开工业生产资料超产自销产品价格的通知》，由此形成价格双轨制。

在计划经济模式下，计划是配置资源的基本手段，物价在大部分情况下很少有大的波动。在社会主义改造完成以后，从1958年到1984年的27年间，中国的物价水平非常稳定，CPI增幅基本在2%以内，只有七年超过2%，如三年困难时期1960年达2.5%，1961年达16.1%，1962年达3.8%，1980年达7.5%，1977、1981、1984年略超2.0%，其中7年甚至略有下降。

在1985年开始价格体制改革后，价格波动开始加大。从双轨制开始实施的1985年开始，连续五年的CPI增幅达5%以上，分别为9.3%、6.5%、7.3%、18.8%、18.0%。

政府作为改革的主导者，是制度改革的需求者和供给者，日益显现的价格风险促使政府开始寻找规避市场条件下价格风险的工具。

2.再生的中国期货市场雏形——郑州粮食批发市场

1988年3月25日，李鹏总理在七届人大一次会议《政府工作报告》中指出："加快商业体制改革，积极发展各类批发贸易市场，探索期货交易。"国务院发展研究中心价格组首先承担了理论探讨任务。此后，国务院发展研究中心价格组与国家体改委联合成立了期货市场研究工作小组，并组织地方力量进行期货市场的试点研究。当时，河南省政府、四川省经济研究中心、吉林省政府、武汉市体改委和湖北省粮食局都组织了期货市场研究工作小组，进行当地试点方案的研究。

这些研究在理论上统一了认识，确认期货市场具有"预期价格功能、保值功能、分散转移风险功能和长期交易功能等，来弥补现货市场的不足。把不完整的市场调节机制，发展为一个完整的市场调节机制，减少市场调节的盲目性、破坏性，增强其计划性和建设性"①。

1988年8月，河南期货市场研究人员提出《郑州粮油期货交易所试点实施方案》。同年底，商业部正式决定在郑州试办粮油期货市场和批发市场。1990年6月，期货市场研究工作小组就河南省政府《郑州粮油期货批发市场试点方案》进行评审，认为已具备实施条件。1990年7月27日，国发〔1990〕46号文件《国务院批转商业部等八部门关于试办郑州粮食批发市场的报告的通知》同意试办郑州粮食批发市场。1990年10月12日，中国第一家从远期现货起步，以期货交易为发展目标的市场——中国郑州粮食批发市场成立。在治理整顿有计划商品经济的环境中，在成立后的两年多时间里，这一机构一直在进行远期现货合约的交易，并进行合约规则的研讨、与国外的交流、工作人员的培训等。

二

中国期货市场重新起步与第一次规范整顿

中国的经济体制改革是一个摸索和认识逐渐深化的过程，中国期货市场是体制改革的产物，必然受制于体制改革的进程。到目前为止，中国期货市场经历了试点和稳步发展两个阶段。

试点阶段是在理论上取得较为一致的认识后，国家对期货市场的运行和功能尚处于观察过程中，用实践检验理论的过程。试点阶段从1992年到2000年，又可以分为起步和规范整顿时期，而规范整顿又可以分为第一次和第二次规范整顿。

1.重新起步(1992—1993年)

重新起步的标志性事件是1992年10月深圳有色金属交易所推出第一个标准化期货合约，结束的标志是1993年11月

① 中国证监会期货部、中国期货业协会编著:《中国期货市场发展研究报告》，中国财政经济出版社，2004年版，第30—32页。

国务院下发《关于坚决制止期货市场盲目发展的通知》。

1992年邓小平南方谈话后，市场和计划的争论已取得了突破，发展市场经济的改革再次加速，期货市场也迎来了发展的时机。1992年3月20日，李鹏总理在第七届全国人民代表大会第五次会议上所作《政府工作报告》中提出，“深化农产品价格和流通体制改革，是进一步发展农村商品经济的关键。要积极推进粮食购销价格体制改革，进一步建立和完善粮食、棉花、食油等重要农产品的储备调节制度，发展批发市场和期货市场。”“要进一步培育市场体系，发展消费资料和生产资料批发市场，试办期货市场和为企业服务的原材料配送中心。”以上讲话表明了中央政府原定的由批发市场起步，向期货市场发展的方针已经到了质变阶段。

1992年1月18日，由中国有色金属总公司与深圳市政府共同组建的深圳有色金属交易所正式开业，同年5月28日，由物资部与上海市政府联合成立的上海金属交易所正式开业①。

1992年10月9日，深圳有色金属交易所推出第一个标准化期货合约——特级铝标准合约②，1993年3月，苏州物资交易所、上海金属交易所分别推出标准化合约，1993年5月28日，中国郑州粮食批发市场完成由远期合同向期货合约的过渡，并同时启用郑州商品交易所的名称。

在国家市场经济目标明确的背景下，期货市场所带来的集聚沉淀资金、提升地方知名度、促进通讯、交通和就业等第三产业发展的制度收益，很快为地方和部门所认识，纷纷成立自己的期货交易所。到1993年12月31日前，经各部门和各级政府批准开展期货交易的商品交易所（或批发市场）共有40多家，其中38家已经开业，还有不少地方正在筹建交易所。同年底，已向国家工商行政管理局申请登记注册的经纪公司有270多家（不包括大量的海外经纪公司在中国开办的分公司和国内一些达不到开业标准的地下期货公司），国家工商行政管理局批准了144家。③

起步阶段暴露出来的严重问题：一哄而起、制度不严、审批混乱、监管缺位。具体表现在：

（1）缺乏专门监管机构，市场盲目发展。此时，由于没有专门的监管机构，对交易所及经纪公司的批设政出多门，包括体改委、各部门及各级地方政府。多头审批导致了期货市场的无序发展。对期货交易及经纪业务的监管基本空白，以致期货经纪业务极不规范。境外及港台地区期货公司以代理外盘期货为主，地下交易盛行，欺诈行为屡有发生。

（2）法制不健全，无法可依。期货市场发展之初，国家没有相关法律法规，除了中国郑州粮食批发市场等数家交易所的交易规则经过了国家期货研究小组的认可外，其他交易所匆忙之中制定的规则，没有经过严格的审查。

2. 第一次规范整顿（1993—1998年）

① 国家体改委流通体制司：《中国期货市场的发展进入准备实施的新阶段》。杜岩、刘俊英主编：《期货交易管理法规概览》，经济管理出版社，1993年版，第5—6页。

② 郑元亨、彭刚：《深圳有色金属交易所的发展》。杜岩、刘俊英主编：《期货交易管理法规概览》，经济管理出版社，1993年版，第47—52页。

③ 廖英敏：《中国期货市场的发育与发展》。孙尚清主编：《中国市场发展报告（1994）》，中国发展出版社，1994年版，第55—77页。

1993年11月，中共十四届三中全会通过的《关于建立社会主义市场经济体制若干问题的决定》提出，“发挥市场机制在资源配置中的基础性作用，必须培育和发展市场体系”，“推进价格改革，建立主要由市场形成价格的机制”，同时要求“严格规范少数商品期货市场试点”。

1993年11月4日，《国务院关于坚决制止期货市场盲目发展的通知》发布。《通知》明确要求，期货市场试点工作要坚持“规范起步，加强立法，一切经过试验和严格控制”的原则，决定对期货市场试点工作的指导、规划和协调、监管工作由国务院证券委员会（简称证券委）负责，具体工作由中国证券监督管理委员会（简称证监会）执行。各有关部门在证券委的统一指导下，与证监会密切配合，共同做好期货市场试点工作。

《通知》扼制了期货市场盲目发展的势头。这一阶段规范整顿的主要内容是交易所、经纪业务和风险事故处理三方面内容。

(1)对交易所数量的调整、治理结构的完善及交易品种的整顿。针对当时交易所泛滥、治理结构不完善及上市品种过多过滥且某些品种风险频发等现象，规范整顿首先调整了交易所的数量，然后逐步完善交易所的治理结构，并对上市期货品种进行了限制，对暴发严重风险事故的商品期货品种采取了暂停交易等处理办法。

交易所数量的调整。《国务院关于坚决制止期货市场盲目发展的通知》明确要求：未经证券委批准，不得设立期货交易所（中心）。已经成立的各种期货交易机构，按照国务院即将发布的期货交易法规重新履行审核手续，由证监会从严审核后报国务院批准，统一在国家工商行政管理局重新登记注册。1994年5月16日，《国务院办公厅转发国务院证券委员会〈关于坚决制止期货市场盲目发展若干意见的请示〉的通知》确定了试点期货交易所的条件。同年10月，中国证监会下达了《关于批准试点期货交易所的通知》，明确要求：“经国务院同意，批准北京商品交易所、上海金属交易所、上海粮油商品交易所、沈阳商品交易所、大连商品交易所、苏州商品交易所、郑州商品交易所、广东联合期货交易所、深圳有色金属期货联合交易所、海南中商期货交易所、重庆商品交易所等11家期货交易所为我国试点期货交易所。天津联合期货交易所、成都联合期货交易所、上海商品期货交易所[①]和长春联合商品交易所分别由同一城市的几家交易所合并组成，目前，合并工作正在进行，待合并工作完成并经我会验收合格后，另行批复为试点交易所。”之后，至1996年6月，长春联合商品交易所因交割风险并入北京商品交易所，其他三家交易所全部被批准为试点交易所，至此第一阶段真正试点的交易所为十四家。

1995年，期货市场的统一监管体制初步建立。1995年7月20日，国务院批转了国务院证券委员会《1995年证券期货工作安排意见》（国发〔1995〕22号）。《意见》强调：“证券、期货市场是全国性的市场，风险大，变化快，必须实行集中统一管理。”“证券交易所、期货交易所的正副理事长和正副总经理人选，由中国证监会提名，商所所在地人民政府后推荐给交易所

① 上海商品交易所由上海石油交易所、上海建材交易所、上海农贸交易所、上海化工商品交易所四家合并组成。见《上海经济年鉴》编审委员会编：《上海经济年鉴1995》，上海社会科学院《上海经济年鉴》社，1995年版，第354页。

会员大会或理事会任免;上述人员任职期间如不能按规定行使职权,或者有重大违法违规行为,证监会有权提出罢免意见,商所所在地人民政府后由交易所会员大会或理事会罢免。”

1996年,进一步完善期货交易所治理结构,进行会员制改造。1994年5月16日,在《国务院办公厅转发〈国务院证券委员会关于坚决制止期货市场盲目发展若干意见的请示〉的通知》中明确要求:“各级地方人民政府要配合证监会加强对期货市场的监管,指定一个部门协助证监会进行期货市场的日常监管和案件查处等具体工作。”由于期货交易所可以吸引资金流、物流、商流,从而促进通讯、餐饮等第三产业发展,有助于就业,对地方经济有显著的积极作用,做大交易所和地方政府发展区域经济不谋而合,地方政府对交易所重保护、轻规范。为了克服这一制度上的不足,理顺管理体制,充分发挥会员对交易所的监督作用,规范交易所的运作,1995年9月11日,中国证监会印发了《关于期货交易所进行会员制改造的意见》,要求期货交易所按会员制改造组织形式,理顺管理体制。1996年9月2日,国务院办公厅转发国务院证券委员会《关于1996年全国证券期货工作安排意见》(国办发〔1996〕37号),明确要求:“今年要完成各期货交易所会员制改造工作,建立全体会员共担风险、共同监督的约束机制。”

对试点期货交易品种的清理整顿。停止金融期货试点,以商品期货交易为主。《国务院关于坚决制止期货市场盲目发展的通知》中规定:“未经中国人民银行和国家外汇管理部门批准,一律不得从事金融期货业务和进行外汇期货交易。”1994年4月,《国务院办公厅转发国务院证券委员会〈关于停止钢材、食糖、煤炭期货交易请示〉的通知》中明确:“各交易所今后一律不得自行决定上市新的期货品种。新品种上市要经过充分的论证后,报中国证券监督管理委员会审批。”同年5月16日,《国务院办公厅转发国务院证券委员会〈关于坚决制止期货市场盲目发展若干意见的请示〉的通知》中规定,各期货交易所要以商品期货交易为主,一律不得开展国内股票指数和其他各类指数的期货业务,人民币汇率期货和国债期货由证监会和国家外汇管理局、财政部后确定。这样,股指期货、汇率期货都未能上市交易,而国债期货在1995年“三二七国债期货事件”后不久就被停止交易。在第一次规范整顿阶段,又陆续暂停了一些其他品种的商品期货交易。具体见后附表之“在规范整顿中受到处理的期货品种”。

(2)期货经纪业务的整顿。针对当时期货市场存在的明显问题,如交易不入场,与客户对赌;混码交易,虚报价格,盈利单子自留,亏损单子给客户等情况,国家对期货经纪公司采取了如下整顿措施:

①制止外资期货经纪机构的业务。1993年《国务院关于坚决制止期货市场盲目发展的通知》规定,一律暂停审批新的期货交易和经纪机构。已成立的期货经纪机构由证监会重新审核,通过审核的在国家工商管理局重新登记注册,重新审核后未获批准的,一律停止期货交易,外资、中外合资期货经纪公司原则上不予重新登记;取缔非法期货经纪活动。

②取消境外期货经纪业务。1994年《国务院办公厅转发国务院证券委员会〈关于坚决制止期货市场盲目发展若干意见请示〉的通知》明确要求:“各期货经纪公司均不得从事境外期货业务。”

③取消期货经纪公司的期货自营业务。1996年2月23日《国务院批转国务

院证券委员会、中国证券监督管理委员会〈关于进一步加强期货市场监管工作的请示〉的通知》中明确要求："期货经纪公司一律不得从事期货自营业务。"

(3)对参与期货交易主体、资金的限制。在期货市场重新起步后，一些国有企、事业单位不能正确认识和利用期货市场的避险功能，参与期货交易以投机为目的，企图通过期货市场获取暴利，反而在期货交易中造成了较大的损失；也有一些投机者利用信贷资金进行期货投机，既给当时尚不成熟的期货市场带来了监管上的困难，也造成了信贷风险。在当时期货市场和投资者不成熟的特殊历史阶段，采取了特殊的政策：

①对期货交易主体的限制。1993年《国务院关于坚决制止期货市场盲目发展的通知》规定，从严控制国有企、事业单位参与期货交易。

②对期货交易资金的限制，禁止信贷资金进入期货市场。1994年9月29日，《国务院办公厅转发国务院证券委员会〈关于暂停粳米、菜籽油期货交易和进一步加强期货市场管理请示〉的通知》中明确要求："严禁用银行贷款或拆借资金参与期货交易。各级金融机构要加强监管，防止信贷资金流向期货市场。任何金融机构均不得出具期货交易保函证明，禁止任何期货交易所接受银行保函作期货交易保证金。"1996年《国务院批转国务院证券委员会、中国证券监督管理委员会〈关于进一步加强期货市场监管工作的请示〉的通知》再次明确要求："任何金融机构不得出具期货交易资金保函。严禁用银行贷款或拆入资金进行期货交易。各级金融机构要加强监管，防止信贷资金注入期货市场。"

③禁止金融机构参与期货业务。1996年《国务院批转国务院证券委员会、中国证券监督管理委员会〈关于进一步加强期货市场监管工作的请示〉的通知》中明确要求："各类金融机构一律不得从事商品期货的自营和代理业务。"

3. 试点时期金融期货的短暂历史

期货试点时期唯一曾经正式交易的金融期货合约是国债期货，股指期货和汇率期货都没有登上期货交易所试点的舞台。

1992年12月28日，上海证券交易所首次推出国内12个品种的国债期货合约，其中包括3月、6月、9月、12月交割的1992年3年期和5年期国债，国内金融期货正式上市。① 推出国债期货交易是经财政部、中国人民银行批准的。随后深圳证券交易所、北京商品交易所、郑州商品交易所、海南中商期货交易所、沈阳商品交易所、长春商品交易所、广东联合期货交易所、成都联合期货交易所等证券期货交易所陆续推出了国债期货②。

在国债期货推出初期，基于之前连续数年低通货膨胀的情况，人们对影响国债价格的因素估计不足，交投十分清淡，并未引起投资者的兴趣。

1992年，中国经济建设明显加速，同时，物价上涨明显，通货膨胀加速。自1992年10月开始，物价上涨幅度逐月加快。消费品零售价格与上年同期相比，1993年1月份上升8.4%，3月份开始超过10%，6月份达到13.9%，上半年平均为10.8%，在通货膨胀趋势明显的情况

① 马庆泉：《中国证券史》，中信出版社，2003年版，第197页。

② 廖英敏：《1994年中国期货市场的发育与发展》。孙尚清主编：《中国市场发展报告(1995)》，中国发展出版社，1995年版，第58—94页。

下，政府需要采取宏观调控措施，原先较低的国库券利率面临着调整的压力，所以，1993年国债期货市场迎来了转机。7月11日，财政部颁布了《关于调整国库券发行条件的公告》，宣布："对1992年发行的5年期国库券和3年期国库券及1993年发行的3年期、5年期国库券，均参照人民银行《关于实行人民币储蓄存款保值的有关规定》，从1993年7月11日起实行保值，保值补贴率按兑付时人民银行公布的保值贴补率计算。"显然，保值补贴率是一个变量，这个变量取决于通货膨胀率，即政府根据通货膨胀率来确定保值补贴率，而通货膨胀率是政府的调控目标，是不确定的，在这种情况下，国债的期货价格已经具备了很大的投资空间。上海证券交易所国债期货于1994年逐渐活跃起来。

由于管理不善，上海证券交易所于1995年2月23日发生了"三二七"国债期货事件。同一天，中国证监会、财政部通过了《国债期货交易管理暂行办法》，意图规范国债期货市场。不到三个月后，1995年5月17日，中国证监会即发布了《关于暂停国债期货交易的紧急通知》，各期货交易所的国债期货品种也全部停止交易。在此之后，中国期货市场只有商品期货继续试点。

4.第一次整顿期间的成交情况

新中国的期货市场从1992年起步，然后成交额迅速增长，在1995年达到规范整顿阶段的高峰，然后成交金额逐年回落、萎缩，1998年的成交金额甚至低于1994年。

期货市场之所以在1995年形成成交金额高峰，既与期货市场盲目发展、品种炒作有关，也与当时过热的经济环境有关。1992年之后，很快出现了投资需求和消费需求双双膨胀，货币投放过量，物价上涨明显，通货膨胀加速，金融秩序混乱的局面。在过热的宏观经济环境下，各种热钱希望在期货市场淘金，虽然期货市场起步初期的混乱现象迅速引起了中央政府的高度重视，并采取了规范整顿措施，但由于管理体制尚未理顺、众多交易所之间的过度竞争、期货品种繁多等众多原因，在第一次规范整顿前期，期货市场成交金额仍迅速扩大，在1995年达到第一次规范整顿期间的顶峰，然后，随着宏观经济的软着陆和期货市场各项整顿措施的落实而逐年回落。而各交易所的成交情况基本上与整体市场的情况一样，也是成交逐年萎缩。

表1　1992－1998年试点交易所成交额(单位:人民币亿元)

交易所	1992年	1993年	1994年	1995年	1996年	1997年	1998年
北京商品交易所			7184	21969	8346.8	1854.8	415.84
天津联合商品交易所			1114.7	664.05	3873.5	5468.2	1254.9
上海金属交易所	488.49	3889	6820.8	4559.8	2305.1	2826.5	4743.5
上海粮油商品交易所		542.01	5308.7	1740.1	866.81	174.37	73.6
上海商品交易所		321.24	3290.2	19803	5384.9	790.52	353.28
苏州商品交易所		681.1	4271.9	15020	9054.2	574.04	73.6
郑州商品交易所		305.7	3473	11878	20208	23318	21053

续表

交易所	1992 年	1993 年	1994 年	1995 年	1996 年	1997 年	1998 年
大连商品交易所		10.68	1194	7198.4	7320.6	10338	6705
沈阳商品交易所		8.58	321	540	969.89	138.02	99.36
重庆商品交易所		31.6	596	706	357.78	417.72	272.32
成都联合商品交易所			842.69	423	961.11	317.43	36.8
广东联合商品交易所			1493.5	3827	941.71	830.92	143.52
深圳有色金属期货联合交易所	62.959	392	1633.3	2414.2	1475.9	2040.4	942.08
海南中商期货交易所		21.3	1238.3	10528	22052	11826	666.08
长春联合商品交易所			398.7	255.96			
合计	551.45	6203.2	39181	101525	84119	60915	36833

数据来源:中国期货业协会 www.cfachina.org.

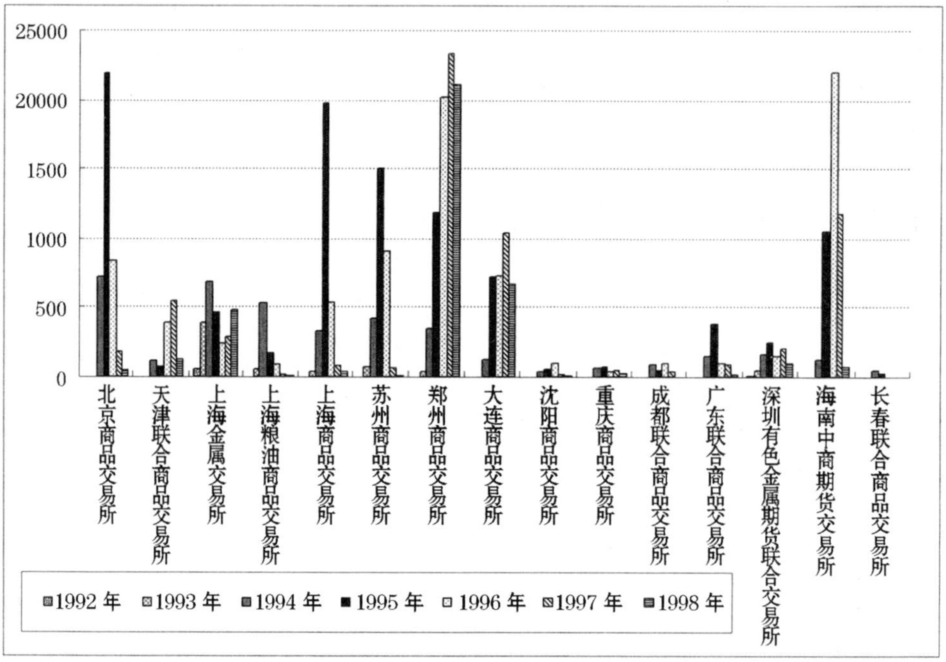

图 1 第二次整顿前各试点交易所成交金额(亿元)

从上图可以看出,从 1993 年算起,经过六年的市场竞争,交易所之间分化严重,可以分为四种:

(1)郑州商品交易所逆势而上,成交金额在市场整体趋淡时上了一个台阶,并基本保持稳定,从而所占市场份额不断提高。

(2)上海金属交易所、大连商品交易所成交金额基本保持稳定。

(3)沈阳、重庆、成都等交易所成交始终低迷。

(4)有些交易所在个别年份成交金额

巨大,但往往“其兴也勃,其亡也忽”,成交在一两年的异常活跃后,迅速趋于沉寂,如海南中商期货交易所、北京商品交易所、上海商品交易所、苏州商品交易所等。

六年的竞争充分展现了各交易所风险控制的能力,为第二次规范整顿打下了基础。从成交额来看,郑州商品交易所、大连商品交易所、上海金属交易所三家保持了上升趋势或基本稳定,在中国第一次规范整顿的后期脱颖而出。①

5.第一次规范整顿阶段的交易特征:小品种活跃、大品种清淡

从中国期货市场重新起步后,一些大品种曾经一度活跃,如玉米、籼米等,但在第一次规范整顿的后期,活跃的品种主要是一些与国计民生无关紧要的品种,如绿豆、红小豆、咖啡、胶合板等。具体见各品种成交额。

表 2 1998 年前分品种成交情况(统计单位:人民币亿元)

年份	1992 年	1993 年	1994 年	1995 年	1996 年	1997 年	1998 年
胶合板		18.15	2647.47	31094.29	12742.3	815.21	39.58
绿豆		189.12	5991.94	27391.05	28529.95	24842.79	20711.43
天然橡胶		62.65	114.67	7743.59	12767.64	7777.04	964.4
铜	355.22	3635.13	5892.8	6832.92	4020.89	3749.77	5780.85
玉米		77.49	1042.32	6650.06	20.29	3.84	0.41
大豆		260.09	1774.64	2239.95	7420.2	10497.67	6754.58
棕榈油			596.8	1967.02	135.74	19.83	
铝	141.86	617.25	2811.92	1350.99	192.42	2081.42	487.23
豆粕		0.7	45.63	670.71	795.2	1486.92	
咖啡				564.79	9180	4092.6	
啤酒大麦				243.62	909.09		
小麦		27.9	49.71	176.77	22.71	132.96	786.24
籼米		29.63	549.35	964.15	895.08		16.78
高粱			0.002	94.99	961.91	418.67	
其他		1213.26	14007.2	13239.54	5518.02	1491.65	33.12
合计	497.08	6131.37	35524.45	101224.4	84111.44	60968.09	36800

资料来源:中国证监会、《期货日报》和中国国际期货经纪有限公司资料。转引自中国期货业协会网站 http://www.cfachina.org/workdoc/19932004.xls。

由于统计资料不完整,其他包括一些短时间内一度非常活跃的品种,如红小豆、线材等,1995 苏州商品交易所的红小豆也非常活跃。

从图 2 可以看出,成交额比较大的主要是绿豆、咖啡、天然橡胶等生产、流通量较小的品种。一些大宗的、关系国计民生的战略品种,或者未上市(如棉花),或者

① 上海期货交易所是由位于上海市的上海金属交易所、上海粮油商品交易所、上海商品交所三家合并而成的,但基本的品种是金属交易,所以取上海金属交易所的成交金额为代表。

极不活跃(小麦),或者在阶段性活跃后受到监督部门的处罚,或停止交易(白糖、籼米),或趋于清淡(玉米),保持相对活跃的只有铜和大豆。

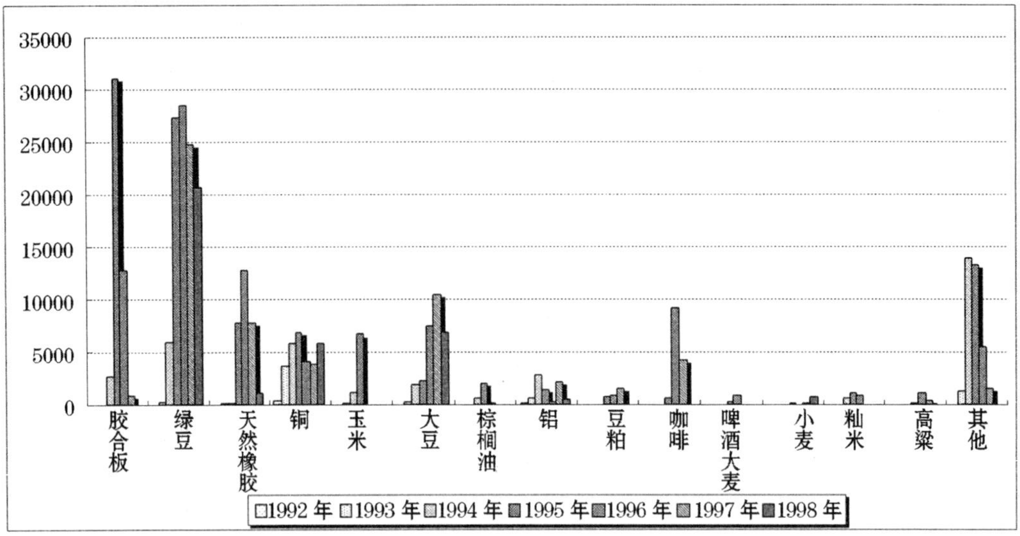

图 2 各品种 1992－1998 年成交金额比较(单位:人民币亿元)

出现小品种活跃、大品种清淡的情况,与监管机构对关系国计民生的大品种严格监管有关。对在交易过程中出现风险的一些关系国计民生品种,监管机构采取了停止期货交易或暂停期货交易、提高保证金等冷冻措施,这些品种实际停止了交易。

表 3 在第一次期货市场规范整顿中受到处理的期货品种(不完全统计)

期货品种	处理方式	时　间	文　件
钢材	停止交易	1994 年 4 月 6 日	国办发〔1994〕52 号《国务院办公厅转发国务院证券委员会〈关于停止钢材、食糖、煤炭期货交易的请求〉的通知》
食糖			
粳米	暂停	1994 年 9 月 29 日	国办发〔1994〕92 号《国务院办公厅转发国务院证券委员会〈关于暂停粳米、菜籽油期货交易和进一步加强期货市场管理请示〉的通知》
菜籽油			
大豆油	暂停	1995 年 1 月 11 日	证监发字〔1995〕8 号《暂停大豆油期货交易和禁止借开展食糖中远期合同交易之名进行期货交易的通知》
国债	暂停	1995 年 5 月 17 日	证监发字〔1995〕62 号《中国证券监督管理委员会关于暂停国债期货交易试点的紧急通知》
玉米	提高交易保证金至 20%	1995 年 7 月 13 日	证监发字〔1995〕122 号中国证券监督管理委员会关于暂时提高玉米期货交易保证金和禁止用浮动盈利开新仓的规定

资料来源:中国证监会、中国期货业协会网站。

三

期货市场的第二次规范整顿
(1998—2000 年)

1.第二次规范整顿的主要内容

1998 年,以 8 月 1 日《国务院关于进一步整顿和规范期货市场的通知》(国发〔1998〕27 号)发布为标志,确定了中国期货市场的新格局,奠定了中国期货市场垂直统一管理的基本监管架构。第二次规范整顿结束的标志是 2000 年证监会“扶持大品种,限制小品种,发挥社会功能”政策的出台。①

(1)交易所调整

首先,《国务院关于进一步整顿和规范期货市场的通知》明确了“继续试点,加强监管,依法规范,防范风险”的原则,由第一次整顿后的十四家试点交易所减为上海、郑州、大连三家。上海期货交易所是按照“同城合并”的办法,在上海金属交易所、上海商品交易所和上海粮油商品交易所三家合并的基础上成立的。其他未被保留的期货交易所则或转型为证券公司,或转型为期货经纪公司。

(2)品种调整

23 个商品期货交易品种被取消,除套期保值功能发挥较好的铜、铝、大豆等 3 个品种交易保证金保持 5%外,其他 9 个商品品种的交易保证金提高至 10%。保留品种的期货合约要重新设计,经中国证监会审核批准后再上市交易。但实际上,各保留交易所继续交易的都是本所活跃的品种,在第二次整顿后的相当一段时间内,原先在被裁撤的交易所交易但被保留的品种未能上市交易。

(3)取消了非期货经纪公司的期货经纪资格

《国务院关于进一步整顿和规范期货市场的通知》明确要求:“取消所有非期货经纪公司会员的期货经纪资格。”

2.第二次规范整顿期间的市场变化

绿豆期货交易在第一次规范整顿期间一枝独秀,长盛不衰。其成交金额占市场份额逐年上升,在 1998 年达到将近 60%。第二次规范整顿的重要目的是“充分发挥期货市场发现价格和套期保值的功能,进一步遏制过度投机”,在试点期货交易所刚刚调整为三家后,郑州市场就发

表 4 第二次规范整顿后的交易所及上市品种

交易所	整顿后保留的品种	整顿后交易的品种	交易保证金
郑州商品交易所	小麦、绿豆、红小豆、花生仁	小麦、绿豆	10%
大连商品交易所	大豆、豆粕、啤酒大麦	大豆	5%
上海期货交易所	铜、铝、天然橡胶、胶合板、籼米	铜、铝	5%
		天然橡胶	10%

资料来源:《国务院关于进一步整顿和规范期货市场的通知》。

① 中国证监会对期货品种的“扶大限小”政策既是国发〔1998〕27 号文件精神的发扬,也是在 2000 年以后一系列工作上的具体体现,现有的文件中没有具体的表述。见之于 2000 年相关的行业报道,并以郑州商品交易所绿豆品种保证金提高至 20%,小麦保证金降低为具体体现。

生了绿豆期货合约清零的风险事件，在此之后，中国证监会采取了提高绿豆风险保证金的措施。

在试点阶段，小品种的交易既无损于国民经济的正常运行，又可以在运行中总结经验。但没有期货市场社会功能的更大发挥，期货市场就会游离于国民经济体系之外，很难找准自己的位置。2000年中国证监会实行“扶大限小（扶持大品种，限制小品种）”①表明，行使监管职能的国家部门已经初步准备结束试点，谋求让期货市场在国民经济整体体系中发挥更大的作用。

1999年底，绿豆期货风险保证金提高至20%，鉴于高交易成本和政策风险，绿豆期货迅速沉寂，炒作绿豆的资金逐步向大豆、铜等品种转移，发生了大品种活跃的良性变化。品种转换时期，伴随着期货市场的萎缩，1999年，期货市场总成交量同比下降29%，成交金额同比下降39%；2000年，期货市场进一步萎缩，总成交量同比下降26%，成交金额同比下降28%。2000年是期货市场开始规范整顿以来连续五年交易规模下降。

中国证监会通过提高当时非常活跃的绿豆的交易保证金，降低了大品种的交易保证金，从而基本实现了活跃大品种、限制小品种的战略目标。2000年之后，绿豆隐退，让位于大豆、铜、小麦等品种，期货市场就此转势，走上了大品种逐步活跃的道路。

各品种交易情况的变化具体见表5和图3。

表5 1999－2000年各品种交易情况（单位：亿元）

年份	1999年		2000年	
品种	成交额	比重%	成交额	比重%
绿豆	10917.6	48.87	41.05	0.26
天然橡胶	281.41	1.26	895.82	5.57
铜	4249.14	19.02	5037.21	31.33
大豆	6421.72	28.74	9596.53	47.25
铝	384.75	1.72	731.81	4.55
豆粕	/	/	213.1	1.33
小麦	87.27	0.39	1560.61	9.71
籼米	5.02	/	/	/
合计	22341	100	16076.1	100

资料来源：中国证监会、《期货日报》和中国国际期货经纪有限公司。

从表4和图3可以看出，期货市场在世纪之交实现了大小品种的转换。受益最大的是大连的大豆和上海的铜，曾经活跃的绿豆终于在2000年沉寂，大豆、铜、小麦等大品种所占比重增幅较大。郑州市场的小麦期货几经坎坷，受制于该品种的市场化程度和市场信心，始终未能达到应有的活跃程度。

① “扶大限小”政策没有正式文件。但该精神体现于中国期货市场大品种较低的保证金和小品种较高的保证金，这一提法也频频见诸2000—2001年间的《期货日报》、《证券时报》等专业报刊。

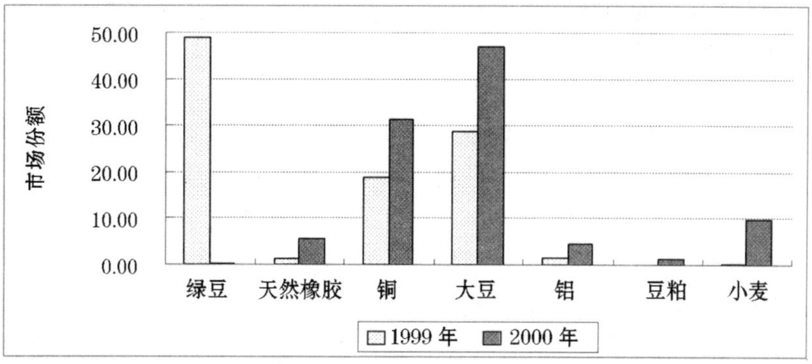

图 3 各品种在 1999 年、2000 年成交金额所占比重

资料来源:中国证监会、《期货日报》和中国国际期货经纪有限公司

四

规范整顿的成果与新问题

1. 经过规范整顿后的期货市场面临的政策、法律等约束

1999 年 6 月 2 日,中华人民共和国国务院令第 267 号发布《期货交易管理暂行条例》,1999 年 9 月 1 日开始实施。期货交易正式开始七年之后,终于有了一个全国性的法规来规范这一新兴行业。规范整顿后存在如下限制期货市场发展的约束。

(1)重规范,轻发展,品种上市的制度瓶颈突出

根据《期货交易管理暂行条例》,期货品种的上市需要经过中国证监会批准,但实际上,期货品种的上市必须咨询相关部委、地方政府、行业协会,取得一致意见后,报国务院审批。由于严厉的社会舆论和夸大的期货市场不良印象,自 1998 年整顿以后,在市场取向改革逐步深化的背景下,期货品种上市工作多年未有进展。品种资源匮乏使期货市场陷入低潮。

(2)市场资金匮乏

国家政策对期货交易资金有严格的限制,禁止信贷资金进入期货市场。1994 年 9 月的《国务院办公厅转发国务院证券委员会〈关于暂停粳米、菜籽油期货交易和进一步加强期货市场管理请示〉的通知》和 1996 年《国务院批转国务院证券委员会、中国证券监督管理委员会〈关于进一步加强期货市场监管工作的请示〉的通知》,都明确禁止信贷资金进入期货市场。在第二次整顿后的几年里,期货市场资金严重匮乏。据市场人士的一般估计,当时期货市场交易保证金仅约 50 亿元左右,远不及一支股票的市值。

2. 中国的期货市场在规范整顿中取得的成绩

如果说,期货市场作为一种正式制度的创立,受到当时制度结构内其他制度约束而功能有限的话,那么可以说这一正式制度的创立促进了与之相关的非正式制度的变迁。

(1)非正式制度建设取得明显进展

①促进了学者们的研究,从而逐步确立了期货市场可以服务于国民经济的观念。

期货市场是在建设市场经济体制目标刚提出时成立的,在市场经济体制尚未

完全建立的条件下，期货市场频发的风险事件产生了不良的社会影响，给中国期货市场的前景带来了阴影。然而这一新生事物引起了一部分学者的关注，对期货市场进行了规范和实证分析，在学术界、政界逐渐确立了期货市场可以服务于国民经济的观念。

②通过争论，逐步加深了对期货市场发展规律的认识。

对于如何发展期货市场的社会功能，学者、交易所、经纪公司、投资者分别从不同的角度发表了意见，经过充分的交流，对期货市场一些基本概念有了较为清晰的认识，树立了投机者与套保者互为交易对手、理性合规的投机者是期货市场不可或缺的主体的认识；确立了交割是期现货趋合的制度保证，期货市场不限制交割的理念。

③充分的市场选择逐步建立了期货市场监管者和投资者的道德规范。

从期货市场成立至第二次规范整顿的试点期间，试点交易所之间的上市品种有重合。为了争取投资者，有些交易所在活跃交易方面采取了拉大户、限制交割、变动规则等不规范措施，虽然曾活跃于一时，但最终失去投资者的信任而日渐萧条。这些交易所的失败也给保留交易所敲响了警钟，而且持续的竞争压力也使交易所更加重视市场公信力的培养。

在规范试点阶段，由于法律、法规的不健全和监管机制的不完善，其中部分投资者视期货市场为投机乐园，不重视投资的基本面分析，凭雄厚资金纵横市场，但非理性的交易行为遭受了市场和监管部门的打击。几番风雨过后，非理性投资者或被淘汰，或从教训中总结经验而日益成熟。伴随着法律规范等日渐完善，市场投资趋向理性，那种企图以资金等优势操纵期货市场的做法在期货市场逐渐消退，各种投资者更加注重基本分析和技术分析，理性投资已经成为市场的一种道德规范。

④投资者日益成熟，期货市场的微观基础日益改善。

期货市场是一个零和博弈市场，从参与的微观主体来说，多空双方是对抗性的，对投资者来说，期货交易是高风险投资，并不是所有的企业和自然人都适于成为期货投资者。但由于期货交易在中国是一个新生事物，广大投资者不能正确区分证券现货投资与期货投资的区别，在当时证券市场形势大好的情况下，盲目参与期货交易。而作为直接面对客户的期货经纪公司，在激烈的竞争中为了生存，片面宣传期货投资的高回报性，而对其高风险有意识地不作宣传，从而使部分不适合高风险的投资者，参与了期货市场，在潜在风险转化为投资损失后，甚至有一些非理性的过激行为。同时，即使有风险投资能力的风险偏爱投资者参与期货交易，其成熟也需要一个过程，需要在期货交易中经受考验，得到锻炼。

⑤社会经济环境逐步改善。

在第一次规范整顿期间，因相关经济制度不完善造成的不良后果给期货市场带来种种负面影响。由于法律约束、监管制度缺失，一些企业以非法资金，如高息非法集资、挪用资金等，投入期货交易冒险，在投机失败后或不能及时偿还客户资金，引起社会动荡，或给单位带来巨大损失。对如此种种非法行为，中国证监会密切配合职能部门，严厉打击，逐步净化了期货市场的发展环境。

(2)正式制度建设方面取得了明显进步

①国家法规日益完善。

国务院于1999年6月2日发布《期货交易管理暂行条例》(下称《条例》)，并自

1999 年 9 月 1 日施行。《条例》首次以法规的形式明确了中国证监会对期货市场实行集中统一监管,并对期货交易所的审批、职能等作了明确的规定。1999 年 8 月 31 日,中国证监会发布了《期货交易所管理办法》、《期货经纪公司管理办法》、《期货从业人员资格管理办法》、《期货经纪公司高级管理人员任职资格管理办法》(中国证监会 1999 年发布,2002 年修订)。

1999 年 12 月 25 日,为了惩治破坏社会主义经济秩序的犯罪,第九届全国人民代表大会常务委员会第十三次会议通过了《中华人民共和国刑法修正案》,内容主要涉及金融犯罪,第一次在国家法律中明确了期货犯罪的条款,如擅自设立期货交易所、内幕期货交易、扰乱期货交易市场、操纵期货价格、挪用客户保证金、非法经营期货业务等犯罪行为。

制度建设极大地改善了期货交易的法律政策环境,是期货试点的重要成果之一。

② 建立了全国垂直、统一的监管体系。

全国的期货市场管理工作可以分为三个阶段。

第一阶段:监管职能不明确,无明确的主管机关,部委、地方部门纷纷成立交易所。

无论是从 1990 年 10 月中国郑州粮食批发市场的成立算起,还是自 1992 年 10 月深圳有色金属交易所的成立算起,期货市场自产生之日起就没有明确统一的行业主管机关,批准机关多种多样。如中国郑州粮食批发市场是根据商业部等八部委的请示,由国务院批准成立的;而深圳有色金属交易所是由体改委、国研中心、地方政府支持成立的。其他交易所也是由不同的部委、地方政府批准成立的。这种情况一直持续到 1993 年 11 月 4 日国务院《关于坚决制止期货市场盲目发展的通知》发布。

第二阶段:期货市场监管职能统一,人事管理分散在地方政府。

1992 年 10 月 12 日,《国务院办公厅关于成立国务院证券委员会的通知》决定成立国务院证券委员会(简称证券委),组成人员有人民银行、体改委、国家计委、财政部、经贸办等十三家中央政府部、委、局的负责人,并决定成立中国证券监督管理委员会(简称证监会),受证券委指导、监督检查和归口管理。1992 年 12 月 17 日,《国务院关于进一步加强证券市场宏观管理的通知》进一步明确,证券委是国家对全国证券市场进行统一宏观管理的主管机构,证监会是证券委的监管执行机构。但此时的证券市场还不包括期货市场。1993 年 11 月 4 日,《国务院关于坚决制止期货市场盲目发展的通知》明确要求:"国务院决定,对期货市场试点工作的指导、规划和协调、监管工作由国务院证券委员会负责,具体工作由中国证券监督管理委员会执行。各有关部委要在证券委的统一指导下,与证监会密切配合,共同做好期货市场试点工作。"1994 年 5 月 16 日,国务院办公厅转发国务院证券委员会《关于坚决制止期货市场盲目发展若干意见的请示》,要求各级地方政府配合证监会加强对期货市场的监管。这种情况一直持续到 1998 年。

第三阶段:垂直、统一的监管体系建立。

1997 年 12 月 6 日,《中共中央、国务院关于深化金融改革,整顿金融秩序,防范金融风险的通知》明确要求:"中国证券监督管理委员会统一负责对全国证券、期货业的监管,包括证券、期货公司的审批和高级经营管理人员、从业人员的资格审查，以及上市公司质量和证券、期货市场监管等。”

1998年3月底，国务院决定“撤销国务院证券委员会，工作改由证监会承担”①。同年8月5日，《国务院批转证监会〈证券监管机构体制改革方案〉的通知》中明确要求：“根据党中央、国务院有关规定，完善监管体系，实行垂直领导，加强对全国证券业、期货业的集中统一监管。”并且“理顺中央和地方监管部门的关系，对地方证券监管部门实行由证监会垂直领导的管理体制”，“证监会为国务院直属事业单位，是全国证券、期货市场的主管机关，按照国务院授权履行行政管理职能，依照法律、法规对全国证券业、期货业进行集中统一监管”。1998年8月1日，《国务院关于进一步整顿和规范期货市场的通知》确立了垂直、统一的监管体系。该《通知》明确要求：“对保留的期货交易所实行集中统一管理，比照证券交易所管理体制，将期货交易所划归中国证监会直接管理。期货交易所的总经理和副总经理由中国证监会任命，理事长、副理事长由中国证监会提名，理事会选举产生。”“未经中国证监会批准，任何机构和个人一律不得从事期货经纪业务。”1999年6月2日国务院颁布的《期货交易管理暂行条例》首次以法规的形式明确要求：“中国证券监督管理委员会对期货市场实行集中统一的监督管理。”

集中统一、垂直管理体制的建立，进一步理顺和加强了中央政府对期货市场的监管能力，从制度上克服了地方保护主义的根源，为期货市场的健康发展奠定了组织基础、体制基础。

③风险控制经验日益丰富，风险控制制度日益完善。

在监管层面，在化解各种市场风险的过程中，中国证监会和期货交易所总结和探索了各种经验，从保证金制度、限仓制度、涨跌停板制度、实物交割制度等方面进行完善，避免出台临时政策，使市场参与者有合理预期，从而作出理性交易。

在市场中介层面，加强对期货经纪公司客户保证金安全的监管，对风险大、资产质量差的期货经纪公司进行严格的年审，坚决取消了一批制度不健全、管理不严格、经营业绩差的期货经纪公司经纪资格，取消了境外期货交易和外汇按金交易，禁止了以中远期合同为名的变相期货交易。要求期货公司为客户单独开户，设立交易编码，实行分码交易，杜绝混码交易。这些措施解决了如下问题：交易不入场，与客户对赌；虚报价格，盈利单子自留，亏损单子给客户。

五

市场机制发挥基础作用后期货市场稳步发展（2001—2002年）

1993年11月，中共十四届三中全会通过的《中共中央关于建立社会主义市场经济体制若干问题的决定》提出，“在本世纪末初步建立起新的经济体制”。2000年底，这一伟大历史任务在20世纪基本完成：形成了以公有制为主体、多种所有制经济共同发展的新局面；宏观调控体系逐渐完善；政府职能转变步伐加快；价格市场机制初步形成，市场调节价在社会商品零售总额、农副产品收购总额和生产资料

① 1998年3月29日，国发〔1998〕7号《国务院关于议事协调机构和临时机构设置的通知》。

销售总额中的比重，已分别达到95.8%、92.5%和87.4%。[①] 市场在资源配置中已起到基础性作用，为期货市场发挥更大作用创造了更为有利的体制条件。社会主义市场经济体制的日益完善使各种类型的所有制企业基本上都建立了投资、经营约束机制，成为了自主经营、自负盈亏的市场主体。

在市场经济体制基本形成的情况下，各行业在自主经营时面临着价格波动的风险，对避险工具的需求日益强烈，表现是各地涌现的具有期货市场特征的各种现货市场。在期货品种缺位的情况下，橡胶、白糖、生丝、棉花、玉米、钢铁、煤炭、化工产品等品种纷纷建立起批发市场(电子市场、大宗市场等)。这些市场具有保证金交易、每日结算、标准化合约等期货市场的特征。

经济环境的变化为商品期货市场规范与稳步发展创造了较好的外部环境，国家对期货市场的监管也因严格规范逐步转变为稳步发展，期货市场终于进入了一个较为稳定的发展时期。

2001年3月15日，第九届全国人民代表大会第四次会议批准《中华人民共和国国民经济和社会发展第十个五年计划纲要》，提出"积极发展大宗商品批发市场，稳步发展期货市场"。期货市场由重规范，转入规范与发展并重。在会议精神的鼓舞下，期货市场发生了积极的变化，大豆、铜等大宗品种相继活跃，2001年期货市场扭转了连续五年交易规模持续下滑的局面，并自此连续实现了自规范整顿以来的首次恢复性增长。2001年、2002年成交量分别比上年增长120%、2.2%，成交金额分别比上年增长87%、10.1%。

表6 2001－2002年按成交金额统计的各品种的具体交易情况(单位:亿元)[②]

品种	2001年		2002年	
	成交金额	比重(%)	成交金额	比重(%)
大豆	19125.68	63.4%	19258.52	48.8%
豆粕	638.98	2.1%	1577.76	4.0%
天然橡胶	53.15	0.2%	4017.83	10.2%
小麦	1835.93	6.1%	2252.58	5.7%
铜	6492.65	21.5%	9190.30	23.3%
铝	1998.49	6.6%	3193.27	8.1%
合计	30144.88	100%	39490.26	100%

表7 2001－2002年按成交量统计的各品种的具体交易情况(单位:万手)

品种	2001年		2002年	
	成交金额	比重(%)	成交金额	比重(%)
大豆	9077.94	75.4%	8800.65	63.1%
豆粕	382.40	3.2%	880.83	6.3%
天然橡胶	14.64	0.1%	804.20	5.8%
小麦	1463.92	12.2%	1827.27	13.1%
铜	817.79	6.8%	1159.26	8.3%
铝	289.64	2.4%	471.16	3.4%
合计	12046.33	100%	13943.37	100%

资料来源:中国证监会编:《中国证券期货统计年鉴》(2002、2003)

---

① 施明慎、田俊荣:《伟大创举一在社会主义条件下发展市场经济》,《人民日报》,2002年11月9日第6版。

② 绿豆虽然挂盘,但几乎无交易,可以忽略,故表6、7均未显示。

1992—2002年的扶贫开发工程

扶贫开发是逐步缩小地区差距，缓解和消除贫困，最终实现共同富裕的一项战略性措施，是中国共产党和人民政府的历史责任。中国是世界上人口最多、发展不平衡的发展中国家，扶贫开发工作任务繁重。中国有针对性的扶贫是从20世纪80年代中期从农村开始的，到90年代中期城市贫困问题开始受到重视。

一

1978—1992年中国扶贫开发情况回溯

1978年前后，按中国政府确定的国家贫困衡量标准统计的贫困人口超过2.5亿人，贫困发生率高达33%，通过实行以家庭联产承包责任制为核心内容的制度变革，农村贫困状况显著改善。导致这一时期大面积贫困的因素是多方面的，但最主要的是人民公社制度造成的低下的生产积极性对土地产出率的抑制。因此，缓解贫困的主要途径是改变旧的体制。首先是土地制度的变革，即以家庭联产承包经营制度取代人民公社式的集体耕作制度。这种土地制度的变革极大地激发了农民的劳动热情，从而极大地解放了生产力，提高了土地产出率。其次，随着农产品价格逐步放开，使农产品市场体系得以重建；放开了工商业投资开发，使得乡镇企业迅速崛起；重建了地权和土地流动制度，使土地得以充分开发利用。这些变化，使得国民经济迅速发展并通过农产品价格的提升、农业产业结构向附加值更高的产业转化以及农村劳动力在非农领域就业三个方面的渠道，将利益传递到贫困人口，使贫困农民得以脱贫致富。据农业部提供的数据，1978—1985年，人均粮食产量增长了14%。棉花增长了73.9%，油料增长了176.4%，肉类增长了87.8%。农民人均纯收入增长了2.97倍。据国家有关机构研究，1978—1985年这一时期，中国的贫困类型主要体现为农村资源的不充分开发。一方面，一部分贫困地区由于严重缺乏资本和开发人才，使得传统的农业资源得不到充分开发利用；另一方面，许多群众的温饱问题没有解决，落后的生产方式和产业水平很难维持简单再生产和满足基本的生存需要。由于这一时期体制变革所导致的农业土地产出率的大幅度提高，使得农村贫困状况大幅度缓解，到1985年没有解决温饱的贫困人口从2.5亿人下降到了1.25亿人，平均每年减少1786万人。贫困发生率从30.7%下降到14.8%。贫困人口的减少主要源于经济体制的改革效应。

这一阶段对缓解贫困起主要作用的是农村土地制度、市场制度和就业制度的改革。因此可以说这一时期主导的反贫困战略是制度改革。虽然这一阶段政府没有设立专门的扶贫组织，但国民经济，特别是农村经济全面增长的直接结果是大批长期不得温饱的农民摆脱了贫困。

这一时期，针对甘肃省定西为代表的中部干旱地区、河西地区和宁夏西海固地区生态破坏严重、农民饥寒交迫的状况，中国政府从1982年开始每年专项拔款2

亿元，组织实施了为期十年的“三西”扶贫开发计划，拉开了中国特定贫困区域扶贫开发的序幕。

80 年代中期，绝大多数农村地区凭借自身的发展优势，获得了经济的快速增长，但由于社会、经济、历史、自然、地理等方面的制约，发展相对滞后的贫困地区与全国平均水平，特别是与沿海发达地区在经济、文化、社会等方面的差距正在逐步扩大，中国农村发展不平衡的问题开始初见端倪，全国农村人均纯收入不断提高的平均数值以下，分布着离差幅度很大的低收入群体。这些低收入人口有相当一部分经济收入不能维持其生存的基本需要。能否尽快改变贫困地区的贫穷落后面貌，帮助贫困农户解决温饱问题，直接关系着中国的改革开放、政治稳定、民族团结、社会安定和国民经济的长期均衡协调发展。为此中国政府作出了一系列重大决策。

为了帮助广大贫困地区群众首先摆脱贫困，进而改变生产条件，提高生产能力，发展商品生产，赶上全国经济发展的步伐，1984 年 9 月，中共中央、国务院联合发出《关于尽快改变贫困地区面貌的通知》，要求各级政府必须高度重视，采取十分积极的态度和切实可行的措施，首先集中力量解决十几年连片贫困地区的问题，增强这些地区发展商品经济的内部活力。

自此，中国政府在全国范围开展了有计划、有组织、大规模的扶贫开发工作，标志着中国的扶贫开发进入了一个新的历史时期。一是对救济式扶贫进行了彻底改革，确定了开发式扶贫的方式；二是成立了专门机构；三是制定了专门针对贫困地区和贫困人口的政策措施；四是对 18 个集中贫困区域实施连片开发；五是确定了对贫困县的扶持标准，并核定了贫困县，分中央政府和省（自治区）两级重点扶持。

从 20 世纪 80 年代中期到 20 世纪末，通过促进区域经济增长及政府投入来减缓贫困。这一阶段，中国贫困的性质发生了改变，由大面积的农村贫困，转变为自然条件恶劣的区域性贫困。1986 年 3 月全国人民代表大会第六届四次会议将“老、少、边、穷”地区迅速脱贫作为一项重要内容，列入《国民经济和社会发展“七五”计划》，政府扶贫的正式行动由此进入实质性阶段。为了加快扶贫进程，1986 年国务院成立扶贫开发领导小组，第一次有计划、有组织地指导农村扶贫开发工作。全国划定 592 个国家贫困县，实施重点扶持、集中开发的扶贫战略。实践证明，这种开发式扶贫取得了成功。1986 年，中国设置了负责农村扶贫工作的专职机构；制定了扶持标准，确定了国家和省（区）贫困县；设立扶贫专项资金，主要包括财政发展资金、以工代赈资金和贴息贷款资金。1986 年，我国在全国范围内开展了有计划、有组织、大规模的扶贫开发。到 1992 年底，全国农村没有解决温饱的贫困人口，从 1978 年的 2.5 亿人减少到 8000 万人。这些贫困人口主要分布在自然条件差、生存环境恶劣的地区，需要下更大的力气，才能较快地解决他们的温饱问题。到 1993 年，固定贫困县的农民人均纯收入由 1986 年的 206 元增加到 484 元，农村贫困人口的总量也由 1985 年的 1.25 亿人下降到 8000 万人，贫困人口占农村总人口的比重也由 14.8%下降到 8.7%，贫困人口年均减少为 6.7%。随着扶贫工作的深入和贫困人口的不断减少，扶贫难度越来越大，主要是因为剩下的贫困人口多分布在自然条件和资源条件较恶劣的西部地区、山区和一些老、少、边、穷地区，如西南的山石区、西北的黄土高原区、秦巴山区、青藏高原区等，解决这部分人口的温饱问题，需要动员全社会的力量。针对这一情况，1994年，国务院制定了全国开发扶贫工作的纲领性文件《国家八七扶贫攻坚计划》，其宗旨是在20世纪剩余的7年时间内解决这8000万人的绝对贫困问题，结束我国农村绝对贫困的历史。财政部门按照党中央、国务院的要求，一直十分重视和支持贫困地区经济和各项事业的发展，在财政体制和专项补助上都给予了重点照顾，发挥了积极作用，取得了巨大成就，从1978年到1995年，全国农村贫困人口从2.5亿人减少到6500万人，由占世界贫困人口的1/4降低到1/20，这是一个巨大的历史性成就，充分证明了我国社会主义制度的优越性，证明了我们党的基本路线的正确。

1986年至1993年，农村没有解决温饱的贫困人口从1.25亿下降到8000万人，年均递减6.2%，这一下降速度比1979年至1985年间9.4%的贫困人口下降速度低了3.2个百分点。此时，农村经济的成长虽然仍在持续，但东北和西部经济发展的差距在拉大。到1994年，在592个固定贫困县中，中西部地区县数占82%，贫困人口数占91.1%，贫困发生率向中西部倾斜。

这种情况表明，随着农村改革的深入，贫困人口的逐步减少，贫困类型和成因也在发生着极大的变化。这种变化主要体现在：第一，农村制度引致的贫困人口逐渐减少；第二，贫困人口逐渐集中到西南大石山区（缺土）、西北黄土高原区（严重缺水）、秦巴贫困山区（土地落差大、耕地少、交通恶劣、水土流失严重）以及青藏高寒山区（积温严重不足）等几类地区，这些贫困人口体现了越来越明显的地缘性特征，即贫困主要是由于恶劣的自然条件、薄弱的基础设施以及社会发育落后等造成的；第三，正因为发生了这种变化，使扶贫的方式逐渐从体制改革带动、经济增长带动和项目开发三种方式并重的局面转变为只能靠项目开发一种方式扶贫的局面。因为这些地区的农民在土地分配上不存在不均的制度问题，也不存在农产品市场制度和就业的行政性障碍，而是因为自然条件过于恶劣，常规的投入无法使他们达到温饱或产生剩余，不管怎么改进制度和推动区域经济增长，都无法带动他们超越生存线而进入发展阶段。

为了使中国的扶贫工作有组织地进行，1993年6月成立了中国扶贫开发协会，它是国务院扶贫办指导下的全国性的社团组织，宗旨是：广泛动员社会力量，引导多种所有制经济组织开展产业开发扶贫工作，以保障会员的合法权益，实现扶贫开发的社会效益与投资回报双赢为目的。

主要从事的工作：①开展产业开发，引进资金、技术、人才和管理；②引导多种所有制经济组织参与扶贫开发；③为会员排忧解难，提供必要的支持与服务；④兴办经济实体，进行有偿的咨询协调工作；⑤接受政府委托交办的业务。

基本工作方式：①最大限度地动员社会力量进行有效扶贫；②探索在市场经济条件下中国扶贫开发的新机制、新路子，引进新资源，开发新产业；③按照国际通行规则，通过资本运作渠道，引进私募投资基金等国际资本；④通过产业开发，扶持贫困地区发展有相对优势的劳动和资源密集型产业。

协会下设综合部、会员部、开发部、联络部、研究部等五个部门，下属中富达实业总公司和《中国扶贫与就业》杂志社。现有团体、企业和个人会员340个，会员拥有资产总量超过5000亿元，成为本会开展工作倚重的基本力量。

二

《八七扶贫攻坚计划》的制定与实施

中共中央、国务院决定，从 1994 年起实施国家《八七扶贫攻坚计划》，集中人力、物力、财力，动员社会各界力量，开展大规模扶贫攻坚，力争用七年的时间，到 2000 年底基本解决当时全国农村 8000 万贫困人口的温饱问题。《八七扶贫攻坚计划》是我国历史上第一个有明确目标、明确对象、明确措施和明确期限的扶贫开发行动纲领。人类历史上目标最明确、措施最得力、投入最宏大、参与最广泛、效果最显著的扶贫行动全面展开。党中央、国务院始终高度重视扶贫工作的进行，分别于 1994 年、1996 年、1999 年三次召开全国扶贫开发工作会议进行动员部署。江泽民同志和中央其他领导同志，多次深入贫困地区调查研究，指导工作。国家在财力有限的情况下，逐年加大扶贫投入，由 1994 年的 97.85 亿元增加到 2000 年的 248.15 亿元，累计投入中央扶贫资金 1127 亿元，相当于 1986 年至 1993 年扶贫投入总量的 3 倍。实行党政"一把手"扶贫工作责任制，从政治和战略的高度把扶贫开发摆到各级党委、政府工作的重要位置，切实抓紧抓好，抓出成效。党和政府的高度重视，是搞好扶贫开发的重要保证。

(1)这一计划根据当时贫困人口分布状况的变化，重新确定了 592 个国家重点扶持贫困县，涵盖了全国 72%以上农村贫困人口。由于这些贫困县群众温饱问题的解决，直接关系到"八七"计划目标的实现，因此，中央政府随后采取的一系列扶贫政策措施都主要围绕 592 个国家扶持贫困县的问题由当地政府筹集资金，自行解决。国家《八七扶贫攻坚计划》是中国政府向国际社会做出的庄严承诺。经过各级政府的共同努力，《八七扶贫攻坚计划》得到有效实施。到 1995 年，中国农村贫困人口下降到 6500 万，占全国农村总人口的比例下降到 7.1%，平均每年减少 500 万人。但按此速度发展，实现《八七扶贫攻坚计划》形势仍然十分严峻。

(2)1996 年 9 月，中国政府专门召开了扶贫开发工作会议，江泽民总书记、李鹏总理与会并作重要讲话，会议作出了《中共中央、国务院关于尽快解决农村贫困人口温饱问题的决定》。《决定》要求下一步扶贫开发工作，要继续坚持开发式扶贫方针，把有助于直接解决群众温饱问题的种植业、养殖业和以当地农副产品为原料的加工业作为扶贫开发的重点，认真抓好科教扶贫和计划生育工作，坚持到村入户，动员社会力量参与扶贫。此外，还制定了一系列重要措施，如加大扶贫投入，在集中连片的和重点贫困地区安排大型开发项目，组织沿海发达省、直辖市对口帮扶西部贫困县、区等。这次会议的突出特点，是在强调以省为主扶贫工作责任制的同时，要求扶贫资金、权利、任务和责任"四个到省"。这些针对性强的特殊措施，有力地促进了全国扶贫开发工作，加快了扶贫攻坚工作的进程。不仅如此，这些年来中央许多领导同志还多次深入贫困地区调查研究，作了许多重要指示，为彻底摆脱贫困指明了方向和途径。1997 年、1998 年两年解决贫困人口温饱问题的人数均达到了 800 万人，是进入 90 年代以来，中国解决农村贫困人口年度数量最高的时期。

(3)1998 年 2 月，国务院专门召开扶贫开发工作会议，进一步明确扶贫的主要对象和工作重点是贫困农户。

(4)1999年6月中国政府再次召开了中央扶贫开发工作会议，目的是对本世纪最后两年的扶贫开发工作进行再动员、再部署，确保国家《八七扶贫攻坚计划》如期实现。随后下发了《关于进一步加强扶贫开发工作的决定》，强调坚持扶贫开发的成功经验，以贫困村为基本单位，以贫困户为工作对象，以改善基本生产生活条件和发展种养业为重点，坚持多渠道增加扶贫投入，坚持动员和组织社会各界参与扶贫攻坚。这次会议的中心内容是扶贫到村到户，明确指出：扶贫开发到村到户的核心，是扶贫资金、干部帮扶和扶贫项目等各项措施真正落实到贫困村、贫困户。同时强调各级政府要稳定扶贫开发工作机构，并明确指出，中国是一个发展中国家，目前并将长期处于不发达阶段，农村尤其不发达，因此扶贫开发是贯穿整个中国社会主义初级阶段的长期历史任务。解决群众的温饱问题只是完成这项历史任务的一个阶段性胜利。在这个基础上实现小康、进而过上比较宽裕的生活，需要一个长期的奋斗过程。至于从根本上改变贫困地区社会经济的落后状态，缩小地区发展差距，更是一个长期的奋斗过程。要求贫困地区的广大干部群众牢固树立长期作战的思想。

这次会议对鼓舞和坚定全国贫困地区干部群众摆脱贫困、如期解决温饱的信心，加大扶贫开发的投入和工作力度有十分重要的意义。尽管1999年中国广大农村自然灾害严重，农产品市场饱和、价格低迷，贫困地区群众增收困难，但仍然解决了800万农村贫困人口的温饱问题，与1997年、1998年两年解决温饱的人数持平。至1999年底，中国农村尚未解决温饱的贫困人口减少到了3400万，占农村总人口的比例下降为3.7%。

七年来，全党动手，全社会动员，各方支持、合力攻坚，扶贫开发取得了显著成效，贫困地区的面貌发生了很大变化，至2000年底，“八七”计划全面实现，中国农村贫困人口温饱问题基本解决。

(1)生产生活条件明显改善。实施《八七扶贫攻坚计划》期间，592个固定贫困县累计修建基本农田6012万亩，新增公路32万公里，架设输变电线路36万公里，解决了5351万人和4836万头牲畜的饮水问题，通电、通路、通邮、通电话的行政村分别达到95.5%、89%、69%和67.7%，其中部分指标已接近或达到全国平均水平。

(2)经济发展速度明显加快。固定贫困县农业增加值增长54%，年均增长7.5%；工业增加值增长99.3%，年均增长12.2%；地方财政收入增加近1倍，年均增长12.9%；粮食产量增长12.3%，年均增长1.9%；农民人均纯收入从648元增长到1337元，年均增长12.8%。所有这些指标都快于全国平均水平。

(3)各项社会事业全面发展。贫困地区人口过快增长的势头得到初步控制，人口自然增长率有所下降；义务教育办学条件明显改善，适龄儿童辍学率下降到6.5%；对贫困地区的乡镇卫生院进行了重新改造和建设，缺医少药的状况有所缓解；推广了一大批农业实用技术，农民科学种田水平明显提高；95%的行政村能够收听收看到广播电视节目，群众的文化生活得到改善。

实施《八七扶贫攻坚计划》以来，我国农村贫困现象明显缓解，贫困人口大幅度减少。经过七年的扶贫攻坚，全国农村没有解决温饱的贫困人口减少到3000万人，占农村人口的比重下降到3%左右。除了少数社会保障对象和生活在自然条件恶劣地区的特困人口以及部分残疾人以外，全国农村贫困人口的温饱问题已经基本解决，中央确定的扶贫攻坚目标基本实现。

2000 年我国《八七扶贫攻坚计划》结束，基本完成了既定的扶贫任务。据统计，到 1999 年底，按现行农村贫困标准测算，全国农村还有 3400 万极端贫困人口的温饱问题没有解决，贫困发生率下降到 3.7%。2000 年各级政府加大了扶贫攻坚力度，估计将有近 1000 万人能脱贫，这样到本世纪末全国农村极端贫困人口总数下降为 2400 万左右。这部分人口多为残疾人、无劳动能力或资源条件极度缺乏的人，单靠自身努力或开发式扶贫难以解决温饱问题，必须通过社会救济才能实现最终脱贫。这部分人口中的绝大部分是任何社会都存在的。因此，从总体上讲，我国基本上解决了农村贫困人口的温饱问题。《八七扶贫攻坚计划》取得了巨大成功，《八七扶贫攻坚计划》确定的战略目标基本实现。扶贫开发实现了贫困地区广大农民群众千百年来吃饱穿暖的愿望，为促进我国经济的发展、民族的团结、边疆的巩固和社会的稳定发挥了重要作用。

在短短二十多年时间里，我们解决了 2 亿多贫困人口的温饱问题，这在中国历史上是绝无仅有的纪录，在全世界贫困人口每年以上千万的速度增加，贫困问题日趋严重的情况下，中国取得这样的成绩，举世瞩目。到 2000 年，中国农村贫困总人口下降到 3209 万人，贫困发生率从 8.7% 下降到 3.4%。

三

城市扶贫工作的开展

20 世纪 90 年代中期，随着国有企业大规模改革和城市社会保障体系的变动，下岗、失业工人大量增加，城镇地区的贫困现象开始呈现。对此，中国的城市扶贫采取了以收入分配为主导的社会福利战略。中国政府陆续出台了一些政策，通过实施城镇居民最低生活保障制度为城市贫困人口提供基本生活保障。

1. 最低生活保障制度

最低生活保障制度是一项重要的城市贫困救助制度。1993 年，上海市政府率先在全国建立城市工业居民最低生活保障制度，后来厦门、青岛、大连等城市也陆续建立最低生活保障线制度。1999 年，国务院颁布了《城市居民最低生活保障条例》，对城镇低保的对象、申请和审批程序、补贴标准、动态管理及监督和举报等一系列制度方面的问题作出原则性的规定。《城市最低生活保障制度》面向全体市民，目前主要面对三类保障对象：无固定职业、无固定生活来源、无劳动能力、无人赡养或抚养的城市居民；家中虽有在职人员，但因赡养、抚养系数高或所在单位经济效益差，使家庭收入降低或生活陷入困境的城市居民；城市受灾居民或原来的特困户。城市低保主要由地方政府负责，中央政府只对有困难的地区提供一定的补助。因此，全国城市低保制度没有一个统一的标准，不同城市的低保范围和补贴标准差异较大。

2. 失业保险制度

失业保险制度是预防城市贫困的第二道防线。目前失业保险主要覆盖正式雇用人员(职工),不包括城镇个体经营者和在城市工作的流动人口。因此,虽然失业保险的缴费人数逐年增加,但失业保险覆盖率实际上仍然不到城市从业人员的一半。1999年,国务院发布了《失业保险条例》,中国失业保险制度正式确立。失业保险金的标准介于当地最低工资标准与城市居民最低生活保障标准之间,由省、自治区、直辖市人民政府确定。享受失业保险金的最长期限不超过24个月(要求失业前所在单位和本人的累计缴费时间超过10年;累计缴费时间满1年但不足5年的,最长享受期限只有12个月;累计缴费时间满5年不足10年的,最长享受期限为18个月)。失业人员在领取失业保险金期间,还可以按照有关规定同时享受其他失业保险待遇。从2000年开始,政府计划用5年左右时间,分三步实现由国有企业下岗职工基本生活保障制度向失业保险制度的转变,这种转变将进一步加剧现有失业保险制度的压力。

3."两个确保"政策

"两个确保",即"确保国有企业下岗职工基本生活费和企业离退休人员养老金按时足额发放",是中国城市扶贫政策的重要内容,是中国防范城市贫困(流动人口除外)的第一道防线。1998年,中共中央、国务院联合发布了《关于切实做好国有企业下岗职工基本生活保障和再就业工作的通知》,对下岗人员基本生活保障的原则作了明确规定:第一,发放基本生活费的范围是国有企业中尚未解除劳动关系的正式职工;第二,发放基本生活费的机构是再就业服务中心;第三,基本生活费的标准原则上略高于当地失业救济金水平,具体数额由各地根据实际情况确定;第四,发放基本生活费的期限一般不超过3年,3年内基本生活费逐年递减,3年期满仍未再就业的,按规定享受失业救济或社会救济;第五,基本生活费的资金来源采取"三三制"的办法解决,即财政预算安排1/3,企业负担1/3,社会筹集(包括从失业保险基金中调剂)1/3。从2001年开始,所有的下岗人员都直接进入失业保险。因此,尽管这项政策的保障范围最广,但其功能是国有企业改革过程中的阶段性措施,因而是临时性的,并由失业保险取代。

4. 最低工资保障制度

最低工资是指劳动者在法定工作时间内提供了正常劳动的前提下,其所在企业应支付的最低劳动报酬。它不包括加班加点工资,中班、夜班、高温、低温、井下、有毒有害等特殊工作环境和条件下的津贴,以及国家法律法规、政策规定的劳动者保险、福利待遇和企业通过贴补伙食、住房等支付给劳动者的非货币性收入等。最低工资保障制度是预防城市贫困的一项重要制度。1994年,全国人民代表大会通过了《中华人民共和国劳动法》,其中第四十八条明确规定:"国家实行最低工资保障制度","用人单位支付劳动者的工资不得低于当地最低工资标准。"最低工资的具体标准由省、自治区、直辖市人民政府规定,主要参照以下因素:劳动者本人及平均赡养人口的最低生活费用、社会平均工资水平、劳动生产率、就业状况、地区之间经济发展水平的差异。当上述因素发生变化时,应当适时调整最低工资标准。

5. 再就业工程

再就业工程是一项重要的开发性反贫困政策。这项工程的重点是帮助失业6个月以上的职工和生活困难的企业富余职工尽快实现再就业,以防止陷于贫困或摆脱贫困状况。1994年,劳动部组织上海、沈阳等 30 个城市进行再就业工程试点。1996 年,劳动部发布《关于全面实施再就业工程有关问题的通知》,再就业工程全面实施。1998 年,国务院发布《关于切实做好国有企业下岗职工基本生活保障和再就业工作的通知》,对再就业工程的重点进行调整。目前,再就业工程的基本内容包括:第一,全面推进就业服务事业的发展;第二,建立生产自救基地,安排失业人员在基地求职,或者通过兴办劳动就业服务企业组织自救;第三,积极开展转业训练;第四,实行优惠政策,鼓励用工单位优先招收失业人员,鼓励失业人员自谋职业;第五,组织劳务输出,通过向国外输出劳务,创造就业机会。

四

新世纪扶贫开发工作的深入开展

2000 年以后,中国扶贫战略调整为直面贫困个体或贫困家庭,并对不同的贫困群体采取不同的扶贫政策;同时开始将扶贫计划纳入各种宏观经济政策的目标体系,使经济增长更好地兼顾公平分配效益,使贫困人口从经济增长中直接受益,尽量减少各种政策对贫困人口的漏出效益。对有劳动能力并缺乏经济机会的贫困群体,主要采用发展性扶贫政策,以开发式扶贫为主;对缺乏劳动和生存能力的贫困群体,主要采用补偿性扶贫政策,以建立和完善社会保障计划为主。到 2004 年中国农村极端绝对贫困人口由 2002 年的 2820 万人下降到 2610 万人,贫困率也由 3%左右下降到 2.8%。2004 年开始,国务院高度注重"三农"问题,2005 年《政府工作报告》,对 592 个国家扶贫开发工作重点县免征农(牧)业税,因减免农(牧)业税而减少的财政收入主要由中央财政安排专项转移支付予以补助。2005 年起免除国家扶贫开发工作重点县农村义务教育阶段贫困家庭学生书本费、杂费,并补助寄宿学生生活费。

2001 年公布的《中国农村扶贫开发纲要(2001—2010 年)》是新世纪中国扶贫的重要指导文件,就未来 10 年的农村扶贫开发进行了全面部署。文件指出,新世纪前十年我国扶贫工作的措施和途径主要为:重点支持发展种养业、推进农业产业化经营、增加财政扶贫资金、改善贫困地区基本生产生活条件、加大科技扶贫力度、提高贫困地区群众的科技文化素质、扩大贫困地区劳务输出、推进自愿移民搬迁、鼓励多种所有制经济组织参与扶贫开发。扶贫的投入继续保持上个世纪的投入方式,主要有财政发展资金、以工代赈资金和信贷扶贫资金,在各项扶贫资金的投向上也没有太大的变化。为了进一步提高扶贫效果,取消了因定贫困县,重新确定了扶贫工作重点县。

新世纪我国的扶贫工作最大的改变就是开始以村级瞄准代替县级瞄准,其实现的技术手段就是在全国范围内确定扶贫工作重点村,制定参与式村级发展、村级扶贫规划。在过去自上而下的扶贫开发方式下,贫困群体的知情权、参与权被剥夺了,而现在贫困群体参与扶贫活动无论是形式上还是程度上都比过去要多要高。《中国农村扶贫开发纲要(2001—2010 年)》的实施,中国将在反贫困道路上迎接新的挑战,再创新的奇迹。

西部大开发战略

2000年年初，党中央、国务院对实施西部大开发提出明确要求，西部大开发拉开帷幕。此后，党的十七大明确提出，要继续实施区域发展总体战略，深入推进西部大开发。这在全国区域发展总体战略布局中占有十分突出的重要位置。实施8年多的西部大开发战略使广大的西部地区发生了翻天覆地的变化，地区生产总值年均增长达到11.6%，超过全国同期经济增长水平。作为人类历史上规模最大、难度最大的西部大开发战略，在促进社会经济全面协调发展、确保西部近4亿人民过上富裕生活的发展目标方面走出了坚实的步伐。

一

西部问题的由来及发展现状

我国的西部区域，包括重庆、四川、贵州、云南、西藏、陕西、甘肃、青海、宁夏、新疆、内蒙古、广西12个省、自治区、直辖市，面积685万平方公里，占全国的71.4%。2002年末人口3.67亿人，占全国的28.8%。2003年国内生产总值22660亿元，占全国的16.8%。西部地区资源丰富，市场潜力大，战略位置重要。但由于自然、历史、社会等原因，西部地区经济发展相对落后，人均国内生产总值仅相当于全国平均水平的2/3，不到东部地区平均水平的40%，迫切需要加快改革开放和现代化建设步伐。

1. 西部的地域特点

西部地区幅员辽阔，未利用土地较多，其中牧草地面积占全国的90%以上，耕地面积占全国的40%以上。水资源年均总量占全国的50%左右，农产品生产历史悠久，农业和农村经济发展的条件很有特色。

西部最大的优势在于各种资源丰富，全国约有55.2%的宜农荒地和73%的草原面积集中在这里；西部地区拥有全国83.9%的天然气储量，煤炭储量占全国的38.6%，铁矿石储量占全国的23.9%，锰矿石保有量占全国的30.3%，铬矿石占全国的72.6%，水能资源占全国的80%以上。

西部地区劳动力资源达到2.3亿人左右，从业人员有1.9亿人，劳动力的平均成本只有沿海地区的40%左右，发展资源加工和面向附近市场的劳动密集型产业条件较好。

在改革开放前，西部地区取得了与东部地区相近的发展水平，奠定了一定的产业基础。“一五”时期以156项重点项目为核心对西部的开发，“三五”时期开始的以“三线”建设为核心的西部开发均取得了突出的建设成就。前者在最后投入施工的150个项目中，除东北占有较大比重外，布置在中西部地区的共有85项(50项民用项目和35项军工项目)；在实际完成的196.1亿元投资额中，东北地区占44.3%，中西部地区占52.9%。后者的重点项目包括连接西南的川黔、成昆、贵昆、襄渝、湘黔等重点铁路干线，攀枝花、酒泉、武钢、包钢、太钢五大钢铁基地以及为国防服务的10个迁建和续建项目，还有大批煤炭、电力、机械、化工等项目；在1966—

1975年的“三五”和“四五”期间，“三线”投资累计达1173.41亿元，分别占同期全国基本建设投资的52.7%和41.1%。使得西部地区的经济发展达到了与东部相近的水平。

西部地区与周边十几个国家和地区接壤，陆地边缘线长达12747公里，发展边境贸易优势明显。西部还是通往中亚、西亚、南亚和东南亚以及蒙古、俄罗斯的陆上必经之地，已经形成了“亚欧大陆桥”的铁路通道，发展同这些地区之间的经济技术交流与合作具有一定区位优势。

2.西部地区的经济发展水平

由于交通不便和文化传播的滞后，历史上西部发展总体水平处于落后状态，生产方式仍具有自然经济的特点，生产力水平低下，人民生活困苦。1949年后，虽然有了不少投资，建成了一批工业项目，但西部发展水平仍然较低。改革开放后，国家的优惠政策和区位优势使得东部经济迅速增长，而西部经济基础薄弱，加之享受政策优惠不多，发展仍然相对落后。据测算，从1978—1997年，在全国GDP中所占的比重，东部地区从52%上升为61.4%，西部地区则从17%下降为14.8%。人均GDP差距也在逐渐拉大，改革开放初期，西北各省区人均GDP高于福建，其中青海甚至高于广东，但到1997年，全国人均GDP为6392元，西部人均GDP仅为4009元，相当于全国平均水平的62.7%。1998年，广东、福建人均GDP已超过10000元，西北五省区除新疆达到6435元，其余各省区均不到4500元，相差达一倍以上。

1998年是西部投资增速较高的一年，但西部投资总量只相当于东部的24.3%，相当于中部的37.4%，东部投资量是西部的4.1倍，中部投资量是西部的1.5倍。

在提出西部大开发战略以前，西部经济发展水平和总量均与东部和中部有较大的差距。以1998年为例，首先是西部地区国内生产总值仅占全国的14%，不足中部地区的1/2、东部地区的1/4，人均国内生产总值4159元，分别比东部和中部地区低7374元和1240元。其次，西部地区农业比重偏大，工业化进程比较滞后；另外西部地区基础设施差距也很大，西部地区每百平方公里土地铁路里程和公路里程分别为0.55公里和6.37公里，分别比全国平均水平少0.87公里和6.35公里，比东部地区分别少2.76公里和28.5公里；在居民收入和生活消费方面西部地区差距明显，1998年，西部地区城镇居民人均实际收入为4305元，比全国平均水平低1153元，人均消费性支出3550元，分别比全国平均水平和东部地区低782元和1678元。在教育、科技、文化方面，1998年，西部地区教育经费投入417.7亿元，占全国教育经费投入的16.5%，人均教育经费投入147元，低于全国平均水平。

二

西部大开发战略的出台及内容

对于我国这样一个幅员辽阔、人口众多的发展中大国来说，各地区的自然、经济、社会条件差异明显，区域发展不平衡是我国的基本国情。实施西部大开发战略正是基于这样的国情出台的，目的是促进区域经济均衡协调发展、走共同富裕之路。

1.西部大开发战略出台的背景

早在20世纪50年代，毛泽东在《论十大关系》中就强调，要处理好沿海工业和内地工业的关系。他指出：“我国全部轻工业和重工业，有70%在沿海，只有30%在内地。这是历史上形成的一种不合理的状况。沿海的工业基地必须充分利用，但是，未来平衡工业发展的布局，内地工业必须大力发展……”①

当改革开放和现代化建设全面展开以后，邓小平对全国经济的协调发展就进行过全盘的深刻思考，80年代，他提出了东西部共同富裕的“两个大局”战略构想。一个大局，就是东部沿海地区加快对外开放，使之较快地先发展起来，中西部地区要顾全这个大局。另一个大局，就是当发展到一定时期，就要拿出更多的力量帮助中西部地区加快发展，东部沿海地区也要服从这个大局。

邓小平关于“两个大局”的战略构想，其理论基础是他的关于允许部分地区先富、先富带动后富、逐步实现共同富裕的思想。邓小平强调：“我们提倡一部分地区先富裕起来是为了激励和带动其他地区也富裕起来，并且使先富裕起来的地区帮助落后的地区更好地发展。”②一方面，先富起来的地区所开创的致富之路、所积累的经济建设和发展市场经济的经验，可以为其他地区奔向共同富裕起到示范和激励作用；另一方面，先富起来的地区有责任、有义务帮助和带动其他地区发展经济，并通过各种方式、各种途径，对后发展地区提供援助和支持，带动后发展地区走向共同富裕。

按邓小平的战略设想，应以2000年左右为界，在战略上分两步走，2000年以前，还应继续鼓励有条件的地区包括东部地区加快发展，同时国家和东部地区要尽可能帮助中西部地区发展，使地区经济发展差距控制在一定幅度内。2000年以后，国家应将地区经济发展的战略重点放在加快缩小地区差距，促进地区经济协调发展上。

依据邓小平“两个大局”战略构想，在世纪之交，我国现代化建设即将全面实现第二步战略目标，并向第三步战略目标迈进的时候，整个国家的经济基础更加雄厚，东部沿海发达地区的经济实力也更为增强，从而具备以更大的力度帮助、支持内地中西部地区开发和发展的条件。

到20世纪90年代末，我国基本实现了“第一个大局”，然而东部与中西部地区发展的差距逐步拉大。当时，上海、江苏、浙江、广东和山东五省市，人口与西部地区大体相当，GDP却已是西部的2.5倍以上。与此同时，实施西部大开发也是进一步扩大国内需求、保持国民经济持续快速健康发展的客观要求，是改善全国生态环境、实现可持续发展的急切要求，是保持全国社会稳定、民族团结和边疆安全的迫切要求。

通过20世纪50年代国家有计划地在西部布局和建设的一批能源和工业项目，60年代和70年代开展的“大三线”建设等，西部地区已经奠定了一定的发展基础。而经过改革开放20年的发展，国家也已具备一定的经济实力，能集中财力支持经济欠发达地区加快发展。

自邓小平提出“两个大局”的战略构想之后，以江泽民同志为核心的党中央开始勾画西部大开发战略。从1991年到1999年，江泽民同志就加快西部地区的发展发表了一系列讲话。1998年5月，江泽民提出“要进一步研究如何加快中西部特

---

① 毛泽东：《论十大关系》，《毛泽东文集》第7卷，人民出版社，1999年版，第25页。

② 《邓小平文选》第三卷，人民出版社，2004年版，第111页。

别是西部地区的开发步伐”，他指出：“现在离下个世纪中叶全国基本实现现代化，只有50年了，逐步加快开发西部地区，是时候了。”①1999年6月9日，在中央扶贫开发工作会议上的讲话中，江泽民在论述了邓小平关于东西部共富的“两个大局”战略构想以后，明确指出实施第二个大局的战略构想即加快中西部地区的经济发展条件已经具备。他说：“改革开放以来，沿海发达地区运用自身较好的经济基础、优越的地理位置和一些特殊措施，经济和社会发展突飞猛进，积累了相当的实力。现在，加快中西部地区发展步伐的条件已经具备，时机已经成熟。如果我们看不到这些条件，不抓住这个时机，不把该做的事情努力做好，就会犯历史性的错误。在继续加快东部沿海地区发展的同时，必须不失时机地加快中西部地区的发展。从现在起，这要作为党和国家一项重大的战略任务，摆到更加突出的位置。”②此后，江泽民在多次会议和多种场合从不同的方面反复论述西部大开发，对于西部大开发的时机、意义、思路、政策措施等一系列重要问题进行了精辟的分析说明。根据邓小平关于东西部共同富裕的“两个大局”的战略构想和江泽民关于不失时机地加快西部地区的指示精神，1999年6月17日，在西安座谈会上，江泽民首次提出“西部地区大开发”概念。9月22日，党的十五届四中全会郑重宣布“国家要实施西部大开发战略”。1999年11月，中共中央、国务院召开经济工作会议，部署2000年工作时把实施西部大开发战略作为一个重要的方面。2000年1月，国务院专门成立了由朱镕基总理任组长的西部开发领导小组。2000年3月，九届人大三次会议将“西部大开发”明确写入《政府工作报告》，西部大开发正式启动。2000年10月，中共十五届五中全会通过的《中共中央关于制定国民经济和社会发展第十个五年计划的建议》，把实施西部大开发、促进地区协调发展作为一项战略任务，强调：“实施西部大开发战略、加快中西部地区发展，关系经济发展、民族团结、社会稳定，关系地区协调发展和最终实现共同富裕，是实现第三步战略目标的重大举措。”2001年3月，九届全国人大四次会议通过的《中华人民共和国国民经济和社会发展第十个五年计划纲要》对实施西部大开发战略再次进行了具体部署。

实施西部大开发战略是党中央高瞻远瞩，统揽全局，审时度势作出的重大战略决策，这不仅在经济上，更重要的是在政治上，都具有重大现实意义和深远的历史意义。

2. 西部大开发战略的内容

西部大开发总的战略目标是：经过几代人的艰苦奋斗，到21世纪中叶全国基本实现现代化时，从根本上改变西部地区相对落后的面貌，建成一个经济繁荣、社会进步、生活安定、民族团结、山川秀美、人民富裕的新西部。21世纪头10年，力争使西部地区基础设施和生态环境建设取得突破性进展，特色经济和优势产业有较大发展，重点地带开发步伐明显加快，科技教育和卫生、文化等生活事业明显加强，改革开放出现新局面，人民生活进一

① 江泽民：《全党动手，动员全社会力量，共同做好国有企业下岗职工生活保障和再就业工作》，1998年5月14日。

② 江泽民：《全党全社会进一步动员起来，夺取八七扶贫攻坚战阶段的胜利——在中央扶贫开发工作会议上的讲话》，1999年6月9日。

步改善，为西部大开发奠定坚实的基础。

西部大开发的指导方针：坚持从实际出发，积极进取，量力而行，充分做好长期艰苦奋斗的思想准备；统筹规划，科学论证，按客观规律办事，把开发的主要任务落到实处；突出重点，分步实施，抓住关键环节和主要矛盾，集中力量解决关系全局的重大问题；深化改革，扩大开放，依靠制度创新和科技创新，有效地推进西部大开发。

实施西部大开发要注意处理好的几个关系：①把解决眼前问题同长远目标结合起来；②把突出开发重点同促进全面发展结合起来；③把发挥市场作用同加强宏观调控结合起来；④把提高经济效益同注重社会效益结合起来；⑤把加快经济发展同推动社会进步结合起来；⑥把国家和各方面支持同西部自力更生、艰苦奋斗结合起来。

3.西部大开发的战略重点

西部大开发的战略重点是加快基础设施建设，加强生态环境保护和建设，加强农业和调整产业结构，发展科技教育和文化卫生事业。

西部基础设施建设将加强节水工程建设和管理，搞好流域水资源保护开发与统一管理，加强水资源综合开发利用，加快在建大型水利工程建设；以公路建设为重点，加快公路国道主干线和省区干线建设，实施乡村公路通达工程。建设铁路内外大通道，改造现有线路。完善枢纽机场，发展支线航空；重点推进“西气东输”和“西电东送”工程，逐步建设陕甘宁、塔里木、柴达木、川渝地区石油、天然气开发、综合利用和外输基地，加快发展西部地区特别是西南地区的水电建设；加强通信和广播电视等基础设施建设，以及道路、供水、排水、污水和垃圾处理等城市基础设施建设。

大力治理生态环境，建设绿色屏障工程，稳步推进天然林保护、退牧还草、防沙治沙、天然草原保护与建设、水土流失治理等各项生态工程建设，把生态环境建设与调整农村经济结构、改善广大农牧民生活紧密结合起来。此外，长江上中游、黄河上中游水污染治理和西部重点城市大气污染治理工作也将进一步加强。

继续巩固和加强农业基础地位，发展节水农业、生态农业、高产优质高效农业、畜牧业，推进农业产业化经营，千方百计促进农民增收。大力开发优势比较明显、市场前景好的矿产资源和农牧业资源，逐步提高产品加工深度，建设优势资源产业基地。利用高新技术产业改造传统产业，在有条件的地区发展高新技术产业，加强旅游基础设施建设，合理开发旅游资源，把旅游业及其相关服务业培育成为支柱产业之一。

西部地区将加快推广一批先进适用技术，着力开发一批共性关键技术，重点发展一批特色高新技术，加强应用和基础科技能力建设。全面提高人才素质，加强人才的引进、使用和培养，推进东西部地区和中央与地方之间的干部交流。重点加强基础教育，加快在西部地区普及九年义务教育，大力发展职业教育，积极发展高等教育。

三

西部大开发的成效

实施西部大开发以来，国家通过规划指导、政策扶持、项目安排等加大了对西部地区的支持力度。2000—2007年，中央对西部地区的各类财政转移支付资金累计近15000亿元，国债、预算内建设资金和部门建设资金累计安排西部地区7300多亿元。这些资金有力地推动了西部地区经济发展，西部地区生产总值从16655亿元增加到47455亿元，年均增长达到11.6%。国家还实施了邮路到县、送电到乡、广播电视到村、沼气到户等一批改善农村生产生活条件的项目。

1.经济增长成绩显著

通过国家支持、自身努力和对外合作，西部地区经济增长步伐明显加快，发展的质量和效益明显增强，进入历史上最好的发展时期。西部地区经济增长速度同全国的差距逐渐缩小。2000－2004年，西北地区生产总值分别增长8.55%、8.8%、10.0%、11.2%和12.7%，年均增长10.2%，同全国同口径地区生产总值增速的差距由“八五”期间的2.8个百分点和“九五”期间的1.3个百分点缩小到0.7个百分点。西部地区地方财政收入水平较之西部大开发之前实现翻番。2004年，西部地区地方财政收入1983亿元，比实施西部大开发之前的1999年增加了92.7%。其中，重庆、内蒙古、西藏、新疆2004年地方财政收入较之1999年翻了一番多。固定资产投资增长成为拉动西部地区经济增长的动力。2000－2004年，西北地区全社会固定资产投资分别增长12.7%、17.2%、19.0%、27.3%和26.8%，年均增长20.5%，高于全国平均水平1.4个百分点。其中内蒙古全区固定资产投资年均增长38.7%，增速居全国首位。西部地区对内对外贸易合作水平显著提高，西北地区商品进出口贸易总额出现快速增长态势，除2001年外，其余各年增速均超过25%。2000－2004年，西北地区累计吸引外资接近100亿美元，加上国际组织和外国政府贷款等，实际利用外资接近150亿美元。据不完全统计，东部地区已有3万多家企业到西部地区投资创业，投资总额超过6000亿元。西部城乡居民收入和人民生活水平不断提高，2004年，西部地区城镇居民人均可支配收入和农村居民人均收入分别为8031元和2192元，分别比1999年提高了41.9%和31.9%。2000－2004年，西部地区社会消费品零售总额以年均10.1%的速度稳步增长。

2.生态保护成效显著

加强生态环境保护和建设是西部大开发的根本和切入点。2000年以来，国家在西部相继启动了退耕还林、天然林保护、退牧还草、京津风沙源治理等一批重点生态建设工程。

退耕还林工程于1999年在四川、陕西、甘肃三省开始试点，2002年在25个省、自治区、直辖市及新疆生产建设兵团全面启动。截至2005年底，中央累计投入1033亿元，完成退耕还林任务1.35亿亩，荒山荒地造林2.1亿亩。改变了过去有些地方“年年造林不见林，年年种树不见树”的状况，各地结合退耕还林，积极推行封山绿化，加强农村沼气建设，实行生态移民，加快实施天然林保护、京津风沙源治理等生态工程，工程区内森林覆盖率平均提高两个百分点，沙化土地面积开始出现净减少，水土流失和风沙危害强度不断减轻。

退牧还草工程于2003年开始试点，计划利用5年时间，在蒙甘宁西部荒漠草原、内蒙古东部退化草原、新疆北部退化草原和青藏高原东部江河源草原，先期集中治理退化草原10亿亩。力争使工程区内退化的草原得到基本恢复，天然草场得到休养生息，达到草畜平衡，实现草原资源的永续利用，建立起与畜牧业可持续发展相适应的草原生态系统。截至2005底，中央累计投入56.2亿元，治理退化草原2.9亿亩。工程区内牧草高度平均增加10厘米，采用植被覆盖率增加10%～20%。牧区通过禁牧、休牧、轮牧，发展饲草料基地，舍饲圈养，促进了农民生产经营方式的转变和畜牧业生产结构的调整，加快了牲畜出栏周转，增加了农牧民的收入。进一步推进了草原家庭承包制和草畜平衡制度的落实，加强了草原生态的保护。

1998年国家在长江上游、黄河上中游地区和东北、内蒙古等国有林区启动实施了天然林保护工程。主要任务是：全面停止长江上游、黄河中上游地区天然林的商业性采伐；调整东北、内蒙古等重点国有林区的天然林资源采伐量。十年规划投资1070亿元，使工程区14.3亿亩森林资源得到有效保护，新增造林种草面积2.2亿亩，妥善分流安置国有林区富余职工74万人。目前，长江上游、黄河中上游地区的13个省、自治区、直辖市已全面停止了天然林的商业性采伐，东北、内蒙古等重点国有林区木材产量调减基本到位，年木材产量由1997年的1853万立方米减少到906万立方米，工程区13.3亿亩森林资源得到了有效管护，累计完成人工造林2820万亩，飞播造林3690万亩，新封山育林13227万亩，并妥善安置富余职工60余万人。工程建设取得了明显成效：一是许多地方的生态环境大为改观，林相开始变好，生物多样性明显增强，林区经济活力显著增强。二是工程区林业经营格局初步实现了由以木材生产为主向以资源保育为主的转变，植被建设初步实现了由单纯造林向造管并举的转变。三是林区经济结构开始走向多元化，职工就业也由主要依靠大木头生产转向多渠道、多种类的林业产品的生产经营。

2000年国家在北京、天津、河北、山西和内蒙古部分地区75个县启动实施京津风沙源治理工程。十年规划退耕还林和荒山造林3943万亩，营造林7416万亩，草地治理1.6亿亩，小流域治理2.3万平方公里，生态移民18万人，总投资558亿元。工程建成后，工程区现有植被得到有效保护和恢复，森林覆盖率提高到20%以上，使北京及周边地区生态环境得到明显好转，风沙天气和沙尘暴明显减少，从根本上遏制土地沙化趋势。

3.重点工程建设成绩卓著

2000年实施西部大开发以来，国家先后开工建设了青藏铁路、西气东输、西电东送等70项西部开发重点工程，总投资超过9800亿元。

2000年开工西安至南京、重庆至怀化铁路、西部公路建设、西部地区机场建设、重庆市高架轻轨交通、柴达木盆地涩北至西宁至兰州天然气输气管道、四川紫坪铺和宁夏沙坡头水利枢纽、中西部退耕还林(草)及种苗工程、青海钾肥工程、西部高校基础设施建设等十项重点工程，总投资1000多亿元。

2001年开工青藏铁路、广西百色和内蒙古尼尔基水利枢纽、西电东送工程、青海公伯峡水电站、兰渝输油管线工程、公路建设、退耕还林、农业和特色经济、西部教育、高技术产业化、西部血站建设、城市基础设施等十二项重点工程，总投资2000多亿元。

2002年开工西气东输、延安至黄陵和西昌至攀枝花高速公路、兰武铁路复线、西部机场、塔里木河综合治理、黑河综合治理、小湾水电站、西电东送北通道、涩北气田开发、三峡库区水污染治理、通地州县沥青道路、乡镇通电、行政村通广播电视、退耕还林等十四项重点工程，总投资3300多亿元。

2003年开工的甘肃九甸峡水利枢纽及引洮供水一期工程、四川大渡河瀑布沟水电站、万宜铁路和遂渝铁路、陕西户县至勉县高速公路和内蒙古包头至磴口公路、忠县至武汉天然气输气管道、神华煤直接液化工程、西藏和新疆城市基础设施、中西部农村中心学校计算机网络信息站及远程教育、县际公路、退耕还林、退牧还草、农村饮水、农村能源、生态移民和易地扶贫等十四项重点工程，总投资1300多亿元。

2004年开工的西部干线公路、洛湛铁路南段和大理至丽江铁路、西部支线机场建设工程、陕京二线输气管道工程、贵州盘南电厂西电东送工程、西部重点煤矿工程、西部地区农村基础设施建设、西部特色产业发展项目、西部地区“两基”攻坚、西部地区农村卫生设施等十项重点工程，总投资约800亿元。到2007年底，西部地区410个攻坚县中，已经有368个实现了“两基”目标。国家还实施了“西新工程”、农村电影流动放映等文化工程，基本实现县县有图书馆、文化馆的目标。

2005年开工的郑州至西安客运专线、襄渝铁路和达成铁路改扩建、宝鸡至天水和雅安至泸沽高速公路、西部地区干支线机场、嘉陵江航运开发草街航电枢纽工程、内蒙古伊敏电厂二期工程、西部地区重点煤矿工程、新疆独山子石化改扩建工程、农村饮水安全工程、农村教育卫生事业发展等十项重点工程，总投资1300多亿元。目前，农村教育和卫生事业发展、农村饮水安全工程等项目已下达投资计划，其余工程正在进行。

4.人才队伍培养成绩显著

实施西部大开发战略以来，党中央、国务院高度重视西部地区人才开发工作，先后颁布了《国务院关于实施西部大开发若干政策措施的通知》、《关于实施西部大开发若干政策措施的实施意见》、《西部地区人才开发十年规划》、《2002－2005年全国人才队伍建设规划纲要》等一系列政策性文件。2003年，中央又召开了建党和新中国成立以来第一次人才工作会议，颁布实施了《中共中央、国务院关于进一步加强人才工作的决定》。这些政策文件从宏观上提出并明确了西部地区人才开发的指导思想、基本原则、目标任务和政策措施。与此同时，西部地区的省、自治区、直辖市以及国务院各部门也先后制定和颁布了西部地区人才开发政策性文件，有力地推动了西部地区人才队伍建设。

据不完全统计，截至2003年初，西部地区党政机关、国有企事业单位各类干部与人才总数达到871.4万人，其中国有企事业单位专业技术人员595.4万人，占全国的比重有所上升；专业技术人才中，具有高级专业和技术职务的28.3万人，比2000年底增长了16％。2003年新疆人才资源总量比1999年增加15万人。贵州省2004年全省人才总量为180.34万人，比2000年增加了5.92万人，增值率为7％。

开展了一大批人才培养和培训项目，使得西部地区现有人才队伍的素质普遍提升。四川省大专以上学历和中高级职称所占比例比“九五”末期提高了近20个百分点，2003年底，近1/3的市州党政班子成员具有研究生及以上学历。重庆市乡镇机关公务员70％达到大专以上文化程度，区县公务员80％达到大专以上文化程度，市级机关公务员100％达到大专以上文化程度。

长期以来，人才流失是西部地区人才队伍建设面临的一个突出问题。近几年，通过采取有效措施，在一定程度上遏制了人才外流的趋势，在某些省份人才流入、流出基本达到平衡。陕西省的资料表明，2000—2002年间，全省引进各类专业技术人员1.71万人，流出1.67万人，在流入的人才中高职称、高学历、带项目创业者明显增多。

由于人才作用得到重视，使得人才发挥作用的环境得到优化，人才对经济的贡献更为突出。例如，内蒙古宇航人公司通过成立研发中心，引进和培养人才，开发了沙棘深加工项目，这一项目的实施，带动了当地50万农牧民致富奔小康；湖南湘西老爹公司与吉首大学科研机构合作，促进科技成果转化，开发了猕猴桃产业化项目，不仅每年创造上亿元的利税，而且带动20万农民增收致富，人才开发效果非常显著。目前，这一地区已初步形成能源、有色金属等生产基地。商品粮、优质棉、糖料、烟草、名酒、瓜果、畜牧产品等产品的生产加工正在全国进一步发挥独特优势。此外，高新技术和旅游文化产业也已渐成规模。

实施西部大开发始终坚持“以线串点、以点带面”原则，一批省会及中心城市成为地区经济发展的火车头，对周边地区的辐射、带动作用进一步增强。资源富集地区集约发展迈出新的步伐，一批重点边境口岸城镇正在成为对外经济合作的重要平台。

四

西部大开发中的主要问题

西部大开发虽然取得了显著成就，但由于固有的一些原因，西部大开发还存在一些问题，需要在下一步工作中认真面对。

1.西部地区与发达地区的差距仍在拉大

与自身相比，西部地区发展很快，但和全国其他地区比，差距不是在缩小而是在扩大，西部仍然是我国经济最落后的地区。以2006年一季度为例，东部地区经济同比增长14%，而西部地区增长12.7%，东西部之间经济增长率的差距由上年同期的0.6个百分点扩大到1.3个百分点。据统计，1978—2005年，东部GDP占全国比重已提高了11.8个百分点，而包括西部在内的其他区域所占比重则均有不同程度的下降，地区差距呈进一步拉大的态势。这种不平衡的增长格局，势必导致全国经济总量进一步向东部沿海发达地区集中，东西部地区之间的发展差距还将扩大。在东部发展水平不降低的前提下，如何采取有效措施从根本上加快西部发展，全面缩小东西差距，是西部开发必须解决的问题。

2.“高增长、低发展”的状态尚未改变

西部经济虽然增长迅猛，但东西部差距还在不断扩大，经济“高增长、低发展”的状态尚未改变。在西部大开发政策的扶植下，固定资产投资增长是拉动西部地区经济增长的最重要动力。到2005年，国家在西部累计投资总额已接近1.2万亿元；2006年5月，西部地区城镇固定资产投资增长了32.1%，高出东部地区24.86%的增长率。对照东西部的经济结构就会发现，西部经济组织在更大程度上是依靠经济效益较低、就业吸收弹性较低的国有经济推动的。这两方面大大限制了经济增长向居民收入和福利的有效转化。这也是西部地区积极追求经济增长，却并未收到经济发展良好效果的根本原因。现有政策过度激励西部地区推动增长，随着国家对西部地区经济发展重视程度的提高，西部地区利用政策倾斜弥补自身技术等初始禀赋的不足，参与增长竞争，政府更倾向于将增量资源投资于见效快、政绩显著的基本建设投资，而忽视了居民福利的提高，致使西部的发展远远落后于经济增长。

3.发展的软环境没有得到根本改善

虽然西部地区基础设施和生态环境建设在稳步推进，但由于改革开放严重滞后，西部地区软环境建设尚存在很大差距，远不适应经济发展的需要。总体上看，西部地区改革开放至少要比沿海地区落后10—15年。观念、体制和人才问题仍然是影响西部开发的三大制约因素，投资软硬环境不协调的问题急需解决。

4.民间资本尚未大规模西进

实施西部大开发以后，虽然国家财政在西部地区投资明显增加，但国内民间资金和外商并没有相应地大规模跟进，由此出现了西部大开发中“政府热、民间冷”的现象。东部地区产业转移更多的是转移到地理位置临近的周边地区，直接进入西部地区的并不多。

5.经济发展缺乏产业支撑

实施西部大开发以来，西部各地均把开发投资的重点放在基础设施和生态环境建设等领域，而对特色产业特别是加工制造业的发展没有引起足够的重视，导致西部工业化进程缓慢，工业增长乏力，工业竞争力和市场份额下降，使西部大开发缺乏长远的产业支撑。

6.大项目投资的“漏出效应”显现

实施西部大开发，国家希望建一些标志性的大项目。然而，国家在西部投资的一些项目，大多跟当地经济的联系不够紧密，建设是通过外地采购和承包，对当地经济的带动和乘数效应远没有预期的大。出现这种情况主要原因有：一些大项目如西气东输、西电东送等，本身就是一个全国性的项目，主要是解决沿海地区的能源短缺和环境保护问题；在项目招投标和建设过程中，中标的企业大多是沿海企业，工程建设所需的设备和零部件也多来自沿海地区，甚至工程建设的民工许多来自中部，国家在西部投资所产生的乘数效应有很多一部分在西部之外；国家在西部的大型投资项目，尤其是能源开发项目，由于存在着体制障碍，有不少跟当地经济联系不够紧密，由此形成二元结构与两张皮现象，使中央对西部政策支持作用下降。

五

进一步推进西部大开发的思路

为了从根本上缩小东西部差距，扭转西部“高增长、低发展”的失衡局面，使西部大开发战略收到实效，还需要在以下几个方面进行工作。

1.实施有效的地区协调政策

地区之间的合理分工是优化中国发展绩效的必要手段，中国形成的东部以工业和服务业为主、中部以重工业和种植业为主、西部以资源开发和牧业为主的经济格局是我国区域经济的发展现状。而区域间的合理分工，使得美国、加拿大、法国等国家在工业发达的同时，也成为农业强国。中国的发展方向，也要实现这种合理的区域分工，需要放宽人口流动政策，将西部一些不太适合经济活动尤其是工业活动的人口转移出去，而不能对西部的经济发展指标要求过高。

为此，一方面要加大中央对西部转移支付的力度。在1994年分税制改革中，为了争取发达省份的支持，我国实行了以税收返还为主要内容的转移支付体系，并沿用至今。这种方式带有严重的累退性质，税收收入较高的东部省份获得了大部分的转移支出。这种不利于地区平衡的安排必须改变。另一方面要调整政府扶持西部的政策重点。2002年我国开始启动所得税收入分享改革，将地方所得税的50%上缴中央，并将中央全部所得用于主要面向不发达地区公共服务的转移支付，2003年继续将这一比例提高到60%。研究发现，这个政策使得地方基本建设投资比重明显下降，而科教文卫支出比重明显上升。这表明，改变以基础设施投入为主的西部大开发的政策扶持，能够有效地改善公共服务的供给，从而提高西部的发展水平。

2.以富民为导向促进社会全面发展

科学发展观强调以人为本，实施西部大开发的根本目标应该是强区富民。今后，国家更应该重视一些富民项目和富民的政策问题。比如，在基础设施建设方面，应更加重视那些直接关系到千家万户的中小型项目。在生态环境建设方面，要以实现生态改善、农民增收和地区经济发展为目标，切实解决农民增收和长远生计问题。此外，中央西部政策的目标还应将公共服务水平的均等化提到战略高度，以便使各地区居民能够享受大体一致的公共服务。

3.加快西部工业化和城市化的进程

2004年，西部地区人均GDP为898美元，如果今后西部地区保持9.5%左右的增长速度，到2010年，西部12省区市人均GDP将达到1500美元左右，到2020年将达到3800美元左右。根据国际经验，人均GDP在1000～3000美元之间将是工业化和城市化加速的阶段。这说明，在“十一五”时期，西部绝大部分地区将进入工业化和城市化加速时期。西部地区要实现建设一个经济繁荣、人民富裕、社会进步的新西部目标，就必须加快工业化和城市化的步伐，走出一条低消耗、少排放、高效率、可循环、可持续的工业化道路。

4.发展西部特色和优势产业

在当前国际竞争国内化、国内竞争国际化，国际竞争与国内竞争日益融合为一体的新形势下，西部地区要加快工业化进程，就必须充分发挥资源优势，并从市场需求出发，大力推进特色优势产业发展，培养一批具有竞争力的优势企业，促进地区产业结构调整升级。

5.引导国内外资本参与西部开发

西部大开发的稳步实施并取得成效，需要国内外民间资本的大规模西进。如果没有民间资本的大规模西进，单纯依靠政府财政资金拉动将是十分困难的。因为政府的财政资金毕竟是有限的，它只能起到引导的作用。从长远发展看，民间资本尤其是国内民间资本将是推进西部大开发的主导力量，民营资本将是加快西部特色优势产业发展的主力军。为此需要建立完善的国家投融资引导政策体系，充分发挥财政资金的积极引导作用，并采取投资补贴、贴息贷款、减免税收、加速折旧、再投资返还等措施，广泛吸引国内外民间资本参与西部大开发。

6.打造有利于发展的软环境

改善投资环境，发挥市场机制，打造有利于西部发展的软环境，是吸引国内外资金、技术和人才投入西部大开发的关键。要进一步解放思想、转变观念，切实把政府的经济管理职能转变到主要为市场主体服务和创造良好发展环境上来。西部地方政府对企业的扶持要由提供优惠政策转变到提供优质服务上来。完善市场体系、规范市场秩序、打击假冒伪劣等经济欺诈行为，依法保护知识产权。西部地方政府要把精力放在为民营企业、中小企业发展提供信息、沟通渠道、协调关系等服务上来。努力扩大社会就业，健全社会保障体系。落实社会治安综合治理各项措施，维护安定团结的社会局面，为企业的发展提供保护。

地方政府还要积极引导当地群众转变思想观念，转变生活方式与生产方式，以适应市场经济的发展和西部大开发的需要，使广大西部民众不仅仅成为西部大开发政策的受益者，更要成为建设西部、发展西部的主力军。

7. 进一步加强与东中部地区的交流合作

建立市场化的跨地区企业协作机制，把东部、中部地区的资金、技术和人才优势与西部地区的资源、市场和劳动力优势结合起来，实现优势互补、互惠互利、共同发展。加大东部地区和中央单位对口支援西部地区的工作力度。深化涉外经济体制改革，进一步扩大对外开放，更好地利用外资加快发展。建立以企业为主体的对外招商引资新机制，提高招商引资实效，依托优势产业、重点工程、重点地带，吸引外来投资。逐步放宽西部地区保险、旅游、运输等服务领域的外资准入条件。采取有力措施推动西部地区发展对外贸易和经济技术合作，全方位、多形式地扩大与周边国家和地区的经济合作和技术交流，努力开拓国际贸易和边境贸易。

加入世界贸易组织

今天，能够成功地发展国民经济的国家，几乎没有一个不与其他国家发生经济联系的。国与国的经济联系主要通过国际贸易、资本和劳动力等生产要素的国际流动、技术合作以及信息共享等方面，这就是所谓的对外开放。从历史上看，资本主义的开放型经济就是相对于封建社会的自给自足、与国外经济隔绝的自然经济而言的，因此，它能够取得超越以往的经济成就。同时，经济不发达国家要想发展和进步，对外开放、融入世界经济潮流就是一个重要的不可或缺的选择。

中国的改革开放起始于 1978 年。由于以前高度集中的计划经济体制已经不能适应经济发展的需求，与世隔绝的发展模式导致与外界的差距越拉越大。从十一届三中全会开始，中国共产党领导中国开始探索中国特色的对外开放的道路。随着经济体制改革的推行，中国的对外开放通过引进外资、扩大对外贸易、兴办经济特区等一系列措施，取得了很大的发展成就。2001 年中国正式加入世界贸易组织(以下简称 WTO)，经济发展正式与世界接轨。经过几十年的发展，中国已经建立了 5 个经济特区，开放了 14 个沿海港口城市，开放开发了上海浦东新区，建立了 15 个保税区，32 个经济技术开发区、52 个高新技术开发区、38 个出口加工区，相继开发了 13 个沿边、6 个沿江和 18 个内陆省会城市，以形成全方位、多层次的开放格局。30年累计兴办“三资”项目596110个,签订利用外资协议额16680.9亿美元,实际利用外资额8826.73亿美元。① 可见,中国融入世界的步伐正在走向全面而深入。

加入WTO,标志着中国的改革开放进入了一个新阶段。

一

从建立经济特区到全面开放

大多数率先实现工业化和现代化国家的经验表明,将本国的经济发展置于世界经济之中,是取得成功的一个重要因素。随着经济全球化的趋势越来越明显,任何一个国家都不可能脱离与世界经济的联系而独立发展。对外开放,是中国自1978年以来实行的一项基本国策,是在研究世界经济发展趋势、借鉴国际经验的基础上,从本国实际出发,探索具有中国特色的现代化道路的重大实践。从建立经济特区到全面开放,梯次推进,逐步扩大,根据区域经济发展水平差距的特点而采取的发展战略使得中国很好地融入全球化之中。

从20世纪80年代初至90年代初,中国的对外开放主要集中在沿海地区。具有标志意义的开放政策,是经济特区的建立,由此形成沿海发达地区先行开放的格局。经邓小平提议,1979年7月和1980年5月,党中央、国务院先后决定在深圳、珠海、汕头市和厦门市创办经济特区,以优惠政策吸引侨资、港澳台投资和外国投资,允许直接投资或合资办厂。1980年8月26日五届全国人大常委会第十五次会议予以批准,正式确立了中国的经济特区政策。1988年4月七届全国人大一次会议正式批准海南建省、办经济特区。由于海南面积有34000平方公里之大,这是对外开放的重大步骤,是利用国外资金、技术、管理经验来发展社会主义经济的崭新试验。

中国经济特区的发展经过了三个阶段:①1980年至1985年为初创阶段,主要进行大规模基础建设和营造投资环境,为发展外向型经济奠定基础;②1986年至1995年为发展阶段,主要是发展出口加工为主的外向型经济,形成外向型经济的基本框架;③1996年开始进入提高阶段,主要是调整产业结构,将重点由传统的劳动密集型加工业转向发展高新科技和高附加值产业以及高水平的第三产业,逐步实现经济增长方式由粗放型向集约型转变,努力提高经济效益,完善外向型的市场经济体制。

作为经济特区政策的延伸,在总结经验的基础上,1984年中央政府又将开放政策扩大到14个沿海港口城市,即大连、秦皇岛、天津、烟台、青岛、连云港、南通、上海、宁波、温州、福州、广州、湛江、北海。这14个城市总人口不到全国的8%,工业产值却占全国的20%,基础雄厚。这些城市的进一步开放,建立经济技术开发区,带动了整个沿海地带的开放和经济发展。

1985年2月,党中央提出了沿海地区经济发展战略,发展外向型经济,抓住机遇走向国际市场。先后决定将长江三角洲、珠江三角洲、闽南三角洲和环渤海地区开辟为沿海经济开发区。这些地区共包括41个市、218个县,使我国从南到北在沿海地区形成了一条包括2亿多人口的开放地带。随着《长江、珠江三角洲和闽南厦漳泉三角地区座谈会纪要》的贯彻,

① 《2007年中国统计年鉴》18—14。

开放三个地区和两个半岛的工作陆续开展。从1985年起，国家即在这些开放地区给予优惠政策，包括：扩大这些地区的自主权、对外商投资的税收优惠和简化外商出入境手续等方面。

根据邓小平的指示精神和上海市委、市政府的建议，党中央、国务院决定进一步开放和开发浦东新区，并于1990年6月2日正式批准。在浦东新区实行经济技术开发区和某些特区的政策，这将带动拥有3亿人口、180万平方公里长江流域腹地的发展。为了鼓励转口贸易和转口加工贸易，中央政府还增设了浦东外高桥、天津港、深圳沙头角和福田等不征关税的特殊贸易区——保税区，并在深圳特区建立保税生产资料市场。

1992年，以邓小平视察南方重要讲话和党的十四大为标志，中国的改革开放进入了一个重要历史阶段。中央政府决定把经济特区和沿海地区开发开放的政策更广泛地推行，开始考虑更多中西部地区的开放和发展，先后批准开放了13个沿边城市、6个长江沿岸城市、18个内陆省会城市。先后批准了32个国家级经济技术开发区、52个高新技术开发区、13个保税区，开放了34个口岸，形成了沿海、沿江、沿边、内陆地区多层次、全方位的开放新格局。

同时，拓宽了对外开放的领域。国务院批准北京、上海等6个城市和5个经济特区各试办一两个外商投资商业零售企业，批准63家外资(或中外合资)银行(或金融机构)在5个经济特区和上海、天津、大连、广州、宁波、青岛、南京7个城市开业经营外币业务，对金融保险、旅游、房地产等原来禁止或限制外商投资的行业，也进行了开放试点。

2000年，国家制定"十五"计划，中央政府又提出实施西部大开发战略。鼓励利用该地区的资源发展优势产业，加强对这一地区科技教育的投资，进一步扩大对外开放。可见，对外开放已经成为中国经济发展的基本原则。

二

加入WTO的过程及影响

世界贸易组织(WTO)是一个全球性的贸易组织，其前身是1948年缔结的《关税及贸易总协定》。在此基础上，经过八个回合的多边贸易谈判，最终在1995年创立了WTO。该组织作为一项国际多边条约，是调整国家贸易及经济关系的规则和程序，对缔约国之间的权利和义务做出了具体规定，其宗旨是通过达成互惠互利的协议，大幅度削减关税和其他贸易障碍，取消国际贸易中的歧视待遇。具体来说，WTO的基本原则有：非歧视原则、市场开发原则、公平竞争原则、权利与义务平衡原则、给予发展中国家优惠和差别待遇原则。

中国对外开放走向深入的过程中，越来越需要加入国际经济的大市场中去，加入WTO就是一个重要的决策。但是，中国加入WTO经历了一个艰难的过程。

1995年7月1日，世界贸易组织决定接纳中国为该组织的观察员。

1997年5月23日，在日内瓦举行的第四次世界贸易组织中国工作组会议，就中国加入世贸组织议定书中关于非歧视原则和司法审议两项主要条款达成协议。12月5日，世界贸易组织中的发展中国家成员在日内瓦发表声明，一致支持中国尽早加入世贸组织。

1999年4月10日，中国对外贸易经

济合作部部长石广生和美国贸易代表巴舍夫斯基在华盛顿分别代表两国政府签署了《中美农业合作协议》，此举被认为是中国加入WTO的前奏。

1999年11月15日，中美两国政府在北京签署了关于中国加入世界贸易组织的双边协议。

2000年5月19日，中国与欧盟代表在北京签署了关于中国加入世贸组织的双边协议。

2001年6月9日和21日，美国和欧盟先后与中国就中国入世多边谈判的遗留问题达成全面共识。

2001年9月13日，中国和墨西哥就中国加入世界贸易组织达成双边协议。至此，中国完成了与世贸组织成员的所有双边市场准入谈判。9月17日，WTO中国工作组第十八次正式会议在日内瓦通过了《中国入世议定书及附件和中国工作组报告书》。

2001年11月20日，世贸组织总干事迈克·穆尔致函世贸组织各成员，宣布中国政府已于2001年11月11日接受《中国加入世贸组织议定书》。该《议定书》将于2001年12月11日生效，中国也将于同日正式成为世贸组织成员。

2001年12月11日，中国正式加入世界贸易组织(WTO)，成为其第143个成员。中国加入世界贸易组织对中国有着重要的意义：①有利于改善中国的国际贸易环境。中国加入世界贸易组织后可获得多边最惠国待遇。同时，利用多边贸易体制，可实现出口市场多元化。②可享受发展中缔约方的优惠待遇，给中国对外经济贸易发展提供良好的机遇。③有利于中国吸收更多的外国投资。④能够促进中国改革开放与社会主义市场经济的发展，加速与国际市场接轨，使中国经济保持高速发展。中国融入世界经济，对世界其他国家也有好处，中国是一个发展中的大国，也是一个贸易大国。中国加入世界贸易组织，可以促进世界贸易发展，促进外国企业对中国投资和更有效地配置资源。当然，加入世界贸易组织后，中国的很多产业也面临着挑战，比如纺织业、汽车制造业、化学工业、农业、银行业、保险业、信息产业等等。

加入WTO后，按照要求，中国开始了更深层次、更宽领域的对外开放和经济体制改革。深化涉外经济体制改革，促进贸易投资便利化，放开外贸经营权，大幅度降低关税，取消进口配额、许可证等非关税措施，金融、商业、电信等服务业开放不断扩大。进出口商品结构逐步优化，利用外资质量进一步提高，实施“走出去”战略迈出了坚实步伐，对外经济互利合作取得了明显成效。

加入WTO后，中国的对外开放就由政策性开放向制度性开放转变，作为一种高层次的对外开放，具有以下特点：①由过去有限范围和有限领域的市场开放，转变为全方位的市场开放。②由过去单方面的自我开放，转变为中国与WTO成员之间双向的相互开放。③由过去以试点为主的政策性开放，转变为在法律框架下的可预见的开放。遵守WTO规则，主要是按照WTO的相关条款修改和制定法律和法规，这是中国加入WTO实现制度性开放的重要方面。

中国加入世界贸易组织，实际上可以看做中国、美国和世界贸易组织“三赢”的结果。[①] 众所周知，尽管中国是一个发展

① 郑秉文：《“入世”对中国经济的影响》，《世界经济与政治》，2000年第1期。

中国家，但其经济总量在全球排第七位，并已经成为世界第十大贸易国。21世纪对世界经济的影响将更为显著，没有中国加入的世界贸易组织将是不完整的，其作用必将受到很大影响，中国“入世”是WTO实现其普遍性的必需。对美国来说，中国加入WTO实现了中美双边贸易发展的格局和利益关联的一般需要，并可逐步解决对华贸易巨额赤字问题。

对于中国来说，经过13年的艰苦谈判，终于实现了以发展中国家的身份加入WTO的目的，中美双边协议的内容充分体现了这一根本原则。中国以发展中国家的身份加入，意义十分重大，它意味着中国可以依法享受发展中国家的优惠安排、幼稚工业的保护、出口补贴、关税制度的弹性规定。例如，汽车行业六年后中国仍能保有25%的进口税税率，农业领域中大部分市场还只允许国家专营（小麦、玉米、大米、棉花、食糖、化肥等），以确保国家有足够的宏观调控手段，避免损害农民的利益；银行业也是按照过渡期逐步实行开放，而且，有些领域仍然没有开放市场，或者说还须经过中国政府审批。上述缓冲的机会只有发展中国家才有权利享受。在中美协议中没有出现类似禁止中国引用WTO例外条款的内容，说明中国可以引用专门适用于发展中国家的例外条款，客观上承认了中国所具有的发展中国家的地位，意味着中国可以引用幼稚工业保护这样的例外条款，在国内市场受到外来强烈冲击而招致损害时，可以采取临时措施加以补偿。中国以发展中国家的身份“入世”，确保了“入世”后所承担的义务与中国现阶段发展水平相适应，从而大大减少“入世”后对中国产业的负面影响。

30年的实践证明，愈是改革开放较早的行业，发展就愈快。同时，我们也应看到，经过30年的改革开放，中国已处于十分关键的时刻：国企改革问题、市场疲软问题、失业问题、社会保障问题等等，中国经济遇到的所有困难全部都涉及社会政治经济稳定的大局，处理不好这些关键问题，不进则退；加入WTO，从改革开放的逻辑上讲，可以借助外资和外在推动力，促进改革进一步发展，突破改革进程中的瓶颈问题。所以，从这个意义上看，中国成功“入世”，标志着中国的改革开放进入了一个新阶段。

加入WTO以后，中国对外开放出现一些新的特点。

1. 关税总水平大幅度下降

到2005年，中国关税总水平下降到10.1%，2008年降至10%。其中工业品平均关税由2000年的14.7%下降到2005年的9.0%，农产品平均关税由2000年的21.3%下降到2005年的15.5%。在一些重要工业品方面，关税削减的幅度也是相当大的，如到2006年7月1日，汽车关税最终下降到25%，汽车零部件平均关税降到10%。

2. 服务领域逐步开放

“入世”后，中国相继颁布了30多个开放服务贸易领域的法规和规章，涵盖了金融、分销、物流、旅游、建筑等几十个领域，基本完善了服务贸易对外开放的法律体系，形成了服务贸易全面对外开放的格局。到目前，中国根据加入世贸组织规则要求，在世贸组织分类的160多个服务贸易部门中，中国已经开放100多个，占62.5%，接近发达国家水平。

3. 对外经贸快速发展

加入WTO后，我国对外经贸快速发展，对外开放正迈向更高水平。一是对外贸易额居世界前列。2008年中国对外贸易进出口总额为2.56万亿美元，比上年增长17.8%;在世界上仅次于美国和德国,居第3位。其中出口14285.5亿美元,增长17.2%;进口11330.8亿美元,增长18.5%。贸易顺差2954.7亿美元,比上年增长12.5%,净增加328.3亿美元。占全球贸易进出口总额的比重稳步上升。二是外资引进规模不断扩大,并向结构优化转化。2001年我国实际利用外资469亿美元,2007年为748亿美元,是2001年的1.59倍,已经成为吸收外商投资的大国,名列全球第三,并继续居发展中国家首位。外商投资的重点已从一般制造业发展到基础产业、基础设施和高新技术产业。三是我国外汇储备大幅度增长。2008年,我国外汇储备达到1.9万多亿美元。居世界第一位。数据表明1996—2001年六年间外商直接投资从417.26亿美元增加到468.78亿美元,年均增长率为1.96%;2001—2006年间外商直接投资从468.78亿美元增长到630.21亿美元,年均增长率为5.06%。2001—2006年外商直接投资额累计达到3371.02亿美元,占1979—2006年28年外商直接投资总量的49.18%。外商直接投资对中国的产业结构产生了重大影响,主要体现在促进技术进步和提升产业结构两方面。加入WTO后利用外商直接投资正成为中国引进技术的主要方式。外资企业加快了对华研发中心的建立,这些研发中心已经成为我国技术创新的重要基地之一。至2006年11月底,世界500强已有约480家在华投资,建立各类研发机构超过800个。外资企业促进了中国技术密集型产业的迅速增长,外企的技术优势使得中国的高新技术出口迅速增长。高新技术产品出口占我国出口总额的比重由1995年的6.78%增长到2006年的29.1%,而每年外企高新技术产品的出口增速均高于全国的平均值,在中国高新技术产品出口中所占份额不断上升,由1995年的50.49%上升到2006年90%左右。

4.“走出去”步伐加快

数据显示,2001年我国非金融类对外直接投资为69亿美元,到2007年增长到187亿美元;2002年,经外经贸部批准或备案的境外中资企业共计350家。到2005年,经商务部核准和备案设立的境外中资企业共计1067家。目前中国对外投资业务已扩展到160多个国家和地区,投资重点正逐步从港澳地区和北美地区转移到亚太、非洲、拉美等广大发展中国家,多元化发展趋势日益明显。此外,中国对外投资已涉及生产加工、贸易、资源开发、交通运输、工程承包、农业及农产品综合开发、医疗卫生、旅游餐饮及咨询服务等多个领域。

5.促进我国法律体系建设和司法体系改革

中国加入世贸组织以后,根据其原则和所作出的承诺,对与之有关的法律规章进行了调整。1999—2005年,中国政府制定、修订、废止的法律规章,总共有2000多项,形成了符合规则的法律体系。加入世贸组织七年来,WTO所倡导的透明度、非歧视原则等,一些基本精神已经成为中国市场竞争的基本原则,有效促进了市场环境的改善。截至目前,已经有来自19个国家的143家外国律师事务所获准设立了52家代表处,与此同时,中国也逐步加大法律对外交流的力度,目前已经有数十家境内律师事务所在德国、加拿大、新加坡等地设立了分支机构。这对中国扩大进出口贸易以及促进中国企业实现走出去战略,推动中国经济适应全球化的发展趋势都发挥了重要作用。

6.积极推动区域经济合作发展

2004年，中国内地与港澳地区更紧密经贸关系安排正式实施。中国—东盟实施了自贸区“早期收获”，2005年7月全面启动自贸区降税进程。上海合作组织贸易投资便利化进程也全面启动。迄今，中国对外商谈的自贸区已有9个，涉及27个国家和地区，涵盖2005年对外贸易总额的1/4，约为3500亿美元。目前，中国与150多个国家和地区签署了双边贸易协定或议定书，与110多个国家签署了双边投资保护协定，与80多个国家签署了避免双重征税协定，与世界各国双边经贸交流与合作不断深化。

总之，从对外贸易、产业结构、技术创新和经济体制改革诸方面考察都表明，加入WTO从整体上显著提高了中国的经济绩效，尤其在保持改革的连续性和实现中国经济从量变向质变的转型中起到了关键的承上启下作用。当然还有些不足和弊端亟待完善，例如外贸和投资对中国东部与中西部地区作用不均衡，中国经济增长中的能源消耗过大、环境恶化加速等等，这些问题不是在加入WTO之后就能自动解决的，需要中国进一步加快自身经济体制改革的步伐和改变经济增长方式。

当然，加入WTO也会产生一些不利影响。

1.“入世”后将会带来一些体制上的震动和冲突

中国的市场经济体制与WTO的基本原则之间存在一个根本共同点即市场经济。但是，现行的经济体制与WTO的基本原则之间也存在许多重大差距。例如，除了经济方面以外，还有理念、文化、政治、传统等方面的诸多差异，这些必然会带来体制上的巨大震动和冲突。一面是建设有中国特色的社会主义市场经济体制，一面是遵循世贸组织的“通则”参与国际分工，一系列崭新的重大理论和实践课题会摆在我们面前，需要运用世界市场经济的一般通则，结合中国实际重新构建和完善具有中国特色的市场经济体制，但局面更复杂了，形势更严峻了。问题在于如何将之运用自如，使其能够为建设有中国特色的社会主义市场经济体制服务。简而言之，体制上的差异性调整和适应需要很长的时间。

2.宏观调控难度增大，受世界经济波动影响的可能性增加

加入WTO之后，中国产品对国际市场的依存度增加，固定资本投资对国际资本市场的依赖也会增加。尤其是，按承诺的期限，银行、证券、外汇等市场全面开放之后，国际商品市场、国际资本市场的波动对中国的影响十分明显，国际金融风暴对中国的影响也将会甚于以往。诚然，开放金融服务市场并不等于实现人民币在资本项目下的自由兑换，但尽管如此，对中国银行体系也会带来巨大冲击。金融安全一旦出现问题，就必然会对国家安全产生重大影响。

3.劳动力部门转移将会产生重大调整，就业压力将会增大

中国农业部门所占的就业比重占就业人口总量的60%以上；由于农业生产集约程度较差，在粮食等大宗产品生产上缺乏优势，价格与国际市场存在差距，“入世”之后，农产品市场受冲击较大，大量农业劳动力需要转移到工业和服务业，据研究，从1999—2010年大约近1000万农业劳动力需转移到其他部门。劳动力在部门之间的转移（或称产业结构的调整）必将带来相应的调整成本。此外，“入世”之后，关税和非关税壁垒的大幅下降必将对竞争力不足的产业产生冲击，信息、金融、化工、制药、汽车、机械等某些资金技术含

量较高的行业和产品将会被迫逐渐退出市场，从而造成新的就业压力。

4.将会加大收入分配不公

“入世”后对农业部门的冲击很可能会导致农村居民的收入减少，虽然一部分农业劳动力可以转移到其他部门，但到2005年，农村居民的实际收入将会比基准情景下降2.1%左右，而城镇居民的人均实际收入则会增加4.6%。城乡之间收入差距的扩大，将会为社会稳定带来潜在的负面影响。

5.知识产权保护力度的强化将会让出一定的市场份额

知识产权涉及每一个行业，但它本身又不专属哪一个行业。中国“入世”后，必须全面履行自己在知识产权领域中应承担的权利和义务，加强对知识产权的保护，特别是对假冒、盗版行为进行有效、有力的打击和制裁，其结果将使那些缺乏创新能力、缺乏品牌、依靠仿制生存的企业被淘汰出局，最终不得不让出一定的市场份额。但从长期看，我们的企业要生存、要发展、要想在更大程度上参与国际竞争，就必须更多地依靠和运用知识产权来激励和保护自己，提高掌握和运用知识产权保护的能力和水平。

三

加入WTO与对外开放的成就

我国加入WTO以后，使得对外开放在我国经济发展中的作用更加突出，对我国的影响表现在以下方面。

1.社会经济和人民生活水平大幅度提高

对外开放使得国民经济增长迅猛，GDP由1978年的3645.2亿元增加到2008年的突破30万亿元，增长了80多倍，GDP总量在世界列第三位。人均GDP由1978年的381元增长到2006年的16084元，增长了42倍。2008年外汇储备达1.9万亿美元，列世界第一位。

WTO的宗旨是：“缔约国在处理贸易和经济事业的关系时，应以提高生活水平、保证充分就业、保证实际收入和有效需求的持续增长、扩大货物和服务贸易为目的，同时允许根据持续发展的目标，优化使用世界资源；根据各自的需求和经济发展的实际水平，寻求既保护环境，又达到上述目标的手段。”在其多个目标中，WTO把提高缔约国居民的生活水平置于首要位置，并要保证有效需求的持续增长。加入世贸组织加速我国消费需求结构提升的步伐。随着我国经济、社会发展水平的提高，我国居民消费需求的结构发生了变化和调整，表现为基本生存用品在消费支出中所占比例有所下降，发展用品所占的比例却有所提高。加入世贸组织后，外国大量物美价廉的商品和服务将会更加便利地进入中国的消费市场，中国消费者在消费品和服务的数量、品种方面将会拥有更加广泛的选择范围，同时这也为我国居民消费品和服务结构的改变提供了可能。随着我国加入WTO，国际潮流、时尚以及消费文化的影响，会促使国内消费品市场国际化。随着我国在国际消费市场中占据的地位日益重要以及我国消费层次日益趋于多元化，尤其是消费品进出口贸易量的增大，中国日益呈现“消费国际化”趋势。加入世贸组织将对我国贸易和消费中的生态资源损耗和环境污染成本形成硬性约束，从而提高消费环境质量和消费资源利用率。同时还可以强化消费者可持续消费的观念，从而最终实现可持续消费。

2.不断扩大对外开放,逐步深化经济体制改革

实行特殊政策和特殊经济管理体制的特区,是在改革方面进行综合性试验的适宜场所。同时,特区的发展也推动了改革的深化,其取得的许多改革成果,为全国社会主义市场经济体制改革提供了有益的借鉴。

加入WTO后外资与私营经济将进入以前国有企业垄断或者是占绝对优势的行业,国企和其他类型企业面对市场公平竞争。国企如何在背负历史遗留的行政介入、企业冗员、债务沉重、资金不足、技术创新能力不足等包袱的情况下,增强自身的实力与市场竞争力,成为中国经济体制变革中重要的一个环节。国有及国有控股企业的个数从2001年的46767个下降至2006年的24961个,减少了46.6%;就业人数下降了32.6%,但企业利润、资产价值分别增加了255.2%和53.8%,占工业增加值的比重也保持在30%以上。经历了改革的国有企业在国民经济中仍然稳定地发挥着主导作用。同时国企中还涌现了一批初步具有国际竞争力的大公司、大企业集团。

加入WTO加速中国经济体制改革的另外一个方面体现在民营企业在2001年后的加速发展。与2001年相比,2006年个体、民营企业数目分别增加了5.9%、129%。个体、民营企业的从业人数从2001年的4760万、2714万分别增长至5121万、6153万,个体民营企业创造了大量的就业岗位,不仅吸纳了很大数量的从国企转移出来的剩余劳动力,对解决新增劳动力就业问题也起到了相当大的作用。

3.发挥了劳动力的比较优势,形成了世界的“制造基地”

经济全球化本质上就是生产分工和市场跨越国界在国家之间展开的这样一种趋势。驱使生产要素跨国配置的动力,是投向国外获得的回报有可能高于在本国投资的回报。过去十多年全球化进程中一个引人注目的现象,是全球各种生产要素在中国聚集,以中国为基地,制造面向全球市场的产品。中国拥有13亿人口,劳动力价格比较具有优势,这也适应了制造业对人力资源的需求。中国成为世界工厂,正是有了对外开放的政策,吸引了资金、技术的流入,加上劳动力的优势才形成的。

4.引进外资,促进产业融入全球经济

国外投资者主要投入资本和技术,营业盈余是其主要收益,而中国获得了劳动报酬、税收及部分盈利。外资企业提供的税收逐年增长,外资企业在所得税方面享有优惠政策,但增值税和各种流转税是不减免的。2005年,外商企业税收为6391.34亿元,占全国税收总额的20.7%;其中增值税为3942.9亿元,占全国增值税的比重为26.52%;企业所得税1147.69亿元,占21.05%;个人所得税为425.95亿元,占20.34%。2004年,外商投资工业企业的利润额为3454.78亿元,其中一部分为合资中中方投资的收益,核算之下,外资获得的利润约为2471亿元,占当年工业企业利润总额约21.78%,占GDP的比重为1.54%。外商投资企业将利润中的一部分再投资,因此汇出的利润少于所得利润。据粗略估算,外商直接投资的利润汇出额,2004年为174.7亿美元,约占当年GDP的0.9%。

5.在对外开放过程中,国内产业不断升级

外商投资企业对GDP的贡献,是扣除了转移价值部分的。全面衡量一个产业发展对国民经济的带动作用要考虑多

个产业之间的广泛和多层的波及作用，要利用投入产出法测量出各个产业之间直接和间接的相互依存关系。其中，影响力系数反映一个产业对其他产业影响的波及程度，影响力系数较大的产业部门对社会具有较大的辐射能力。利用2002年投入产出表进行分析，通讯设备、交通运输、设备制造业分别为影响力最大的第一位、第二位和第四位产业，这三个产业均为外商投资集中的产业，在通讯设备、计算机及其他电子设备制造业和交通运输设备制造业中，外商投资企业产出的增加值已分别占整个产业增加值的2/3和1/3左右。由此可以看出，吸收外商投资对我国产业发展起到了明显的带动作用。

6.对外开放使中国为全球经济发展作出了很大贡献

中国发展对全球经济的贡献表现在：一是对全球经济增长的贡献。1980—2002年，中国对全球经济增长的贡献居世界首位。据世界银行发展数据库按1995年国际美元价格计算，在1980—2002年间，中国GDP年平均增长率为9.51%，相当于世界和美国同期经济增长率的3倍以上。这一时期，中国对世界新增GDP的贡献率为21.31%，美国为21.09%，日本为5.81%，德国为3.04%。二是中国对全球贸易增长作出很大贡献。据世界银行按1995年美元价格计算，1980—2002年期间，中国出口贸易额年平均增长率为10.62%，相当于世界、美国和德国同期出口贸易平均增长率的2倍左右；其中，1990—2002年期间，中国出口贸易增长率为14.92%，相当于世界、美国、德国和日本同期出口贸易平均增长率的2～4倍。中国已经成为世界上增长最快、最大的新兴市场，也是世界第三大进口市场。[①] 根据美国国际经济研究所尼古拉斯·拉迪的估计，2000—2003年期间，中国对世界贸易增长的贡献率为20%以上。中国对世界广泛的影响力不仅源于其经济规模和快速增长，而且源于它对全球经济的开放。在过去20年(指1980—2000年期间)中国人均GDP年平均增长率大大高于世界平均增长率，是世界人均GDP增长率最高的国家，约为7.8%。这表明，中国与世界经济增长构成相互影响，中国经济高增长会明显地带动世界经济增长。[②] 中国与世界的关系越来越密切，中国对于世界的影响越来越大，也越来越深刻。分析表明，我国大规模地参与国际贸易和吸收外资，是我国的国情使然，是我们利用全球资源和市场加快发展的必然要求，是全球化深入发展提供的机遇。开放促进了我国的持续快速增长，也为国外投资者和消费者提供了较多利益，可以共享中国增长和开放的益处。

四

对外开放面临的问题和对策

经过30年的改革开放，中国已成为一个名副其实的世界贸易大国，其外贸增长速度远高于国内生产总值的增长速度。从历史数据可以看出，1978年我国的外贸依存度只有9.8%，时至20世纪90年代，随着出口的快速增长，推动了外贸依存度的稳步提高，也加大了与世界经济的摩擦。因此，我们要清醒地认识到，对外开

① 胡鞍钢：《中国：再上新台阶》，浙江人民出版社，2006年版，第62—63页。
② 同上，第75页。

放必然要面对一些特定的风险和挑战，要妥善应对，在扩大开放中确保经济的稳定和安全。

1. 我国对外开放面临的一些问题

(1)开发区建设过多。经济技术开发区为所在城市利用外资发展起到了积极的推动作用，但各地在自办开发区方面也出现了一些偏差。许多地方不顾自身条件和可能，兴起了遍及全国的开发区热。据统计，邓小平 1992 年南方谈话后，各地自行设立的开发区总数达 2000 多个，规划土地面积达 1.48 万平方公里，造成了资金和土地资源的严重浪费，加剧了全国基建规模的膨胀和能源、交通、原材料的紧张，对国民经济正常运行和对外开放的健康发展产生了不利影响。为此，1993 年国务院下发了《关于严格审批和认真清理各类开发区的通知》，1994 年下发了《国务院批转关于固定资产投资检查工作情况的通知》，对开发区实行规范管理，共撤销各类开发区 1300 多个，压缩规划占用土地面积 7000 多平方公里，还耕于民。经过清理，到 1995 年底，各省、自治区、直辖市批准设立的各类开发区共有 638 个。其中，经济开发区 533 个，高新技术产业开发区 48 个，旅游开发区 57 个。规划面积 5100 平方公里，起步面积 844 平方公里。从分布情况看，沿海 12 个省、自治区、直辖市的省级开发区约占总数的 55%。

(2)经济受外部因素冲击的可能性增大。对外开放，必然使国内经济与外部世界的联系更加密切，受其影响的层面日益扩展，程度日益加深。国别性、区域性和全球性的经济波动和危机有可能向我国蔓延。金融投机资本的快速流动给全球金融市场的稳定带来难以预料的冲击，也有可能影响我国金融体系的稳定性。我国拉动经济增长的三驾马车中，出口份额过大使我国受外部需求冲击的因素增大。我国需要通过国内的结构调整和政策改革，使得国内企业能够适应全面开放市场的新局面，使得工人能够适应全面竞争的新环境，更好地利用贸易自由化和投资自由化来创造新的发展机会，减少负面影响。

(3)经济全球化出现逆流，发达国家贸易壁垒、贸易保护主义增多。由于中国的崛起，导致全世界市场和产业分工的“大洗牌”、“重新洗牌”，引起国际之间发展的不平衡性。因此这些年来，出现了中国与其他国家的贸易冲突、贸易壁垒等问题，世界贸易战越演越烈。对外贸易增长与贸易摩擦增加可能是一个基本趋势，需要我们主动与主要贸易伙伴加强沟通和合作，建立良好稳定的贸易关系，学会在 WTO 规则下处理贸易争端和纠纷。我国还需要主动与主要贸易伙伴建立贸易自由协定，扩大贸易自由协定的国家和地区覆盖面。针对我国的贸易摩擦加剧，成为全球遭受反倾销案例最多的国家。

(4)地区差距不断扩大。对外开放对地区发展水平差距和深入差距的影响是一个突出问题。对外贸易和吸收外资在地区之间分布不均衡，是我国地区差距拉大的一个重要原因。同时，出口退税和外商投资企业所得税减免政策由东部地区享受，使开放产生了收入分配的效应，东部地区得到更多税收优惠。以出口退税为例，2005 年，中央财政共安排出口退税 3250.8 亿元人民币，其中东部地区得到退税 2874.1 亿元人民币，占全部退税额的 88.4%，中西部仅得到 11.6%。虽然通过人员流动和中央转移支付，沿海地区快速发展的收益有一部分被内地居民分享，但总体上看，扩大开放是拉大区域间收入差距的重要因素。

面对新形势和新要求，我们要适时调整对外开放的战略重点，兼顾国内需求和外部需求，更好地利用两种资源、两个市场，促进经济长期平稳较快增长。因此，我国加大对外开放需要注意几方面的问题：①提升出口商品结构，积极扩大进口，促进贸易均衡发展。②提高利用外资水平，扩大对外投资，促进资金双向流动。随着国内市场竞争加剧和产业整体水平的提升，外商投资企业要在我国市场上立足和发展，必须不断提升技术水平和从事更多的研究活动。吸收外资仍将是我国吸收先进技术和研发能力、进一步提升产业竞争力的重要载体。最近两年，我国企业对外投资迅速增长，进入对外投资高速发展时期。③加快推进改革，完善政策和体制，促进国内外企业平等竞争。④继续扩大开放，坚持互利共赢，促进经济全球化。

2.采取措施积极迎接挑战

加入WTO对我国既是机遇，也是挑战，要抓住机遇，迎接挑战，要积极推进经济体制和经济增长方式两个根本性转变，推进建立社会主义市场经济体制的改革，加快调整产业结构，发挥比较优势，努力提高国民经济整体素质。这是增强我国综合国力和国际竞争能力的重要保证，也是我国参与多边贸易体制兴利除弊、趋利避害的根本途径。①

(1)采取积极措施，主动迎接挑战。各行各业要根据WTO的要求和我国的承诺，研究和提出有针对性的、可操作的应对措施，迎接WTO给我国带来的压力与挑战。首先，要对农业提供合理的保护和支持。根据WTO《农产品协议》的规定，合理保护国内农业生产，防范和减轻进口农产品的冲击。要调整农业生产结构，优化资源配置，加快农业科技进步，扩大名特优稀农产品的比重，提高我国农产品的国际竞争力。加快建立完整的农产品质量标准体系，完善动植物检疫标准，加强对国内外疫情的监测和检疫。其次，要努力提高工业企业的国际竞争能力。深化企业改革，建立适应社会主义市场经济要求的现代企业制度和经营机制，使企业成为自主经营、自负盈亏的法人实体和市场竞争主体。加快企业战略性改组，形成合理的经济规模，发展一批实力雄厚的大企业和大集团。加强企业管理，采取现代管理技术、方法和手段，加强成本管理、资金管理和质量管理。再次，合理运用世贸组织允许的贸易补救措施，如紧急进口保障措施和反倾销措施，确保关系我国经济安全和重大利益的产业健康稳定发展。又次，有步骤地开放服务贸易市场。按照我国加入WTO的承诺，有选择地、逐步地扩大电信、银行、证券、保险、商业等服务领域的对外开放，积极推进服务行业管理体制改革，加强管理，改善服务，提高服务行业的竞争能力，同时，要依照我国法律，严格审批程序，加强服务行业监督管理。最后，改进文化产品管理。要加强文化产品相关的法规建设，改进和完善行业管理，扩大与各国的文化交流与合作，积极对外宣传我国的优秀文化，欢迎国外优秀的文化产品进入我国。同时，对国外文化产品的进口要严格审批，防止不良文化的侵入。

(2)转变观念，转换机制。WTO的行为规则和运作机制很多内容对我们来说都是新的，我们必须转变观念、转换机制，才能适应WTO的要求。各级政府及有关

① 周果果：《中国加入WTO以来对外贸易发展分析》，《当代经济》，2008年第6期。

部门，各类企业特别是国有企业，要以市场经济观念取代传统计划经济观念，遵守市场规则，讲究商业信誉，坚决克服寻求行政保护、追求垄断特权的观念。要尽快建立既适应 WTO 运作机制要求，又适应社会主义市场经济特点的政府运行机制和企业经营机制，特别是在人事劳动管理、工资收入分配、生产要素流动等方面，要建立有效的激励机制和严格的约束机制。加强立法，严格执法。依法治国是我们党领导人民治理国家的基本方略。要以加入 WTO 为契机，进一步加强立法和执法工作，推进社会主义法制建设。要深入研究 WTO 规则，对我国现行的涉外经济法律、法规和政策进行充实、调整和完善，加快建立健全我国经济贸易法律体系，充分运用法律手段维护我国的正当权益。要做到有法必依、违法必究、执法必严，全面提高执法水平。总之，要善于运用法律手段维护我国在对外开放过程中的主动权，提高自我保护、自我发展的能力。

(3)培养 WTO 专门人才，掌握国际规则。加快培养一大批熟悉我国国情，具有很好的外语水平、丰富的专业知识、精通 WTO 规则和国际经济法律的专门人才，掌握和运用有关 WTO 的基本知识和规则，有效参与国际经贸规则的制定，充分利用多边规则和国际通行手段发展我国对外贸易，维护我国的正当权益。同时还要大力培训国内企业经营管理者，使他们尽快熟悉国际经贸活动的规则，增强开拓国际市场的能力。各级政府及有关部门要适应加入 WTO 以后的新形势，按照社会主义市场经济体制的要求，积极转变政府职能，改变管理方式，大力推进政企分开，减少直接的行政干预，改进工作作风，增强政府服务意识，简化机关办事手续，全面提高办事效率和管理水平。

对外开放 30 年，中国取得了举世瞩目的辉煌成就，通过改革开放，中国已经成为全球化的赢家，已经是全球化的受益者，改变了国家的面貌，成为发展中国家经济增长的典范，为全球的经济贡献做出了巨大的努力。中国和平崛起，表明占人类 1/4 的人口将摆脱贫困，可以对不发达国家提供成功经验和更多帮助；另外，中国每发展一步，就使国际的和平力量增加一分。经过几十年的发展，中国不仅成为世界上举足轻重的经济大国，而且必然会对全球经济增长、和平发展作出重大的经济贡献。

铁路大提速

中国的铁路事业在伴随着国民经济快速增长的同时，铁路的瓶颈问题一直存在并没有完全解决。随着改革开放日益走向深化，铁路产业如何摆脱“瓶颈效应”，如何成为拉动经济增长的引擎，如何发挥与经济增长的正相关效应是中国铁路产业必须面对的问题。面对国民经济持续快速发展、运输市场需求非常旺盛的局面，中国铁路自 1997 年以来，已经进行了六次大面积提速。这六次大提速在大幅度增加铁路提速线路资源的同时，相应提高了列车运行的最高速度，第六次大提速可使列车运行时速最高将达 250 公里。标志着中国铁路既有线路提速跻身于世界铁路先进行列。

尽管中国的铁路事业取得了辉煌的

成就，不过，与西方发达国家铁路发展的成功经验相比，我国铁路产业的发展还有很长的一段路要走。将我国的铁路产业与经济增长的关系由限制型、适应型向超前型发展，摆脱计划体制的束缚，迈向合理配置资源的市场体制，是我国铁路产业发展的必然选择。从这个层面讲，中国铁路大提速包含两个方面的意思：一方面是在既有线路上提高列车的运营速度，希望能够部分缓解供需矛盾；另一方面中国铁路管理体制、投融资体制、对外开放等方面的改革也正如火如荼地开展。来自两方面的合力将使中国的铁路事业跨上新高度。

一

中国铁路提速的概况

改革开放后国家工作重心转移到经济建设上来，社会和经济的发展对铁路运输的需求迅速增加，运能不足的局面开始出现，严重制约了国民经济的发展。

从1980年末到2007年末的27年间，我国铁路营运里程净增2.81万公里，年递增1.67%，而此间我国GDP年递增在9%左右，铁路发展远低于经济增长的速度。[①]改革开放以来公路里程增长了3倍，民用航空线的里程增长了14.7倍，沿海主要港口货物吞吐量增加了18.6倍，而全国铁路里程仅从51700公里增加到78000公里，仅仅增长了0.5倍，铁路营运里程年均增长1.4%，应对的是全国GDP增长了67倍，全国城镇居民可支配收入增长了6.5倍这种情况。[②] 这也就造成了春运的“买票难”现象，客流繁忙阶段出现了尖锐的供需矛盾。尤其是我国经济总量达到30多万亿元的规模时，铁路的缓慢增长就限制了经济的发展。

在国家投资相对不足、供需矛盾比较突出的情况下，利用现有设备，大幅度增加铁路提速线路资源，提高铁路运行速度就是一种经济、合理的必然选择。

1.第一次铁路大提速

1997年4月1日零时，铁路第一次大面积提速调图全面实施，拉开了铁路提速的序幕。这次提速调图是对中国铁路传统运输组织方式的一次深刻变革，不仅列车运行速度实现了飞跃，运行图编制发生了根本的变化，而且对全国铁路的运输组织、经营理念等都产生了深远的影响。

经过这次提速调图，列车运行速度有了大幅度提高，实现了历史性突破。在京广、京沪、京哈三大干线，提速列车最高运行时速达到了140公里，三大干线上运行的其他旅客列车和其他线路上运行的旅客列车速度也有了不同程度的提高。全国铁路旅客列车旅行速度由1993年的时速48.1公里，提高到时速54.9公里，增加了6.8公里。

首次开行了快速列车和夕发朝至列车。全国铁路以沈阳、北京、上海、武汉等大城市为中心，开行了最高时速达140公里、旅行速度在时速90公里以上的40对快速列车；同时，开行了78列夕发朝至列车，被旅客赞誉为“移动宾馆”。

首次开行了发到站直达、运行线全程贯通、车次全程不变、发到时间固定、以车或以箱为单位报价的“五定”货运列车，做到了双线日行800公里、单线日行600公

① 《在路上——“修路经济”推动中国内需》，《中国青年》，2009年第1期。

② 《从现在到2012年是我国铁路运输能力最紧张阶段》，http://www.8glw.com/view_news.asp? id=1614。

里以上,实现了货运班列客车化,价格收费公开化,承诺服务规范化。

优化了客货列车开行结构。在旅客列车方面,增加了直通特快、直通快车、管内特快、管内快车数量,减少了直通慢车、管内慢车、市郊列车数量;增加了卧铺数量,适当减少了座席数量。在货物运输方面,提高了直达列车比重,减少了货物列车改编作业,加快了车辆周转,提高了作业效率。

2.第二次铁路大提速

1998年10月1日零时,中国铁路第二次大面积提速调图开始实施。这次提速调图,以京广、京沪、京哈三大干线为重点,进一步扩大了提速范围,提高了列车速度,优化了运输产品结构和运力资源配置。

提速线路进一步延长,列车速度进一步提高。快速列车最高运行速度达到了时速160公里,非提速区段快速列车最高速度达到了时速120公里。京九、浙赣、侯月、宝中、南昆线和兰新线武威至乌鲁木齐段列车运行速度也有一定幅度提高。旅客列车旅行速度和技术速度与1997年相比,也都有了一定幅度的提高,直通快速、特快客车平均时速达到71.6公里,提高了4.5公里。

客货运输品牌进一步增加和优化。根据市场需求,增加了快速列车和夕发朝至列车数量,快速列车增至80对。夕发朝至列车增加到228列。满足城际间客流需求,开行了北京—天津、北京西—石家庄等大城市间的城际客车,并且适当安排了短途客车、假日列车、民工专列等客车。首次开行了北京—厦门、哈尔滨—武昌等旅游热线直达列车,吸引了大量旅游客流。根据行包运输需求不断增长的实际情况,首次开行8对行包专列,实现了行包运输由广州、福州、沪杭等地区向乌鲁木齐、成都、北京、哈尔滨、沈阳等地区辐射的快速通道,受到货主的普遍欢迎,铁路行包运输收入大幅度增加。为适应较大企业货主大宗物资的运输需求,开行了大宗货物直达列车119列。为方便货主高附加值货物和适箱货物快捷运输的要求,"五定"班列数量进一步增加。

铁路新一轮提速,进一步适应了旅客对运输快捷的要求,扩大了客货运输品牌效应,赢得了社会各界的广泛赞誉,列车提速被64家产业报评为1998年十件大事之一。

3.第三次铁路大提速

2000年10月21日零时,中国铁路第三次大面积提速在陇海、兰新、京九、浙赣线顺利实施。在前两次大面积提速的基础上,初步形成了中国铁路提速网络。京广、京沪、京哈、京九线四条纵贯南北的大动脉和陇海、兰新线,浙赣线两条横跨东西的大干线,全面实现了提速,全国铁路提速线路延展里程接近一万公里,初步形成了覆盖全国主要地区的"四纵两横"提速网络。在提速范围扩大的同时,列车速度又有新的提高。全国铁路旅客列车平均时速又提高了5.1公里,达到60.3公里。

这次调图进一步优化了运输产品结构,初步形成了铁路客货运输品牌系列。客运方面,深受旅客欢迎的夕发朝至列车达到266列;同时为适应假日经济和旅游业的发展,安排了跨局旅游专列运行线28对。行包方面,根据小商品市场快速发展的实际情况,安排行包专列14对。货运方面,适应高附加值货源增长和货主对运到时限的要求,共安排"五定"班列运行线71条;为进一步搞好大中型国有企业和重点物资运输,安排大宗货物直达列车运行线

138条，比1998年图增加19条。夕发朝至列车、快速列车、城际列车、旅游列车、行包专列、“五定”班列、大宗货物直达列车等客货运输品牌数量进一步增加，质量不断提高，产品结构更加合理，基本上满足了广大旅客货主不同层次的运输需求，初步形成了中国铁路适应市场的产品系列。

2000年运行图一个较大的变化是列车分类和列车车次的变化。随着铁路客货运量的不断增长，旅客列车数量的不断增加，原有的列车分类和列车车次已无法满足需要。为规范管理，适应市场营销需求，铁道部重新修订了列车分类和列车车次。新的列车车次将传统的快速列车、特快列车、直快列车、普通客车、混合列车、市郊列车、军运人员列车七个等级调整为三个等级，即特快旅客列车、快速旅客列车、普通旅客列车。普通旅客列车包含普通旅客快车和普通旅客慢车。这样，概念更加准确，更便于旅客了解。跨局旅客列车分别实行客流旺季和淡季两套编组方案和两套票额分配方案，有利于提高资源的使用效率。

4.第四次铁路大提速

2001年10月21日零时，经过充分准备之后，中国铁路第四次大面积提速调图开始实施。这次提速的重点区段为京九线、武昌一成都(汉丹、襄渝、达成)、京广线南段、浙赣线和哈大线。经过这次提速后，中国铁路提速网络进一步完善，提速范围进一步扩大，铁路提速延展里程达到13000公里，使提速网络覆盖全国大部分省区。

第四次提速调图进一步增开了特快列车、优化了运行时刻。在京沪线北京至上海间自18:00—20:00两个小时之内连续开行了4对夕发朝至特快列车，其中，T13次与T21次、T22次与T14次仅间隔8分钟。

这次调图进一步树立了夕发朝至列车等客货运输品牌的形象。一是对夕发朝至列车时间段进行了优化，始发时间段定为17:00—23:00，终时时间段定为5:00—10:00，更加突出了“夕发朝至”的品牌效应。二是为满足旅游客流需求，更好地拓展铁路旅游市场，铺设了跨局旅游专列运行线28对，为开好旅游专列创造了条件。三是增加了行包专列数量，优化了开行方案，行包专列达到15对。四是优化了“五定”班列开行方案，调整了“五定”班列始发、终到站，“五定”班列数量达到79列。优化供应港澳地区的三趟快运列车运行方案，提高了旅行速度，压缩了送达时间。五是在对大宗直达货源货流进行全面调查、分析和梳理的基础上，安排了大宗定期始发直达列车157列，比2000年运行图增加19列。

5.第五次铁路大提速

2004年4月18日零时实施的第五次大面积提速调图，集中体现了铁路运输生产力发展的新水平，展示了铁路部门坚持以人为本、诚信服务的新理念。

这次提速调图，几大干线的部分地段线路基础达到时速200公里的要求，提速网络总里程16500多公里，其中时速160公里及以上提速线路7700多公里；全国铁路旅客列车平均旅行速度达到时速65.7公里，比2001年运行图提高4.3公里，其中直达特快列车时速119.2公里，特快列车时速92.8公里。主要城市间客车运行速度进一步提高，旅行时间大幅度压缩。

铁路部门以这次提速调图为契机，精心设计并推出了一批客货运输新产品。客运方面，新增开了19对直达特快旅客列车。列车全部采用国内最先进的庞巴迪和25T

型客车，最高运行速度达到时速160公里，途中一站不停，点到点运输；直达特快列车安排在客流量较大的北京至上海、杭州、扬州、南京、苏州、合肥、武汉、长沙、哈尔滨、长春、西安和天津至上海13个城市始发、终到，实现大城市间旅客快捷运输；直达特快列车采用追踪连发方式，比如，京沪线上行直达特快列车，连发11列，间隔7分钟，让更多的旅客能够选择黄金时段乘车。货运方面，新增开北京—哈尔滨、上海、广州3对特快行邮专列，全程按直达特快旅客列车等级运行；新增开北京—乌鲁木齐、广州—上海2对快速行邮专列，全程按快速旅客列车等级运行；新增加固定车底的冷藏快运专列和集装箱快运专列。这些货运新产品，对于加快我国现代物流业的发展发挥了重要作用。

这次提速，铁路部门大力提升夕发朝至旅客列车品牌的质量内涵，进一步优化发到时间，用最好时段开行夕发朝至列车，将始发时间全部调整在17点至23点，到站时间全部安排在次日5点至10点，把方便让给旅客，使旅客选择更合适的出行时间。根据客运市场的需求，进一步增加夕发朝至列车的开行数量，直通夕发朝至列车增至169列，管内夕发朝至列车增至136列。为满足旅游经济、假日经济强劲增长的需要，新图还增加了旅游专列运行线，跨局旅游专列由28对增加到39对。统筹考虑东、中、西部地区经济互补、协调发展的需要，进一步优化了“五定”班列开行方案，安排“五定”班列92列，包括9列冷藏快运专列和1对双层集装箱快运专列，初步形成了覆盖全国80个主要货物集散地的班列运输网络。提高了三趟供应港澳鲜活快运列车的旅行速度，对车站装车及沿途停站时间作了合理调整和严格规定，进一步压缩时间，提高送达速度。主要干线列车密度进一步加大，重载运输加快发展，车流径路和货物列车编组计划进一步优化，扩大了路网整体运输能力。同时，将有限的运力资源向关系国计民生的重点物资倾斜。

6.第六次铁路大提速

2007年4月18日零时，全国铁路第六次大提速将正式开始。从这一刻起，除原有的列车大部分提高速度外，将新增“D”字头的动车组。北京、上海、广州等城市将开行“D”字头的动车组城际快车。乘坐“D”字头列车，将比原有班次更能快速地到达目的地。第六次大提速后，铁路客运能力将提高18%。其中，最突出的亮点是时速200公里以上的212对城际间动车组将开行在环渤海、长三角、珠三角城市群和华东、中南、西北、东北地区的重点城市间，形成以北京、上海为中心的快速客运通道。

新的列车运行图共安排开行动车组列车257对，分四阶段实施，2007年4月18日，首先开行140对动车组。届时，主要城市间的旅行时间将大幅度压缩。

在此基础上，其他客车开行方案也将进一步优化。新的列车运行图将增加7对一站直达特快列车，一站直达特快旅客列车总数增加到26对。夕发朝至列车也将由当前的305列增至337列。

对于乘坐票价相对便宜的普通列车旅客，可选择的机会也大大增多了。全国铁路增开了52对中长途普通旅客列车，其中中西部地区增加29对。

这次提速调图后，全路旅客列车速度普遍有较大提高，主要城市间旅行时间总体压缩了20%～30%。

据介绍，我国铁路经过六次大面积提速，最高时速达到250公里，这已是既有线上的最高速度。这次提速共涉及京哈、京沪、京广、陇海、兰新等18条线路,旅客列车最高运行时速达到120公里及以上的线路延展里程共计2.2万公里,比第五次大提速增加了6000公里。

2008年,中国铁路大力推进客运专线及技术创新,旅客列车在客运专线上跑出时速350公里。北京到天津开通高速列车,115公里的路程,29分钟即可到达。

到2010年,将有700列时速200公里及以上动车组和1500台以上的大功率机车奔驰在中国铁路线上,中国铁路机车车辆装备将基本实现现代化。

据铁道部官员透露:中国铁路有三个重要发展阶段,2010年实现"十一五"规划目标,使铁路运能与运量长期矛盾的现象得到极大缓解。建设新线17000公里,其中7000公里是客运专线,现在正在紧锣密鼓地进行,第六次大提速也是这个进程中的重要一步。第二个阶段在2015年,客货紧张状态将得到极大改善,客货运输能力基本适应国民经济的需求。第三个阶段,2020年的目标,就是铁路发展相对国民经济要适度超前,这也是我们多少年来梦寐以求的目标。① 第六次大提速可以说是既有线提速的一个里程碑,是既有线和客运专线的衔接点,既有线上提速已经到了最高水平,由此将向高速铁路和客运专线迈进。随着铁路速度的不断提高,中国铁路的技术水平、装备水平、管理水平和服务质量将迈上一个新台阶,铁路的面貌正在发生彻底改变。

二

铁路产业体制改革的深化

自新中国成立后,铁路产业的发展一直深受计划经济的影响,在废除旧中国铁路分散管理体制的同时,实行国家统一管理的新体制;改革开放后,随着社会主义市场经济的逐步建立,铁路产业体制改革在体制创新、投融资改革方面已经启动,并逐步走向深化,并确立了深化改革的总体目标,就是要在国家宏观调控下,发挥市场对铁路运力等资源配置的基础性作用,建立适应社会主义市场经济的铁路管理体制和运行机制,加快铁路建设,扩大运输能力,改善经营管理,提高经济效益,更好地为我国国民经济和社会发展服务。

中共十一届三中全会以来,中国铁路在由计划经济向市场经济的转变过程中,按照国家经济体制改革的要求,先后实行了铁路全行业投入产出经济承包责任制、简政放权、组建集团试点、改革财务清算、发展合资铁路、扩大利用外资、开拓多种经营等一系列改革,初步打破国家独资修路和经营统收统支的传统计划管理模式,开始形成效益与活力、积累与发展相结合的新机制,有力地促进了铁路运输生产力的发展。

从20世纪80年代开始,铁路产业改革,大体上分为以下几个阶段。

首先是尝试全行业经济责任大包干。1982年9月召开的中共十二次代表大会提出了全面开创社会主义现代化建设新

---

① 《专访纪嘉伦:中国既有铁路提速已达世界水平》,2007年4月18日中国网。

局面的伟大号召。铁路部门贯彻大会精神，将铁路的改革开放从“包、放、联、通、多”等五个方面侧重展开：在“利改税”的基础上，实行各种形式的经济承包责任制；逐步下放权力，使企业有更多的自主权；加强路内外各行业各部门之间的联系；保证铁路运输安全畅通；以运输为中心，搞好多种经营。以充分发挥铁路运输企业的活力和积极性。

中共十二届三中全会通过的《中共中央关于经济体制改革的决定》公布后，铁路部门根据这一决定的精神提出《关于铁路改革的意见》，将铁路改革的中心放到推行经济责任制上，要求把铁路企业建成相对独立、自主经营、自负盈亏的经济实体以增强活力，提出铁路的改革要有利于确保安全生产，有利于路风建设，有利于提高经济效益，有利于调动企业职工的积极性，有利于加快铁路建设的步伐。

其次是探索建立现代企业制度。1993 年 7 月，国家实行新的财税制度，铁路“大包干”政策实质上被取消，统一执行新的、规范化的利税分流制度。中共十五大提出了建设社会主义市场经济的跨世纪奋斗目标，在调整所有制结构、实现公有制形式多样化以及完善分配结构和分配方式等一系列理论问题上有重大突破。这为铁路部门加快推进“三改一加强”（改革、改组、改制，加强企业管理），建立适应社会主义市场经济的铁路新体制和新机制提供了新的思路和空间。

为贯彻中共十五大精神，铁道部在 1998 年 1 月召开的全路领导干部会议提出，经过三年攻坚奋斗，到 2000 年基本实现政企分开，力争大多数铁路国有大中型企业初步建立现代企业制度，一批大型骨干企业实现集团化经营，大部分小型企业放开搞活。

基于企业财产边界不清、管理机构重叠的现实，铁道部决定实行资产经营责任制。1997 年，铁道部对广州铁路（集团）公司率先实行资产经营责任制，1998 年，对铁道部所属的工业、工程、建筑、物资和通信信号五大总公司和四个直管站段的铁路局实行资产经营责任制。1999 年，全路 14 个铁路局全面实行资产经营责任制。

再次，铁路产业进行股份制改革，尝试建立新的投融资模式。

20 世纪 90 年代以来，国家积极出台鼓励铁路建设投资多元化的政策，使各类合资铁路迅速发展，并随着国家在铁路建设方面的不断改革，取得了长足进展，逐步成为全国路网的重要组成部分，2006 年底，合资铁路营业里程仅为 0.89 万公里，占全国铁路营业里程的 11.5%。而到了 2008 年底，新建的合资铁路里程达 3 万公里，投资规模达 2 万亿元。①

2005 年，铁道部发布了《关于鼓励支持和引导非公有制经济参与铁路建设经营的实施意见》，明确了对国内非公有资本开放铁路建设领域、铁路运输领域、铁路运输装备制造领域和铁路多元经营领域，使得国家政策不仅仅停留在较高的层面上，为各类社会资金进入铁路提供了政策支持。铁路通过加大重组力度，推进既有铁路运输企业股份制改制，鼓励社会资本通过并购、参股的形式，参与既有铁路企业的资产重组，盘活存量，扩充增量。

2006 年，铁道部制定了《“十一五”铁路投融资体制改革推进方案》。按照“政府主导、多元化投资、市场化运作”的基本思路，以构建投资主体多元化、资金来源

① 中国经济网 2008 年 12 月 31 日。

多渠道、融资方式多样化、项目建设市场化的铁路投融资体制新格局为目标，研究制定《“十一五”铁路投融资体制改革推进方案》，并得到国家有关部门的大力支持。明确了“十一五”期间铁路投融资体制改革的指导思想、总体目标，提出了扩大合资建路规模、积极推进铁路企业股改上市、扩大铁路建设债券发行规模、研究建立铁路产业投资基金、扩大利用外资规模、合理使用银行贷款等方面的重点项目和必要的政策措施。

目前，中国铁路产业体制改革正在向着重视市场规律的诉求这个方向前进，即对市场需求、价格信号、生产成本和利润最大化灵活反应，并构建有效的铁路激励约束机制。可以说，完成这个转型，铁路在推动国民经济快速增长的过程中，将要发挥重要的作用。

三

铁路提速促进经济增长

1949年以来，铁路以投入少、产出多、成本低、能耗少、能力大的特点，居各种运输方式之首，在国家经济建设过程中举足轻重，被誉为国民经济的“大动脉”。近年来，随着其他运输业的发展，铁路客货运输被分流，但“铁老大”作用仍很明显。从2008年的统计数据看，铁路货运总周转量为25118.04亿吨公里，铁路客运总发送量达14.56亿人次，7728.34亿人公里，优势依然突出。从1950年到铁路实行大包干的1985年，35年中铁道部共向国家上缴利税1156亿元，比国家在此期间向铁路投资总和还多330亿元。

2005年与1978年相比，公路里程增长了1.17倍，民航航线增长12.42倍，高速公路从无到有，已超过4万公里。同期，在全社会客货发送量增长6倍多的情况下，公路客货发送量增长10倍和15倍，民航客货发送量增长39至47倍。如此高速的发展，仍然不能满足经济社会发展的需求，煤电油运依然紧张，原因就在于作为交通运输骨干的铁路发展滞后，里程仅增长了0.4倍，客货发送量仅增长了0.36倍和1.44倍，因此更加剧了运能紧张的局面。

据统计，从1978年到2006年，全社会货运总量从24.5亿吨增至185亿吨以上，平均增长7.7%，而铁路货运量平均增长3.4%；全社会客运量从25.4亿人增长至184.7亿人，年均增长7.6%，而铁路客运量年均增长1.3%，货客运量增长远远低于社会运量的增长。中国铁路现有营业里程近8万公里，仅占世界铁路的6%，但完成的工作量却占了世界铁路总工作量的24%，运输负荷是世界平均水平的4倍，运能利用率远远超过世界上其他任何国家，但在现有线路、车辆诸多条件下，铁路运输能力已接近极限。京沪、京广、京哈、京九、陇海、沪昆等六大铁路主要干线长期处于超饱和、超负荷运输状态，难以满足运量的需求。客运方面，铁路客运能力每天提供运力242万个席位，而实际日均输送旅客340万人次(2006年运输旅客计12.6亿人次)，每日缺口席位98万人次，满足率为71%，能力缺口29%。货运方面，铁路货运每日请求均在30万车左右，而实际每日完成10万车，满足率仅为33%，能力缺口67%。

据有关部门测算，当我国工业产值和铁路运量二者之间的弹性系数维持在1∶0.5时，铁路运输能力符合国民经济发展的要求，但由于铁路运输能力增长过于缓慢，从1978年开始，弹性系数不断下降，到1988年下降到1：0.147，使铁路运输呈现全面紧张状态。

由于铁路运能不足，对国民收入产生了一定程度影响，有人曾按铁路运能30%缺口和国民经济发展速度7%计算，因运能不足，1991－2000年工业总产值将减少共计60363亿元。目前铁路对国民经济的适应程度已从80年代初的90%左右下降到60%左右。①

长期以来，我国对交通运输在国民经济中的地位和作用认识不足，重生产，轻流通。一方面，铁路建设投资在国民经济建设中投资比重偏低，在"五五"、"六五"期间基本呈下降的趋势，"七五"期间实行铁路大包干，提出"投入产出，以路建路"的目标模式，由于各项措施不配套，出现了资金短缺和运能短缺的两难境地。另一方面，投资决策权集中，不重视地方建路，既不利于铁路发展，又使中央财政负担过重。

考察"九五"前三年（1996－1998年）我国铁路产业对国民经济的直接贡献，发现铁路产业对国民经济直接贡献为3413.38亿元，占同期国内生产总值的1.54%。铁路产业对国民经济的间接贡献为5569.2（亿元），占同期国内生产总值的2.51%。则全部经济贡献为8982.58亿元，占同期国内生产总值的4.05%。②根据铁道部的资料，目前我国铁路网仅能满足国内需求的40%左右，铁路运输瓶颈明显，铁路运输亟待发展。

铁路建设行业具备较强的抵抗宏观经济周期波动和当前宏观调控的特性，铁路建设行业基本不受宏观调控的影响具备抗经济周期特性。因此，为应对国际金融危机，铁路产业与国民经济的正相关性已经得到充分认可，铁路建设投资活动对增加国民生产总值、带动经济增长具有巨大的拉动作用也已形成共识。据铁道部透露，2009年，铁路计划完成上万亿元的基本建设投资。完成这一规模的投资，需用钢材2000万吨、水泥1.2亿吨，能够提供600万个就业岗位，可以直接带来全国GDP增幅提高1.5%的拉动效应。③ 可见，加快推进大规模铁路建设对拉动投资和内需的作用是十分明显的。

四

铁路发展的国际经验

从世界其他国家经济起飞阶段来看，铁路部门都发挥了巨大作用。英国在18世纪末19世纪初、美国在19世纪中后期先后进入"起飞"阶段。在这个阶段，铁路作为重要的产业部门，为其他部门的发展提供了有力保障。

首先，许多发达国家和新兴国家普遍经历了铁路超前发展的时期，在经济建设高潮到来之前投入大量资金先期修建铁

① 王海生、季令：《市场经济下中国铁路与区域经济发展》，《地域研究与开发》，1996年第1期。

② 所谓铁路产业对国民经济的间接贡献，主要指由铁路运输服务业、铁路用户和铁路建筑等对国民经济直接贡献的"波及效果"所产生的第二轮及其以后各轮的经济影响。在铁路产业产生的收益（增加值）中至少有部分要被政府、企业和个人重新用来投资或消费。如铁路运输服务业、铁路用户和铁路建筑业的职工有可能将他们的工资用在日常商品和服务的消费上，这些企业也会将其利润的一部分重新用于投资上。这些花费和投资本身又有可能产生新的增加值。而新产生的增加值的一部分又会被再投资或消费。这些间接影响周而复始逐渐递减，最终趋于零。一般用间接影响乘数来反映间接经济贡献与直接经济贡献之间的这种关系。任民：《"九五"前三年铁路产业对国民经济贡献的度量》，《铁道经济研究》，2001年第2期。

③ 《铁道部：到2020年将投资5万亿新建4万公里铁路》，新华网，2008年11月27日。

路，以筑路高潮启动相关行业的发展高潮，进而促进整体国民经济步入发展快车道。美、英、德、法铁路发展最快的时期大致在19世纪中后期到20世纪初，为以后的经济发展和工业现代化提供了坚实的基础（见下表）。

表1 铁路网规模与经济发展

国别	达到人均100美元年度	铁路营业里程（公里）	复线率（%）	电化率（%）	人均1000美元时的路网密度		路网规模最高峰年度	路网规模最高峰里程（公里）
					按国土面积计算（公里/百平方公里）	按人口计算（公里/万人）		
美国	1950	364189	13.03	1.14	4.72	24.0	1916	408745
英国	1955	30782	64.1	5.1	12.57	6.04	1890	32000
德国	1957	30976	41.34	7.59	12.5	6.02	1913	61150
法国	1952	41200	43.48	10.3	7.5	9.73	1938	64000
中国	2002	71898	33.3	25.2	0.75	0.56	2007	78000

注：国外铁路数据来源于铁道部科学技术情报研究所《国外铁路》（1991年10月），德国为原联邦德国，各国相关数据并没有涵盖该国所有铁路；中国数据来源于《铁路主要指标手册》2002年。

其次，世界上多数国家在工业化前期，向铁路建设大量投资。铁路建设占基建投资总额的比例，日本明治维新时期为55%，美国20世纪初为50%，苏联1961—1973年间为63%；目前多数发展中国家运输投资约占基建总投资20%～28%。关于铁路对美国经济增长所起的作用，罗斯托认为，从1843年到1860年，美国的工业化出现了一次"飞跃"，这在很大程度上要归功于那时的铁路建设。其部分原因是前向关联发挥了作用，因为铁路"降低了内陆运输费用，将新的地区和产品带入了商业市场，总的说，起到了亚当·斯密所说的扩大市场的作用"。也是19世纪四五十年代美国制造业产量增长的一个重要原因。至于后向关联"也许对经济飞跃本身来说最重要的是，铁路的发展导致了煤炭、炼铁和工程企业的发展"。①

1865年以后，广泛分布的铁路网，加上运费显著下降，这就使西部农场主容易接近国内外市场。在打开西部农业发展门户方面，铁路具有决定性的影响。② 到1910年，运营长度共达399987公里的铁路，主要是在美国农业的"黄金时代"内铺设的。1914年，美国的铁路长度超过欧洲

① 赵坚、杨轶：《交通运输业与经济增长的关系》，《交通运输系统工程与信息》，2003年第2期。

② ［美］H. N. 沙依贝、H. G. 瓦特、H. U. 福克纳：《近百年美国经济史》，中国社会科学出版社，1983年版，第55页。

铁路的全长和整个世界铁路总长的1/3。①政府赠予的土地对西部铁路建筑的时间顺序和技术可能性都作出了有意义的贡献。如:对于中央太平洋铁路来说,政府赠予土地的价值占它的投资的26%;对于联邦太平洋铁路来说,则占34%。②

反观中国,铁路投资一直明显不足。世界银行对中国经济考察后提出的《中国与国际运输指标研究》报告指出:发展中国家为实现工业化,交通运输业投资一般应占总投资的20%~28%。但从我国投资于铁路基本建设的情况看,其比重明显过低,以《国家统计年鉴》资料计算:国家投资于铁路的建设资金占总投资的比例分别为:"一五"期间10.5%,"二五"9.0%,"三五"9.77%,"四五"为9.81%。到"七五"降至历史最低点6.3%,表现在营业新增里程上,20世纪50年代年均1100公里,60年代年均700公里,70年代年均900公里,"六五"下降为年均500公里,"七五"下降为年均350公里。这种状况在"八五"后有所好转,但真正改观是在"十一五"中长期路网规划实施以后。

再次,发达国家非常重视铁路发展,并采取适当的倾斜政策。

随着世界各国可持续发展战略的确立,各国政府开始反思原有的运输政策,着手制定能充分发挥各种运输方式优势的、健康高效的交通系统。各国都不可避免地遇到环境、资源与发展的巨大挑战,人口的压力、自然资源的超常利用、生态环境的日益恶化,都迫使交通运输必须走一条依靠科技、节约资源、生态协调的可持续发展之路。

德国联邦政府2000年交通报告指出,至2015年货运将增长60%以上。为确保交通运输的可持续发展,要把预测增长运量的大部分转移到铁路上来。为此,必须创造先决条件。联邦政府打算到2015年铁路货物周转量翻一番,达到1480亿吨公里。

瑞士、奥地利等国规定,凡是过境运输,汽车一律不能开行,只能用火车运送;德国的慕尼黑在城边建设大型停车场,在停车场附近建设公共汽车和轻轨车站,兴建地铁入口,方便驾车人乘公共交通工具入城;荷兰的阿姆斯特丹每周六禁止汽车通行;法国巴黎要求市民"优先考虑使用公共交通工具",仅在"绝对必要时"才使用自己的汽车;英国从1998年起采取大幅度提高存车费用的办法,限制私人汽车而鼓励公共交通发展;新加坡政府为限制购买汽车,决定缩短汽车使用年限并杜绝一家多车现象。

美国政府在1990年颁布的《美国交通运输政策》中坚持扩大国家运输系统,在使之保持强大和加强竞争力的同时,更加高度重视运输业对环境的影响,强调交通运输业的发展,必须与保护环境和提高生活质量相协调。美国政府采取汽车及汽油消费税收、城市和交通高峰期支付拥挤价格、高停车费等经济政策,强制共乘和城区通行许可证等行政干预手段来抑制

① 邓宜康、吴昊、谭克虎:《从美国农业发展历史看铁路运输的作用》,《铁道经济研究》,2005年第6期。杰里米·阿塔克在《新美国经济史——从殖民地时期到1940年》一书中指出:"对美国各州价格空间分布数据和扩张的铁路网的分析表明,农场主对小麦价格和铁路系统的密度有强烈的供给反应。更高的价格和更高的铁路密度导致农场主相当快地扩大种植面积。经济计量分析表明,在便宜的陆地运输出现后的六年中,农场主将扩张定居区并增加耕地面积,所增加的耕地面积足以消除小麦的实际产量与期望产量差距的一半。"

② [美]H.N.沙依贝、H.G.瓦特、H.U.福克纳:《近百年美国经济史》,中国社会科学出版社1983年版,第177页。

公路使用需求，并十分支持修建高速铁路。

欧盟采用通用的公路税收手段，通过调节经济利益来抑制公路使用需求。对汽车用户征收以下税种：汽车消费税（包括新车消费税、年税和公共交通差别）、燃油消费税（包括燃油消费税和涉及环保的特殊燃油消费税）、公路使用费税（包括收费公路通行费和公路使用税）。同时，欧盟鼓励各国修建高速铁路和城市轨道运输系统，将公路运量转移到铁路上。德国政府增加对铁路、水运的投入，完善和提高其服务功能。在1992－2012年国家运输规划中对铁路和水运的投资占54％，首次超过对公路的投资。

日本也制定了新的促进铁路与海运的政策，以减轻公路的压力，发挥铁路、水运优势，保护生态环境，其政策内容主要有：制定交通运输各部门节约能源保护环境的政策，引进节能设备，开发节能环保技术和交通工具，严格限制汽车尾气排放。修建、改造城市间和城市内的客运铁路线路，建立高效、节能的交通运输体系。

最后，相对而言，中国铁路与世界发达国家相比，差距较大，必须有一个快速发展阶段。

按国土面积计算，中国每万平方公里拥有铁路74.89公里，而德国为1009.2公里，英国为699.1公里，法国为538.3公里，日本为533.62公里，印度为191.73公里，中国在世界排名60位之后。

按人口计算，中国铁路路网密度为每万人0.56公里，而加拿大为16.18公里，俄罗斯为5.9公里，美国为5.55公里，法国为5公里，德国为4.4公里，英国为2.85公里，日本为1.59公里，印度为0.63公里。换句话说，中国铁路路网密度仅为加拿大的3.5％，美国的10％，人均仅5.6厘米，不及半根铅笔长，在世界排名第100位之后。①

2002年全世界铁路营业里程约120万公里，完成工作量8.5万亿换算吨公里，中国铁路营业里程占全世界的6％，完成的工作量占全世界的25％左右。目前中国铁路的负荷是日本的2.58倍，美国的2.6倍，印度的2.75倍，德国的7.5倍，法国的7.7倍，英国的9.65倍。京沪等六大铁路干线平均运输密度已达8100万换算吨公里，是日本的6倍，英国的22倍。从货运来看，目前全国铁路每天两万辆左右的请求车，最高达到30万辆，而铁路装车兑现率只有35％左右，大量货物不能及时承运。从客运来看，全国铁路图定客车每天能够提供各种席别的客座能力是242万人，据统计，2004年1—9月份平均每天实际客运量达到302万人，一些客车经常超员。②

由于历史原因，中国铁路没有形成西方国家那样的筑路高潮，结果路网规模和密度尚未达到峰值，其在运输市场上的相对地位就已经开始下降，而后来的公路和民航已开始相继进入超常规发展时期。我国铁路今天加快发展，实际上是在完成长期欠账未能完成的建设任务。铁路建设已经严重落后于工业化、城市化、全球化和运输一体化的进程。

---

① 国建华：《铁路大提速的战略创新与实践》，《中国铁路》，2004年第5期。

② 同上。

表 2　中国各种运输方式旅客周转量所占份额情况表　　单位：10^8 人公里

年份	合计	铁路周转量	占比	公路周转量	占比	水运周转量	占比	航空周转量	占比
1980	2281.34	1383.16	60.63	729.5	31.98	129.12	5.66	39.56	1.73
1990	5628.64	2612.63	46.42	2620.62	45.56	164.91	2.93	230.48	4.09
1995	9001.9	3545.7	39.39	4603.1	51.13	171.8	1.91	681.3	7.57
1996	9142.57	2325.37	36.37	4908.79	53.69	160.57	1.76	747.84	8.18
1997	9996.4	3548.72	35.5	5510	55.2	159.9	1.6	769.7	7.7

数据来源：《中国统计年鉴》1997 年。此表为全社会运输量，水运不含远洋运输。

表 3　中国各种运输方式货物周转量所占份额情况表　　单位：10^8 吨公里

年份	合计	铁路周转量	占比	公路周转量	占比	水运周转量	占比	航空周转量	占比
1980	7973.4	5716.9	71.7	764	9.6	1000.1	12.5	1.4	0.02
1990	18065.3	10622.4	58.8	3358.1	18.6	3449.6	19.1	8.2	0.05
1995	23595.6	12870.2	54.5	4694.9	19.9	5418.2	23	22.3	0.09
1996	25189.1	12970.6	51.5	5011.2	19.9	6597.4	26.2	24.9	0.1
1997	22943.5	13096.7	57.1	5273.4	23	3966.5	17.3	22.9	0.1

数据来源：《中国统计年鉴》1997 年。此表为全社会运输量，水运不含远洋运输，管道运输未列入。

表 4　世界有关国家铁路、公路货物周转量在运输方式中所占份额　　单位：%

	美国铁路	美国公路	俄罗斯铁路	俄罗斯公路	日本铁路	日本公路
1950	56.2	16.3				
1960	44.1	21.7				
1970	39.8	21.3	66.3	1.3	18.0	38.9
1980	37.5	22.3	54.7	1.6	8.4	40.8
1985	36.4	24.8	55.6	1.6	5.1	47.4
1990	37.7	25.4	42.8	1.2	4.9	50.1
1991	37.6	26.4	42.6	1.2	4.8	50.7
1992	37.8	27.1	41.9	0.9	4.8	50.6
1993	38.1	28.1	38.7	1.3	4.7	51.5
1994			33.5	1.0	4.4	51.7

数据来源：李学伟、赵新刚：《中国铁路投入产出分析》，中国铁道出版社，2004 年版，第 266 页。

从表中可以看出,1978年以前,铁路基本适应了国民经济的需要。“七五”以后,铁路建设速度大大低于公路和民航,即使在“八五”建设高潮时期,铁路固定资产投资增幅也远低于公路和民航。与“七五”相比,铁路增长了26.8%,公路增长了36.9%,民航增长了87.3%。而公路近些年每年平均新建22000公里,是铁路的20倍。从发达国家的历史经验来看,经济的飞速发展需要铁路等交通部门超前发展,如美国在19世纪末到20世纪初是铁路发展的鼎盛时期,1916年铁路达41万公里,有力地支持了美国经济的发展。为实现我国经济的快速增长,尽快适应市场经济的需要,只有加快铁路等运输业的超前发展,才能满足国民经济和社会发展的需要。

五

铁路提速还需要改革配套

借鉴世界铁路发展的经验教训,制定我国铁路发展战略,构建有中国特色的多层次铁路运输系统,推进铁路跨越式发展,形成后发优势,最终赶上发达国家水平,这是我国铁路产业发展的最终追求。六次铁路大提速虽然取得了巨大的经济效益和社会效益,不过,其实效的真正完成还需要改革进行配套。

铁路产业的快速发展还需改善投融资手段。投融资是影响铁路产业发展的重要因素之一,大量的体制外资金进入有助于铁路产业的长足发展。铁路第六次提速、铁路建设全面铺开和铁道部加快投融资改革,将会吸引更多的社会资本进入铁路行业,最终建构的将是一个铁路产业盛宴。

专家认为,“提速还是在现有体制框架内进行的增量改革,虽然带来了巨大效益,但是并不能代替铁路体制的改革”。特别是在高速铁路的运用管理,以及处理铁路和客运专线供需平衡上,体制上的高效率才能产生运营上的高效益。据统计,GDP对铁路运输周转量的弹性为0.02588,即铁路运输周转量每增加1%,带来GDP增加0.02588%。由于提速引起的技术进步带来运输能力增加,会使铁路运输量大幅增加。第六次提速由于铁路的换算周转量增加将带来每年GDP增加200多亿元。[①] 此次提速后,将形成以北京、上海、广州为中心的快速客运通道,大量组织开行高密度、高速度、高等级的时速200公里及以上动车组旅客列车。主要集中在环渤海、长三角、珠三角三大区域以及以郑州、武汉为中心的中原城市群,以沈阳、长春、哈尔滨为中心的东北城市群,和以西安为中心的西北城市群区域行驶。由于此番提速属于技术型跨越式发展,铁道部总工程师何华武透露,第六次提速的总成本为296亿元,每公里合495万。296亿元资金投入除了给中国铁路的客货运输能力分别带来18%和12%的增长外,随之而来的管理和运营上的考验还将倒逼铁路体制改革。

铁路有投资风险低、经营前景好、收益稳定的优势,要积极鼓励社会各类资本以合资、合作、联营等方式,参与铁路的经营。推进现有铁路企业的股份制改革,鼓励社会资本通过并购参股的形式参与铁路企业资产重组,盘活存量,扩大增量,提高投资效益。积极探索多种融资方式,为

① 《铁路大提速的经济账》,《新京报》,2007年4月18日。

社会资本投资铁路提供更多的选择。

据统计,2004年,在货物运输方面,全国铁路完成货物发送249017万吨,同比增长11%,其中国家铁路217816万吨,同比增长9%,合资铁路16277万吨,同比增长43.2%。在旅客运输方面,全国铁路完成旅客发送111764万人,同比增长14.9%,其中国家铁路107346万人,同比增长14.6%,合资铁路4040万人,同比增长25.7%。在工作量方面,全国铁路完成换算周转量25000.94亿吨公里,同比增长13.5%,其中国家铁路23797.44亿吨公里,同比增长12.8%,合资铁路1110.47亿吨公里,同比增长28.5%,合资铁路已成为铁路运输的重要力量,为国铁经营效益的提升发挥了不可替代的作用。①

按照公平公正原则,完善铁路行业制度,建立健全监督管理制度,规范国内市场的主体行为,为各类参与投资铁路运输经营者创造平等的政策环境。

可以想见,伴随着铁路大提速带来良好效益的同时,中国的铁路改革事业也将走上一个崭新的高速发展的新时代。

香港回归

经历了百年沧桑的香港,回归祖国是中华民族的盛事,是"一国两制"构想的伟大胜利。中国政府恢复对香港行使主权,中华人民共和国香港特别行政区正式成立,标志着香港同胞从此成为这块土地上的真正主人,香港的发展从此进入一个崭新的时代。

一

回归前的较量

1989年9月,邓小平向中央正式提出辞去他所担任的中央军委主席职务的请求,中共十三届三中全会接受了他的请求。邓小平退休以后,实现香港平稳过渡、持续发展的历史重任落到了以江泽民为核心的第三代中央领导集体的身上。

对于香港回归,西方舆论界有各种猜测,有的认为1997年香港回归后,中国的中央政府会过多地干预香港特别行政区的事务。他们不相信中国政府所作出的关于香港特别行政区实行高度自治、中央政府不干预香港特别行政区自治范围内事务的承诺。一些反华的政治力量认为一些西方国家正在对中国实施所谓的"制裁",中国政府关于收回香港的决策已经难以为继,于是,极力为香港的回归制造障碍,针对中国政府关于香港回归的政策,也制造了大量的谣言,一时间在香港产生了很大的震动和混乱。在香港市民中,对于香港回归后是否能够保持繁荣稳定,也心存疑虑。在这种情况下,用香港特别行政区基本法去对人民群众包括香港市民进行宣传教育,对于保证香港的平稳过渡,就具有特别重要的意义。1989年7月11日,江泽民在中南海会见了《香港特别行政区基本法》起草委员会副主任委员、基本法咨询委员会主任安子介等香港知名人士。江泽民说,用"一国两制"的方针解决香港问题,不只是外交上的需要,

① 铁道部2004年统计公报。

而且也是从香港和整个国家的根本利益出发的。这样解决，对香港、对整个国家有利，对英国和其他国家也有利。在处理港澳和台湾问题上，我们采取“一国两制”的方针，我搞我的社会主义，你搞你的资本主义，“井水不犯河水”，我不会在港澳和台湾搞社会主义，你也不要把资本主义的一套搬到内地来。江泽民的这一番话，及时阐明了中央在经历了一场严重的政治风波之后的态度，回击了反华政治势力的进攻，稳定了香港人心。

1990年4月4日，《中华人民共和国香港特别行政区基本法》正式颁布。在颁布一周年的时候，江泽民在北京中南海会见英国外交大臣道格拉斯·赫德。江泽民引用我国晋代陶渊明《归去来兮辞》中的“悟已往之不谏，知来者之可追”，说：“这是说对两国关系要采取向前看的态度。”“中国有句成语‘同舟共济’，在香港问题上可以用这句话，从现在到九七年中英双方是在一条船上，要互相合作。”此后，江泽民多次在重要场合发表谈话，深刻阐释中央关于香港回归的政策。

但是，在后过渡时期，香港平稳过渡的主要障碍不是来自我们内部，而是来自少数敌视中国的国际政治势力。这股力量的主要代表，就是末任港督彭定康。

1992年7月9日下午，彭定康乘飞机抵达香港启德机场，开始了他为期近五年的末代港督生涯。3个月后，即10月7日，这位末代港督在香港立法局议会上，发表了一份题为《香港的未来——五年大计展新猷》的施政报告，并于1993年3月12日公布。在这份引起轩然大波的施政报告中，彭定康提出了一套英国管治整个香港地区近一个世纪以来从未有过的“三违反”的政治体制改革方案，即违反了中英联合声明关于在香港过渡时期的后半段中英双方有必要进行更密切的合作，审议为1997年顺利过渡所要采取的措施的规定；违反了香港的政治体制和民主发展要与香港基本法相衔接的原则；违反了在基本法定稿前夕中英两国就1997年前后香港政制衔接，特别是1995年立法局选举办法所达成的协议和谅解。例如，关于香港特别行政区第一届立法会（在直通车方案下也就是港英最后一届立法局）选举的安排，对于功能选举部分，基本法明文规定是功能团体，彭定康的政改方案却改变为“有关界别中的所有工作人口”，这一改动，实际上就把本来属于间接选举的“功能选举”变成了直接选举；关于选举委员会，基本法附件一明确规定由四部分人组成，即工商、金融界200人，专业界200人，劳工、社会服务、宗教等界200人，立法会议员、区域性组织代表、香港地区全国人大代表、香港地区全国政协委员代表200人。英国外交大臣致我国外长的函件中也曾确认，1995年最后一届立法局的选举委员会，将按基本法附件一的规定由四部分及其比例组成。但是，彭定康的政改方案却改成全部由直选产生的区议员组成，这样一来，又把间接的“选举委员会选举”变成了实际上的直接选举。

对于在过渡时期保持香港政制相对稳定的必要性，邓小平很早就作过说明。1987年4月16日，邓小平在会见《香港特别行政区基本法》起草委员会委员时指出：“香港的制度也不能完全西化，不能照搬西方的一套。香港现在就不是实行英国的制度、美国的制度，这样也过了一个半世纪了。现在如果完全照搬，比如搞三权分立，搞英美的议会制度，并以此来判断是否民主，恐怕不适宜。对这个问题，请大家坐到一块深思熟虑地想一下……对香港来说，普选就一定有利？我不相信。比如说，我过去也谈过，将来香港当然是香港人来管理事务，这些人用普遍投票的方式来选举行吗？我们说，这些管理香港事务的人应该是爱祖国、爱香港的香港人，普选就一定能选出这样的人来吗？最近香港总督卫奕信讲过，要循序渐进，我看这个看法比较实际。即使搞普选，也要有一个逐步的过渡，要一步一步来。”①

但彭定康既不与中方磋商，又无视香港社会的各种不同意见，独断专行地抛出了这一套政改方案。彭定康冠冕堂皇地打着“民主”的旗号，而实质上则企图把历史上形成的行之有效的“行政主导”改变为“立法为中心”，将原有的三级民意咨询机构变为三级民主代表机构，增加立法局在政府决策中的权力与制衡作用，使香港回归以后的特区政府、特区首长受制于立法机构，从而实现英国人坐镇伦敦、遥控香港的政治目的。

对于这样一个“三违反”的政改方案，中国政府是断难接受的。在这一方案发表的第二天，中国外交部发言人和国务院港澳办公室发言人就分别发表谈话，批驳了彭定康的政改方案，阐明了中国政府的严正立场。港澳办公室发言人指出：在香港发展民主是我们的一贯主张。民主的发展应循序渐进。目前香港的政制不应大变，而且必须与基本法衔接，这是保证香港顺利过渡的基本前提。否则，将引起混乱。然而，彭定康先生所提出的一系列决定，对现有的政治体制作了重大的变动。关于 1995 年立法局选举的所谓“建议”，事先既没有同中方磋商，更无视香港社会的各种不同意见，因而更无从谈起同由特区筹委会所要决定的第一届立法会产生办法相衔接。至于改变区议会职能和取消区议会、两个市政局的委任制度也是不合时宜的。现在英方无视中方的合理要求，未经与中方磋商，即单方面公布其所谓“建议”，是蓄意挑起一场公开争论。②

此后，应国务院港澳办公室主任鲁平的邀请，彭定康于 10 月 20 日至 23 日来北京访问。10 月 22 日下午，国务委员兼外交部长钱其琛在会见彭定康一行时尖锐地指出：中英 1984 年签署《关于香港问题的联合声明》以后，双方的合作曾是良好的。但港英当局不久前发表的施政报告中提出将对香港的政治体制进行重大改变，这明显违背了中英联合声明的有关规定和精神，违背了英方关于要使香港政治发展同基本法衔接的承诺，违背了中英双方已达成的有关谅解。这种做法损害香港的繁荣与稳定，并为香港 1997 年的平稳过渡和政权的顺利交接设置障碍。……我们希望合作，不希望对抗，港英当局的做法实际上是对合作的挑战。要解决问题还是应该回到根据中英联合声明的规定进行认真磋商的轨道上来。

彭定康不惜以港人利益作为政治赌注的行径，引起了许多香港同胞的不满和愤慨。10 月 24 日上午，彭定康在立法局简报他的北京之行。许多议员追问中英双方曾否就 1995 年立法局选举达成了协议，指出这是一个要害问题。希望港督解释：是否因为英国背信弃诺致使中国作出强烈的反应？彭定康无言以对，只讲了一个“No”。一些在立法局有议席的政治团体，要求中英双方公开关于香港政制问题所达成协议的文件，以澄清哪一方在

① 《邓小平文选》第三卷，人民出版社，1993 年版，第 220 页。
② 《人民日报》，1992 年 10 月 8 日。

说谎。

10 月 29 日，《人民日报》公布了中英双方就政制衔接问题进行磋商的 7 份文件，明确表明了英方所作出的承诺。其中，1990 年，中国外交部港澳办主任陈滋英应约紧急会见英国驻华大使唐纳德，唐纳德请陈滋英将他刚收到的来自伦敦的紧急信息报告钱其琛外长，并将所附三份书面材料转交中方基本法专家。材料中写道："英国政府认为：确保一九九七年顺利移交的一个最理想的方法是规定一九九五年所有当选的立法局议员都应能继续工作到一九九九年。为此，如果我们两国政府能就为此选举所作的令人满意的安排达成谅解，我们将原则上愿意同中国政府合作并将选举委员会的选举方式介绍给一九九五年的立法机构。"英方所讲的实际上就是所谓的"直通车"方案，这一段话再清楚不过地表明了这一点。这个方案有一个前提：这一方案要成为现实，英方就必须信守自己关于"选举委员会"的承诺。①

这些材料一经公布，香港舆论一片哗然。一些社会知名人士指出：公布的文件清楚地证明中英之间确实就有关问题达成谅解、共识，并作出承诺，这实际上就是中英之间达成的有约束力的协议。彭定康所搞的政制方案，明显是违背中英之间的协议的，是背信弃诺的表现。

1993 年 1 月 8 日，江泽民在会见以霍英东为团长的香港中华总商会代表团时说："我们是讲信用，重承诺，昭大信于天下的。我们希望港英政府回到联合声明和基本法的立场上。"

3 月 7 日，江泽民在中共十四届二中全会上的讲话中指出：最近，港英当局背信弃义，在香港搞所谓"政制改革"方案，给香港的繁荣稳定和政权的顺利交接罩下了阴影。我们主张合作，但在原则问题上决不让步。我们将一如既往、坚定不移地按照"一国两制"的方针解决香港、澳门问题。这一番话表明了中国政府的严正立场，与邓小平关于在主权问题上没有回旋余地的提法是一致的。

3 月 15 日，国务院总理李鹏在八届人大一次会议上的《政府工作报告》中以更为严厉的措辞指责港英当局背信弃义的行为。他说：去年 10 月香港总督在英国政府支持下，不守信用，单方面提出对香港现行政治体制进行重大改变的方案。这种做法，违背中英联合声明的精神，违背英方关于使香港政制发展同《中华人民共和国香港特别行政区基本法》衔接的承诺，违背中英双方已经达成的有关谅解。香港基本法是充分发扬民主的产物。港英当局违背基本法的做法，其实质是为香港政权的顺利交接与平稳过渡制造混乱和障碍，而不是要不要民主的问题。我们一贯主张并积极致力于保持香港的长期繁荣和稳定。我们希望合作，不愿意对抗，但中国政府绝不会拿原则做交易。现在，英方又为合作制造了人为的障碍，由此引起的严重后果，只能由英国政府负完全责任。李鹏的这一番话，引起了经久不息的掌声。

3 月 17 日下午，国务院港澳办公室主任鲁平召开特别记者招待会，公开表示中方对于彭定康单方面公布"政改方案"的愤慨。鲁平说：3 月 12 日下午 2 时 45 分，我们接到了英国大使馆的电话，说港府已决定当天下午 3 点在立法局发表声明，公布彭定康政改方案。事实的真相就是这

① 《人民日报》，1992 年 10 月 29 日。

么一回事，所以为什么说我们感到惊讶，为什么说彭定康先生从一开始就没有谈判的诚意。他这样做，实际上是蓄意破坏了谈判，对香港采取极不负责任的态度，根本不考虑香港的利益，因此我说，彭定康先生将来在历史上要成为香港的千古罪人。鲁平指出，如果彭定康先生一意孤行，坚持和中国政府对抗的话，中国政府将不得不采取相应措施，按照香港基本法的规定筹组香港特别行政区第一届政府和立法会，也就是大家所说的“另起炉灶”。①

国际上一些明智的政治家也认为彭定康的政改方案行不通。1992年12月14日，新加坡资政李光耀来到香港。他对香港《经济日报》的记者说：当我首次阅读他（彭定康）的建议（施政报告），我说，这是他兴奋地转换了角色。他好像一个民族领袖，去领导人民迈向独立。那时，我感到非常奇怪，他带引香港去跟谁战斗：中国或英国！（大笑）……这不是最后一任港督的角色。②

为了争取使彭定康政改方案选举的区议会、市政局和立法局能够通过“直通车”延续到1997年以后，英国政府向中方表示了谈判的愿望。中方从平稳过渡的大局出发，于1993年4月开始与英方会谈。中英双方为香港政制问题开始谈判，中方以外交部副部长姜思柱为首席代表，英方则以驻华大使麦若彬为首席代表。从4月22日开始到11月，谈判持续了7个月，历经17轮，最后无果而终。在第十七轮谈判期间的1993年11月30日，英国外交大臣赫德致函中国外长钱其琛，称“基于实际及政治理由”，需要由港督彭定康在12月上半月向香港立法局提出其政制方案。12月10日，彭定康在香港《政府宪报》上公布了第一阶段政制方案，此后，又于15日向立法局正式提出。至此，中英谈判破裂。

1994年2月24日，香港立法局经过十多个小时的辩论后通过了彭定康提出的第一阶段政制方案。同日，英国政府公布《香港代议政制白皮书》，决定将第二部分政制方案也提交立法局讨论。

进入1997年以后，江泽民和中央其他负责人越发关注香港问题，而问题的核心是坚持按基本法实现香港平稳过渡。5月6日上午，中共中央在中南海怀仁堂举办《“一国两制”与香港基本法》法制讲座，中共中央总书记江泽民主持，由中国社会科学院法学研究所研究员吴建主讲，他曾参与起草《香港特别行政区基本法》和《澳门特别行政区基本法》。他重点讲了四个问题：“一国两制”的伟大构想及其法律化；基本法是在香港实行“一国两制”的法律基础；实施香港基本法的若干问题；严格按照基本法办事，维护香港的长期繁荣稳定。在讲座结束后，江泽民作了重要讲话。他说：“再过56天，我国政府就要对香港恢复行使主权，香港就要回到祖国怀抱。这是中华民族的一件盛事，也是举世瞩目的一件大事。实现香港回归祖国，将使中华民族彻底洗雪这段百年耻辱，使我们完成祖国统一的大业迈出重要的一步。这将极大地增强我们民族的凝聚力，鼓舞全国人民奋发图强、建设现代化国家的热情。保证香港的平稳过渡和香港回归后的长期繁荣稳定，关系到香港同胞的切身利益，关系到中华民族的根本利益，也关

① 《人民日报》，1993年3月18日。

② （香港）《经济日报》，1992年12月15日。

系到亚洲以至世界的和平与发展。我们一定要把这件事情办好。关键是要坚定不移地贯彻执行邓小平同志提出的‘一国两制’的伟大构想，坚定不移地贯彻执行‘港人治港’、‘高度自治’的方针，坚定不移地贯彻执行《香港特别行政区基本法》。……香港基本法是一部全国性的法律，不仅香港要严格遵守，各省、自治区、直辖市都要严格遵守。”①

5月9日，江泽民接受美国有线新闻电视网记者采访，在谈到香港问题时，江泽民指出，有些人对香港回归后有点担心，但事实将会证明，这种担心是没有必要的。我们已经颁布了《香港特别行政区基本法》，香港回归后，香港居民享有的各种权利和自由将会依法得到保障……作为中共中央总书记、国家主席和中央军委主席，我也要遵守香港特区基本法。不仅我要遵守基本法，我希望香港同胞和全国12亿人民也要遵守。②

6月18日，中共中央和国务院有关部门的负责人和首都理论界的专家学者五十多人，在人民大会堂香港厅举行“邓小平‘和平统一、一国两制’理论与实践座谈会”，国务委员兼外交部长钱其琛在讲话中指出：江泽民主席不久前曾讲过，香港回归后要纳入法制化的管理，成为我们国家依法治国的一个重要组成部分。这就是说，在香港问题上坚持“一国两制”方针政策，根本的一点是要依法办事。现在我们已有国家宪法和香港基本法来保证“一国两制”政策的实施，也为“一国两制”方针政策长期不变提供了法律上的保障。

各省、市、自治区和各部门、各单位也举行了基本法知识报告、竞赛等各种形式的宣传活动，这种全民性的关于香港基本法的宣传、教育活动，实际上也是一次依法治国的教育活动。基本法在人民群众中的普及和深入，为香港的平稳过渡和持续繁荣，提供了根本的政治保证。

二

中国政府：“以我为主”，“另起炉灶”

在中英双方谈判无果的情况下，1994年8月31日，八届全国人大常委会第九次会议正式通过决议：英国人殖民统治下的香港最后一届区议会、市政局和立法局，只能维持到1997年6月30日。1997年7月1日以后，香港特别行政区的三级政制架构将按照“基本法”和全国人大的有关规定另行组建。这就是所谓的“另起炉灶”。此后，“以我为主、团结港人、依靠港人”、“另起炉灶”的工作加快进行。

1996年1月26日，香港特别行政区筹备委员会在北京成立。也许是一个历史的巧合：155年前的这一天，英国侵略军在香港岛正式举行了占领仪式，英国的国旗第一次在中国的土地上升起。日本《读卖新闻》的记者写道：“中国把筹委会成立日定为1月26日，正是1841年英国军队占领香港岛的日子，意味深长。”

香港特别行政区筹备委员会是全国人民代表大会设立的机构，根据《全国人民代表大会常务委员会关于香港特别行政区第一届政府和立法会产生办法的决定》，香港特别行政区筹备委员会负责筹备成立香港特别行政区的有关事宜，规定

① 《人民日报》，1997年5月7日。
② 《人民日报》，1997年5月10日。

香港特别行政区第一届政府和立法会的具体产生办法。连续两天,香港特别行政区筹备委员会第一次全体会议讨论并通过了筹备委员会的工作规则。

1月28日,中华人民共和国国务院、中华人民共和国中央军事委员会发布公告,中国人民解放军驻香港特别行政区部队组建完成。驻香港部队由中国人民解放军陆军、海军和空军部队组成,隶属于中华人民共和国中央军事委员会领导。这支部队将于1997年7月1日零时正式进驻香港。中央人民政府派驻香港特别行政区负责防备的军队不干预香港特别行政区地方事务。香港特别行政区政府在必要时,可向中央人民政府请求驻军协助维持社会治安和救灾。驻军人员除须遵守全国性的法律外,还须遵守香港特别行政区的法律。驻军费用由中央人民政府负担。

经过筹委会的几次会议,8月9日至10日,香港特别行政区筹委会第四次全会审议通过《中华人民共和国香港特别行政区第一届政府推选委员会具体产生办法》,关于实施《中华人民共和国香港特别行政区基本法》第二十四条第二款的意见,关于香港特别行政区区旗、区徽使用暂行办法的建议等文件。推选委员会的具体产生办法获得通过,标志着以组建推委会为龙头的香港特别行政区的全面组建工作已拉开序幕。

10月4日至5日,香港特别行政区筹委会第五次全体会议通过了《中华人民共和国香港特别行政区第一任行政长官人选的产生办法》和《中华人民共和国香港特别行政区临时立法会的产生办法》等文件。这些办法坚持民主、公平、开放的原则,依照基本法规定候选人的资格,选举方式简便,受到香港社会各阶层人士的普遍欢迎。

从11月8日特区立法会议员的提名工作开始,到12月9日结束,共有二百多人领取了报名表,134人完成了报名手续,130人经筹委会主任委员会议通过成为候选人。12月21日,香港特别行政区第一届政府推选委员会在深圳举行第四次全体会议,选举产生了香港特别行政区临时立法会的60名议员。

11月1日至2日,香港特别行政区筹委会第六次全体会议通过了《中华人民共和国香港特别行政区第一届政府推选委员会委员守则》,推选产生了400名香港特别行政区推选委员。此后,特区筹委会主任委员会议根据31位参选人士提供的报名材料逐一进行资格审查,最后确认了8位报名者符合有关规定,他们成为香港特别行政区第一任行政长官的参选人。

11月15日,香港特别行政区第一届政府推选委员会以无记名、个人提名的方式,从8位参选人中推选出董建华、杨铁梁、吴光正为第一任行政长官候选人。12月11日,香港特区第一届政府推选委员会第三次全体会议在香港举行,董建华以320票当选为香港特别行政区第一任行政长官人选。12日,香港特别行政区筹委会在深圳举行第七次全体会议,通过了关于报请国务院任命特区第一任行政长官的报告。16日,国务院召开第十一次全体会议,对香港特别行政区筹委会报请国务院任命特区第一任行政长官作出了决定。会后李鹏签署国务院第207号令,任命董建华为香港特区第一任行政长官,于1997年7月1日就职。12月18日,在北京钓鱼台国宾馆,国务院总理李鹏向董建华颁发国务院令,说:“向你表示热烈的祝贺,这确实是历史的一刻!”董建华表示:“要让香港在我中国人的管理下,更加繁荣灿烂。”

1997 年 1 月 25 日，临时立法会在深圳举行第一次会议，香港特别行政区首任行政长官董建华宣誓就职。国务院总理李鹏监誓。选举范徐丽泰为临时立法会主席。范徐丽泰于 1945 年 9 月出生于上海，曾经担任过港英行政局、立法局两局的议员。1992 年 10 月，她辞去了两局议员。以后，她成为香港特别行政区筹委会委员，第一届政府推选委员会委员。

对于临时立法会的成立，彭定康极为不满。他于当天发表声明说：“今天对于香港来说是一个坏日子，这个在边界另一面的深圳开会的机构在香港没有合法地位，没有可信性及没有法定权力，我希望它不会令香港太尴尬。”彭定康的这一番话阻止不了中国政府按照既定程序收回香港的步伐。1996 年 10 月 2 日，彭定康在立法局发表他任内的最后一份施政报告。香港立法局在对施政报告进行辩论以后，按惯例要通过一个向港督“致谢”的动议。但是，彭定康的最后一份施政报告在经过辩论以后，却通过了一项“不予致谢”的动议。这在港督发表施政报告的历史上是第一次。

三

香港政权交接仪式

1997 年 6 月 30 日午夜，全世界都在注视着香港。23 时 42 分，中英两国政府香港政权交接仪式在香港会议展览中心新翼五楼大会堂正式开始。位于维多利亚海湾展翅待飞的香港会展中心新翼，晶莹亮丽；五楼大会堂里，华灯齐放。敞亮的大厅里座无虚席，双方军乐团交替演奏着欢快的乐曲。主席台设在大会堂北端的半圆形前厅。前厅北面 30 米高的蓝色玻璃幕墙中央，并列悬挂着中、英两国国旗。中英两国主要领导人各 5 个座位并排设在主席台中央的主礼台上。主礼台前方按照中英相应方位设置了两个棕红色讲台，讲台正面分别镶嵌着两国国徽。讲台的东西两侧各矗立着高矮两根旗杆。此时，中方的旗杆正待升旗，而英方的蓝色米字旗处于待降位置。

出席交接仪式的中方主礼宾有中国国家主席江泽民、国务院总理李鹏、副总理兼外交部长钱其琛、中央军委副主席张万年、香港特别行政区首任行政长官董建华；英方主礼宾有英国王储查尔斯、首相布莱尔、外交大臣库克、离任港督彭定康、国防参谋长查尔斯·格思里。出席交接仪式的有 40 多个国家和地区的代表，30 个国际和地区组织的负责人以及国际知名政界人士，90 多个国家驻香港领事机构的代表和一些国家的民间组织、地区与国际组织驻港办事处的代表。香港各界人士，澳门、台湾同胞，以及来自 30 多个国家和地区的华侨、华人也出席了交接仪式。来自世界各国 700 多家新闻媒体的 8000 多名记者采访报道了这历史性的一幕。在中英仪仗队入场后，双方礼号手吹响礼号。

23 时 46 分，中英双方主礼宾登上主席台主礼台。在仪仗队行举枪礼后，查尔斯王子首先发表讲话。他说，这一重要而特殊的仪式标志着香港在 150 多年英国统治之后，交还给中华人民共和国。他向那些把“一国两制”构想变为《中英联合声明》的人致敬，并对那些为谈判《联合声明》的实施细节而辛勤工作的人们表示敬意。查尔斯说，香港向世界表明，生机勃勃和稳定可以成为成功社会的明显特征。香港将从此交还给中国，在“一国两制”的框架下，香港将继续拥有其明显的特征，继续成为世界上许多国家的重要国际伙伴。1984年的《联合声明》对全世界作出庄严承诺，保证香港继续她的生活方式。对英国来说，她将继续坚定不移地支持《联合声明》。

23时56分，中英双方护旗手入场，开始进行象征中英香港政权交接的降旗、升旗仪式。为了保证英国国旗在零时准时降落，中国国旗在零时准时升起，护旗队曾反复进行彩排。23时59分，英国国旗和香港旗在英国国歌的乐曲声中缓缓降落。英国对香港一个半世纪的殖民统治正式宣告结束。这时，距零点只差几秒，全场一片肃穆。

7月1日零时整，军乐队奏起中华人民共和国国歌，中国国旗和香港特别行政区区旗在国歌声中徐徐升起。国旗之畔，香港特别行政区区旗，同时徐徐升起，犹如紫荆花开，迎风怒放。香港由此进入了一个崭新的时代。零时3分，江泽民主席走上讲台，江泽民说：中华人民共和国香港特别行政区正式成立。这是中华民族的盛事，也是世界和平与正义事业的胜利。1997年7月1日这一天，将作为值得人们永远纪念的日子载入史册。

历史将会记住提出“一国两制”创造性构想的邓小平先生。我们正是按照“一国两制”伟大构想指明的方向，通过外交谈判成功地解决了香港问题，终于实现了香港回归祖国。江泽民向中英两国所有为解决香港问题作出贡献的人士，向世界上所有关心和支持香港回归的人们表示感谢。向回到祖国怀抱的600多万香港同胞表示亲切问候和良好祝愿。

香港回归后，中国政府将坚定不移地执行“一国两制”、“港人治港”、高度自治的基本方针，保持香港原有的社会、经济制度和生活方式不变，法律基本不变。

香港回归后，中央人民政府负责管理香港的外交事务和防务。香港特别行政区依据基本法享有行政管理权、立法权、独立的司法权和终审权。香港居民依法享有各项权利和自由。香港特别行政区将循序渐进地发展适合香港实际情况的民主制度。

香港回归后，将继续保持自由港的地位，继续发挥国际金融、贸易、航运中心的作用，继续同各国各地区及有关国际组织发展经济文化关系。所有国家和地区在香港的正当经济利益将受到法律保护。他希望世界上一切在香港有投资与贸易利益的国家和地区，继续为促进香港的繁荣稳定作出努力。

香港今日的繁荣归根到底是香港同胞创造的，也是同祖国内地的发展和支持分不开的。他表示相信，有全国人民做坚强后盾，香港特别行政区政府和香港同胞一定能够管理和建设好香港，保持香港长期繁荣稳定，创造香港美好的未来。

江泽民主席的讲话，激起全场六次长时间的热烈掌声。

零时9分，交接仪式结束。钱其琛外长礼送查尔斯王子一行走出大厅主入口处。零时45分，查尔斯王子及刚刚去职的香港最后一任总督彭定康，乘“不列颠尼亚”号皇家游轮在茫茫夜色中离开，起锚处正巧是154年前第一任港督璞鼎查登陆的地点。

凌晨1时30分，中华人民共和国香港特别行政区成立暨特区政府宣誓就职仪式，在香港会议展览中心新翼8400多平方米的七楼三号大厅隆重举行。江泽民主席、李鹏总理和钱其琛、王汉斌、张万年、费孝通、雷洁琼、程思远、吴阶平、罗干、吴学谦、董寅初、安子介、霍英东、马万祺、何鲁丽、卓琳等中央代表团成员在主席台就座。国务院副总理、全国人民代表大会香港特别行政区筹备委员会主任委员钱其琛主持仪式。

江泽民主席宣布：中华人民共和国香港特别行政区政府现在成立。整个大厅响起长时间的雷鸣般掌声。1时35分，全部由港人组成的香港特别行政区政府开始宣誓就职。

第一个走到主席台前宣誓就职的是香港特区首任行政长官董建华。国务院总理李鹏监誓。面对中华人民共和国国旗和香港特别行政区区旗，董建华举起右手庄严宣誓："本人就任中华人民共和国香港特别行政区行政长官，定当拥护《中华人民共和国香港特别行政区基本法》，效忠中华人民共和国香港特别行政区，尽忠职守，遵守法律，廉洁奉公，为香港特别行政区服务，对中华人民共和国中央人民政府和香港特别行政区负责。"

由董建华提名，中央人民政府任命的香港特别行政区第一届政府23名主要官员，走上主席台宣誓就职。政务司司长陈方安生领誓，国务院总理李鹏监誓。

接着，香港特区第一届行政会议14名成员，香港特区临时立法会59名议员，香港特区终审法院常设法官、高等法院法官36人，分批走上主席台宣誓就职。行政会议召集人钟士元、临立会主席范徐丽泰、终审法院首席法官李国能分别领誓。在香港特区行政长官董建华的监誓下，他们依次作出庄严承诺："定当拥护《中华人民共和国香港特别行政区基本法》，效忠中华人民共和国香港特别行政区，尽忠职守、遵守法律、廉洁奉公，为香港特别行政区服务。"终审法院常设法官、高等法院法官还宣誓：尽忠职守，奉公守法，公正廉洁，以无惧、无偏、无私、无欺之精神，维护法制，主持正义，为香港特别行政区服务。

随后，李鹏总理发表了讲话。李鹏说：从今天起，《中华人民共和国香港特别行政区基本法》开始实施。香港特别行政区第一任行政长官、特别行政区政府主要官员、行政会议成员、临时立法会议员、终审法院和高等法院法官，已经宣誓就职。历史赋予你们重任，香港人民对你们寄予厚望。希望你们本着爱国爱港的精神，认真贯彻执行基本法，恪尽职守，不负众望。中央人民政府将全力支持行政长官董建华先生和特别行政区政府的工作。我相信，在祖国大家庭中，香港同胞一定会以自己的勤劳和智慧，为保持香港长期繁荣稳定作出积极的贡献。

香港回归祖国，香港特别行政区政府成立，标志着邓小平先生"一国两制"伟大构想在解决香港问题上获得了成功，标志着中国人民为实现祖国完全统一而进行的努力取得重大的成果，也是对世界和平与进步事业的重要贡献。香港历史从此进入了一个新纪元。香港的未来一定会更加美好。

接着，董建华讲话。他说：这是一个崇高而庄严的时刻：1997年7月1日。香港，经历了156年的漫漫长路，终于重新跨进祖国温暖的家门。我们在这里用自己的语言向全世界宣告：香港进入历史的新纪元。

中华民族近代历史的荣辱兴衰，值得我们铭记：一个国家和民族最可贵的是，能够掌握自己的命运。一个半世纪以来，中国有无数的仁人志士，为了国家富强，为了疆土完整，前仆后继，奋发图强。正是由于他们作出了巨大牺牲和努力，国家出现了百年未曾有过的繁荣和良好机遇，国际上确立了我们的尊严，香港得以顺利回归。

今天，我们幸运地站立在先贤梦寐以求的理想高地。身为中华民族一分子，一个生活在香港的中国人。我谨代表所有香港同胞，向所有为此作出贡献的中华儿女，献上深深的敬意和感激。

中国对香港恢复行使主权，实行“一个国家、两种制度”，是超凡政治智慧的创举，香港在世界各国的目光注视下，接受了一项开创历史先河的殊荣。我们深信不疑，一定能够克服历史新事业带来的一切挑战，香港的将来会更加美好，我们的信念如此坚定，不仅是因为这个构想出自一位爱国者和政治家的睿智和远见，不仅是因为这是一个伟大国家的庄严承诺，也不仅是由于香港同胞秉承了中华民族的智慧、勤劳和特有的适应能力。最重要的是：“一国两制”的事业，完全掌握在我们中国人自己手里。

国家以严肃的法律形式，授予了香港举世无双的高度自治权。我们非常珍惜这权力，我们会负责任地运用这权力。香港新时代的巨轮，此刻在祖国尊重香港人、相信香港人、爱护香港人的旭日辉映下，满怀信心，升锚起航，向着振兴中华，祖国统一的宏伟目标乘风奋进。

香港人在历史上第一次以明确的身份主宰自己的命运。香港特别行政区政府将竭尽全力，保持香港一贯的生活方式，维持香港的自由经济体系，坚守法治精神，发展民主，建立富于爱心的社会，确保国际大都会的活力。

本人受国家和人民重托，出任中华人民共和国香港特别行政区首任行政长官，在这个历史时刻，我感到无上光荣，更感到责任重大。我亲身体会过创业成功的艰辛和欢愉，我清楚地知道香港人的需要和期望。同时，我更深信同心协力的重要。我将以忠诚的心志，坚决执行法律赋予香港高度自治的神圣责任，带领650万富于创业精神的香港市民，坚定地按照“一个国家、两种制度”的路向前进。

我坚信，香港回归祖国，实行“一国两制”，前途必定更加辉煌。

香港特别行政区成立暨特区政府宣誓就职仪式结束后，江泽民、李鹏在香港会展中心新翼七楼会见了香港特区政府官员，并和大家合影留念。接受会见的官员包括：香港特别行政区行政长官董建华，政务司司长陈方安生等23名特区首届政府主要官员，以钟士元为召集人的特区行政会议名成员，以范徐丽泰为主席的60名临时立法会议员，以及终审法院首席大法官李国能为首的终审会议常设法官、高等法院的36名大法官等。

7月1日上午，中华人民共和国香港特别行政区成立庆典在香港会议展览中心新翼举行。国家主席江泽民在庆典上发表讲话，对香港特别行政区成立表示热烈的祝贺，向回到祖国大家庭的600多万香港同胞表示亲切问候，郑重重申，“一国两制”、“港人治港”、高度自治，50年不变，是中央政府一项长期的基本方针。

7月1日中午，在会展中心举行礼品赠送仪式。在香港警察乐队演奏的雄壮音乐声中，国务院副总理兼外交部长钱其琛将“中华人民共和国中央人民政府赠香港特别行政区政府礼品证书”交给特区行政长官董建华。礼品是一尊大型雕塑“永远盛开的紫荆花”。香港特别行政区区旗、区徽的标志形象——金色的紫荆花，端立于暖红色的花岗岩基座上，基座寓意九州方圆；环衬的长城，象征着伟大的祖国。整座雕塑昭示着香港永远繁荣昌盛。“永远盛开的紫荆花”重70吨，长、宽、高均为6米，以青铜铸造，表面贴着金箔，并用暖红色的花岗岩基座承托。基座圆柱方底，寓意九州方圆，环衬的长城图案象征祖国永远拥抱着香港。

为庆祝中华人民共和国香港特别行政区成立，中央人民政府和31个省、自治区、直辖市人民政府向香港特别行政区赠送了贺礼：

北京：景泰蓝瓶《普天同庆》一对。

天津：栽绒壁毯《天津黄崖关》一幅。

河北：花丝镶嵌、水晶内画《九州同庆》一座。

山西：核桃木雕《应县木塔》一座。

内蒙古：石雕《骏马奔腾向未来》一座。

辽宁：雕塑《国风》一尊。

吉林：松花砚《松花紫荆情系根》一方。

黑龙江：福桃花瓶《紫荆归春》一尊。

上海：玉雕《浦江庆归》一座。

江苏：苏绣《归程》一幅。

浙江：木雕屏风《航归》一座。

安徽：铁画《霞蔚千秋》一幅。

福建：漆画屏风《闽港情》一座。

江西：瓷版画《紫归牡怀图》一幅。

山东：泰宝石金银镶嵌红木屏风《巍巍泰山喜迎港归》一座。

河南：钧瓷瓶《豫象送宝》一对。

湖北：雕塑《黄鹤归来》一座。

湖南：湘绣屏风《洞庭春色》一座。

广东：玉雕《一帆风顺》一座。

广西：红木雕刻《同心桥》一座。

海南：大型贝雕《天涯共此时》一座。

四川：红木镂空雕刻艺术屏风《蜀港同庆》一座。

重庆：雕塑《吉祥彩练》一座。

贵州：彩色蜡染木雕座屏《苗岭欢歌庆港归》一座。

云南：斑铜花雀瓶《吉祥》一尊。

西藏：纯羊毛挂毯《山高水长》一幅。

陕西：铸铜雕塑《三秦庆回归》一尊。

甘肃：洮砚《九九归一》一方。

青海：挂毯《青海潮涌庆回归》一幅。

宁夏：贺兰石雕《牧归》一座。

新疆：手工毛织壁毯《天山欢歌》一幅。

交接仪式中另一件引人注目的大事就是中国人民解放军驻香港部队进驻香港特别行政区。6月30日10时10分，中华人民共和国中央军事委员会主席江泽民发布了《中国人民解放军驻香港部队进驻香港特别行政区的命令》。21时，由509名官兵组成的驻香港部队先头部队分乘39辆军车通过落马洲口岸进入香港。先头部队进驻的军营为添马舰军营、赤柱军营、昂船洲军营和石岗军营。22时许，我军78人到达英军驻港总部威尔士亲王军营，举行防务交接仪式。

23时59分55秒，英方最后一名士兵步出军营门口。7月1日零时整，在中华人民共和国国歌声中，中国国旗升起在军营前的旗杆顶端。从此，人民解放军驻港部队开始在香港执行防务。我驻港部队主力部队于7月1日晨6时开始，分陆路、空中、海面向香港开进。8时38分，各路部队抵达各自营区，开始执行香港防务任务。

中国政府在香港恢复行使主权的又一个重要标志，是中央人民政府负责管理与香港特别行政区有关的外交事务，在香港成立外交部驻港特派员公署。7月1日零时零分，中国国旗升起在中华人民共和国外交部驻港特派员公署办公大楼前。下午3时，国务院副总理、外交部长钱其琛主持了外交部驻港特派员公署开署仪式。公署是处理由中央人民政府负责管理与香港特区有关的外交事务的机构，也是香港特区政府就此类外交事务与中央政府联系的渠道。

澳门回归，世纪庆典

1999年12月20日零点，中华人民共和国国旗和澳门特别行政区区旗在澳门升起，经历了400年沧桑的澳门终于回到祖国的怀抱，中国政府开始对澳门恢复行使主权。

一

庄严神圣的澳门政权交接仪式

1999年12月19日中午12时许，出席澳门政权交接仪式的中国政府代表团两架专机降落在澳门国际机场，中共中央总书记、国家主席、中央军委主席江泽民和中共中央政治局常委、国务院总理分别走出机舱，这是中华人民共和国最高领导人首次踏上澳门的土地。中国政府代表团成员有钱其琛、迟浩田、邹家华、吴阶平、何鲁丽、丁石孙、成思危、许嘉璐、蒋正华、王忠禹、叶选平、阿沛·阿旺晋美、经叔平、罗豪才、张克辉、卓琳等。是具有广泛代表性的高规格代表团，受到国际社会的普遍关注。

17时，葡萄牙驻澳门总督韦奇立在澳督府举行降旗仪式。在葡萄牙国歌的乐曲声中，葡萄牙国旗徐徐降下。21时10分，澳葡政府在澳门新口岸填海区的临时场馆举行了官方告别宴会，邀请约2000名嘉宾出席。中国国务院副总理钱其琛率部分中国政府代表团成员出席了晚宴。葡萄牙外交部长雅伊梅·伽马和中国外交部长唐家璇在宴会上祝酒。唐家璇说，不久，中葡两国政府将举行澳门政权交接仪式，这是邓小平倡导的“一国两制”伟大构想的又一次成功实践，它不仅符合中葡两国利益，也为世界各国和平解决历史遗留问题树立了典范。伽马在祝酒词中对澳门特别行政区表示良好的祝愿，并祝葡中两国友谊继续发展。

23时42分，澳门政权交接仪式在位于澳门新口岸刚刚建成的澳门文化中心花园馆隆重举行。中华人民共和国主席江泽民、国务院总理朱镕基、国务院副总理钱其琛、外交部长唐家璇、澳门特别行政区首任行政长官何厚铧步入会场，登上主席台主礼台。葡萄牙总统桑帕约、总理古特雷斯、国务部长兼外交部长伽马、共和国议会副议长科伊索罗、澳门总督韦奇立同时登上主席台主礼台。随后，中葡双方仪仗队入场，举行敬礼仪式。

桑帕约总统首先讲话。他说，我们今天聚首一堂参加这个仪式，这是澳门历史上独一无二的重要时刻。两国就澳门地位协议的最终达成，充分体现了双方在此问题上的实事求是态度及以和平方式解决问题的智慧，将我们两国因应新实况而需改变的改变过来，也同时确保了澳门原有特色的延续，使两国之间数世纪的悠久关系步入一个新时期。桑帕约说：“葡中两国在履行联合声明的同时，关系得到了加强，使澳门享有自治的保证更为清晰。我要向为其成功作出贡献的所有人士，表示赞赏和感谢。”

23时55分，降旗、升旗仪式开始，中葡双方护旗手入场。23时58分，在葡萄牙国歌声中，葡萄牙国旗和澳门市政厅旗缓缓降下。12月20日零时整，中国人民解放军军乐团奏响中华人民共和国国歌，中华人民共和国国旗和中华人民共和国澳门特别行政区区旗冉冉升起。至此，中葡两国政府完成了政权的交接。

零时4分，江泽民主席走到镶有中华人民共和国国徽的讲台前发表讲话。他代表中国政府和全国各族人民向回到祖国怀抱的澳门同胞表示亲切的问候和良好的祝愿，向所有为解决澳门问题作出贡献的人士，向世界上一切关心和支持澳门回归的人们，表示衷心的感谢。江泽民说，中国政府按照邓小平提出的“一国两制”的伟大构想，成功地解决了香港、澳门问题，这是中国人民在完成祖国统一大业中取得的重大进展。“一国两制”在香港、澳门的实践，已经并将继续为我们最终解决台湾问题发挥重要的示范作用。中国政府和人民有信心有能力早日解决台湾问题，实现中国的完全统一。江泽民说：“澳门回归后，中国政府将坚定不移地贯彻执行‘一国两制’、‘澳人治澳’，高度自治的方针，将依法保护所有国家和地区在澳门的经济利益。”他表示坚信，在中央政府和全国各族人民的支持下，澳门特别行政区政府和澳门同胞一定能把澳门管理好、建设好、发展好。“回到祖国怀抱的澳门，必将迎来更加美好的未来”！

随后，江泽民主席与桑帕约总统等中葡两国主要代表走到主席台前握手合影。

零时10分，澳门政权交接仪式结束。

出席交接仪式的约2500人，其中有53个国家和29个国际组织的代表，40多个国家驻澳门总领事、名誉领事和国际组织驻澳门的代表，还有一些国际友好人士。澳门各界人士，香港特别行政区的代表，台湾同胞以及来自30多个国家的华侨、华人代表也出席了交接仪式。世界各地近300家新闻媒体3500多名记者对澳门政权交接仪式进行了采访报道。

二

澳门特别行政区政府成立

1999年12月20日凌晨，中华人民共和国澳门特别行政区成立暨特区政府宣誓就职仪式在澳门综艺馆隆重举行。仪式由国务院副总理、全国人民代表大会澳门特别行政区筹备委员会主任委员钱其琛主持。

1时45分，军乐队奏起雄壮的中华人民共和国国歌。随后，江泽民主席宣布：中华人民共和国澳门特别行政区政府成立。

1时47分，澳门特别行政区行政长官何厚铧宣誓。在朱镕基总理的监誓下，44岁的何厚铧庄严地举起右手，郑重宣誓：本人就任中华人民共和国澳门特别行政区行政长官，必当拥护并负责执行《中华人民共和国澳门特别行政区基本法》，效忠中华人民共和国及其澳门特别行政区，尽忠职守，遵守法律，廉洁奉公，致力于维护澳门的稳定和发展，对中央人民政府和澳门特别行政区负责。

1时49分，澳门特别行政区政府主要官员、立法会主席、终审法院院长、检察院检察长走上主席台宣誓就职。受朱镕基总理委托，澳门特别行政区行政长官何厚铧监誓。行政法务司司长陈丽敏、行政会委员唐志坚、立法会主席曹其真、终审法院院长岑浩辉和检察院检察长何超明分别领誓。澳门特别行政区行政会10名委员、立法会23名议员、各级法院23名法官、检察院23名检察官分批走上主席台宣誓。

宣誓结束后，朱镕基总理致辞。他代

表中华人民共和国中央人民政府，对澳门特别行政区政府的成立表示热烈的祝贺，向一切关心和支持澳门回归并为此作出贡献的澳门各界人士致以深切的谢意。他说，从今天起，《中华人民共和国澳门特别行政区基本法》开始实施，澳门特别行政区政府开始行使职权。中央人民政府将全力支持行政长官何厚铧先生和他领导的澳门特别行政区政府的工作。他希望特区官员继续发扬澳门同胞爱国爱澳的光荣传统，全面贯彻落实《澳门特别行政区基本法》，恪尽职守，为保持澳门的长期稳定和发展作出自己的贡献。他表示相信，在祖国大家庭中，真正当家做主，掌握了自己命运的澳门同胞一定能以自己的勤劳和智慧，创造出辉煌的成就。澳门的未来一定会更加美好。

澳门特别行政区行政长官何厚铧接着发表讲话。他说，澳门回归祖国，揭开了历史新的一页。我们在欢乐和自豪之余，对美好的明天充满希望，也由此焕发崇高的使命感和神圣的责任感。在未来的岁月里，我必将义无反顾，以无比坚毅的意志，本着基本法赋予的权力，贯彻"一国两制"，带领40多万市民建设自己的家园，这是我最大的光荣和责任。澳门必定会建设成为一个繁荣、稳定和进步的社会。

以陈滋英为团长的观礼团成员出席了宣誓就职仪式。出度仪式的约3000人，其中包括53个国家和29个国际组织的代表以及一些国际友好人士；40多个国家驻澳门总领事、名誉领事和国际组织驻澳门的代表。澳门各界人士，香港特别行政区的代表，台湾同胞以及来自30多个国家的华侨、华人代表也见证了中华民族的这一盛事。

凌晨3时58分，澳门特别行政区第一届立法会通过了《回归法》。这是特别行政区立法会通过的第一部必备法律，保证了澳门特别行政区自成立之日起顺利运作。

当天，国务院总理朱镕基签署中华人民共和国国务院第275号令，公布澳门特别行政区域图。中华人民共和国澳门特别行政区域范围文字表述为：中华人民共和国澳门特别行政区包括澳门半岛，凼仔岛和路环岛。澳门特别行政区北部与广东省珠海市的拱北陆路相连。关闸拱门以南由澳门特别行政区管辖。关闸拱门以北至珠海边防检查站原旗楼之间的地段维持原有管理办法不变。澳门特别行政区维持澳门原存的习惯水域管理范围不变。

20日上午10时，中华人民共和国澳门特别行政区成立庆祝大会在装饰一新的澳门综艺馆举行。江泽民在讲话中说，今天是澳门同胞和全国各族人民举国同庆的日子，在这庄严的历史时刻，我们深切怀念邓小平先生，他以伟大的政治气魄和非凡智慧提出的"一国两制"方针，为解决香港、澳门和台湾问题指明了正确道路。他郑重地重申了"一国两制"、"澳人治澳"、高度自治的方针政策之后说，中央政府对澳门的方针政策和澳门特别行政区基本法的各项规定，完全符合国家和澳门的根本利益，也符合各国投资者的利益，是澳门长期稳定发展的根本保障。澳门特别行政区基本法是澳门的实质性法律，也是全国性的法律、不仅澳门要遵守，全国上下都要遵守。中央政府各部门和全国各地方，都不会也不允许干预澳门特别行政区依据基本法规定自行管理的事务。江泽民强调：中国政府和人民将继续按照"和平统一，一国两制"方针，完成祖国统一大业。"一国两制"在香港和澳门的成功实践，一定会对早日解决台湾问题起到积极的推动作用。

澳门特别行政区行政长官何厚铧发表讲演辞。他说，澳门特别行政区的成立，标志着进入澳门人当家做主的新纪元，我们为此感到万分激动和光荣，同时也焕发起崇高的使命感和神圣的责任感。他说，在实践“澳人治澳”、高度自治的过程中，我们有责任将国家的利益与澳门的利益相互结合起来。我们追求的目标是利国利澳，国家和澳门共同繁荣发展。

何厚铧讲话后，进行澳门土地基金移交仪式。国务院副总理钱其琛代表中央人民政府将土地基金证书移交给澳门特别行政区。土地基金是根据中葡联合声明规定，于 1988 年 1 月 15 日在澳门设立的。由中央人民政府为澳门特别行政区保管的土地基金总资产净值近 100 亿澳门元。这笔土地基金为澳门特别行政区政府打下了良好的财政基础。接着，钱其琛副总理向澳门特别行政区政府赠送了一面有着特殊经历的澳门特别行政区区旗。这面区旗曾同一面国旗搭载于我国第一艘太空船“神舟”号遨游太空。这是赠给澳门特别行政区政府和澳门同胞的一件特别珍贵的礼物。

仪式后是文艺演出。演出结束后，会场展示出江泽民主席亲笔书写的“开创澳门新纪元”题词。

中午，中央人民政府赠送澳门特别行政区政府礼品仪式在综艺馆前新建的莲花公园举行。国务院副总理钱其琛代表中央政府致送礼品证书，澳门特别行政区行政长官何厚铧代表特别行政区政府接受这一珍贵礼物。礼品是大型雕塑《盛世莲花》，莲花盛开，亭亭玉立，象征澳门永远繁荣昌盛；三层花岗岩相叠组成的基座形似莲叶，寓意澳门三岛。

为庆祝澳门回归祖国，内地 31 个省、自治区、直辖市政府和香港特别行政区向澳门特别行政区政府赠送了各具特色、饱含祝福深情的工艺礼品。

北京：雕漆盘《花好月圆》一个。

天津：迎屏《莲年有余》一座。

河北：花丝镶嵌《金狮欢腾九州圆》一座。

山西：核桃木雕《鹳雀楼》一座。

内蒙古：《金马尊》一具。

辽宁：玉雕《九九月圆图》一座。

吉林：木雕《长白情》一座。

黑龙江：《白莲归春》花瓶一对。

上海：水晶雕刻《申城庆归》一座。

江苏：木雕《花好月圆》一座。

浙江：竹编《沧海还珠》一座。

安徽：铜制《回归镜》一面。

福建：泰山石雕《春满大地》一座。

江西：青花斗彩瓷瓶《百荷图》一对。

山东：《齐鲁风情迎荷瓶》一尊。

河南：玉雕《九龙晷》一座。

湖北：编钟《普天同庆》一组。

湖南：菊花石雕《龙球》一座。

广东：雕刻《九州同心》一座。

广西：宝玉石画《八桂欢歌迎归雁》一幅。

海南：椰雕嵌贝花瓶一对。

重庆：三峡石雕《峡江百年情思》一座。

四川：蜀绣《九寨沟大熊图》一幅。

贵州：铸铜《欢乐鼓》一面。

云南：紫铜贴金雕塑《吉象宝莲》一座。

西藏：《山高水长》挂毯一幅。

陕西：《八极元和》铸铜雕塑一座。

甘肃：《敦煌伎乐庆回归》铜雕一座。

宁夏：贺兰石雕《九羊启泰凤归图》一座。

青海:玉雕《江河源》一座。

新疆:手织羊毛壁毯《哈纳斯湖风光》一幅。

香港:手织羊毛挂毯《香港岛海岸线画面》一幅。

12月20日11时20分,中国人民解放军驻澳门部队由设在珠海的正岭营地开拔,向澳门进发。珠海各界20万群众在长9.6公里的大道上敲锣打鼓、载歌载舞夹道为驻澳门部队和平进驻澳门壮行。

11时50分,车队在拱北海关关前广场停下,专候在此的广州军区司令员陶伯钧、政治委员刘书田和广东省、珠海市的领导向即将通关的驻澳门部队官兵话别。从珠海出发,驶到珠海拱北海关管理线前,12时整,驻澳门部队一辆标号为000的军用吉普车率先通过海关管理线,进入澳门。这是一百多年来中国政府向澳门派驻的第一支部队。早已在关闸两侧迎候的澳门警察全体肃立敬礼。12时10分,驻澳门部队车队来到友谊桥大马路旁的圆形地。驻澳门部队司令员刘粤军、政委贺贤书走下军车。澳门特别行政区筹委会副主任、澳门各界庆回归活动委员会主席团主席马万祺将"威武文明之师"牌匾及"威武之师、文明之师"锦旗赠送给刘粤军和贺贤书,表达了40万澳门同胞对驻澳门部队的信任和高度评价。

13时整,在欢迎的浪潮中,70余辆军车在澳门警方摩托车队的引导下,隆隆驶进驻澳门临时营地——龙成大厦。驻澳门部队顺利地完成了和平进驻。

1时30分,进驻澳门部队全部到达指定位置。2时27分,中共中央总书记、国家主席、中央军委主席江泽民驱车来到龙成大厦,看望驻澳门部队。江泽民要求官兵不负祖国和人民的重托,不辱使命,忠实履行好澳门特别行政区的防务职责。驻澳门部队政治委员贺贤书代表全体官兵表示:坚决按照江主席签署的部队进驻命令,按照政治合格、军事过硬、作风优良、纪律严明、保障有力的总要求,高标准建设部队,严格依法治军,以实际行动为澳门的安全稳定、繁荣发展作出新的贡献。

中午12时许,从水塘角到置地广场1999米,上万名澳门人聚集在这里,在象征1999的吉祥路上,举行澳门史无前例的"迈向美好明天"花车大巡游。

下午,中华人民共和国外交部驻澳门特派员公署举行了公署揭牌仪式。国务院副总理钱其琛出席开署仪式并为公署揭牌。全国政协副主席马万祺、国务院港澳事务办公室主任廖晖、新华社香港分社社长姜恩柱、新华社澳门分社社长王启人,中国人民解放军驻澳门部队司令员刘粤军、政委贺贤书等300多名各界人士出席了开署仪式。

三

举国欢腾,喜迎回归

1999年12月20日,中国政府对澳门恢复行使主权,这是一个让所有中华儿女热血沸腾的时刻。

12月19日晚,北京各界群众3万多人冒着凛冽的寒风,在天安门广场举行盛大联欢活动。

当20日零点到来的那一刻,"澳门回家了"、"澳门你好"、"澳门,祖国拥抱你"的欢呼声响彻神州大地。

20日下午,全国人大常委会举行第十三次会议。全国人大常委会委员长李鹏宣布,全国人大常委会澳门特别行政区基本法委员会正式成立。李鹏向全国人大常委会澳门特别行政区基本法委员会组成人员颁发任命书。澳门特别行政区基本法委员会随即在人民大会堂澳门厅召开会议，就全国人大常委会关于增加澳门特别行政区基本法附件之所列全国性法律的决定草案进行讨论，并一致同意这个草案。随后，全国人大常委会继续举行全体会议，表决通过了全国人大常委会关于增加澳门特别行政区基本法附件三所列全国性法律的决定，在对这个决定草案所作的说明中指出，《中华人民共和国澳门特别行政区基本法》第十八条第二款和第三款规定："全国性法律除列于本法附件三者外，不在澳门特别行政区实施。凡列于本法附件三的法律，由澳门特别行政区在当地公布或立法实施。""全国人民代表大会常务委员会在征询其所属的澳门特别行政区基本法委员会和澳门特别行政区政府的意见后，可对列于本法附件三的法律作出增减。列入附件三的法律应限于有关国防、外交和其他依照本法规定不属于澳门特别行政区自治范围的法律。"① 在《中华人民共和国澳门特别行政区基本法》附件三中增加下列全国性法律：①《中华人民共和国专属经济区和大陆架法》；②《中华人民共和国澳门特别行政区驻军法》。以上全国性法律，自 1999 年 12 月 20 日起由澳门特别行政区公布或立法实施。本次常委会议还表决通过了澳门特别行政区九届全国人大代表选举会议成员名单，共计 203 人。

20 日上午，在出席了中葡两国政府澳门政权交接仪式、澳门特别行政区成立暨特区政府宣誓就职仪式后，国务院总理朱镕基乘专机离开澳门返回北京。下午 5 时，国务院在人民大会堂举行盛大招待会，国务院总理朱镕基发表讲话。他说：中国政府恢复对澳门行使主权，澳门特别行政区宣告成立。澳门回到了伟大祖国的怀抱。这是继香港回归后中华民族又一历史盛事，是中国迈向完全统一的又一个新的里程碑，是人类正义与进步事业的重大胜利。在这举国同庆的时刻，我们欢聚一堂，隆重庆祝澳门回归祖国。他指出，澳门特别行政区直辖于中央人民政府，依照澳门基本法享有行政管理权、立法权、独立的司法权和终审权。中央人民政府将全力支持澳门特别行政区政府依法管理特区自治范围内的事务。澳门将充分发挥自己的独特优势，与世界各国展开广泛的经济、文化交流，在中国与世界各国的联系与合作中发挥重要的桥梁和窗口作用。澳门同胞已经成为澳门的真正主人，我们相信澳门同胞一定会更加感受到祖国大家庭的温暖。在伟大祖国的支持下，澳门必将不断克服前进道路上的困难，保持长期的稳定、发展和繁荣。澳门回归将促进台湾问题的最终解决，实现祖国的完全统一。

晚上，中共中央、全国人大常委会、国务院、全国政协、中央军委在首都体育馆

---

① 1993 年通过的《中华人民共和国澳门特别行政区基本法》附件三中列有八项全国性法律。此后，全国人大常委会于 1998 年 6 月通过了《中华人民共和国专属经济区和大陆架法》。又于 1999 年 6 月通过了《中华人民共和国澳门特别行政区驻军法》，这两项法律均属于有关国防、外交和其他按照澳门特别行政区基本法规定不属于特别行政区自治范围的法律，需要在澳门特别行政区实施。全国人民代表大会澳门特别行政区筹备委员会向全国人大常委会提出的《关于增加〈中华人民共和国澳门特别行政区基本法〉附件三所列全国性法律的建议》中，建议将这两项法律列入澳门基本法附件三。委员长会议审议了筹委会的建议，认为筹委会的建议是适当的，决定向全国人大常委会本次会议提出《全国人民代表大会常务委员会关于增加〈中华人民共和国澳门特别行政区基本法〉附件三所列全国性法律的决定（草案）》。

隆重举行"首都各界庆祝澳门回归祖国大会"。江泽民首先在大会上发表讲话。他说,海内外一切爱国的同胞和世界上的有识之士,都已从香港、澳门顺利回归的事实中,看到了"一国两制"的科学性和正确性,看到了"一国两制"是解决台湾问题的最好方式。遵循一个中国的原则,实现中国的完全统一,是包括台湾同胞在内的全中国人民的共同意愿,是历史发展的必然趋势,任何势力都无法阻挡。我们希望台湾当局不要再背逆历史潮流,不要再为两岸关系的发展设置障碍,不要再做损害台湾同胞和整个中华民族根本利益的事。中国政府和中国人民对任何分裂中国的企图都绝不会坐视不管。在"和平统一、一国两制"方针的指引下,我们有决心也完全有能力早日解决台湾问题,完成祖国统一的伟大事业。

北京市委书记贾庆林代表中共北京市委、北京市人民政府和全市人民对澳门回归祖国和澳门特别行政区成立表示衷心的祝贺。他说,我们将坚定不移地贯彻中央对澳门的基本方针政策,严格遵守澳门基本法,进一步加强与澳门的经济、贸易、文化等方面的交流与合作,促进首都的现代化建设,促进澳门的稳定和繁荣。

全国人大常委会副委员长、民建中央主席成思危代表各民主党派、全国工商联和无党派人士讲话。他说,今天是澳门回归的喜庆日子,我们同包括澳门、香港、台湾同胞以及海外侨胞在内的全国各族人民和所有中华儿女一样感到无比欣喜和兴奋。

共青团中央第一书记周强代表各人民团体讲话。他说,长期以来,各级工会、共青团、妇联组织始终关心澳门兄弟姐妹。在澳门历史揭开新的篇章的时候,我们衷心祝愿澳门的明天更加美好。

21 时,艺术家表演了大型歌舞诗乐《欢庆澳门回归——中华日月明》,抒发了全国人民欢庆澳门回归的欣喜之情,艺术地展示了中华民族几千年灿烂文化的辉煌以及澳门与祖国的血缘关系,鸣奏出振兴中华、统一祖国、实现中华日月明的壮丽乐章。

1992—2002 年间的对台政策

20 世纪 90 年代以来,以江泽民为核心的第三代中央领导集体,针对台湾问题内外环境的巨大变化,审时度势、高瞻远瞩,在全面继承和深入贯彻"和平统一、一国两制"基本方针的基础上,作出了一系列重大决策,创造性地提出了一系列具有鲜明时代特色的重要论断和主张。

一

发展两岸关系、推进祖国和平统一的八项主张

1995 年 1 月 30 日,中共中央总书记、国家主席江泽民代表中国共产党和中国政府发表题为"为促进祖国统一大业的完成而继续奋斗"的重要讲话。这个讲话精辟阐述了邓小平"和平统一、一国两制"思想的深刻内涵,并就现阶段发展两岸关系、推动祖国和平统一进程提出了八项主张。

1. 八项主张提出的背景

江泽民的八项主张，是根据“和平统一、一国两制”基本方针，针对台湾局势、两岸关系和国际形势发展变化提出的。

自20世纪70年代末80年代初，中共提出“和平统一、一国两制”新的对台方针后，各方面的情况发生了很大变化，到90年代中期，对台工作所面临的总体形势是：一方面，有利于两岸关系发展与和平统一的因素在增长；另一方面，台湾岛内的分裂倾向也在发展，同时以美国为首的国际反华势力试图进一步利用台湾问题牵制与遏制中国。

从有利因素来看，一是祖国大陆的改革开放路线，取得了举世瞩目的成就。到90年代中期，大陆的改革开放已进入了以建设有中国特色的社会主义市场经济体制为目标的新阶段，经济建设速度明显加快，政局稳定。这就为继续推进对台工作创造了有利的内部条件。

二是两岸关系发生了历史性的重大变化。从1988年开始，台湾同胞由单纯的赴大陆探亲、旅游，迅速发展为经济、文化、科技、体育等各领域的广泛交流。台湾当局被迫放宽了某些政策限制，两岸间接“三通”出现了，两岸双向交流也初步实现了。两岸人员往来与经济、文化关系的发展，密切了两岸同胞的联系，增进了相互了解，对两岸关系发展产生了重要的推动作用。同时在两岸接触与谈判方面，台湾当局长期坚持的“不接触、不谈判、不妥协”政策被打破。从1991年4月起，海峡两岸开始了事务性商谈。1992年2月以后，发展为海峡两岸关系协会与台湾的海峡交流基金会的事务性、经济性商谈，并取得了某些进展。1993年4月，两会在新加坡举行“汪辜会谈”，产生了广泛影响，标志着两岸关系发展迈出了历史性的重要一步。随着两岸关系的深入发展，两岸政治谈判的紧迫性已日益凸显出来。

从不利因素来看，一是80年代末90年代初，国际政治格局急剧变化，外国反华势力加紧对中国进行分化、西化，加强了利用台湾问题对中国进行牵制与遏制的力度。美国开始调整对华政策，“中国威胁论”开始出笼，国际反华势力加紧对中国实行“和平演变”。1992年9月，美国布什政府突破中美“八一七”公报的限制，决定向台湾出售150架F—16战斗机。继而克林顿政府于1994年宣布调整对台政策，采取一系列措施提升与台湾的实质关系。

二是国际局势的变化、美国对台政策的调整，给台湾岛内的“台独”分裂势力以极大的鼓动。台湾当局企图对既已形成的一个中国原则展开挑战，力图形成“两个中国”并存的局面；在国际上大力推行“务实外交”，谋求“双重承认”，1993年开始鼓噪“参与联合国”；在两岸关系方面，拒绝开放两岸直接“三通”，拖延政治谈判，试图利用“两会”事务性、经济性商谈，凸显所谓两岸“分裂分治”和“对等政治实体”；在台湾内部，则加紧进行所谓“宪政改革”，力图为其分裂活动制造法源依据。至于以民进党为代表的岛内“台独”势力，更在李登辉的纵容、扶植下急剧膨胀发展，在台湾政坛和社会上的影响力日益扩张。岛内这两股分裂中国的势力密切配合，再加上国际反华势力的支持，对两岸关系的发展造成了严重的冲击。

正是在上述背景下，为了阐述中国共产党和中国政府在新形势下解决台湾问题的立场、方针、政策，推动两岸关系发展，进一步加强两岸经济、文化交流，把和平统一进程推向一个崭新的阶段，江泽民不失时机地就台湾问题发表了重要讲话。

2. 八项主张的基本内容

(1)坚持一个中国原则,是实现和平统一的基础和前提。这是八项主张的核心内容,同时也是推动两岸关系健康发展的立足点。江泽民指出,台湾是中国不可分割的一部分,中国人民不但反对任何"台湾独立"的言行,也同样反对"分裂分治"、"阶段性两个中国"等违背一个中国原则的言行。祖国大陆与台湾虽未统一,但台湾是中国领土不可分割的一部分,中国对台湾拥有主权,这是无可争辩的事实。江泽民还指出,对于台湾同外国发展民间性经济文化关系,我们不持异议;但是我们坚决反对台湾以搞"两个中国"、"一中一台"为目的的所谓"扩大国际生存空间"的活动。只有实现和平统一后,台湾同胞才能与全国各族人民一起,真正充分地共享伟大祖国在国际上的尊严。

(2)海峡两岸和平统一谈判可以分步骤进行。这是八项主张中极具新意的内容之一。早在1992年10月,江泽民总书记在党的"十四大"报告中指出:"在一个中国前提下什么问题都可以谈,包括就两岸正式谈判的方式问题同台湾方面进行讨论,找到双方都认为合适的办法。"在此,江泽民重申举行"正式结束敌对状态,逐步实现祖国的和平统一"的谈判,同时又创造性地提出:"作为第一步,双方可以先就'在一个中国的原则下,正式结束两岸敌对状态'进行谈判,并达成协议。在此基础上,共同承担义务,维护中国的主权和领土完整,并对今后两岸关系的发展进行规划。"这是中共过去没有提出过的新的对台政策宣示和解决台湾问题的新思路。这是一个极富创意的主张,这一主张既坚持了中共一贯的原则立场,又充分体现了中共对台政策的灵活性和务实精神。

(3)努力实现和平统一,但不承诺放弃使用武力。江泽民强调:"我们决不承诺放弃使用武力,不是针对台湾同胞,而是针对外国势力干涉中国统一和搞'台湾独立'图谋的。"江泽民还第一次使用了"中国人不打中国人"的感性语言,充分表达了对台湾人民的同胞之爱。

(4)面向21世纪,大力发展两岸经济交流与合作。江泽民指出,面向21世纪世界经济的发展,要大力发展两岸经济交流与合作,以利于两岸经济共同繁荣,造福整个中华民族。江泽民第一次提出:"我们主张不以政治分歧去影响、干扰两岸经济合作";"无论在什么情况下,我们都将切实维护台商的一切正当权益。"他还表示,应当采取实际措施加速实现直接"三通"。

(5)两岸同胞要共同继承和发扬中华文化的优秀传统。江泽民指出,台湾文化是中华文化的组成部分,通过两岸文化交流,增进台湾同胞对中华文化的认同和中华民族意识,有利于两岸同胞共同继承和发扬中华文化的优秀传统,有利于共同促进两岸关系的发展,推动祖国和平统一进程。这说明早在90年代中期,中共对台湾岛内的"文化台独"倾向已经有所警惕,在促进两岸关系发展、推动和平统一的进程中,十分重视两岸的文化交流,并把它视作维系两岸人民的"精神纽带"和实现和平统一的"重要基础"来加以推动。

(6)进一步落实"寄希望于台湾人民"的方针。江泽民在讲话中指出:"我们党和政府各有关部门,包括驻外机构,要加强与台湾同胞的联系,倾听他们的意见和要求,关心、照顾他们的利益,尽可能帮助他们解决困难。"这是对"寄希望于台湾人民"对台方针的进一步发展,使这一方针更加具体化了,内容更加丰富了。

(7)欢迎台湾各党派、各界人士同我

们交换有关两岸关系与和平统一的意见。这一主张主要是针对台湾政治生态发生重大变化的实际情况提出来的，表明中国共产党愿意就两岸关系与和平统一问题，和除了顽固坚持“台独”立场的人以外的台湾各党派、各界代表人士进行接触，交换意见。

(8)两岸领导人以适当身份互访。以往中共主张以“国共两党谈判”的方式解决两岸统一问题，八项主张对上述政策作了重大调整，首次使用了“我们欢迎台湾当局的领导人以适当身份前来大陆访问；我们也愿意接受台湾方面的邀请，前往台湾”的新提法。所谓“适当身份”，意指访问的身份应符合一个中国的原则。针对台湾当局领导人提出要在国际场合见面，以达到制造“两个中国”的目的，江泽民明确指出“中国人的事我们自己办，不需要借助任何国际场合”。①

3. 八项主张的重大意义

江泽民提出的八项主张，是中国共产党第三代领导集体对于发展两岸关系、解决台湾问题、实现国家统一的一次重大政策宣示，是邓小平关于解决台湾问题的基本思想在新形势下的运用和发展，是在海峡两岸实现统一之前，发展两岸关系、推进祖国和平统一的指导原则。它所起的指导作用及产生的巨大影响，已为实践所证实。

江泽民重要讲话发表后，在台湾地区、港澳地区和海外华侨、华人中产生强烈反响，受到普遍欢迎和重视，并引起国际社会的高度关注。海内外舆论认为，这是继《告台湾同胞书》、“叶九条”、“邓六条”之后又一份系统阐述中国共产党和中国政府对台政策的纲领性文件。在经历两岸关系的风雨之后，人们越来越认识到其非凡的预示性、强烈的针对性和深远的指导意义。

第一，坚持一个中国原则，坚决反对“台独”、“两个中国”、“一中一台”等分裂活动。讲话发表后，我们对台湾当局的各种分裂言行进行了坚决斗争，逐渐形成了包括台湾同胞在内的全中国人民共同反“独”促统的强大声势。

第二，推动两岸人员往来和经济、文化等各项交流与合作，争取早日实现两岸直接“三通”。多年来，两岸人员往来逐年增加，交流日益深入，遍及各个领域，两岸贸易持续增长，台商投资大陆保持发展势头，两岸经济关系愈趋密切，两岸直接通邮发展迅速，两岸通航顺利进展。

第三，坚持在一个中国原则基础上推动两岸对话与谈判。1996 年 3 月，反分裂反“台独”斗争取得阶段性重大成效以后，祖国大陆方面敦促台湾当局进行两岸政治谈判。1997 年 9 月，江泽民同志在中共十五大上再次呼吁先举行“在一个中国原则下，正式结束两岸敌对状态”的谈判。此后祖国大陆方面提出可以先就两岸政治谈判的程序性安排进行磋商。1998 年夏天，祖国大陆方面又提出先进行政治对话，为两岸政治谈判的程序性商谈做准备。在祖国大陆方面的积极努力下，1998 年 10 月，台湾海基会董事长辜振甫应海协邀请，首次率团参访大陆，拉开了两岸政治对话的序幕。陈水扁上台后，江泽民同志多次表示，我们过去说过、现在仍然认为，台湾不管谁当权，我们都欢迎他来大陆谈，同时，我们也可以到台湾去。但是，对话谈判要有个基础，就是首先必须承认一个中国的原则。在这个前提下，什么都

① 关于八项主张的引文见《为促进祖国统一大业的完成而继续奋斗》，《人民日报》，1995 年 1 月 31 日。

可以谈。但是,陈水扁拒不承认一个中国的原则,否认两会“九二共识”。致使两岸对话与谈判无法举行。然而,在一个中国原则下进行两岸对话与谈判,已成为两岸关系发展的客观需要,是台湾当局阻挠不了的。

第四,各项对台工作进一步贯彻“更寄希望于台湾人民”的精神。祖国大陆方面加强同台湾各界各阶层同胞,同台湾省籍和外省籍同胞,同居住在香港、澳门和海外的台胞广泛接触,密切交往、增加了解,培养互信;和认同一个中国、反对“台独”的台湾各党派、各界人士加强接触,交换发展两岸关系与和平统一的意见,在坚持一个中国原则、认同“九二共识”、推动两岸“三通”等方面达成不同程度的共识。

二

反分裂反“台独”斗争

1. 1995—1996 年,中国政府反分裂反“台独”的斗争

以李登辉为代表的台湾分裂势力加紧在国际上公开制造“两个中国”、“一中一台”的活动,中国政府和中国人民一直保持高度警惕,并进行了坚决的斗争。1993 年 9 月,国务院台湾事务办公室与新闻办公室发表《台湾问题与中国的统一》白皮书,1995 年 1 月 30 日江泽民发表“为促进祖国统一大业的完成而继续奋斗”的重要讲话,都阐明了中国共产党和中国政府坚持一个中国原则,反对“两个中国”、“一中一台”,反对“台湾独立”的立场。

但是,台湾当局无视中国政府的严正警告,继续顽固地奉行“两个中国”的分裂政策。1995 年 6 月 8 日,在美国的允许下,李登辉到美国访问,公开发表讲话,再三强调“中华民国在台湾”,声称“要向不可能的事物挑战”,将台湾当局在国际上制造“两个中国”的活动推向高潮。

李登辉访美的分裂行径使一个中国原则面临严峻挑战,对此中国政府和人民作出强烈反应。1995 年 6 月至 1996 年 3 月,从政治、军事、外交等方面进行了声势浩大的反分裂和反“台独”的斗争。

在对美交涉方面。1995 年 5 月 23 日中国外交部发表声明,对美国政府允许李登辉访美提出强烈抗议,提出“对于已经站起来的中国人民来说,没有什么比国家主权和祖国统一更为重要,中国政府和中国人民准备面对任何挑战”!还指出“实现祖国统一超过与美国的关系”。[①] 同时,中国政府中止或暂停一系列重要的团组访美,并于 6 月 17 日召驻美大使返国述职,中美关系出现严重倒退。在此后的一系列中美外长、副外长会谈中,中国领导人在会见美国客人时,都反复强调台湾问题是中美关系中最重要、最敏感的核心问题,严正要求美国遵守中美三个联合公报关于台湾问题的各项原则,执行一个中国政策。10 月,江泽民在出席联合国成立 50 周年庆祝活动期间,于 24 日与美国总统克林顿正式会谈。江泽民强调:“影响中美关系最重要、最敏感的问题是台湾问题,构成中美关系基础的三个联合公报的核心问题也是台湾问题。我们不希望再发生两国关系稳定发展受到干扰的事件。”[②]

---

① 《中华人民共和国外交部声明》,《人民日报》,1995 年 5 月 23 日。

② 《影响中美关系最重要的是台湾问题》,中共中央党校、中共中央台湾工作办公室编:《中共三代领导人谈台湾问题》,2001 年 9 月,第 300 页。

在对台舆论斗争方面，各民主党派、人民团体负责人以及专家学者在北京以举行座谈或发表谈话的方式，强烈谴责李登辉访美和在康奈尔大学的演讲。北京各新闻单位陆续发表评论，揭露李登辉背弃一个中国原则，制造“两个中国”、“一中一台”、分裂祖国的真面目。7月24日起，《人民日报》、新华社先后以联合评论员文章的形式，陆续发表四评李登辉在康奈尔大学的演讲和四评李登辉的“台独”言行等文章，深入批驳李登辉的分裂观点，揭露了李登辉上台以来的各种分裂行径。

在两岸接触与商谈方面，海协中止了与台湾海基会第二次“汪辜会谈”的预备性磋商。6月16日，国台办发言人发表谈话指出，台湾当局近期采取的一系列行动，包括李登辉访美、连续举行针对大陆的大规模军事演习，置民族大义于不顾，肆意毒化两岸关系的气氛，破坏两岸关系发展，阻挠两岸统一，激起了海内外绝大多数中国人的极大义愤和强烈谴责。在这种情况下第二次“汪辜会谈”已不能按原计划进行，这完全是由台湾方面一手造成的。同时，海协致函海基会，正式通告上述决定。这一行动在岛内产生了重大影响，台北股市指数次日大跌102点，18日又下跌九十多点，打击了李登辉访美后的气焰，打乱了李登辉拼命向外“拓展国际生存空间”的计划。

在军事上，中国人民解放军于1995年7月、8月、11月和1996年3月在台湾海峡和台湾附近海域进行了四次军事演习。7月21日至26日，人民解放军在台湾东北方向彭加屿以北65海里的公海上，进行了地对地导弹发射训练，共发射6枚地对地导弹，全部准确命中目标。8月15日和25日，人民解放军在东海北纬27°、东经121°26′，北纬27°16′、东经122°30′，北纬26°30′、东经122°05′，北纬26°30′、东经121°00′四点连线内海域和海域上空，进行了导弹、火炮实弹射击演习。11月下旬，人民解放军南京军区陆海空部队在闽南沿海地区成功举行了三军联合作战演习。1996年3月8日至15日，人民解放军向距离台湾岛基隆港东面方向20至40海里和距离台湾岛高雄港西南方向30至150海里的海域，进行地对地导弹发射训练，共发射4枚导弹，全部准确命中目标。3月12日至20日，人民解放军在北纬23°57′、东经118°06′，北纬23°25′、东经118°50′，北纬22°30′、东经117°30′和北纬23°01′、东经116°46′四点连线的海域和空域，也就是在福建厦门以南至广东汕头一线，进行海空实弹演习。3月18日至25日，人民解放军在北纬25°50′、东经119°50′，北纬25°32′、东经120°24′，北纬24°54′、东经119°56′和北纬25°12′、东经119°26′四点连线的海域和空域，也就是台湾海峡北部西侧，进行大规模的陆海空联合演习。这三次军事演习显示出人民解放军强大的海空打击威力和三军联合作战的能力。台湾舆论惊呼，人民解放军向基隆、高雄附近海域进行的导弹发射实际上是要封锁台湾南北海上运输线，“中共对台实行了准封锁行动”，3月演习是1958年以来“中共对台湾采取的最激烈的军事行动”。

这场声势浩大的“反分裂、反台独”斗争取得了重大的成果。一是使广大台湾民众进一步认识到“台独”是一条走不通的死路。二是沉重地打击了岛内公开主张“台独”的分裂势力。三是让国际社会进一步看清了“台湾独立”的危险性，绝大多数国家普遍表示要在一个中国的框架内处理台湾问题。

随着时间的推移，反分裂、反“台独”斗争的战略性作用进一步显示出来。美国是介入和影响台湾问题最深的国家。

但“反分裂”、反“台独”斗争后，越来越多的美国有识之士意识到，如果台湾海峡的局势得不到控制，未来发生战争，美国如卷入，将危及美国自身的利益和全球战略。美国还意识到，中国的发展和强大势不可当，中国的战略地位和市场不能忽视，因此必须重视对华关系，应推行以接触为主的对华政策。1996 年 11 月亚太经合组织领导人非正式会议期间，江泽民与克林顿会谈，宣布中美两国元首将于 1997 年、1998 年内互访。1997 年 10 月，江泽民主席对美国进行了国事访问。中美两国决定致力于建立面向 21 世纪的建设性战略伙伴关系，美国重申坚持一个中国的政策，恪守中美三个联合公报的原则。1998 年 6 月底 7 月初，克林顿总统访华，在上海公开宣布“不支持台湾独立，不支持‘两个中国’或‘一中一台’，不支持台湾加入联合国及其他由主权国家组成的国际组织”。此“三不支持”政策对台湾社会产生了广泛影响，对台湾当局产生了巨大压力，对民进党及极端“台独”势力形成了强烈冲击。

2. 1999 年反对李登辉“两国论”的斗争

1999 年 7 月，李登辉抛出“两国论”。鉴于“两国论”对两岸关系和祖国和平统一进程的严重破坏性、危险性，中国政府和人民不得不在政治和军事上迅速进行更加坚决的斗争。

政治上，党和国家领导人及有关部门负责人、发言人，强烈批判李登辉“两国论”，重申了中国政府在台湾问题上的严正立场。7 月 11 日，中央台办、国务院台办发言人指出：李登辉公然将两岸关系歪曲为“国与国的关系”，再次暴露了他一贯蓄意分裂中国的领土和主权、妄图把台湾从中国分割出去的政治本质，与“台独”分裂势力的主张沆瀣一气，在分裂祖国的道路上越走越远；严正警告台湾分裂势力立即悬崖勒马，放弃玩火行动，停止一切分裂活动。18 日，江泽民主席在与克林顿总统通话中指出：“两国论”是李登辉在分裂国家的道路上走出的十分危险的一步；“如果出现搞台湾独立和外国势力干涉中国统一的情况，我们绝不会坐视不管”。[①] 外交部发言人也发表谈话，正告李登辉和台湾当局，不要低估中国政府维护国家主权、尊严和领土完整的坚定决心，不要低估中国人民反分裂、反“台独”的勇气和力量。20 日，中共中央台办、国务院台办负责人发表谈话指出，台湾分裂势力正企图按照“两国论”修改台湾地区所谓“宪法”和“法律”，以所谓“中华民国”的名义实现“台湾独立”。这是一个更加严重和危险的分裂步骤，是对和平统一的极大挑衅。如果这一图谋得逞，中国和平统一将变得不可能。

在两岸两会的接触与商谈方面，海协会会长汪道涵访台计划被迫中止。为落实 1998 年 10 月辜振甫参访大陆时达成的“四项共识”，两会 1999 年春夏就汪道涵访台进行了预备性磋商，并初步确定于同年秋天正式访台。但李登辉的“两国论”，严重恶化两岸关系，使两会接触、交流、对话的基础不复存在。9 月 8 日，江泽民在澳大利亚会见中外记者时提出，要实现汪道涵访台，必须做到以下两条：一是李登辉公开收回“两国论”；二是李登辉只能以国民党主席的身份，而绝不能用所谓“总统”

---

① 《同美国总统克林顿通电话时重申中国政府在台湾问题上的严正立场》，中共中央党校、中共中央台湾工作办公室编：《中共三代领导人谈台湾问题》，2001 年 9 月，第 317—318 页。

身份接待汪道涵。由于台湾当局拒不收回“两国论”，原定于1999年秋汪道涵访台计划被迫取消，1998年以来两会刚恢复的接触与协商再次中断。

在舆论斗争方面，《人民日报》、新华社、《解放军报》等新闻媒体连续发表评论员文章，批驳李登辉分裂谬论的要害与实质，揭露李登辉上台以来的分裂活动和分裂本质。《解放军报》评论员文章还明确指出，中国人民解放军正密切注视台湾海峡对岸的动向和事态发展，并且有坚强的决心和足够的实力，保卫国家的主权和领土完整，维护祖国的统一。各民主党派、人民团体、社会各界、港澳同胞、海外华侨华人等，也纷纷以各种形式揭批李登辉的分裂言论。台湾岛内一些主张发展两岸关系与和平统一的党派、团体、媒体和人士也表示反对“两国论”，反对按“两国论”进行“修宪”、“修法”。一个海内外中国人同声谴责李登辉分裂祖国的强大声势已经形成。

在军事斗争方面，7月31日，在庆祝中国人民解放军建军72周年招待会上，中央军委副主席、国防部长迟浩田上将强调，中国人民解放军严阵以待，时刻准备捍卫祖国的主权和领土完整，坚决粉碎任何分裂祖国的图谋。8月2日，中国在境内成功地进行了一次“东风—31型”新型远程地对地战略导弹实验。8月下旬，空军首次在高海拔地区进行地对空导弹实弹打靶试验；海军某部则在台湾以北的海域举行反潜演习，由海底发射导弹击落目标，加强潜艇攻击能力，提升雷达的扫描范围及精确度。9月初，中国人民解放军北京军区、济南军区、沈阳军区的特种部队和两栖侦察队，在山东中部山区首度集结演练。同月上旬，中国人民解放军南京、广州战区陆、海、空三军，第二炮兵和民兵预备役部队，在浙东、粤南沿海举行了大规模的诸兵种联合渡海登陆作战实兵演习，充分显示了中国人民解放军捍卫国家主权和领土完整的坚定立场和坚强决心，展示了解放军维护祖国统一的强大实力。中央军委副主席张万年表示：我们严正警告李登辉，玩火者必自焚。中国人民解放军正密切注视着事态的发展，随时准备粉碎任何分裂祖国的罪恶行径。人民解放军的飞机、舰艇加紧在台湾海峡巡逻。

在外交方面，中国政府还展开一系列外交活动，在国际社会遏制“两国论”谬论的泛滥与蔓延。9月11日，江泽民在新西兰同参加亚太经合组织第七次领导人非正式会议的美国总统克林顿举行了正式会晤。江泽民指出，“我们与李登辉的斗争是维护还是分裂中国主权和领土完整的斗争，在这个问题上没有回旋的余地”，“我们在台湾问题上坚持‘和平统一、一国两制’的基本方针，尽一切可能争取和平统一”，“为维护国家主权和领土完整，我们绝不承诺放弃使用武力”。[①] 9月27日，在“九九《财富》全球论坛·上海”开幕晚宴上，江泽民发表重要讲话，再次阐述了中国政府解决台湾问题的原则立场。与此同时，党和国家领导人分别出访数十个国家，邀请三十多个国家的领导人来访，通过密集的外交，争取了更多的国家了解台湾问题的实质与由来，大多数均理解、支持中国政府对台湾问题的立场，有力地反击和挫败了李登辉在国际上搞“两

---

① 《与美国总统克林顿会晤时谈台湾问题》，中共中央党校、中共中央台湾工作办公室编：《中共三代领导人谈台湾问题》，2001年9月，第320页。

个中国”的图谋。

反对“两国论”的斗争沉重打击了以李登辉为代表的分裂势力，台湾当局被迫表示不会依照“两国论”修改所谓“宪法”、“法律”，使李登辉与“台独”势力企图以所谓“制宪”、“修宪”、“解释宪法”或“立法”等多种形式，从“法律”层面实现在“中华民国”名义下将台湾从中国分割出去的图谋未能得逞。这场斗争也得到了国际社会的支持，包括美国、日本、俄罗斯、欧盟等130多个国家重申将继续坚持一个中国政策，一些国家还进一步强调，台湾是中国领土不可分割的一部分，台湾问题完全属于中国的内政。7月18日，克林顿总统还主动与江泽民主席通电话，重申美国坚持一个中国政策的承诺，强调美国在台湾问题上的政策没有改变。包括《纽约时报》等主流媒体在内的美国舆论界也对李登辉的讲话感到震惊与不满。在1999年9月的联合国大会上，联合国五个常任理事国均表示反对将由少数国家第七次提出的台湾当局“参与”联合国的提案列入联大议程。台湾当局企图以“两国论”为依据在联合国制造“两个中国”的图谋遭到空前挫败。

3. 2000—2002年反对陈水扁“一边一国论”的斗争

陈水扁上台以来，推行种种分裂伎俩。对此祖国大陆始终保持高度警惕，并与台湾分裂势力进行了坚决的斗争。2000年9月，国务院台湾事务办公室首次新闻发布会指出，当前两岸关系中最关键的问题，即是坚持一个中国原则还是要将台湾从中国分割出去的问题；中国政府坚持一个中国原则的立场是一贯的、明确的，既有争取和平统一前景的最大诚意，也有阻止“台独”及一切分裂活动的坚定信心和必要准备；台湾当局新领导人近期的分裂言论是非常危险的，不能不引起包括台湾同胞在内的全中国人民的警惕。对此，台湾各界反响强烈，民众纷纷指责台当局“台独心态作祟”、“无事生非”。

2002年初，针对陈水扁当局上台以来不断进行“渐进式台独”活动，钱其琛副总理在纪念江泽民主席八项主张讲话时明确指出，我们对台湾分裂势力的“台独”活动始终保持高度警惕；对于台湾分裂势力以各种蚕食渐进的手法推行“台独”，台湾同胞看得很清楚，我们也看得很清楚；台湾分裂势力的倒行逆施，正在受到两岸同胞和全体中华儿女的坚决反对。中共中央台办、国务院台办新闻发言人也强调，“渐进式台独”活动是企图将台湾与中国分割开来，改变台湾是中国一部分的地位，从而为最终实现公开“台独”创造条件；台湾当局如果误判形势，一意孤行，继续推行“渐进式台独”分裂步骤，只会加剧两岸关系紧张，必将自食恶果。

8月3日，陈水扁抛出“一边一国”和“公投立法”论调后，祖国大陆迅速作出反应，进行了针锋相对的斗争。4日，《人民日报》以《危险的挑衅》为题发表新华社评论员文章，对陈水扁分裂本质进行了深刻的揭露，指出陈水扁分裂言论是对国际社会的基本认知和共同准则的挑战，是对两岸同胞的肆意挑衅。8月21日，钱其琛副总理表示，陈水扁的分裂言论与李登辉的“两国论”一脉相承，给两岸关系设置了新的障碍，也给国际社会制造了新的麻烦。并强调“任何形式的‘台独’都是绝对不允许的，任何挑衅一个中国原则的图谋都必将以失败告终”。① 9月30日，朱镕基总

① 钱其琛：《陈水扁分裂言论给两岸关系设置新的障碍》，中国新闻网，2001年8月21日。

理在53周年国庆招待会上指出，台湾当局领导人接连发表“台独”分裂言论，这是对一个中国原则的公然挑衅；任何分裂国家的图谋都是注定要失败的。中台办、国台办负责人、新闻发言人以及海协负责人也陆续发表谈话指出，陈水扁的分裂言论违背台湾同胞求和平、求安定、求发展的主流民意，是不得人心的；充分暴露了他顽固坚持“台独”立场的真面目，是对包括台湾同胞在内的全体中国人民的公然挑衅，也是对国际社会公认的一个中国原则的公然挑衅，必将对两岸关系造成严重的破坏，影响亚太地区的稳定与和平；同时，正告台湾分裂势力不要错判形势，立即悬崖勒马，停止一切分裂活动。

国务院新闻办、中国记协、全国台湾研究会等单位还以记者会、研讨会的形式组织学者专家对“一边一国论”进行系统的谴责和批判，形成反对任何形式“台独”的强大海内外舆论氛围。各民主党派、人民团体、社会各界、港澳同胞、海外华侨华人等，也纷纷以各种形式揭露和批驳台当局“台独”言论。岛内一些主张发展两岸关系与和平统一的党派、团体、媒体和人士也表示反对“一边一国论”，认为陈水扁言论完全基于“台独”立场，绝非台湾的主流声音。

海内外所有中国人同声反对和批判陈水扁“台独”行径的强大声势，使这场“反台独”、反对“一边一国论”的政治斗争取得了预期效果。不仅沉重打击了陈水扁为代表的台湾分裂势力，迫使其不敢铤而走险，有效消除了“一边一国论”的恶劣影响，而且也进一步巩固了国际社会一个中国政策的大框架。美国政府在5日迅速表示其“一个中国政策”没有发生变化；美国国家安全委员会发言人首次发表谈话，声称美国坚持“一个中国政策”，不支持“台湾独立”；《纽约时报》等美国主流媒体也发表措辞严厉的社论质疑陈水扁分裂言论。绝大多数国家政府和一些知名媒体纷纷表示支持中国政府的和平统一事业，批驳陈水扁的“台独”言论。9月，台当局企图在联合国大会上寻求两岸“一边一国”定位的图谋也遭致挫败。

以上几场重大斗争，充分显示了中国共产党和中国政府坚决维护国家主权和领土完整的坚强决心和能力，使广大台湾同胞深切认识到“台独”将给台湾带来巨大灾难，沉重打击了台湾分裂势力的嚣张气焰，巩固了国际社会普遍承认一个中国的基本态势，对台湾局势和两岸关系产生了重大、深远的战略性影响。

三

加强两岸经贸交流，重视争取台湾民心的工作

大力推进两岸人员往来和各项交流，进一步密切两岸同胞的感情，“更寄希望于台湾人民”，是第三代中央领导集体的一贯主张。党的十五大更加突出强调“寄希望于具有光荣爱国主义传统的台湾同胞”，充分体现了我们一贯重视做好台湾人民工作的思想。1998年5月，江总书记在中央对台工作会议上强调指出：“做好台湾人民的工作，争取和团结广大台湾同胞与我们一道共同实现祖国的完全统一，始终是对台工作的重要目标。”他要求各有关方面切实加强对台工作，最大程度地密切两岸人民的关系，最大限度地争取台湾民心，最大范围地团结台湾各界各阶层民众，为实现祖国统一而共同奋斗。他还多次强调，两岸同胞要共同继承和弘扬中华文化的优秀传统，要大力推进两岸人员

往来和经济、文化等各个领域的交流，加速实现两岸直接“三通”。

台湾同胞具有光荣的爱国主义传统。两岸关系的进一步发展与祖国的和平统一大业的完成，最终有赖于包括台湾同胞在内的全体中国人民的共同努力。为此，就必须正确对待台湾民心，民心的向背决定一切。以江泽民为核心的党的第三代领导集体高度重视两岸人员往来和各项交流，高度重视争取台湾民心工作，制定了许多政策、措施来增强台湾民众对祖国统一的向心力。

1. 积极推动两岸经贸的交流与合作，保护台商的利益

海峡两岸经济的发展具有很大的互补性，双方经贸合作的加强具有重大的意义。江泽民对此有着清醒的认识：“不断加强两岸的经贸交流与合作，既可以促进两岸经济共同发展，又可以增加彼此了解增进共识，从而推动两岸关系的发展和国家统一。”①“两岸经济上各有优势，进一步加强经济交流与合作，优势互补，对于台湾经济的发展有重大意义，对祖国大陆也有益处。”②正因为如此，党的第三代领导集体特别重视两岸的经贸交流与合作。1999年，在全国对台工作会议期间，江泽民、李鹏分别在会议上作重要讲话。会议指出，当务之急是要加强两岸的联系，尽快实现双向的、直接的“三通”。应当进一步扩大人民交往和各种交流，特别是加强经贸往来。1999年4月，国务院又召开了对台经济工作会议，江泽民、李鹏、李岚清、钱其琛等出席并作重要讲话。会议对近年来对台经济工作进行了认真总结，提出了全面推动两岸经济交流与合作的办法和措施。

90年代以来，祖国大陆本着江泽民“八项主张”提出的“不以政治分歧去影响、干扰两岸经贸合作”和“不管在什么情况下，我们都将切实维护台商的一切正当权益”的原则，先后出台了许多政策、法律法规，为两岸经贸交流与合作创造了良好的环境。1979年1月1日全国人大常委会发表《告台湾同胞书》，正式提出“尽快落实海峡两岸通航通邮，发展贸易，进行经济交流”等重要主张。1988年7月3日发表《关于鼓励台湾同胞投资的规定》（简称22条）。1991年7月外经贸部提出促进两岸经贸交流的五项原则，即直接双向、互利互惠、形式多样、长期稳定、重义守约。1994年3月，八届人大常委会审议通过《中华人民共和国台湾同胞投资保护法》，将保护台商投资纳入法制化轨道，进一步促进了两岸经济关系的发展。1995年11月，全国人大常委会组织检查《台湾同胞投资保护法》的实施情况。1996年交通部、外经贸部相继公布《台湾海峡两岸间航运管理办法》和《关于台湾海峡两岸间货物运输代理业管理办法》。1998年祖国大陆还采取开放台湾企业单独举办商品展览会，放宽台商在祖国大陆居留期限限制等举措。1999年12月，祖国大陆又公布了《台商投资保护法实施细则》。2001年12月，祖国大陆又制定颁布了《台湾同胞投资保护法实施细则》，在鼓励台商投资、维护台商合法权益等方面作了具体规定。很多省（市、区）专门制定了鼓励、保护台商投资的地方性法规。这些工作，为今后一个时期的两岸经济关系发展提供了有力的政策与法规保障，构筑了保

① 《人民日报》，1994年4月6日。

② 王永钦编著：《统一之路——两岸关系50年大事记》，广东人民出版社，1999年12月版，第405页。

护台商在祖国大陆投资的法律体系。

由于祖国大陆制定了正确的方针政策和优越的投资环境，两岸的经贸交流与合作才得以排除干扰持续发展。据有关资料统计，截至1999年底，两岸贸易总额累计达1604亿美元。截至1999年11月底，祖国大陆吸收台商投资合同金额累计达440亿美元，实际使用台资金额237亿美元，台湾目前占大陆吸收境外投资的第三位。祖国大陆是台商海外投资的首选地区。在两岸“三通”方面，1997年4月两岸实现了福州、厦门、高雄三港试点直航，向两岸海上直航迈进了一大步。试点直航开通后，两岸货运量逐年上升，促进了海峡两岸的经济交往。由中国航空（集团）控股的澳门航空和港龙航空相继于1995年和1996年实现了经澳门、香港“一机到底”的两岸间接直航。此外，由于大陆的不懈努力，台湾当局以政治围堵经贸往来的做法，引起岛内各界尤其是工商界的强烈质疑，要求“三通”的呼声日高。

2. 切实维护和保障台湾同胞的生命财产安全

江泽民在“八项主张”中指出：“要充分尊重台湾同胞的生活方式和当家做主的愿望，保障台湾同胞一切正当权益，我们党和政府各有关部门，包括驻外机构要加强与台湾同胞的联系，倾听他们的意见和要求，关心、照顾他们的利益，尽可能帮助他们解决困难。”[①]多年来，祖国大陆一贯是这样做的。在海湾战争中，中国使馆帮助滞留在科威特的台湾劳务人员安全撤离险境。日本阪神大地震发生后，中国使馆及时抚慰受灾的台湾同胞。柬埔寨爆发内战后，中国使馆积极帮助生命财产受到严重威胁的台湾商人和旅游者安全转移和撤离。1999年9月，台湾中部发生大地震。在地震发生几小时后，江泽民就对台湾地区发生强烈地震表示慰问，国台办、海协会和有关技术部门立即提出了一整套救灾方案。国台办还发出《关于向各地台胞表示慰问的紧急通知》，要求各地台办做好对台胞的慰问工作。

在“和平统一，一国两制”基本方针和江泽民总书记“八项主张”的指引下，经过两岸同胞的共同努力，江泽民时期的两岸关系在诸多领域取得了长足的发展。人员往来日益频繁，截至2002年8月，前来祖国大陆从事探亲、旅游、交流与经商的台湾同胞累计达到2600多万人次；祖国大陆赴台人员也超过60万人次。两岸间的经贸往来与经济合作蓬勃发展，间接贸易累计金额为2500多亿美元。祖国大陆累计吸收合同台资610多亿美元，实际使用320多亿美元。两岸通邮、通航也都取得了不同程度的进展。

四

中共十六大有关对台方针政策的新阐述

进入新世纪以来，中国共产党和中国政府领导各族人民，继续发展两岸关系，推进祖国和平统一进程。2000年10月，中国共产党第十五届五中全会将“完成祖国统一”列为进入新世纪新阶段必须抓好的三大任务之一，为力争早日解决台湾问题部署全方位工作。

2002年11月，中国共产党召开十六次全国代表大会。江泽民代表党中央所作报告中关于对台工作的论述，高度概括了当

① 《为促进祖国统一大业的完成而继续奋斗》，《人民日报》，1995年1月31日。

前台湾局势和两岸关系形势的重大变化和主要特征，提出了今后一个时期对台工作的指导思想和总体要求，宣示了全党和全国人民完成祖国统一大业的坚定决心。这些重要论述，既反映了对台方针政策的连续性、稳定性，也体现了党在新世纪新形势下努力推动祖国统一进程的与时俱进的精神，对于全面发展两岸关系，推进祖国和平统一进程，具有重大意义。

1. 进入新世纪对台工作面临的新形势

新世纪对台工作面临着新的形势。综观全局，国内外形势对实现祖国统一大业十分有利，两岸关系的基本格局和发展趋势没有改变，同时在发展两岸关系、完成祖国统一的道路上，仍然面临许多新的挑战。

就国内形势而言，祖国大陆改革开放和现代化建设取得显著成就，海峡两岸的实力对比进一步发生重大变化。在世界经济持续低迷的情况下，我国国民经济持续保持良好发展势头，胜利地完成三步走中前两步战略目标，综合国力大幅提升。香港、澳门顺利回归并保持社会稳定、经济繁荣，对两岸关系发展和台湾问题解决，起到积极促进作用。我们党提出了全面建设小康社会的奋斗目标。今日之中国，充满生机与活力，向台湾同胞和全世界展现了光辉的发展前景，为进一步做好对台工作提供了重要的有利条件。

就国际形势而言，我们坚持贯彻独立自主的和平外交政策不动摇，广泛开展双边和多边外交，积极参与国际交流和合作，我国的国际地位进一步提高。经过多方面有效工作，世界大多数国家注重与我国发展关系，并承诺在一个中国的框架内处理与台湾关系。中美关系在曲折中发展。两国领导人会晤频繁，中美达成“建立建设性合作关系”的共识，布什总统公开表示不支持“台湾独立”。这些，有利于维护国际上一个中国的格局。

就两岸关系而言，海峡两岸人员往来和经济文化交流不断加强，共同利益不断增多。两岸“三通”出现新的有利形势。针对“台独”分裂势力的猖獗活动，我们坚决开展了反分裂反“台独”斗争，开展了反对李登辉“两国论”的斗争和反对陈水扁“一边一国论”的斗争，沉重打击了“台独”势力的气焰，对台湾局势和两岸关系，产生了重大、深远的战略性影响。

但是，台湾局势近年来复杂多变。李登辉在台当权 12 年，培植了“台独”的思想和社会基础。李下台后，鼓吹“台独”分裂主张，叫嚣 2008 年是“台独建国”；并一手筹组台湾团结联盟（台联党），推行“两国论”分裂主张，极力反对两岸直接“三通”，成为极端“台独”势力的主要代言人。陈水扁长期从事“台独”活动，上台后顽固坚持“台湾是主权独立国家”的分裂立场，拒不接受一个中国原则，不承认“九二共识”，阻挠在一个中国原则基础上恢复两岸谈判，百般限制两岸经济交流，拖延两岸直接“三通”。陈水扁、李登辉呼应各种分裂势力，不断推行“台湾正名”、“去中国化”等“渐进式台独”活动；他们还加紧推行“公投立法”，图谋将公投决定变更“领土”、台湾地位和前途等分裂条款纳入“公投法”，为“公投台独”作准备。某些外国反华势力插手台湾问题，干涉中国内政，纵容、支持“台独”分裂主张，极力为“台独”分裂势力张目，撑腰打气，阻挠中国和平统一进程。“台独”分裂活动已经成为破坏两岸关系稳定发展的主要现实危险。

2. 十六大报告关于对台工作论述的基本内容

中国共产党十六大报告关于对台工

作的论述，在坚持“和平统一，一国两制”基本方针和江泽民八项主张的基础上，根据台湾局势和两岸关系形势的新变化明确提出了今后一个时期对台工作的指导思想和总体要求，提出了一系列新的重要论断和主张。这些有关对台工作部分的论述，凝聚了全党共识，体现了全党意志，反映了全党的心声。报告将台湾问题与中华民族的复兴、现代化建设紧密结合在一起，①是中央在全面权衡当前国际、国内形势，特别是台湾局势与两岸关系形势的基础上作出的重大决策，是当前和今后一个时期对台工作的大政方针和指导思想。

第一，更加突出对台工作的战略地位和作用，宣示了全党全国人民完成祖国统一大业的坚定决心。十六大报告开篇就明确指出，“我们党必须坚定地站在时代潮流的前头，团结和带领全国各族人民，实现推进现代化建设、完成祖国统一、维护世界和平与促进共同发展这三大历史任务，在中国特色社会主义道路上实现中华民族的伟大复兴。这是历史和时代赋予我们党的庄严使命”。十六大报告强调，国家要统一，民族要复兴，台湾问题不能无限期地拖延下去。坚信通过全体中华儿女共同努力，祖国的完全统一一定能够早日实现。这充分反映了全党的意志和全国人民的愿望。

第二，正式写入关于坚持一个中国原则的新论述，强调坚决反对“台独”等任何分裂图谋。十六大报告将“世界上只有一个中国，大陆和台湾同属一个中国，中国的主权和领土完整不容分割”的表述，首次写入党的全国代表大会政治报告，既充分体现了坚持原则的坚定性，又展现了包容性，而且具有很强的现实针对性。

一个中国原则是三代中央领导集体坚定不移的根本立场，但随着两岸关系的发展变化，为了促进两岸和平统一，避免两岸间的政治纷争，把台湾问题限制在中国内政范围之内，“一中”的内涵则随着形势的变化而有不同的解读。

从20世纪50年代至90年代初一个中国原则的表述是：世界上只有一个中国，台湾是中国不可分割的一部分，中华人民共和国政府是中国的唯一合法政府。

1992年，大陆“海协会”与台湾“海基会”达成各自以口头方式表述“海峡两岸均坚持一个中国原则”的共识，即“九二共识”。此后，以江泽民为核心的中央领导集体对一个中国原则的具体内涵表述逐步作出了调整。1998年1月由钱其琛副总理对一个中国内涵作出权威表达：在统一之前，在处理两岸关系事务中，特别是在两岸谈判中，坚持一个中国的原则，就是坚持世界上只有一个中国，台湾是中国的一部分，中国的主权和领土完整不能分割。1999年7月18日，江泽民在同美国总统克林顿的谈话中对此作了明确表述：“世界上只有一个中国，台湾是中国领土的一部分，中国的主权和领土绝不容分割。”将“台湾是中华人民共和国的一部分”的提法改为“台湾是中国的一部分”。

2000年台湾当局新领导人上台后，针对两岸关系仍然僵持的局面，为解开两岸关系的死结，同年8月，钱其琛副总理在会见《联合报》大陆参访团时，对一个中国原则又进一步作了阐述，提出在两岸关系中“世界上只有一个中国，大陆和台湾同属于一个中国，中国的主权和领土完整不容分割”。2001年10月29日江泽民会见台湾中国统一联盟来访人员时，以国家领导

① 《全面建设小康社会，开创中国特色社会主义事业新局面》，《人民日报》，2001年11月8日。

人的身份第一次提到“国号”问题。他说，可以简称为“中国”，“不必去作无谓的争执”。这表现了中共领导人在台湾问题上的灵活性，也显示了中共是从两岸的角度来考虑问题，而不是只从大陆的角度来思考，对台湾表达了充分的善意和诚意。

2002 年 11 月新的“一个中国”的表述被郑重写入《政府工作报告》中。在十六大报告中，江泽民也正式使用这一表述。与以前的提法相比，“世界上只有一个中国”和“中国的主权和领土完整不容分割”没有变化，但将“台湾是中国领土的一部分”的提法改为“大陆和台湾同属一个中国”。这一被海外媒体称之为“新三段论”的表述，表达了中国共产党和中国政府努力争取早日实现两岸和平统一的诚意，也体现了大陆领导人在解决台湾问题上所持的务实态度，有利于消除歧义，增进共识，对推动两岸关系发展和祖国统一大业有重要而深远的意义。

同时，十六大报告将遏制“台独”等任何分裂图谋摆在更为突出的位置上，强调坚决反对任何旨在“台湾独立”、“两个中国”、“一中一台”的言行，表述为维护祖国统一事关中华民族的根本利益，中国人民将义无反顾地捍卫国家主权和领土完整，绝不允许任何人以任何方式把台湾从中国分割出去。

第三，进一步展现了在一个中国原则基础上恢复和进行两岸对话与谈判的诚意，提出了关于两岸谈判的新倡议。十六大报告再次呼吁“在一个中国原则的基础上，暂时搁置某些政治争议，尽早恢复两岸对话和谈判”，重申“在一个中国的前提下，什么问题都可以谈”，并且具体提出“可以谈正式结束两岸敌对状态问题，可以谈台湾地区在国际上与其身份相适应的经济文化社会活动空间问题，可以谈台湾当局的政治地位等问题”。[①] 这些重要提议，使谈判主张更为具体化、更具操作性，充分展现了诚意，为恢复和进行两岸对话与谈判指明了道路。

第四，更加强调寄希望于台湾人民的方针，饱含着对台湾同胞的尊重、关怀和信任。报告高度评价台湾同胞在发展两岸关系，反对“台独”分裂活动等方面的重要作用，强调台湾同胞具有光荣的爱国主义传统，是发展两岸关系的重要力量；解决台湾问题，实现祖国的完全统一，寄希望于台湾人民。报告提出要坚持“一国两制”方针，调动一切积极因素，为完成祖国统一大业和实现中华民族的伟大复兴而共同奋斗。报告指出，要充分尊重台湾同胞的生活方式和当家做主的愿望，并采取切实措施，进一步扩大两岸交流，共同弘扬中华文化的优秀传统，积极争取早日实现直接“三通”，以增进两岸同胞的往来和了解，开创两岸经济合作的新局面。

第五，对“一国两制”的构想作出新的阐述，指出“一国两制”是两岸统一的最佳方式。《报告》充分考虑到台湾与香港、澳门的差异，进一步提出比港澳更宽的政策，具体说来，一是，在一个中国的前提下，可以谈台湾地区在国际上与其身份相适应的经济文化社会活动空间问题。这表明在“一国两制”下，台湾可以充分地共享伟大祖国在国际上的尊严与荣誉。二是，在一个中国的前提下，可以谈台湾的政治地位等问题。三是，首次提出“一国两制”对台湾的四大好处，即两岸统一后，台湾可以保持原有的社会制度不变，高度自治；台湾同胞的生活方式不变，他们的

① 《全面建设小康社会，开创中国特色社会主义事业新局面》，《人民日报》，2001 年 11 月 8 日。

切身利益将得到充分保障，永享太平；台湾经济将真正以祖国大陆为腹地，获得广阔的发展空间；台湾同胞可以同大陆同胞一道，行使管理国家的权利，共享伟大祖国在国际上的尊严和荣誉。

第六，和平解决与使用武力“两手准备”。邓小平在提出“和平统一，一国两制”构想时指出，“我们坚持谋求用和平的方式解决台湾问题，但是始终没有放弃非和平方式的可能性，我们不能作这样的承诺……我们要记住这一点，我们的下一代要记住这一点。这是一种战略考虑”。党的第三代领导人坚持这一基本原则立场，并作了进一步的阐述。一方面，努力争取和平统一的前景。1995 年，江泽民在“八项主张”中说，要“努力实现和平统一，中国人不打中国人”。在 2001 年庆祝中国共产党成立八十周年大会上的讲话中，江泽民说：“我们有最大的诚意努力实现和平统一。”在十六大上，江泽民重申，两千三百万台湾同胞是我们的手足兄弟，没有人比我们更希望通过和平的方式解决台湾问题，我们将以最大的诚意、尽最大的努力争取和平统一的前景。另一方面，决不承诺放弃使用武力。十六大报告同时强调，我们不承诺放弃使用武力，不是针对台湾同胞，而是针对台湾分裂势力搞“台湾独立”图谋和外国势力干涉中国统一；我们有坚定捍卫国家主权和领土完整的决心与能力，绝不允许任何人以任何方式把台湾从中国分割出去，不管台湾分裂势力制造什么样的“台独”事变，我们必将采取断然措施，坚决予以粉碎。

第七，强调台湾问题不能长期拖延下去。在解决台湾问题的时间表上，中共十二大曾把“争取实现包括台湾在内的祖国统一”作为 80 年代的三大任务之一。同时，邓小平也指出，虽然我们希望“早日”完成统一，但“实现和平统一需要一定时间”，“解决台湾问题要花时间，太急了不行”。这是鉴于当时在台湾执政的国民党当局及其领导人蒋经国所持的反对国家分裂、追求统一的基本立场而作出的一种考虑。

进入 90 年代以后，台湾的政治体制和岛内政局都发生了重大变动。根据岛内局势的变动，特别是岛内分离倾向有所发展，“台独”活动趋于猖獗的形势，江泽民在 1995 年适时提出了“八项主张”。在 1998 年中共十五届三中全会上，江泽民首次引人注目地提出解决台湾问题要有“时间表”：“台湾问题马上解决有困难，但不解决是不行的，早解决比晚解决好。台湾问题不能无限期地拖下去，完成祖国的统一不能无限期地拖下去，总要有一个时间表。”①2000 年 10 月，江泽民在中共十五届五中全会上，把完成国家的完全统一作为新世纪中国的三大历史任务之一。在十六大报告中，江泽民再次指出解决台湾问题的紧迫性，重申台湾问题不能无限期地拖延下去。

“台湾问题不能无限期拖延下去”的论述主要包含三层意思：一是，台湾同祖国大陆实现统一，首先是个民族问题，民族的感情问题。随着香港、澳门相继顺利回归祖国后，实现祖国统一的进程，已经进入解决台湾问题的新阶段。早日解决台湾问题，实现祖国完全统一，是全体中华儿女的共同心愿。二是，近年来，台湾局势日趋复杂，“台独”分裂势力不顾台湾同胞的福祉，一再损害祖国的主权和领土完整，一再破坏祖国和平统一的基础，某些外国反华势力也正在干涉中国统一。

① 江泽民：《在党的十五届三中全会闭幕时的讲话》，1998 年 10 月 14 日。

台湾问题早解决比晚解决好。三是，我们党和政府已将完成祖国统一确定为新世纪的三大任务之一。在中国人民实现社会主义现代化建设第三步战略目标的进程中，在海峡两岸同胞的共同努力下，祖国的统一大业一定能够早日完成。

十六大报告关于对台工作的论述，为进入新世纪推进祖国统一大业作出重大决策，并深刻揭示实现国家完全统一和民族全面复兴的历史趋势。

以江泽民为核心的第三代中央领导集体，从中华民族的根本利益出发，在对台政策上既有坚定的原则性，又有强烈的使命感；既有政治的包容性，又有政策的灵活性，充分体现出中国共产党促进两岸关系良性发展的诚意与卓越的政治智慧。其关于解决台湾问题的一系列重要论述，不断发展完善了我党的对台方针政策，丰富和发展了建设中国特色社会主义理论，有力地推动了两岸关系的发展和祖国统一的进程，具有重大的现实意义和深远的历史意义。

1992－2002 年中国共产党宗教工作理论与实践

中国共产党历来重视宗教工作。我们通常所说的党的宗教工作，指的是党和政府通过制定和执行有关的法律政策，正确对待和处理因宗教信仰而产生的社会问题，调整因宗教形式所显现的各种社会矛盾，团结信教群众和不信教群众和睦共处，构建和谐宗教与和谐社会。不同的历史时期，宗教工作的内容、性质、形式、方法都有所不同。①

党的十一届三中全会以来，特别是党的十四大到十六大期间，在各级党委、政府和爱国宗教团体的共同努力下，党的宗教政策逐步得到贯彻落实，宗教工作取得了显著成绩。这十年，党的宗教工作发生了质的变化，在理论上和实践上都有了创新和发展，表现出了党对宗教问题的与时俱进和对宗教工作的高度重视。

这十年间，党的宗教工作从拨乱反正，到逐渐完善，经历了复杂的过程。中国共产党以 1982 年出台的《中共中央关于我国社会主义时期宗教问题的基本观点和基本政策》（中发 1982 年 19 号文件）为契机，开始对宗教工作进行拨乱反正，再逐渐恢复、发展和完善党的宗教工作理论和实践，大致经历了几个过程：一是十一届三中全会到十四大期间，党根据宗教问题的具体情况，严格执行拨乱反正，尊重信仰自由政策，恢复开展正常宗教工作；二是十四大到十五大期间，中国共产党从理论上对宗教问题有了进一步认识，实践上对宗教工作具体问题具体分析，明确贯彻宗教工作“三句话”精神；三是十五大到十六大期间，以邓小平理论和“三个代表”重要思想为指导，把针对宗教工作方面的“三句话”发展到“四句话”，在宗教工作问题上提出了“社会主义的宗教论”，严格执行党的宗教政策，推动宗教工作在新时期朝着健康有序的方向发展。

① 国务院宗教事务局编：《宗教政策学习纲要》，宗教文化出版社，1995 年版，第 1 页。

一

恢复开展正常宗教工作

这一时期，中国共产党在以邓小平为核心的第二代中央领导集体和以江泽民为核心的第三代中央领导集体的领导下，高度重视宗教和宗教问题，深入研究中国宗教的具体情况，推动宗教工作向着健康有序的方向发展。党和政府大力推进宗教工作指导思想上的拨乱反正，并以中共中央19号文件的出台为契机，恢复了马克思主义宗教理论的指导地位。

“文化大革命”结束以后迎来了宗教工作的新时期。1978年2月，中共中央主席华国锋在五届人大所作的《政府工作报告》中提出：“继续贯彻执行宗教信仰自由政策。”为了贯彻这一精神，根据当时宗教工作中所出现的问题，中共中央统战部于1978年7月初，召开了有部分省、自治区、直辖市统战部负责人参加的座谈会，分析研究了当时宗教工作急需解决的问题。10月，中央统战部根据会议精神向中共中央上报了关于当前宗教工作中急需解决的政策性问题的请示报告，提出了两个重要的问题：一是认真地、全面地执行宪法所规定的宗教信仰自由政策；二是严格区分两类不同性质的矛盾，加强对宗教活动的管理。中共中央转发了这一请示报告，强调“要加强对宗教工作的领导，全面贯彻落实党的宗教政策，尊重群众的信仰，团结广大信教群众，继续贯彻对宗教界爱国人士团结、教育、改造的方针，调动一切积极因素，为实现新时期的总任务而奋斗”①。这是党和政府对宗教工作恢复的初始步骤。

为进一步推动宗教政策的落实，中共中央统战部于1978年12月1日至12日在北京召开宗教工作座谈会，是“十年动乱”后召开的一次重要的宗教工作会议。会议进一步明确了宗教工作的指导思想，肯定了二十年来宗教工作的成绩，肯定了宗教工作干部的工作，并提出要通过这次会议来推动各地宗教工作机构和宗教工作的恢复。会后，会议被定为第八次全国宗教工作会议，中共中央在转发这一文件时指出，当前宗教工作的主要任务是：“全面正确地贯彻执行党的宗教政策，团结广大信教群众，继续贯彻对宗教界人士的团结、教育、改造的方针，调动一切积极因素，为实现新时期的总任务而奋斗。”②还对恢复和健全宗教工作机构，恢复爱国宗教团体的活动，解决宗教工作经费和宗教团体房产等问题提出了具体意见。这些文件的下发和贯彻执行，使宗教工作在拨乱反正方面又向前进了一步。

1982年，中央全会总结了新中国成立以来党在宗教工作上正反两方面的工作经验，制定了《关于我国社会主义时期宗教问题的基本观点和基本政策》，即中发1982年19号文件，系统阐述了处理我国社会主义时期宗教问题的理论观点和方针政策，成为指导新时期宗教工作的纲领性文件。

在这之前，中央已经逐步为宗教工作部门摘掉“执行投降主义路线”的帽子，恢复各级党和国家宗教工作机构。1979年3月，中央批准了《中共中央统战部关于建议为全国统战、民族、宗教工作部门摘掉“执行投降主义路线”帽子的请示报告》，

---

① 《当代中国的宗教工作》(上)，当代中国出版社，1999年版，第139页。

② 同上，第142页。

认为“给统一战线工作和民族、宗教工作扣上‘执行投降主义、修正主义路线’的罪名，是完全没有根据的”。批复文件中要求“对强加给各级统战系统的干部和党外工作人员有关‘执行投降主义路线’等诬蔑不实之词，应一律推倒，彻底平反”①。4月，中共中央、国务院任命肖贤法为国务院宗教事务局党组书记、局长。6月，国务院正式批复国务院宗教事务局的机构编制。随后，各级政府宗教工作部门也逐步恢复，并在党委和政府的领导下，花了大量物力、财力和精力，落实党的各项政策。这对于调动广大宗教干部的积极性，推动党的宗教工作顺利开展，起到了非常重要的作用。

根据中共中央关于平反冤假错案的精神，各级统战和宗教工作部门对“文化大革命”中遭受打击迫害的宗教界人士进行了认真复查，凡受迫害的爱国人士一律予以平反昭雪，恢复名誉。如原青海省副省长、中国佛教协会会长喜饶嘉措因受林彪、“四人帮”极“左”路线的迫害，于1968年11月1日病逝。1979年，国务院宗教事务局和青海省委统战部对喜饶嘉措的问题进行了复查，为其平反，并于10月6日的追悼会上认为他是“我国著名的宗教界爱国民主人士，他拥护中国共产党，拥护社会主义制度，热爱祖国，维护祖国统一”，对其给予了高度的评价。政府还对错划右派问题以及一些历史积案，进行了复查纠正。如1958年4月被错误打成“右派分子”的中国道教协会第一届会长岳崇岱，得到了彻底平反，恢复了名誉。这对团结宗教界人士和广大信教群众产生了积极影响。

落实宗教团体的房产，恢复开放了宗教活动场所。1980年7月16日，国务院在转批国务院宗教事务局等单位《关于落实宗教团体房产政策等问题的报告》中指出：“对这项工作，要从政治上着眼，作为特殊问题来处理。”②在这一文件精神指引下，国务院宗教部门逐步落实了宗教团体的房产，合理安排了宗教活动场所，从物质上保证了宗教团体和信教群众进行宗教活动的需要。

恢复和建立了各宗教的爱国宗教团体和组织。1980年1月25日，中共中央批准中央统战部《关于召开各宗教团体全国性会议的请示报告》，并指出：“粉碎‘四人帮’以后，党中央十分重视宗教工作，恢复了各宗教团体和爱国组织的活动。我们认为，现在召开各宗教团体全国性会议的条件已具备。”③在党和政府的支持帮助下，中国伊斯兰教协会、中国道教协会、中国天主教爱国会、中国基督教“三自”爱国会运动委员会、中国佛教协会先后召开了全国代表会议，总结和报告了各自的工作，制定了新形势下的任务，修改了章程，选举了各自的领导机构及主要负责人。各宗教团体在地方政府的支持下，还帮助各地恢复或建立了地方组织。

恢复和新办了一些宗教院校，有计划地培养年青一代爱国爱教宗教教职人员。1980年12月19日，中共中央统战部同意国务院宗教事务局党组《关于恢复宗教学院的意见》，并指出：“根据中央文件的有关精神，拟在今年内恢复中国伊斯兰教经学院、中国佛学院、中国基督教南京金陵协和神学院和筹办中国天主教神学院，道

---

① 《新时期宗教工作文献选编》，宗教文化出版社，1995年版，第3—4页。

② 同上，第23页。

③ 罗广武：《新中国宗教工作大事概览（1949－1999）》，华文出版社，2001年版，第264—265页。

教可考虑设一研究班，有计划地培养一些政治上爱国、有一定宗教知识的神职人员和研究人员。”①到1987年底，经国务院批准的29所宗教院校已办28所，在校学生2053人。此外，一些省、自治区、直辖市办了地方性院校15所，在校学生678人。各种宗教院校已毕业的学生714人。道教知识专修班共办了4期，培训160人。这些毕业生大部分分配到宗教场所和宗教组织。全国性、地方性宗教院校的恢复和开办，为各宗教培养了一批得力人员，充实了爱国宗教职业人员队伍。

在党和政府正确的宗教政策指引下，宗教工作全面拨乱反正，取得了显著的成绩，为开创宗教工作的新局面奠定了坚实的基础。党的宗教政策逐步得到贯彻落实，纠正和平反了历史遗留的冤假错案，开放和安排了宗教活动场所，恢复和建立了爱国宗教团体，公民宗教信仰自由的权利、正常的宗教活动和宗教团体的合法权益受到法律和政策的保护。宗教界人士的爱国主义和社会主义觉悟逐渐提高，拥护共产党的领导和社会主义制度，积极协助党和政府贯彻宗教政策，在维护社会稳定和民族团结、促进祖国统一、开展国际友好往来等方面，做了大量的工作。党领导的各民族宗教界爱国统一战线进一步巩固和壮大。各民族群众得益于党的改革开放政策，享有充分的宗教信仰自由权利，信教的与不信教的群众互相尊重，积极参加社会主义物质文明和精神文明建设。

二

针对宗教工作的“三句话”

中国共产党认识到，正确对待宗教问题和宗教工作，是我国社会主义建设事业中的一个重要课题，是建设有中国特色的社会主义的一个重要内容。做好宗教工作，关乎社会稳定、民族团结、祖国统一和社会主义现代化建设事业。所以，这一时期的宗教工作主要是按照建设有中国特色社会主义理论和党的十四大精神，全面、正确地贯彻执行党的宗教信仰自由政策，依法对宗教事务进行管理，促进宗教活动正常化，促进信教群众与不信教群众之间的团结，激发广大信教群众的积极性，动员和团结他们参加社会主义现代化建设，为经济建设创造了一个安定的社会环境。

以江泽民为核心的第三代中央领导集体十分重视党的宗教工作，把宗教工作提高到社会主义社会建设事业的高度，并作出了关于宗教工作的“三句话”的重要论断。1990年12月，江泽民在全国宗教工作会议上指出：“宗教工作如果做得好，可以对社会主义建设起好作用；如果做不好，就会被国内外敌对势力所利用。因此，做好宗教工作具有重大意义。”②李鹏在会上指出：“正确对待宗教问题，是我国社会主义建设事业中的一个重要的课题，是建设有中国特色的社会主义的一个重

① 罗广武：《新中国宗教工作大事概览(1949—1999)》，华文出版社，2001年版，第285页。
② 《新时期宗教工作文献选编》，宗教文化出版社，1995年版，第199页。

要内容。”[①]1991 年 1 月，江泽民邀请我国各宗教团体领导人到中南海做客时，再次指出：“正确对待和处理宗教问题，是建设有中国特色的社会主义的一个重要内容。”[②]2 月，中共中央、国务院又颁发了《关于进一步做好宗教工作若干问题的通知》（通称中央 6 号文件），明确提出：“做好宗教工作，对于维护社会稳定、增进民族团结、促进祖国统一和四化建设都有着不容忽视的重要意义。”[③]1992 年 10 月，江泽民在中共十四大报告中提出：“认真贯彻党的宗教政策、侨务政策，为社会主义现代化建设服务。”[④]1993 年 11 月，江泽民在全国统战工作会议上强调：“民族、宗教无小事”，“高度重视民族工作和宗教工作，对当前存在问题的潜在危险性，要十分警觉，切不可掉以轻心。”并在宗教问题上提出了三句话：“一是全面、正确地贯彻执行党的宗教政策，二是依法加强对宗教事务的管理，三是积极引导宗教与社会主义社会相适应。”[⑤]这三句话是中共中央、国务院关于宗教问题和宗教工作的精辟概括，也成为开展宗教工作的基本方向。在以后党和政府关于宗教问题和宗教工作的讲话或文件中，都围绕着这三句话不同程度地展开阐述，并把“积极引导宗教与社会主义社会相适应”作为处理宗教与社会共存的重要准则。

这一时期，党和政府充分认识到了宗教工作的重要地位，全面开展宗教工作，在探索“三句话”的过程中，作出了许多成绩。

认真贯彻党的各项宗教政策，维护公民宗教信仰自由的权利。1991 年 2 月，中共中央、国务院在《关于进一步做好宗教工作若干问题的通知》中，强调“尊重和保护宗教信仰自由，是党和国家对待宗教问题的一项长期的基本政策”，要求“全面正确地贯彻执行宗教信仰自由政策”。[⑥]1994 年 7 月，江泽民在第三次西藏工作座谈会上强调：“必须全面正确地贯彻党的宗教信仰自由政策”[⑦]。1992 年中央政府批准了第十六世噶玛巴活佛的转世灵童。对一年一度的拉萨传召大法会，传统的马年转大雪山、羊年转纳木神湖和热振寺坝子等活动，政府有关部门都前往斋僧布施，尊重其与宗教有关的习俗。

依法加强对宗教事务的管理，加强宗教立法工作，完善宗教法规。1991 年党中央、国务院下发《关于进一步做好宗教工作若干问题的通知》，明确提出：“要加快宗教立法工作。”根据这一指示精神，国务院宗教事务局研究了宗教法规体系，认为需要制定若干行政法规和部门规章，需要制定一些地方性法规。根据《社会团体登记管理条例》，国务院宗教事务局出台《宗教社会团体登记管理实施办法》，对现有宗教进行了登记。1994 年 1 月 31 日，李鹏总理签署了第 144 号、145 号国务院令，颁布《中华人民共和国境内外国人宗教活动管理规定》和《宗教活动场所管理条例》两个行政法规，逐步完善宗教方面的具体

① 《新时期宗教工作文献选编》，宗教文化出版社，1995 年版，第 190 页。
② 同上，第 210 页。
③ 同上，第 214 页。
④ 江泽民：《加快改革开放和现代化建设步伐，夺取有中国特色社会主义事业的更大胜利》（1992 年 10 月 12 日），《江泽民文选》，人民出版社，2006 年版，第 236 页。
⑤ 《新时期宗教工作文献选编》，宗教文化出版社，1995 年版，第 250—253 页。
⑥ 同上，第 215 页。
⑦ 同上，第 287 页。

法规，使宗教工作真正做到有法可依。合理安排宗教活动场所，加强对宗教活动场所的管理，截至1995年底，全国共有开放的寺观教堂和活动点77981处：佛教寺院11471座，道教宫观1594座，伊斯兰教清真寺34014座，天主教堂4421座，基督教教堂活动点26481处。① 还针对一些地方乱建寺庙的问题，进行了调查和整顿。

积极引导宗教与社会主义社会相适应，巩固发展同宗教界的爱国统一战线。党和政府坚持“政治上团结合作、信仰上相互尊重”的原则。1991年1月30日，江泽民在会见我国各宗教团体主要领导人时的谈话中指出：“我们处理同宗教界朋友的关系的原则是政治上团结合作，思想信仰上相互尊重。”②这是中国共产党几十年来处理同宗教界人士关系实践经验的高度概括。1993年1月19日，李瑞环在全国性宗教团体领导人迎春座谈会上的谈话中，精辟地阐述了政治上团结合作、信仰上相互尊重的辩证关系，认为：“只有政治上真诚团结合作，才能真正做到在信仰上相互尊重；而只有在信仰上相互尊重，才能有效巩固和加强政治上的团结合作。这两者相辅相成，缺一不可。只要我们坚定不移地执行这个原则，我们就一定能够团结宗教界爱国人士和广大信教群众，不断巩固和扩大新时期的爱国统一战线”③。党和政府十分重视同宗教界政治上的团结合作，发挥他们的桥梁作用，通过宗教组织把党和政府的方针传达给宗教界和信教群众。各级人大和政协选举安排宗教界人士一起参加国家大事的协商和讨论。涉及宗教方面的重大政策和问题，党和政府都注意征求宗教界的意见，尤其是从1991年起，党和国家领导人每逢春节期间都邀请宗教界领导人到中南海做客，并就宗教问题听取他们的意见。

加强对信教群众和宗教界人士的爱国主义和社会主义教育，调动其积极因素。1991年，中共中央、国务院《关于进一步做好宗教工作若干问题的通知》中强调：“要支持和帮助爱国宗教团体办好宗教院校，有计划、有组织地培养一支热爱祖国、接受党的领导、坚持社会主义道路、维护祖国统一和民族团结、有宗教学识、并能联系信教群众的宗教教职人员队伍。”④1994年8月，中共中央印发了《爱国主义教育实施纲领》，要求全党和全国人民认真组织和贯彻实施。11月25日，国务院宗教事务局召开宗教界学习贯彻《爱国主义教育实施纲要》座谈会，交流各宗教组织开展爱国主义教育的做法和经验。各宗教组织和宗教院校都开展了一系列的参观、学习活动，使宗教界和信教群众受到了一次生动的爱国主义教育，增强了爱国守法、拥护社会主义、拥护祖国统一和民族团结，坚持独立自主自办教会的自觉性。

支持宗教界人士开展有益的工作。积极支持宗教界参加社会主义建设。积极支持宗教界开展社会公益事业和救灾工作。1991年夏季，南方几省发生特大洪涝灾害，中国佛教协会向各省、自治区、直辖市佛教协会和各名山大寺发出《紧急通知》，呼吁全国佛教徒发扬“人溺己溺”、

① 《当代中国的宗教工作》(上)，当代中国出版社，1999年版，第172页。

② 《新时期宗教工作文献选编》，宗教文化出版社，1995年版，第210页。

③ 同上，第243页。

④ 同上，第218页。

"救苦救难"的慈悲精神，积极行动起来，救济灾区人民。1998 年入汛以后，特大洪水袭击了长江中下游地区和嫩江、松花江流域，广大宗教界人士踊跃捐款捐物，展示出宗教界人士和信教群众与灾区人民心连心的深厚情谊和爱国精神。支持宗教界开展宗教方面的国际友好交往，抵制境外敌对势力的渗透。1995 年 9 月 2 日，吴邦国在参加西藏自治区成立 30 周年庆祝活动时，赠送江泽民为西藏宗教界的题词"爱国爱教，团结进步"，要求"宗教界的爱国人士要自觉地维护祖国统一、维护民族团结，为信教与不信教群众之间的团结作贡献"。要求宗教界"坚决揭露和打击利用宗教作掩护，破坏民族团结、分裂祖国的行为"①。中国共产党一贯支持宗教界的友好交往活动。中国佛教界多领域、多渠道、多层次、多形式地开展了同海外佛教界的交流与联谊活动。中国基督教对外交往以及与港澳台同胞的联系也日益增多。仅 1991 年以来接待的访问团组 60 多个 2422 人次；应邀出访团组 4 个 150 余人次，同新加坡、韩国、马来西亚、日本、美国等国家以及香港、台湾地区的道教界建立了联系。中国基督教界也先后接待了欧、亚一些国家的基督教领袖和基督组织代表团。中国天主教、中国伊斯兰教也加强了同各国宗教界的联系，向外宣传了中国的宗教政策和方针。②

这一时期，党和政府结合我国改革开放和现代化建设的新实践，对宗教工作作出了一系列重要决策和部署，推动宗教工作取得了新的成就。通过全面、正确地贯彻执行党的宗教信仰自由政策，调动一切积极因素，最大限度地把宗教界人士和广大信教群众的意志和力量，集中到加快改革开放、发展经济、建设有中国特色的社会主义的宏伟事业上来；国家对宗教事务的管理逐步走上法制化、规范化的轨道；引导宗教与社会主义社会相适应的工作取得新的进步，党同宗教界的爱国统一战线不断巩固和发展。

三

初步提出"社会主义的宗教论"的基本框架

在这一阶段，党和政府以邓小平理论和"三个代表"重要思想为指导，面对新世纪宗教问题的新形势，提出了宗教工作的基本任务，发展宗教工作的"三句话"，完善为"四句话"，初步探索"社会主义的宗教论"的重大课题，推动新时期宗教工作向前发展。

党和政府从全局高度来认识宗教工作的重要性。2000 年 12 月，江泽民在中央统战工作会议上强调宗教工作的重要地位，指出："做好宗教工作，是维护改革发展稳定大局的需要。"③2001 年 12 月，江泽民在全国宗教工作会议上强调，"宗教工作是党和国家工作中的重要组成部分，在党和国家事业发展的大局中有着重要地位。"还指出："做好宗教工作关系到保持党同人民群众的血肉联系，关系到推进两个文明建设，关系到加强民族团结、保持社会稳定、维护国家安全和祖国统

---

① 《爱国爱教　团结进步》，《中国宗教》，1995 年第 3 期。

② 《当代中国的宗教工作》(上)，当代中国出版社，1999 年版，第 211—212 页。

③ 江泽民：《进一步开创统一战线工作的新局面》，《江泽民文选》(第三卷)，人民出版社，2006 年版，第 150 页。

一，关系到我国的对外关系。”①党和政府把宗教工作放到全局的高度来考虑，提高了宗教工作的地位。

党和政府发展宗教工作的“三句话”完善为“四句话”，为宗教工作指明了方向。2000 年 12 月，中央统战工作会议上，江泽民强调宗教工作的“三句话”，要求“进一步巩固和发展我们党同宗教界的爱国统一战线，全面贯彻执行党的宗教政策，保障公民宗教信仰自由，依法管理宗教事务，积极引导宗教与社会主义社会相适应”②。并进一步阐释我国宗教与社会主义社会相适应的含义，“一是宗教界人士和信教群众要遵守国家的法律、法规和方针政策；二是宗教活动要服从和服务于国家的最高利益与民族的整体利益，宗教界人士要努力挖掘和发扬宗教中的积极因素，为祖国统一、民族团结和社会发展多作贡献”③。2001 年 12 月，江泽民在全国宗教工作会议上强调新时期宗教工作的基本任务是：“全面贯彻党的宗教信仰自由政策，依法管理宗教事务，积极引导宗教与社会主义社会相适应，坚持独立自主自办的原则……”④在基本任务中，江泽民实际上就初步提出了宗教工作的“四句话”。2002 年 11 月，江泽民在党的十六大会议上，明确提出了“四句话”，即“全面贯彻党的宗教信仰自由政策，依法管理宗教事务，积极引导宗教与社会主义社会相适应，坚持独立自主自办的原则”⑤。在原来的基础上增加了“坚持独立自主自办的原则”，丰富了宗教工作的基本理论，为新时期宗教工作的开展定下了大方向、大原则。

以江泽民为核心的第三代中央领导集体，站在历史和时代的高度，以与时俱进的科学精神，从全局的高度认识宗教工作，提出了宗教工作的“四句话”，回答了新时期宗教工作的一系列重大理论和实践问题，初步提出了“社会主义的宗教论”的基本框架，理论上丰富和发展了马克思主义宗教观，实践上对指导宗教工作具有重要意义。

全面正确地贯彻党的宗教信仰自由政策，保证正常的宗教活动和宗教团体的合法权益。江泽民在 2001 年的全国宗教工作会议上指出：“尊重和保护公民的宗教信仰自由权利，是我们党维护人民利益、尊重和保护人权的重要体现，也是最大限度团结人民群众的需要。”⑥通过广泛的宣传和教育，各级党政干部贯彻党的宗教信仰自由政策的自觉性有了很大提高。尊重公民信仰宗教和不信仰宗教的自由的权利，已经成为全社会的广泛共识，宗教工作的社会氛围越来越好。各级人民代表大会、政治协商会议都有宗教界人士。在全国当选为各级人民代表大会代表和政治协商会议委员的宗教界人士有 17000 余人。近年来，政府有关部门办理答复全国人大代表和全国政协委员有关宗教方面的议案、提案超过 50 件。⑦ 在党中央的正确领导下，圆满完成了藏传佛教

① 江泽民：《论宗教问题》，《江泽民文选》（第三卷），人民出版社，2006 年版，第 381 页。
② 江泽民：《进一步开创统一战线工作的新局面》，《江泽民文选》（第三卷），人民出版社，2006 年版，第 150 页。
③ 同上，第 151 页。
④ 江泽民：《论宗教问题》，《江泽民文选》（第三卷），人民出版社，2006 年版，第 382 页。
⑤ 江泽民：《全面建设小康社会开创中国特色社会主义事业新局面》，《江泽民文选》（第三卷），人民出版社，2006 年版，第 554 页。
⑥ 江泽民：《论宗教问题》，《江泽民文选》（第三卷），人民出版社，2006 年版，第 383 页。
⑦ 《我国宗教工作出现新局面》，《中国宗教》，2002 年第 1 期。

十世班禅转世灵童的寻访认定工作。一些地方出现的伤害信教群众宗教感情的事件，都得到了处理。

依法管理宗教事务，使宗教事务管理法制化、规范化。依法进行管理的要旨是"保护合法，制止非法，抵御渗透，打击犯罪"①。党和政府加强宗教立法工作，继1994年制定的两个条例后，又出台五件部门规章。2000年《中华人民共和国境内外国人宗教活动管理规定实施细则》的发布，是依法加强对宗教事务管理的重要举措。8月，国家宗教事务局批转颁布了中国佛教协会教制建设的三个文件：《全国汉传佛教寺院传授三坛大戒管理办法》、《全国汉传佛教寺院住持任职退职的规定》、《全国汉传佛教实行度牒谱籍制度的办法》，表明当代汉传佛教的管理在法制化、规范化的道路上迈出了重要一步。地方法规立法工作也迈出了坚实的步伐。地方人大、政府颁布的有关宗教活动场所、宗教教职人员、宗教活动、宗教印刷品等单项地方性宗教法规、政府规章已达27件，由省人大常委会批准颁布和地方政府颁发的综合性地方宗教法规、政府规章20件，宗教法规、规章几乎遍及全国各省、自治区、直辖市，为保护合法，制止非法，抵御渗透，打击犯罪提供了有力的法律保障。② 各级政府依法加大对宗教事务的管理，对于伤害信教群众宗教感情和民族习惯、侵犯宗教界合法权益和公民宗教信仰自由权利的事件，一旦发现，都依法严肃处理。如因出版伤害信教群众宗教感情的读物而引发事端的有关责任人都受到了法律的惩处。同时，在党和政府的正确领导下，依法打击了打着宗教旗号进行的分裂活动、违法犯罪活动，有力地保护了正常的宗教活动。

"积极引导宗教与社会主义社会相适应"取得新进展。江泽民在2001年的宗教工作会议上要求宗教界"热爱祖国，拥护社会主义制度，拥护中国共产党的领导，遵守国家的法律法规和方针政策"，"支持他们努力对宗教教义作出符合社会进步要求的阐释"，"要鼓励和支持宗教界继续发扬爱国爱教、团结进步、服务社会的优良传统，在积极与社会主义社会相适应方面不断迈出新的步伐"③。党和政府积极支持各宗教发扬爱国爱教优良传统，推动各宗教加强自身建设。国家宗教事务局以加强"解经"和"朝觐"工作为重点推进了伊斯兰教工作；支持藏传佛教进行寺庙爱国主义教育，指导了中国佛教协会成功换届，使佛教道教工作有所加强；支持天主教进一步开展了爱国主义和独立自主自办教育，推动了民主办教；指导中国基督教"两会"顺利换届，支持进行神学思想建设；以政治课教材的编写为主线，带动宗教院校工作。党和政府支持宗教界开展"宗教反邪"活动，坚决拥护中央处理邪教的决策，以赵朴初先生为代表的广大宗教界最早开展对"法轮功"的揭露和批判，在同"法轮功"邪教的斗争中发挥了独特的重要作用。党和政府支持宗教界树立为经济建设服务的指导思想，为经济建设营造稳定的社会环境；团结宗教界人士和信教群众投身于改革开放和经济建设事业，服务西部大开发，推动宗教界直接参与经济建设。信仰不同宗教的各族工人、农民、知识分子、科技工作者在各自工作

① 江泽民：《论宗教问题》，《江泽民文选》（第三卷），人民出版社，2006年版，第386页。

② 龚学增：《社会主义与宗教》，宗教文化出版社，2003年版，第216页。

③ 江泽民：《论宗教问题》，《江泽民文选》（第三卷），人民出版社，2006年版，第387页。

岗位上，辛勤劳动，努力工作，涌现出许多劳动模范、先进工作者、先进生产者、三八红旗手、青年突击手。①

支持宗教界开展对外交往活动。“要继续鼓励和支持宗教界在独立自主、平等友好、互相尊重的基础上开展对外交往，增进与各国人民及宗教界的相互了解和友谊，为维护世界和平作出积极贡献”②。在党和政府的支持下，各宗教组织出访数十个国家和地区，参与了一些国际宗教组织的活动，增强了与各国人民和宗教界的相互了解和友谊，为维护世界和平作出了积极贡献。2000 年中国宗教领袖代表团参加世界宗教领袖千年和平大会，提出了中国宗教界维护世界和平的主张，在国际社会产生很大影响。10 月，中国佛教协会组团参加中韩日三国佛教新世纪世界和平祈愿法会，增进了中韩日三国佛教徒的友谊。积极参加国际人权领域的合作与斗争，宣传中国宗教政策和宗教信仰自由状况，驳斥境外势力对中国人权状况的诬蔑和攻击，赢得了国际社会的理解和支持。

继续坚持独立自主自办的原则。2001 年 12 月，江泽民在全国宗教会议上强调要“坚持独立自主自办的原则，坚决抵御境外利用宗教进行渗透”③。党和政府支持中国宗教团体坚持独立自主自办的原则，坚决抵御境外利用宗教对我进行的渗透。支持天主教的正义立场，取得了抵制梵蒂冈“封圣”斗争的胜利，得到了国际舆论的同情与支持。

加强党对宗教工作的领导。“加强党对宗教工作的领导，是做好新世纪初宗教工作的根本保证。”④江泽民一再强调，“各级党政领导干部要认真学习马克思主义宗教观”，“特别是各级政府的主要负责同志，都要重视宗教问题，关心宗教工作”。⑤各级党和政府高度重视宗教工作，坚持不懈地对党员、干部进行马克思主义宗教观和党的宗教政策的宣传教育，把宗教理论政策纳入各级党校和行政学院的教学内容。完善工作机制，健全管理机构，提高宗教工作干部队伍素质，逐渐形成一支“适应新形势下宗教工作要求，具有很强的政治和大局意识、较高的理论政策水平、丰富的宗教专业知识、严谨细致的工作作风的宗教工作干部队伍”⑥。各级领导干部还加强同宗教界代表的联系，及时掌握他们的思想状况，经常听取宗教界人士的意见和建议。

中共十一届三中全会以来，特别是十四大以来，在宗教问题上，党和政府从拨乱反正、恢复正常宗教工作，到丰富发展宗教工作的理论与实践，再到新世纪新形势下宗教工作的创新和逐渐完善；从对宗教问题和宗教工作的基本认识，到对各项政策的准确理解并加以贯彻；从针对宗教工作方面的“三句话”，到逐步健全的“四句话”等，取得了优异的成绩。党的宗教信仰自由政策逐步得到贯彻，依法管理宗教事务逐步走上法制化、制度化，积极引导宗教与社会主义社会相适应也取得明显成果，独立自主自办原则也继续得以坚

---

① 《我国宗教工作出现新局面》，《中国宗教》，2002 年第 1 期。
② 江泽民：《论宗教问题》，《江泽民文选》（第三卷），人民出版社，2006 年版，第 389 页。
③ 同上，第 389 页。
④ 同上，第 391 页。
⑤ 《要重视宗教问题，关心重视宗教工作》，《中国宗教》，2000 年第 1 期。
⑥ 江泽民：《论宗教问题》，《江泽民文选》（第三卷），人民出版社，2006 年版，第 396 页。

持。这是中国共产党经历了曲折复杂的历史过程后,科学总结实践经验、创新发展宗教理论、丰富完善宗教工作的必然结果,是对马克思主义宗教观的理论与实践的一大创新,为新时期宗教工作的探索和飞跃奠定了深厚的理论和实践基础。

教育战略与教育改革

从1992年邓小平南方谈话到2002年党的十六大召开前,我国教育事业进入深化改革,实现跨越式发展的阶段。在这十年间,我国在建设中国特色社会主义教育理论上取得了新的突破,形成了"三个代表"重要思想指导下的教育理论,在马克思列宁主义教育理论、毛泽东教育思想,特别是邓小平教育理论的基础上,进一步科学地阐明了教育在建设中国特色社会主义和全面建设小康社会中的地位和作用,全面论述了我国教育改革发展的一系列重大理论和实践问题,深刻揭示了我国社会主义教育的本质和发展规律,内容丰富,思想深刻,论述全面,构成了完整的科学体系,为我们正确认识和应对我国教育改革发展的一系列重大问题指明了方向,提供了科学理论和方法。

在邓小平教育理论和"三个代表"重要思想教育理论指导下,我国制定并颁布了《中国教育改革和发展纲要》和《面向21世纪教育振兴行动计划》,提出教育改革与发展蓝图和宏观思路;实施科教兴国战略和人才强国战略,对我国教育的改革与发展产生了巨大的推动作用;加快依法治教进程,为我国教育改革与发展提供根本保障;进一步深化教育体制改革,即深入改革以往那种适应社会主义计划经济体制下高度集中的教育体制,逐步建立起适应社会主义市场经济体制、政治体制和科技体制的教育新体制,进一步增强了教育主动适应社会主义市场经济和社会发展的活力;作出《中共中央国务院关于深化教育改革全面推进素质教育的决定》,素质教育作为党和国家的战略决策,进入国家推进、重点突破、全面展开的新阶段;我国加快教育事业发展步伐,教育普及程度实现了历史性的跨越式发展,基本形成了中国特色社会主义教育体系的框架。

一

实施科教兴国战略和人才强国战略

1995年5月,我国确立了实施科教兴国的战略;2001年3月,我国将人才战略确立为国家战略。这两个战略是以党中央全面分析国内外形势,在社会主义现代化建设新的历史时期作出的重大战略决策,对我国教育的改革与发展产生了巨大的推动作用。

1. 实施科教兴国战略

实施科教兴国战略是党中央以邓小平科技教育思想为指导,科学分析世界经济状况和发展趋势,总结历史经验和我国现实情况作出的重大战略部署。

1978年3月18日,邓小平在全国科学大会上所作的开幕词中指出,四个现代化的关键是科学技术现代化,并着重阐述了"科学技术是生产力"这一马克思主义的观点。1985年3月7日,他在全国科技工作会议上，又进一步肯定了“科学技术是生产力”的论述。1988年9月，他说：“马克思说过，科学技术是生产力，事实证明这话讲得很对。依我看，科学技术是第一生产力。”①1992年春，他在视察南方的谈话中又说：“经济发展得快一点，必须依靠科技和教育。我说科学技术是第一生产力。”

“科学技术是第一生产力”是邓小平从历史唯物主义认识论的高度，从当代世界科技发展的状况，以及知识经济社会的最大特点出发，所得出的科学结论。这个精辟论断揭示了科学技术在现代社会中的重要作用，奠定了科教兴国战略的理论基础

根据邓小平关于“科学技术是第一生产力”的思想，党中央在1985年先后发布了关于科技体制改革和教育体制改革的决定，确立了“经济建设必须依靠科学技术，科学技术工作必须面向经济建设”和“教育必须为社会主义建设服务，社会主义建设必须依靠教育”的战略方针；要求各级党政领导在工作中把经济发展、科技进步与教育事业三者统筹考虑、紧密结合，力求形成良性循环的运行机制。

据此，在中央正式明确提出“实施科教兴国战略”之前，全国已有不少地区提出了“科教兴省”、“科教兴市”和“科教兴县”的目标。1988年，江苏省率先提出实施“科教兴省”战略，决定转换经济增长方式，从过去主要依靠廉价资源和廉价劳动力逐步转换到主要依靠科技水平和提高劳动者素质上来。由此可见，实施科教兴国发展战略，有着深厚的社会基础与广泛共识，已成为我国经济和社会发展的必然趋势和迫切的客观需求。

以江泽民为核心的党中央，继往开来地选择了走科教兴国战略的道路，坚定不移地迈出了实施科教兴国战略的步伐。

1995年5月6日，中共中央、国务院作出《关于加速科学技术进步的决定》，第一次明确提出要“坚定不移地实施科教兴国战略”。5月26日—30日，党中央、国务院在北京隆重召开了全国第三次科技大会。这是一次具有历史意义的盛会，是动员全党、全国人民贯彻《决定》精神、向世界新科技革命进军、向社会主义现代化进军的动员大会。江泽民在讲话中首次对科教兴国的内涵作了阐发。他指出：“科教兴国，是指全面落实‘科学技术是第一生产力’的思想，坚持教育为本，把科技和教育摆在经济、社会发展的重要位置，增强国家的科技实力及向现实生产力转化的能力，提高全民族的科技文化素质，把经济建设转移到依靠科技进步和提高劳动者素质的轨道上来，加速实现国家的繁荣和富强。”②实施科教兴国战略的意义就在于“大大提高我国经济发展的质量和水平，使生产力有一个新的解放和更大的发展”③。“没有强大的科技实力，就没有社会主义的现代化”。“这是顺利实现三步走战略目标的正确抉择”④。

为了全面落实科教兴国战略，党和政府始终坚持把实施科教兴国战略作为主要任务，并采取一系列政策措施。

1995年9月28日，党的十四届五中全会通过的《中共中央关于制定国民经济

---

① 《邓小平文选》(第三卷)，人民出版社，1993年版，第274页。

② 中共中央文献研究室编：《江泽民论有中国特色社会主义》，中央文献出版社，2002年版，第232页。

③ 同上。

④ 同上。

和社会发展“九五”计划和2010年远景目标的建议》，正式把“实施科教兴国战略，促进科技、教育与经济紧密结合”作为实现未来十五年国民经济和社会发展的指导方针。

1996年，党的十四届六中全会提出了面向21世纪实施科教兴国的政策建议。全国人大八届四次会议正式通过《中华人民共和国国民经济和社会发展“九五”计划和2010年远景目标纲要》，确定了我国中长期教育发展目标和改革的总体思路，其中把实施科教兴国战略作为我国的一项基本国策。

1997年9月，党的十五大进一步强调实施和贯彻科教兴国战略，把发展教育和科学作为文化建设的基础工程。江泽民在报告中再次把科教兴国战略和可持续发展战略作为跨世纪的国家发展战略。

1998年3月，第九届全国人大一次会议刚闭幕，新任国务院总理朱镕基就向中外记者宣布：“科教兴国是本届政府的最大的任务。”6月，国务院成立了国家科技教育领导小组，朱镕基亲自担任组长，李岚清任副组长，并于6月9日举行第一次会议，决定加大对科技和教育的投入力度，表明党和政府实施科教兴国的坚强决心。

国家科技教育领导小组成立后，加强了对全国科技、教育工作的领导，以及与经济发展的协调，先后召开了十多次会议，审议了几十项有关科技教育的重大议题，作出了一系列实施科教兴国战略的重要决策。例如，1999年，党中央、国务院先后就深化教育改革和加强技术创新作出决定，相继召开了全国教育工作会议和全国技术创新大会，明确教育工作的重点是深化教育体制改革，全面推进素质教育；科技工作的重点是加强技术创新，发展高科技，实现产业化。

上述这些政策措施从体制、机制、政策以及思想观念等多方面促进了科技、教育与经济、社会发展的结合，促进我国科技和教育事业实现跨越式发展。

“科教兴国战略”自1995年作为一项全国性的战略提出后，农业、工业、国防、财贸等行业和部门都提出了依靠科技振兴行业的发展战略。自国家科技教育领导小组成立后，各省、自治区、直辖市及各地（市）、县（市）也相继成立了科技领导小组或科教兴省（区、市）领导小组，并结合本地实际，研究制定了科教兴省、科教兴市、科教兴县的发展战略和发展方针，从而加速了地方科技、教育和经济的发展。

经过十几年的发展，我国经济增长方式正在实现从粗放型向集约型的根本性转变。我国科技事业实现了新的跨越，教育事业不断跃上新的台阶，已经成为推动我国经济总量提高和现代化建设各项事业迅速发展、社会全面进步的关键性因素，为社会主义现代化建设提供了强有力的人才支持和智力贡献。

实践证明，实施科教兴国战略，是我国在激烈的国际竞争中立于不败之地的需要，是实现我国社会主义现代化宏伟目标的必然选择，也是中华民族振兴的必由之路。

2. 实施人才强国战略

20世纪下半叶以后，科学技术迅猛发展，特别是以信息技术为主导的高新技术日新月异，而人才作为高新技术的创造者、发明者、传播者和使用者，已经成为当代科技进步与经济社会发展最重要的资源。但是，我国人才的总量、结构和素质还不能适应经济社会发展的需要，特别是现代化建设急需的高层次、高技能和复合型人才短缺；市场配置人才资源的基础性作用发挥不够，人才流动的体制性障碍尚未消除，人尽其才的用人机制有待完善。

面对全球性人才竞争的严峻考验，江泽民以敏锐的战略眼光作出“人才资源是第一资源”的科学论断。2001 年 8 月 7 日，江泽民在北戴河同国防科技专家和社会科学专家座谈时指出：要更新人才工作的思想观念，确立人才资源是第一资源的思想，克服见物不见人和重使用轻培养的倾向；要探索更加灵活的人才工作思路，拓宽工作渠道，创新工作手段，扩大工作覆盖面，形成更为灵活的人才管理体制；要营造符合人才成长特点的环境，努力营造一种尊重特点、鼓励创新、信任理解的良好环境；党的知识分子工作的重点，是建设适应党和人民事业的发展需要、高素质的各方面专业技术人才队伍。江泽民关于“人才资源是第一资源”的科学论断奠定了实施人才强国战略的理论基础。

为适应新世纪新阶段的需要，2000 年，党的十五届五中全会提出，要把培养、吸引和用好人才作为一项重大的战略任务切实抓好，努力建设一支宏大的、高素质的人才队伍。2001 年 3 月，九届人大四次会议批准的国家“十五”计划纲要专门列出“实施人才战略，壮大人才队伍”一章，提出要加快培养和选拔适应改革开放和现代化建设需要的各类人才，加快建立有利于优秀人才脱颖而出、人尽其才的有效机制。这是我国首次将人才规划作为国民经济和社会发展规划的一个重要组成部分，将人才战略确立为国家战略。

2001 年底，中国加入世界贸易组织，从此，全方位、深层次、宽领域的对外开放格局初步形成。加入世界贸易组织后，我国经济和社会发展对高层次人才的需求更加强烈，经济结构调整对人才结构调整的要求也更加迫切。2002 年 7 月，为适应我国加入世界贸易组织后的新形势，保证中国特色社会主义事业的健康发展，中央制定下发了《2002—2005 年全国人才队伍建设规划纲要》，明确提出实施人才强国战略，并对新时期我国人才队伍的建设进行了全面部署。这是党中央为迎接全球化带来的国际人才竞争，制定的第一部综合性人才规划纲要，标志着我国人才工作进入新的发展阶段。

实施人才强国战略是党和国家继实施科教兴国战略后提出的又一项重大战略决策，确立了新的历史条件下人才工作的基本思路和宏观布局。人才强国战略是科教兴国战略的“制高点”，只有二者紧密结合、相互促进，才能为提升综合国力和国际竞争力奠定更为坚实的基础。

二

全面推进依法治教

教育法制建设是国家整个法制建设的有机组成部分，也是建设中国特色社会主义教育体系的重要组成部分。它包括教育立法、教育行政执法、教育执法监督、教育法律知识的宣传和普及等诸多方面。用教育法律法规来规范教育管理，协调教育关系，调解教育纠纷，保护师生和学校的合法权益，是我国教育改革与发展的重要内容和根本保障。

1. 教育立法

在“文化大革命”中，国家的法制遭到践踏，致使教育管理陷于瘫痪，教育事业遭到严重破坏。党的十一届三中全会后，我国的法制建设重新起步。在邓小平有关法制建设重要理论的指导下，教育立法工作很快就开始启动。

20 世纪 80 年代是教育立法的起步阶

段。全国人大常委会先后通过了两部重要的法律:《中华人民共和国学位条例》(1980)和《中华人民共和国义务教育法》(1986)。特别是1980年颁布的《中华人民共和国学位条例》,是新中国成立后我国第一部教育专项法律,标志着改革开放时期教育立法的开端,极大地促进了改革开放后我国高等教育特别是研究生教育的迅速恢复和繁荣发展。

进入20世纪90年代以后,在社会主义市场经济不断完善和民主、法制建设不断加强的新形势下,我国加快了教育立法的进程,丰富和完善了教育法律法规体系。全国人大及其常委会相继出台了我国的教育基本大法——《中华人民共和国教育法》(1995)和五部教育专门法律:《中华人民共和国教师法》(1993)、《中华人民共和国职业教育法》(1996)、《中华人民共和国高等教育法》(1998)、《国家通用语言文字法》(2000)、《中华人民共和国民办教育促进法》(2002)。

1993年10月,第八届全国人民代表大会常务委员会第四次会议审议通过了《中华人民共和国教师法》,自1994年1月1日起施行。这是我国历史上第一部专门为教师制定的重要法律。它以提高教师的法律地位和教师队伍的素质与待遇为宗旨,规定了教师的权利与义务、教师的资格和任用、教师的培养和培训、教师的考核、教师的奖励。并且明确规定了逐步提高教师工资、津贴、退休金,及有关住房、医疗保健等的优惠原则。《教师法》的颁布和实施,使共和国教师队伍的建设走上了法制化、规范化的轨道,为建立一支高素质的教师队伍提供了法律保障。为了有效地贯彻《教师法》,国务院于1993年11月21日发出了《关于贯彻实施〈中华人民共和国教师法〉若干问题的通知》。《通知》要求"各省、自治区、直辖市人民政府和国务院有关部门要高度重视,以提高教师的素质、改善教师的工作条件和生活待遇为重点,全面贯彻落实《教师法》"①。

1995年3月18日,第八届全国人大第三次会议审议通过的《中华人民共和国教育法》是在党中央的高度重视和关怀下,总结了我国教育改革与发展的经验,并借鉴了国外立法的经验而制定的。《教育法》的出台历时十年,修改了十二稿,以法律的形式确立了教育是立国之本、国家保障教育优先发展的原则,对关乎我国教育全局性的重大问题作出了法律上的规定。这是一部依据《中华人民共和国宪法》制定的调整各类教育关系,全面规范我国教育改革与发展的基本原则,并以法律的形式提出国家教育方针的教育基本法,是我国教育法律法规体系中最高层次的"教育宪法"或"教育母法"。《教育法》共10章84条:总则规定了我国教育发展的一系列基本原则,教育的社会主义性质、地位与作用;其余各章规定了我国教育的基本制度,学校和其他教育机构的法律地位、权利和义务,我国教师和其他教育工作者的合法权益和管理制度,受教育者的权利、义务和保障,国家机关和各种社会组织在教育活动中的权利和义务,教育投资体制和教育条件保障制度,规定了教育对外交流与合作的原则和内容,违反教育法律与法规应付的法律责任及追究制度,军事教育、宗教教育、境外组织和个人在中国办学等内容。《教育法》的颁布与实施是我国社会主义教育法制建设的里程碑。国务院副总理李岚清说:"《教育

① 何东昌主编:《中华人民共和国重要教育文献》(1991—1997),海南出版社,1998年版,第3575页。

法》的制定和颁布，标志着我国的教育事业进一步走上全面依法治教的轨道，对于确保教育在国民经济和社会发展中的战略地位，落实国家有关发展教育的重大决策，促进教育的改革与发展，实现建立社会主义市场经济体制和社会主义现代化建设的宏伟目标，具有重大的现实意义和深远的历史意义。”①

1996年5月，第八届全国人大常委会第十九次会议审议并通过了《中华人民共和国职业教育法》，自1996年9月1日起施行。它以我国《教育法》和《劳动法》为基本依据，对职业教育的地位作用、体系结构、方针原则、办学职责、管理体制和经费渠道等有关职业教育的重大问题作了明确的规范，理顺了职业教育的管理体制，明确了国家和行业组织发展职业教育的责任。它的颁布和实施标志着我国的职业教育已经步入了法制化的轨道，对于职业教育的改革和发展提供了强有力的法律保障，对促进各种职业人才培养、落实科教兴国战略、实现教育的两个转变(教育要全面适应现代化建设对各级各类人才培养的需要，要全面提高办学的质量和效益)，具有重要意义。

1998年8月29日，第九届全国人大常委会第四次会议审议通过了《中华人民共和国高等教育法》，1999年1月1日起施行。这部专门法律在总结共和国高等教育改革成功经验的基础上，规定了高等教育的性质与地位、高等教育改革与发展的基本原则、高等教育的基本制度、高等教育的投入和条件保障、高等学校的设立条件、高等学校的法律地位和办学自主权、高等学校教师和学生的权利与义务等内容。这部专项法律是我国高等教育的根本大法，它体现了21世纪对高等教育的要求，具有鲜明的时代特色。1998年11月27日，全国人大教科文卫委员会、教育部、司法部发出《关于学习、宣传和贯彻实施〈中华人民共和国高等教育法〉的通知》。1999年5月25日，教育部发出《关于实施〈中华人民共和国高等教育法〉若干问题的意见》，要求各省、自治区、直辖市教育行政部门加强领导，做好《中华人民共和国高等教育法》的学习、宣传和落实工作，促进高等教育的改革和发展。《高等教育法》的颁布，提前实现了《中国教育改革和发展纲要》提出的“争取到本世纪末，初步建立起教育法律、法规体系”的要求。

21世纪以后，教育立法逐步完善。2000年10月31日，第九届全国人民代表大会常务第委员会第十八次会议通过《国家通用语言文字法》，自2001年1月1日起施行。该法包括：总则、国家通用语言文字的使用、管理和监督、附则四章，共28条。《国家通用语言文字法》是我国第一部关于语言文字工作的专门法律，科学地总结了新中国成立五十多年来语言文字工作的成功经验。该法的颁布和实施标志着我国语言文字工作全面走上法治轨道，有利于维护国家主权和民族尊严，有利于国家统一和民族团结，有利于社会主义物质文明建设和精神文明建设，对于推动国家通用语言文字的规范化、标准化及其健康发展，具有重要意义。《国家通用语言文字法》颁布后，多数地方和系统重视宣传、贯彻和实施。至2002年，全国有25个省、自治区和直辖市制订了当地《〈国

---

① 李岚清：《落实教育优先发展战略地位的法律保障》，《〈中华人民共和国教育法〉释义》，科学普及出版社，1995年版，第14页。

家通用语言文字法〉实施办法》或修订了已颁布的相关地方性法规和规章。

2002年,《中华人民共和国民办教育促进法》的颁布进一步推动了我国民办教育的健康、快速和持续发展。

与此同时,全国人大和全国人大常委会发布的其他一些非教育的法律,如《婚姻法》、《兵役法》、《未成年人保护法》中也有关于教育的条款,其法律效力相当于教育专门法律。还有全国人大和全国人大常委会发布的有关教育的决定、决议等也都属于教育法律的范畴。国务院还发布或批准了《残疾人教育条例》、《教学成果奖励条例》、《教师资格条例》、《幼儿园管理条例》、《学校体育工作条例》、《学校卫生工作条例》、《扫除文盲工作条例》、《高等教育自学考试暂行条例》、《普通高等学校设置暂行条例》、《高等教育管理职责暂行规定》、《征收教育费附加的暂行规定》、国务院批转《关于加快改革和积极发展普通高等教育的意见》等十七项教育行政法规;教育部(含原国家教委)依据国家法律法规制定了《教育督导暂行规定》、《教师和教育工作者奖励暂行规定》、《中学生日常行为规范》、《小学生日常行为规范》、《少年儿童校外教育机构工作规程》等覆盖教育各方面工作的近200项部门规章和一大批有关教育的政府规章,使各项教育工作逐步做到有法可依。

到21世纪初,我国已初步构建起中国特色社会主义教育法律法规体系的框架,即以宪法确立的基本原则为基础,以《中华人民共和国教育法》为核心,以七部教育部门法和教育行政法规为骨干,以教育规章和地方性法规、自治条例、单行条例等为主体的比较完整的法律、法规体系。这些教育法律法规针对教育领域的关键、重大问题,建立了涵盖教育各个领域、各个方面的较为完备的法律规范,从根本上改变了教育无法可依的局面,各项教育工作逐步走向制度化、规范化、法制化的轨道。

2. 依法行政

依法行政是我国改革开放以来的重要改革措施之一。1999年12月7日,全国人大教科文卫委员会和教育部联合召开了第一次全国教育法制工作会议。这是新中国成立以来关于教育法制工作的第一次会议,会议贯彻依法治国的方略,总结了改革开放20年来我国教育法制建设的成就和经验,研究、部署在新的形势下全面推进依法治教的工作,以期开创21世纪教育振兴的局面。这次会议承前启后,为21世纪的教育立法工作指出了新的方向。

1999年,国务院颁布《关于全面推进依法行政的决定》,明确提出"要把依法行政作为关系改革、发展、稳定大局的一件大事,真正落实到行政活动的各个方面、各个环节"。

教育法制建设使我国教育管理的行政运作方式逐步走向现代化。各级政府、教育行政部门转变观念,树立依法治教的意识,对教育的管理从行政化管理逐步走向了依靠法律的途径;在教育投入、为学校和教师办实事等各个方面,自觉履行各项有关教育的法律所规定的责任。教育立法同时也有效地保障了教师与受教育者的合法权益。为了加强依法行政,中央和各省、自治区、直辖市的教育行政部门都建立了教育法制工作的专门机构,负责起草有关教育的政策法规、调查研究等有关教育的法律、法规方面的工作,在推动教育执法和建立有效的教育法制工作机制上,起到了积极的作用,教育行政部门依法行政水平得到明显提高。

在教育执法监督方面，已经形成了全国人大和各级地方人大依法实施的教育执法监督、行政机关监督、中国共产党监督、社会监督、民主党派监督等的格局。

全国人大常委会从1986年起，分别就《义务教育法》、《教师法》、《教育法》等的执行情况，在全国范围内进行了多次执法监督检查，有力地推动了教育的全局工作；同时各地人民代表大会也相应加强了对地方教育执法的监督工作，对义务教育经费、教师工资、中小学乱收费等问题进行监督。

教育监察部门是教育行政机关内部的执法监督机构，中央和地方教育行政机关内都设有专门的教育监察机构，负责监督检查教育行政部门和所属单位在贯彻执行教育法律、法规等方面的情况，并开展综合的和专项的执法检查工作。中央和地方的教育督导机构也负有教育监督的职能。党的各级纪律检查机关对党员和各级党组织活动进行全面监督。此外，以社会力量的名义的多样性的社会监督、民主党派的监督也都在教育的执法监督方面发挥了重要的作用。

3. 普法宣传

教育系统从1985年开始全面普法活动。2001年教育部成立了先后以教育部长陈至立、周济为组长的“教育部全国教育系统普法工作领导小组”，统筹领导教育系统的普法工作。至2002年，先后制定了教育系统开展法制宣传教育的四个五年规划，在教育系统开展了全面、深入的法制宣传教育工作。

在工作目标上，强调要全面提高广大青少年学生、教师、校长和教育行政部门领导、公务员的法律素质，通过开展法制教育，大力推进依法治教、依法治校，推进教育的改革与发展。① 为了做好教育普法工作，各地都积极采取了有效措施，贯彻落实普法规划，各省教育厅（教委）也成立了由主要领导任组长的普法领导小组，山东、海南、浙江、北京、广西、河北、安徽、四川、云南、内蒙古等省（自治区）级教育行政部门制定了本省（自治区）教育法制宣传教育的规划。这样就建立了全国范围内的普法工作的综合工作机制。

在包括《义务教育法》、《教师法》、《教育法》、《职业教育法》等每一部法律颁行之后，中央和各地都进行了广泛的宣传，抓好教育行政干部和教师的普法工作，社会各界认真组织系统地学习。特别是《教育法》颁布后，各省、自治区、直辖市都开展了学习和宣传《教育法》的活动，自觉树立依法治教的意识。

青少年的法制宣传教育工作尤其得到了高度重视。2002年教育部与司法部、中央综治办、共青团中央联合发布了《关于加强青少年学生法制教育工作的若干意见》，并共同召开全国青少年学生法制教育电视电话会议，全面部署以青少年学生为主要对象的学校法制教育工作。教育部普法工作领导小组办公室先后组织编写了《小学生法治教育读本》、《中学生法治教育读本》、《高中生法治教育读本》等系列普法教材。教材充分考虑了学生的年龄段特点及其接受能力，生动地对《宪法》及其他有关的法律知识进行了介绍，以培养青少年学生的民主法制意识与权利意识，以提高中小学生的法律素质。

各地学校也结合地方的实际及可利用的法制教育资源，对学生进行生动的、活动多样的法制宣传教育。山东各地、各

① 中国教育年鉴编辑部：《中国教育年鉴(2007)》，人民教育出版社，2007年版，第147页。

学校充分利用主题班(团)会、宣传栏、校园广播电视、互联网络等多种途径,积极进行法制宣传教育,大力开展"平安校园"建设。① 吉林省以考带普,以考促学,强化学习。各地区教育局、学校每年都自行组织学校领导、教师法律知识考试。②

教育从无法可依到初步形成中国特色的社会主义法律法规体系,使我国的教育工作在所有的重要方面都有了法律的依据和保障,这是改革开放以来我国教育的根本变化之一。教育法制建设规范了我国的各项教育制度,在大力推进依法治教、依法治校的进程中,有力地推动了我国教育事业的改革与发展走上法制化的轨道,起到了重要的制度引导和保障作用,极大地促进了各级各类教育的发展。依法治教是在社会主义市场经济条件下,实施科教兴国战略的有力保障,是教育改革与发展的客观要求,是提高教育行政管理效率与水平的必然选择。

三

深化教育体制改革

党的十四大确定了建立社会主义市场经济体制的目标,我国进入由计划经济向社会主义市场经济过渡的转型时期。随着经济体制改革的深入,我国教育在总体上仍比较落后,不能适应改革开放和现代化建设新形势需要的矛盾日益显露出来。尤其是教育经费投入不足,教育体制及其运行机制与日益深化的经济、政治、科技体制改革的需要不相适应等问题迫切需要解决。

我国教育体制改革的主要任务是,采取综合配套、分步推进的方针,加快步伐,改革包得过多、统得过死的体制,初步建立起与社会主义市场经济体制、政治体制和科技体制相适应的教育新体制。只有这样,才能增强教育主动适应经济和社会发展的活力,走出教育发展的新路子,为建立中国特色社会主义教育体制奠定基础。教育体制改革的评价标准主要是看:是否有利于坚持教育的社会主义方向,培养德智体全面发展的建设者和接班人;是否有利于调动各级政府、全社会和广大师生员工的积极性,提高教育质量、科研水平和办学效益;是否有利于促进教育更好地为社会主义现代化建设服务。这就为深化教育体制改革,构建中国特色社会主义教育体制指明了方向。

从实际情况来看,我国教育体制改革的主要内容包括:办学体制、管理体制、投资体制、招生和就业制度等方面的改革。

1. 办学体制改革

20 世纪 90 年代以后,我国办学体制改革的主要任务和目标是,改变由政府包揽办学的格局,解决好政府与社会之间的关系,鼓励多渠道、多形式的社会集资办学和民间办学以及利用外资办学,充分发挥社会各方面的办学积极性,逐步形成以政府办学为主体,社会各界共同参与办学的新体制,以及公立学校和民办学校共同发展的格局。

1992 年初,邓小平在南方谈话中澄清并解决了社会主义建设中的若干理论问题和实际问题,明确提出"经济发展得快一点,必须依靠科技和教育";"希望大家

① 山东省教育厅:《积极开展法制宣传教育大力推进依法治教进程》,《教育政策法规通讯》,2006 年第 2 期(总第 39 期)。

② 中国教育年鉴编辑部:《中国教育年鉴(2006)》,人民教育出版社,2006 年版,第 160 页。

通力合作，为加快发展我国科技和教育事业多做实事”①。邓小平南方谈话中关于姓“资”还是姓“社”标准的论述，大大推进了思想解放的进程，也推动了民办教育的发展。中共十四大报告指出，“鼓励多渠道、多形式社会集资办学和民间办学，改变国家包办教育的做法”。1993 年 2 月中共中央、国务院颁布的《中国教育改革和发展纲要》规定：“改变政府包揽办学的格局，逐步建立以政府办学为主体、社会各界共同办学的体制”。“国家对社会团体和公民个人依法办学，采取积极鼓励、大力支持、正确引导、加强管理的方针。”这个“十六字”方针，成为处理政府与民办学校关系的基本准则。在随后颁布的《国务院关于〈中国教育改革和发展纲要〉的实施意见》中提出：“基础教育主要由政府办学，同时鼓励企事业单位和其他社会力量按国家的法律和政策多渠道、多形式办学。”1995 年，全国人大八届三次会议通过的《中华人民共和国教育法》规定：“国家鼓励企事业组织、社会团体、其他社会组织及公民个人依法举办学校及其他教育机构。任何组织和个人不得以营利为目的举办学校和其他教育机构。”

为了全面提高民办教育办学水平，规范办学行为，1997 年 7 月 28 日，国务院颁布了《社会力量办学条例》，这是新中国第一个规范民办教育的行政法规，标志着我国民办教育进入了依法办学、依法管理、依法行政的新阶段。同年 9 月，国家教委下发了《关于实施〈社会力量办学条例〉若干问题的意见》。2000 年 6 月，中共教育部党组会同中共中央组织部联合下发了《关于加强社会力量举办学校党的建设工作的意见》。2000 年 11 月，中共教育部党组会同共青团中央联合下发了《关于加强社会力量举办学校团体的建设工作的意见》。2002 年 6 月，教育部和全国总工会联合下发了《关于在社会力量举办的学校建立工会组织的意见》。我国逐步形成了一套民办学校及民办教育机构管理的相关规章，有力地促进了民办教育的发展。

此后，许多地方也相继采取一系列政策，为社会力量办学创造了良好的社会环境。河北、山西、辽宁，黑龙江、四川、陕西等省颁布了地方社会力量办学法规。北京、天津、山西、内蒙古、上海、浙江、安徽、福建、江西、山东、河南、广东、海南、四川、贵州、云南、陕西、青海、新疆、西藏等省、自治区、直辖市还针对实施《社会力量办学条例》中出现的问题，从不同角度完善规章。各省、自治区、直辖市还先后下发了一系列涉及行政、教学、财务、师资、校产、证书和党团组织建设等方面的管理文件。

由于民办教育发展在其过程中不断出现一些新情况和新问题，《社会力量办学条例》的一些规定显得已经滞后，已不适应民办教育发展的需要，全国人大第九届常委会于 1998 年将民办教育的立法列入规划，责成全国人大教科文卫委员会牵头起草《民办教育促进法》。为了起草这部法律，全国人大教科文卫委员会广泛地听取了有关部门负责人和专家学者、各地民办学校教育工作者的意见，在多次召开研讨会、论证会后，形成了《中华人民共和国民办教育促进法》(草案)，并先后四次提交全国人大常委会审议。2002 年 12 月 28 日，第九届全国人大常委会第三十一次会议审议通过了《中华人民共和国民办教育促进法》，自 2003 年 9 月 1 日起施行。

① 《邓小平论教育》，人民教育出版社，1995 年版，第 220 页。

国务院原来颁布的《社会力量办学条例》同时作废。《民办教育促进法》是依据《宪法》和《教育法》制定的，进一步明确，民办教育事业属社会公益性事业，是社会主义教育事业的组织部分，国家对民办教育实行积极鼓励、大力支持、正确引导、依法管理的方针，民办学校与公办学校具有同等的法律地位，国家保障民办学校的办学自主权。并规定了民办教育的办学宗旨、民办学校的设立、民办学校的组织与活动、民办学校教师与受教育者的法律地位和权利、民办学校资产与财务管理、民办学校的管理与监督、民办学校扶持与奖励。

由于党和政府对民办教育采取了支持、鼓励、引导、规范的政策，促使我国教育办学体制发生了深刻的变化，原有的由国家单一办学的体制逐步转变为国家办学为主，社会各界参与，多种形式办学的体制，民办教育越来越成为推动我国教育事业发展的一支重要力量。民办学校数量迅速增加；办学范围逐步从幼儿园教育、成人教育扩大到基础教育、职业教育和高等教育各个领域；办学主体、办学形式日趋多样化，有民主党派、工商联及其他社会团体办学，有企业和公民个人投资或集资办学，有政府部门与企业联合办学，等等。在这个过程中，涌现出了一批办学条件较好、教育质量较高的学校和一批办学思想端正、乐于奉献的办学者。尽管民办中小学的比例不大，但许多民办学校以观念新、机制活、重质量、有特色和讲效益而不断壮大，改变了政府单一办教育的局面，对于满足社会对基础教育的多样化的需求，起到了重要作用。

经过二十多年的发展，我国民办学校不论在数量上还是在校生总量上都已远远超过了20世纪50年代的私立学校。据统计，2002年，全国共有各级各类民办学校(教育机构)6.13万所，比1996年的2.9万余所增加了3.23万所，在校生1147.95万人，比1996年的338万人增加了809.95万人。其中，民办幼儿园4.84万所，在园儿童400.52万人；民办小学5122所，在校生222.14万人；民办普通中学5362所，在校生305.91万人；民办职业中学1085所，在校生47.05万人；民办高等学校133所，在校生31.98万人；民办高等教育机构1202所，注册学生140.35万人。① 各种社会力量办学机构已经培养和培训出了数以千万计的毕业(结业)生，从而在一定程度上缓解了我国社会主义市场经济发展和社会进步对于各种专门人才的需求压力，也缓解了广大人民群众日益增长的学习文化科学知识的需求与公办学校数量不足之间的矛盾。

2. 教育管理体制改革

党的十四大以后，根据《中国教育改革和发展纲要》和《教育法》的要求，我国在总结前几年教育管理体制改革经验的基础上，继续深化教育管理体制的改革。我国教育管理体制改革的目标是：正确处理中央政府和地方政府的关系；政府和学校的关系；政府、学校和社会的关系，逐步建立政府宏观管理、社会积极参与，学校自主办学的体制。

高等教育管理体制改革的总目标是：面向21世纪，建立起管理体制、布局结构基本合理，办学形式多样，学科门类齐全，规模效益好，教育质量高，适应社会主义市场经济体制和现代化建设需要的高等教育体系。高等教育管理体制改革的首要任务是解决好政府与高等学校、中央与

① 中国教育年鉴编辑部：《中国教育年鉴(2003)》，人民教育出版社，2003年版，第116页。

地方、中央教育行政部门与各业务部门之间的关系，逐步形成中央和省级政府两级管理、分工负责，以省级政府管理为主的新体制，实现规模、质量、结构、效益的统一。

在“共建、调整、合作、合并”八字方针指导下，以“共建”和高校间开展合作办学为主要形式的高教管理体制改革迅速展开。国家分别于1998年、1999年和2000年分三批对原机械工业部等9个撤并部门、原核工业总公司等5大军工总公司以及铁道部等49个部门(单位)所属高校的管理体制进行了调整，将改革推向了高潮。三次大规模调整的完成标志着我国原有的高教管理体制已发生了历史性的深刻变革，由行业的业务主管部门举办并直接管理学校的体制基本结束，形成了中央和省两级管理、以省级政府管理为主的新体制，形成了综合性、多科性、单科性院校较为合理的布局和结构。这对于构建我国21世纪高等教育管理体制和布局结构新格局具有深远意义。据统计，1992年至2002年，由708所高等学校(其中普通高校493所，成人高校215所)合并组建为302所高等学校(其中普通高校278所，成人高校24所)，合并调整减少406所高校。通过合并调整，组建了如浙江大学、四川大学等一批文、理、工、农、医等各大学科门类比较齐全、规模较大的综合性大学。①

在这个阶段，高等学校内部管理体制改革进入了一个新的高潮。一是在校内管理体制改革中配合学科领域的改革，调整或重组了教学科研组织，将校院系并存的三级管理过渡为以院(或系)为实体，实行校院(或系)两级管理体制。二是完成了教学岗位聘任制，强化了教师队伍建设，提高了教学质量。三是对高等学校内的党政机构，采取了定岗定编、明确职能责任、同步调整的办法，收到了精简机构、转换职能和提高效率的效果。四是高校人事分配制度改革取得突破性进展：调整、合并校部管理机构，大幅精简人员编制，管理重心向院系倾斜；转变用人观念，强化竞争机制，探索实行岗位聘任制度；进行制度创新，开展高校职员制度试点工作；运用分配杠杆，实行津贴制度，建立激励机制。五是加快高校后勤改革，逐步形成新型的、有中国特色的、适应社会主义市场经济体制和高校办学规律的高校后勤保障体系。经过高校后勤社会化改革，后勤服务与学校剥离，使校领导可以集中精力办好教育，而且学生食堂的饭菜品种增加了，质量提高了，学生公寓宽敞了，校园环境改善了，从而增强了高校培养人才、吸引人才、凝聚人才的能力。

中等及中等以下教育管理体制改革仍然是继续完善在中央的宏观指导下的“分级办学，分级管理”的体制。在基础教育方面，实行在国家宏观指导下主要由“地方负责、分级管理”的体制。2001年5月，国务院召开全国基础教育工作会议，下发《国务院关于基础教育改革与发展的决定》(以下简称《决定》)。《决定》提出，进一步完善农村义务教育管理体制，实行在国务院领导下，由地方政府负责、分级管理、以县为主的体制。这个《决定》进一步强化了农村义务教育管理体制“以县为主”的原则。

在中等和中等以下职业教育和成人教育方面，中央和地方教育行政部门对职业教育和成人教育负有统筹、协调和宏观管理的责任。有责任规范各类职业学校

① 教育部编:《跨世纪中国教育》,高等教育出版社,2002年版,第139页。

的学制，以及各类职业学校毕业生的就业待遇。以进行学历教育为主的职业学校和成人学校，原则上由各级教育部门进行管理。职业培训和在职的岗位培训工作，原则上由各级劳动、人事部门和有关业务部门进行管理。

3. 教育投资体制改革

20世纪90年代以后，随着社会主义市场经济体制的逐步确立和科教兴国战略的实施，为了保证教育经费稳定、持续地增长，解决好国家、社会、集体和个人合理分担教育经费的问题，党和政府加大了对教育投资体制改革的力度，中央有关部门和地方各级党委、政府采取切实措施，不断完善教育经费筹措机制，千方百计加大教育投入，使我国的教育投入保持了较快的增长，教育经费投入总量有了较大的增加，为教育事业的改革和发展提供了有力的经费保障。

这个阶段教育投资体制改革的重点是进一步健全完善多渠道筹措教育经费、保证教育经费稳步增长的机制，并把这种机制用法律的形式确定下来。为此，各级政府特别是中央和省级政府采取了一系列具体措施。

一是确定了国家财政性教育经费支出占国内生产总值的比例应达到4%的目标。根据世界发展中国家在20世纪80年代中期公共教育支出占国内生产总值的比例平均已达到4%的实际情况，党中央、国务院在1993年颁布的《中国教育改革和发展纲要》中规定，到20世纪末，国家财政性教育经费支出与国内生产总值的比例达到4%。4%目标的确立，有利于保证教育经费投入的落实，在我国教育史上具有划时代的重要意义。

二是明确教育经费投入的财政主渠道地位，确保教育投入的“三个增长”。《中国教育改革和发展纲要》和《中华人民共和国教育法》规定：“国家建立以财政拨款为主，其他多种渠道筹措教育经费为辅的体制，逐步增加对教育的投入。”“国家财政性教育经费支出与国内生产总值的比例，应当随着国民经济的发展和财政收入的增加，逐步提高。”并明确规定“各级人民政府教育财政拨款的增长应当高于财政经常性收入的增长，并使按在校学生人数平均的教育费用逐步增长，保证教师工资和学生人均公用经费逐步增长”。这个表述被概括为“三个增长”。“三个增长”的规定不仅进一步明确了教育经费投入的财政主渠道地位，也便于各级政府操作，有利于对教育经费投入情况的检查与监督。此后，从国家到社会到学校，都在积极地探索增加教育投入的新路。通过实践，我国逐步地建立起了“以国家财政拨款为主，辅之以征收用于教育的税费、收取非义务教育阶段学生学杂费、校办产业收入、社会捐资集资和设立教育基金”的六条教育经费来源的渠道（通称“财”、“税”、“费”、“产”、“社”、“基”）。正是由于我国的教育投资体制按照这个教育投资主体多元化的路子进行了改革，所以教育经费投入的总量有了很大增长，使办教育的物质条件有了很大改善。

三是制定了中央本级财政支出中教育经费所占比例连续五年提高“1个百分点”的政策。为了进一步落实科教兴国战略，迎接知识经济的挑战，1999年1月，《国务院批转教育部〈面向21世纪教育振兴行动计划〉的通知》规定：“逐步提高中央本级和省的财政支出中教育经费支出所占的比例。自1998年起，中央本级财政按同口径每年提高1个百分点，2000年，将此比例提高3个百分点左右，同时，各省、自治区、直辖市财政支出中教育经费所占的比例,也应根据各地实际每年提高1—2个百分点"。1999年6月,《中共中央国务院关于深化教育改革全面推进素质教育的决定》又进一步明确规定:"自1998年起至2002年的五年中,提高中央本级财政支出中教育经费所占的比例,每年提高1个百分点。各省、自治区、直辖市人民政府也要根据本地实际,增加本级财政中教育经费的支出。"这一政策,是解决教育经费问题的一个重大突破。中央财政"1个百分点"的政策出台后,全国大部分省、自治区、直辖市人民政府也相继比照中央的做法,增加了本级财政的教育经费支出。1998年至2002年,仅中央本级财政通过增加"1个百分点",五年累计比1997年(1997年中央级教育事业费仅为89亿元)增加教育经费489亿元。

四是开征地方教育费附加,进一步扩大教育经费来源。为了适应税制改革的要求并不断加大义务教育的投入,国务院决定,自1994年起,城市教育费附加按"增值税、营业税、消费税"的3%计征,农村教育费附加则统一为按上年农民人均纯收入的1.5%～2%(包括在5%的总提留范围之内)征收。同时还规定:城市教育费附加由税务部门组织征收,农村教育费附加由乡镇政府组织征收。据初步统计,2001年,全国共征收城乡教育费附加256亿元,占财政性教育经费支出总额的比例达8.4%。为体现和落实地方政府举办教育责权相统一的原则,1995年,《教育法》又以法律的形式规定:"省、自治区、直辖市人民政府根据国务院的有关规定,可以决定开征用于教育的地方附加费。"据统计,2001年全国征收的地方教育附加费总计达25亿元。①

五是进一步完善农村义务教育投入体制。2002年4月,国务院办公厅又下发了《国务院办公厅关于完善农村义务教育管理体制的通知》,《通知》和前述《国务院关于基础教育改革与发展的决定》针对"分级办学、分级管理"体制下农村义务教育投入存在的困难和问题,提出了进一步完善农村义务教育投入体制,建立保工资、保运转、保安全的"三保"机制的措施。农村义务教育投入出现了一些新变化,主要体现在:①各级财政对农村义务教育经费投入明显增加,农村义务教育投入格局发生变化。1997年,全国农村义务教育经费预算内拨款为430亿元,占当年农村义务教育经费总投入的54.8%;2002年,全国财政预算内对农村义务教育的拨款达990亿元,占当年农村义务教育经费总投入的78.2%,5年间增加了1.3倍。②中央财政对农村义务教育的支持更是明显增加,如工资性转移支付和农村税费改革转移支付,同时加大了对农村义务教育的专项支持。2002年,中央财政用于农村义务教育的支出为359亿元,占全国财政预算内农村义务教育支出的36.3%。在中西部地区,中央财政投入所占的比重更大。③到2002年8月底,已有30个省、自治区、直辖市(不含西藏)共有2452个县、市、区已将农村中小学教职工工资管理上收到县,占2648个应上收县、市、区的比例为93%。各地通过采取措施,调整财政支出结构,合理调度资金,加大清欠工作的力度,使农村中小学教职工工资拖欠情况有了很大好转。

六是建立了非义务教育成本分担机制。长期以来,我国一直实行不缴学费的制度。为改变由国家"包办"教育的状况,高

① 教育部编:《跨世纪中国教育》,高等教育出版社,2002年版,第86页。

等学校在1986年开始招收收费的"委培生"和"自费生"。从1989年开始,部分高等学校开始向学生收取每学年100—300元的学费,并根据学生家长的承受能力,逐步提高收费水平。1997年进一步完善了有关收费政策,调整了收费标准,并在全国高校统一实行收费制度。目前,国家对高等学校的收费改革工作采取了集中统一决策的做法,即有关高校收费的宏观政策,由教育部提出建议,商国家计委、财政部同意后,联衔报国务院批准后执行;具体收费标准,由省级人民政府研究决定。其他任何人、任何部门都无权擅定高校收费项目和收费标准。在20世纪90年代,中等专业学校和高中也开始收取学费、杂费。义务教育阶段的公办学校则只收杂费。这一机制既向学生收取一定费用,又充分考虑社会和学生家长的承受能力,不仅缓解了教育经费短缺的状况,也转变了办学机制和社会消费观念。各地在核定非义务教育学生生均培养成本的基础上,相继制定了非义务教育学生培养成本的分担标准和办法。非义务教育成本分担制度向法制化建设的迈进并得到了实质性推进,初步建立了高中阶段、高等教育以及其他各类成人教育和培训的不同水平的成本分担制度。据统计,1999年,全国各级各类学校的学杂费收入共计400亿元,在全国各渠道教育经费投入构成中所占比例达到13.84%,逐渐成为仅次于政府财政拨款的第二大教育经费来源。

七是建立和逐步完善贫困学生的资助体系。与建立教育成本分担和成本补偿制度相配套,教育部协调有关部门相继研究制定资助经济困难学生的政策和措施:在高等学校,对过去实行的"人民助学金"制度进行了改革,逐步建立起以助学贷款为主,奖学金、助学金、减免学费、勤工助学为支撑的多元化的贫困学生的资助体系。各高校还建立"绿色通道"制度,即被录取入学、家庭经济困难的新生,一律先办理入学手续,确保了每一个考入公办大学的学生不因经济困难而辍学。在义务教育阶段,为了帮助家庭经济困难的学生完成义务教育学业,各级政府认真完善并落实中小学助学金制度。从2001年秋季学期开始,教育部、财政部联合对中西部农村义务教育阶段贫困家庭学生试行免费提供教科书制度。中央财政用于提供免费教科书的专项资金逐年增加,2001年为1亿元,2002年为2亿元。

八是发展校办产业,增加学校收入。这是20世纪90年代以后解决教育经费不足的重要措施之一。各级政府都实行了对校办企业税收减免制度和建立了校办产业的周转金,以扶持校办产业有效益的项目。其中,如1993年国家教委建立了委属院校校办企业周转金,当年就把2000万元周转金下放给北京大学和清华大学等院校,使这些学校的校办产业有了充足的资金,能够以较大的增幅迅速发展。经过十余年的发展,我国高等学校的高技术企业得到了飞速发展,建立起了一大批具有较强活力和良好发展前景的高校控股或参股公司,形成了具有中国特色并初具规模的高校科技产业群,成为高新技术产业化的一支重要力量。到2001年底,高校通过技术转让培育发展科技型企业资产总额745.56亿元,2001年实现销售收入452亿元,利润32亿元。这不仅为企业带来了巨大的经济效益也增加了学校的经费。

十是鼓励和提倡各种社会力量捐资助学和集资办学,并积极利用外资支持教育的发展。据统计,1991—2002年社会捐资和集资办学经费1444.53亿元(分别为:62.82亿元、69.63亿元、70.86亿元、97.45亿元、162.84亿元、188.42亿元、170.66亿元、141.85亿元、125.87亿元、113.96亿元、112.89亿元、127.28亿元);[①] 1981—2000年,我国利用世界银行贷款吸纳教育资金26亿美元。这些捐赠款项和外资的利用,对缓解我国教育经费短缺的局面发挥了积极的作用。

在教育经费筹措机制不断完善的过程中,教育投入持续快速增长。2002年,全国教育投入总量达5480.03亿元,比1997年的2531.73亿元增加2948.3亿元,增长116.45%。同时,各级财政预算内教育拨款逐年增长。2002年,各级财政预算内教育拨款总数达3114.24亿元,比1997年的1357.73亿元增加1756.51亿元,增长129.37%。此外,还加大对贫困地区教育的拨款、增加对高等教育的投入力度、加大对西部地区教育和民族教育发展的投入力度。此外,中央财政还通过安排专项资金实施"现代远程教育工程",加强现代远程教育设施建设,加快了教育信息化的步伐;通过投资进一步改善职业教育办学条件,推动了职业教育的改革与发展。

尽管20世纪90年代以后,我国在改革教育投资体制方面取得了较大的成绩,教育投入保持了快速增长的势头,教育经费投入总量有了较大的增加,但仍然不能满足教育事业提高质量和持续发展的需求,公共教育经费短缺和教育机会分配不均等问题仍然相当突出。

4. 高等学校招生制度和毕业生就业制度改革

20世纪80年代中至90年代初,高校招生曾存在着以国家任务招生为主、以招收委托培养生和自费生为辅的"双轨制"格局。在高等学校招生制度的改革中,国家所以要提出指导性的宏观调控的招生总量目标,下达国家任务计划,主要是为了保证国家重点建设项目、国防建设、文化教育、基础学科、边远地区和某些艰苦行业所需要的专门人才。与此同时,在保证完成国家任务计划的前提下,国家允许高等学校根据社会各方面的需求和各高等学校自身的办学条件,逐步扩大招收委托培养生和自费生的比重。这部分委托培养生和自费生属于调节性计划的范围,由学校及其主管部门确定具体的招生方案。委托培养生和自费生所需要的费用,由委托培养单位和学生家长负担。由于在进行社会主义现代化建设时期社会各方面对大学毕业生的需求日益增多,调节性招生计划在招生总计划中所占的比例大幅度提高。到1993年,通过调节性计划招收的学生几乎占了全部新生的50%。在当时的历史条件下,在一定程度上对挖掘高等学校的办学潜力,适应社会对人才的需求,转变人们上大学不交费、由国家包经费的观念产生了积极作用。由于按调节性计划录取的新生是自费,录取时可以低于控制的最低分数线,但他们入校后是和按国家任务计划招收的学生同班上课,共同生活,这样就在招生工作"双轨制"下形成了同一个学习集体中的学生在经济待遇、录取资格、文化程度差距很大的局面,因此,"双轨制"也带来了许多弊端和矛盾。

为了解决这些问题,在1993年中共中央、国务院正式印发的《中国教育改革和发展纲要》中,提出不再区分两种计划形式,改变学生上大学由国家包下来,毕业时由国家包安排工作的做法。同时建立相应的奖学金、贷学金以及专项奖学金制

① 中国教育年鉴编辑部:《中国教育年鉴(2004)》,人民教育出版社,2004年版,第111页。

度，逐步建立学生上大学自己缴纳部分培养费制度。1994年，在国务院下发的《关于〈中国教育改革和发展纲要〉的实施意见》中，要求1997年大多数学校按新制度运作。1994年4月，国家教委发出《关于进一步改革普通高等学校招生和毕业生就业制度的试点意见》，对高等学校招生制度的进一步改革提出了具体意见：①高等学校可以向所有学生收取部分培养费。收费标准可因地因校因专业而异；②建立与收费制度及人才培养计划相配套的奖学金与贷学金制度。通过收费制度和奖学金、贷学金制度的实施，来体现招生计划中的国家任务计划与调节性计划两种形式；③高等学校在录取新生时，对同一学校只划定一个最低控制分数线，不再按国家任务和调节性任务两种计划分别划定分数线，也就是说，实行招生工作中的“并轨”；④坚持德智体全面考核，以文化考试为主要入学考试形式，以及公平竞争、公平选拔的原则。在此基础上，逐步实现选拔新生办法的多样化；⑤在高等学校内设立专项奖学金，供入学新生自行选择申请；⑥招生“并轨”的改革试点院校应一步到位，不能以新、老两种形式同时招收同一层次的新生。此后，高校招生“并轨”改革正式启动。1996年，全国招生学校、招生人数的2/3进行了“并轨”。1997年，全国所有普通高校招生“并轨”提前完成。招生“并轨”改革是我国高等教育综合性、系统性改革的一个重要组成部分，涉及高等学校招生、收费、教学、学生管理和毕业生就业等多方面。

高校在招生并轨改革的同时还形成了规范严格的招生管理制度。教育部以1987年国家教委颁布的《普通高等学校招生暂行条例》为依据，结合新情况，对原有的高校招生管理办法进行了系统、认真的审查、清理，使招生管理更趋规范和科学。2002年，各高校开始制定、发布招生章程并按章招生，这是体现依法治招的重要标志。此外，在招生来源计划编制工作中，保送生招生办法，招生监察、监督和招生收费管理等方面也不断进行改进和规范，有力地保障了高校招生工作的健康进行。

20世纪90年代以后，我国高校毕业生就业制度逐步从指导性计划为特征的计划分配逐步转变为以市场为导向的双向选择。

随着社会主义市场经济的形成和发展，迫切地要求对高等学校毕业生的就业制度进行改革。为了适应这种形势，《中国教育改革和发展纲要》明确地提出改革高等学校毕业生就业制度的目标和步骤。其改革的目标是：改变高等学校毕业生由国家统一分配的制度，逐步实行在国家政策指导下少数毕业生由国家安排就业，多数由学生参与市场竞争“自主择业”的制度。改革的步骤分两步：第一步，在近期内凡是按国家任务计划录取的学生，原则上仍由国家负责在一定范围内安排就业。实行学校与用人单位“供需见面”，落实毕业生就业方案，并逐步推行毕业生与用人单位“双向选择”的办法；委托和定向培养的学生按合同就业：自费生自主择业。第二步，随着社会主义市场经济体制的建立和劳动人事制度的改革，除对师范学科和某些艰苦行业以及边远地区的毕业生，实行在一定范围内的定向就业外，大部分毕业生实行在国家方针政策指导下，通过人才市场，采取“自主择业”的就业办法。

在高等学校毕业生就业制度的改革中，各高等学校普遍按第一步要求实施。与此同时，有的学校也按第二步要求进行了探索性的试验，并且把毕业生就业制度的改革推向了深入。为了总结经验，更好地搞好高等学校毕业生就业工作的改革，国家教委于1997年颁发了《普通高等学校毕业生就业工作暂行规定》。《暂行规定》指出："毕业生（内含毕业研究生）就业工作要贯彻统筹安排、合理使用、加强重点、兼顾一般和面向基层，充实生产、科研、教学第一线的方针。在保证国家需要的前提下，贯彻人尽其才，学以致用的原则。"① 毕业生就业工作程序分为就业指导、收集发布信息、供需见面及双向选择、制定就业计划和进行毕业生资格审查、派遣、调整、接收等阶段。其中，在国家方针政策指导下进行的供需见面和双向选择活动是落实毕业生就业计划的重要方式。在制定就业计划时，中央及省级教育行政部门与有关部门根据招生"并轨"改革的进程和本地区、本部门的实际情况，确定所属高校毕业生的就业范围。

为了做好高等学校毕业生的就业工作，各有关学校在就业制度改革的过程中都加大了思想教育和就业指导的力度。采取多种形式开展毕业教育活动，帮助毕业生正确处理好个人择业志愿和国家需要的关系，鼓励毕业生到国家需要的和比较艰苦的地方去工作。与此同时，中央和省级教育行政部门及有关部委建立了高校毕业生就业指导机构，为毕业生提供信息、咨询、指导等服务，并且积极培育高校毕业生的就业市场，从而使高等学校毕业生就业制度的改革不断向前发展。

参照改革高等学校招生制度和毕业生就业制度改革的精神，中等专业学校和技校的招生制度和就业制度也加快了改革的步伐。中专和技校的招生和毕业生就业是由中央制定相关政策，由地方人民政府或主管部门制定具体办法实施的。在中专和技校招生时，除通过统一考试录取新生外，还采取联合办学、委托培养和自费等形式招收新生。中专和技校毕业生主要是面向城乡多种所有制单位就业。

2001年，在国务院的直接推动下，共青团中央、教育部、人事部、财政部联合发出《关于实施大学生志愿服务西部计划的通知》，正式启动"大学生志愿服务西部计划"。为了鼓励高校毕业生到西部、到基层、到祖国最需要的地方锻炼成长、建功立业，从而为大学生就业创业开辟新渠道，参加西部计划的志愿者还享受生活、交通补贴，报考研究生、公务员加分等若干优惠政策。当年，经过选拔、培训，全国有6000名志愿者分赴西部12省区基层从事支教、支农、支医、扶贫等志愿者活动。一些省市如北京、辽宁、河北、宁夏、甘肃等也结合本地实际，地方财政给予支持，启动了地方项目，推动大学生到基层建功立业。同时，中组部、人事部、共青团中央、中编办、教育部联合发出《关于选拔高校毕业生到西部基层工作的通知》，选拔了600名优秀毕业生到西部乡镇政府工作。2003年，按照国务院部署，继续实施"大学生志愿服务西部计划"，全国项目志愿者总数达到了10193名，其中新招募了6212名。同时，北京、河北、山西、辽宁、黑龙江、浙江、福建、安徽、山东、河南、湖北、广东、重庆、四川、贵州、甘肃、宁夏、新疆18个省、自治区、直辖市实施了地方项目，地方项目志愿者总数达到6939名，其中新招募志愿者4636名。这些大学生志愿者按照远程教育、宣传文化工程、基层检察院、青年中心以及支教、支医、支农等七个专项行动在中西部地区和基层开展服务。高等学校因势利导，有针对性地加强了毕

① 何东昌主编：《中华人民共和国重要教育文献（1991—1997）》，海南出版社，1998年版，第4174页。

业生的思想教育，唱响了毕业生到西部、到基层去建功立业的主旋律。大学生志愿者踏实工作、艰苦奋斗，在教育、卫生、农技、青年工作等方面服务，促进了西部地区经济社会的发展，为当地群众带来了实惠；大学生志愿者在西部基层经受磨炼，综合素质得到提高，促进了优秀青年人才队伍的健康成长；通过志愿服务这种非市场化手段探索了人才资源开发配置的新途径，促进了人才的东西互动、城乡互动；弘扬了“奉献、友爱、互助、进步”的时代新风。同时，在西部贫困地区志愿服务的实践，使他们进一步了解了国情，增进了与人民群众的感情，增加了工作经历和人生阅历，提高了就业创业技能，增强了就业创业能力。经过一到两年的志愿服务后，他们对自己职业的选择也会更加切合实际，更能发现和发挥自己的长处和优势。这些大学生在服务期间，有的成为了教学骨干，有的成为了小有名气的医生，有的成为了基层党政干部，还有一些成为了科技致富带头人，涌现出一大批优秀志愿者典型。

教育体制改革的实践证明，改革与创新是教育事业健康发展的不竭动力，是教育活力的重要源泉。我们要善于发现和总结教育改革中的经验和教训，并用以指导新的实践。

教育的发展

一

全面实施素质教育

全面推进素质教育，是党和国家从民族的前途和命运出发，努力把我国沉重的人口负担转化为巨大的人力资源优势，作出的战略决策，也是对教育提出的一项战略性的任务。实施素质教育，是克服应试教育倾向，全面贯彻教育方针，建设高质量教育，培养高素质人才的需要，也是我国社会主义现代化建设和迎接21世纪科技竞争，实现教育兴国重任的必然要求。经过多年实践，素质教育已经逐步成为全国教育工作者和社会各界的广泛共识，并正在向纵深推进。

1. 素质教育的提出与发展

素质教育从提出到全面推进有一个过程：1985年召开的改革开放后第一次全国教育工作会议之后，教育界开展讨论研究和探索关于素质教育的问题并在一些中小学开展教改实验；1994年召开的第二次全教会之后，素质教育开始在基础教育阶段进行区域性实验并取得初步成效和经验；1999年，改革开放后第三次全教会召开之后，实施素质教育作为党和国家的战略决策，进入国家推进、重点突破、全面展开的进程之中。

新中国成立以后，特别是改革开放后，党和国家始终把提高全民族的素质作为关系社会主义现代化建设全局的一项根本任务。1985年5月，邓小平在第一次全国教育工作会议上，从社会主义现代化战略和中华民族的根本命运的高度强调指出把我国沉重的人口负担尽快转化为巨大的人力资源优势的必要性和紧迫性。他指出："我们国家，国力的强弱，经济发展后劲的大小，越来越取决于劳动者的素质，取决于知识分子的数量和质量。一个十亿人口的大国，教育搞上去了，人才资源的巨大优势是任何国家比不了的。有了人才优势，再加上先进的社会主义制度，我们的目标就有把握达到。""如果现在不向全党提出这样的任务，就会误大事，就要负历史的责任。"①同年发布的《中共中央关于教育体制改革的决定》中明确指出："在整个教育体制改革过程中，必须牢牢记住改革的根本目的是提高民族素质，多出人才，出好人才。"此后，在《中华人民共和国义务教育法》、《中共中央关于社会主义精神文明建设指导方针的决议》和中共十三大报告中，都强调"提高整个中华民族的思想道德素质和科学文化素质"的问题。这是素质教育的最初思想源头。

在邓小平讲话以及中央文件的启发下，理论界关于"素质"、"民族素质"、"劳动者素质"、"国民素质"的研究日益增多。研究主要涉及素质概念、素质与培养目标、素质与社会发展、素质与教育的关系等方面。教育理论界针对片面追求升学率和由此引发的学生课业负担过重等诸多弊端，开展了"端正教育思想，明确教育目标"的讨论。重点讨论了树立正确的人才观和提高民族素质等问题，并对片面追求升学率现象作了一些分析批评。与此同时，为了解决片面追求升学率和学生课业负担过重带来的问题，一些中小学进行了改革探索，涌现出"愉快教育"、"成功教育"、"和谐教育"、"创造教育"、"主体性教育"等一批体现素质教育思想的教改实验模式。这些研究、讨论和教改实验，为素质教育的提出奠定了理论和实践基础。

20世纪80年代末90年代初，教育工作者在学习邓小平讲话以及中央文件中，在纠正采用违反教育规律的手段片面追求升学率的现象的过程中，很自然地把素质和教育联系起来，逐步地就产生了素质教育的概念。素质教育的概念开始是针对片面追求升学率的，后来概括为"升学教育"。1990年，国家教委在沈阳召开全国城市教育综合改革实验工作会议时，参加会议的几位国家教委的领导集体商议，把"变升学教育为素质教育"提法中的"升学教育"，改为"应试教育"，即脱离人的发展和社会发展的实际需要，单纯为应付考试争取高分，采用违反教育规律的手段片面追求升学率的教育。由此可见，"素质教育"的提出是针对当时基础教育领域存在着的"应试教育"的倾向，是广大教育工作者对教育工作探索实践的积极成果。

1990年，《江苏省教育委员会关于当前小学教育改革的意见（试行）》中指出："实施以提高素质为核心的教育，关键是转变教育思想，树立国民素质教育的观念。各级教育行政部门要组织学校和教师学习教育科学理论，开展素质教育的研究和讨论，并扩展到家庭和社会，唤起为中华民族的未来而全面提高学生素质的公众教育意识，形成强大的舆论力量和良

① 《邓小平文选》(第三卷)，人民出版社，1993年版，第120—121页。

好的改革环境，推进小学素质教育的全面实施。”这是第一次正式在地方政府文件中使用素质教育的概念。

1993年2月13日，中共中央、国务院在总结广大教育工作者改革实践经验的基础上制定发布的《中国教育改革和发展纲要》中指出：“中小学要从‘应试教育’转向全面提高国民素质的轨道，面向全体学生，全面提高学生的思想道德、文化科学、劳动技能和身体心理素质，促进学生生动活泼地发展，办出各自的特色。”《纲要》中提到“素质”一词的地方有二十多处，并提出了全面提高学生四个方面素质的要求。

为了贯彻落实《纲要》，中共中央于1994年召开的全国教育工作会议提出：“基础教育必须从应试教育转到素质教育的轨道上来，全面贯彻教育方针，全面提高教育质量。”同年8月，《中共中央关于进一步加强和改进学校德育工作的若干意见》明确指出：“增强适应时代发展、社会进步，以及建立社会主义市场经济体制的新要求和迫切需要的素质教育。”这是第一次正式在中央文件中使用素质教育的概念。

1996年，八届全国人大四次会议通过的《中华人民共和国国民经济和社会发展“九五”计划和2010年远景目标纲要》又明确提出，要“改革人才培养模式，由应试教育向全面素质教育转变”。这就以法规性文件的方式，确立了素质教育在基础教育改革中的地位。

为促进教育方针的全面贯彻，摆脱“应试教育”的束缚，一些省市率先在中小学开展区域性实施素质教育改革实验，并取得了重要经验。

例如，湖南省汨罗市从1984年开始推进农村教育综合改革，在实施素质教育方面进行了长期的探索。到1996年，他们已积累了一套比较系统、比较完整的经验，主要是：有正确的教育指导思想，即政府要把每一所学校办成合格的学校，学校要教育好每一个学生；有科学的方法，市、乡镇、学校形成了一整套科学的管理体系；有扎实的作风，一直坚持扎扎实实、勤勤恳恳地为“全面贯彻党的教育方针，全面提高教育质量”目标的落实而努力；建立有效的机制——教育督导评估，用科学的评估办法代替了单纯分数评价的办法，改变了“应试教育”的做法。此外，汨罗市委、市政府和岳阳市委、市政府以及湖南省委、省政府和省教委等都给予了强有力的领导。

1996年2月，《人民教育》、《湖南教育》联合推出长篇报道，介绍了湖南汨罗大面积推行素质教育的经验。李岚清于1996年5月视察了该市，肯定了该市素质教育的经验，并发表了重要讲话。他指出：实施素质教育要从转变观念抓起，特别是各级领导的观念；实施素质教育要有一个较好的大环境；要构建素质教育的运行机制，包括有效的导向机制、有力的制约机制、科学的评估机制、广泛的社会参与机制等；要搞素质教育，就必须对校长、教师有更高的要求。1996年6月，国家教委在湖南省汨罗市召开会议，推广该市实施素质教育的经验。同年，中国教育学会以素质教育为题在长沙召开了学术年会。

1997年9月，国家教委在山东省烟台市召开了全国中小学素质教育经验交流会，国务院副总理李岚清作了重要讲话。他着重讲了三个问题：一是实施素质教育的根本目的是全面贯彻党的教育方针，培养全面发展的跨世纪人才，迎接21世纪的挑战；二是抓住关键环节，采取有力措施，扎实推进中小学实施素质教育；三是党政推动和支持，家庭与社会共同努力，为实施素质教育创造良好的社会大环境。教育部部长朱开轩作了《全面贯彻教育方针,积极推进素质教育》的主题报告。会议进一步总结推广了汨罗、烟台等地大面积推进素质教育的经验,交流了全国各地实施素质教育的经验,进一步提高了对实施素质教育的认识,并对在中小学实施素质教育作了全面部署。

1997年10月29日,国家教委颁发《关于当前积极推进中小学实施素质教育的若干意见》。《意见》强调:“在中小学全面贯彻国家的教育方针,积极推进素质教育,已经是摆在我们面前的刻不容缓的重大任务。”全国首批建立了10个素质教育实验区,一些省市也建立了省级素质教育实验区。

1998年,李鹏在《政府工作报告》和1999年朱镕基在《政府工作报告》中都提出要大力实施素质教育。1999年,国务院批转教育部制定的《面向21世纪教育振兴行动计划》,明确提出,实施“跨世纪素质教育工程”,整体推进素质教育。要改革教育内容和教学方法,推行新的评价制度,开展教师培训,启动新课程的实验。尽管此时的素质教育仍然定位在基础教育阶段,但却拉开了素质教育从典型示范转向整体推进和制度创新的序幕。

与此同时,广大教育理论工作者对素质教育的内涵、实施素质教育的意义、国民素质的构建、中小学素质教育目标的确定、素质教育人才培养模式、课程结构、运行机制、督导评估等等方面做了大量研究,有的已取得较好的成果。这些都为全面推进素质教育提供了理论和实践依据。

在世纪之交国力竞争日趋激烈的国际环境下,培养和造就适应21世纪现代化建设需要的社会主义新人比任何时候都更加迫切。但是面对新的形势,我国在教育观念、教育体制、教育结构、教育内容、教育方法和人才培养模式诸方面都是相对滞后的,远远不能适应面向21世纪社会主义现代化建设和提高国民素质的要求。尤其是片面追求升学率的现象还没有得到有效遏制,升学竞争还在不断加剧,这就使广大青少年难以得到全面发展。为了尽快改变这种状况,进一步唤起教育界内外对实施素质教育重要性的认识,深化教育改革,提高实施素质教育的成效,提高教育质量,从而提高中华民族整体素质和创新能力,党和国家作出了全面推进素质教育的重大决策。

1999年,中共中央、国务院作出了《关于深化教育改革全面推进素质教育的决定》,并召开了以素质教育为主题的全国教育工作会议,进一步强调了实施素质教育的重要性和必要性,明确了素质教育的内涵,以及实施素质教育的具体举措。由此,素质教育开始作为党和国家的战略决策,进入国家推进、重点突破、全面展开的新阶段。

为了使我国教育适应新世纪的要求,不断推进教育改革,中共中央、国务院在第三次全国教育工作会议召开的前夕,于1999年6月13日正式颁布了《关于深化教育改革全面推进素质教育的决定》。

《关于深化教育改革全面推进素质教育的决定》是在国务院副总理李岚清的亲自主持下起草和定稿的。当《决定》的初稿完成后,李岚清于1999年5月中旬先后多次召开专门会议,听取有关部门及各民主党派负责人和无党派专家、学者的意见。各省、市、自治区教育行政部门的负责人也分两批到北京座谈,对《决定》的初稿提出了修改的意见和建议。同时,还将《决定》初稿送全国人大、全国政协有关领导同志和教育部老领导征求意见。起草小组根据各方面的意见和建议，在李岚清的主持下又对《决定》初稿作了多次修改，才最后定稿和颁布的。

中共中央、国务院颁布的《关于深化教育改革全面推进素质教育的决定》共分4章26条。《决定》以全面推进素质教育为主题，对跨世纪中国教育改革与发展作了全面部署，在深化教育改革、全面推进素质教育和促进各级各类教育的发展，以及实施科教兴国战略，构建21世纪充满生机活力的具有中国特色的社会主义教育体系等方面都有新的突破。《决定》在科学总结我国广大教育工作者实施素质教育的丰富实践经验的基础赋予素质教育以时代的特征和新的内涵，从而将实施素质教育提高到了一个崭新水平，反映了我国现代化建设和时代进步对教育的新要求，反映了我国新时期教育方针的进一步完善和教育理论与实践的新发展。

1999年6月15日至18日，中共中央、国务院在北京召开了改革开放后的第三次全国教育工作会议。这次会议的主题是：动员全党同志和全国人民，以提高民族素质和创新能力为重点，振兴教育事业，实施科教兴国战略，贯彻落实中共中央、国务院《关于深化教育改革全面推进素质教育的决定》，为实现党的十五大确定的社会主义现代化建设宏伟目标而努力奋斗。全国各省、市、自治区的党政主要领导同志及教育行政部门主要负责人、中央各部委有关负责同志、全国人大和全国政协的领导同志、各民主党派的负责人和大中小学代表共三百多人出席了会议。中共中央政治局常委全部出席了会议开幕式。中共中央总书记江泽民在开幕式上作了题为“教育必须以提高国民素质为根本宗旨”的重要讲话。会议期间，国务院副总理李岚清作了题为《深化教育改革，全面推进素质教育，为实现中华民族的伟大复兴而奋斗》的主题报告。在会议闭幕式上国务院总理朱镕基发表重要讲话。

江泽民在讲话中深刻地分析了国际国内形势及新形势下教育的先导性、全局性和基础性地位，对全面推进素质教育提出了明确的指导思想和要求。他指出：在当今世界上，综合国力的竞争，越来越表现为经济实力、国防实力和民族凝聚力的竞争。无论就其中哪一个方面实力的增强来说，教育都具有基础性的地位。改革开放20年来，我国经济建设和科技进步取得了巨大的成就。但是，也要清醒地看到，我国经济增长方式还没有根本转变，沉重的人口负担还没有转化为人力资源的优势。我国劳动者的素质和科技创新能力不高，这已经成为制约我国经济发展和国际竞争能力增强的一个主要因素。中央全面地分析了国际国内发展的大势，认为必须坚定不移地实施科教兴国的战略，大力提高知识创新和技术创新能力，密切教育与经济、科技的结合，加快实现经济增长方式和经济体制的根本转变。这是全面推进我国现代化事业的必然选择，也是中华民族自立于世界民族之林的根本保证。因此，必须高度重视教育在增强民族凝聚力方面的重大作用。他要求全党同志和全国各族人民都要从实现祖国富强和民族振兴的高度，继续关心和支持我国教育的发展。各级党委和政府要将教育纳入战略发展重点和现代化建设整体布局之中，切实把教育摆上优先发展的战略重点地位。各级党政领导干部，都要抓好教育工作。我们必须全面贯彻党的教育方针，坚持教育为社会主义为人民服务，坚持教育与社会实践相结合，以提高国民素质为根本宗旨，以培养学生的创新精神和实践能力为重点，努力造就“有理想、有道德、有文化、有纪律”的，德育、智育、体育、美育等全面发展的社会主义事业建设者和接班人。

李岚清在主题报告中强调，全面推进素质教育，是当前我国现代化建设的一项紧迫任务，是我国教育事业的一场深刻变革，是教育思想和人才培养模式的重大进步。他指出，实施素质教育要正确处理和解决好以下几个问题：①要倡导为学生的全面发展创造良好的宽松的条件，克服那种只重视智育，轻视德育、体育和美育，在智育中又只重视知识传播、忽视能力培养的倾向；②坚持面向全体学生，依法保障义务教育阶段适龄儿童和青少年学生发展的基本权利，努力开发每个学生的特长和潜能，改变那种只重视升学有望的学生的做法；③要鼓励创新和重视实践，促进教育与经济社会的实际紧密结合，改变那种只重书本知识、忽视创新精神和实践能力培养的现象；④素质教育要贯穿人才培养全过程，这是关系到教育工作全局和涉及社会各方面的系统工程，要改变那种素质教育仅仅是基础教育和学校教育任务的观念。他还提出，为了全面进行素质教育，必须采取的重大举措是：第一，着力调整宏观教育结构，拓宽人才成长的道路，减缓升学竞争的压力，加快非义务教育的发展，构建有利于实施素质教育的人才成长的“立交桥”，满足人民日益增长的教育需求；第二，加快考试和评价制度改革的步伐，进一步推动教学改革，建立符合素质教育要求的高质量的教师队伍；第三，实施素质教育，要大力提高教育技术手段现代化水平和教育信息化程度；第四，要促进教育与经济、科技和社会发展密切结合，使教育在科教兴国中发挥更大作用。

朱镕基在闭幕式上发表的讲话中指出：从根本上来说，要加速实现国家现代化，显著增加综合国力和国际竞争力，迎接新世纪的机遇和挑战，就必须落实科教兴国战略，真正把教育放在优先发展的战略地位。他强调，加快教育发展主要靠改革。关键要进一步解放思想。一方面，要通过加快教育体制和结构改革，挖掘现有教育资源潜力，增强学校的活力与效率，充分发挥公办学校的主渠道作用。另一方面，积极鼓励和支持社会力量以多种形式办学，形成以政府办学为主体、公办学校和民办学校共同发展的格局。实施科教兴国战略，加快教育发展，必须采取有效措施，切实加大教育投入，随着经济的发展，逐年增加教育经费。同时，要大力提高办学效益、提高教育经费使用效率。要进一步合理调整学校布局、优化教育资源配置。加快学校内部管理体制改革，实现后勤服务社会化。

江泽民等中央领导同志的重要讲话向全党全社会发出了全面实施素质教育的动员令。他们的讲话对于开好这次会议和深化教育改革、全面推进素质教育具有重要的指导意义和深远的历史意义。会议期间，与会代表认真学习了这些重要讲话，讨论了如何贯彻落实《关于深化教育改革全面推进素质教育的决定》精神的问题，并进行了大会交流。

2. 素质教育的基本内容及实施举措

经过多年的研讨和总结，素质教育的内涵逐步得到充实和发展。为了达到全面实施素质教育的目标，党和政府提出了一系列深化教育改革的举措，为素质教育的实施做出努力。

根据中共中央、国务院颁布的《关于深化教育改革全面推进素质教育的决定》精神，素质教育具有极为丰富的内容。

第一，实施素质教育要面向现代化、

面向世界、面向未来，使受教育者坚持学习科学文化与加强思想修养的统一，坚持学习书本知识与投身社会实践的统一，坚持实现自身价值与服务祖国人民的统一，坚持树立远大理想与进行艰苦奋斗的统一。这就明确了实施素质教育的根本指导思想。

第二，实施素质教育，就是全面贯彻国家的教育方针，以提高国民素质为根本宗旨，以培养学生的创新精神和实践能力为重点，造就"有理想、有道德、有文化、有纪律"的、德智体美等全面发展的社会主义事业建设者和接班人。这就揭示了素质教育的基本内涵。

第三，全面推进素质教育，要坚持面向全体学生，为学生的全面发展创造相应的条件，依法保障适龄儿童和青少年学习的基本权利，尊重学生身心发展特点和教育规律，使学生生动活泼、积极主动地得到发展。

概括起来，素质教育具有以下重要的特征：

(1)素质教育是面向全体学生的教育。素质教育针对应试教育那种只重视部分升学有望的学生的种种错误做法，坚持面向全体学生。这就要求，政府和教育部门，应该依法为所有义务教育阶段适龄儿童和青少年提供平等的受教育条件和受教育机会；学校和教师，则要努力使每个班级的每个学生都有平等机会得到健康的发展。因此，义务教育阶段的素质教育不是培养高居群众之上的英才教育，而是国民教育；不是选拔教育，而是普及教育；不是淘汰性教育，而是发展性教育。与此同时，在做好普及九年义务教育基础上，要积极发展非义务教育，使每一个人都在社会条件和自身天赋允许的范围内得到充分发展。

(2)素质教育要以学生的全面发展为本位。针对"应试教育"只重视智育，轻视德育、体育和美育，在智育中又只重视知识传授、忽视能力培养的倾向，素质教育要求全面发展学生的思想政治素质、文化科学素质、劳动技能素质、身体心理素质和审美素质等。这就要求各级各类学校要为学生的全面发展创造良好宽松的条件，通过教育与生产劳动、社会实践相结合的途径，使德育、智育、体育、美育等诸方面教育相互渗透，从而促进学生全面健康地发展。

(3)思想政治素质是最重要的素质，各级各类学校必须更加重视德育工作，在任何时候都不能放松和削弱。要进一步改进德育工作的方式方法，寓德育于各学科教学之中，加强学校德育与学生生活和社会实践的联系，讲究实际效果，克服形式主义的倾向。

(4)素质教育要以培养学生的创新精神和实践能力为重点。在基础教育阶段，要培养每一个人的创造性，为培养能够攀登世界科学高峰的高层次创造性人才打下基础。这就要求每一所学校，每一个教师，都要爱护和培养学生的好奇心、求知欲，帮助学生自主学习、独立思考，保护学生的探索精神、创新思维，营造崇尚真知、追求真理的氛围，为学生的禀赋和潜能的充分开发创造一种宽松的环境。高等学校要重视培养大学生的创新能力，普遍提高大学生的人文素养和科学素质；要在培养大批各类专业人才的同时，努力为优秀人才的脱颖而出创造条件，尤其是要下工夫造就一批真正能站在世界科学技术前沿的学术带头人和尖子人才，以带动和促进民族科技水平与创新能力的提高。职业教育和成人教育要使学生在掌握必需的文化知识的同时，具有熟练的职业技能和适应职业变化的能力。

为此，要改革人才培养模式，积极实行讨论式和启发式教学，激发学生独立思考和创新意识，让学生感受知识产生和发展的过程，培养学生的科学精神和创新思维的习惯。同时，要改变那种只重书本知识、忽视实践能力培养的现象。各级各类学校要从实际出发，加强和改进对学生的生产劳动和社会实践教育，使其接触自然、了解社会，培养实践能力，培养热爱劳动的习惯和艰苦奋斗的精神。社会各方面要为学校开展生产劳动、科技活动和其他社会实践活动提供必要的条件，要加强学生校外劳动和社会实践基地建设。

(5)素质教育要使学生生动活泼、积极主动地得到发展。从促进学生主动精神和个性健康发展出发，素质教育不是把学生看做知识的被动接收器，而是看做学习和掌握知识的主人，促进学生主动精神和个性健康发展。因此，各级各类教育都要坚持因材施教，坚决克服用“一个模子”来限制个性发展的倾向。

(6)实施素质教育要贯穿于幼儿教育、中小学教育、职业教育、成人教育、高等教育等各级各类教育中，贯穿于学校教育、家庭教育和社会教育等各个方面，并与德育、智育、体育、美育等有机地统一在教育活动的各个环节中。

在新的历史条件下，全面推进素质教育是一次深刻的教育变革。为了全面推进素质教育，教育部于1999年6月22日发出《关于学习贯彻全国教育工作会议精神和〈中共中央国务院关于深化教育改革全面推进素质教育的决定〉的通知》。《通知》要求：“各级教育行政部门、各级各类学校要在当地党委和政府的领导下，组织广大师生认真学习和贯彻全国教育工作会议精神，把全面推进素质教育作为今后教育工作的一项重要任务；要进一步解放思想，抓住机遇，以改革的精神创造性地开展工作；在深入调查研究的基础上，从本地区经济社会和教育发展的实际情况出发，提出切实可行的贯彻落实全国教育工作会议精神的方案与措施。”根据《通知》精神，围绕开展素质教育，在基础教育阶段，改革了中小学德育课程，拓宽了德育的途径，中小学德育工作实效性和针对性得到加强；制定并颁布了《基础教育课程改革纲要》(试行)和《义务教育阶段学校18科课程标准》(实验稿)，新教材已经在部分地区试验推广。在高等教育阶段，以提高质量为核心全面开展教育教学改革，取得良好效果；优化了高等学校学科和专业结构，扩大了专业覆盖面，加强了大学生全面素质教育。加强了教师队伍建设，教师学历水平和业务素质不断提高，进一步增强了实施素质教育的能力。

二

实现“两基”，基础教育取得新进展

在基础教育方面，我国在20世纪末如期实现了“基本普及九年义务教育，基本扫除青壮年文盲”的宏伟目标。这是提高全民素质和实现中华民族伟大复兴的奠基工程。

20世纪90年代以后，我国教育发展的重大成就之一就是在我国这样一个幅员辽阔、人口众多、经济发展水平相对滞后的国家，如期实现了“基本普及九年义务教育，基本扫除青壮年文盲”(以下简称“两基”)的宏伟目标，实现了教育发展史上的历史性跨越，标志着中国教育事业步入了一个新的发展阶段。

改革开放以后，我国普及义务教育和扫盲工作取得了历史性的进展。1992年10月，党的十四大进一步提出：到20世纪末，全国要基本普及九年义务教育、基本扫除青壮年文盲(简称“两基”)。1993年2月13日，中共中央、国务院印发的《中国教育改革和发展纲要》将“两基”确定为我国20世纪90年代教育发展的重要目标。同年，在印度新德里召开的九个人口大国全民教育大会上，中国政府签署了《新德里宣言》，就2000年实现“两基”这一目标向全世界作出了庄严承诺。1994年全国教育工作会议确定“两基”为我国教育工作的“重中之重”。江泽民在这次会议的讲话中指出：“财政再困难，也必须舍得投资把义务教育办好，这是提高全民素质的奠基工程。”①他在1999年召开的全国教育工作会议上进一步指出：“普及九年义务教育，满足基本学习需要和提高劳动者的整体素质，要作为教育工作的首要目标，努力提高绝大多数人的教育水准。”②

在以前工作的基础上，20世纪90年代党和政府又采取一系列措施落实“两基”工作。这个时期“两基”工作呈现出以下特点。

一是在普及义务教育方面，考虑到我国幅员广大，各地区、各民族之间经济文化发展很不平衡的情况，提出了积极进取、实事求是、分区规划、分类指导的原则，并对不同地区分别提出切合实际的指标。国家教委于1994年9月印发了《关于在90年代基本普及九年义务教育和基本扫除文盲的实施意见》。《实施意见》根据各地区经济、教育发展水平的不同，在实现“两基”中以省、自治区、直辖市为单位，把全国大体上划分为三类地区，并明确要求，到2000年全国在85%人口的城市和经济发达地区普及九年义务教育；在10%人口的贫困地区普及和巩固5—6年级小学教育；在5%人口的特别贫困地区普及3—4年级小学教育。

二是提高扫除文盲的标准。《实施意见》提出了到2000年全国在90%以上人口地区扫除青壮年文盲，使青壮年人口文盲率降到5%以下的目标，并要求各地坚持把扫盲教育和初等教育、扫盲后的继续教育统筹规划，把学文化和学技术结合起来，做到“一堵二扫三提高”的有机结合。2002年7月22日，中共中央办公厅、国务院办公厅转发的《关于“十五”期间扫除文盲工作的意见》将青壮年非文盲率提高到90%至95%以上。这一目标比1988年国务院发布的《扫除文盲工作条例》中规定的85%至90%的目标提高了5—10个百分点。

三是为了使义务教育管理工作规范化和制度化，建立了以县为单位的评估验收制度。国家教委于1993年下发了《普及九年义务教育评估验收办法》等三个文件的通知，决定对普及九年义务教育和扫除青壮年文盲工作建立以县(市、区)为单位的评估验收制度，并于当年开始试点验收。1994年，教育部下发了《普及义务教育评估验收暂行办法》，规定每年在县级人民政府进行自查的基础上，由省、自治区、直辖市人民政府进行验收，国家教委进行抽查。1998年8月3日，教育部又印发《关于认真做好“两基”验收后巩固提高工作的若干意见》的通知，要求建立健全县级“两基”工作每年自查自评制度和上

① 《毛泽东邓小平江泽民论教育》，中央文献出版社，2002年版，第250页。

② 《深化教育改革全面推进素质教育——第三次全国教育工作会议文件汇编》，高等教育出版社，1999年版，第18页。

级政府对县级“两基”巩固提高工作督导评估制度。对通过“两基”验收的县（市、区）要有计划地进行复查，对特殊教育等薄弱环节要重点进行专项督导和抽查。连续两年不能保持“普九”和“扫盲”各项指标要求的，由省、自治区、直辖市人民政府撤销其“基本普及九年义务教育县”和“基本扫除青壮年文盲县”称号，并报教育部备案。对“两基”巩固提高工作取得显著成绩的县（市、区），省级人民政府可给予表彰和奖励。有条件的地方，应建立九年义务教育实施水平监控制度，并在教育部统一规划下，逐步形成全国监控网络。教育部对“两基”巩固提高工作进行指导、监督、检查。

此后，“两基”工作的实施与评估验收工作扎扎实实地开展起来。国家和各级地方政府大幅度地增加义务教育经费的投入，尤其是对贫困地区、边远地区和少数民族地区，更是加大了经费支持的力度；社会各界也以极大的热情踊跃集资办学，使各地中小学办学条件出现了巨大的变化。在很多农村地区呈现出最好的建筑是学校的景象，在城市和经济比较发达地区涌现出许多办学水平和教育质量都较高的学校。随着普及九年义务教育目标的实现，我国义务教育学校形成了与当地人口规模相适应的办学规模，教育质量和办学效益不断提高，从而为基础教育和其他各级各类教育的发展，以及素质教育的实施打下了坚实的基础。为了完成扫盲任务，1994年由中央和地方的教育行政部门和其他有关部门联合成立了负责此项工作的各级扫盲工作协调小组，形成对扫盲工作“齐抓共管”的良好氛围。同时，广大教育工作者和青年妇女组织积极参与扫盲工作，各地把扫盲教育和群众的生产、生活需要结合起来，在扫盲过程中不失时机地向群众进行时事政策教育、思想道德教育、法制教育、人口教育，编印了各种扫盲教材，并且从实际出发，分区规划，分类指导，因地制宜，灵活多样地开展扫盲工作。

由于我国坚持“两基”重中之重的战略地位不动摇，2000年在全国范围内如期实现了“两基”的宏伟目标。到2000年底，全国通过“两基”验收标准的县（市、区）和其他县级行政单位总数已达2541个（含其他县级行政区划单位156个），11个省、直辖市已按要求实现“普九”；“两基”人口覆盖率从20世纪90年代初的40%提高到85%以上，初中阶段毛入学率达到88.6%，青壮年文盲率从1990年的10.38%降低到4.8%。[①] 到2002年底，全国实现“两基”的地区人口覆盖率进一步提高，达到90%以上。通过“两基”验收的县（市、区）总数达到2598个（含其他县级行政区划单位169个），比2000年增加了57个；12个省（直辖市）已按要求实现“两基”。小学学龄儿童入学率达到98.58%，小学五年巩固率为98.80%，小学毕业生升学率为97.02%；初中阶段毛入学率90.0%，初中毕业生升学率58.3%。[②] 我国义务教育的普及率在九个发展中人口大国中位于前列，我国扫盲工作的成就得到国际社会的高度评价，多次获得联合国教科文组织颁发的“国际扫盲奖”。

实施“两基”对于促进全国中小学的发展，保障公民受教育的基本权利，提高中华民族的科学文化素质和促进两个文

① 教育部：《跨世纪中国教育》，高等教育出版社，2002年版，第101、108页。
② 中国教育年鉴编辑部：《中国教育年鉴(2003)》，人民教育出版社，2003年版，第79页。

明建设的协调发展等方面具有重大的意义和深远的影响。

与此同时，普通高中教育、学前教育、特殊教育也取得了新进展。

普通高中教育在办学体制、管理体制、课程教材、教育教学管理等方面进行积极的探索和实践，不断探索在加大政府投入的同时，积极拓宽优质高中教育资源的新途径，推动高中教育改革不断深化，促进办学规模迅速扩大，办学条件明显改善，高中教育实现了持续的快速增长。2002年，全国高中阶段教育（包括普通高中、职业高中、普通中等专业学校、技工学校、成人高中、成人中等专业学校）共有学校3.28万所；招生人数和在校生人数分别由1990年的249.8万人和717.3万人增长到1180.74万人和2908.14万人，分别增长了3.73倍和3.05倍；高中阶段毛入学率由1996年的31.43%提高到42.8%，提高了11.37个百分比。①

在学前教育方面，我国坚持在地方政府举办幼儿园的同时，依靠和动员社会各方面力量办园的方针，多形式、多渠道地发展幼儿教育事业，基本形成国家、集体、公民个人一起办园的局面。在城市是以3年制的、全日制的幼儿园为主；在农村，主要是以一年制学前班为主；在一些经济发展较差、人口居住分散、交通不便的边远贫困地区、山区和牧区，出现了季节班、周末班、游戏小组、巡回辅导站、入户指导、家长互助等灵活多样的非正规幼儿教育形式。这些形式有效地利用了社区、家庭、教育机构的教育资源，为更多的学龄前儿童提供了接受教育的机会。2002年，全国共有幼儿园11.18万所，在园幼儿（包括学前班）2036.02万人。幼儿园园长和教师共65.93万人。全国学前三年幼儿入园率达到36.8%。②

残疾儿童少年义务教育受到各级政府的高度重视。20世纪90年代，中央财政共投入特殊教育补助费达2.6亿元人民币，地方投入在20个亿以上。在各级党委、政府的关怀支持下，残疾儿童少年义务教育发展十分喜人。基本形成以专门的特殊教育学校为骨干、以普通学校特教班和残疾儿童少年随班就读为主体的特殊教育格局，并基本建立了盲、聋学校的课程教材体系，特殊教育的教育教学改革日益活跃，特殊教育师资队伍不断发展壮大。特殊教育学校数、招收残疾儿童数及在校残疾儿童数均有增加。2002年，全国共有特殊教育学校1540所，比1990年的746所增加794所，增加了1.06倍；招收残疾儿童5.29万人；在校残疾儿童37.45万人，比1990年的7.20万人增加30.25万人，增加了4.20倍。其中在盲人学校就读的学生3.74万人，在聋人学校就读的学生10.86万人，在弱智学校及辅读班就读的学生22.85万人。在普通学校随班就读和附设特教班就读的残疾儿童招生数和在校生数，分别占特殊教育招生总数和在校生总数的65.10%和68.29%。残疾儿童毕业人数4.42万人。③

---

① 中国教育年鉴编辑部：《中国教育年鉴（2003）》，人民教育出版社，2003年版，第80页。

② 同上。

③ 同上，第79页。

三

高等教育从精英教育迈向大众化教育

1992年邓小平南方谈话之后，我国经济出现快速发展的势头，但专门人才供不应求的问题也日益凸显。为了适应经济建设和社会发展的需要，尽可能满足人民群众接受高等教育的要求，党和国家采取一系列重大举措加快高等教育的发展和高等院校教育教学改革。

1993年，《中国教育改革和发展纲要》提出："90年代，高等教育要适应加快改革开放和现代化建设的需要，积极探索发展的新路子，使规模有较大的发展，结构更加合理，质量和效益有明显提高。"

1996年3月28日，江泽民在同上海交大、西安交大、西南交大和北方交大负责人座谈时指出："高等教育在整个教育事业中处于龙头地位。高等教育的发展程度和发展质量，不仅影响整个教育事业，而且关系到社会主义现代化建设的未来。"此后，他多次强调：实施科教兴国战略，高等教育是非常重要的一环。要积极发展高等教育，要充分发挥高校和科研机构在国家知识创新体系和人才培养中的作用，更好地为国家的经济建设服务。

1999年6月，党中央、国务院在《中共中央国务院关于深化教育改革全面推进素质教育的决定》中作出积极发展高等教育、扩大高等教育规模的重大决策。《决定》提出："调整现有教育体系结构，扩大高中阶段教育和高等教育的规模，拓宽人才成长道路，减缓升学压力。通过多种形式积极发展高等教育，到2010年，我国同龄人口的高等教育入学率要从现在的百分之九提高到百分之十五左右。""高等职业教育是高等教育的重要组成部分。要大力发展高等职业教育，培养一大批具有必要的理论知识和较强实践能力，生产、建设、管理、服务第一线和农村急需的专门人才。现有的职业大学、独立设置的成人高校和部分高等专科学校要通过改革、改组和改制，逐步调整为职业技术学院（或职业学院）。""进一步解放思想、转变观念，积极鼓励和支持社会力量以多种形式办学，满足人民群众日益增长的教育需求，形成以政府办学为主体、公办学校和民办学校共同发展的格局。""鼓励社会力量以各种形式举办高中阶段和高等职业教育。经国家教育行政主管部门批准，可以举办民办普通高等学校。"①

1999年6月16日，中共中央、国务院召开全国教育工作会议。江泽民在会议开幕式的讲话中强调，无论是"从实现祖国富强和民族振兴的高度"，还是为了"尽可能满足人民群众接受高等教育的要求"，都应该"根据需要和可能，采取多种形式积极发展高等教育"。时任总理的朱镕基在这次会议的闭幕会议上的讲话中也指出："加快教育发展是有条件的。现在城乡居民教育消费意愿十分强烈，居民家庭储蓄中有相当的比例准备用于教育，现有教育资源还有很大潜力，社会力量也有办学的积极性。要在切实保证义务教育健康发展的同时，调整现有教育体系结构，扩大高中阶段教育和高等教育的规模，大力发展各级各类职业技术教育，拓

① 《深化教育改革全面推进素质教育——第三次全国教育工作会议文件汇编》，高等教育出版社，1999年版，第5—7页。

宽人才成长的道路。”他强调：积极发展高等教育；以政府办学为主体，同时鼓励和支持社会力量以多种形式办学，形成公办学校和民办学校共同发展的格局，是今后我国高等教育发展的新路子。

根据《中共中央国务院关于深化教育改革全面推进素质教育的决定》的精神和第三次全国教育工作会议的部署，中央决定1999年全国高等学校在原定招生规模230万人的基础上再扩大招生33.1万人（其中研究生扩招3900人，普通高等学校扩招22.7万人，成人高等学校扩招10余万人），从而使1999年的招生总数接近270万人，比1998年多出45万人，增幅为44%，录取率达到45%。① 据统计，1999年全国各类高等教育实际招生为280万人，其中，普通高等教育招生约160万人，较上年增加51万人，增长47%，在校生人数较上年增加76万人，增长22%；成人高等教育招生约116万人，较上年增长近16%。1999年全国普通高等教育录取率达到49%，较1998年提高了13个百分点，使高等教育的毛入学率达到10.5%，较1991年的3.5%、1998年的9.8%分别高出7个百分点和0.7个百分点，并逐年增长。到2002年，在扩招后的短短3年里，高等教育的毛入学率已达到15%。这标志着我国高等教育实现了从精英教育到大众化教育阶段的飞跃。② 高等教育规模的扩大，极大地增加了高等教育的入学机会，缓解了高等教育长期形成的“供求”矛盾和压力，使人民群众接受高等教育的强烈愿望不断得到满足，为实施素质教育创造了良好条件，也为现代化建设奠定了人力资源基础。

在高等教育规模大发展的同时，我国还采取一系列重大举措提高高等教育的综合实力和质量。

1. 建设世界一流大学和高水平大学

建设世界一流大学和高水平大学是党和国家的重大决策，对于增强高等教育综合实力，提高我国国际竞争力具有重要的战略意义。为了在全国建设世界一流大学、高水平研究型大学和一批世界一流的重点学科，造就高层次拔尖创新人才及其团队，我国从1995年开始实施“211工程”，1999年正式启动“985工程”，从而带动了全国高校办学水平和学术质量的全面提高。

实施“211”工程。“211”工程，即面向21世纪，重点建设100所左右高等学校和一批重点学科。它是新中国成立以来高等教育领域规模最大的重点建设工程。其建设目标是：面向21世纪，集中精力，重点建设100所左右高等学校以及一批重点学科，使其总体上处于国内先进水平，其中一部分重点高等学校和重点学科，接近或达到国际同类学校和学科的先进水平，大部分学校办学条件得到明显改善，在人才培养、科学研究、学科建设、管理水平、办学效益上取得较大成绩，以适应国家地区和行业发展需要，起到骨干和示范作用。同时，推动高等教育体制改革，为实现我国经济和社会发展战略，建设培养高层次人才和解决重大科技问题的基地，以增强综合国力和国际竞争力。主要内容包括重点学科、公共服务体系和基础设施建设三大部分。

实施“211工程”是1991年12月国家

① 《光明日报》，1999年6月25日。

② 美国学者马丁·特罗提出，一个国家高等教育发展可划分为三个阶段：毛入学率15%以下为精英阶段，15%至50%为大众化阶段，50%以上为普及化阶段。

教委、国家计委和财政部在《关于落实建设好一批重点大学和重点学科的实施方案的报告》中正式提出的。1993 年 7 月，国家教委印发了《关于重点建设一批高等学校和重点学科的若干意见》的通知，提出了“211 工程”前期工作的指导方针，对工程的定义、建设目标、实施办法、立项程序、资金筹措等作了明确的阐述。该文件及后来国务院发布的《关于〈中国教育改革和发展纲要〉的实施意见》将《中国教育改革和发展纲要》中提出的“建设 100 所重点大学”调整为“重点建设 100 所大学”。同年 10 月“211 工程”部门预审陆续展开。1995 年 11 月，经国务院批准，国家计委、国家教委、财政部联合发布了《“211 工程”总体建设规划》，该工程正式列入国民经济和社会发展第九个五年计划，并由规划设计阶段转入全面实施阶段。1996 年 3 月，为加强对工程建设的统筹规划和领导，成立了由国务院和国家教委、国家计委、财政部有关负责人组成的“211 工程”部际协调小组，下设办公室并发布了一系列管理文件，逐步建立起比较健全和完善的管理体系，保证了工程建设的顺利实施。

2002 年，“九五”“211 工程”建设圆满完成。“九五”期间，国家计委共批复 99 所“211 工程”学校和两个公共服务体系（即中国教育和科研计算机网、中国高等教育文献保障体系）正式立项建设，安排 602 个重点学科建设项目。建设资金总量为 108.94 亿元，其中中央专项资金 27.55 亿元，部门配套资金 31.72 亿元，地方政府配套资金 24.89 亿元，学校自筹资金 23.63 亿元，其他渠道资金 1.15 亿元。此外，另由部门和地方政府安排相关基础设施配套资金 74.72 亿元。在建设资金使用上，用于重点学科建设为 62.11 亿元，用于公共服务体系建设为 36.77 亿元，用于基础设施建设为 10.06 亿元。据统计，“211 工程”建设资金总完成率达到 103%。[①]

“十五”期间，国家先期批复北京大学等 44 所高等学校“十五”“211 工程”建设项目可行性研究报告，并安排了 777 个“211 工程”重点学科建设项目，建设资金总量为 184 亿元，其中中央专项资金 60 亿元，由部门、地方政府和学校自筹安排的配套资金为 124 亿元。[②] 为确保“十五”“211 工程”建设的顺利完成，“211 工程”部际协调小组办公室下发了《关于开展“十五”“211 工程”中期检查工作的通知》，并对先期批复建设的 44 校进行中期检查。2004 年，国家发改委又批复了 51 所高等学校和 3 个公共服务体系“十五”“211 工程”建设项目可行性研究报告。

“211 工程”建设成效显著：实现了重点建设、推动整体发展的战略构想，重点建设起了一批重点院校和重点学科，有效带动了高等教育整体水平的提高，成为有力落实科教兴国战略的基础性工程和创建世界一流大学的启动工程；较大程度改善了高等学校的办学条件，提高了高等学校办学的整体实力和培养高层次创造型人才的能力；一批重点学科已成为国家知识创新、技术创新和高层次人才培养的主要基地；提高了中国高等教育信息化程度；建立了规范、协调、科学的管理运行机制，提高了管理水平和效率，保证了工程建设的有效实施。“九五”和“十五”期间工程总体建设目标的实现，为 21 世纪“211

---

① 中国教育年鉴编辑部：《中国教育年鉴 2003》，人民教育出版社，2003 年版，第 192 页。

② 同上，第 223 页。

工程”的继续发展打下良好的基础。

启动“985 工程”。1998 年 5 月 4 日，江泽民在庆祝北京大学建校 100 周年大会上向全社会宣布了对实施科教兴国具有战略意义的决定：“为了实现现代化，我国要有若干所具有世界先进水平的一流大学。”江泽民还高度概括了建设具有世界先进水平的一流大学的发展方向：“这样的大学，应该是培养和造就高素质的创造型人才的摇篮，应该是认识未知世界、探求客观真理、为人类解决面临的重大课题提供科学依据的前沿，应该是知识创新、推动科学技术成果向现实生产力转化的重要力量，应该是民族优秀文化与世界先进文明成果交流借鉴的桥梁。”2001 年，江泽民在庆祝清华大学建校 90 周年大会上的讲话中进一步阐述了建设世界一流大学的目标：“一流大学应该坚持正确的办学思想，注重形成优秀的办学传统，形成鲜明的办学风格，发展优势学科，努力建设一支高素质、高水平的教师队伍，为国家和民族的兴旺发达作出贡献。一流大学应该站在国际学术的最前沿，紧密结合先进生产力的发展要求，依托多学科的交叉优势，努力进行理论创新、制度创新、科技创新，特别要抓好科技的源头创新，并推动科技成果加速转化为现实生产力。一流大学应该成为继承传播民族优秀文化的重要场所和交流借鉴世界进步文化的重要窗口，成为新知识、新思想、新理论的重要摇篮，努力创造和传播新知识、新理论、新思想，不断促进社会主义文化的发展。一流大学应该成为培养人才的重要基地，不断为祖国为人民培养出具有正确的世界观、人生观、价值观，具有创造精神和实践能力的全面发展的人才。一个国家的大学水平如何，从一个方面反映着这个国家科技文化发展的水平，也是这个国家综合国力的重要体现。我国建设具有世界水平的一流大学，需要党和政府以及全社会的大力支持，需要优化配置和充分利用教育资源，更需要广大大学师生员工的艰苦努力。”

为贯彻落实科教兴国战略和江泽民的讲话精神，教育部在《面向 21 世纪教育振兴行动计划》中决定，重点支持部分高等学校创建若干所具有世界先进水平的一流大学和一批一流学科，即“985 工程”。1999 年，“985 工程”正式启动。一期“985 工程”重点建设的学校共 34 所：清华大学、北京大学、中国科技大学、南京大学、复旦大学、上海交通大学、西安交通大学、浙江大学、哈尔滨工业大学、南开大学、天津大学、东南大学、华中科技大学、武汉大学、厦门大学、山东大学、湖南大学、中国海洋大学、中南大学、吉林大学、北京理工大学、大连理工大学、北京航空航天大学、重庆大学、电子科技大学、四川大学、华南理工大学、中山大学、兰州大学、东北大学、西北工业大学、同济大学、北京师范大学、中国人民大学。其中教育部直属高校有 28 所。资金总投入为 255.7 亿元，其中教育部共出资 140.05 亿元，共建方投入总额为 115.65 亿元。中央与共建方的投入资金比例为 1.2∶1。① 二期签约“985 工程”重点建设的学校共 4 所：中国农业大学、国防科技大学、中央民族大学、西北农林科技大学。

在“985 工程”支持下，各校工作取得良好进展，主要表现在以下几个方面：①通过共建、调整、合作、合并的途径，促进学科优势互补，增强学科的综合性，在支

① 中国教育年鉴编辑部：《中国教育年鉴(2003)》，人民教育出版社，2003 年版，第 210 页。

持重点学科、发展优势学科、鼓励新兴学科方面合理投入；②在培养与引进并重的原则下，推出了凝聚海内外高层次人才和提高师资队伍素质的举措，并大力推进校内人事分配制度改革，促进了教师队伍素质和工资待遇的提高；③各校承担国家重大科研项目的竞争能力大大加强，涌现出一批具有标志性、突破性的重大科研成果，并注重科技成果的转化及高新技术产业化，努力以一流的科研成果为基础，以多种形式促进产学研结合；④为更好地培养高素质人才，推出了一系列全面加强素质教育、培养学生创新意识和创造能力的举措，人才培养质量不断提高；⑤推动了各高校的国际交流与合作。

另外，通过实施“高层次创造性人才工程”和“长江学者奖励计划”等一系列优秀人才计划，在推进高校高层次拔尖人才和骨干教师队伍建设方面取得了显著成效。同时，我国高等学校建设的国家重点实验室占全国2/3。在“十五”“863”计划6大领域中，有4个领域的首席科学家来自高等学校，高等学校为主体承担的课题占课题总数的48%。中国高校哲学社会科学研究取得了显著进展。2001年，具有哲学社会科学研究力量的各类高等院校共有739所，比1991年的513所增长44%。2003年，高等院校为各级政府和企事业单位提供应用性研究成果和咨询报告9000余份，在促进国家经济社会发展方面发挥了“思想库”和“智囊团”作用。

2. 深化教学改革提高教育教学质量

20世纪90年代初，通过各学科专家、学者的调查研讨表明，有一些高等学校的教育内容和课程体系已经比较陈旧落后，反映20世纪后半期以来的科学技术新成就明显不够。只有进行改革，才能够建立起适应21世纪经济、社会发展需要的教学内容和课程体系。因此，国家教委于1994年启动《高等教育面向21世纪教学内容和课程体系改革计划》。为了全面推动这一计划的实施，国家教委印发了《关于积极推进“高等教育面向21世纪教学内容和课程体系改革计划”实施工作的若干意见》，并成立了由17位各学科著名专家组成的教学内容和课程体系改革顾问组，组织编写了数百本“面向21世纪课程教材”，对提高课程教材质量起到积极作用。

教学内容和课程体系改革计划几乎覆盖了文、理、工、农、医等学科和专业。其内容包括：研究21世纪对人才知识、能力和素质的要求，改革人才培养的模式；研究和调整专业结构、专业目录和专业设置；研究和改革各专业或专业群的教学计划和课程结构；研究和改革基础课程、主干课程的教学内容和体系。改革计划的重点是：对主要专业或专业群进行教学内容和课程体系的整体优化改革，制定新的教学计划或教学方案：编写出版一批高水平、高质量的“面向21世纪课程教材”，为进行大规模的教学改革奠定基础。

从《面向21世纪教学内容和课程体系改革计划》实施以后，到1996年9月，全国已有566所高校的23373名教师申报了3030个相关研究项目，经过专家评审和适当组合，国家教委先后批准了221个大项目，其中包括985个子项目，有1万多名高校教师和教学科研人员承担了这些项目的研究和改革实验工作。与此同时，有些省、自治区、直辖市和国务院有关部委及高等学校也分别制定和实施了各自的高等教育面向21世纪教育内容和课程体系改革的计划。1997年6月，国家教委召开了第一次高等教育面向21世纪教学内容和课程体系改革经验交流会，它标志着这项改革已经进入了实质性阶段。此后，一批经过实验取得良好效果的面向21世纪的课程教材开始出版;一些专业人才培养及教学内容体系改革的方案经过实验取得了良好的成效;有些立项的项目取得了阶段性成果。

高等学校的质量和水平,代表着国家科学文化教育事业的发展程度,是综合国力的重要标志。为了促进高等学校不断提高教育质量,教育部(国家教委)采取一系列有效措施,切实加强高等学校本科教学工作。

国家教委从1993年开始积极开展高等学校本科教学评估工作,先后成立了由各科教学专家组成的各类高校教学工作评估课题组,研究评估方案,选择不同类型的学校进行自评和试评。从1995年起,国家教委分期分批地对高等学校本科的教学工作进行评估。评估的形式主要有合格评估、优秀评估和随机水平评估三种。评估的原则是:"以评促改,以评促建,评建(改)结合,重在建设。"评估工作的基础是学校的自我建设,其目的是通过评估使学校能够建立起教学质量自我监控系统。到2003年,共完成对254所学校的评估,其中合格评估192所,随机性水平评估46所,优秀评估16所。教学评估工作的开展,促进高校加大了经费投入,完善了教学质量监控体系,评估学校的校园环境和教学条件得到改善,对教学工作的重视程度明显提高,为建立中国特色的高等学校教学评估制度积累了宝贵的经验。

3. 改革与发展学位制度与研究生教育

高等学校在培养大批各类专业人才的同时,还要努力为优秀人才的脱颖而出创造条件。江泽民同志指出:"要下工夫造就一批真正能站在世界科学技术前沿的学术带头人和尖子人才,以带动和促进民族科技水平与创新能力的提高。"①为了立足于国内培养高层次人才的目标,我国进一步改革和完善学位制度与研究生教育。

为主动适应国家现代化建设的需要,促进授权学科、专业结构调整,形成硕士授权学科、专业合理的地区布局,从1995年开始,逐步实行了新的学位授权审核办法,即新增的博士、硕士学位授予单位和博士点由国务院学位委员会组织审核和批准,硕士点由地方、部门或学位授予单位根据规定组织审核、批准,学位授予单位在自行审核招收培养博士生计划的同时遴选确定博士生指导教师。全国有30个省、自治区、直辖市设立省级学位委员会,在国务院学位委员会授权的职责范围内,对本地区的学位工作统筹规划和管理。在一定的学科范围内和一定的总量控制下,硕士点审批权也下放给成立了省级学位委员会的省、自治区、直辖市和一部分条件较好的高等学校。

专业学位研究生教育是我国学位制度改革的一项重要内容。为了加强对高层次应用型专门人才的培养,拓展人才培养的类型和规格,我国从1991年开始实施专业学位研究生教育制度,已先后批准设置了工商管理、建筑、法律、教育、工程、临床医学、农业推广、兽医、公共管理、公共卫生、口腔医学、军事等12个专业学位。全国有62所高校获准开展工商管理硕士教育,24所高校获准开展公共管理硕士教育,22所高校获准开展建筑学专业学位教

① 《深化教育改革全面推进素质教育——第三次全国教育工作会议文件汇编》,高等教育出版社,1999年版,第19—20页。

育，28所高校获准开展法律专业硕士教育，29所高校获准开展教育硕士教育，123所高校获准开展工程硕士教育，70所院校获准开展临床医学专业学位教育。从1997年开始，国家在工商管理硕士、法律硕士、教育硕士、工程硕士等专业学位工作中陆续开展了在职攻读硕士学位工作，1999年和2000年还分别开展了高等学校"两课"任课教师和中等职业学校教师在职攻读硕士学位的工作。2003年，国务院学位委员会批准设立会计硕士专业学位，至此，我国共设置13种专业学位。2003年至2004年新批准251所高校为专业学位研究生培养单位，其中包括MBA、MPA、法律硕士、会计硕士、教育硕士、工程硕士、临床医学硕士等专业学位。经过二十余年发展，专业学位教育正在成为高层次专业人才成长的重要途径。

为适应现代科学技术交叉融合、向纵深发展的趋势，以及我国高等教育管理体制改革的客观要求，造就具有较宽知识面和较强适应能力的高水平科学技术人才，从1996年起，国务院学位委员会通过一级学科选优评估，确定了部分学术水平高、整体力量强、培养研究生质量好的有条件的博士学位授予单位，有权在一级学科范围内招收培养研究生并授予博士、硕士学位，其博士、硕士学位授权范围由原来的若干二级学科点扩大到一级学科，成为具有博士、硕士学位授予权的一级学科。2002年，全国共有培养研究生单位728个，其中高等学校408个，科研机构320个。①

围绕国家发展战略，集中建设一批高层次专门人才的培养基地。2001年，全国普通高等学校研究生院已增加到55所，基本建立起一批学科门类比较齐全、指导力量比较雄厚、科研基础比较扎实的研究生培养基地。2002年，381个授予博士、硕士学位和培养研究生的学科、专业，全部招收、培养了硕士研究生。

我国历来十分重视西部及少数民族地区学位制度和研究生教育。为配合国家西部大开发战略的实施，加快西部地区高层次人才培养步伐，国家在学科建设、发展规模、教育投资等方面予以政策倾斜，为西部及少数民族地区开办了一批硕士、博士学位授予单位，对西部及少数民族地区在职人员攻读工商管理硕士、工程硕士、教育硕士等专业学位以及"两课"教师、中等职业学校教师在职攻读硕士学位，实行积极扶持政策；鼓励东部已建成的研究生培养基地充分发挥学科点建设和人才培养的优势，支持西部和民族地区建立研究生培养基地。

逐步完善学位和研究生教育质量的监督评估制度。国务院学位委员会从1985年开始，在哲学、经济学、理学、工学、农学、医学等学科门类选择了22个学科、专业，开展了学位授予质量的检查和评估试点工作。20世纪90年代以后，学位与研究生教育质量检查和评估工作的制度和办法不断丰富和完善，在实践中建立了一套行之有效的评估指标体系和评估方法，1994年，"高等学校与科研院所学位与研究生教育评估所"成立，使学位与研究生教育质量检查评估的组织和实施工作逐步由事业性机构来承担。1996年，已接受过评估的一级学科12个，内含二级学科103个，共涉及171个博士点和1099个硕士点；1997年，全国1718个博士点和3814个硕士点通过了合格评估，分别占全国博

① 中国教育年鉴编辑部：《中国教育年鉴（2003）》，人民教育出版社，2003年版，第81页。

士点总数的66%、硕士点总数的40%。至2002年,学位与研究生教育方面的各种质量检查评估工作已经开展了近20次。通过评估,撤销或暂停了一些不合格的博士点、硕士点的学位授予权,确保了学位授予质量。

为鼓励创新,提高博士生的培养质量,使高水平人才脱颖而出,自1999年起,建立了每年评选百篇优秀博士学位论文并给予奖励的制度。至2002年,全国已经评选出近600篇优秀博士学位论文,产生了良好的效果。

经过不断改革和体制创新,我国逐步形成了有中国特色、符合教育规律、比较科学的学位制度和研究生教育制度,促进了我国科学技术与人文社会科学、经贸、管理等专门人才的培养和成长,为国家的科技、教育、经济、文化、国防建设和各项事业输送了一大批急需的高层次专门人才。据统计,到2004年我国共培养并授予了13.49万名博士,103.67万多名硕士,1000余万名学士;已经授予的学位,覆盖了哲学、经济学、法学、教育学、文学、历史学、理学、工学、农学、医学、管理学和军事学等学科门类。

此外,为了促进各行业高层次专门人才的成长,促进我国经济、教育、科技和社会的发展,1998年国务院学位委员会正式颁布了《关于授予具有研究生毕业同等学力人员硕士、博士学位的规定》,这就为具有同等学力的高级科研人员采用多种形式攻读硕士、博士学位提供了渠道。它极大地调动了广大在职人员钻研业务、刻苦学习、奋发向上的积极性。

学位制度与研究生教育的改革与发展,从根本上改变了我国高等教育的层次结构,为我国建立有自己特色、独立自主、完整的高等教育体系作出了重要贡献。在我国研究生教育战线上,汇集了国内各学科领域的主要学术带头人和骨干,有力地提高了高等学校的教学和科研水平,形成了专科、本科和研究生三个层次教育相互促进、协调发展、高层次人才培养基本立足国内的新局面。

4. 高校科技工作迅速发展

20世纪90年代以后,尤其是科教兴国战略实施以后,我国高等学校科技工作发展迅速,科技实力和综合竞争力不断增强,已经成为我国科技创新特别是基础研究领域的生力军。

高等学校科技工作为国民经济、社会发展和国家安全作出了巨大贡献。高等学校承担的国家科技攻关项目占1/4左右;承担的国家"863项目"占1/3以上,承担"973国家重大基础研究发展规划"项目占1/3以上;承担的国家重大基础研究前期研究专项约占总数的1/3。高校获得的国家自然科学基金面上项目占全国的70%以上。高等学校发表的SCI论文,占《科学引文索引(SCI)》中收录我国论文总数的近70%。高等学校发表的EI论文,占《工程索引(EI)》收录我国论文总数的75%以上。中共十三届四中全会以后,高校累计获得国家自然科学奖196项,占全国的54.14%;国家发明奖561项,占全国的38.06%;国家科技进步奖1515项,占全国的27.95%。"九五"期间,高校获国家自然科学奖项数占全国的平均比重为60.11%,获国家发明奖项数占全国的平均比重为45.98%,获国家科技进步奖项数占全国的平均比重为33.56%。国家奖励制度改革后,高校获国家三大奖更呈现明显优势,2000年高等学校作为第一完成单位,获得国家三大奖85项,其中自然科学奖7项,占总数的46.7%;技术发明奖15项,占总数的71.4%;科技进步奖63

项，占总数的33%。2001年，高校获国家三大奖83项，其中国家自然科学奖9项，占全国18项的50%；国家技术发明奖（通用项目）8项，占全国12项的66.67%；国家科学技术进步奖63项，占全国总数137项的45.99%。截至到2004年，高等学校拥有专利2.2万件，其中发明专利1.2万件。①

高等学校在基础研究、高技术研究和产业化方面取得了一大批创新成果，为我国国家创新体系建设和高新技术产业化作出了重要贡献。清华大学范守善教授等利用碳纳米管反应的方法制备氮化镓一维纳米晶体，为一维纳米材料的制备开辟了有效的新途径。复旦大学表面物理国家重点实验室在三个方面取得了具有国际先进水平的科研成果，在国内外引起强烈反响：首次提出了一种用InP清洁极性表面制备的方法，并且提出了原子结构模型；在国际上首创了两种新的GaAs表面S钝化方法；在国际上首先报道多孔硅蓝光发射。中南大学夏家辉院士在人类遗传神经性高频性耳聋疾病基因克隆方面取得重大进展，实现了中国遗传学家在中国境内遗传疾病基因研究零的突破。西北大学舒德干教授在古生物学研究中取得重大进展，连续在英国《自然》杂志上发表6篇论文。《中国澄江化石库中发现新的后口动物门》的论文入选“2001年中国十大科技进展新闻”。清华大学、华中科技大学在CIMS研究开发与应用领域的成果先后获得了国际学术权威机构美国制造工程师学会颁发的CIMS应用与开发“大学领先奖”。东南大学与北京第一机床厂合作开发成功的CIMS示范工程，也被美国制造工程师学会评为“企业领先奖”。高校科技工作所取得的成就充分表明，我国科技创新任务，特别是基础研究的重担越来越多地落到高校身上。高校正在迅速成为我国科技创新，特别是基础研究的主力军，也反映出我国的科技管理体制、科技运行机制正在趋向成熟，科技资源配置和科技队伍建设正在趋于优化。

一批高等学校积极推进产学研结合，科技成果转化和产业化速度加快、效益明显，涌现出一批高新科技企业和重大科技创新产品，为国民经济培育了新的增长点。截至2003年6月，36个国家大学科技园的在孵科技企业数达3886个，其中高新技术企业数为1273个，占在孵企业的32.8%，毕业企业数为1012个。园区内现有753个研发机构，园内企业承担国家各类科技计划项目3152项，在孵企业累计申请专利4882项，获批准专利2293项。吸引留学回国创业人员1600余人，创造就业岗位约10万个，已经成为高新技术产业转化的重要基地。② 高校哲学社会科学研究工作者发扬理论联系实际的学风，深入研究改革开放和社会主义现代化建设中的重大问题，在发展先进文化、服务“两个文明”建设、为政府企业提供决策咨询等方面，取得了一系列重大成果。

四

大力发展职业教育与成人教育

20世纪90年代以后，职业教育与成人教育工作不断适应社会主义市场经济对高素质劳动者的需要，逐步建成结构较

① 中国教育年鉴编辑部:《中国教育年鉴(2005)》，人民教育出版社，2005年版，第264页。
② 中国教育年鉴编辑部:《中国教育年鉴(2004)》，人民教育出版社，2004年版，第239—240页。

完整、专业门类齐全的职业教育和成人教育体系。

1. 职业教育的改革与发展

改革开放以后，我国职业教育的改革与发展不断在前进，但总体上看，我国的职业教育仍然是一个薄弱环节。例如，一些地方和部门对发展职业教育的重要性缺乏足够的认识，在统筹人力资源开发中仍存在着忽视技能人才培养和使用的倾向，在统筹各类教育发展中仍存在着忽视职业教育的倾向；职业教育投入不足，基础薄弱，导致职业教育办学条件比较差；办学机制不够灵活，人才培养的数量、结构和质量还不能很好满足经济建设和社会发展的需要；生产服务一线技能人才特别是高技能人才严重短缺，广大劳动者的职业技能和创业能力与劳动力市场需求有较大差距；就业准入制度没有得到有效执行，影响了受教育者的积极性；地区之间、城乡之间发展不平衡；等等。为了改变职业教育发展相对滞后的局面，党中央、国务院先后采取了一系列重大举措发展职业教育。

1991年，国务院作出了《关于大力发展职业教育的决定》，明确了职业教育的发展任务。

1993年颁布的《中国教育改革和发展纲要》明确提出了到20世纪末我国职业教育的发展目标。

1996年，我国颁布实施《职业教育法》，为职业教育事业的改革和发展提供了法律保障，也为各地制定职业教育配套法规提供了法律依据，为职业教育持续健康稳定的发展奠定了坚实的基础，标志着我国职业教育走上了依法治教的新阶段。同年，国家教委、国家经贸委和劳动部联合召开了第三次全国职业教育工作会议。会议提出，大力发展职业教育，是促进劳动者就业、深化企业改革的重要条件，也是保持社会稳定的一个重要因素。要建立完善的、与其他教育相互沟通、协调发展的职业教育体系；要深化职业教育的改革，走出一条符合我国国情的发展职业教育的道路。为此，就要坚持在政府统筹管理下，真正形成社会兴办职业教育的格局，进一步推进教育的三级分流，重点发展中等职业教育，积极发展高等职业教育，大力发展职业培训机构，并且要加强职业道德教育，全面地提高受教育者的素质。在这次会议精神的指导下，我国职业学校的改革与发展迈上了一个新台阶。

1999年，《中共中央国务院关于深化教育改革全面推进素质教育的决定》要求，“要大力发展高等职业教育，培养一大批具有必要的理论知识和较强实践能力，生产、建设、管理、服务第一线和农村急需的专门人才”。

2002年，由于高校扩招和一度盲目普及普通高中以及传统观念的影响，中等职业教育迅速滑坡，造成生产服务一线技能型人才的紧缺，直接影响国家的经济建设，引起社会强烈反响。为了扭转这种局面，国务院召开全国职业教育工作会议，印发了《国务院关于大力推进职业教育改革与发展的决定》。《决定》明确提出，要“推进职业教育办学思想的转变。坚持‘以服务为宗旨、以就业为导向’的职业教育办学方针，积极推动职业教育从计划培养向市场驱动转变，从政府直接管理向宏观引导转变，从传统的升学导向向就业导向转变。促进职业教育教学与生产实践、技术推广、社会服务紧密结合，推动职业院校更好地面向社会、面向市场办学”。这个职业教育的办学思路，逐步成为各级政府和全社会的共识，并引导着职业教育不断深化体制、运行机制和教育教学的改革创新，在服务中求支持，在改革中求发展。

在党中央和国务院的领导下，我国职业教育改革和发展的思路日益清晰，主动服务经济社会发展的能力明显增强，对我国职业教育的改革和发展起到了巨大的推动作用。同时，各级政府不断加大投入，职业教育的基础能力建设得到进一步加强。

中等职业教育在调整改革中不断发展。由于多方面的原因，前些年，我国职业教育的发展遇到了许多困难和问题，一方面是生产服务一线技能型人才严重紧缺，另一方面是以培养技能型人才和高素质劳动者为重要任务的中等职业教育招生数连续几年出现下降，规模有所缩小，跟不上经济社会发展的需要。经历了1999年到2001年的下滑后，2002年以后，中等职业学校招生开始止跌回升，呈现出恢复性增长的势头。2002年，全国中等职业学校招生469.43万人，在校生1196.52万人，招生数比上年增加71.8万人，增幅18.57%。全国有28个省（自治区、直辖市）招生出现增长。①

高等职业教育发展步伐加快。为了尽快培养适应21世纪经济、社会、科技发展的需要，具有一定专业知识和较高实践能力、面向基层、面向生产、服务和管理第一线的实用型、技能型技术人才，国家加快了高等职业教育发展的步伐。1997年10月，国家教委在深圳召开了全国高等职业教育教学改革研讨会，会议总结了发展高等职业教育工作的经验，分析了高职教学工作的形势和任务，研究了加快高职教育发展的步伐和办出高职特色的问题。这次会议推动了高等职业教育的发展与改革。通过新建和改建，职业技术院校获得空前的发展。1999年第三次全国教育工作会议以后，经国务院授权，把发展高等职业教育和大部分高等专科教育的权力和责任交给省级人民政府，加快了高等职业教育的发展。2002年，高职（专科）院校已达767所，比1997年的83所增加了684所；招生89.05万人；在校生193.41万人。② 高等职业教育的迅速发展增强了高等教育主动适应市场经济和社会发展的能力。

与此同时，各地认真贯彻落实《国务院关于推进职业教育改革与发展的决定》精神，职业教育办学管理体制改革、课程教材教学改革不断深化，职教师资培养培训和信息化建设不断增强，职业教育质量和效益进一步提高。中等职业学校校均规模达到733.43人，比上年增加78人；已建成省级以上骨干示范职业学校3000多所，2000人以上规模的职业学校达2000多所，骨干示范学校在校生占中等职业学校在校生数的40%左右；据14个省市统计，职业学校毕业生的就业率在80%以上，骨干示范学校、特色学校毕业生就业率达到90%。③

2002年，经国务院同意，劳动和社会保障部、教育部、人事部联合印发《关于进一步推动职业学校实施职业资格证书制度的意见》。各地教育和劳动保障行政部门、职业学校积极贯彻《意见》精神，按照市场需求设置和调整专业，努力改进实践教学环节，毕业生就业能力得到增强。各地劳动保障行政部门积极做好职业学校毕业生职业技能鉴定工作。经劳动保障

① 《中国教育年鉴（2003）》，人民教育出版社，2003年版，第156页。

② 同上，第82页。

③ 同上，第156页。

和教育行政部门认定，职业学校所设专业的教学内容与国家职业标准要求相符合的，其毕业生申请参加中级以下(含中级)职业技能鉴定时，理论课考试成绩合格者可视为鉴定理论考试合格，按照职业技能鉴定有关规定只进行操作技能考核。对于培养学生符合技能的专业，除考核所需的基本职业理论和技能外，增加应用能力等综合能力的考核。国家级重点职业学校以及少数教学质量高、社会声誉好的省级重点中等职业学校和高等职业学校的主体专业，经劳动保障和教育部门认定，其毕业生参加理论和技能考核合格并取得职业学校学历证书者，视为职业技能鉴定合格，发给相应的中级职业资格证书。同时，各地劳动保障、人事和教育行政部门统筹规划、合理布局、择优建站，充分发挥和利用职业学校的优势，选择具备条件的职业学校建立职业技能鉴定所，促进职业学校学生职业技能鉴定工作的开展。

职业教育工作虽然取得了很大的成绩，有效地提高了劳动者的素质，改善了劳动力的技术结构，为我国经济社会的快速发展、为全面建设小康社会作出了积极贡献。但仍然是我国教育事业的薄弱环节。主要表现在：发展不平衡，投入不足，办学条件比较差，办学机制以及人才培养的规模、结构、质量还不能适应经济社会发展的需要，等等。由此可见，我国职业教育改革与发展的任务依然十分艰巨，距离实现全国职业教育工作会议提出的目标和任务还有很大差距。我们必须高度重视和认真对待面临的困难和挑战，努力通过改革和发展的办法来解决发展中的问题和困难。

2. 成人教育的改革与发展

进入20世纪90年代以后，为了促进经济建设向依靠科技进步和提高劳动者素质轨道上转移，成人教育以岗位培训、继续教育为重点，围绕行业企业职工教育和下岗职工再就业培训和农村实用技术培训等，大力发展社区教育、现代远程教育和各种形式的成人教育与培训，完善自学考试制度，逐步建立终身教育体系结构，努力满足广大人民群众对各种培训的需求。

在城市，为了提高职工的整体素质和工作能力，我国城市成人教育继续推进城市教育综合改革、行业企业职工教育和下岗失业人员再就业培训。

企业教育综合改革的工作重点是加强行业企业职工教育。为贯彻落实《国务院关于大力推进职业教育改革与发展的决定》，2002年12月2日，教育部、国家经贸委、劳动和社会保障部印发了《关于进一步发挥行业、企业在职业教育和培训中作用的意见》。《意见》要进一步加强企业职工转岗培训和再就业培训。利用企业自有培训基地或与社会培训机构合作，根据本企业的实际需要、劳动力市场和用工单位的需求，组织开展"订单式培训"、"个性化培训"等多层次、多形式的培训，增强培训的针对性、实用性和有效性，使转岗和下岗人员掌握新的技能，尽快适应新岗位的要求。要积极开展创业培训，促进下岗职工自主创业。

此外，各类职工培训学校积极开展下岗失业人员再就业培训工作。2002年10月，教育部发出《关于动员各类学校积极开展下岗失业人员再就业培训工作的通知》，要求各级教育行政部门会同劳动保障部门，在省级以上重点中等职业学校或具有一定办学特色、条件的普通高等学校和各级成人学校中选择一批学校确定为"再就业培训定点学校"，使其成为各级政府认定的再就业培训基地。要根据当地再就业工作的总体规划，结合下岗失业人员的特点，按照“实际、实用、实效”的工作要求，加强再就业培训的针对性、实用性和有效性。2002年，各类职工培训学校开展各类职业技术培训达到437万人次。

在农村，随着我国经济和社会的发展，农村成人教育已经由单纯的扫盲教育发展到实用技术培训、公民教育和社会文化生活教育，为农业生产、农村经济和社会发展服务。

“九五”期间，农村成人教育取得了显著的成绩。五年累计培训农民4.56亿人次，各级农村成人学校数增加55484所，年培训人数增加1232.75万人，其中1999年教育培训数量达到10157万人次，首次突破1亿人次，创造了年度培训农村劳动者人数最多的新纪录。五年来，农民文化教育的规模有所缩小，技术教育培训的规模迅速增长，1999年与1996年相比，县办农民技术培训学校从2823所减少到1976所，办学面从98.7%缩小到93%，乡办农民技术培训学校从40892所增加到42717所，办学面从89.9%扩大到94%，村办农民技术培训学校从397441所发展478196所，办学面从53.7%扩大到64.62%，加上农民中专、农民中学和农民初等学校等办学机构，可以说，一个覆盖全国的县、乡、村三级农村成人教育网络基本形成，各地普遍建立了一批骨干示范性学校，创建了一批农村成人教育的先进典型，推动农村成人教育的培训规模和培训质量上了一个新台阶。农村成人教育的广泛深入开展，有效地提高了农村劳动者的科学文化素质，促进了农村经济建设和社会发展，也为新世纪农村成人教育的新发展奠定了较好的基础。

“十五”期间，农村成人教育继续深化办学体制、管理体制和运行机制的改革，加强统筹规划和领导，加强学校布局、专业设置、培养目标等方面的调整，调动各方面力量，努力增加投入，不断改善办学条件，努力提高质量和效益，更好地为农村经济社会发展和农民增收服务。2002年11月，教育部印发《关于进一步加强农村成人教育的若干意见》。各地积极行动，普遍加大农村成人教育工作的力度。上海、北京、浙江、山西、贵州、河南、云南等省市制定了加强农村成人教育工作的有关文件，明确工作思路和目标要求，逐步形成以县级职业学校和成人学校为龙头，以乡镇成人文化技术学校为骨干，以村成人文化技术学校为基础的县、乡、村三级实用型、开放型农民文化科技教育培训体系。据统计，2002年全国农民技术培训学校有37.91万所，开展农民技术培训、农村劳动力转移培训，共培训7681.81万人次。①

与此同时，农村教育综合改革工作取得了新进展。2001年，湖北、江苏、贵州、黑龙江、安徽等地先后召开农村教育综合改革工作会议，总结经验，部署工作；黑龙江省人民政府在全省宣传推广呼兰县和佳木斯市开展农村教育综合改革，加强三教统筹和农科教结合，促进教育更好地为“三农”服务的先进经验。贵州省人民政府要求各级党委政府要把推进农村教育综合改革摆在政府工作的重要位置，切实加强领导和统筹，尤其是各级教育行政部门的主要负责同志要切实担负起具体抓农村教育综合改革的责任。

各地继续以工程或项目等形式，推进农村教育综合改革工作，促进教育为“三农”服务。湖北省教育厅与农业厅联合开

① 《中国教育年鉴(2003)》，人民教育出版社，2003年版，第81页。

展“教育兴农示范县(市)”创建活动,省政府教育督导室与教育厅共同制定了《湖北省教育兴农示范县(市)评估标准与细则(试行)》,明确提出了人才培养培训、学校建设、新技术推广与服务等方面的量化指标,将教育兴农工程由项目推进发展到整体推进,由教育部门主动服务发展到几个部门协调配合服务。江苏省教育厅与农业厅、劳动与社会保障厅、科技厅、科协等部门联合实施“5112”教育富民工程,即在“十五”期间,通过职业教育与成人文化技术培训,促进500万农村劳动力转移,培训100万农村致富骨干,重点推广1000个农业科技致富项目,培训200万下岗(失业)、转岗职工,为富民强省作出应有贡献。浙江省教育厅开展“百万农民培训工程”,要求培养百万农民致富带头人,推广一批农业科技,建立一批示范培训基地。西藏自治区教委在2000年冬和2001年春,结合牧区实际,以全区21个农牧区教育综合改革实验县为主,在全区开展首届“燎原科普之冬”,广泛进行实用科技和文化、法制培训。

积极开展社区教育实验工作。鉴于我国社会已经进入一个空前重视知识和技术的时代,新的形势已经把成人教育推向了构筑我国终身教育体系的前沿。为此,进入20世纪90年代以后,我国积极推进终身教育的发展,尝试打通和强化各级各类教育的沟通与衔接,促进学校向社会开放,鼓励人们分阶段完成学业、继续学习。其教育对象是面向全体人民,贯穿人的终身,体现了它的全民性和全程性。其教育形式是因需施教,学以致用,需要什么样的人才,就兴办什么样的学校,使学者有其校,人人都享有继续教育的权利与机会。

1999年,国务院批转的教育部《面向21世纪教育振兴行动计划》进一步明确了建立终身学习体系的具体目标,并提出了“开展社区教育的实验工作,逐步建立和完善终身教育体系,努力提高全民素质”的工作任务。社区教育是推动成人教育向终身教育发展的有效途径之一,同时又是一项涉及面广且复杂的系统工程,因此,教育部首先选择了部分社会经济比较发达,文化教育基础好,并在社区教育方面有了一定探索的地方开始进行社区教育的实验工作。然后,在总结经验的基础上,逐步向全国推广。

2000年4月教育部印发《关于在部分地区开展社区教育实验工作通知》。此后,北京、上海、江苏等地率先提出建设学习化城市、构建终身教育体系的发展目标,全国大多数省、自治区、直辖市都采取各种形式,广泛开展社区教育实验工作。

为了扩大社区教育实验规模,推动社区教育深入开展,教育部于2001年11月召开全国社区教育实验工作经验交流会议,并确定28个开展社区教育实验工作有一定基础,地方积极性较高,发展思路、目标明确,地方教育、经济与社会发展条件相对较好的大中城市的城区和部分农村市(县)作为全国社区教育实验区:北京市朝阳区、西城区,天津市河西区、和平区,山西省太原市杏花岭区,辽宁省沈阳市和平区,黑龙江省哈尔滨市南岗区,上海市闸北区、嘉定区、浦东新区,江苏省苏州市金阊区、南京市玄武区、江阴市,浙江省杭州市下城区,安徽省芜湖市镜湖区,山东省济南市历下区,湖北省武汉市硚口区,湖南省长沙市雨花区,广东省广州市天河区,广西壮族自治区南宁市新城区,四川省成都市青羊区,重庆市渝中区,新疆维吾尔自治区克拉玛依市独山子区,大连市甘井子区,青岛市四方区,宁波市鄞县,厦门市鼓浪屿区，深圳市宝安区。确定全国社区教育实验区的目的是通过实验，积累有关社区教育的经验，建立健全科学、高效的社区教育管理体制和运行机制，充分利用、拓展和开发社区内各类教育资源，建立能满足社区全体成员基本学习需求的教育培训网络，建立一大批学习型组织，大力提高社区居民的整体素质和生活质量，促进社区两个文明建设，对其他地区起到示范和带动作用，为构建终身教育体系、逐步形成学习型社会奠定基础。

此后，全国社区教育实验工作继续深入发展。全国二十多个省（自治区、直辖市）和计划单列市的教育部门、28 个全国社区教育实验区，制定了社区教育的发展规划和相关工作文件。北京、上海、宁波、青岛、苏州、无锡等城市社区教育实验活动正在向农村乡镇延伸。各地充实现有教育资源，扩展功能，建设了一批县、乡（镇）农村社区教育实验区，社区农村教育实验区约占新增实验区的 40%。全国各社区教育实验区普遍建立了由实验区区委、区政府主要领导挂帅的“社区教育实验工作领导小组”、“社区教育指导委员会”领导机构，形成了“政府统筹领导、教育部门主管、有关部门配合、社会积极支持、社区自主活动，群众广泛参与”的社区教育管理模式。不少地方还建立了社区教育学会、社区教育专业委员会、社区教育研究中心等群众组织和研究机构。据统计，2002 年，28 个全国社区教育实验区已有专职人员 3800 多人，兼职人员 17000 多人，志愿人员 23 万多人；全国社区教育实验区投入达 1.1 亿元（含基建投入），各实验区普遍利用现有各类教育资源，建立起 2400 多个社区教育培训学校（中心），开展了形式多样的社区教育培训，累计培训 570 多万人次。①

此外，高等教育自学考试制度进一步完善，服务领域进一步拓宽，参加自学考试的有已取得本科学历的人，甚至有研究生学历的人，考生年龄的分布从年轻人到已退休的高龄老人。这表明，自学考试已成为终身学习的一种有效形式。其特点是，开放程度高、形式灵活、投资较少，且非学历证书考试的比重越来越大。改革开放以后，参加考试的人已达 4000 多万人，其中已毕业的有 500 万人。

各种类型、各种层次的成人学校和成人教育机构给广大人民群众和干部提供了多种学习形式，在对在职人员进行岗位培训和继续教育、对成年男女进行终身教育和开展丰富多彩的社会文化生活教育等方面发挥了重要作用。虽然各类成人技术培训规模较大，但其质量和水平还需进一步提高。

文化建设的繁荣与发展

20 世纪 90 年代，以江泽民同志为核心的第三代中央领导集体强调文化建设的重要性。社会主义现代化应该有繁荣的经济，也应该有繁荣的文化。中国特色社会主义文化，是凝聚和激励全国各族人民的重要力量。要求全党必须从社会主义事业兴旺发达和民族振兴的高度，充分

① 《中国教育年鉴(2003)》，人民教育出版社，2003 年版，第 170 页。

认识文化建设的重要性和紧迫性。根据时代发展的要求，江泽民提出“三个代表”重要思想，将先进文化建设上升到立党之本、执政之基的高度认识，对于提升文化建设在国民经济和社会发展整体布局中的地位起到了极大的作用，为进一步繁荣发展社会主义先进文化奠定了坚实的理论基础。

一

“弘扬主旋律，提倡多样化”指导思想的形成

“弘扬主旋律，提倡多样化”的指导思想产生于90年代初期，是中国改革开放以来经济、政治体制改革与调整的历史产物，有其特定的历史根源及背景。90年代是市场经济体制在我国逐步建立的时期，反映在艺术创作领域，80年代的群体性、精神性和理想性在市场经济的大潮中逐渐被90年代的个体性、群体性、商业性所取代，随着计划经济向市场经济的转型，艺术创作中出现了一定程度的商业化、娱乐化倾向。大众文化裹挟着对传统意识形态规范的怀疑和叛逆，犹如潮水般涌来，社会思潮与文艺思潮开始变奏和分化，人们的价值观念发生了明显的变化。面对多重诱惑和某些制约，自1991年以来，江泽民曾经多次提到社会主义“主旋律”和“多样化”，以及二者之间的辩证关系等问题。其实早在80年代，邓小平在有关文艺政策的重要论述中就曾反复强调社会主义物质文明与精神文明要“两手抓，两手都要硬”。“弘扬主旋律，提倡多样化”的战略构想是这一思想的发展与创新。

1992年，江泽民曾明确指出，爱国主义、社会主义和集体主义应成为我们社会的主旋律。1994年1月24日，江泽民在全国思想宣传工作会议上首次正式提出“弘扬主旋律，提倡多样化”这一指导思想，并作了精辟的阐释：“弘扬主旋律，就是要在建设有中国特色社会主义的理论和党的基本路线指导下，大力倡导一切有利于发扬爱国主义、集体主义、社会主义的思想和精神，大力倡导一切有利于改革开放和现代化建设的思想和精神，大力倡导一切有利于民族团结、社会进步、人民幸福的思想和精神，大力倡导一切用诚实劳动争取美好生活的思想和精神。弘扬主旋律，使我们的精神产品符合人民的利益，促进社会的进步，不断满足人民群众日益增长的精神文化需求，这是发展宣传文化事业、繁荣社会主义文化市场的主题。要采取有效的政策措施，积极支持反映主旋律的精神产品的生产。每年都要拿出一批优秀的、为人民群众所喜闻乐见的影视、戏剧、音乐、舞蹈、美术和文学作品。”①由此可见“主旋律”的内涵相当丰厚：它既有符合社会主义初级阶段的反映了新的时代和新的文化的“先进性要求”（倡导的四种“思想和精神”），又融合了足以体现人类本性的、具有全人类公德性质的“广泛性要求”——人道主义精神。

不仅如此，江泽民还阐述了“主旋律”的审美表现形态和艺术表达方式：“反映主旋律的精神产品不仅思想内容要健康向上，艺术表现也应多种多样、生动活泼、精益求精，具有强烈的吸引力和感染力，在文化市场竞争中赢得优势。社会生活是丰富多彩的，人民群众的精神文化需求

① 江泽民：《论党的建设》，中央文献出版社，2002年版，第133页。

也是多方面、多层次的。只要是能够使人民得到教育和启发、得到娱乐和美的享受的精神产品，都应受到欢迎和鼓励。对民族文化精粹、优秀高雅艺术、有较高价值的学术著作，要给予扶持和保护。要努力发展新闻出版、广播影视、文学艺术、社会科学等事业，搞好社区文化、村镇文化、企业文化、校园文化建设。要继续增加对宣传文化领域的投入，进一步改善宣传文化事业发展的条件。”[①]丁关根在第六次文代会、第五次作代会全委会上的讲话对此进一步作了说明：“社会生活是丰富多彩的，人民群众的精神文化需求也是多方面的、多层次的，只要是能够使人民得到教育和启发，得到娱乐和美的享受的作品，都应受到欢迎和鼓励。多种题材、样式、风格的相互促进，我们的文化园地才能百花盛开。”“反映主旋律的作品不论思想内容还是艺术表现，都应当高标准。深刻的思想蕴含要给人以启迪，给人以感染，更需要借助生动精湛的艺术表现。多样化应该是健康有益的，有害的必须坚决反对。”

1996年江泽民在中国文联第六次全国代表大会中国作协第五次全国代表大会上再次重申了这一思想，指出：文艺要讴歌英雄的时代，反映波澜壮阔的现实，深刻地生动地表现人民群众改造自然、改造社会的伟大实践和丰富的精神世界。文艺工作者要努力在自己的作品和表演中，贯注爱国主义、集体主义、社会主义的崇高精神，鞭挞拜金主义、享乐主义、个人主义和一切消极腐败现象。在人民的历史创造中进行艺术的创造，在人民的进步中造就艺术的进步，给人民以信心和向上的力量，才能实现以优秀的作品鼓舞人的任务，使人民群众不断提高的精神需要得到满足，使弘扬主旋律和提倡多样化完满地统一起来。

党的十五大报告在谈到发展文学艺术事业的时候，再次强调了“弘扬主旋律，提倡多样化”的指导方针，它是在新的历史条件下加强和改善党对文艺工作的领导，凸显社会主义主流意识形态的一个重要举措。

“弘扬主旋律，提倡多样化”成为党和国家文化宣传事业的指导思想，目的是解决文艺发展的方向问题。“弘扬主旋律”与“提倡多样化”是相辅相成的。“主旋律”本身就需要在“多样化”中磨砺和发展，并以文学精品的审美效果（“强烈的吸引力和感染力”）来获取经济效益（“在文化市场竞争中赢得优势”）只有这样才能完成“在全社会形成共同理想和精神支柱”的时代使命，把人们引向高尚美好的精神境界。通过“弘扬主旋律，提倡多样化”为文艺创作的优劣提供了评价标准，也使得文艺创作能够在正确方向的引导下，为提高人民思想道德和文化素养作贡献。正是由于党和国家确定了“弘扬主旋律，提倡多样化”的方针，才带动了90年代文艺创作持续稳定的发展，使文艺创作中直接讴歌改革开放和正面塑造时代英雄的作品逐渐多了起来。

90年代中期涌现出的被人称为“现实主义冲击波”的小说创作现象，其中的上乘之作都能切入以经济改革为中心的社会现状，敏感地触及改革开放所引起的种种价值理念的冲突，以浓郁的现实主义创作精神和强烈的时代使命感取胜，从而引起社会的广泛关注和积极评价。如伸张正义针砭邪恶的反腐倡廉小说《苍天在上》、《抉择》等，弘扬革命英雄主义的军旅

① 江泽民：《论党的建设》，中央文献出版社，2002年版，第133页。

小说《我是太阳》、《突出重围》等都曾获得广泛的好评。

“主旋律”电影和电视剧《离开雷锋的日子》、《凤凰琴》、《国歌》、《突出重围》、《人间正道》、《走过柳塬》……都属优秀之作。“主旋律”化的另一个重要现象是拍摄了大量以共产党干部和社会公益人物为题材的影片，出现了一大批以政治性事件和英雄人物为创作题材的影视作品。如以共产党优秀干部为题材的《焦裕禄》、《孔繁森》，以各行各业模范典型为题材的影片《蒋筑英》、《军嫂》等，叙述他们那种任劳任怨、兢兢业业的政治信念、道德品质、价值观念。尤其是影片《生死抉择》不但好评如潮，引发了极大的社会反响，而且收视率颇高。重大历史题材的影视作品的数量和规模都发展迅速。1991 年纪念中国共产党建党 70 周年、1995 年纪念世界反法西斯战争胜利 50 周年形成了两个高潮，八一电影制片厂先后推出的《大决战》、《大转折》、《大进军》(8 部 16 集)，李前宽、肖桂云执导的《开国大典》、《重庆谈判》，丁荫楠执导的《周恩来》等是这类作品的代表，这些影视作品以其得天独厚的题材优势、举世罕见的制作规模以及精益求精的创作态度，将视野投向今天正直接承传着的那段创世纪的辉煌历史和今天还记忆着的那些创世纪的伟人。

这一时期的话剧创作或以军旅生活为重要表现内容，或展示重要历史人物和事件，或记录当代先进人物和事迹。都市话剧、探索话剧、小剧场话剧生机勃勃。独立制作人也应运而生。儿童剧创作此时也涌现出了一大批内容与形式都比较成熟的作品。针对戏曲艺术面临的生存困境，文化部和各地文化主管部门采取了许多有力措施，全力扶持困境中的戏曲艺术创作和生产。这一时期，少数民族戏剧、民间戏剧以及濒危的“天下第一团”(即指一个剧种只存一个剧团)都得到了有效的保护。为弘扬民族艺术，振奋民族精神，昆曲和京剧艺术在有效的保护中实现了有效的生成，不仅许多青年演员表现出艺术才华，而且创作出一批优秀剧目，在社会上产生了很大的影响。

舞蹈创作方面，一批真正具有现代意识的作品开始呈现于舞台，一批富有浓厚的民族情怀与乡土气息的作品也相继问世。中国的流行音乐得到了进一步的发展，一批新的流行音乐作品应运而生，广大音乐工作者对音乐剧的艺术创作实践，也在“描红”中前行。歌剧创作在严肃大歌剧的探索方面取得了突破性进展，在歌剧艺术综合美的完整性和成熟性上达到了前所未有的新高度。

中国美术思潮开始将关注点转移到对传统艺术价值的重新认识和回归上。中国画开始了新的多样性尝试，留下了一批具有重要意义的作品。而一批油画家依靠渐进的写实技巧开创了古典韵味的新写实画风，在继承写实传统的基础上，融合西方的抽象与表现性，并从民族绘画的特征中吸收营养，促使新时期的中国油画具有了鲜明的民族风格。

二

文化体制改革逐渐向纵深发展

1992 年 10 月，党的十四大确立了建立社会主义市场经济的改革目标，对文化体制改革提出了“改革剧团体制，集中力量办好代表国家级艺术水平的剧团”的要求。1993 年 9 月，文化部发出了《关于进一步加快和深化艺术表演团体体制改革的通知》，按照建立社会主义市场经济体制的新要求，对艺术表演团体改革提出了新的改革意见：一是调整布局结构。国家重点扶持少量的在国内外、省内外有重大影响，或具有实验性、示范性和民族代表性，或具有历史保留价值的艺术表演团体；办好地、县级艺术表演团体；提倡和鼓励社会办团。二是搞活内部经营机制。1994年2月，文化部又颁布《关于继续做好艺术表演团体体制改革工作的意见》，进一步明确国有艺术表演团体体制改革的重要内容是建立充满活力的运行机制。由此开始，文化部连续三年对中直院团进行了一系列改革，遵循以建立科学合理的布局结构、建立充满活力的运行机制、建立长期稳定的经费来源为三项基本内容的宏观思路。以建立完善的运转机制为重点，整体推进，分步实施，对推进全国艺术表演团体改革产生了积极的示范作用。

1996年，党的十四届六中全会通过《中共中央关于加强社会主义精神文明建设若干重要问题的决议》，提出了文化体制改革的任务和一系列方针，提出"改革文化体制是文化事业繁荣和发展的根本出路"，"改革的目的在于增强文化事业的活力，充分调动文化工作者的积极性，多出优秀作品，多出优秀人才"。强调改革要符合精神文明建设的要求，遵循文化发展的内在规律，发挥市场机制的积极作用。改革要区别情况，分类指导，理顺国家、单位、个人之间的关系，逐步形成国家保证重点、鼓励社会兴办文化事业的发展格局。

在人们市场意识、竞争意识不断增强的背景下，文化产业的发展越发引起中央及有关部门的关注。1992年，邓小平"南方谈话"极大地解放了中国人民的思想，党的十四大提出建设社会主义市场经济体制的伟大目标，激发了人们的市场意识、竞争意识、商品意识。1993年11月，文化部提出"发展文化产业"的命题，文化系统由"以文补文"、"以文养文"逐步转入产业发展轨道。顺应时代潮流和文化建设需要，1998年，文化部在国务院进行机构改革、机关编制和人员大幅缩减的情况下，新设立了文化产业司。这一重大举措，标志着中国文化产业已由民间自发发展阶段进入政府致力推动的新时期。2000年10月，党的十五届五中全会通过的《中共中央关于制定国民经济和社会发展第十个五年计划的建议》中提出了"文化产业"问题，这是在中央正式文件中第一次使用这一概念，表明文化产业已被列入国家发展战略，标志着我国对于文化产业的承认和对其地位的认可，对于文化体制改革具有决定性的作用。文件要求完善文化产业政策，加强文化市场建设和管理，推动有关文化产业发展。2001年，中共中央办公厅、国务院办公厅转发了中宣部、广电总局、新闻出版总署《关于深化新闻出版广播影视业改革的若干意见》，提出文化体制改革要以发展为主题，以结构调整为主线，以集团化建设为重点和突破口，着重在宏观管理体制、微观运行机制、政策法律体系、市场环境、开放格局五个方面积极进行探索创新，以进一步壮大实力，增强活力，提高竞争力。强调要加强党对新闻出版、广播影视业改革的领导，始终掌握对重大事项的决策权、对资产配置的控制权、对宣传业务的审核权、对主要领导干部的任免权。

回顾这一阶段文化体制改革，主要围绕以下几个重点进行了探索：一是艺术表演团体体制改革转到以国有艺术表演团体尤其是省级和中央艺术表演团体为重点。在落实加大财政投入、合理布局结构、规范演出市场秩序和建立文化经济政策等一系列配套政策的同时，重点突出了院团内部运行机制的建设和调整。院团生产和演出的市场化导向得到明显加强，逐渐由机关化管理模式开始向企业化管理模式转变，产业化经营得到提倡。二是培育社会主义文化市场，规范市场行为，完善运行机制，促进文化市场繁荣健康、活跃有序地发展。初步建立起了包括文艺演出市场、电影电视市场、音像市场、文化娱乐市场、文化旅游市场在内的文化市场体系。三是文化管理部门加大自身改革的力度，转变职能，提高效率，加强和改进对文化事业的宏观管理。四是进一步完善文化经济政策，逐步建立了有利于文化单位把社会效益放在首位的保障机制。

三

“五个一工程”的实施

由中共中央宣传部组织的精神文明建设“五个一工程”评选活动，自1992年起每年进行一次，评选上一年度各省、自治区、直辖市和中央部分部委，以及解放军总政治部等单位组织生产、推荐申报的精神产品中五个方面的精品佳作。这五个方面是：一部好的戏剧作品，一部好的电视剧（或电影）作品，一部好的图书（限社会科学方面），一部好的理论文章（限社会科学方面），一首好歌。并对组织这些精神产品生产成绩突出的省、自治区、直辖市党委宣传部和部队有关部门，授予组织工作奖。对获奖单位与入选作品，颁发获奖证书与奖金。其中文艺五项（戏剧、电视剧[片]、电影、歌曲、广播剧）还设有提名奖。至2002年，“五个一工程”优秀作品评选已举办了九届，共评出戏剧223部、电视剧（片）276部、电影111部、歌曲172首、广播剧139部、图书306种、理论文章259篇、理论文献片47部。

这些代表着“五个一工程”实施十几年来丰厚收获的精品力作，是奉献给人民群众的精神食粮，凝聚着各级宣传文化部门和广大文艺工作者的心血，是全国各族人民在党的领导下实现民族复兴、建设和谐社会伟大实践的记录和写照，更是构建社会主义先进文化这座精神大厦的砖石。

“五个一工程”推出了大量深受群众欢迎的优秀作品，也不断培养出了一批批优秀的文艺工作者。形成了一种以作品带人、以人促作品的生动气象。“精品迭出，人才辈出”的“五个一工程”，正在发挥着激励、导向、示范、精品、育才五大作用，在构筑社会主义先进文化精神大厦、建设和谐文化、繁荣文艺创作的进程中具有越来越重要的意义。

“五个一工程”实施以来，对各地、各单位精神文明产品生产的发展与提高，产生了积极的促进作用，体现了中央提出的精神文明重在建设的方针，把“以科学的理论武装人、以正确的舆论引导人、以高尚的精神塑造人、以优秀的作品鼓舞人”的号召落实到实际工作中。“五个一工程”中文艺项目的评选，贯彻了文艺为人民服务、为社会主义服务的方向和“百花齐放、百家争鸣”的方针，弘扬主旋律，提倡多样化，对繁荣社会主义文艺创作，培育富有鲜明时代精神和浓郁生活气息、思想性与艺术性完美结合、为广大人民群众喜闻乐见的文艺精品的问世，起到了有力的推动作用。

以“五个一工程”为引导，弘扬主旋律，提倡多样化，引领精神产品创作生产的正确方向。“五个一工程”是精神文明建设重在建设的具体体现，坚持社会主义先进文化前进方向，倡导作家艺术家贴近实际、贴近生活、贴近群众，讴歌时代和人民，鼓励弘扬以爱国主义为核心的民族精神和以改革创新为核心的时代精神，提倡思想性、艺术性、观赏性的高度统一，题材、风格、形式的百花齐放，得到群众喜爱。“五个一工程”在引领文艺创作生产、引导大众审美和文化消费中发挥了不可替代的重要作用。

“五个一工程”从创立实施之日起，就以自己的品格和鲜明的导向，大力倡导文艺关注现实、服务群众，唱响爱国主义、集体主义、社会主义的主旋律，为社会主义核心价值体系建设添砖加瓦。在“五个一工程”的历届评选中，推出了大量反映民族解放历程，反映现实生活，反映普通百姓命运的好作品。电影《大转折》、《大进军——席卷大西南》等，艺术地再现了解放战争的磅礴进程，讴歌了党和人民军队不可战胜的力量。电视剧《贫嘴张大民的幸福生活》，通过讲述普通工人张大民一家生活道路上经历的坎坷与辛酸，歌颂了老百姓脚踏实地的生活态度和锲而不舍的乐观主义精神。歌曲《从头再来》，直面现实，用生活化的语言，唱出下岗工人自强不息的追求。滑稽戏《青春跑道》，以一群性格各异、家境不一的中学生的生活和生存状态，反映了当前学校教育在人格培养中所作的探索……

生活是创作的不竭源泉。电视剧《希望的田野》扑面而来的乡土气息、鲜活的人物，就得益于编创者多次到东北农村深入生活，得益于与农民兄弟同吃同劳动过程中建立的深厚感情。从“五个一工程”历届获奖作品中可以发现，这是个题材主题多样、形式风格各异、百花齐放的园地，而那些贴近生活、贴近普通人的作品，那些注重表现老百姓真实生活和细腻情感，深入发掘他们内心世界真善美的作品，更是芬芳艳丽。

思想性、艺术性和观赏性有机统一历来是“五个一工程”评选的基本要求，既坚持社会效益第一，也注重经济效益。演出场次、票房收入、发行数量、传唱程度等，成为入选“五个一工程”的重要条件。《激情燃烧的岁月》、《希望的田野》等电视剧，平均收视率创下新高；《离开雷锋的日子》以3000万元夺得1996年电影票房之冠，美术片《宝莲灯》票房突破250万；陕西眉户现代戏《迟开的玫瑰》演出400多场而不衰，苏州滑稽戏《一二三，起步走》演出达3600多场，并被多个院团、剧种移植改编，就是突出的例证。它们得到了群众的认可，经受了市场的检验，以实实在在的业绩昭示，“五个一工程”推出的反映时代主旋律的作品，愈来愈好看，愈来愈耐看，愈来愈让人喜欢看了。

以“五个一工程”为动力，激发文艺创造力，多出精品，多出人才。紧扣时代脉搏，奉献思想性、艺术性和观赏性统一的优秀作品，更好地满足人民群众日益增长的精神文化需求，是“五个一工程”的重要宗旨。“五个一工程”从一开始就强调精品意识，强调质量是精神文化产品的生命所系，要求各级宣传文化部门以高度的使命感和责任感，创作生产出更多思想深刻、艺术精湛、深受广大群众欢迎并能经受时间考验的优秀作品。

诸多入选“五个一工程”的优秀作品都经历过孜孜砥砺、精心打磨的过程。辽宁人艺的工人题材话剧《父亲》，表现的是进入20世纪90年代以来工人们的命运与处境、他们的选择与奋进。该剧编导演等主创人员多次深入企业生活，数易其稿，以精益求精的态度刻画出了当代工人奋力前行的身姿，为他们唱出了一支深挚的长歌，在该剧获得多项大奖之后，主创人员仍不断修改提高。多位参加过“五个一工程”创作的艺术家深切地体会到，“五个一工程”作为先进文化建设的一项标志性事业，其重要特点是立足我国历史和现实生活，善于抓住具有时代特色的题材，并且集中国内名导演、名编剧、名演员等各方面优势力量，打好精品创作的主动仗，从而推出了不少脍炙人口的佳作。创新，让“五个一工程”在艺术上焕发出生机和活力。

许多直接反映重大革命历史题材的作品，不少及时表现当代英模的作品，由于在艺术上的创新，受到群众的广泛欢迎和喜爱，如电视剧《日出东方》、《长征》和电影《周恩来》等，更加注重挖掘伟人的精神世界，更加注重从伟人与人民群众的血肉联系中刻画领袖的性格。电影《蒋筑英》、《孔繁森》等作品，或以新的视角，或以新的表现方式，通过生动丰富的情节，再现主人公的生命历程，在人物塑造上融“英雄”与“常人”特点于一身，给观众带来全新的感受。而电视剧《咱爸咱妈》、《外来妹》和电影《凤凰琴》等，聚焦普通人的生活和情感，对平凡的性格和心理进行细腻的揭示，展现了当代人内涵丰富的生存状况和复杂多样又不乏真诚善良的内心世界，看起来让人倍感亲切，滋味悠长。

“五个一工程”十几年来推出大量深受群众欢迎的优秀作品，也不断培养出一批批优秀的文艺工作者。浏览一下历届获奖作品和作者、表演者名单，不难发现，多年来活跃于舞台、荧屏、文坛、歌坛的许多名家，都曾参与过“五个一工程”获奖作品的创作生产，许多青年文艺人才，通过参加“五个一工程”的创作生产，都已成长为当代知名文艺家。“五个一工程”的实施不仅推出了作品，而且培育了人才、锻炼了队伍，形成了一种以作品带人、以人促作品的生动气象。这种气象，被很多文艺界人士形容为“精品迭出，人才辈出”。

“五个一工程”的实施，其影响已远远超出了评奖活动本身，对全社会来说，它已经并且正在发挥着激励、导向、示范、精品、育才五大作用，在构筑社会主义先进文化精神大厦、建设和谐文化、繁荣文艺创作的进程中具有越来越重要的意义。

农村合作医疗的探索和重建

合作医疗是我国农民自己创造的互助共济的医疗保障制度，在保障农民获得基本卫生服务、缓解农民因病致贫和因病返贫方面发挥了重要的作用。但是自改革开放以来，随着农村联产承包责任制的推行，集体经济迅速解体，以集体经济为基础的农村合作医疗组织方式由于不能适应时代变化，也在不少地方迅速解体。

1990－2002 年这一段时间以旧合作医疗的全面衰落为终点，以新型农村合作医疗制度的建立为起点，是一个农村合作医疗的转型阶段。这一阶段是充满焦虑、痛苦甚至沮丧的，总体色调是灰暗的，但是并非万马齐喑、毫无作为，不仅中央的政策不断让人鼓舞，而且各地的实践中不断出现亮点，全国范围内也蕴藏着无穷的生机。可以说，没有这一阶段的痛苦反思和艰苦探索，就没有后来新型农村合作医疗制度的全面铺开，也就没有一支在制度设计、执行和监管中所倚重的专家队伍和管理队伍，也就没有后来新型合作医疗的长足发展和显著成效。正如那首古老的诗句所言：既然冬天来了，春天还会远吗？

一

20世纪90年代以来合作医疗的发展概况

在2003年新型农村合作医疗推出之前，尽管农村合作医疗的人口覆盖率有所上升，但总体上这种状况没有根本的改变。全国卫生服务调查表明（见表1），1992年、1997年、2002年农村居民参加合作医疗的比例分别只为9.8%、6.6%和9.5%。即使加上其他很少的商业医疗保险和城镇职工社会医疗保险，1992年到2002年，农民居民医疗保障覆盖率从15.6%下降为12.6%，尤其在中西部地区，广大农村居民大部分处于无任何医疗保障的状态。面对增长迅猛而高昂的医药费用，“小病抗，大病拖”是常见的不得已的选择。

由于各界有呼吁、政府有行动，这一时期居民的合作医疗保障覆盖率尽管与80年代后期相比有所增加，但始终没有大的起色，因此，我们可以从现象上说，90年代以来直到2002年中央农村卫生工作会议之前的十多年时间是农村卫生发展缓慢甚至停滞的阶段。由于农民收入增长缓慢而税负加重，农民参加合作医疗的积极性受经济状况影响而低迷不振，1997年合作医疗的覆盖率一度下降到6.6%。

当时举办合作医疗的经济环境和政策环境也很不理想。分税制改革之后，财权上收，基层财政越发困难，卫生财政日益吃紧，让地方政府支持农村合作医疗的难度越来越大。有些地方把农村合作医疗看做一种农民负担形式而按照农业部的相关要求列入“减轻”之列，如河南开封和林州的合作医疗就被迫停办，山西榆社、平遥两县的合作医疗也因此夭折。[①]后来，中央注意到这个问题之后，将合作医疗的“身份”从农民负担的“黑名单”中剔除，这才成为合作医疗发展史中的一个小插曲。随着经济条件和政策环境逐渐宽松，农村合作医疗的覆盖率有所回升，但这十多年人口的覆盖率事实上始终没有超过10%。

从另一方面说，这一阶段其实并非一无是处，农村卫生工作——其中合作医疗是一个主线——是在极其困难的条件下，进行了艰苦卓绝的探索和重建工作，直到新型农村合作医疗制度的诞生。在这一阶段，业内研究人员，特别是卫生经济和政策研究者、部分社会政策学者以及有社会关怀的经济学者、改革研究者，对农村合作医疗的兴衰进行了认真的反思和探索，各地在国际组织的支持下进行试点研究，总结了若干经验教训。等到政府主导、以县为主的新型农村合作医疗逐步推开，农村居民合作医疗的覆盖率有了大幅度提升，2007年的调查表明已经接近90%，已经接近应保尽保，不过保障水平还有待提高。

① 刘克军、范文胜：《对两县90年代合作医疗兴衰的分析》，2002年6月第6期《中国卫生经济》，第21卷（总第232期）。

表 1 城乡居民社会医疗保障覆盖情况(%)

	1992 年	1997 年	2002 年	2007 年
城市	72.5	52.5	49.6	71.0
农村	15.6	11.3	12.6	92.6
其中:合作医疗	9.8	6.6	9.5	89.7

数据来源:卫生部卫生信息统计中心负责的1993年、1998年、2003年、2008年四次全国卫生服务调查。由于每次调查都是利用前一年数据,所以上表所反映的分别是1992、1997、2002和2007年的数据。以上2007年的数据暂不包括西藏和陕西两省区。

二

20 世纪 90 年代初期合作医疗的微观观察

80年代中期以后,全国合作医疗的覆盖率降至5%左右,到80年代后期,全国的合作医疗仅区域性地存在于江南一带,其他地方都限于少数县、乡、村,属于点状存在。在我们曾经调查过山东省最早搞合作医疗的招远县,1989年本县的调查发现,当时招远县16个公社只有8个坚持合作医疗,其中只有很少的村庄参加,实际上“这部分乡(镇)的合作医疗也是名存实亡”。当时全县只有217个村还举办合作医疗,占31%。这时出现了比较严重的因病致贫现象。有一位老支书叫徐福德,偏瘫、失语、长年卧病在床而没有进医院治疗,老伴解释说:“没有钱哪,只好眼睁睁看着老头子活受罪。”①

考虑到恢复和发展合作医疗是解决农村居民看病难、因病致贫的迫切需要,通过重新部署、发动和安排,制定文件,明确任务,有许多村恢复了乡(镇)办合作医疗。到1990年6月,参加镇办的合作医疗的村数有593个,村庄覆盖率82%,似乎还“形势大好”;但实际人口覆盖率仅66%;而且乡镇内部的差异也很大,好的村庄和人口的覆盖率都是100%——这往往是经济状况较好的地方的集体行为;而差的则村庄和人口的比例只有54.3%和28.4%。由于规模小、资金不足,合作医疗抗风险能力差,当时并没有化解这种风险的再保险机制,因此当时建议报销比例为乡镇报销30%~60%,村级报销比例20%~50%为宜,很难真正解决因病致贫问题。

参加镇级的缴费4元,参加村级的缴费3元。有些村尽管参加了镇办合作医疗,但本级合作医疗已经取消。从举办村一级合作医疗的情况看,合作医疗更非“形势一片大好”了,自费的村庄466个,占64.5%;在举办合作医疗的257个村庄中,部分报销的村庄137个,占了65.0%,其中绝大部分报销比例在50%以下;只是免收处置费的65个,占27.7%;只享受批发的有7个村庄,占3%;将这些情况排除后,过去所提倡的全报的村庄只有48个,仅占20.4%。

在卫生局步局长的指示下,1990年抓农村卫生的网底建设时下达的“合作医疗制度标准”规定:乡镇办合作医疗,要求16处乡镇都要办,100%;以乡为单位,达到90%的村;以村为单位,参加人数达到覆盖90%以上。而村办合作医疗,有两个80%的要求.以乡为单位80%的村庄,以村为单位参加的人数达到80%以上,“村办合医不合药不算合作医疗”,报销比例自定。

步局长为促进合作医疗的重建,进行

① 招远县卫生局局长步广大,《关于全县合作医疗情况的汇报》(1990年7月20日),第2页。

了大量的宣传工作如：金岭镇党委书记金福全带头组织群众“用一把鸡蛋办合作医疗”；玲珑镇人大主任徐游几十年关心合作医疗的发展，抓社区康复；大户陈乡党委为实现初级卫生保健率先整顿两级合作医疗制度；栾家河乡长教育干部职工自己带头为群众集资合作医疗经费；东庄乡乡长亲自收合作医疗费用和访贫问苦；宋家镇整顿医德医风，恢复合作医疗制度，“保持合作医疗发源地的优势”，等等。①但是这些宣传主要局限于行政层面，对于老百姓的影响有限，由于不能根本改变筹资模式和增加农民收入，招远的合作医疗在步局长任上也没有得到恢复和重建，在他退休之后再次陷入大势所趋的解体状态。

表 2　山东省招远县 1990 年 6 月合作医疗参加情况表

单位	村数	参加镇办村数	全报村数	部分报村数	享受批发	免收处置费	自费
招城	76	44	12	9	0	0	55
玲珑	49	38	9	0	0	0	40
宋家	48	28	1	4	0	1	43
张星	43	38	2	0	0	0	41
辛庄	63	62	1	1	1	2	58
大秦家	47	46	1	7	0	11	28
栾家河	33	30	4	6	0	1	22
毕郭	44	39	1	12	0	25	6
南院	45	43	0	35	0	0	10
大吴家	35	19	1	0	1	14	19
夏甸	54	41	2	0	0	0	52
道头	42	40	0	0	4	5	33
大户陈	19	19	2	17	0	0	0
金岭	48	48	3	40	0	0	5
蚕庄	54	34	8	6	0	3	37
东庄	24	24	1	0	1	3	19
合计	723	593	48	137	7	65	466

① 〔招卫字 1990〕第 16 号，《招远县卫生局关于加强三级卫生网管理和完善基层网建设发展合作医疗的意见》，1990 年。

三

20世纪90年代以来我国的合作医疗政策

在中国农村的现阶段，如果没有政府大力支持，合作医疗是很难举办和坚持下去的。而政府的支持主要是政策支持和资金支持。

20世纪90年代，针对农村合作医疗的衰败状况，在世界银行和世界卫生组织等国际组织的督促下，中国政府高层其实也注意到了合作医疗的解体以及因此带来的问题，各级政府为重建和发展合作医疗制度作出了不懈的努力。但由于这种重视和努力没有达到一定的程度，也没有能从财政上和技术上给予足够的指导、支持和保障，农村合作医疗没有能作为一种制度在全国范围重建和完善。到2000年，90年代初期所制定的《我国农村实现"2000年人人享有卫生保健"的规划目标》没有得到令人满意的实施效果，其中缺乏合作医疗制度的保障是一个重要原因。

合作医疗是农村卫生的重要组成部分和其他保健制度的重要保障。在1991年1月17日，国务院批转卫生部等部门《关于改革和加强农村医疗卫生工作的请示》，提出"稳步推行合作医疗保健制度，为实现'人人享有卫生保健'提供社会保障"，请示报告充分肯定了合作医疗制度，在总结以往经验的基础上，提出了搞好合作医疗的措施。此后下发的关于农村卫生工作的文件中，办好农村合作医疗始终是一个重要内容。

彭珮云同志一贯关注农村卫生发展，对推动农村合作医疗的发展给予了重要的指导和支持。1996年4月她任国务委员时期，曾率国务院研究室和卫生部的同志到江苏、河南考察，7月主持召开14个县领导和卫生局长合作医疗专题座谈会。7月卫生部在河南召开全国农村合作医疗经验交流会，彭珮云同志到会作了重要讲话。她认真分析了合作医疗的产生、发展与作用，明确了发展与完善合作医疗的目标与原则，提出了发展与完善合作医疗的具体措施，奠定了新时期合作医疗发展的基础。会后，全国有19个省、市、自治区共选择了183个县（市、区）作为省级合作医疗的试点，多数地、市也选定了一批试点县，合作医疗出现良好的发展势头。据统计，到1996年底，合作医疗行政村的覆盖率上升至17.6%，比上年增加6.41个百分点。①

农村合作医疗制度的重建有充分的民意基础，也有来自中央高层的重视。1996年底，中共中央、国务院在北京召开了全国卫生工作会议。江泽民总书记在讲话中说："现在许多农村发展合作医疗，深得人心，人民群众把它称为'民心工程'和'德政工程'。看来，加强农村卫生工作，关键是发展和完善农村合作医疗制度。这是长期实践经验的总结，符合中国国情，符合农民愿望。要进一步统一认识，加强领导，积极稳妥地把这件事办好。"②李鹏总理也肯定了合作医疗的历史作用与现实意义，要求各级党委和政府统一认识，加强领导，积极稳妥地把合作医疗的事情办好。他在会上指出，在农村卫

① 《全国农村合作医疗经验交流会材料选编》，《中国农村卫生事业管理》，1996，16(8)。
② 江泽民：《在全国卫生工作会议上的讲话》，《中国农村卫生事业管理》，1997，17(1)。

生工作中，已明确把建立县乡村三级卫生服务网、合作医疗制度和乡村医生队伍作为三大支柱。这个方向是正确的，要认真坚持下去。并强调农村合作医疗制度是一种具有中国特色的农村基本医疗保障制度，这是一件涉及党群关系、农村经济发展和社会稳定的大事，一定要把它办好，要通过深化改革加以解决，使合作医疗得以坚持和发展。[①] 此后在《中共中央关于建立社会主义市场经济体制若干问题的决定》、八届全国人大四次会议批准的《关于国民经济和社会发展"九五"计划和2010年远景目标纲要》中都提出，要因地制宜地发展完善不同形式的农村合作医疗制度。

在各个政府部门中，卫生部作为农村卫生的主管部门，90年代以来一直对农村合作医疗的重建工作非常重视，并作出了不懈努力。他们的努力得到了来自中共中央、国务院的支持。1997年是卫生改革和发展重要的一年，也是合作医疗重建中最为乐观的一年。该年初，出台了指导卫生工作全局的重要指导性文件《中共中央、国务院关于卫生改革与发展的决定》。在该《决定》中辟专条讲到合作医疗："积极稳妥地发展和完善农村合作医疗制度。合作医疗对于保证农民获得基本卫生服务、落实预防保健任务、防止因病致贫具有重要作用。举办合作医疗，要在政府的组织和领导下，坚持民办公助和自愿参加的原则。筹资以个人投入为主，集体扶持，政府适当支持。要通过宣传教育，提高农民自我保健和互助共济意识，动员农民积极参加。要因地制宜地确定合作方式、筹资标准、报销比例，逐步提高保健水平。预防保健保偿制度作为一种合作形式应继续实行。要加强合作医疗的科学管理和民主监督，使农民真正受益。力争到2000年在农村多数地区建立起各种形式的合作医疗制度，并逐步提高社会化程度；有条件的地方可以逐步向社会医疗保险过渡。"

1997年5月28日，由国务院批转下发卫生部和国家计委、财政部、农业部、民政部联合提出的《关于发展和完善农村合作医疗若干意见》。为推动各有关方面积极贯彻，卫生部于1997年11月7日发出《关于进一步推动合作医疗工作的通知》。该《通知》要求做好深入细致的宣传动员工作，使群众认识合作医疗的优越性；要求提高合作医疗的管理水平，搞好服务，完善监督，使群众真正受益；要求加强培训；要求用"典型引路"。该《通知》指出："各地在政府领导下，制定了合作医疗发展规划，开展合作医疗试点的县已达350多个，取得了一定经验。全国发展和完善合作医疗的工作正在稳步健康地推进。"

1997年之后，中国受亚洲金融危机的影响，国内经济状况恶化，农村社会矛盾相当尖锐。1999年，国家农业部等有关部门发出通知，要求减轻农民经济负担，明令禁止向农民乱集资、乱摊派，其中，明确指出不得强制推行合作医疗。2000年，国家农业部再次发出通知，其中，批评"合作医疗集资在一些地方仍未禁止"。据中国卫生经济培训与研究网络研究，10个贫困县农村合作医疗试点所得出的一个主要发现就是："合作医疗运行与发展的决定因素不是经济因素，也不是技术因素，而是政策的稳定性、协调性和规范力度。可见，保持政策的稳定性对一项事业的发展至关重要。因此，有关部门在农村实行合

---

① 李鹏:《在全国卫生工作会议上的讲话》,《中国农村卫生事业管理》,1997,17(1)。

作医疗政策上的互相矛盾给两县基层卫生工作的开展带来了巨大的负面影响。”① 当时不少县的合作医疗本因筹资困难而步履维艰，这样就更加陷入了困境。

21 世纪初，为进一步建立适应社会主义市场经济体制要求和农村经济社会发展状况、具有预防保健和基本医疗功能的农村卫生服务体系，国务院体改办、国家计委、财政部、农业部、卫生部联合提出了《关于农村卫生改革与发展的指导意见》，2001 年 5 月 24 日由国务院办公厅转发。该《指导意见》要求地方各级人民政府要加强对合作医疗的组织领导，按照自愿量力、因地制宜、民办公助的原则，继续完善与发展合作医疗制度；合作医疗筹资以个人投入为主，集体扶持，政府适当支持，坚持财务公开和民主管理；“有条件的地区，提倡以县(市)为单位实行大病统筹，帮助农民抵御个人和家庭难以承担的大病风险”。

2002 年 10 月出台的《中共中央国务院关于进一步加强农村卫生的决定》，要“逐步建立以大病统筹为主的新型农村合作医疗制度”，“到 2010 年，新型农村合作医疗制度要基本覆盖农村居民”。“从 2003 年起，中央财政对中西部地区除市区以外的参加新型合作医疗的农民每年按人均 10 元安排合作医疗补助资金，地方财政对参加新型合作医疗的农民补助每年不低于人均 10 元”。“农民为参加合作医疗、抵御疾病风险而履行缴费义务不能视为增加农民负担”。具体规定了重建农村合作医疗体系的政策措施，并指出“各级政府要逐年增加卫生投入，增长幅度不低于同期财政经常性支出的增长幅度”。

10 月 30 日，李岚清副总理在全国农村卫生工作会议的讲话中提出：从 2003 年起，各地要选择若干县进行建立新型农村合作医疗制度的试点，取得经验，逐步推广。到 2010 年，全国农村基本建立起适应社会主义市场经济体制要求和农村经济社会发展水平的农村卫生服务体系和农村合作医疗制度。②

四

地方政府的积极探索

在 90 年代，尤其在邓小平南方谈话之后，大部分地方政府将主要精力放在招商引资、拉动经济增长方面，在社会管理方面放任自流，关注得很不够。这是合作医疗非常不利的地方政治背景。农村合作医疗的发展是很不平衡的，90 年代以来主要集中在经济比较发达的沿海地区。1998 年上海、江苏、广东、山东等一类农村的农村合作医疗覆盖率达到 22.21%，而在中西部地区尤其是贫困的四类农村地区仅为 1%～3%。地方实际上在尝试不同模式，这些尝试有的失败，有的成功。有些地方对合作医疗不断改革和完善，不仅最终能够坚持办下来，而且推陈出新，在制度建设上有所进步。即使失败，失败是成功之母，失败中归纳的教训为后来的新型农村合作医疗的探索提供了反面参照。

1. 贫困地区的合作医疗试点

尽管从需要出发，像某些人呼吁的“贫困地区更要开展合作医疗”，但是事实

---

① 刘克军、范文胜：《对两县 90 年代合作医疗兴衰的分析》，2002 年 6 月第 6 期《中国卫生经济》第 21 卷(总第 232 期)。

② 夏杏珍：《农村合作医疗制度的历史考察》，《当代中国史研究》，2003 年 9 月第 10 卷第 5 期。

上像《中国农村贫困地区合作医疗试点研究》系列报告告诉我们的，供给方面很难取得成功。尤其在边远贫困地区，影响合作医疗的巩固与持续发展的主要困难有：基层卫生机构欠账多，基础设施差，卫生技术人员水平低，人口总数少，基金抗风险能力有限。从其他不发达地方的实践中还可以看到一些其他困难，例如甘肃农村合作医疗的配套资金难以落实，农民对资金管理不够信任；陕西农民不愿把款交给下乡筹资的干部，而宁愿直接交给合作医疗管理委员会；四川省古蔺县试点中，农民对于合作医疗的互助共济、风险共担的意识比较薄弱，特别是部分农民对于基金的使用表示怀疑，农民的参加率呈滑坡趋势。

对农村贫困地区适宜模式的研究发现：试点研究时成功运行的合作医疗等试点项目一结束，就不能持续运转；参保农民收益少，卫生资源利用不高，合作医疗资金节余太多，个人集资金额过高；县乡政府承诺的扶助资金不能兑现，政出多门，服务人员的素质低、设备差，影响到农民参保的积极性。他的结论是："目前农村贫困地区健康保障无适宜模式可觅"，健康保障应该与反贫困战略结合实施，应该培养农民自我发展的能力，加快卫生院/室的建设和人才培养。①

总之，中国农村贫困地区的试点工作是"举步维艰、运行不稳、前途莫测"。② 按照目前的方式去试点，从经济水平、社会环境、主体意识等方面来看，都还难以在贫困地区建立可持续的合作医疗保障制度。有人认为，"对于广大贫困地区来说，能够坚持原来的合作医疗就不容易，发展医疗保险为时尚早，政府工作的重心应该放在公共卫生预防保健和医疗救助方面"。

2. 中等地区的合作医疗的重建和坚持

发达地区"有钱好办事"，贫困地区是"没钱不办事"。中等地区钱不算多，但已经具备了举办合作医疗的经济条件，但是难于把好事办好。中等地区合作医疗的适宜模式，需要根据当地组织者的管理能力和作风来选择，需要根据时代的变化而变革。

一般来说，春办秋黄、可持续性差，是这一地区 90 年代合作医疗试点的特点，经常有些报道说某地合作医疗办起来了，甚至办得很好，但一两年就歇了或者名存实亡。地方政府不办不行，农民有需求，上头也提倡；办了后却发现管理太难令人满意。以武汉市新洲区汪集镇为例，1958—1994 年一直努力办好合作医疗，然而，因为筹资水平跟不上医疗价格的普遍提升，又因为国务院减轻农民负担的文件把合作医疗列入 43 项负担之一，终于在 1994 年底全部解体。1997 年党中央、国务院下发了《关于卫生改革和发展的决定》，要求各地积极稳妥地发展和完善合作医疗保健制度。当地政府在做了民意调查（赞成者占 150 户被调查村民的 73.58%）后，决定在 4 个村 6912 人中重新试点。制订方案、成立机构、建立服务体系，但是运行半年就解体了，这第二次合作医疗更像是一次运动。当地对解体归因是参与各方的

---

① 沈文虎：《农村贫困地区健康保障适宜模式》，"中国农村健康适宜模式研讨会"论文，2002 年 4 月 17—19 日，北京。

② 刘远立等：《论建立中国农村健康保障制度之必要性和相关的政策问题》，"中国农村基本保障问题国际研讨会"论文，2001 年 7 月 9 日—11 日，北京。

认识有偏差，其实是利益冲突没有得到有效协调，举办者和参加者没有从合作中得到实惠：村干部仍然把合作医疗视为增加农民负担，怕违反政策，干起来不利索；卫生服务人员认为，搞合作医疗无利可图，反而承担经济风险，抵触情绪挺大，也不会因此提高医疗水平，收合作医疗费的积极性也不高；农民发现搞了合作医疗并没有少花多少钱，本来以为“我一年交30元，你就得全包下来”，现在大部分还是自己掏，搞还不如不搞。这关键三方博弈的结果是恢复到过去的均衡态，费交不上来，各自再干个体去，卫生室欠了一大笔债，相继停办了。①

同样在湖北省，武穴市的合作医疗能够维持和发展的原因在于稳定的民意基础和适当的改革。改革措施关键有三点：一是他们适应外环境的变化，相应调整提高筹资水平和改进收缴方式，采取代扣或记入“农民负担卡”统一收取，这样就不必挨家挨户地另外收取，从而降低了管理成本。二是明确政府责任，确保政府投入到位，并且实行责权利相结合的分级管理，村级基金超支由村卫生室和村共同负担，乡镇级基金超支由卫生院和乡镇政府负担。三是建立了农民合作医疗代表大会制度，由农民自己讨论合作医疗方案、审查合作医疗基金的使用情况、监督合作医疗中的不正之风和医德医风，体现让农民做主的思想，较好地解决了合作医疗可持续性的问题。此外，门诊以乡镇为区域自由择医，住院以全市为区域自由择医；并且建立风险防范机制。②

有些中等地方，如安徽省望江县于1999年起实行县办县管的农民大病统筹合作医疗。他们在工作中还摸索出了信息公开，张榜公布，错一罚十的有效的监督体系。

3. 发达地区合作医疗制度的推陈出新

在上海、江苏、浙江、广东、山东等沿海地区，地方政府财力雄厚，政府的组织和宣传能力强大，信息管理网络先进，有些地方还有强劲的集体经济的支撑，这一时期发达地区的合作医疗有许多的自主创新。

上海嘉定的合作医疗在20世纪90年代末期已经演变成以医疗社会保险为主的多层次保障制度：合作医疗基金制、大病保险制和贫困人口医疗救助制。资金来源有五个基本出资单位：区政府财政支出的0.2%，镇政府财政支出的1%～1.5%，村级公益金的5%～7%，企业按职工工资的3%～4%，个人按镇政府公布的农民人均纯收入的2.5%～3.5%。为了减少“多人用一卡”的“绿岛效应”，2000年他们设置了700元的自付段，信息管理网络化能动态掌握参保人员和医生的治疗费用使用情况，这便于监督和控制医疗费用的上涨。在三十多年的社会变迁中一直坚持“以变应变，不断改革运行机制”，在21世纪初期已经“成长为十分成熟的农村医疗保险制度”。③

江苏省各县的自主创新得到了省政府的大力支持。为了缓解因病致贫的矛盾，江苏省坚持农村医疗保障以大病保险

---

① 彭国强等：《关于汪集镇合作医疗两起两落的调查与思考》，《中国初级卫生保健》，1999年第12期。

② 王禄生等：《农村中等收入地区健康保障适宜模式研究结果》，“中国农村健康适宜模式研讨会”论文，2002年4月17—19日，北京。

③ 蒋中一：《发达地区的农村合作医疗保险制度》，“中国农村健康适宜模式研讨会”论文，2002年4月17—19日，北京。

为主的方针,先后在吴县、江阴、高邮、兴化等三十多个县市和十多个区政府设立了合作医疗引导资金,经过努力推广,全省的合作医疗人口覆盖率在1998年时达到50%。为了配合卫生部门的工作,省委农工部、省卫生厅发出了《关于村卫生室建设和合作医疗保健制度经费筹集的通知》,强调合作医疗的经费由集体和个人共同负担,集体要从村提留的公益金中提取一部分支持合作医疗。江苏省人大2001年2月通过了《江苏省初级卫生保健条例》,组织各地的卫生院院长和合作医疗管理干部认真学习。这部地方性法规明确了江苏省农村医疗保障制度建设要以大额费用合作医疗保险为重点,强调举办合作医疗是各级政府的责任,各级地方政府必须给予适当支持。

1994年3月,江苏省吴县率先实行县乡两级农村大病统筹合作医疗制度。1994年初,吴县县委、县政府通过深入调查研究,认真分析全县合作医疗的形势,认识到传统的合作医疗由于目标定位低、抗风险能力弱、筹资渠道少、管理层次低,已不能适应农村经济社会的发展和人民群众医疗保健需求,农民不再满足低水平的医疗费补偿,最关心的是大病、重病的医疗保障。以乡镇为单位的大病统筹医疗尚缺乏抵御高风险的能力,不能真正解决因病致贫、因病返贫的问题。经吴县县委常委、县长办公会议慎重研究,决定在巩固农村合作医疗和乡镇企业职工统筹医疗的基础上,实施县乡两级农村大病统筹医疗制度,以形成多形式、多层次、覆盖面广、抗风险能力强的农村医疗保障体系。吴县在全国率先提出并实行将合作医疗补助基金经同级人大审议通过列入县乡财政预算。吴县率先成功地实行以县为统筹单位,并将大病统筹医疗作为新时期合作医疗的基本形式,这在认识和实践方面是一个很大的突破。"吴县模式"被作为江苏省全省推广模式,并得到卫生部有关领导的肯定。①

2001年9月,笔者调查过的江阴市开始进行大病住院医疗保险的试点,这次试点的方案体现了《江苏省初级卫生保健条例》的精神,是在省卫生厅和江阴市政府的直接指导下设计和操作的,设计可谓相当缜密:尽管筹资水平不高,最多仅50元,而且由集体和个人共同负担;缴费方式和补偿方式更多地体现了公平性原则;让商业保险公司来代理社会保险的业务,由江阴市农村医疗保险办公室实施监督管理,这样做是为了借鉴企业的管理经验、节约管理成本、形成三方制约机制。② 该地制度有两个特色:一是打破城乡二元结构和乡村区域的限制,参保对象覆盖了没有参加城镇职工基本医疗保险的城镇居民、农业人口、在江阴务工的外来人员,以市为单位,统一筹集和使用基金,入保者可在本地及周边地区自主择医。二是在管理组织、基金管理、补偿程序上,由保险公司(太平洋保险公司)负责基金日常管理和结报补偿等具体业务操作,实现了管理的科学化、专业化、信息化。

江苏常熟市虞山镇在推行农村合作医疗制度中,不断探索合作医疗发展的新途径,于2001年首创试行农村合作医疗家

① 周寿祺,宋伟君,刘广德等:《吴县农村大病统筹合作医疗实施9年的调查》,《中国农村卫生事业管理》,2003年5月第23卷第5期。

② 蒋中一:《发达地区的农村合作医疗保险制度》,"中国农村健康适宜模式研讨会"论文,2002年4月17—19日,北京。

庭账户制。经过一年时间的尝试，取得了一定成效，在全镇推行并得到后续试点的借鉴。

浙江的绍兴县90年代以来的合作医疗所采取的是医疗救助模式，把保障人群收缩为保护当地的贫困人口，补偿对象限定为：低保对象，一次性住院费用超过1万元的农民，年累计医疗费用超过2万元的农村家庭经济困难户；其中低保对象按同一规定补偿，补偿额1万元封顶，其他对象按以收定支的原则由各个乡镇自己确定补偿比例和封顶额。绍兴县的模式换了另一种指导思想：不再把医疗保险看作社会福利性事业，而是看作政府出面的社会公益性事业去做，因为救助的目标比较明确，组织实施的难度比社会保险要小得多。

五

卫生管理学者的研究和探索

面对日益变革的经济体制和不利的政策环境，许多理论研究者和实际卫生管理工作者认识到必须正视传统合作医疗存在的不足，认真总结经验教训，探索与建立时代需要的农村合作医疗制度，研究范围涉及合作医疗设计、实施的技术、日常管理、风险管理以及体制、政策层面和社会心理层面。这些研究和探索，是合作医疗发展史上不可忽视的重要内容。

面对传统合作医疗遇到的问题，卫生部组织理论工作者与实际工作者，开展了一些全国性的专题研究，主要有：

1985－1993年，由世界银行贷款，卫生部与美国兰德公司合作在四川简阳、眉山两县进行的“中国农村健康保险制度系列研究”（卫生II项目），通过研究建立了科学、适用的农村健康保险费测算方法，分析了不同补偿比对医疗服务的利用及费用的影响，探讨了不同补偿机制对医疗费用的影响，表明加强党政领导，依靠科学管理与科学测算，开展健康保险是适应社会发展需要、解决农村医疗保健保障问题的一种有效方式。

1988年卫生部政策与管理研究专家委员会进行了“中国农村医疗保健制度研究”。1990年代初，我国进入建立社会主义市场经济体制阶段。1993年，国务院政策研究室和卫生部在全国进行了广泛调查研究，提出《加快农村合作医疗保健制度的改革与建设》的研究报告。

由美国《国际卫生政策研究项目》（IHPP）、加拿大国际发展研究中心（IDRC）共同资助，英国塞克斯大学发展研究所（IDS）提供技术援助，上海医科大学公共卫生学院负责实施的“中国贫困地区农村医疗保健制度研究”课题。该课题于1993－1997年在陕西旬邑、广西东兰、贵州施秉三县进行，得出的主要结论是：合作医疗是适合我国国情的农民医疗保障制度，而要在贫困地区开展合作医疗，一要加强领导，二要教育农民，三要设计好方案，四要加强管理与监督。

1994－1998年，国务院政策研究室、卫生部和世界卫生组织在7省14个县开展的“中国农村合作医疗改革研究”。该研究基本覆盖了全国不同经济发展水平地区，采用社会实验研究方法，进行政策和技术方面的干预，体现出理论与实践、行政与学术、国内与国外、宏观政策和操作技术四个结合。研究的主要结论是：政府政策支持和经济支持是合作医疗成败的关键；只有完善合作医疗的管理和监督机制才能保证合作医疗的正常运行和持续发展；当地经济发展水平与合作医疗成败无直接关系；筹资水平的高低不完全取决于经济水平，而与筹资计划和农民意愿有密切关系；合作医疗管理信息系统的建立和完善是合作医疗巩固和发展的一项基本条件；改革后的合作医疗提高了基本卫生服务利用率和实际补偿比，对减轻农村医疗费用负担有积极作用；农村对改革后的合作医疗予以充分肯定。①

由世界银行贷款，中国政府实施的“加强中国农村贫困地区基本卫生服务项目”（卫生Ⅷ项目）覆盖了7省（区）71个贫困县，“支持建立和完善农村合作医疗制度”是项目的重要领域之一。项目的合作医疗中央专家组2000年起，在英国国际发展部的资助下，相继开展了“卫生Ⅷ项目地区合作医疗社会学调查与研究”、“乡村税费改革与农村医疗保障制度研究”、“合作医疗筹资方式与监督机制的研究”、“中西部地区农村合作医疗社会心理研究”等一系列课题研究，得出了主要结论是：①改善农村贫困地区基本卫生服务不仅要从供方入手，提高医疗卫生机构服务能力，更重要的是提高需方医疗卫生服务的购买力，最有效的办法是建立农民基本医疗保障制度。②在多种医疗保障办法中，合作医疗是农村贫困地区农民基本医疗保障制度。③传统的合作医疗与农村社会经济的发展不相适应，存在着体制上、政策上及社会心理方面的障碍，必须建立与完善新时期的合作医疗制度。在专家组的建议下，项目利用英国国际发展部的赠款，在重庆、甘肃的5个县按参加合作医疗农民每人每年给予10元补助的形式，模拟政府投入，进行合作医疗。试点工作在重庆的巫溪、黔江取得成功，项目经验表明政府投入是开展合作医疗的必要条件之一。

1999年，卫生部基妇司、联合国儿童基金会合作进行了“市场经济条件下合作医疗制度改革与发展”的研究。该研究描述了社会主义市场经济条件下合作医疗的性质，分析了实施合作医疗的必要性、可行性及主要障碍，探讨了合作医疗立法、筹资机制、管理体制和补偿模式。②

1996－2000年，由联合国儿童基金会资助，卫生部规财司领导，中国卫生经济培训与研究网络实施的“中国贫困地区卫生保健筹资与组织”课题研究。该项目在中西部8省10县22个乡进行，提高了卫生服务和妇幼保健的利用率和公平性，在一定程度上缓解了农民因病致贫、因病返贫的现象，医疗机构的设施也有了一定的改善，增强了医疗服务的提供能力和可及性，村医的报酬也获得提高。研究得出的主要结论是：应重点建立以县为基础的合作医疗；通过立法，保证合作医疗筹资的合法性和公平性，在贫困地区加大集体经济扶持和政府支持力度，中央及地方各级公共财政要增加社会保障支出的预算。③

这些研究深入实际，明辨是非，澄清了合作医疗管理中一些似是而非的观点，如“经济原因是合作医疗成败的根本原因”等，探讨了各种模式的利弊。并且后期研究逐渐关注体制和政策因素，把合作医疗组织和举办的责任主体逐渐向政府方面转移，对中央政府痛下决心出台新型

---

① 汪时东，叶宜德：《农村合作医疗制度的回顾与发展研究》，《中国初级卫生保健》，2004年4月第18卷第4期（总第218期），第10—12页。

② 同上。

③ 《中国卫生经济培训与研究网络——“中国贫困地区卫生保健筹资与组织”课题研究总结》，《中国卫生经济》，2001年第20期。

农村合作医疗方案起到了重要的推动作用。这些研究本身也是合作医疗发展史中的重要精神财富，内容丰富，思想自由，需要新型合作医疗的研究者和管理者不断地温故而知新。

'98 抗洪

1998 年 6 月至 9 月，中国发生了历史上罕见的洪水灾害。长江出现了全流域性大洪水，嫩江、松花江出现超历史记录的特大洪水。人口稠密、物产丰富的长江中下游平原和辽阔的东北平原，普遍发生洪水平堤、漫堤，多处发生渗透、管涌和溃堤决口，造成洪水泛滥，给人民群众造成深重灾难，国家经济遭受重大损失。

一

洪水牵动中南海

自 1998 年 6 月份起，长江流域出现了三次持续大范围降雨过程。第一次是 6 月 12 日至 27 日。江南大部分地区暴雨频繁。江西省大部分地区连降暴雨和大暴雨，境内信江、抚河、饶河、修河发生特大洪水，赣江、鄱阳湖、长江九江段水位接近历史最高水位。湖南、安徽两省降雨量也比常年同期多一倍以上。第二次是 7 月 4 日至 23 日。长江三峡地区、江西中北部地区、湖南西北部和其他沿长江地区，降雨量比常年多 5 成至 2 倍。长江干流宜昌以下全线超过警戒水位，其中监利、武穴、九江站突破历史最高水位。第三次是 7 月下旬至 8 月底。长江上游、汉水流域、四川东部、重庆和湖北西南部、湖南西北部降雨量较常年偏多 2 至 3 倍。

长江流域洪水呈现出四个特点：一是全流域发生大洪水。除上游多次发生大洪水外，鄱阳湖水系的信江、修河、饶河和抚河均超历史最高水位，洞庭湖水系的湘江、资水、沅江、澧江多次发生大洪水，汉江、清江等支流也多次发生较大洪水。二是干支流洪水遭遇，洪峰叠加。在两湖先期发生特大洪水、水位居高不下的情况下，长江上游又发生多次洪水，与中下游洪水不断遭遇。三是水位高。长江干流宜昌以下河段全线超过警戒水位，沙市至螺山，武穴至九江 360 公里江段和洞庭湖、鄱阳湖的水位超过历史最高水位，特别是沙市江段水位曾高达 45.22 米。四是洪峰接连出现，高水位持续时间长。从 7 月至 9 月初，长江上游发生 8 次洪峰。8 月上旬到中旬的 10 天内出现了多次洪峰。长江中游大部分江段超警戒水位六十多天，超历史最高水位的时间持续了三十多天。

入夏以来，东北地区也连降大雨暴雨。松花江、嫩江发生三次大洪水，来势之猛，持续时间之长，洪峰之高，流量之大，都超过历史最高纪录。据国家防汛抗旱总指挥部统计，截至 8 月 22 日，全国共有 29 个省（区）遭受了不同程度的洪涝灾害，受灾面积 3.18 亿亩，成灾面积 1.96 亿亩，受灾人口 2.23 亿人，死亡 3004 人，倒塌房屋 497 万间，各地估报直接经济损失 1666 亿元，江西、湖南、湖北、黑龙江、内蒙古和吉林等省区受灾最重。

中共中央总书记、中华人民共和国主席、中央军委主席江泽民密切关注汛情发展，高度重视防汛抢险工作。当 7 月 23 日第二次洪峰将要到达武汉的消息报来时，江泽民立即打电话给国务院副总理、国家防汛抗旱总指挥温家宝，要求长江沿岸各省市特别是武汉要做好迎战洪峰的准备，严防死守，确保长江大堤安全，确保武汉等重要城市安全、确保人民生命财产安全。三个确保，及时为一线军民指明了抗洪抢险的奋斗目标。

随后，江泽民总书记和朱镕基总理决定：委派温家宝代表党中央、国务院到长江防汛抗洪一线察看汛情，慰问军民，现场指挥抗洪抢险。

8月6日凌晨1时，长江第四次洪峰凶猛无比，沙市水位达到44.67米，已是1954年的最高水位。当天晚上10时，温家宝副总理受江泽民、朱镕基的委托第四次来到沙市。7日凌晨他步行在荆江大堤监利段时，江泽民打来电话询问水情，并再次指示，一定要严防死守，确保长江大堤万无一失，确保人民生命财产安全。

8月13日上午，当长江第五次洪峰向湖北荆江逼近的关键时刻，江泽民乘飞机急赴沙市。此刻，长江第五次洪峰正在通过沙市，水位达到44.83米，流量是入汛以来最大的一次，为4.95万立方米每秒，超过前4次洪峰，向长江中下游推进。随后，江泽民又到荆江大堤重点险段观音矶，察看险情。当得知观音矶经过整险加固，险情得到基本控制后，江泽民感到非常欣慰，他勉励在场的抢救突击队员再接再厉、坚持到最后胜利。

下午，江泽民又驱车300公里，随着洪峰争速赶往洪湖。洪湖地处长江中游北岸，江汉平原东南端，其境内135公里长的干堤，是荆江大堤最薄弱的环节。一旦这里发生溃堤，将直接威胁江汉平原8000平方公里的土地，以及包括武汉三镇在内的800万人生命财产和京广铁路的安全。在红旗飘展的中沙角险段大堤上，江泽民高声对正在抗洪抢险的军民们说，目前长江抗洪抢险斗争到了决战的时刻，只要咬紧牙关，坚持再坚持，一定能夺取长江抗洪斗争的最后胜利。解放军要全力以赴支援抗洪抢险斗争。希望你们继续顽强奋斗，坚决守住长江大堤，为人民再立新功。

8月14日上午10时25分，江泽民来到武汉龙王庙险段。上午11时，江泽民又来到武昌长江大堤月亮湾险段察看水情。武汉市领导向江泽民介绍说，月亮湾段是武汉堤防史上著名的险段，1954年大洪水时，这里水位是26.3米，当时冲开了5个口子。而今年月亮湾最高水位达29米，大堤安然无恙。江泽民语重心长地对湖北省、武汉市的领导同志说：“越是接近胜利，越不能掉以轻心、放松麻痹，一定要提高警惕，坚持到最后胜利。”

8月16日下午，在沙市水位暴涨到44.88米时，江泽民主持召开政治局紧急会议，研究荆江是否分洪问题。会议作出决策：做最坏准备，做最好打算，命令抗洪部队全部上堤严防、死守。从这时到22日，江泽民与长江抗洪前线军民一起，度过了惊心动魄的七天，直至决战取得胜利。

江泽民还多次打电话给温家宝，询问嫩江、松花江的抗洪救灾情况，并委派温家宝到黑龙江、吉林、内蒙古慰问抗洪军民和受灾群众。

8月21日，中国外交部宣布：国家主席江泽民因国内抗洪救灾工作需要，决定推迟原定于9月初对俄罗斯和日本的访问。

9月3日，江泽民总书记再次来到抗洪救灾一线指导工作。他冒雨到湖南安乡县安造垸。江泽民高度赞扬广州军区某集团军的官兵在抗洪斗争中作出的重要贡献。9月4日，江泽民冒雨来到江西省受灾最重的九江地区，慰问抗洪一线广大军民，考察指导救灾和恢复生产，重建家园的工作。9月5日，江泽民又飞赴黑龙江，考察嫩江、松花江流域的抗洪救灾和恢复生产、重建家园的工作，他强调指出，要切实把受灾群众的生活安置好。东北灾区的救灾工作，当务之急是解决好受灾群众的安全过冬问题。

中共中央政治局常委、全国人大常委会委员长李鹏十分关心长江、嫩江、松花江救灾工作。8月14日中午，李鹏主持召开全国人大委员长会议后，立即乘飞机赶往齐齐哈尔，冒着不停的小雨，驱车来到昂昂溪区的堤防。随后，李鹏又来到哈尔滨市，乘船察看了松花江水情。李鹏说，从目前的情况看，哈尔滨的水位极有可能超过1957年120.3米的最高水位，要严密注视和警惕拉林河可能发生洪水，把困难和问题想足一些，把不利的情况考虑得更多一点，为及早动手，及时准备，把物资和人员准备工作做足一些。李鹏还对聚集在1957年抗洪纪念碑前的哈尔滨市民说，我们英勇的哈尔滨人民过去有抗洪抢险的经验，现在有党和政府的领导，有人民解放军的支持，有雄厚的物质基础。我相信，这次也一定能够战胜洪水，保卫我们美丽的哈尔滨。

8月15日上午，李鹏了解到由于昨晚又降暴雨，松花江汛情更趋严重时，又专程赶到松花江北岸视察汛情、水情。李鹏还分别打电话给吉林省委书记张德江、内蒙古自治区党委书记刘明祖、湖北省长蒋祝平、湖南省委书记王茂林、国家防汛抗旱总指挥部副总指挥、水利部部长钮茂生，询问了解洪峰情况，代表全国人大常委会向抗洪抢险第一线的解放军指战员、武警官兵、公安干警、广大党员、干部和人民群众致以崇高的敬意和亲切的慰问，要求他们不折不扣地贯彻江泽民总书记关于抗洪抢险工作的讲话精神、坚持坚持再坚持，直至取得决战的胜利。

8月26日，李鹏回京出席九届全国人大常委会第四次会议，听取温家宝受朱镕基委托、代表国务院向全国人大常委会所作的《关于当前全国抗洪抢险情况的报告》。8月28日，九届全国人大常委会第四次会议听取姚根炎委员作《水利建设系统要统筹规划、综合治理、加大力度》的发言；湖北省人大常委会副主任朱纯宣作《痛定思痛，根治长江水患》的发言；李蒙、曲格平、张皓若、白清才委员作生态环境问题的联合发言；万绍芬委员作"对当前抗洪救灾工作的几点建议"的发言。9月1日，全国人大农业与农村委员会邀请部分水利方面的干部和专家座谈，就洪水灾害之后，如何严格执行防洪法以及水土保持法、森林法、草原法、水利等有关环保和资源开发方面的法律，加大执法监督力度，加强依法治水等问题听取意见和建议。

中共中央政治局常委、国务院总理朱镕基数次深入第一线，亲自指挥抗洪抢险。

长江第一次洪峰刚刚出现，朱镕基就到长江中下游灾情严重的赣、鄂、湘地区视察、部署抗洪工作。7月4日下午，朱镕基、温家宝一行抵达九江，即在江西省委书记舒惠国、省长舒圣佑的陪同下，冒雨赶往受灾较重的德安县乌石民村和石挤村查看灾情。每到一处，他都仔细询问受灾群众的生活安置情况，要求各级干部切实安排好灾区群众的生活，确保群众有饭吃、有水喝、有衣穿、有住处、有病能治。

7月5日上午，长江洪水迅猛，风急浪高，部分江段洪水已近堤顶。朱镕基登上长江大堤，慰问守堤群众，勉励他们再接再厉，继续守护好长江大堤，并乘巡逻艇察看出现险情的九江益公堤和市区临江防洪墙。朱镕基同有关部门领导认真研究了加固江堤、根治隐患的措施。朱镕基强调指出，加固长江大堤是一项重要的基础设施建设工程，要加大投资力度，切实抓好工程质量，连续干上几年，彻底把长江大堤整治好，实现长治久安。他要求江西省把防洪自救作为当前第一位的工作来抓，进一步落实防汛责任制，抓紧修复水毁工程，密切注意汛情的发展，切实做好洪水调度，严防死守，确保长江大堤和鄱阳湖重要堤防安全，确保京九铁路安全，确保人民生命财产安全。

离开江西后，朱镕基又奔赴湖北省继续视察抗洪救灾工作。

7月6日上午，朱镕基、温家宝从江西九江抗洪第一线飞抵湖北荆州市。一下飞机，即在湖北省委书记贾志杰、省长蒋祝平的陪同下，直抵长江荆江大堤的郝穴、观音矶等重要堤段视察。下午，当朱镕基到达武汉时，正值长江洪峰通过武汉，他冒着酷暑连续察看了武汉龙王庙、月亮湾等处的水情和堤防工程情况。

7月7日至9日，朱镕基和温家宝在湖南省委书记王茂林、省长杨正午的陪同下，连续视察了湖南省长江干流、洞庭湖和长沙市抗洪情况，并到浏阳河朝正垸看望、慰问了受灾群众。每到一处，朱镕基都和守堤群众、基层干部亲切交谈，代表党中央、国务院和江泽民总书记向奋战在抗洪救灾第一线的广大干部群众、人民解放军指战员、武警官兵和公安干警表示亲切的慰问，并要求两省按防御1954年的洪水甚至更大的洪水，进一步做好各项防汛工作，确保长江安全度汛。

8月8日，是长江防汛最紧要关头，长江第四次洪峰通过荆江，沙市水位高达44.95米，比1954年最高水位44.67米还高0.28米。8时15分，朱总理办公室询问沙市水情的电话铃声又在沙市防汛前线指挥部响起。这是从8月7日8时开始，每隔一小时打来的询问电话。总理办公室同志说，朱总理非常关心荆江水情，要求了解每隔一小时的水情变化。这样，24小时内，总理办公室打来了24次电话。

8月8日上午，朱镕基再赴长江抗洪第一线。烈日炎炎，朱镕基见到身着迷彩服的广州军区副司令员、湖北抗洪前线总指挥龚谷城中将，马上伸出双臂紧紧地抱住将军。这一真挚的拥抱，尽在不言中。龚谷城事后说："没想到，我这么一个从未被拥抱过的老兵，能得到总理的真情拥抱。我当时是热泪盈眶。感到总理的拥抱是代表党中央和国务院对战斗在抗洪抢险第一线的部队官兵的巨大的关怀和高度信赖，这是总理对全军官兵的殷切期待。"

8月9日，朱镕基又赶到石首、洪湖等地检查抗洪抢险工作。他向奋战在这些地方的解放军官兵及干部群众说，今年长江发生了继1954年以后又一次全流域大洪水，高水位持续时间之长超过1931年和1954年，沿江广大军民英勇奋战，抗住了一次又一次洪峰，及时排除了险情，保住了长江大堤，保住了武汉等沿江重要城市，保护了重要交通干线的安全，保护了人民生命安全。在这场抗洪斗争中，人民解放军指战员、武警官兵、公安干警发挥了不可替代的骨干作用，建立了历史功勋。

在听取湖北省及国务院有关部门的汇报后，朱镕基说，有以江泽民同志为核心的党中央的坚强领导，有改革开放20年来形成的强大物质基础，有全国人民的支援，沿江各省全体军民万众一心，顽强拼搏，一定能够夺取长江抗洪斗争的最后胜利。

8月9日下午4时45分，朱镕基乘专机抵达九江，立即乘快艇驶向两天前决口的地方。在快艇的小会议室里，朱镕基就决口处大堤工程质量质询有关人员。朱总理并未料到长江主堤会在此处溃决，因为此前朱镕基视察九江时，九江方面向他汇报说大堤"固若金汤"。九江市一位副市长介绍说，这段堤是1966年修的，当时没有严格地清基。1995年为了增加防洪标准市里自筹资金在原土堤上增建了防护墙，由于是4月动工，汛期将至，工期紧迫，建防护墙时也未清基。朱镕基打断介绍问：现在倒塌的墙里有没有发现钢筋？是否有用竹筋代替钢筋的现象？这样的堤有多长？介绍者回答说：未发现有钢筋。朱镕基听后眉头紧锁。他异常严肃地对在座者说，你们不是说"固若金汤"吗？谁知堤内是"豆腐渣"！这样的工程要从根查起，对负责设计、施工监理的人员都要追查。人命关天，百年大计，千秋大计，竟搞出这样的"豆腐渣"工程。腐败到这种程度怎么得了！朱镕基继续说，要实事求是，要对党和人民负责，历史是不能欺骗的。水灾过后，一定要整治，要高标准修筑长江大堤，要扎扎实实地搞，要质量第一。如果再出问题，你们谁也跑不了。

8月9日下午6时许，朱镕基在距离九江长江大堤决口处仅10米的堵口船舷上，向现场抢险官兵表示了慰问，数千名官兵掌声雷动。朱镕基情绪激动，说，他刚从湖北过来，湖北的情况比你们这里严重，但是没有决堤，希望你们把这个口子堵上。他最后说："是英雄，是狗熊，就看你们的了！"朱镕基边说边抱拳向战士们表示感谢，转身之后，边走边擦着眼角的泪水。

8月中下旬，朱镕基就黑龙江、吉林、内蒙古灾区群众御寒过冬和部队救生器材供应问题，先后作了三次批示，指示国家防总副总指挥、水利部部长钮茂生会同国家经贸委、民政部抓紧研究解决。

8月底，朱镕基又赴东北考察灾后重建工作。9月1日，他在哈尔滨郊区亲切会见了我国林业系统老劳模马永顺，他强调指出，要下最大的决心，封山植树，退耕还林，恢复植被，保护生态。号召要学习马永顺生命不息，造林不止的精神，大搞植树造林，绿化祖国，为我们的子孙后代留下一个青山绿水的锦绣河山。

二

总动员，大出兵

1998年夏从7月2日至8月29日，长江沙市水文站先后通过八次洪峰。从7月初到8月中旬，嫩江、松花江也出现三次洪峰。"灾情就是命令"，人民受难，子弟兵挺身而出，这是由人民军队的性质决定的。解放军、武警部队有着严格的管理制度，调动一兵一卒都要经过严格的审批手续，更不用说成建制地调兵了。但是抢险救灾，只要是人民群众生命财产的需要，各级都是一路绿灯。

1998年抗洪抢险，部队出动的人数，是随着汛情的严重，灾情范围的扩大，抢险斗争的需要而逐渐增加的。

6月份，主要是部队驻地防洪抢险。进入7月上旬，长江中下游干流全线超过警戒水位，部队开始走上营区、开上大堤。7月中、下旬，长江上游连续降雨，先后出现第二次、第三次洪峰。长江上游的湖南北部、湖北南部的洞庭湖水系又连降暴雨，猛涨的洞庭湖水与长江洪峰遭遇，使长江中下游的防洪形势十分严峻。江泽民总书记和朱镕基总理对长江防汛工作作了重要指示。据此，国家防总、中央军委和总部对部队投入抗洪抢险工作作出专门部署。到7月底、8月初，已有6万解放军、武警官兵奋战在抗洪第一线。

8月1日，嘉鱼县簰湾决口，广州军区抗洪前指急速就近从武汉、湖北范围调兵。但最险的荆江险情频频发生，兵力不敷使用。在这关键时刻，中央军委命令济南军区出动精兵7000人，急速开赴湖北荆沙地区，担负守护荆江大堤和机动抢险任务。

在长江第四次洪峰到来之际，济南军区、广州军区、南京军区、空军和武警部队坚决贯彻执行党中央、国务院的指示和中央军委的命令，紧急出动3万多名官兵，驰援抗洪抢险重点地段，确保长江大堤安全。

驻浙江某集团军接到命令，先遣师1800名官兵边动员、边集合，3个多小时后即携80台(件)装备乘军列于7日23时40分鸣笛开行，8日上午至11日下午3时，近万名官兵全部出发急驰九江抗洪第一线。

驻福建某集团军8月10日至13日，万余名官兵和五百多件装备也乘军列浩浩荡荡奔向九江。

8月6日中午，广州军区某师正进行海训，接到赴湖北长江大堤抗洪的命令后，紧急收拢部队。由于平时战备方案完备，训练有素，仅用了6个小时就齐装满员地赶到二百多公里外的机场。在空运途中根据上级下达的抢险任务，制定出摩托化开进和抗洪抢险预案，部队一下飞机就出发，赢得了宝贵的时间。在摩托化开进途中，突然接到派1200人到监利县杨海子抢险的命令，师长张永大立即指示某团火速前往。整个组织指挥从下达命令到车辆编队，从确定行走路线到派出先遣部队，果断、明确、快速。8月9日以后，该师根据上级指示和防洪形势的需要，分兵13个点散布在七县市、近千公里的防汛线上执行抗洪抢险任务。

8月7日，武警湖北总队调集8000余官兵奔赴湖北境内长江沿线，组成300个抗洪抢险突击队。同一天，空军派机(此前已出动60余架次)增援长江抗洪。同时，空军抗洪指挥部由北京迁至武汉。

8月14日，江泽民总书记在湖北视察长江抗洪抢险工作时的讲话中公布："人民解放军和武警部队投入长江中下游地区抗洪抢险的总兵力达13万人，5800余台车，860多艘舟艇，这是解放战争渡江战役以来我军在长江沿岸投入兵力最多的一次重大行动。"进入8月下旬，增兵仍在继续。

8月23日，海军再次派出2500名陆战队官兵增援湖北抗洪前线，由湛江搭乘空军飞机于当日下午到达武汉。此前的8月17日，海军已经派出2600海军陆战队到武汉，同一天，海军防汛指挥部同时在武汉开设。

8月24日，广州军区调5000名官兵驰援洪湖险区。

正当数十万大军与长江洪水搏斗的时候，沈阳军区、北京军区及时投入10万兵力与广大民兵预备役一起，用血肉之躯在嫩江、松花江畔筑起了一道道牢固的防线。

到9月下旬统计，全国投入抗洪抢险总兵力41万人，其中解放军35万，武警6万。广州、南京、济南、成都、沈阳、北京、兰州七大军区，海军、空军、第二炮兵和武警都有部队直接参与抗洪斗争，其中将军114位，师团级干部5000多名。在这114

名将军中，大军区级领导就有 17 名。平时，军队内部有不成文的规定，报刊、电视、电台上不宣传军级以上领导干部。但这次在抗洪前线、大堤上、水淹的村落，在灾情、险情最严重的地方，总有将星闪烁，使人们看到了他们的身影。他们当中有：

空军司令员刘顺尧中将、政委丁文昌上将，政治部主任邓昌友少将；

海军司令员石云生中将；

济南军区政委徐才厚中将；

沈阳军区司令员梁光烈中将、政委姜福堂中将；

第二炮兵司令员杨国梁上将、政委隋明太中将；

武警部队司令员杨国屏上将、政委徐永清中将；

某集团军军长柳凤举少将，政委张世显少将；

某集团军副军长吴长富少将；

武警湖北总队总队长司久义少将；

安徽省军区司令员沈善文少将；

总参长沙工程学院政委赵先春少将。

部队参加抗洪抢险，先进装备和军事科技发挥了重要作用。

总装备部部长曹刚川，政委李继耐要求全军各级装备部门，坚决贯彻落实中央军委和江主席的指示，全力以赴做好抗洪抢险的装备技术保障工作，抗洪部队需要什么就动用什么，需要多少就保障多少。具有关部门统计，在抗洪抢险决战决胜的 8 月份，总装备部先后 11 次为广州、南京、济南、沈阳军区、空军、二炮等单位紧急补充近 20 万件、价值 1.7 亿元的装备器材，其中，各类车辆 1839 台，轻型渡河舟（艇）1370 只，救生器材 18600 件，通讯电台 50 部，各种土木工具 17 万件。

以往救灾部队开进，很少用航空运输。而 1998 年抗洪，创造了我军历史上最大的一次空运行动纪录。战鹰一次次起降，从四面八方把一批批抗洪主力军运送到长江沿线、嫩江两岸，把一件件救生器材、一吨吨救灾物资运抵灾区。他们从白山黑水到雷州半岛，从东海之滨到川府之国，飞越了 19 个省、自治区、直辖市，航程足够绕地球 17 圈，在水天之间开辟出抗洪第二战场。截至 8 月 20 日统计，空军共出动飞机、直升机 1289 架次。广州军区空军航空兵师的一个机组，连续 17 个小时没有离开过座舱。

由海军工程学院潜水专业教员和潜水兵组成的“潜水抢险突击队”成为一支屡建奇功的专业化水下抗洪抢险尖兵。水下摸险是检查江堤散漫、渗漏和管涌源头的最好办法。他们发扬不怕艰险、不怕牺牲和连续作战的作风，克服洪水中能见度为零的困难，冒着被水下暗流卷走和被管涌吸住、杂物缠住等危险，凭着过硬的本领，一次又一次圆满完成了水下堵漏、水下探摸、水下打捞等艰巨任务。到 8 月 18 日，累计潜水 300 多人次，排除大小险情 40 多次，为防汛总指挥实施固堤排险方案提供了科学依据。江泽民主席视察武汉龙王庙长江大堤时，亲切看望了坚守在这里的海军工程学院抢险突击队全体官兵，勉励说：“潜水突击队是个特殊的专业，希望你们在抗洪抢险中很好地发挥作用。”

部队的技术优势和装备优势，尤其是车辆、机械等设备，在抗洪中发挥了重要作用。武警水电部队长期从事国家重点水利水电工程建设，拥有一批富有治水经验的官兵和大中型专用机械设备。8 月 9 日，湖北监利荆江大堤急需抗洪石料，这支部队从三峡工程指挥部紧急调配 23 辆特大型自卸车星夜赶运，解燃眉之急。九江大堤决口，这支部队二部队紧急调遣 30

余台套大中型挖、装、运机械设备和技术精湛的操作手，奔赴九江会战，立即在30余公里长战线上摆开战场，成为千里江堤上的第一支大型机械化部队，一整夜工夫，3台大型挖掘机就将一座小山夷为平地，20多辆载重15吨的自卸车、翻斗车，将一车车土石迅速运到指定地段，其功效之高，给抗洪军民以极大鼓舞。

在整个抗洪抢险斗争中，科学技术发挥着重要作用。在湖南省军区基本指挥所，面对部队和民兵分布点多而广的局势，采用自动化指挥系统，操作员只需轻按键盘，整个洞庭湖区的抗洪态势、兵力部署及最新汛情就一览无余。省军区通过自动化指挥系统，先后组织、协调110万军民投入抗洪抢险，无一差错。

入汛以来，在武汉百里长堤上空就有一架红色直升机，每天沿长江和汉水巡逻。这架飞机就是全国唯一的警务飞机。它每天上午和下午都要完成2个小时的巡逻任务，收集汛情信息，观察出险地段，完成空中联络和地面指挥等多项任务，必要时还可以在十几分钟内将防汛指挥人员送到指定地点。

南征北战的抗洪大军，要走得动、跑得快，油料及时补给是个关键。总后战略在基地抽调精兵强将组建了两个野战加油站，三个油勤保障分队。他们动用了目前我军最新式装备群车加油车，这种加油车一次能携行多个品种多个吨位的油料。

过去参加抢险的部队往往风餐露宿，常常遭毒蛇咬伤。这次抗洪部队一线官兵使用的新型帐篷，除具有传统的防雨、挡风、遮阳等功能外，还具有防蛇入侵，防虫叮咬的功能。官兵们完全可以放心地睡觉了。

总参某通讯总站全力保障军委与抗洪前线的通讯联络，他们开通卫星通讯，并协助军区连夜安装、架设、调试开通了10多部多个方向的车载卫星通讯。截至9月6日，这个通讯总站共接抗洪电话3500条次，保障通讯电路150余条，紧急安装通讯设备60余部。

海事卫星电话是通过定点在太平洋、印度洋上空的国际卫星、实施同类话机对话或与任何话局联网。8月1日，嘉鱼县簰洲湾江堤溃口，咸宁地区防汛指挥部调配海事卫星电话一部，保证与嘉鱼前线的通讯畅通。入汛以来，湖北省在长江各防汛险段，调配海事通讯系统10套，一点多址应急通信系统5个终端。省邮电局还重新开通微波通信系统，购置120路微波通信4套，基本上达到了“光纤不通微波通，微波不通短波通，短波不通卫星通”的要求。

为了加强对长江洪涝重灾区的监测预报，海军航空兵成立了监测机组，与中科院专家一起，紧急完成了在飞机上安装“863”高科技产品“合成孔径雷达”及试飞任务。机载合成孔径雷达具有分辨力强、精确度高的特点，对云雾等具有极强的穿透力，可探测极为细小的目标，是比气象卫星、雷达卫星更为先进的遥感监测系统，运用这个系统，在我国遥感监测史上是第一次。

三

沧海横流，方显英雄本色

8月1日晚8时30分，湖北省嘉鱼县的堤坝突然决口，溃堤140米，第二天决口已达700多米。长江在嘉鱼县河段转了一个大弯，民垸护卫着26个村庄，5.6万人和1.5万亩良田。在它的背后则是承担着保卫大武汉的嘉鱼、咸宁、蒲圻的157万亩良田重任的长江主干堤。民垸决堤后，江水迅速涌入，不到24小时，簰洲镇和合镇乡及周围100平方公里的垸内全部被淹，45平方公里顿成泽国。决堤前没有撤离的两万多名群众的生命受到严重威胁，经济损失惨重。

广州军区某高炮团的车队通过堤坝的简易公路赶到距险堤仅100多米时，浸泡多日的已变得稀松的堤垸突然决口。顷刻间，滚滚巨浪，夹杂着混浊的泥沙，排山倒海般向人和车压来。在生死考验面前，子弟兵首先想到的是把死的危险留给自己，把生的希望让给战友和群众。一连连长黄顺华、指导员高建成迅速将官兵集中到一辆车上，每三五人编成一组，嘱咐干部、党员要照顾好战士，老兵要照顾好新兵，要注意观察抢救遇险群众。

黄顺华知道高建成这些天一直打吊针身体很弱，不由分说就将一件救生衣套在他身上。洪水在往上涨，人随汽车左右摇晃，洪水眼看着就漫过了车顶。高建成和连长把背包带拴在树上，将一个又一个战士转移到树上。这时，高建成扭头看见不会水的新兵赵文源愣在一旁，便脱下自己的救生衣套在他身上，同时叫过一个会游泳的班长带他到树上。高建成见水中有一个六十多岁的老大爷牵着一个老太太，立即和大家把他们拉上车。一排浊浪袭来，高建成被抛向洪水中，多日的劳累和疼痛折磨使他疲惫不堪。按他的水性，完全可以游到一棵树上休息，然而他没有，他仍在水中奋力寻找抢救失散的战友和群众。高建成在湍急的洪水中一边游一边大声喊："水中有人吗?"突然，身边响起微弱的呻吟声："我是刘楠。"高建成奋力游到他身边，拉起他向树丛游去。刘楠已无力爬上树，高建成也精疲力尽。高建成借着一个浪头用肩膀把刘楠顶到树上。刘楠喊："指导员，你也上来吧!"高建成摆摆手，转身就要游走。刘楠哭喊着说："指导员，穿上救生衣!"说着，解下救生衣递给高建成。高建成没有来得及去接救生衣，就听到附近有人呼救。他循声游去，抓住正在下沉的战士何董华，拖起他一齐游。一米、二米……终于游到了一棵树下，虚弱的小何被高建成猛地一推，抓住树枝得救了，高建成却被洪水挟卷而去。

8月2日早晨，脱险的官兵终于在距离大堤决口3公里处发现了已经牺牲的指导员。

8月12日，中华人民共和国中央军事委员会发布命令，授予高建成"抗洪英雄"荣誉称号。9月1日，由上海油画雕塑学院四位雕塑家联袂创作的"抗洪英雄"高建成半身雕像运抵武汉。9月3日，中央军委授予高建成"抗洪英雄"荣誉称号命名大会在北京举行，中共中央政治局委员、中央军委副主席张万年要求全军官兵向高建成学习。

"塔山英雄团"战士李向群，牺牲于抗洪前线荆江大堤上，年仅20岁。李向群在学校读书时就品学兼优，多次被评为"三好学生"和优秀学生干部。在家庭拥有百万资产的情况下，不图一家富裕，毅然参军报国。入伍后，他立志献身国防事业，努力争做"四有"军人，被评为"优秀士兵"，荣立三等功。

8月5日，部队受命千里跃进抵达荆州抢险。一场战斗下来，李向群就向连队党支部递交了第一份入党申请书。8月10日凌晨4时，李向群巡逻小组发现一个大管涌。李向群一面发出信号，一面抱起两个沙包就堵洞口，泥沙喷到眼睛和鼻子里也丝毫不松手，这样坚持了二十多分钟，到战友们赶来控制住险情时，李向群已成了一个泥人。当天下午，他又向党支部递交了一份入党申请书。8月13日10时25分，太坪口幸福闸出现三处管涌，李向群随队赶到。他一个猛子扎入水中。一分钟过去了，李向群在下游十多米的地方冒了出来，对连长说："水流太急，控制不住身子。"说完又抱起一个沙包沉了下去。在全连官兵的共同努力下，终于查堵了漏洞，排除了险情。

由于李向群的表现突出，8月14日，经连队党支部研究，吸收他加入中国共产党，报请上级党组织批准。他成为全团抗洪抢险火线入党的第一批战士之一。从此，李向群更是一马当先。8月16日，长江第六次洪峰抵达荆江，分洪区下游危机四伏。17时30分，接到转战南平的命令后，还没来得及扒口饭的李向群便急着上了第一台车。部队赶到南平时，河水已经漫过大堤。李向群看到站在子堤上码沙包比较危险，就一把将新战士代永刚拉了下来，自己纵身跃了上去。凌晨4时50分，天下起暴雨，狂风大作。这时九连作业区南侧约300米处内堤滑坡，狂风夹着巨浪猛烈袭击着残堤。正在垒堤的李向群发现情况，大吼一声："不好，出现滑坡了，赶快固坡！"他纵身跳入水中，带领几个战士手挽着手筑起人墙。大部队上来了，在经过两个小时的奋战，终于保住了大堤。

在抗洪前线，20岁的李向群先后九次参加抢险。8月17日上午，连队又一次奉命抢险，连长见李向群脸色不好，让他在家中休息。可连队一上堤，他又跟了上来。当天下午，他被排长拽着上了南平镇卫生院。21日，部队再次紧急出动抢险，李向群一听说，偷偷从医院跑了出来，追着上了大堤。紧张战斗半小时后，他被连长发现，连长命令他赶快下去。可李向群装着没听见，背起两个沙袋继续扑向大堤，突然，他身子一歪，倒了下去……

8月28日，李向群遗体告别仪式下午1时在南平镇广场举行。上午11时刚过，成千上万佩戴黑纱、白花的群众，便涌向广场。周围高楼的阳台上、屋顶上，甚至围墙和树上，都挤满了人。广场已水泄不通，人们只好将花圈、花篮高高举过头顶。

1999年3月，中华人民共和国中央军事委员会颁布命令，授予李向群"新时期英雄战士"荣誉称号。由中央军委主席江泽民签署的命令称李向群"短暂的一生，是胸怀远大理想、努力奋发进取的一生"。

中共中央总书记、国家主席、中央军委主席江泽民，中央军委副主席张万年、迟浩田分别为李向群题词。

江泽民的题词是：努力培养和造就更多李向群式的英雄战士。

张万年的题词是：当代青年的榜样 优秀士兵的楷模。

迟浩田的题词是：人民军队的英雄战士 改革时期的优秀青年。

共青团中央、全国青联决定追授李向群"中国青年五四奖章"。

总政治部、共青团中央还联合发出通知，要求全军官兵和全国青少年开展向李向群同志学习的活动。

安庆军分区专业军士（汽车驾驶员）吴良珠是个英雄铁汉。1998年6月以来，他在身患晚期肝癌的情况下，一直坚持战斗在长江同马大堤抗洪抢险第一线。

小吴的家乡就在长江边望江县同马大堤巩固圩。7月29日，他的家乡被洪水淹了。此时，小吴正和战友在巩固圩上抢险，村上的人给他捎信，军分区领导也劝他回去看看。小吴告诉领导，眼下保大堤更要紧，只有保住大堤，才会保住更多人的生命财产。那些天，他先后四次路过家门口，一次也未回去。

作为一名技术娴熟的驾驶员，在抗洪抢险的50多个日日夜夜，指挥所用车吴良珠随叫随到，每天出车都在12小时以上。而且只要一停车，哪里有险情，小吴就拼搏在哪里。

7月27日，同马大堤——闸口出现重大险情，碗口粗的水柱向闸外喷涌而出，此闸一破，将直接威胁90多万人的生命财产安全。紧急关头，小吴和战友们一起垒堰筑堤，探漏堵漏，与洪水整整搏斗了18个小时，险情排除后，精疲力竭的小吴一头倒在大堤上昏睡过去。7月31日，日沟口电站出现管涌险情，在齐腰深的水中，又出现了吴良珠的身影，他和战友们一起传递沙包，时间一小时一小时过去，小吴的脸色越来越黄，速度越来越慢，以致一头栽倒在洪水里。

7月下旬以来，战友们就发现小吴日渐消瘦，饭量也一天天减少，领导和战友多次劝他注意休息，到大医院检查检查，他总是笑笑说：“没事，我年轻，睡一觉就好了。”战友赵胜伟一次半夜醒来，发现小吴不见了，四下寻找，才发现小吴蹲在外边，双手紧紧抵住腹部，发出轻微呻吟声。小吴说：“不碍事，可能是胃出了点小毛病。”他让小赵不要告诉别人。8月3日上午8时，正发着高烧的小吴听说有到抢险现场的任务，不顾劝阻驾车直奔广济圩大堤。8月20日一大早，吴良珠将分区领导送到广济圩大堤后，就和战友们一起扛包筑堤，整整干了一上午。下午1时20分，小吴本想和战友们一起到江心洲抢险，刚迈出几步，他的腹部剧烈地疼痛起来，一头栽倒在大堤上，再也没有起来。

8月21日，吴良珠被送往105医院抢救，当医生打开他的腹腔时都惊呆了，只见肿瘤已遍及整个肝部，肝区溢满血水，全军最好的医学专家赶来治疗，一位专家含泪对记者说：“简直不敢相信，这样危重的病情，居然还在大堤上战斗了五十多天，这需要多大的毅力呀！”为小吴开刀的外科主任吴建斌感动地说：“我们这位战士把什么都献给了抗洪抢险，连生命都不顾了！”

1998年9月16日，中华人民共和国中央军事委员会发布命令，授予南京军区安徽省军区安庆军分区司令部勤务队汽车班专业军士吴良珠“抗洪钢铁战士”荣誉称号。

’98抗洪斗争中的英雄事迹，层出不穷，真正是沧海横流，方显出英雄本色。

除了上述3名英雄外，1998年10月8日，中央军委主席江泽民签署了给38个单位和个人授予荣誉称号和记功命令的决定，其中包括给12个单位、1名个人授予荣誉称号；

授予广州军区某舟桥旅“抗洪抢险模范旅”荣誉称号；

授予沈阳军区某步兵团“抗洪抢险模范团”荣誉称号；

授予南京军区某步兵团“抗洪抢险模范团”荣誉称号；

授予湖北省天门陆军预备役舟桥团“抗洪抢险模范预备役团”荣誉称号；

授予北京军区某工兵团道桥一营“抗洪抢险英雄营”荣誉称号；

授予南京军区某步兵团二营“抗洪抢险英雄营”荣誉称号；

授予海军工程学院潜水分队“抗洪抢险英雄潜水分队”荣誉称号；

授予空军某空降兵团三营“抗洪抢险英雄营”荣誉称号；

授予长沙工程学院教练营“抗洪抢险英雄营”荣誉称号；

授予沈阳军区某步兵团一连“抗洪抢险英雄连”荣誉称号；

授予济南军区某步兵团二连“抗洪抢险英雄连”荣誉称号；

授予广州军区某步兵团四连“抗洪抢险英雄连”荣誉称号；

授予广州军区某舟桥团专业军士李长志“抗洪抢险勇士”荣誉称号。

同时，还给3个单位记一等功：

53504部队；

59257部队；

国防科技大学勤务站。

给8个单位记二等功：

81145部队；

54650部队；

83021部队；

53203部队；

39435部队；

53062部队；

38901部队；

80407部队。

给9个单位记三等功：

81101部队；

81200部队；

54676部队；

32360部队；

39287部队；

江西省九江军分区；

湖北省荆州军分区；

长沙炮兵学院；

59190部队。

给1名个人记一等功：

39155部队部队长马殿圣。

给1名个人记二等功：

81021部队副部队长吴长富。

给3名个人记三等功：

安徽省军区司令员沈善文；

54631部队副部队长杨凤海；

湖北省军区政治部主任戴应忠。

同一天，国务院总理朱镕基、中央军委主席江泽民签署命令决定给武警部队8个先进单位和个人奖励：

授予武警部队某团“抗洪抢险模范团”荣誉称号；

授予武警部队湖北省总队武汉船艇大队“抗洪抢险英雄船艇大队”荣誉称号；

授予武警部队黑龙江省总队第五支队一大队大队长宋波“抗洪抢险勇士”荣誉称号；

给武警部队湖南省总队第三支队记一等功一次；

给武警部队江西省总队第三支队记一等功一次；

给武警部队8730部队记二等功一次；

给武警部队湖北省总队记三等功一次；

给武警部队湖北省总队总队长司久义记三等功一次。

同一天，经中央批准，解放军总参谋部、总政治部、总后勤部、总装备部决定，对183个先进单位和117名先进个人予以通报表彰。

在人民子弟兵誓死保卫人民生命财产安全谱写出一曲曲英雄凯歌的时候，各级政府、广大群众也书写了拥军优属、鱼水情深的篇章。他们当中有由全国“三八红旗手”罗曼女老妈妈组织起来的全由60岁以上老妈妈组成的老妈妈拥军服务队；有被誉为新时期“红嫂”用自己的奶水给毒蜂蜇伤战士治伤的徐宏萍；有给抗洪部队吃菜不收钱的个体商贩；有自觉为战士做饭、送水的不知名的普通市民；更有全国各地为灾区捐钱捐物……

’98抗洪高扬了爱国主义和革命英雄主义，也是民族凝聚力和民族精神的一次集中展示。中华民族再一次把我们的血肉，筑成我们新的长城。

向市场经济体制转轨中的信访工作

1992年,邓小平南方讲话和中共十四大的召开,标志着改革开放出现新的历史性突破,从计划经济体制向社会主义市场体制转变的新阶段。1997年9月,中共十五大明确提出“依法治国,建设社会主义法治国家”,并把依法治国确定为“党领导人民治理国家的基本方略”。1999年3月,九届人大二次会议通过宪法修正案,正式把这一治国方略以国家根本大法的形式确定下来。

随着市场经济制度的确立和“依法治国”理念的提出,信访工作出现了新的情况,群众来信来访数量急剧上升,集体上访、越级上访不断增多。信访制度受到巨大的挑战,反映出信访制度的局限和面临的困境。在新的历史条件下,各地信访部门积极探索适应社会主义市场经济体制需要的信访工作新方法、新机制。1995年,《信访条例》的制定和颁布,标志着信访工作开始步入制度化、规范化和法制化的轨道,开创了信访工作新局面。

一

市场经济体制下的信访工作新情况

经过20世纪90年代改革的不断深化和现代化建设,到20世纪末已初步建立了社会主义市场经济体制。社会主义市场经济体制的建立,带来了整个社会的巨大变革和经济利益的重大调整。在这一社会体制转轨、经济成分日益多元化的巨大变革过程中,各类社会矛盾和利益冲突加剧。一是利益性矛盾越来越突出,对抗性明显增强。二是矛盾的复杂性增强。一方面,矛盾成因复杂化,既有历史原因、政策原因、利益原因,也有处理方法不当的原因;另一方面,经济、政治、思想、文化各个领域的矛盾交织在一起。由此引发的信访问题也日渐突出,信访形势呈现出一些新的特点。

第一,信访总量持续上升,上行趋势明显。从1992年至2002年这10年间,全国县以上党政信访工作机构受理的信访量持续攀升。在农村,1990年以来农民收入增长缓慢,农民负担日趋沉重,农村经济不景气,农民对政策的满意程度大幅下降,农村干群关系比较紧张,大多表现为一种情绪,较少大规模、有组织的抗争,而且主要针对乡村两级、具有非对抗性、区域性、限于经济要求的特点。据国家信访局统计,1995年全国县以上党政机关受理信访479万件次,①比1994年上

① 周占顺:《关于当前信访工作情况的通报》,《人民信访》,2001年第7期,第14页。

升13.1%。[1]

1996年至2000年的5年内，全国31个省、自治区、直辖市的县以上党政机关信访部门受理信访总量3900万件次，1996年至1999年分别比上年增长18.8%、1.62%、37.3%和7.6%。[2] 1995年全国县以上党政机关信访部门受理公民信访总量为479万件/人次。[3] 全国人大常委会办公厅信访局每年受理的信访案件达10万件。

进入新世纪，信访总量仍在持续攀升。2001年最高人民法院审结案件3047件，而受理的信访案件却多达152557件/人次。[4] 2002年全国法院处理告诉、申诉信访365.6102万人/件次。[5] 2001年以来，全国县以上党政信访部门受理公民信访量每年均超过1000万件/人次。2000年为1024万件/人次，首次突破1000万件/人次关口。这一数字表明，按中国13亿人口计算，万人信访比例约为77，即该年度1万人口中约77人次曾经信访过。2001年全国信访总量同比上升8.7%；集体访批次仅占来访总批次的16.7%，人次却占来访总人次的75.6%；联名信访占来信总件次的10%，其中有些是几百人甚至上千人的签名信；个人信访反映群体利益问题也占相当比例。

第二，信访内容日益多样化，反映的问题相对集中，政策性、群体性问题突出，群众就同一问题不断重复来访，处理难度大。群众信访反映的问题主要集中在农村土地征用、城镇房屋拆迁、国有企业改制等五个方面。这些问题大多数与政策的制定和执行相关，涉及群体性利益，处理难度较大，有些问题久拖不决，形成了相当数量的重复访。根据目前各级信访统计数据分析，各种利益矛盾已占社会矛盾纠纷总量的70%～80%，成为社会矛盾的主要表现形式之一；不服行政处理决定、法院裁判和要求政府解决实际问题类信访，各占总量的30%～40%左右；控告、检举类信访约占总量的20%左右；对政府工作提出意见、建议类信访约占总量的10%左右。[6] 其中有大量本来可以通过行政复议或者司法诉讼等途径解决的问题，却纷纷涌向信访渠道。

第三，信访诉求形势日趋激烈，集体访、异常访明显增多。这一时期，群众采用来访形式反映问题明显增多，来访的增长明显快于来信。群众进京访、集体访、重复访、非正常上访增势明显。集体访尤其大规模集体访增多，越级集体访增幅较大。20世纪90年代中后期群体性事件增速惊人。在农村，农民状告乡镇政府、村委会；在城市因为企业改制而导致职工大批下岗失业引发的群体信访问题此伏彼起。1993年全国发生群体性事件8700多

---

① 《当前信访工作情况》，《人民信访》，2000年第7期，第14页。

② 同上。

③ 对信访数据等相关问题的几点说明：(1)因为不同时期的统计口径、方式不同，统计范围也往往不同，如20世纪80年代之前，县级统计包括县直部门和乡镇数字，村一级数字也常有所统计。20世纪90年代以来，统计为县级以上，趋向于不统计县以下基层和县直机关的数字。1994年后市地级的统计指市县(不包括镇)，县级对下统计一级，一般不进行隔级统计。(2)信访统计数字上报往往经过一定压缩，但是总体出入不大，不至于影响基本判断。(3)除特别说明外，各统计数据不包括电话访，不包括人大、政协、纪委、政法、群团组织、政府各职能部门以及乡镇政府等受理的信访数量。参见张修成：《1978年以来中国信访工作研究》，中共中央党校博士学位论文，2007年。

④ 郭国松：《审视信访》，《南方周末》，2003年11月13日。

⑤ 曾志泉：《涉讼信访探析》，《人民信访》，2004年第7期，第16页。

⑥ 刘永华：《信访制度的法治思考》，人民网，2004年6月1日。

起，1995年超过1.1万起，从1997年起开始大幅度飙升，超过1.5万起，1999年剧增到3.2万多起，两年翻了一番多，而2000年1月至9月就突破了3万起。[①] 1995年河南省巩义市发生上千名群众集体卧轨事件，1996年6月29日河南省新蔡县栋城乡发生农民扣押乡长做人质事件，1996年8月16日河南省滑县老庙乡发生数百名群众围攻乡政府、殴打乡干部事件。[②] 1995年一年内河南省村民暴乱发生12起。[③] 1999年四川省发生阻断铁路交通的群体性事件7起；[④]2000年湖北省监利县发生四五起强制动用大批警力处理公民信访和民事纠纷等事件。[⑤]

2000年以来，国家信访局每年受理信访量50万件/人次以上；2001年受理集体访首次超过1000批次。[⑥] 其中集体访24.57万批次、564.8万人次，分别比1995年上升了1.13倍、2.8倍和2.6倍。[⑦] 有的联名信有上万人签名。[⑧] 集体访是群体性事件的前奏。虽然集体访不同于群体性事件，但是，如果得不到恰当和及时的处理，集体访往往演化升级为群体性事件。在影响社会稳定的群体性事件中，集体访已经排到第一位。[⑨]

进入新世纪之后，由于国家政策、利益格局和社会大环境继续不断地发生重大变化，公民行政复议和诉讼途径不通畅，各级公职人员的素质、工作作风存在诸多问题和管理方式的不相适应，公民对某些法规政策不了解、不理解，同时计划经济时代形成的思维惯性与市场经济、民主政治建设的冲突以及对抗性与非对抗性矛盾相互影响，经济、政治、文化等各种矛盾相互交织，导致信访量仍在高位持续运行。有学者指出，存在的主要问题有：第一，信访体制不顺，机构庞杂，缺乏整体系统性，导致各种问题和矛盾焦点向中央聚集，在客观上造成了中央政治权威的流失。第二，信访功能错位，责重权轻，人治色彩浓厚，消解了国家司法机关的权威，从体制上动摇了现代国家治理的基础。第三，信访程序缺失，立案不规范，终结机制不完善，政治迫害和政治激进主义相伴而生，不断诱发较严重的冲突事件。信访制度最主要的问题是把整个国家制度置于让人民群众怀疑批判的境地。[⑩] 有研究者认为目前信访制度陷入四重困境，一是信访内容的广泛性及复杂性使得社会矛盾集中体现在信访活动中，信访制度承载了整个社会制度变革及社会稳定的重任，信访机构错位、越位的现象屡见不鲜。二是从法律地位看，信访工作机构并不具有行政的职能和权力，也不是单独序列的国

---

① 公安部第四研究所"群体性事件"课题组：《我国发生群体性事件的调查与思考》，《人民日报》总编室《内部参阅》，第31期，2001年8月10日。

② 于咏华：《当代中国社会矛盾论》，九州出版社，2004年版，前言第1页。

③ 曹锦清：《黄河边的中国—— 一个学者对乡村社会的观察与思考》，上海文艺出版社，2000年版，第182—183页。

④ 中央组织部课题组：《2000—2001中国调查报告——新形势下人民内部矛盾研究》，中央编译出版社，2001年版，第286页。

⑤ 李昌平：《我向总理说实话》，光明日报出版社，2002年版，第163页。

⑥ 曹康泰、王学军：《〈信访条例〉辅导读本》，中国法制出版社，2005年版，第16页。

⑦ 周占顺：《认真贯彻"三个代表"重要思想，努力开创新世纪信访工作新局面》，《人民信访》，2001年第10期，第6—8页。

⑧ 周占顺：《关于当前信访工作情况的通报》，《人民信访》，2001年第7期，第14页。

⑨ 《当前信访工作情况》，《人民信访》，2000年第7期，第14页。

⑩ 于建嵘：《中国信访制度批判》，《中国改革》，2005年第2期。

家机构，其处理信访事项的权能有限，不可以也不可能去解决本应由负有一定职责的国家机关办理的社会事务。三是从信访人的心态看，几乎所有的信访人的潜意识里都有一种挥之不去的清官情结，即便是面对法院已经判决生效的裁判文书，信访人仍然意欲通过信访渠道来改变其败诉的现状。四是党政及人大信访部门在处理涉及不服法院裁判的诉讼类信访时，将各级人民法院作为这类诉讼信访的责任归属单位，也存在严重的社会负面效应。[①] 还有人认为，信访体制存在公民非制度化上访的扩大化、政府责任机制的缺失和信访机构职能配置不合理等问题。[②]

二

信访制度改革的进一步开展

1995年10月30日至11月2日，第四次全国信访工作会议召开。国务委员兼国务院秘书长罗干在会上作了题为“提高认识，加强领导，进一步做好新时期的信访工作”的讲话。这次会议的主要任务是：总结交流1982年第三次全国信访工作会议以来，特别是近几年来信访工作的基本经验，分析当前信访工作形势，提高认识，统一思想，明确在建立社会主义市场经济体制新时期信访工作面临的任务，提出改进和加强信访工作的措施，进一步加强对信访工作的领导，为改革、发展、稳定，为建设有中国特色的社会主义事业作出新的更大的贡献。[③]

在国家的高度重视和巨大的信访压力之下，各地各部门适应新时期人民内部矛盾发展变化特点，改进工作方法，创新工作机制，在实践中创造信访工作新办法、新举措，推动信访制度改革进一步深入开展。

1.提升党政专职信访工作机构的规格，提高信访干部的职业素质

进入21世纪以后，中国社会的结构性矛盾以一种爆炸性的数量通过信访渠道显现出来，根据信访问题的严重程度，信访部门的规格和地位也得以提高。2000年2月13日，中办、国办以厅发〔2000〕5号文件颁发了《国家信访局职能配置、内设机构和人员编制规定》，将中办国办信访局更名为国家信访局，国家信访局为国务院办公厅管理的负责信访工作的行政机构，业务上接受中共中央办公厅、国务院办公厅指导，为副部级行政机构；国家信访局的职能为制定全国性的信访政策、方针，协调处理跨地区、跨部门的信访问题，承办中央领导交办的信访事项，向地方和部门交办信访事项，督促检查重要信访事项的处理和落实，指导全国性信访工作，协调信访工作外事活动和对外交流等。同年11月正式挂牌。内设办公室、办信司、来访接待司、研究室、行政财务司、人事教育司6个职能司(室)，国家信访局有7项主要职责。[④]

截至2000年底，全国31个省(自治区、直辖市)的信访机构基本上实现了党政合设，其中10个为正厅级，比1995年增加了6个；18个为副厅级，其中有5个负

① 周梅燕：《理性求解中国信访的制度困境》，《半月谈》(内部版)，2004年第7期，第27—28页。

② 王学军：《中国信访体制的功能、问题和改革思路》，《湖北社会科学》，2003年第1期，第70页。

③ 《人民日报》1995年10月31日第1版。

④ 《关于印发〈国家信访局职能配置、内设机构和人员编制规定〉的通知》，参见《中办国办信访局更名国家信访局》，《人民信访》，2000年第2期，第9页。

责人高配为正厅级。[1] 截至2004年底,全国31个省(区、市)省级信访工作机构中,有19个为正厅级,其中有的由省委或者省政府副秘书长兼任信访局长。大部分县建立了基层信访工作机构,一些乡镇设有专职或兼职信访干部负责信访工作,基本上形成了"纵向到底、横向到边"的信访工作网络。"采取提高信访机构行政级别的制度安排实际上具有深刻的含义:从表面上看,只是一个行政机关行政级别的提升,但实质上是通过这种提高来提高该机构官员的级别,从而赋予他们更大的权力和更高的权威,使之在信访案件的处理上有更为有力的决定权和协调权,它表明了中央对信访工作的高度重视"。[2]

为了应对各种新型的信访矛盾,积极化解信访纷争维护社会政治稳定,各地加大了信访干部队伍的建设,首先是举办各种业务知识培训班,提高信访干部的业务能力。其次是将信访干部送到各级党校、行政学院或者大学进行短期深造,以更新知识结构,提高掌握新知识的能力。再次是鼓励在职信访干部参加自学考试、各种研究生在职培训班以及公共管理硕士学位考试,以提升他们的整体文化素质。最后,新提拔的处级、厅级领导干部到信访部门挂职锻炼,兼任信访督察员,负责信访督察和解决疑难信访事项,从而提升他们的政治素质。截至2000年底,全国共有近20万专职信访干部,其中31个省(区、市)专兼职信访干部中、大专以上学历的占68%;中央部委专兼职信访干部中,大专以上学历占82%。[3]

2.集体访增多及其解决办法

早在1982年,集体访已呈现出规模越来越大、在京滞留时间长、处理难度大的特点。20世纪90年代,在由计划经济体制向市场经济体制转轨的过程中,集体访尤其是大规模集体访增多,越级集体访增幅较大。据统计,中央办公厅、国务院办公厅信访局1991年接待的群众集体上访批数和人数分别比1990年上升了87%、164%;1992年接待的群众集体上访人数又比上年有所增加;1993年1至5月接待的群众集体上访批数和人数又分别比去年同期上升了31%、29.8%。另据抽样调查统计:1991年75个中央、国家机关接待的群众集体上访批数和人数分别比上年增加12%、55%,有14个省区的信访部门接待的群众集体上访平均比上年增加24%;1992年有50个中央、国家机关接待的群众集体上访批数和人数又比上年分别增加11%、21%,14个省区信访部门接待的群众集体上访批数和人数又分别比上年增加9%和16%;1993年1至4月,27个省区信访部门接待的群众集体上访与去年同期相比,批数上升的有18个省区,人数上升的有21个省区。[4] 这一时期,到天津市委、市政府集体访的情势也比较突出,见下表:[5]

① "国家信访局局长周占顺在第五次全国信访工作会议上的讲话"(2000年12月18日),《人民信访》,2001年第10期。

② 林喆:《公民基本人权法律制度研究》,北京大学出版社,2006年版,第204页。

③ "国家信访局局长周占顺在第五次全国信访工作会议上的讲话",《人民信访》,2001年第10期。

④ 张彭发:《群众集体上访增多提醒各级领导部门:必须加强决策的民主化、科学化》,《人民日报》,1993年8月10日第5版。

⑤ 数据来源:《天津通志·信访志》,天津社会科学院出版社,1997年版,第180—182页。

1983—1995 年天津市集体访统计

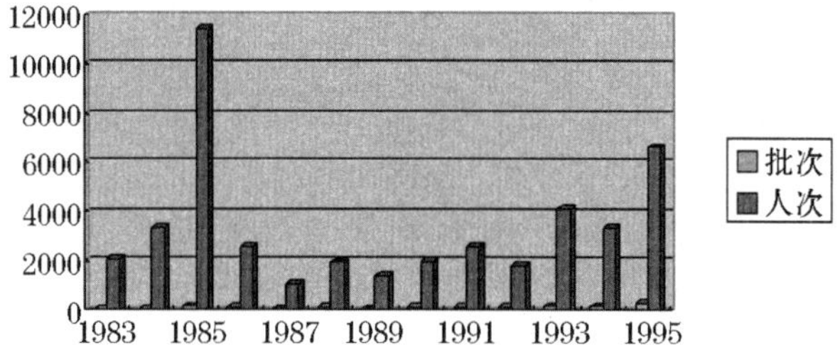

1983 年 9 月 26 日，中共中央办公厅信访局和国务院办公厅信访局作出《关于当前群众集体上访增多的情况和处理意见的报告》，同年 10 月 13 日中共中央办公厅和国务院办公厅批转这一报告并提出四点意见。为了处理好群众来访，尤其是集体来访，各级组织都采取了一系列的措施，其中最有效的办法之一是文明接待。文明接待的核心是为人民服务，帮助群众解决合理的要求和实际问题。1986 年 9 月 20—24 日，国务院办公厅信访局召集了北京、天津、河北、山西、辽宁等 13 个省市信访部门负责同志和公安部、铁道部有关部门负责同志，以及天津、沈阳两个劝阻站的同志参加的处理群众集体上访座谈会。会议分析集体访的形势、特点、产生原因及应采取的相应措施。①

1994 年 10 月 10—12 日，中共中央办公厅、国务院办公厅在北京召开集体访工作座谈会。1995 年，《信访条例》第十二条规定了集体上访推举代表原则：多人反映共同意见、建议和要求的，一般应当采用书信、电话等形式提出；需要采用走访形式的，应当推选代表提出，代表人数不得超过 5 人。②

3. 试行逐级上访

所谓逐级上访，就是到上级机关上访的人员，必须是先到下级有直接管辖处理权限的机关上访，由他们办理。如果在规定的时间内没有处理，或对处理结论有意见的，方可到上级机关反映。

实施这一办法的核心是促进基层信访工作，尽快解决群众的实际问题，满足其合理要求；在实施逐级上访中，应坚决贯彻执行“分级负责，归口办理”的规定，加强各级组织，尤其是基层组织的责任心。同时实施这一办法要制定相应的配套方法，无论是对来访人还是对各级组织，都应明确其权利，还应提出要求和约束条件，以便于遵守和执行。

80 年代初，这一办法有的省曾试行过。1992 年以来，新疆自治区各级党政领导和信访部门为了把群众的信访问题及时化解在源头，主动加强了基层信访工作，使逐级上访制度的实行有了可靠保障。从 1993 年开始，两年来，逐级上访制度在河南省由试行到全面推行，取得了明显成效。一是各级领导对信访工作更加重视；二是基层信访工作得到加强，就地解决信访问题的能力提高。三是越级上访多、上访老户多、在京滞留多的局面有明显改变。四是“分级负责、归口办理”的

---

① 刁杰成：《人民信访史略》，北京经济学院出版社，1996 年版，第 300—301 页。

② 《信访条例》（国务院令第 185 号），《人民日报》，1995 年 11 月 1 日第 3 版。

原则得到较好落实，推诿扯皮和不负责任的现象大大减少，重访率下降；五是群众盲目越级上访的现象有所减少，上访秩序明显好转。①

1994 年 8 月 8—14 日，中共中央办公厅、国务院办公厅批准的推行群众逐级上访制度座谈会在大庆召开。1995 年《信访条例》对逐级上访作出明确规定：信访人的信访事项应当向依法有权作出处理决定的有关行政机关或者其上一级行政机关提出（第十条），信访人未依照本《条例》第十条的规定而直接到上级行政机关走访的，信访工作机构应当告知其依照本《条例》第十条的规定提出（第十九条）。对于过激的信访行为，第二十二条规定：信访人不遵守本《条例》第十一条、第十四条的规定，影响接待工作的，信访工作机构可以给予批评教育；批评教育无效的，信访工作机构可以请求所在地的公安机关将其带离接待场所，并按照国家有关规定予以收容、遣送或者通知其所在地区、单位或者监护人将其带回。②

4.联席会议制度

中共十六届四中全会后，中央领导同志就信访突出问题和群体性事件的频频发生，提出“人要回去，事要解决”。2004 年 8 月，为进一步加大处理解决信访问题的力度，中共中央、国务院建立了处理信访突出问题及群体性事件联席会议制度（简称联席会议）。其实，早在 1979 年为了避免信访工作中的“踢皮球”现象，北京怀柔县委就建立了信访联席会议制度。③ 中央国家机关信访联席会议始办于 1991 年，是为了解决上访者在国家机关之间来回奔波以及国家机关互相推诿扯皮的问题而设立的，1991 年 10 月 27 日有 28 个部委参加的第一届中央国家机关信访联席会议在北京顺义县召开，后来一些地方政府也采取了地区性的联席工作会议制度，中央国家机关信访联席会议一共召开了 7 次会议，到 1996 年因为各种原因停办。④

5.人民建议征集

为了适应改革开放的新形势，鼓励广大群众积极参政议政，进一步促进决策的民主化和科学化，许多中央机关和地方人民政府，先后建立了人民建议征集制度。有些机关的人民建议征集机构是单设的，有的和信访部门在一起。1988 年山西省最早实行人民建议征集制度，将有关条款在省报上公布，欢迎广大人民群众向人民政府提建议，并设立专门机构做这项工作。紧接着，许多中央机关和省、市、地、县相继建立人民建议征集制度和机构，河北省、北京市、沈阳市、黑龙江省等许多地方和民政部等国家机关设立了类似“人民建议征集办公室”等机构，有单独设立或与信访机构合设两种情况。为了进一步加强同人民群众的联系，集思广益，推动和促进民政事业的发展，1991 年 12 月，民政部成立“人民建议征集办公室”。⑤ 1993 年 3 月 12 日，沈阳市人民建议征集办公室成立，仅 4 个多月时间，市民的建议已有 235 条被采纳实施，有 126 条被认为有价

① 《人民日报》，1995 年 12 月 30 日第 8 版。

② 《信访条例》（国务院令第 185 号），《人民日报》，1995 年 11 月 1 日第 3 版。

③ 《努力提高信访工作的质量和效率》，《人民日报》，1979 年 3 月 24 日第 4 版。

④ 魏仲民：《共同架起一座桥》，中国行政管理学会信访分会编：《在光荣的信访岗位上》，中国民主法制出版社，1999 年版，第 114—119 页。

⑤ 《人民日报》，1991 年 12 月 23 日第 3 版。

值但暂缓实施，还有288条正在研究论证之中。① 许多信访信息，经过领导同志批示，或作专门处理，或颁发文件，从政策上作出规定，解决了许多问题，取得了良好的效果。信访信息工作越来越被各级领导和社会所重视。

6. 信访信息化，拓宽信访渠道

拓宽信访渠道，开辟新的信访途径，是畅通信访渠道的前提条件。信访信息化是进一步畅通和拓宽群众诉求表达渠道的新平台，也是规范信访秩序、降低信访成本和强化社会监督的重要技术手段。这一时期，出现了专线电话和网上信访等新的诉求形式。

热线电话既是人民政府为民排忧解难的重要平台，也是疏通和拓宽信访渠道、加强和改进信访工作的有效途径。1983年，武汉市和沈阳市政府率先开通热线，近年来各地陆续启用了形式多样的市长热线电话。1993年5月，福建省永安市农委、农业局、信访办等部门联合设立了“农民热线电话”，号码为“634075”。永安市委、市府规定，农民凡对有关农村政策、农村科技、农用物资价格以及农村各类收费项目、收费标准等有疑问和意见，都可通过“热线电话”反映，并由市农民负担监督管理办公室负责汇总、登记、造表，及时反馈给市委、市政府。市委、市政府将定期召开会议研究处理，为农民解愁分忧。热线的号码有一个嬗变的过程，早期都是普通号码，很难记。“12345”，这是杭州市市长公开电话受理中心的代号。这是一座沟通政府与群众的桥梁：一头连着市政府48个部门，一头连着市级9家新闻单位，代市长为协调小组组长，实行两头监督，新闻公开，办事情公开，处理结果也公开。受理中心的4条专线、8部电话、13名工作人员，24小时昼夜服务。专线自1999年6月15日开通至11月16日，5个月共受理电话45169个，答复反馈率达89%。“12345”，成为沟通政府和市民的“绿色通道”。“12345，有事找政府”，也成为杭州民众熟知的语言。② 1999年，信息产业部规定各地可将热线号码更换为12345，“12345，有事找政府”。

民政部是我国“政府上网工程”的发起单位之一，2000年1月31日，正式宣布民政部网站（www.mca.gov.cn）开通。民政部网站围绕民政工作的重点，开设了民政部简介、机构设置、近期要闻、办事指南、民政信箱、统计数据、法律法规等栏目。其中，办事指南栏目介绍了群众关心的民政部门的有关办事程序；民政信箱栏目采用交互式的方式针对公众关心的热点问题进行解答，民政部信访办公室还将通过这个信箱开展网上信访工作。③

这些信访工作经验的宣传和传播，不同程度地渗透、影响着其他地方信访工作的发展方向和工作格局的变化，推进信访制度改革的进一步深化和完善。

2001年9月27日到29日，全国第五次信访工作会议在北京举行。这是自1949年以来规模最大、与会人数最多的全国性会议。国家信访局党组书记、局长周占顺在会上传达了十五届六中全会的主要精神，并作了题为《认真贯彻“三个代表”重要思想努力开创新世纪信访工作新局面》的工作报告，指出：自1995年第四次全国信访工作会议召开以来，全国信访工

① 刁杰成：《人民信访史略》，北京经济学院出版社，1996年版，第322页。

② 江坪：《一切为了群众——赞“一二三四五，有事找政府”》，《人民日报》，1999年11月19日第4版。

③ 李术峰：《民政部网站开通》，《人民日报》，2000年2月1日第3版。

作取得了长足进步和全面发展,信访工作在党和国家政治、经济和社会生活中的地位日益突出。当前群众信访活动出现了很多新变化,我们要正确把握信访工作的新形势。会议确定今后五年要重点抓好六个方面的工作:提高认识,加强领导,强化信访工作领导责任制;解放思想,务实创新,积极推进信访工作的改革与发展;加强信息反映、调查研究和跟踪督办工作;加强基层工作,切实解决群众反映的实际问题,维护社会稳定;增强法制意识,加强法制建设,依法做好信访工作;努力建设一支高素质的信访干部队伍。①

三

《信访条例》制定的深入开展与1995年《信访条例》的颁布

从1963年第一个信访条例草稿的制定至1995年正式颁布我国第一部《信访条例》,历时三十多年,这中间经历了三个阶段。第一阶段1963年至1981年,是准备阶段,拿出草稿,经过十多个省信访部门同志的讨论;第二阶段努力的结晶是1982年的《党政机关信访工作暂行条例(草稿)》,由中共中央办公厅、国务院办公厅转发各地,许多省根据这个条例制定了实施细则,并为制定地方信访条例作准备;第三阶段有些省、市、县通过省(市、县)人大制定地方性的法规,有的叫《信访规定》,有的叫《工作方法》,性质都是一样的。这些地方性法规的制定,提供了经验,加快了制定国家《信访条例》的进程。首先制定省级信访法规的是黑龙江省,1984年8月,《黑龙江省人民群众来信来访工作的规定》提交省第六届人民代表大会常务委员会第九次会议讨论通过。之后不久,贵州省第六届人民代表大会常务委员会第十一次会议通过了《贵州省人民群众来信来访工作的暂行规定》;山西省第六届人民代表大会常务委员会第十四次会议通过了《山西省人民来信来访工作暂行规定》;云南、北京等省、市也制定了信访法规。与此同时,有些县也制定了信访法规。如,福建省永泰县1985年颁布了信访法规;湖北省洪湖县人大常委会审议通过了《洪湖县人民来信来访工作办法》。这些信访法规的问世,使人民来信来访工作纳入法制的轨道,依法办信访,对促进两个文明建设和法制建设,起到了积极的推动作用。② 中共中央办公厅国务院办公厅信访局成立后,曾组成专门班子研究制定《信访条例》,拿出了一个初稿,到第四次全国信访工作会议前,又组织专人制定《信访条例》,在国务院法制局等单位的大力支持下,我国第一部《信访条例》终于诞生。

中国共产党十四大后,在加快建立社会主义市场经济体制的过程中,信访工作面临着新的形势。中办国办信访局的有关负责人在接受《经济日报》记者采访时,谈到了这部法规出台的动机和背景:第一是在改革开放后建立社会主义市场经济体制过程中,由于新旧体制转换和社会利益格局的调查,使社会矛盾一定时期内有所增加。这些矛盾很多会通过信访渠道反映出来,特别是涉及群众利益的问题更为突出,情况复杂,处理难度大;第二,信访人在信访活动中,有时存在着盲目性和随意性,信访行为过激,甚至出现违法违纪现象,这在一定程度上影响了生产生活

---

① 刁杰成:《人民信访史略》,北京经济学院出版社,1996年版,第322页。
② 同上,第282页。

及社会秩序;第三,有的信访部门在受理、办理群众来信来访工作中也存在着一定的随意性,甚至存在比较严重的主观主义、官僚主义。①

1995年10月30日至11月2日中共中央办公厅、国务院办公厅在北京召开了全国第四次信访工作会议,参加这次会议的有来自各省、自治区、直辖市的代表共200多人。国务院副总理朱镕基指出,信访工作历来是党和政府工作的重要组成部分,关心和重视信访工作是党的优良传统和作风;信访工作是我们党政干部,特别是高级干部联系人民群众的渠道、桥梁和纽带,要以对党和人民高度负责的精神搞好各级信访工作。国务委员兼国务院秘书长罗干作了题为《提高认识,加强领导,进一步做好新时期信访工作》的报告,会议上讨论通过了《信访条例》。②

1995年10月28日,国务院总理李鹏签署了第185号国务院令,发布了新中国成立后第一部严格意义的信访行政法规——《信访条例》。这个《条例》自1996年1月1日起施行。1995年《信访条例》分总则、信访人、受理、办理、奖励和处罚及附则共6章44条。《条例》阐明了信访立法的指导思想和立法宗旨目的;调整的对象和范围;工作原则;领导职责和信访机构。规定了信访人行为准则及其权利和义务;明确了各级行政机关受理信访事项的原则、范围以及办理的方式和规则;信访行为主体应当承担的法律后果。③

《条例》对信访工作实践中取得的成功经验加以总结,并作出明确规定。《信访条例》的制定实施是"为了保持各级人民政府同人民群众的密切联系,保护信访人的合法权益,维护信访秩序"。工作原则是"分级负责、归口办理,谁主管、谁负责,及时、就地、依法解决问题与思想疏导教育相结合"。《条例》指出,各级行政机关应当做好信访工作,认真处理来信、接待来访,倾听人民群众的意见、建议和要求,接受人民群众的监督,努力为人民服务。各级行政机关的负责人应当阅批重要来信、接待重要来访,研究解决信访工作中的问题,检查指导信访工作。

《信访条例》也根据信访工作的现实需要,在制度创新上有所突破。对于"缠访"现象,规定了两级终结制度,即不服原处理机关的信访结论的,可以在30日之内向原办理机关申请复查;对复查结果不满意的,可以在30日内向原处理机关的上一级机关申请复核,经审核原处理结论无误的,不再进行处理,这种做法显然是受到了司法诉讼程序中的两审终审制的影响。《条例》第一次明确地提出党政分开,立法、司法、行政分开的原则,《条例》规定,信访人对各级人民代表大会及县级以上各级人民代表大会常务委员会、人民法院、人民检察院职权范围内的信访事项,应当分别向有关的人民代表大会及其常务委员会、人民法院、人民检察院提出。《条例》规定,依法应当通过行政诉讼、行政复议、行政仲裁途径处理的信访事项,应当通过这些渠道处理,信访部门不予受理,从而形成信访与这些解纷渠道相互配合、互不干涉的信访分类治理格局。对于处于司法程序中的信访事项不予受理,以避免行政干扰司法。此外,对越级访和集体访也作出相应规定,还确立了符合正当

① 《依法办信访》,《经济日报》,1995年12月27日。

② 《人民日报》,1995年10月31日第1版。

③ 《信访条例》(1995年10月28日),《人民日报》,1995年11月1日第3版。

程序的回避原则。

《信访条例》是一部行政法规,属于规定信访活动的程序法,同时也具有实体法的一些特征,其缺陷主要表现在约束力和操作性不够强,依然不能高效处理公民信访诉求;领导批示模式等不规范趋向仍然在延续。问题还在于,一方面试图加强信访机构的权力,另一方面制定许多禁止性条款来规范公民的信访行为。"依法治访"的提法容易产生误导和负面影响,缺乏基本的法律依据。对有关职能部门来说,似乎有了禁止越级访和集体访的"尚方宝剑"便可以对信访人严加控制;信访人会感到合法信访权益被搁置的尴尬。①

四

阶段性小结:依法治理与制度创新

社会主义市场经济的建立和民主法制建设的深入开展,面对信访工作遇到的新形势新情况,社会各界更加关注信访工作的规范化、法制化建设;同时,各级党委、政府对信访的强调和投入前所未有,推动着信访制度创新。

1982年2月21日至28日,第三次全国信访工作暂行条例审议修改《党政机关信访工作暂行条例规定》。② 由于当时信访工作几乎是无法可依,《暂行条例》实际上担当了行政法规的角色,在1982年到1995年的十三年间支撑着信访制度的有效运作。《党政机关信访工作暂行条例》仅仅是个文件,是以中办和国办联合下发的规范性文件,不是国务院总理令,也不是行政法规。

1989年10月18日,江泽民在中办国办信访局的一个报告上批示:"各级党委和政府要切实加强对信访工作的领导,使其在社会主义民主与法制的建设、密切党和政府与人民群众的关系中,发挥更大的作用。"③在1995年以前,有部分省市已颁布了有关法规,最早的是1989年10月21日云南省七届人大八次会议通过的《云南省公民信访条例》、1992年《山东省信访处理暂行规定》、1993年《上海市信访条例》、1994年《北京市信访条例》、《天津市信访条例》等。内蒙古、黑龙江、福建、山东、广东和海南等省就本行政区域内各级人大常委会信访工作,单独出台了地方性法规,④基层为上级提供探索的尝试和经验,上级对各地基层工作进行宏观筛选、归纳、提高后而形成国家行政法规,进一步指导全国信访工作的顺利开展。

1995年10月28日,国务院总理李鹏签署了第185号国务院令,发布了新中国成立后第一部严格意义的信访行政法规——《信访条例》。⑤《条例》阐明了信访立法的指导思想和立法宗旨目的;调整的对象和范围;工作原则;领导职责和信访机构。规定了信访人行为准则及其权利和义务;明确了各级行政机关受理信访事项的原则、范围以及办理的方式和规则;信访行为主体应当承担的法律后果。

① 张友直、李世源:《"依法治访"与我国信访制度的改革》,《湖南社会科学》,2002年第6期,第64页。

② 中共中央办公厅、国务院办公厅信访局编印:《全国信访工作会议资料汇编》(内部资料),1989年印,第424—428页。

③ 周占顺:《信访工作改革与发展》,中共中央办公厅、国务院办公厅信访局编:《改革与发展——第二届全国信访工作理论研讨会论文集》,中国工人出版社,1999年版,第57—58页。

④ 参见全国人大常委会办公厅信访局编:《信访条例汇编》,人民出版社,2003年版。

⑤ 《信访条例》,国务院令第185号1995年10月28日,《人民日报》,1995年11月1日第3版。

1995年国务院《信访条例》虽然只是中央人民政府的一个行政法规，在中国多元法律体系中处于第三效力等级，[①]但是由于中国现实情况中党政合一的事实，所以《条例》不仅对政府部门的信访活动有效，而且对人大、司法、党的机构和其他社会组织的信访活动也具有事实上的约束力，因此该《条例》是当代中国信访活动的基本法。[②]《信访条例》的颁布实施是建立市场经济体制和信访形势的需要，是加强社会主义民主和法制建设的成果，是信访制度法制化、规范化和程序化的重要进展。《信访条例》的颁布实施符合信访工作发展规律，结束了信访活动无法可依的状况，是四十多年信访工作正反两方面经验的总结，信访工作从此有法可依，信访工作逐步走上法制轨道。[③]

20世纪90年代中后期是信访法规集中出台的时期，标志着信访工作开始由政策规定向法制化轨道的转变。自1995年《条例》颁布至世纪末，全国出台比较完整规范的省级信访法规30部，如《浙江省信访条例》、《河南省信访条例》、《湖北省信访条例》等；市级500余部、县级达二千多部。[④] 这一时期，各地根据《信访条例》的精神，纷纷制订了各地方性的信访法律法规，整个信访法律法规体系日臻完善。截至2001年9月，许多省（区、市）和中央有关部委制定的与《信访条例》相配套的法规、制度有226部（个）。[⑤]

1997年9月，中共十五大报告中明确提出“依法治国，建设社会主义法治国家”，并把依法治国确定为“党领导人民治理国家的基本方略”。1999年3月，九届全国人大二次会议所通过的宪法修正案增加规定，“中华人民共和国实行依法治国，建设社会主义法治国家”，正式把这一治国方略以国家根本大法的形式确定下来。2001年9月，全国第五次信访工作会议确定今后五年要重点抓好六个方面的工作，明确要求：增强法制意识，加强法制建设，依法做好信访工作。[⑥]

社会主义市场经济的建立和民主法制建设的深入开展，面对信访工作遇到新形势新情况，社会各界更加关注信访工作的规范化、法制化建设；同时，各级党委、政府更加重视对信访工作的强调和投入，推动着信访工作改革的深入开展和信访制度的创新。

中国新安全观的形成及实践

新中国成立后的安全战略经历了从传统安全观到新安全观的转变。传统安全观是基于自卫本能诉求，新安全观就是

① 在中国的法律渊源中，宪法具有最高效力，其次为全国人大及其常委会制定的法律，第三为国务院制定的行政法规。

② 李宏勃：《法制现代化进程中的人民信访》，清华大学出版社，2007年版，第142页。

③ 周占顺：《信访工作改革与发展》，《改革与发展——第二届全国信访工作理论研讨会论文集》，中国工人出版社，1999年版，第61页。

④ 中国行政管理学会信访分会编著：《信访学概论》，中国方正出版社，2005年版，第22页。

⑤ “国家信访局局长周占顺在第五次全国信访工作会议上的讲话”，《人民信访》，2001年第10期。

⑥ “第五次全国信访工作会议举行，朱镕基接见与会代表”，《人民日报》2001年9月30日第1版。

在中国与国际接轨的大背景下，为实现国家利益最大化提供保障。

一

中国新安全观的形成

中国安全观的调整自20世纪70年代末就开始了，“和平与发展是时代的主题”和“大规模战争是可以避免的”的判断就是最好的注脚。但明确提出并在国际社会积极倡导新安全观则是在20世纪90年代中期以后。

1996年7月，钱其琛在东盟地区论坛大会上的讲话中指出，中国高度重视地区的安全环境，中国经济的发展得益于稳定安宁的地区环境，也为促进本地区的稳定与繁荣作出贡献，“我们主张，通过对话与协商，增进相互了解和彼此信任，通过扩大和深化经济交往与合作，共同参与和密切合作，促进地区安全，巩固政治安全”，①表明中国根据时代潮流和亚太地区特点，提出应共同培育一种新型的安全观念，重在通过对话增进信任，通过合作促进安全。

1997年3月，中国政府同菲律宾政府在北京共同举办东盟地区论坛信任措施会议，这是中国首次承办关于安全问题的官方多边国际会议。会议就地区安全环境、安全观念和国防政策等问题交换了意见。中国政府提出考虑到这个地区多样性的特点，维护地区安全的应尊重各国主权、和平解决争端和采取综合安全的观念，要通过磋商、对话与合作等和平手段促进地区安全。同年4月23日，江泽民在俄罗斯联邦国家杜马发表演说，第一次系统地阐述了中国关于维护整个世界安全的新安全观的基本主张，即各国有权根据本国国情，独立自主地选择自己的发展道路，别国无权干涉。各国不分大小、强弱、贫富，都是国际社会平等的成员，任何国家都不应谋求霸权，推行强权政治。以和平方式解决国与国之间的一切分歧和争端，而不诉诸武力或以武力相威胁。在平等的基础上，加强和扩大经济、科技、文化的交流与合作，促进共同发展和繁荣，反对经济贸易中的不平等现象和各种歧视性政策与做法，更不允许动辄对别国进行所谓的经济制裁，并特别强调：“双方主张确立新的具有普遍意义的安全观，认为必须摈弃‘冷战思维’，反对集团政治，必须以和平方式解决国家之间的分歧或争端，不诉诸武力或以武力相威胁，以对话协商促进建立相互了解和信任，通过双边、多边协调合作寻求和平与安全。”②这些内容写入同一天中俄两国元首签署的《关于世界多极化和建立国际新秩序联合声明》之中。

1999年3月26日，江泽民在日内瓦裁军谈判会议上发表了“推进裁军进程，维护国际安全”的讲话，更全面地论述了中国关于新安全观的内涵，他说：“历史告诉我们，以军事联盟为基础、以加强军备为手段的旧安全观，无助于保障国际安全，更不能营造世界的持久和平。这就要求必须建立适应时代需要的新安全观，并积极探索维护和平与安全的新途径。我们认为，新安全观的核心，应该是互信、互利、平等、合作。各国相互尊重主权和领土完整、互不侵犯、互不干涉内政、平等互

① “钱其琛在东盟地区论坛会议上的讲话”，《人民日报》，1996年7月24日。
② 江泽民：《为建立公正合理的国际新秩序而共同努力》，《人民日报》，1997年4月24日。

利、和平共处五项原则以及其他公认的国际关系准则，是维护和平的政治基础。互利合作、共同繁荣，是维护和平的经济保障。建立在平等基础上的对话、协商和谈判，是解决争端、维护和平的正确途径。只有建立新的安全观和公正合理的国际新秩序，才能从根本上促进裁军进程的健康发展，使世界和平与国际安全得到保障。裁军的目的在于增进安全，而安全必须是各国的普遍安全。国家无论大小、贫富、强弱，都有享受安全的平等权利。”①这里第一次指出新安全观的核心是“互信、互利、平等、合作”八个字。江泽民2000年9月6日在出席联合国千年首脑会议的发言中和6月15日在“上海合作组织”成立大会上的讲话中都重申了“建立以互信、互利、平等、合作为核心”的新安全观和国家关系的主张。②

2001年7月1日，江泽民在纪念中国共产党成立80周年大会上的讲话，对新安全观的表述做了调整，将八个字当中的“合作”改为“协作”，即“国际社会应该树立以互信、互利、平等、协作为核心的新安全观，努力营造长期稳定、安全可靠的国际和平环境”。

2002年的7月31日，在斯里巴加湾市举行的东盟地区论坛外长会议上，中国代表团向大会提交了《中国关于新安全观的立场文件》。这个2200余字的文件全面系统地阐述了中国在新形势下的安全观念和政策主张。文件在“引言”中指出：“历史证明，武力不能从根本上解决争端与矛盾，以行使武力或以武力相威胁为基础的安全观念和体制难以营造持久和平。人们普遍要求摒弃旧的观念，以新的方式谋求和维护安全。在此形势下，以对话与合作为主要特征的新安全观逐渐成为当今时代的潮流之一。”在“背景”中强调：“越来越多的国家希望基于以下原则构筑自身和国际安全：在《联合国宪章》、和平共处五项原则及其他公认国际关系准则的基础上开展合作，充分发挥联合国的主导作用；通过谈判和平解决领土、边界争端和其他有争议的问题；本着互惠互利、共同发展的原则，改革和完善现有国际经济与金融组织，寻求共同繁荣；除防止外敌入侵、维护领土主权完整等传统安全领域外，重点对打击恐怖主义、跨国犯罪等非传统安全领域予以关注；根据公正、全面、合理、均衡的原则，在各国普遍参与的基础上，实行有效的裁军和军控，防止大规模杀伤性武器扩散，维护现有国际军控与裁军体系，不搞军备竞赛。上述安全意识的形成与发展，是人类文明的进步，也构成了新安全观的基础。”在“政策”中对新安全观的核心做了全面解读：“互信，是指超越意识形态和社会制度异同，摒弃冷战思维和强权政治心态，互不猜疑，互不敌视。各国应该经常就各自安全防务政策以及重大行动展开对话与互相通报。互利，是指顺应全球化趋势发展的客观要求，各国应在维护本国利益的同时，互相尊重对方的安全利益，在实现自身安全利益的同时，为对方安全创造条件，实现共同安全。平等，是指国家无论大小强弱，都是国际社会的一员，应相互尊重，平等相待，不干涉别国内政，推动国际关系的民主化。协作，是指以和平谈判的方式解决争端，并就共同关心的安全问题进行广

① 江泽民：“推动裁军进程 维护国际安全——在日内瓦裁军谈判会议上的讲话”，《人民日报》，1999年3月27日。

② 江泽民：“在联合国千年首脑会议上的讲话”，《人民日报》，2000年9月7日；江泽民：《深化团结协作 共创美好世纪》，2001年6月16日。

泛深入的合作，消除隐患，防止战争和冲突的发生。"①

在此之前的2002年5月22日解放军副总参谋长熊光楷在伦敦国际战略研究所的演讲和在此之后的2002年9月16日外交部长唐家璇在第五十七届联合国大会一般性辩论的发言中分别阐述了这个文件的基本内容。

二

中国新安全观特点的界定

中国新安全观关注安全的综合性、共同性、普遍性、合作性等，单就概念而言，与各大国新安全观具有同一性，但中国对这些概念又赋予了不同的内容。因此，有必要做一界定。

第一，从内涵上看，中国新安全观体现了安全的综合性。

综合安全观不是中国首先发明的，一般认为"综合安全观有两种基本形式，一种是日本发展起来的，另一种则是众多东南亚国家通过'东南亚国家联盟'发展起来的"。② 1978年由日本铃木首相组织一个政策研究小组正式提出这个概念，并于1980年7月提交了《国家综合安全报告》，主要认为威胁来自多方面，既有来自外部破坏国家独立和主权的军事威胁，也有国家经济稳定可能由于国际经济体系的动荡（如能源或粮食的缺乏）而受到的威胁，价值观可能受到来自内部的威胁。③ 如果说日本的国家综合安全观主要强调应付可能的外部威胁，东盟国家则通常注重于处理内部事务。东盟的综合安全观的含义为"通过在意识形态、政治、经济、社会文化和军事等社会生活的各个方面的努力，实现国家的均衡发展"，就是通过"国家活力"（national resilience）所追求的综合安全模式。④ 国家活力观念是一个内向的战略，即国家通过发展一个稳定的政治和经济国际环境，来增强其抵御安全威胁的活力。如果所有的东盟国家都实现了国家的活力，那么地区活力就会使外来的大国无法通过支持该地区的颠覆集团来破坏这些国家的稳定。

中国的综合安全观不仅将安全领域由军事、政治扩展到经济、科技、环境、文化、社会等诸多方面，并关注恐怖主义、跨国犯罪、毒品走私、人道主义救援等非传统安全威胁。在政治安全上有着强烈的主权意识。20世纪后期，特别是冷战结束以后，西方某些国家以人权高于主权的旗号，干涉别国内政。中国在处理与外界的关系时绝不会拿国家主权和领土完整做交易。中国认为，国家主权和统一不容他国侵犯，国家的内政不容他国干涉。在涉及民族利益和国家主权的问题上，决不屈服于任何外来压力。江泽民指出，"维护自己国家的主权和安全，是每个国家的政府和人民的神圣权利和光荣职责。"他在中共十六大报告中再次强调："始终把国家的主权和安全放在第一位。"在主权问题中，社会制度也占有极其重要分量。中

① 《中国关于新安全观的立场文件》，《人民日报》，2002年8月2日。

② ［澳］克雷格·A. 斯奈德：《当代安全与战略》，吉林人民出版社，2001年版，第140页。

③ Yoshinobu Yonanoto, "a Framework for a Comprehensive/Cooperative Security system for the Asia-Pacific", in Jim Rolfe ed. , *Unresoved Future: Comprehensive Security in the Asia-Pacific*, CSCAP, CSS, *center for Strategic Studies*, Victoria University of Willington, 1995, pp. 18—20.

④ 《当代安全与战略》，第141页。

国坚持自己的社会主义制度，但不排斥和反对别国的社会制度，中国坚持认为根据本国的国情和自己的意愿选择社会制度和发展道路是各国人民的主权，也是最大的国家安全。“在国际交往中，我们绝不把自己的社会制度和意识形态强加于人，同样，也绝不允许别的国家将自己的社会制度和意识形态强加于中国。”①

在军事安全上，强调一个国家的军事力量是保卫国家主权和领土完整、抵御外来侵略、维护国家统一的重要支柱，强大的国防是维护国家安全的必要保证。但同时也认为，巩固国防不等于进行军备竞赛，更不等于扩大军事集团，建立军事同盟。各国的国防政策和军事战略应当是防御性的，应立足于防止冲突和战争，着眼于预防危机发生，控制冲突升级，维护世界的和平与稳定。各国应在军事领域开展必要的合作，增进信任，维护共同安全。有时，我们也把军事安全放到政治安全中加以阐述。

在经济安全上，一方面认识到经济安全越来越成为国家安全的基础，“经济优先已成为世界潮流，这是时代进步和历史发展的必然。当前对每个国家来说，悠悠万事，唯经济发展为大。发展不但关乎各国国计民生、国家长治久安，也关系到世界的和平与安全。经济的确越来越成为当今国际关系中首要的、关键的因素”。②因此，要抓住经济建设不放，一心一意谋发展。另一方面，强调国与国之间的经济、贸易关系应当建立在平等合作、共同发展的基础上，决不允许动辄以经济和贸易制裁对他国实施报复，更不允许以此达到某种政治目的。主张在国际经济关系中遵循平等互利、等价交换的原则，废除国际经济生活中存在的贸易分歧。

在文化安全上，强调国家的文化主权和文化尊严不容侵犯，民族文化传统和文化选择必须得到尊重，与一国经济基础和社会政治制度相适应的意识形态必须占据主导地位。面对日趋激烈的西方文化资本、文化产品和价值观念的冲击，不断增强中华民族优秀文化的竞争力。在市场经济深入发展、社会思想空前活跃、社会价值观呈多样化的形势下，大力弘扬民族精神和时代精神，建立与发展社会主义市场经济相适应的社会主义思想道德体系，提高社会主义精神文明的凝聚力和感召力。解放和发展文化生产力，满足人民群众日益增长的精神文化需求。

在信息安全上，中共十六大首次将信息安全与政治安全、经济安全和文化安全并列为国家四大安全。随着计算机的普及应用及其技术的迅速升级，网络和信息已经构成国家发展的支柱和动力，维护信息安全也就成为国家安全战略的主要内容。借鉴国外的经验，中国信息安全中的首要因素是建立维护关键基础设施安全防范体系，亦即维持经济和政府最低限度的运作所需要的物理和网络系统，包括信息和通讯、能源、银行与金融、交通运输、水利、公共安全、应急服务、军事以及中央和地方政府系统不受干扰和破坏。其次是以法律法规为信息安全提供保障，包括制定信息安全标准、设立各级专责的信息安全主管机构、由主管机构界定的保密和非保密信息的划分、实施计算机安全教育等。再次是不断开发和完善信息安全技术，保证信息的保密性、可用性和完整性

① 《十四大以来重要文献选编》(上)，人民出版社，1996年版，第35—38页。

② 江泽民：“在亚太经济合作组织第二次领导人非正式会议上的讲话”，《人民日报》，1994年11月16日。

技术，即在体系上的密码技术、安全控制技术(访问控制技术、口令控制技术)和安全防护技术(防火墙技术、计算机网络病毒防治技术、信息泄露防护技术)的与时俱进。最后是发动全社会力量共同防御，不仅要加强政府与企业的合作，还要重视发挥大专院校和科研机构的作用，加速人才的培养和强化公民的信息安全意识教育。

第二，从目标上看，中国新安全观寻求共同安全。“共同安全”这一概念最早是由“安全与裁军问题独立委员会”，又称“帕尔梅委员会”1982 年首次提出来的。其背景是致力于寻找一个取代两极冷战联盟结构的道路，其基本原则是在核时代，随着各国经济、文化、政治和军事上的相互依存程度日益增加，单方面的安全已经不再可能，在相互猜忌驱动下的军备竞赛已经无法获得长久的安全，相反，安全应当相互保证共同生存，承认他人的合法安全关切。由此，各国需要奉行的是不再威胁所在地区他国安全的安全政策。① 联合国政府间研究小组在 1985 年也发表了题为《安全概念》的研究报告，提出了对“共同安全”的理解。认为，在相互依存的时代，没有一个国家能够依靠自己的行为获得安全。因此，共同安全的目的就是推动一种积极的进程，最终导致和平与裁军。其结果应是更安全、更稳定的国际秩序，即一个无核武器、低水平的常规武器所维持的和平与安全，增加国家和国际的资源再分配以便改善人类的生活质量的世界。②

中国奉行的“共同安全”认为，冷战后，国际安全最大的威胁来自霸权主义和强权政治。以美国为首的少数西方发达国家坚持冷战思维，在构筑国际安全秩序时片面追求自身的“绝对安全”，忽视全世界的普遍安全和别国的相对安全，将自己的安全凌驾于别国和世界的安全之上，或是奉行本国利益至上原则，不考虑他国的合理利益和需求，不顾及国家间的利益平衡，不愿意设身处地考虑对方的利益和想法。在经济全球化的大背景下，国际社会愈发成为各主权国家和其他各种行为体相互依存、相互作用的体系，各国的安全既有本国的独立性，又受到国际社会系统的制约，国家间的安全关系已不再是过去那种“零和关系”，国家的外部安全问题不再纯属一国事务或由一国的政策所能解决。追求自身的绝对安全，把控制和影响他国的权利作为自己的目标，不仅威胁损害他国的安全，而且危害国际社会系统安全，最终也会危及自己的安全。“营造共同安全是防止冲突和战争的可靠前提”③，这些认识，同上述国际社会的主张在部分内容上是重合的，但有自己突出强调的方面，比如，中国强烈呼吁摒弃冷战思维，反对国与国之间的猜疑与敌视，反对国家之间的不平等，反对将本国利益凌驾于他国之上；又比如，中国大力提倡讲求国家之间的互信、互利、平等、协作。以互信互利作为国际合作的基础，以信任取代猜疑，以对话取代对抗，以和谈取代冲突，以互谅互让取代损人利己，以世界或地区普遍安全和共同安全取代集团或联盟安全；再比如，中国强调将国家安全与国际安全有机地结合在一起，共同安全就是国家安全以国际安全为依托。“总之，新安全观的

① 《当代安全与战略》，第 139 页。

② Study Series 14，Concepts of Security，A/40/533，United Nations Publication，1985，ppv－vi.

③ 江泽民：“在联合国千年首脑会议上的讲话”，《人民日报》，2000 年 9 月 7 日。

宗旨是,通过对话增进相互信任,通过合作促进共同安全。"①

第三,从手段上看,中国新安全观以合作促安全。中国主张的是"安全合作",而不是"合作安全"。国际上有"合作安全"理论,是在冷战结束前后提出来的。1990年9月,加拿大外长约·克拉克在联合国大会上提出"合作安全"。不久,加拿大又提出进行"北太平洋合作安全对话"的具体倡议,由环太平洋的七国即美、苏、韩、朝、日、中、加进行前所未有的安全对话。同年9月,澳大利亚外长埃文斯也提出召开"亚洲安全与合作会议"的倡议,1993年他在联合国大会发表重要演讲,阐述了"合作安全"概念。与此同时,1992年美国布鲁金斯学会的约翰·施泰因布吕纳出版了一本题为《合作安全新概念》的专著,较为系统地阐明了他的"合作安全"理论。②

对于中国政府为什么不用"合作安全",而用"安全合作",有人认为,是因为"合作安全"包含更加严格的互信措施。而"安全合作"更符合"防御性现实主义"。中国一般只提"安全合作"是为了慎重起见。③ 这个说法未尽准确,中国不是没有用过"合作安全"一词,2001年6月,江泽民在讲话中还说过"以相互信任、裁军与合作安全为内涵的新型安全观"这样的话。④ 但在《中国关于新安全观的立场文件》中确实用的是"安全合作",最近几年来中国政府也一直使用"安全合作"的概念。比如,在2005年7月上海合作组织阿斯塔纳峰会上,胡锦涛在讲话中的表述就是"安全合作"⑤。至于为什么用"安全合作",不用"合作安全",并没有见到权威解释。

安全合作就是国家通过在政治、经济、军事、科技等领域的平等合作,扩大共同的利益基础实现地区和全球的安全。安全合作,首先是指合作的模式的广泛性,既包括具有较强约束力的多边安全机制,也包括具有论坛性质的多边安全对话,旨在增进信任的双边安全磋商,还包括具有学术性质的非官方安全对话等。促进经济利益的融合,也是维护安全的有效手段之一。⑥ 其次是合作参与者的包容性,不仅是指发展模式和观点一致国家之间的合作,也包括发展模式和观点不一致国家之间的合作。兼容并蓄,增进合作,才有利于共同进步和发展。再次是对话的制度性,各国应建立定期对话机制,通过正式讨论带来长远利益。

总之,中国新安全观是在改革开放的历史条件下,在与国际接轨、融入国际社会的大背景中,吸收的国际上流行的综合安全、共同安全、相互安全、合作安全、集体安全等各种安全观的合理因素而形成的,体现了中国建立公正合理国际政治经济新秩序的基本理念和新型国家关系准则,因此,已成为中国对外政策的重要组成部分。

---

① "唐家璇在第五十七届联大一般性辩论上的讲话",《人民日报》,2002年9月16日。
② 《大国安全观比较》,第24页。
③ 唐世平:《理解中国的安全战略》,《国际政治研究》,2002年第3期。
④ 江泽民:《深化团结协作 共创美好世纪》,《人民日报》,2001年6月16日。
⑤ 《人民日报》,2005年7月6日。
⑥ 《中国关于新安全观的立场文件》,《人民日报》,2002年8月2日。

三

中国新安全观与周边关系的成功实践

中国是新安全观的积极实践者并通过自身经验证明了新安全观的可行性。

1. 上海合作组织是中国新安全观的成功实践

1996年4月26日，中、俄、哈、吉、塔五国元首在上海举行首次会晤，签署了《关于在边境地区加强军事领域信任的协定》，规定：部署在边境地区的军事力量互不进攻对方；不进行针对对方的军事演习；限制军事演习规模、范围和次数；相互通报边界线两侧各100公里区域内的重要军事活动；邀请对方观察实兵演习；预防危险军事活动；加强双方边境地区军队之间的友好交往等，正式启动了"上海五国"进程。1997年4月24日，五国元首又聚会莫斯科，签署了《关于在边境地区相互裁减军事力量的协定》，规定：各方致力于在相互同等安全原则的基础上把部署在各国边境地区的军事力量裁减到与各国间睦邻友好关系相适应的最低水平；重申互不使用武力或以武力相威胁，不谋求单方面的军事优势；各方部署在边境地区的军事力量不进行威胁另一方及损害边境地区安宁与稳定的任何军事活动；裁减和限制在协定适用地理范围内的军事人员数量和主要种类的武器装备及军事技术装备数量。协定并率先提出打击恐怖主义、分裂主义和极端主义的鲜明主张。这不仅促进了五国边境地区和平与发展的大好局面，而且为建立冷战后新型安全模式作出具有开创性意义的探索。2000年7月，五国元首在塔吉克斯坦首都杜尚别举行第五次会晤，乌兹别克斯坦总统以观察员身份参加会晤，会后签署了《杜尚别声明》。《声明》指出，五国在维护本地区安全与稳定方面发挥着日益重要和积极的作用，各方将致力于使"上海五国"成为五国在各领域开展多边合作的地区机制。五国决定深化在政治、外交、经贸、军事、科技和其他领域的合作，以巩固地区的安全与稳定，并切实落实五国会晤所签署的关于在军事领域加强信任及在边境地区相互裁减军事力量的协定的所有条款。五国表示，决不允许利用本国领土从事损害五国中任何一国主权、安全及社会秩序的行为，支持彼此为维护五国国家独立、主权、领土完整和社会稳定所作的努力。《杜尚别声明》，标志着"上海五国"机制由定期会晤向长期合作发展。

2001年1月，乌兹别克斯坦领导人向当年担任"上海五国"轮值主席国的中国提出了加入该机制的要求，中国政府在俄罗斯政府的配合下，做了大量的说服工作，逐渐使各国对乌在维护地区安全与稳定中的作用达成共识，对接纳乌加入"上海五国"的建议不再持反对态度。2001年6月15日，中、俄、哈、吉、塔、乌正式签署了《"上海合作组织"成立宣言》、《打击恐怖主义、分裂主义和极端主义上海公约》。在国际上首次对恐怖主义、分裂主义和极端主义作了明确定义，提出了合作打击"三股势力"的具体方向、方式及原则，为上海合作组织安全合作奠定了法律基础。2002年6月7日，上海合作组织成员国在圣彼得堡峰会上签署了该组织成员国《关于地区反恐怖机构的协定》，决定建立常设地区反恐怖机构，总部设在吉尔吉斯共和国比什凯克市。地区反恐怖机构是上海合作组织的常设机构，其目的是促进成员国各方主管机关在打击公约确定的恐怖主义、分裂主义和极端主义行为中进行协调与相互协作，加强在安全领域的合作。

上海合作组织全面继承了“上海五国”的冲突预防和解决机制，积极参与国际和地区反恐斗争，稳步推进区域经济合作，大力倡导不结盟、不对抗、不针对其他国家和地区的安全合作模式，特别是在联合防范中亚地区“三股势力”方面成功地遏制了跨国性犯罪活动的蔓延，有效地保障了各国经济发展和人民生活所必需的安定环境。成员国还将反恐行动进一步延伸为在打击国际恐怖主义框架内解决消除恐怖主义的物质基础问题，首先打击走私武器、弹药、爆炸物和毒品，打击有组织跨国犯罪、非法移民和雇佣兵活动，特别是注意防范恐怖分子使用大规模杀伤性武器及其运载工具，防范信息恐怖主义，监控涉嫌参与恐怖活动的个人和组织的资金流动等。在2005年7月刚刚结束的阿斯塔纳峰会元首宣言中，第一次明确对美国因阿富汗战争而在乌兹别克斯坦和吉尔吉斯斯坦国家的驻军说“不”，指出，鉴于阿富汗反恐的大规模军事行动已经告一段落，“上海合作组织成员国认为，反恐联盟有关各方有必要确定临时使用上海合作组织成员国上述基础设施及在这些国家驻军的最后期限”。这对防止外部势力进入该地区，使中亚安全形势复杂化是十分重要的举措。

由于上海合作组织秉承了互信、互利、平等、协商、尊重多样文明、谋求共同发展的“上海精神”，在地区安全合作中发挥越来越重要的影响，树立起和平、合作、开放、进步的良好形象，在2004年6月，上海合作组织第四次元首会晤塔什干峰会上吸收蒙古国为观察员，2005年7月第五次元首会晤阿斯塔纳峰会上又给予巴基斯坦、伊朗、印度观察员地位，展现出强大的生命力和参与国际及地区事务的合作姿态与开放原则。

上海合作组织为中国实现其所倡导的新安全观，维护中国西北边陲的稳定与安全，进而建立新型国际关系，创立新型国际安全制度都是一个成功的范例。中国还积极推动该组织经济合作，并在组织内开展双边、多边经贸活动，先后与俄罗斯、哈萨克斯坦等签订了石油管道协议，对于解决中国石油进口、确保能源安全都是至关重要的战略步骤。

2. 中国与东盟的安全合作

中共十六大提出我们的周边政策是“与邻为善，以邻为伴”。其后，中国政府又进一步提出睦邻、安邻、富邻主张。中国努力推动地区安全对话合作机制的建设。中国相信，“一个对话而非对抗的地区安全框架，是亚太安全的重要保障”。①

自1997年12月16日《中华人民共和国与东盟国家元首会晤联合声明》②发表以后，中国和东盟国家关系保持了全面发展的势头。2002年11月4日，中国和东盟各国领导人签署了两个重要的文件：《南海各国行为宣言》和《非传统安全领域合作联合宣言》。前者确认通过友好协商和谈判，以和平方式解决南海有关争议。在争议解决之前，各方承诺保持克制，不采取使争议复杂化和扩大化的行动，本着合作与谅解的精神，寻求建立相互信任的途径，包括开展海洋环保、搜寻与救助、打

① 《中国关于新安全观的立场文件》，《人民日报》，2002年8月2日。

② 东盟即东南亚国家联盟，由文莱达鲁萨兰、印度尼西亚、老挝、柬埔寨、马来西亚、缅甸、菲律宾、新加坡、泰国、越南十国组成。

击跨国犯罪等合作。《南海各国行为宣言》是中国与东盟签署的第一份有关南海问题的政治宣言，对维护中国主权权益，保持南海地区和平稳定，增进中国与东盟互信有重要的作用。目前，中国与东盟就制定《南海地区行为准则》保持磋商。后者提出非传统安全问题重点是贩毒、偷运非法移民包括贩卖妇女儿童、海盗、恐怖主义、武器走私、洗钱、国际经济犯罪和网络犯罪等，中国和东盟各国互为近邻，在非传统安全领域问题方面存在广泛的共同利益。《非传统安全领域合作联合宣言》启动了中国与东盟的安全合作，对促进双方安全关系的全面和长远发展具有重要意义。中国还把加强经济交流与合作作为营造周边持久安全的重要途径，积极参与各种形式的地区经济合作，与本地区各国共同努力推动形成多渠道、多层次、多形式经济合作新局面。在第六次东盟与中日韩（10＋3）领导人会议上，中国宣布实施亚洲减债计划，减免越南、老挝、柬埔寨、缅甸、阿富汗和马尔代夫等债务国的债务，以东亚10＋3合作为代表的各种地区经济合作机制的发展，不仅给有关国家带来了现实经济利益，也有助于化解东盟各国历史上形成的对中国的疑虑，增进了各参与方的相互交流、信任与合作，打破美国对中国的战略围堵与南海争端国际化的图谋和钳制“台独”势力拓展东亚“国际空间”，从事分裂统一的活动。当然，也有利于中国扩展战略边疆，确保南海经济主权以及中国资源进口渠道的安全。总之，中国和东盟建立新型安全关系，使东南亚和亚太长治久安有了机制保障，促进了本地区的安全与稳定，对合作各方都是一种双赢的结果。

中国和东盟地区论坛（ARF）的安全关系具有特殊的地位，这一点从新安全观的形成就可见端倪。中国对新安全观的几次重要的阐释都在东盟地区论坛上，中国政府新安全观的立场文件也是在东盟地区论坛上发表的。

东盟地区论坛于1994年7月成立，目的是就亚太地区政治安全问题开展建设性对话，在为亚太地区建立信任机制、核不扩散、维和、交换非军事情报、海上安全和预防性外交六大领域开展合作。论坛目前有成员23个，除东盟10国外，还包括中国、日本、韩国、朝鲜、印度、蒙古、俄罗斯、美国、加拿大、澳大利亚、新西兰、巴布亚新几内亚和欧盟。可见，东盟地区论坛除了东盟各国外，包括环太平洋周边各主要大国，是亚太地区唯一的多边官方安全合作机制。

中国积极参加东盟地区论坛。1998年7月第五届东盟地区论坛外长会议在马尼拉召开，中国在会议期间发表了《中国的国防》白皮书，这是中国首次对外发表这一类文件。白皮书就国家安全形势、国际安全合作、地区安全合作、中国的国防政策、国防建设和国防费用等外界普遍关注的问题做了详细的阐释，对当时一度流传的“中国威胁论”是一个很好的回答。2001年和2002年唐家璇外长，2003年和2004年李肇星外长都在东盟地区论坛上发表重要讲话，并就国际安全和地区安全提出中国的主张和新建议。比如，李肇星在2003年第十次ARF外长会议上提出“在论坛内适时举办‘安全政策会议’”的建议。[①] 2004年李肇星在第十一届ARF外长会议上强调，反恐应以《联合国宪章》和国家法准则为依据，综合治理，标本兼

① 李肇星：《维护稳定 促进合作》，《人民日报》，2003年6月19日。

治。“不应将恐怖主义与特定的国家、民族或宗教挂钩。”①

虽然到目前为止东盟地区论坛未将南沙群岛问题列入正式议程，但为中国和有关国家对话、协商提供了机会和场所，每次论坛的主席声明都对此有所涉及。论坛建立相互信任措施的努力也推动着有关各方朝着和平解决的方向发展。1995年，各方初步达成协议，要按照《联合国海洋法》和国际法的有关规定解决南沙群岛问题，中国表示愿意在《联合国海洋法》的基础上与有关方面进行谈判的提议，也获得各方良好反应。这些虽不能一揽子解决南沙群岛主权归属问题，但却达到了强化中国立场，增进共识，创造解决问题条件的目的。

中国与东盟地区论坛的安全关系对于处理中国东南部安全问题有重要的战略意义，即使中国并不想在其中解决任何具体问题，中国新安全观的理念也将产生深远的影响，无论是对台海政治局势，还是对中国走出近海，进入大洋的发展目标都是如此。

上海合作组织是以中国为主导建立的，东盟地区论坛是中国积极参与并推动的，这两者良好的发展势头，表明中国新安全观对于稳定区域安全，进而推动国际关系民主化和建立政治经济新秩序具有生命力。

新时期国防和军队建设思想

1989年11月举行的中共第十三届中央委员会第五次全体会议，同意邓小平辞去中央军委主席职务，并决定江泽民担任中央军委主席。1989年11月江泽民任中央军委主席后，根据时代发展变化，以改革创新精神，全面推进国防和军队建设，正确回答了一系列重大历史性问题，从根本上解决了人民解放军在未来打什么样的仗、怎样打仗以及建设什么样的军队、怎样建设军队的基本问题，形成了江泽民国防和军队建设思想，为跨世纪中国的国防和军队建设提供了科学指南。

江泽民国防和军队建设思想，是对毛泽东军事思想和邓小平新时期军队建设思想的继承和发展，是“三个代表”重要思想的组成部分，是指导国防和军队建设的系统理论，是党和军队集体智慧的结晶。其主要内容包括：从国际战略全局和国家发展大局谋划国防和军队建设；解决“打得赢、不变质”两个历史性课题；党对军队的绝对领导是我军永远不变的军魂；军队现代化建设动力在改革，积极推进中国特色的军事变革；用新时期军事战略方针统揽军队建设全局；按照“政治合格、军事过硬、纪律严明、作风优良、保障有力”五句

① 《我外长出席东盟地区论坛外长会议》，《人民日报》，2004年7月3日。

话总要求全面加强军队建设；始终把思想政治建设摆在军队各项建设的首位；实施科技强军战略，加强军队质量建设；培养和造就大批高素质的新型军事人才；加快武器装备现代化建设步伐；走出一条投入少、效益高的军队现代化建设路子；坚持依法治军、从严治军；依靠人民建设军队、建设国防等。

一

确立新时期军事战略方针

根据国际战略格局和中国国家安全环境的变化，根据世界范围内高技术竞争日趋激烈的形势和战争形态的演变，中共中央、中央军委在20世纪90年代初对军事战略进行了重大调整。

1990年12月，中央军委主席江泽民提出："积极防御这个方针应该说是我们的传家宝，要全面系统地学习，要完整准确地理解，要坚定不移地贯彻。同时，随着形势的变化，还应实事求是地继承和发展。"中央军委十分关注世界战略格局走向多极化和海湾战争以来世界军事领域发生革命性变革的新形势，军委和总部多次研究战略方针问题。

1992年11月9日，江泽民在宣布军队大单位领导班子调整命令时的讲话中指出："现在国际形势变化很快，要密切注视和把握形势的发展变化，正确决定我们的军事战略方针。"1992年12月上旬，军委召开军事战略问题座谈会，在京的军委、总部领导和驻京各大单位的主要负责同志到会。与会人员分析了国际战略形势和周边安全环境，一致认为：研究、确定新时期军事战略方针甚为必要，对加强国防和军队建设有着极其重要的意义，并就制定军事战略方针的基本依据和基本内容提出看法。军委副主席张震在座谈会上回顾了新中国成立以来军事战略方针几次调整的情况，提出研究新时期军事战略方针应把握的原则，强调研究战略问题首先要认清国际形势；军事战略方针必须要与国家发展战略相协调，要从国家安全与发展的全局来考虑；军事斗争准备工作的基点要立足于能够打赢一场高科技条件下的局部战争。根据军委的意图，总参谋部在分析研究历次战略方针调整、变化的基础上，组织有关部门进行了大量的准备工作，向军委提出了关于军事战略方针的建议。军委常务会议经过多次研究讨论，采纳了总参谋部的意见。1993年1月，关于新时期军事战略方针问题的报告呈送军委主席江泽民。在酝酿调整军事战略方针过程中，江泽民始终关注这件大事，认真听取各方面的意见。

1993年1月，中央军委召开扩大会议。江泽民代表军委明确新时期军事战略方针，提出要把军事斗争准备的基点，放在打赢现代技术特别是高技术条件下的局部战争上。其基本内容是：以毛泽东军事思想、邓小平同志关于新时期军队建设的思想为指导，服从和服务于国家发展战略，立足打赢一场可能发生的现代技术特别是高技术条件下的局部战争，加速人民解放军质量建设，努力提高应急作战能力，扬长避短，灵活应变，遏制战争，赢得战争，保卫国家领土主权和海洋权益，维护祖国统一和社会稳定，为改革开放和现代化建设提供强有力的安全保证。按照新时期军事战略方针的要求，逐步做好打赢现代技术特别是高技术条件下的局部战争的准备，必须把国防科技发展和部队装备建设放在突出地位，必须高度重视全军官兵素质的提高，必须进一步突出军队建设的重点，必须进一步加强军队的后勤建设。

新时期军事战略方针，是在世界新军事变革迅猛发展、国防和军队建设迫切需要的背景下确立的，其核心是把人民解放军军事斗争准备的基点转变到打赢现代技术特别是高技术局部战争上来。新时期军事战略方针，准确反映了中国战略环境的新变化和国家利益的新需求，阐明了军队建设和军事斗争必须坚持的根本指导思想、中国军事战略方针与国家发展战略的关系，正确解决了军队建设和军事斗争准备的目标和任务问题，指明了国防和军队建设的发展方向，赋予人民解放军一直奉行的积极防御军事战略以新的内涵，充分体现出时代精神和特色。它不仅继承了人民军队的优良传统，而且符合处于新的历史时期的中国的国情、军情。这是中国军事战略的一个重大调整，是积极防御战略思想的重大发展，也是军队建设指导思想战略性转变的深化。新时期军事战略方针的确立，为国防和军队建设提供了科学的依据和发展方向，有力地促进了国防和军队建设的快速发展。

新时期军事战略方针制定后，中央军委继续加强对当代战争形态和作战方式演变的考察。随着认识的深化和形势的发展，根据高技术局部战争的主要特征，新时期军事战略方针更加清晰地表现为信息化和国家发展战略的制定等新情况，中央军委及时对新时期军事战略方针进行调整和充实，将打赢现代技术特别是高技术条件下的局部战争明确界定为打赢信息化条件下局部战争。

二

推进中国特色军事变革的战略部署

1. 提出"两个根本性转变"

1993 年 1 月中央军委确立新时期军事战略方针时，提出了"两个根本性转变"中的第一个根本性转变，即在军事斗争准备上要由应付一般条件下的局部战争转到准备打赢现代技术特别是高技术条件下的局部战争上来。这是中国人民解放军在战略指导思想上的一个根本性变化。

在 21 世纪即将来临的时候，国内外形势发展迅速，中国在经济建设上开始实行两个转变，即在经济体制上，实现从计划经济体制向社会主义市场经济体制的转变；在经济增长方式上，实现从粗放型向集约型的转变。在国家制订"九五"计划和 2010 年远景目标纲要的同时，中央军委成立了"九五"计划领导小组。该领导小组的任务，是根据国家发展战略的需要和新时期军事战略方针的要求，研究论证"九五"期间乃至更长一段时间内人民解放军的发展问题。1995 年，中央军委明确提出科技强军战略，其重点是加强国防科研，改善武器装备，提高官兵的科技素质，建立科学的体制编制，提高科技创新能力和科学管理水平。同年 12 月，中央军委扩大会议讨论通过《"九五"期间军队建设计划纲要》。中央军委领导在对《"九五"期间军队建设计划纲要》作说明时，把军事斗争准备上的转变和军队建设上的转变联系起来，提出"两个根本性转变"的战略思想，即在军事斗争准备上，由准备应付一般条件下局部战争向准备打赢现代技术特别是高技术条件下局部战争转变；在军队建设上，由数量规模型向质量效能型、由人力密集型向科技密集型转变。

“两个根本性转变”，是贯彻落实新时期军事战略方针的实际步骤，是1985年军队建设指导思想战略性转变的继续。“两个根本性转变”的提出，实际上是对中国军队建设新模式的确定。

2. 制定“三步走”的发展战略

1997年9月，中国共产党第十五次全国代表大会制定了中国社会主义现代化建设的长远发展战略，提出在21世纪分三阶段基本实现现代化的战略部署。国防和军队现代化是国家现代化的重要组成部分，必须与国家经济建设协调发展。为总体与国家现代化建设相一致，相适应，相互促进，协调发展。1997年12月7日，江泽民在中央军委扩大会议上提出，从20世纪末到21世纪中叶，国防和军队现代化建设分三步走的发展战略。第一步，到2010年，用十几年时间，努力实现新时期军事战略方针提出的各项要求，主要解决好军队的规模、体制编制和政策制度问题，为国防和军队现代化打下坚实基础。主要内容是：把军队员额压缩到适度规模，建立起比较科学的体制编制，形成与发展社会主义市场经济相适应的比较配套的政策制度；调整完善国防动员体制；在人才培养方面要上一个新台阶；拥有一批性能先进的主战武器装备，形成适应高技术条件下作战的精干有效的武器装备基本体系，具备遂行新时期军事斗争任务的威慑和实战能力。第二步，21世纪的第二个十年，随着国家经济实力的增长和军费的相应增加，加快军队质量建设的步伐，适当加大发展高技术武器装备的力度，完善武器装备体系，全面提高部队素质，进一步优化体制编制，使国防和军队现代化建设有一个较大的发展。第三步，再经过三十年的努力，到21世纪中叶，基本实现国防和军队的现代化。

“三步走”发展战略明确了国防和军队现代化建设的总体思路。实现国防和军队现代化建设分“三步走”的战略目标，关键在第一步。在跨世纪的十几年时间里，要保持一定的发展速度，使人民解放军与世界军事大国的差距有所缩小，积蓄力量，为以后的发展作好准备。“三步走”发展战略，是一个国防和军队现代化发展战略与国家现代化发展战略相配套的战略构想。在确定国防和军队建设“三步走”发展战略的同时，江泽民提出要解决好“打得赢”、“不变质”两个历史性课题，指出跨世纪军队建设的全部实践和根本任务，都必须以解决这两个历史性课题为出发点和归宿。

随着世界新军事变革的加快发展，中央军委进一步明确了“三步走”战略构想所确定的国防和军队现代化建设目标。2002年，中央军委确定，“三步走”战略构想所确定的目标，就是21世纪前50年实现国防和军队的信息化，头10年是关键，前20年是基础，争取用20年时间基本实现军队机械化，使信息化建设取得重大进展；再经过30年的发展，完成建设信息化军队的战略任务。

3. 提出完成机械化和信息化建设的双重历史任务

1997年12月，中央军委主席江泽民首次提出军队建设“跨越式发展”问题。他指出：“我们是在世界科技革命蓬勃发展的条件下，在世界军事领域正在发生以信息技术为核心的深刻变革的背景下，从事军队现代化建设的。现代科学技术特别是高技术发展，对军队现代化建设产生着巨大的推动作用。这种形势一方面给我们提出了严峻的挑战，如果我们目光短浅，行动迟缓，就会被世界军事发展的潮流远远抛在后面；另一方面也给我们提供了历史性机遇，如果我们的方针正确，措施得力，就可以实现军队现代化建设的跨越式发展。"1999年，以美国为首的北约对南联盟进行军事打击，并公然炸毁了中国驻南联盟大使馆。同年4月，江泽民在中央军委扩大会议上重申军队建设要实现跨越式发展的思想，指出："面对世界军事发展的新形势，我们必须更加自觉、更加坚定地贯彻科技强军战略，争取实现我国国防和军队现代化建设的跨越式发展，尽快缩短同世界主要军事强国的差距。"

2000年10月，中共十五届五中全会一致通过《中共中央关于制定国民经济和社会发展第十个五年计划的建议》。会议提出："继续完成工业化是我国现代化进程中的艰巨的历史性任务，大力推进国民经济和社会信息化，是覆盖现代化建设全局的战略举措。以信息化带动工业化，发挥后发优势，实现社会生产力的跨越式发展。"同年12月召开的中央军委扩大会议，提出"努力完成我军机械化和信息化建设的双重历史任务"。中央军委要求"在加强军队机械化建设的同时，加快军队信息化建设"，"以信息化带动机械化，最大限度地发挥后发优势，努力争取我军现代化建设的跨越式发展"。

在2002年12月中央军委扩大会议上，江泽民更明确提出："要以时不我待的紧迫感，积极推进中国特色军事变革，加快我军由机械化半机械化向信息化的转变，全面提高我军的威慑和实战能力，为国家的安全、统一，为全面建设小康社会，提供坚强有力的保障。"中央军委进一步明确完成军队建设双重历史任务的途径：必须"以机械化为基础，以信息化为主导，以信息化带动机械化，以机械化促进信息化，推动军队信息化加速发展。"军队建设跨越式发展，就是既要"努力跨越机械化发展的某些阶段，也要努力跨越信息化发展的某些阶段，同时还要吸收发达国家军队机械化和信息化建设失误的教训，尽可能少走弯路。"2003年3月10日，在第十届全国人大一次会议解放军代表团会议上，江泽民明确提出："推进中国特色的军事变革，必须按照实现信息化的要求，科学确立我军建设的战略目标、发展思路和具体步骤。我军目前还处在机械化半机械化阶段，信息化建设刚刚起步。我们要从国情军情出发，认真借鉴外军信息化建设的经验，依托国家科技发展，充分发挥我们的后发优势，真正走出一条跨越式发展的道路。要坚持以信息化带动机械化，以机械化促进信息化，实现机械化、信息化建设的复合式发展，完成机械化、信息化建设的双重历史任务。"

"双重历史任务"的提出，为推进中国特色军事变革指明了发展方向和发展途径。

三

探索高素质军事人才培养的新方式

1. 深化军队院校改革

为"减少数量、优化结构、理顺关系、提高效益"，全面推进面向21世纪的院校建设，培养大批高素质的新型军事人才，实现国防和军队现代化建设跨世纪发展的战略目标，中央军委决定对全军院校体制编制进行重大调整改革，目标是要建立新型的院校体系，合理确定院校的规模和数量，提高军官培训层次，改革教学内容，加大高科技知识、新型武器装备知识和现代军事指挥知识的含量，培养既懂政治又懂军事，既懂指挥管理又懂专业技术的复合型人才。

1995年初，军队院校建设重大问题调查论证领导小组成立。1997年，全军院校体制编制调整改革工作，按理论准备、调查研究、拟制方案的进程，有条不紊地进行。军委总部派出考察团，访问美国哈佛大学、国防大学、西点军校，俄罗斯总参军事学院、伏龙芝军事学院，英国皇家军事学院，法国圣西尔陆军学院和德国国防军指挥学院等；派员赴国家教育部和国家科技部以及北京大学、清华大学、复旦大学、浙江大学等知名高校学习取经，赴各大军区和海军、空军、第二炮兵以及80多所院校调研。在深入调研的基础上，形成全军院校和训练机构体制编制调整改革方案。1999年6月，中央军委颁发《全军院校和训练机构体制编制调整改革方案》。同月，中央军委召开第十四次全军院校会议，部署落实全军院校体制编制调整改革的方案。

通过此次院校调整改革，建立了新型院校体系。全军院校裁减合并为67所，分为两大类型：军官学历教育院校，承担预提军官本科学历教育和军官研究生教育任务；岗位任职教育院校，分为初级、中级、高级任职教育院校和士官学校，主要承担现职军官和士官任职培训及轮训任务，部分院校还承担军事学研究生教育任务。在原国防科技大学的基础上，将炮兵学院、长沙工程兵学院、长沙政治学院并入国防科学技术大学，组建新的国防科技大学，由中央军委直接领导。新的国防科技大学作为全军科学和工程技术院校的最高学府，担负着培养军队高级科学和工程技术人才与指挥人才，培训军队高级领导干部，从事先进武器装备和国防关键技术研究的重要使命，尤其在实现军队现代化，实施科技强军战略中肩负着重要责任。这是中央军委为实施科技强军战略，加速高素质人才培养，推进军队质量建设的一项重大举措，也是创办人民解放军自己的具有世界先进水平的一流综合性大学的一个尝试。

为使全军院校按照调整后的任务规划组织教学，总参谋部和总政治部于1999年8月上旬颁发新一代军队院校专业目录。该专业目录增设适应军队现代化建设和未来战争紧迫需要的新专业20多个，淘汰旧专业50多个，合并专业600多个，更新改造不完全适应发展的专业300余个。初步形成了符合中国国情、具有军队特色、适应军队现代化建设和未来战争需要的学科专业体系。在完成对18所院校、60个学科和31个实验室重点建设的任务的基础上，启动"军队院校重点建设工程"，对67个学科专业领域、178个学科专业领域点实施重点建设，58个学科专业已进入国家级重点学科。2002年5月，国务院学位委员会审议通过了《军事学硕士专业学位设置方案》，决定设置和试办军事学硕士专业学位，这标志着军队高层次应用型专门人才的培养迈上一个新的台阶。几年来，全军博士后流动站和博士、硕士学位授权点有了大幅度增加，学位授权体系逐步完善，培养规模有了较大增长。至2006年全军共有博士学位授权单位41个、硕士学位授权单位60个。

全军院校以教学内容为重点深化教学改革，制定了新一代教学大纲，实施重点教材建设工程，完善教学工作评价制度。同时，加强教学的信息化、网络化建设，初步建成全军教学科研信息网络化平台，形成了拥有近10万余个信息站点的全军院校军事训练信息网络。军队院校学习借鉴地方大学改革的经验，广泛开展军地协作交流，同时加强部队院校间、院校与部队、科研机构间的交流与合作，逐步扩大与外军院校的交流与合作，通过互派留学生、协作搞科研等多种形式，学习外军院校教育的先进思想和有益经验。通过实施“高层次人才强军计划”，近30所重点普通高校为部队培养了一大批紧缺专业硕士。在军事院校开办中青年干部培训班、大军区职和军职领导干部高科技知识培训班、军兵种知识交叉培训班等班次，选送数百名军队干部入中央和省级党校学习。有计划地组织作战部队师旅主官出国考察，增加军事指挥军官出国留学数量。

2. 建立依托普通高等教育培养军队干部的制度

1998年，国务院、中央军委决定在北大、清华进行依托普通高等教育培养军队干部的试点工作。7月21日，总政干部部与北京大学、清华大学分别签署《为军队培养干部意向书》，明确北京大学、清华大学为军队招收定向生作为培养军队干部的重要方式之一。这两所被确定为首批试点的高校，开始有计划地为军队培养干部。这是人民解放军建立依托地方高校培养军队干部制度工作迈出的重要一步。

1999年7月，国家教育部、财政部、人事部和解放军四总部联合下发《关于在普通高等学校开展选拔培养军队干部试点工作的通知》。各军区、各军兵种、总参谋部、总后勤部、总装备部和武警部队，相继选择一至两所办学条件好、军队所需专业较多的理工类或综合类普通高校，设置选拔培训机构，采取多种形式，包括设立国防奖学金等办法，选拔培养军队干部。随后，依托普通高等教育培养军队干部的试点工作在全国22所重点高校全面展开。通过扩大试点，探索路子，取得经验，为尽快建立适合国情、军情的依托国民教育培养军队干部的制度奠定了基础。

2000年5月30日，国务院、中央军委作出《关于建立依托普通高校教育培养军队干部制度的决定》。《决定》对依托普通高等教育培养军队干部的指导思想和总体目标、培养方式、管理体制、质量要求和组织领导等作出明确的规定。同年，清华大学、北京大学和中国科技大学等几所大学招收第一批国防生。此后，国防生招生规模逐年迅速扩展，到2003年即已达到在全国66所重点普通高校招生、年招收国防生4400余名的规模。

国家教育部和解放军四总部陆续出台《后备军官选拔培训工作办公室工作规定(试行)》、《国防奖学金发放和管理办法(试行)》、《从普通高等学校在校生中选拔国防生工作暂行办法》、《关于军队院校招收普通中学高中毕业生和军队接收普通高等学校毕业生政治条件的规定》、《普通高等学校国防生军政训练计划》、《招收国防生工作暂行规定》等配套文件，使依托普通高等教育培养军队干部的工作基本走上制度化、规范化的轨道。

建立“依托普通高等教育培养军队干部”制度，是继20世纪80年代初中央军委决定实行经院校培养提拔干部制度以来，人民解放军干部培养制度的又一次重大改革。

2003年8月，中央军委制定实施军队人才战略工程规划，提出力争经过一二十年的努力，拥有一支懂得信息化战争指挥和信息化军队建设的指挥军官队伍，一支善于对军队建设和作战问题出谋划策的参谋队伍，一支能够组织谋划武器装备创新发展和关键技术攻关的科学家队伍，一支精通高新武器装备性能的技术专家队伍，一支能够熟练掌握手中武器装备的士官队伍。

四

广泛开展“四个教育”

1994 年 12 月 18 日，江泽民在中央军委扩大会议上提出，要在引导和组织官兵深入学习马克思主义、毛泽东思想特别是邓小平建设有中国特色社会主义理论的基础上，着重搞好爱国奉献、革命人生观、尊干爱兵和艰苦奋斗教育。在总政治部的统一部署下，全军各级党委、政治机关把搞好“四个教育”作为在新形势下保持人民军队性质，增强部队凝聚力、战斗力的一件大事来抓，并取得了明显的成效。

全军和武警部队把党的创新理论作为“四个教育”的核心内容，切实把“四个教育”所倡导的思想观念和价值标准建立在科学理论基础上。总政治部在部署“四个教育”时，根据部队全面展开“四个教育”的情况，每年都突出抓好一两个教育重点。1995 年上半年，以教育官兵抵御腐朽思想文化侵蚀，树立正确人生观、价值观为核心，集中抓好革命人生观教育，下半年结合纪念抗日战争暨世界反法西斯战争胜利 50 周年，进行了爱国奉献教育。1996 年，全军各部队以反对拜金主义和增强法纪观念为重点，解决部队在思想纪律上存在的问题。1997 年，以纠正打骂体罚士兵问题为突破口，抓好尊干爱兵教育。1998 年，结合国家改革发展和军队调整改革的情况，围绕“服从大局，支持改革”这个重点进行教育。1999 年，全军各部队围绕同美国袭击中国驻南联盟大使馆、李登辉“两国论”及“法轮功”邪教组织反政府活动等斗争，开展思想教育和引导。2000 年，全军各部队主要围绕军事斗争准备进行根本职能教育。以后又在“积极投身中国特色军事变革”等主题教育活动中贯彻和体现“四个教育”的内容。

为搞好“四个教育”，总政治部编印了《毛泽东邓小平江泽民论爱国奉献革命人生观尊干爱兵艰苦奋斗》、《爱国奉献革命人生观尊干爱兵艰苦奋斗故事选编》、《基层军官理论学习读本》、《士兵理论学习读本》等作为基本教材。各级在教育中始终把干部作为关键环节来抓，按照先领导、机关，后部队基层；先干部后战士的路子展开教育。

2001 年下半年中共中央印发《公民道德建设实施纲要》后，总政治部遵照中央军委关于建立和发展适合人民解放军性质和特点的军人道德规范的重要指示，从部队实际出发，制定颁发《军人道德规范》，并印制下发《军人道德规范》宣传挂图，组织专门人员编写军人道德组歌。

全军和武警部队始终坚持把“四个教育”作为加强部队思想政治建设的中心环节，作为部队思想政治建设的基础性、根本性、长期性工程来抓。“四个教育”是改革开放以来在人民解放军中进行的持续时间最长、指导力度最大、收效最明显的经常性思想政治教育活动。

五

加强部队基层建设

根据改革开放和发展社会主义市场经济的新形势，全军贯彻江泽民关于“特别注意加强连队的政治工作”的指示精神，努力改进基层政治工作。1993 年 12 月中央军委重新修订颁发全军试行《军队建设基层纲要》，并于 1995 年 4 月正式颁布。《军队基层建设纲要》进一步规范了基层工作，有力促进了基层建设的全面发展。

《军队基层建设纲要》规定，在全军统一开展争创先进连队和争当优秀士兵活动(即“双争”活动)。“双争”活动，是新时期军队群众性竞赛活动的主要形式，是落实江泽民“政治合格、军事过硬、作风优良、纪律严明、保障有力”军队建设总要求，全面加强基层建设的重要措施。1996年8月和2000年5月，中央军委先后作出决定，向全军优秀士兵和优秀学员颁发江泽民亲笔题名的证章。

中央军委十分重视基层文化建设。经中央军委批准，由总政治部统一制作的党的三代领导核心关于加强军队建设的题词和张思德、董存瑞、黄继光、邱少云、雷锋、苏宁等六位著名英模画像，于1996年八一建军节前夕，在全军连以上单位悬挂、张贴。这是加强军队思想政治工作的一项重要举措，也是加强军营文化建设的重要举措。90年代后期，四总部先后颁布有关军队文化器材建设、影视发行放映管理、落实全民健身计划纲要、开设院校文化工作课程等一系列法规性文件。2000年3月，总政治部、总后勤部联合制定《关于进一步加强军队基层文化建设的意见》，明确了军队基层文化建设的发展目标、建设标准和主要任务。各大单位也相继制定一些基层文化建设的规范性文件，启动“基层文化建设工程”，使基层文化建设走上了规范化、制度化的运行轨道，得到快速发展。2000年至2002年，中央军委共拨款1.4亿元用于军队基层文化建设。电视卫星接收装置、闭路电视系统、信息网络和多媒体播放设备等现代视听器材逐步普及到基层。从2003年起，全军基层文化器材实行列装管理。各部队贴近基层建设和官兵实际，积极开展丰富多彩的军营文化活动，促进了基层全面建设和战斗力的提高。

六

进一步深化军队后勤改革

1. 建立三军联勤体制

实行联勤保障，是军队后勤保障体制的一次重大改革。联勤保障体制以军区为基础，采取区域保障与建制保障相结合、通用保障与专用保障相结合的方式。通用物资供应和通用勤务保障由军区统一组织，专用物资供应和专用勤务保障由军兵种按建制系统组织实施。总后勤部主管全军的联勤工作，军区联勤部主管战区内的联勤工作，联勤分部主要负责组织实施保障区域内诸军兵种部队的通用保障。

1998年中央军委作出先实行军区联勤体制，再逐步向大联勤体制过渡，最终建立三军后勤保障一体化体制的战略决策。1999年初，江泽民批准全军联勤实施方案，1999年1月26日至27日，全军后勤保障体制调整改革工作会议在北京召开，研究部署联勤实施方案。

经中央军委批准，全军从2000年1月1日起实行三军联勤体制。这是全军后勤的一项根本性改革，它打破了长期以来三军后勤保障自成体系的格局。

2. 整顿军队生产经营活动

1993年9月19日，中央军委颁发《关于整顿改革生产经营的决定》，要求“从党和国家的全局利益出发，从军队的长远建设出发，下决心对生产经营进行整顿改革，理顺关系，兴利除弊，保证军队生产经营健康发展”。《决定》的主要内容是：第一，生产经营实行集中统一管理，军以下作战部队、各大单位机关、总部二级部及科研机构，除搞好农副业生产外，不再从事经营性生产。第二，军企分开，生产经营单列体系，机关管部队的职能与管企业的职能分开，企业的机构、人员与编内单位分开，管理制度分开，企业财务管理与部队财务管理分开。第三，严格财务管理，统一分配生产经营收益。第四，对生产经营进行清理整顿。第五，加强整顿改革的组织领导，中央军委成立全军生产经营整顿改革领导小组，各大单位也要成立相应的组织。

全军部队认真贯彻中央军委的决定，到1995年1月，军以下作战部队的企业，大军区级和副大军区级单位司、政、后（装）等机关所办的企业，三总部二级部所办的企业，按规定实行集中统管。各部队外派从事劳务的兵员、装备已全部撤回。各类机械施工队、运输队已整顿压缩，并由大单位统管。生产经营的摊子大大收缩。全军原有企业15327个，从业人员86万多人。通过整改，企业减少6238个，占总数的40.7%；人员减少6万多人。1996年初，中央军委发出通知，要求进一步清理整顿全军的生产经营，剥离地方挂靠军队企业，清理控制跨区经营。

1998年3月，中央军委又作出非作战部队不搞经营性生产的决定。7月，中共中央决定军队、武警部队和政法机关一律不再从事经商活动。江泽民在中央政治局常委会议、中央政治局会议、中央军委常务会议和全军打击走私工作会议上，反复阐述这项重大决策的战略意义。强调军队、武警部队和政法机关必须停止一切经商活动。军队、武警部队要全部“吃皇粮”，政法机关也要全部“吃皇粮”。这要作为一个重大原则确定下来。

1998年10月，中共中央、国务院、中央军委召开军队、武警部队和政法机关不再从事经商活动工作会议，通过《军队、武警部队不再从事经商活动的实施方案》。随后，总参谋部、总政治部、总后勤部、总装备部联合发出《贯彻〈军队、武警部队不再从事经商活动的实施方案〉的意见》。

至1998年12月，军队共向国家和地方政府移交企业2937个，总资产804亿元、净资产241亿元，从业人员20.9万人；确定撤销企业3928个，总资产151亿元、净资产64亿元，从业人员10.4万人，已全部停止经营活动；对保留的258个保障性企业、1088个福利性企业，按政策规定进行审查核定，实现了1998年年底前军队、武警部队与经营性企业彻底脱钩的要求。

3. 军队后勤保障社会化改革

在1998年12月召开的中央军委扩大会议上，江泽民明确提出：军队的后勤保障特别是生活保障必须社会化。这方面的改革要加快进度、加大力度。可以考虑先从军队高级领导机关和大中城市的军队院校、科研机构、医院等单位开始实施，然后总结经验，逐步推开。军队实行后勤保障社会化，是中央军委从国家和军队战略全局出发作出的重大决策。

1999年全军在850多个不同类型的单位进行了社会化改革试点。1999年12月，全军后勤保障社会化改革工作会议在北京召开。会议提出“十五”期间实现生活保障社会化，到2010年基本实现后勤保障社会化的改革目标。

2002年9月，国务院、中央军委发出《关于推进军队后勤保障社会化有关问题的通知》。10月，中央军委批转《总后勤部关于实行军队后勤保障社会化若干问题的意见》。全军驻大中城市的军以上领导机关和非作战部队，在各级地方政府的支持下，积极稳妥地推进军队后勤保障社会化，取得阶段性成果。据统计，到2002年，全军已有1500多个食堂交给地方服务保障机构承办，1000多个军人服务社纳入社会商业体系，1800多个营院不同程度实行了物业管理，近300个保障性企业和农场移交国家和地方，共减少企事业单位职工30多万人。

七

建立中国特色的军事法体系

1994年3月，全军法制工作会议把建立具有中国特色的军事法体系，作为军事法制建设的中心任务。中央军委副主席、国防部长迟浩田代表中央军委，对这一体系作了详细说明：“第一，要有一部由全国人大制定的军事基本法（即国防法，是国防和军队建设的根本法）。第二，要有一整套由全国人大或全国人大常委会制定的与军事基本法相配套的军事法律。第三，要有一套由中央军委制定或国务院与中央军委联合制定的与军事法律相配套的军事法规或军事行政法规。第四，要有一整套由各大单位制定的或与国务院有关部门联合制定的与军事法规相配套的军事规章或军事行政规章。”

1992年，中央军委向全军各大单位下发《中央军委“八五”期间立法规划》，第一次将军事立法纳入五年规划。1996年，中央军委下发“九五”期间立法规划。审议军事法律、法规和规章备案已经成为中央军委常务会议和各大单位办公会议的一项重要议程。

1998年以后，军事立法速度明显加快。2003年4月，中央军委颁布《军事法规军事规章条例》，对军事立法工作进行规范。“十五”时期，全国人大常委会、国务院和中央军委按照规定的职权制定和修订军事法律法规99件，各总部、军区、海军、空军、第二炮兵制定和修订军事规章近900件。如：90年代以来，全国人大及全国人大常委会制定或修订了《中华人民共和国国防法》、《中华人民共和国兵役法》、《中华人民共和国国防教育法》、《中华人民共和国现役军官法》、《中华人民共和国预备役军官法》、《中华人民共和国香港特别行政区驻军法》、《中华人民共和国澳门特别行政区驻军法》等军事法律和有关法律问题的决定；国务院、中央军委发布或修订发布了《中国人民解放军现役士兵条例》、《军队参加抢险救灾条例》、《国防交通条例》、《海防管理条例》等军事行政法规；中央军委发布了《中国人民解放军安全工作条例》、《中国人民解放军保密条例》、《中国人民解放军预防犯罪工作条例》、《中国人民解放军院校教育条例》以及新的共同条令、新一代系列司令部条令、新一代系列战斗条令等军事法规；全军各大单位颁布了大量军事规章。截至2005年12月31日，一个以《中华人民共和国国防法》为龙头，由15部专门规范国防和军队建设的法律以及有关法律问题的决定、181件军事法规、88件军事行政法规、3000多件军事规章构成的军事法体系已经初步形成，涵盖了国防组织体制、国防科技生产、国防动员、战备训练、军事勤务、行政管理、政治工作、后勤保障等各主要方面，为贯彻依法治军、从严治军方针，为加强国防和军队建设，推进军队的各项改革，维护军队的正规秩序，维护广大官兵的合法权益，提供了充分的法律保障。

1998年12月，第九届全国人大常委会第六次会议通过关于修改兵役法的决定，国家主席江泽民签署第十三号主席令予以公布。这是对1984年《中华人民共和国兵役法》首次作出的重大修改。修改兵役法，是适应改革开放和发展社会主义市场经济新形势，加强国防和军队建设采取的一项重大举措。随着国家和军队形势的变化特别是随着社会主义市场经济的发展和新时期军事战略方针的确立，1984年颁布的《中华人民共和国兵役法》在兵役制度、服役期限以及民兵、预备役建设等方面的一些内容，已经不能完全适应新形势下国防和军队建设的需要。

此次通过的修正案对《中华人民共和国兵役法》的11个条款进行了修改，新增加了3项条款。主要改动之处：

一是调整了兵役制度。《中华人民共和国兵役法》原规定："中华人民共和国实行义务兵役制为主体的义务兵与志愿兵相结合、民兵与预备役相结合的兵役制度。"修正案删掉了"义务兵役制为主体"的提法，保留了"两个结合"的基本制度，规定"中华人民共和国实行义务兵与志愿兵相结合、民兵和预备役相结合的兵役制度"，把志愿兵制度提升到与义务兵制度同等重要的地位。

二是缩短了义务兵服现役期限。《中华人民共和国兵役法》原规定，义务兵服现役期限为：陆军3年，海、空军4年；义务兵超期服现役的期限为：陆军1至2年，海、空军1年。修正案将陆、海、空三军义务兵服现役期限一律改为2年，并取消超期服现役的规定。

三是改革了志愿兵服现役制度。按《中华人民共和国兵役法》原来的规定，义务兵一旦选改为志愿兵，要再服役8至12年才能退出现役。修正案将志愿兵一次性选改和退出现役的规定，改为志愿兵实行分期服现役制度，调整了志愿兵服现役的期限，并规定"根据军队需要，志愿兵也可以直接从非军事部门具有专业技能的公民中招收"。

四是完善了预备役制度。《中华人民共和国兵役法》原来对民兵、退伍军人统一以年龄为主，分为一类和二类预备役。这次修改，调整了士兵预备役分类对象，增加了一类士兵预备役的技术含量。此外，修正案将民兵、预备役人员参训的年龄，由18至20岁调整到18至22岁。

五是强化了义务兵家属优待政策。原《中华人民共和国兵役法》只规定对农村义务兵家属给予优待，城镇义务兵家属只对生活困难的给予补助，修正案规定对义务兵家属不分农村、城镇，一律由当地人民政府给予优待。

六是拓宽了退伍军人的安置就业渠道。

中国特色的精兵之路

走有中国特色的精兵之路，搞好军队的质量建设，既有利于促进国家的经济建设，也有利于促进军队自身的发展。

一

裁军50万

1997年9月，江泽民在中共十五大上宣布："中国在80年代裁减军队员额100万的基础上，将在今后三年内再裁减军队员额50万，军队编制总人数控制在250万以内。并进一步精简员额，收缩摊子，优化结构。”这是中共中央、中央军委根据国际战略格局的新变化和世界军事变革的新形势，审时度势作出的重大战略决策，是贯彻新时期军事战略方针，走有中国特色精兵之路，推进军队现代化建设的重大举措。

1998年5月4日，中央军委下发《“九五”期间军队体制编制第二步调整改革总体方案》。该《方案》根据江泽民关于军队体制编制调整改革的一系列重要指示和《“九五”期间军队建设计划纲要》的精神，按照高技术战争的要求，以裁军50万为契机，以进一步优化结构、理顺关系为重点，在“八五”期间军队体制编制第一步调整精简的基础上，对全军体制编制的第二步调整改革作出具体部署。计划1998年下半年完成机关和部队的调整精简；1999年上半年完成装备、后勤保障单位的调整精简，并提出院校、训练机构的调整改革方案；1999年下半年完成院校、训练机构等其他单位调整精简和扫尾工作。

“九五”期间军队第二步体制编制的调整改革，是中国人民解放军历史上又一次具有深远意义的重大改革。1998年4月24日，总政治部发出《关于军队体制编制第二步调整改革中政治工作指示》，要求各级党委和政治机关认真贯彻江泽民关于军队体制编制调整改革的一系列重要指示，按照中央军委的统一部署和要求，把增强大局观念，以大局利益为重，作为全军思想政治工作的重点，突出抓好思想教育和干部调整安置两个环节，确保部队的高度稳定和集中统一，积极稳妥地完成体制编制调整改革任务。

中国政府2000年度发表的《国防白皮书》宣布：人民解放军裁减员额50万的任务已于1999年圆满完成。军队的体制编制调整改革取得实质性的进展，达到了精简员额、收缩摊子、优化结构的目的，为实现“精兵、合成、高效”创造了条件。中央军委总部机关、直属单位和保障部队人员精简11.46%；军区系统精简人员15.05%；陆军精简人员18.6%；海军精简人员11.4%；空军精简人员12.6%；第二炮兵精简人员2.9%；国防科工委精简人员8.11%；军以上机关精简人员20%；陆军部队的比例下降，海军、空军、二炮部队的比例上升，装备管理体制和后勤保障体制初步理顺。陆军部队通过调整编组，向合成和小型化、轻型化、多样化的方向迈进了一步。

一是精简高级领导机关，军队领导指挥体制趋向精干、灵敏、高效。总部、军区、各军兵种机关减少了内部机构数量，省军区、军分区机关编制作了较大幅度的调整精简。按照“精干、合成、高效”的原则，对军以上领导机关的职能、编制和相互关系进行了重新确定，撤销、合并了一些职能部门，精简了机关编制员额，压缩了机关的服务保障分队。调整后，全军军以上机关共减少1500余个机关部门，军队从事经营性生产的290余个生产管理机构和地区性企业（行业）管理机构全部撤销或移交地方。

二是优化部队的编成结构，对部队编组进行了重大调整，提高了军兵种技术含量较高部队的比例。按照部队编成要加强合成，逐步实现小型化、轻型化、多样化的要求，调整精简陆军野战部队的体制编制，适当增加海、空军部队；调整院校训练机构，压缩训练勤务保障部队；调整陆军野战部队的分类编成，减少层次，突出重点。陆军野战部队撤销部分集团军军部和师、团，部队编成结构得到进一步优化。第二炮兵和海、空军部队根据“九五”期间武器装备保障的可能和部队作战任务的需要，主要淘汰落后装备，撤、并部分部队，关闭部分港口和机场，减少建制单位和指挥层次。陆军野战部队按照加强综合、减少分散、有增有减的原则，调整优化部队编组，优先保障新装备部队和重点建设部队，提高整体作战的能力。预备役部队保持已有规模，在兵种结构、地区布局、编成体制等方面作适当调整。

三是建立了新的武器装备管理体系。为进一步加强对全军武器装备工作的集中统一领导，中央军委调整国防科工委和总部有关部门职能。1998 年 4 月，以国防科工委为基础，将总参谋部装备部、总后勤部的有关单位合并整编为总装备部，负责全军的武器装备和管理建设工作。此次调整后，中国人民解放军实行中央军委领导下的总参谋部、总政治部、总后勤部、总装备部四总部体制，改变了延续 40 年之久的三总部体制，是中国军队领导体制的重大调整改革。总装备部组建后，军区机关装备部，军兵种机关和部队的装备部门也作了相应的调整，逐步建立起新的武器装备管理体系，实现了全军主要武器装备的集中统一领导和全系统、全寿命管理，提高了武器装备建设的整体效益。

四是调整后勤保障体制，建立三军一体联勤保障体系。按照区域保障与建制保障相结合、统供与专供相结合的原则，全军统一实行“三军一体、平战结合、军民兼容”的联勤保障体制。原各大军区后勤部调整为军区联勤部，实行以战区联勤为基础、统分结合、以统为主的新的后勤保障体制，通用物资供应和通用勤务保障由军区统一组织，专用物资供应和专用勤务保障仍由军兵种按建制系统组织实施。这一联勤保障体制的实施，结束了人民解放军长达半个世纪的三军独立保障模式，撤销合并了团以上保障机构近百个，精简了大批后勤保障人员，保障成本也大大降低。后勤保障向三军一体、集约化保障方向迈出了一大步。

五是调整改革了院校体制。撤并了一些教育层次低、学科建设重复的院校，新建、扩建了国防科学技术大学、信息工程大学、理工大学等一批综合性院校，初步实现了规模化办学。改革院校、训练机构体制编制，减少院校数量，扩大单所院校办学规模，提高军官培训层次和调学比例，军队院校开始走上规模化办校、现代化教学、正规化管理、社会化保障的新路子。

二

开展科技大练兵活动

1. 辽阳集训

1997 年，沈阳军区某集团军开展高技术条件下“以劣胜优三两招”活动，提出“学科学、科学练”的口号。中央军委和总参谋部敏锐地意识到，这是新时期群众性科技练兵的雏形，代表了人民解放军军事训练跨世纪发展的基本方向。在充分吸收全军训练改革成果的基础上，经中央军委批准，总参谋部于 1998 年 9 月 25 日至 29 日，在沈阳军区某集团军举办全军运用高科技知识、普及深化训练改革成果的集训活动，简称“辽阳集训”。

此次集训明确了军事训练面向新世纪发展的科技兴训战略思路，提出要把决定部队战斗力水平高低的科技素质训练作为军事训练的核心要素，把基地训练、模拟训练、网络训练等先进手段作为军事训练的新形式，把高效的组训方式和科学的组织领导作为军事训练的基本模式，把增强官兵综合素质和部队整体作战能力作为根本目的，把群众性的学习运用高科技知识贯穿训练的全过程，使科学技术真正成为推动训练发展和提高战斗能力的主导力量。

2. 全军掀起科技大练兵活动

“辽阳集训”后，中央军委要求各级领导机关把抓训练的指导思想转到科技兴训上来，在全军迅速掀起群众性科技大练兵的热潮。全军各级把科技练兵作为部队工作的中心任务，作为培养高素质人才的重要举措，作为提高战斗力的根本途径，切实把科技兴训、科技练兵摆到各项工作的中心位置。

1999 年 5 月 26 日，总参谋部召开全军科技练兵电视电话会议，提出要在改革实践中不断深化和发展科技练兵。1999 年 10 月 9 日至 16 日，总参谋部分别在沈阳、北京、南京军区组织全军科技练兵观摩活动，总结交流全军科技练兵的经验，对开展科技练兵进行示范和规范。2000 年初，中央军委转发总参谋部《关于广泛深入开展科技练兵全面提高部队打赢高技术战争能力的意见》，为科技练兵提供基本依据，指导全军科技练兵持续健康地发展。

3.“砺剑—2000”活动

2000 年 10 月 13 日至 16 日，总参谋部在北京南口、内蒙古朱日和、辽宁葫芦岛、吉林靖宇等地区联合进行科技练兵成果交流活动——“砺剑—2000”。此次交流活动的目的，是在军事训练领域贯彻落实科技强军战略思想，检验、交流科技练兵成果，研究解决未来作战的重点难点问题，推动科技练兵进一步深化。“砺剑—2000”活动，在中央军委领导下，由总参谋部组织进行。来自全军各军兵种 48 个单位的上万名官兵、数千件重型装备和国防大学等 8 所院校参加了汇报演示。活动期间，进行了理论研究成果交流、网上练兵成果交流、网上对抗演习、参谋业务竞赛、网络远程教学等活动，重点演示和交流新“三打三防”（即打隐形飞机、打巡航导弹、打武装直升机和防精确打击、防电子干扰、防侦察监视）训练课目。中央军委主席江泽民，副主席胡锦涛、张万年、迟浩田等检阅了部队科技练兵成果汇报演示，江泽民接见参演部队官兵并发表重要讲话。这是自 1964 年大比武后演练层次最高、运用技术最新、涉及范围最广的全军性军事训练成果交流活动，推动了军事训练的深入发展，标志着人民解放军军事训练的组织形式和方法迈出了历史性的新步伐。

4. 保定集训

2001 年 9 月 10 日至 15 日，总参谋部在河北保定地区组织全军军事训练与考核大纲集训。总参谋部、总政治部、总后勤部、总装备部、军事科学院、国防大学、国防科技大学、各军区、海军、空军、战略导弹部队、人民武装警察部队以及集团军、省军区和有关军事院校，参加了此次集训。保定集训总结交流了辽阳集训后三年训练改革和科技练兵的主要成果和经验，学习了新的军事训练与考核大纲，研究了从单兵到师、旅、团各层次训练的组织实施办法，探讨了按纲施训的具体措施，观摩了北京军区某部运用改革成果进行的训练课目演示。通过集训，普及推广了科技练兵的创新成果，明确和规范了部队训练的方法，培训了一批高层次的组训人才。

三

东南沿海军事演习

1. 九五、九六东南沿海军事演习

1995 年 7 月至 1996 年 3 月，中国人民解放军总参谋部在东南沿海地区组织了大规模的诸军兵种联合作战演习。

1995 年 7 月 21 日至 28 日，中国人民解放军在东海公海海域进行地对地导弹发射演习训练，向预定海域发射了 6 枚地地导弹，全部准确命中目标。1995 年 8 月 15 日至 25 日，解放军在台湾附近海域成功地进行了导弹、火炮实弹射击演习。1995 年 10 月上旬，中国人民解放军海军在中国领海举行诸兵种联合演习。多艘新型导弹驱逐舰、护卫舰编队、潜艇编队参加了演习，电子战贯穿演习的全过程。这次演习显示了人民海军装备质量有了新的发展，海上作战能力的提高。1995 年 11 月下旬，南京军区陆海空军部队在闽南沿海地区成功举行三军联合作战演习。

1996 年 3 月 8 日至 15 日，解放军在离台湾岛基隆港东面方向 20 至 40 海里和距离高雄西南方向 30 至 150 海里的海域，进行地对地导弹发射训练。第二炮兵部队 4 发导弹全部命中目标，圆满完成了地对地导弹向东海和南海海域的发射训练任务。解放军空军和海军于 3 月 12 日至 20 日在福建厦门以南至广东汕头一线，先后进行了海空实弹演习。

1996 年 3 月 18 日至 25 日，解放军南京军区在台湾海峡北部西侧，进行陆海空三军联合作战演习。从争夺制海制空权到快速装载航渡，从装甲集群抢滩登陆到空、机降部队垂直登陆，从多层次火力突击到多路强击突破，从立体穿插分割到纵深越点攻击，展现了高技术条件下联合渡海登陆作战的场景。

九五、九六东南沿海系列军事演习期间，中共中央、国务院、中央军委、国家机关有关部委、人民解放军三总部以及有关军区和省市领导共 400 余人参观了演习。此次演习规模大，参加军种和兵种全，动用新式装备和实装实弹多，演习范围广，协同作战层次高。演习体现了高技术局部战争的特点和未来作战的基本模式，展示了诸军兵种联合作战训练的新成果，检验了部队的近似实战条件下的联合作战能力，显示了维护国家统一的决心和能力，对遏制“台独”势力产生了重要而深远的影响，对于部队全面建设特别是军事斗争准备起到了重要的推动作用。

2. 浙东、粤南沿海联合渡海登陆作战实兵演习

1999 年 9 月上旬，中国人民解放军南京、广州战区陆海空三军、第二炮兵和民兵预备役部队，在浙江东部、广东南部沿海地区举行了数万人参加的大规模诸军兵种联合渡海登陆作战实兵演习。

在东海某海区，由登陆舰艇和近千艘民船运送的登陆部队，在海军舰艇编队和空军和海军航空兵作战机群的掩护下，向敌发起猛烈进攻。大批重装备快速装载上船，迅速完成海上集结和战斗编组。由登陆艇和民船组成的联合编队，与战斗机群和作战舰艇密切协同，夺控制空、制海和制电磁三权，有力抗击敌远程打击和海空攻击。解放军航空兵、海军舰炮、船载炮兵立体打击“守敌”海岸防御目标。登陆部队快速卸载火炮战车，与泛水上陆的两栖装甲作战群、机降部队组成强大的突击力量，对敌实行立体突破，分割围歼。

在南海某海区，由陆军和海军陆战部队组成的左翼登陆集团，在第二炮兵战役

战术导弹、空军战斗机群、陆军直升机、海军舰载火力支援下，向敌滩头阵地发起攻击。电子干扰飞机和舰载电子干扰群对敌实施电磁压制，登陆兵在扫雷舰艇配合下迅速开辟通路建立登陆场。由陆军和特种作战部队组成的右翼登陆集团，迅速展开夺占港口战斗。海空密切配合，对敌港区指挥所、通信枢纽、高技术兵器阵地实施精确火力打击。搭乘气垫船的攻击部队，操纵翼伞和动力伞的特种兵部队和机降部队快速撕开防线，将港口之“敌”歼灭。接着，登陆部队在航空兵等的配合下，粉碎“敌军”反击企图。

此次军事演习再次显示了人民解放军捍卫国家主权和领土完整的坚定立场和坚强决心，展示了军队维护祖国统一的强大实力。

3. 东山岛军事演习

2001 年 6 月，中国人民解放军在福建沿海东山岛举行陆、海、空三军和第二炮兵部队 10 万余名官兵参加的大规模登陆演习。

参演部队演练的包括战术与战略导弹攻击、封锁与反封锁、抢滩登陆与反登陆、空袭与反空袭、空降、电子干扰与反干扰、卫星侦察与跟踪、征集民船、跨区机动、打航母、打隐形战机、打巡航导弹、打直升机、防精确打击、防侦察监视、围战打援、分向目标夺取及战场扫荡与巩固等课目。

此次东山岛军事演习，是人民解放军演习史上规模最大、科技含量最高、横跨区域最广的一次实弹演练。苏—27 型、苏—30 型、歼八二型、“飞豹”战机和空中预警机、加油机，“现代”级导弹驱逐舰、“基洛”级潜艇、新型核攻击潜艇，战略与战术导弹、巡航导弹、空空导弹、空地导弹、“日炙”与 C—802 超音速反舰导弹、S—300 地对空导弹等一大批先进的武器装备参演。演习中，3 艘核潜艇分别在南海、东海和黄海发射“巨浪”21A 潜射弹道导弹，命中 5000 公里外的目标；海军首次试射射程达 1000 公里以上的“红鸟”二型巡航导弹；预警机和空中加油机的使用，大大缩短了航空兵反应时间，增加了航程，提高了打击力。

四

国庆 50 周年阅兵

1999 年 10 月 1 日上午 10 时 15 分，中共中央总书记、国家主席、中央军委主席江泽民乘敞篷检阅车接受阅兵总指挥、北京军区司令员李新良报告。接着，江泽民乘阅兵车检阅了由人民解放军陆、海、空三军和人民武装警察部队、民兵、预备役组成的 42 个地面方队。接着，举行了庄严的分列式。

参加受阅的陆、海、空军和第二炮兵、武警、预备役部队以及民兵，都是有战功或光荣历史的精锐之师。正式通过天安门的 1.1 万人，地面重装备 441 台(辆)，各种飞机、直升机 132 架，编成 17 个徒步方队、25 个车辆方队和 10 个空中梯队，代表了中国武装力量构成的所有成分。其中，陆军航空兵、海军航空兵、海军陆战队、特种警察和预备役部队，都是新增加的受阅兵种或部队类型，充分体现了人民解放军现代化兵种合成、军种联合的特征。受阅的坦克、火炮、导弹、飞机等 42 种大型装备，都是从全军部队中精选或新装备部队的，有 40 种首次公开亮相，国产装备比例占 95%以上，其中第三代坦克、空中加油机、歼轰—7 飞机和第二炮兵新型号的导弹等，技术含量较高，有的已具有国际先进水平，充分显示了人民解放军新时期现代化建设的新成果。

国庆50周年阅兵威武雄壮，向全世界充分展示了人民解放军革命化、现代化、正规化建设的巨大成就，展示了人民解放军威武之师、文明之师、胜利之师的精神风貌和维护祖国安全与统一、促进世界和平与发展的坚强决心，振奋民心士气。

为高标准、高质量地完成这次国庆阅兵任务，中央军委成立了建国50周年国庆首都阅兵领导小组和以北京军区司令员李新良为阅兵总指挥的阅兵总指挥部，自1998年4月即开始着手组织受阅部队训练。受阅部队官兵不怕苦累，不怕困难，严格训练，严格要求。1999年10月1日，中央军委主席江泽民发布嘉奖令，通令嘉奖受阅的陆、海、空军和第二炮兵，武装警察部队和民兵、预备役部队官兵。

五

武器装备建设新成就

自20世纪90年代以来，中国人民解放军有选择地开展对俄军事装备和技术的引进工作，重点引进了一批武器装备和技术，促进了国防科学技术的发展，加快了武器装备现代化的进程。人民解放军优先发展高新技术武器装备，加大科研攻关力度，增强自主创新能力，研发新型信息化作战平台和精确制导弹药，研制新型电子对抗装备，着力增强精确打击能力和信息作战能力，同时有选择、有重点、有步骤地改造部分现役主战装备，通过“嵌入”先进技术，研制新型弹药，整合指挥控制系统，恢复或提高了现役武器装备的战术技术性能。

“九五”期间，中国长征系列运载火箭实现重大跨越，长征火箭无论从发射次数、发射频率还是发射成功率比“八五”期间都有了很大提高。“九五”期间共进行了24次发射，平均每年5次，发射成功率达90%以上，达到或接近世界先进水平。1999年、2001年和2002年中国成功发射三艘无人试验飞船，为实现中国载人航天飞行奠定了坚实基础。2003年，“神舟”五号载人飞船把中国首名航天员成功送入太空并安全返回，标志着中国已成为世界上第三个独立掌握载人航天技术的国家。这是继“两弹一星”后中国国防科技的又一重大突破。2003年，中国航空工业新型歼击机“枭龙”和高级教练机“山鹰”两种军用机型实现首飞成功。2004年，中国成功发射“8箭10星”，成为长征火箭历史上发射次数最多的一年，发射卫星种类和数量、新技术应用最多、在轨稳定运行最好的一年。

随着大量新型武器装备列装，作战部队武器装备高技术含量不断增加，现代化程度显著提高，各军兵种部队战斗力有了很大提高。陆军武器装备体系得到改善。以导弹、主战坦克、轻武器、工程、防化、车船等为代表的一批技术含量较高的陆军武器装备相继问世，较大地改善了陆军武器装备结构体系，提高了部队的现代化水平和作战能力。海军武器装备建设有了新发展。海军装备技术已由初期的以空（通用飞机）、潜（鱼雷潜艇）、快（鱼雷快艇）为主，走向以核潜艇与常规潜艇、大中型导弹舰艇和海上专用飞机为主；作战武器由火炮、鱼雷为主，发展到以火箭、导弹为主。中国自行设计研制和生产的导弹驱逐舰、导弹护卫舰、导弹艇、猎潜艇、扫雷舰实现了更新换代；由新型常规潜艇和核动力潜艇组成的“水下长城”，数量与总吨位比初建时期增加了几十倍。海军五大兵种形成了遍及海陆空潜、岸基海基相结合，兼顾核常双重作战、多兵种合成的、初具规模的海上综合防卫作战体系。1998年，中国海军舰艇编队横渡太平洋抵达美国本土和南美大陆，标志着海上机动编队保障实现了长足的跨越。空军逐步实现由国土防空型向攻防兼备型转变。空军新一代主战飞机逐步装备航空兵部队，形成高、中、低档搭配的歼击机装备系列，轰炸机、强击机为主的对地攻击机装备系列，大、中、小型运输机在内的空中运输体系；新型的地空导弹开始进入导弹兵部队，多种型号的地空导弹和先进的高炮构建了高、中、低空和远、中、近程的防空火力配系；空降兵具备了在各种复杂气象、地形条件下实施空降作战的能力；防空预警及指挥系统等各方面得到不同程度的提高，形成了覆盖全国的防空雷达情报网；指挥控制装备实现了成片联网的格局。第二炮兵通过加强导弹武器的改进和研发，提高导弹武器和指挥、通信、侦察等配套装备的信息化水平，初步形成核常兼备、射程衔接、威力和效能明显增强的武器装备体系。

六

人民海军完成首次环球航行

2002年5月15日，由"青岛"号导弹驱逐舰和"太仓"号远洋补给舰组成的中国海军舰艇编队，在海军北海舰队司令员丁一平的率领下起航，开始了首次环球航行。

5月21日下午，中国海军舰艇编队500名官兵在南沙群岛，面对神圣的五星红旗宣誓："牢记祖国重托，不辱神圣使命。"中国海军舰艇编队先后访问新加坡、埃及、土耳其、乌克兰、希腊、葡萄牙、巴西、厄瓜多尔、秘鲁、法属波利尼西亚等10国10港，历时4个月，总航程3.3万海里，横跨太平洋、印度洋、大西洋，远涉亚洲、非洲、欧洲、南美洲和大洋洲。9月23日，中国海军编队抵达青岛，实现了中国人民环球航行的梦想。这是中国海军史上出访国家最多、时间最长、航程最远、影响深远的一次军事外交活动。

此次中国海军舰艇编队途经世界15个海或海湾，14个主要海峡和苏伊士、巴拿马运河，6次穿越赤道，7次经历大风浪和强低压气旋的考验，展示了中国海军的风采。"青岛"号导弹驱逐舰是中国自行设计和研制的新一代导弹驱逐舰，此次远航经受了复杂水文气象和低纬度高温、高盐、高湿等恶劣环境的考验，全面检验了新型战舰的全球导航能力、指挥通信能力、连续航行能力、气象保障能力和后勤支援能力，体现了战舰的良好性能。有"中华补给第一舰"之称的"太仓号"，是海军服役最早的大型远洋综合补给舰，可在复杂情况下进行立体补给，被誉为大洋上的"浮动基地"。从南中国海到印度洋，从亚丁湾到红海，从地中海到大西洋，中国海军舰艇编队成功地进行了8次海上综合补给，多次填补海军舰艇编队海上补给的空白。

七

参加国际维持和平行动

中国作为联合国安理会常任理事国，一贯致力于维护世界和平与安全，重视并支持联合国在联合国宪章精神指导下，为维护世界和平与安全发挥其应有的作用。1988年9月，中国正式申请加入联合国维持和平行动特别委员会。1989 年,中国首次派人参加了联合国纳米比亚过渡时期协助团。1990 年,中国第一次向中东地区派遣军事观察员,1992 年,中国正式组建维和部队,参加联合国维持和平行动。

1991 年 10 月 23 日,中国、美国、俄罗斯、法国、日本、越南、柬埔寨等 19 个国家的代表联合签署《全面政治解决柬埔寨冲突》的和平协定。1992 年 2 月,联合国秘书长加利向中国常驻联合国大使提出请求,请中国政府派 47 名军事观察员和不少于 300 人的工兵部队,参加联合国驻柬埔寨维持和平行动。中国政府表示同意。国务院、中央军委决定,派遣 47 名军事观察员和由 400 名军事工程人员组成的军事工程大队,前往柬埔寨参加联合国驻柬维和行动。这是中国人民解放军首次派部队参加联合国维和行动。中国人民解放军赴柬工程兵大队,是中国第一支“蓝盔部队”。

中国首支蓝盔部队的主体,是驻扎在北京的某工兵营。为适应出国执行任务的特殊需要,从其他部队借调了部分翻译、通信、工程技术、医务等专业人员。赴柬工程兵大队携带的各种机械、车辆共 150 多台,其中大型工程机械 36 部,各种车辆 80 多台,各种物资约 150 个集装箱。

1992 年 4 月 23 日,400 名中国蓝盔部队官兵抵达柬埔寨西哈努克港(磅逊港),而后迅速以摩托化开往金边。29 日,中国蓝盔部队全部安全抵达距金边约 15 公里的联合国指定的过渡营地——瓦滚奔。

根据联合国驻柬机构和联合国维持和平部队总部的安排,中国赴柬工程兵大队担负修复金边波成东国际机场、磅逊港至金边的 4 号公路沿途桥梁、6 号公路斯昆镇至磅同市路段等任务。

由于战争破坏严重,波成东国际机场的修复工作非常艰巨复杂。除了 6.8 万平方米的直升机跑道、停机坪和连接通道要修复,还要构筑一座 320 平方米的钢筋混凝土雷达基座和 2500 平方米的油库平台。此外,还要清除原金边政府空军设在机场上的野战机库挡土墙。工程兵大队官兵战高温、斗酷暑,仅用 50 天时间,就完成了任务,创造了一项新的工程纪录,受到联柬总部的表扬。工程兵大队官兵用 15 天的时间就完成了修复 4 号公路 6 座桥梁的任务,保证了 4 号公路畅通无阻。工程兵大队苦战 107 天,共挖填红砂土 4.15 万立方米,修复 6 号公路桥梁 15 座,提前完成了道路修复任务。在打通 6 号公路的过程中,联合国维持和平部队总司令桑德森将军亲自来到施工现场视察。6 号公路的修通,加快了柬埔寨难民的遣返工作,推进了柬埔寨的和平进程。

1993 年 2 月,首批中国赴柬工程兵大队完成任务回国。根据联合国规定,联合国维持和平部队可以 6 个月轮换一次。中国政府决定组派一支相同的部队赴柬,将第一批军事工程大队换回国内。同月,第二批赴柬工程兵大队官兵抵达金边波成东机场。5 月 21 日,第二批赴柬工程兵大队斯昆营区遭受炮击,两名战士牺牲、10 人受伤。8 月 1 日,联合国驻柬维持和平部队司令桑德森,在金边波成东机场中国工程兵大队营地,向参加联合国维持和平部队的中国工程兵大队 398 名官兵和两名牺牲烈士授予联合国维持和平行动勋章和证书。1993 年 9 月 12 日,第二批赴柬工程兵大队圆满完成任务回国。至此,中国蓝盔部队第一次成建制参与联合国维持和平行动圆满结束。

在近 17 个月的时间里,中国赴柬工程兵大队修建和保养公路 640 余公里,修、架桥梁 40 余座,并完成金边波成东国际机场、军用机场、上丁机场、磅湛机场以及8个停车场等工程任务，为恢复柬埔寨和平与重建作出了巨大的贡献。联柬机构主席明石康说："如果没有中国工兵，联柬维和行动将不会取得如此大的成功。"西哈努克亲王和维和部队司令桑德森多次盛赞中国工程兵的出色表现。

20世纪90年代的中美关系

1993年1月20日，美国总统克林顿就职。作为总统的他逐渐认识到，对中国实行孤立是行不通的。克林顿政府除了继续在人权问题上对中国施加压力外，在其他有关中国问题的论调和态度有了一定的变化，造成中美关系起伏动荡。

一

人权与最惠国待遇"脱钩"

1993－1994年，人权与最惠国待遇"挂钩"和"脱钩"成为中美关系中最引人注目的问题。20世纪90年代初，布什出于维护中美关系稳定的考虑，竭力避免对华最惠国待遇成为攻击中国的武器，在国会的巨大压力下，一再宣布无条件延长中国最惠国待遇。克林顿在赢得大选后，使得中国的最惠国待遇问题成为公众关注的焦点。虽然克林顿在当选之后逐渐降低了对华攻击的调门，多次表示"不能孤立中国"，但他仍然"赞成在（中国的）人权和贸易没有出现变化之前对中国享有的贸易最惠国地位施加一些限制"。[①] 1993年5月28日，克林顿发布关于延长中国最惠国待遇的声明和对1994年最惠国待遇附加人权条件的行政命令。

这项编号为12850的总统行政命令要求国务卿在1994年7月3日就是否延长中国的最惠国待遇提出建议，该建议应该考虑和评估七项条件。

克林顿政府作出人权同最惠国待遇"挂钩"的决策是对华最惠国待遇问题政治化的必然结果。1989年之后，美国国内对中国人权问题的关注始终需要一个渠道进行发泄，而布什政府竭力维护无条件延长对华最惠国待遇的做法被认为是"姑息"中国政府。作为民主党的总统，克林顿上台之后必然要对本党的意识形态诉求作出反应。克林顿在竞选期间已经多次公开对中国的人权和最惠国待遇问题作出了表态，从选举政治的角度，这些言辞的确有过激之处，但是他在执政之后也多少要履行竞选中的许诺，以便在公众和媒体中表现言出必行的姿态。除了意识形态和竞选政治的因素外，美国国内的政治力量和当时的外交决策机制[②]也起到了一定的作用。这就使克林顿政府匆匆出

---

① 刘连第、汪大为编著：《中美关系的轨迹：建交以来大事纵览》，时事出版社，1995年版，第350页；Thomas L. Friedman, "Clinton Says Bush Made China Gains", New York Times, November 20, 1992.

② 克林顿是通过强调国内经济问题而入主白宫的，他不仅在外交问题上缺乏经验，而且根本就对其不感兴趣。在对华最惠国待遇同人权"挂钩"的决策过程中，起决定作用的是克林顿在1993年1月31日成立的跨部门对华政策工作小组。具体可参见俞承贤：《经济相互依存与美国对华决策：以1993－1994年美国对华最惠国待遇决策为例》，北京大学博士论文，2000年。

台了给中国最惠国待遇附加人权条件的行政命令。

克林顿政府的人权与最惠国"挂钩"政策一方面体现了美国理想主义的价值观;另一方面也是一系列国内政治作用的结果。因此,这一政策带有一系列无法调和的内在矛盾:一是美国理想主义价值观同实际经济利益之间的矛盾,克林顿一方面企图在人权问题上为难中国;另一方面又不得不承认中国带给美国的巨大经济机会;二是美国的单边外交同经济全球化的矛盾,克林顿的"挂钩"政策可能使美国企业在中国市场上同其他国家公司的竞争中处于不利地位;三是"挂钩"政策本身存在缺陷,同促进中国人权的目标相比较,最惠国待遇这根"大棒"的分量似乎太重了点,也就是说手段的成本远远大于目标的收益,这样的政策必定使自己陷入左右为难的困境。

这一"挂钩"政策的出台,引起了美国工商业的强烈不满。1993—1994 年,美国跨国公司和工商业组织为对华最惠国待遇问题发起了一场声势浩大的游说运动。通过商业利益集团的有效游说,在对华最惠国待遇问题上出现了工商界、国会中间派和政府经济部门三方组成的"脱钩"政治联盟,他们采用多种游说方式,彻底改变了美国国内在人权和最惠国待遇问题上的舆论环境和政治局面。

面对"挂钩"带来的政策困境,以及政府决策进程出现的混乱局面,克林顿不得不亲自出马来决定对华最惠国待遇的命运。在同国会各派意见的领导人会面之后,克林顿已经清楚意识到,将人权同最惠国挂钩的政策已经难以维系,但他需要一个"体面的"方案为自己开辟退路。因此,克林顿政府首先要着手为"脱钩"制造舆论准备,大力宣传中国已经作出了很多让步,基本满足了行政命令提出的要求。另一方面又加紧同中国的磋商,企图获得中方的让步以便平息国会"激进派"的怒气。

然而,在由工商界、国会中间派和政府经济部门三方组成的强大政治联盟面前,克林顿除了宣布人权同最惠国"脱钩"之外,几乎没有别的选择。1994 年 5 月 26 日,克林顿在白宫记者招待会上宣布,他决定延长 1994—1995 年度对华最惠国待遇,并表示在以后的年度审议时将人权问题与最惠国待遇脱钩。他将延续对华制裁措施,并将执行新的积极的人权计划,但是,"美国与中国的关系对所有美国人来说都是重要的,延长对华最惠国待遇可以避免孤立中国,使美国得以同中国进行经济、文化、教育和其他方面的接触,并且促使中国在人权问题上作出积极的努力"。① 至此,克林顿政府终于结束了在对华最惠国待遇问题上从"挂钩"到"脱钩"的一轮循环。这一循环对于冷战后的中美关系具有十分重要的意义,它不仅初步奠定了美国政府对华接触政策的基础,而且奠定了未来中美关系稳定和发展的政治基础。

1993—1994 年,美国政府在对华最惠国待遇问题上的转变清楚地体现了中美相互依赖关系的政治意义。在现代世界贸易体系中,最惠国待遇只是国家间开展经贸往来的正常条件。但在 20 世纪 90 年代初的特定政治环境下,最惠国待遇成为美国干涉中国内政的工具。每年一度的国会对华最惠国待遇审议成为美国某些政治势力和利益集团谋求政治利益的战

---

① 刘连第编著:《中美关系的轨迹:1993—2000 年大事纵览》,时事出版社,2001 年版,第 334 页。

场。1993 年,克林顿政府上台之后,迅速作出了将最惠国待遇与人权“挂钩”的决策。这一政策必将对中美的经贸关系产生破坏性的影响。在中美相互依赖的关系中,中断中美经贸关系不仅会严重破坏中国的经济发展进程,而且也会对美国的经济利益产生重大影响。

最终导致克林顿政府在 1994 年作出最惠国与人权“脱钩”的决定不仅仅是由于中美关系的相互依赖性。工商利益集团、国会中间派和政府经济部门三方的政治联盟也是导致克林顿总统作出“脱钩”决定的重要原因。在最惠国待遇问题上,美国的跨国公司和工商利益集团是中美相互依赖脆弱性后果的主要承担者,这就使跨国公司在工商界行动起来维护中美关系的稳定。

克林顿在中国人权问题上挥舞最惠国待遇的“大棒”,这是美国工商界很难容忍的举动,因为这根“大棒”一旦落下,在中国进行投资和贸易的美国公司是国内各个利益集团中唯一的输家。与此同时,1992 年邓小平同志南方讲话之后,中国经济迸发出巨大的活力,包括美国企业在内的国际资本掀起了对华投资的高潮。中国经济体的潜力和美国资本的大举进入,大大加强了“中国游说集团”的实力。因此,美国跨国公司无法默许克林顿政府在人权问题上给中美经贸关系制造的麻烦,它们立即行动起来为自己的利益寻求政治保障。在“挂钩”决策即将出台的时候,波音、麦道、可口可乐、IBM 等 340 家美国公司和组织发表了一封致克林顿总统的公开信,鲜明地表达了他们的立场:“取消最惠国待遇的持续不断的威胁,只会给考虑在中国做生意和投资的美国公司造成一种不稳定的和过分冒险的环境,并把中国繁荣的经济留给美国的竞争对手。”①

跨国公司的政治游说主要包括三个方面的工作:

第一,通过间接游说影响公众,扭转中国最惠国待遇问题上舆论一边倒的局面。1994 年 5 月 6 日,美国 800 家公司联名给克林顿总统写信,要求延长中国最惠国待遇。信中指出,中国是美国商品和服务出口的繁荣市场,对华贸易支撑着 18 万个以上的高新出口就业机会以及美国各行业成千上万的就业机会;美国还必须看到中国在下个世纪初成为世界上最大经济体的前景,如果对中国施行制裁,将严重损害美国在下个世纪的经济利益。② 在工商界的动员下,美国主流新闻媒体开始批评克林顿的“挂钩”政策,主张将人权同贸易“脱钩”,这是 1989 年以来美国新闻界首次出现这样的声音。

第二,通过草根游说影响国会,壮大国会中间派的力量。国会中间派最初出现在参议院,主要由来自中西部农业州的温和派议员组成,主张无条件延长对华最惠国待遇。在 1993 年克林顿的“挂钩”决策过程中,中间派的实力逐渐扩大到众议院,众议院外交委员会主席李·汉密尔顿为首的一批议员支持在最惠国待遇上附加温和的条件,反对过激的“取消派”主张。③ 这批议员的温和派立场成为工商界游说的主要对象。1994 年,波音公司动员其所在地的民主党众议员吉姆·迈克德

① 美国《芝加哥论坛报》,1993 年 5 月 21 日。

② 新华社 1994 年 5 月 6 日电。

③ 关于国会中间派的演变,详见王勇:《最惠国待遇的回合:1989—1997 年美国对华贸易政策》,中央编译出版社,1998 年版,第 189—191、232—235 页。

莫特致信克林顿总统，要求无条件延长对华最惠国待遇，这封信获得 106 名众议员的连署。这是第一次由国会议员主动发出无条件延长的呼声，有力地扭转了国会在对华最惠国待遇问题上一边倒的局面。

第三，通过直接游说影响政府，加强政府经济部门在对华政策上的发言权。经济部门在 1993 年“挂钩”政策出台的过程中实际上被排除在核心决策圈之外，当时经济部门对中国最惠国问题上的认识也存在着分歧和不同意见。但是在跨国公司和工商界的大力呼吁之下，政府经济部门也意识到问题的严重性并纷纷表明延长对华最惠国待遇的立场。国家经济委员会、财政部、商务部、农业部的介入，使原来处于主导地位的国务院陷入退守的地位。1994 年 3 月，国务卿约翰·克里斯托弗带着评估中国人权进展的使命访问北京。在同美国商会接触的过程中，各大跨国公司的尖锐抨击使他大感吃惊。在国务院内部，负责经济事务的副国务卿琼·斯佩罗也发出了不同的声音。

最终克林顿取消了人权与最惠国待遇问题挂钩。

二

中美关系的波折

1.“银河号”事件

克林顿政府上台之后，成立了一个防扩散中心，目的就是防止别国向外扩散武器。防止向外扩散武器也是美国新政府外交政策中的重要内容之一。1993 年无中生有的“银河号”事件就是美国对此过度敏感、过度反应的表现，同时也给中美关系蒙上了又一层阴影。

1993 年 7 月，美国中央情报局称，由大连港驶往伊朗阿巴斯港的中国货轮“银河号”，载有可作为化学武器原料的硫二甘醇和亚硫酰氯，要求“银河号”返回中国。中国拒绝了美国的无端指控，并继续行驶。美情报站坚持认为，化学品就在船上。美国政府举行了高层会议，决定采取措施：下令第七舰队派军舰尾随“银河号”。从 8 月 1 日起，美军舰和飞机连续近距离监视“银河号”，包括低空盘旋、侦察、拍照，对其航行造成了干扰。

8 月 4 日，中国外交部部长助理秦华孙召见美国大使芮效俭，说中国政府已经对该事件做了调查，船上并不存在美国所说的危险化学品。美国并不相信中国的说明，继续对中国舰队进行跟踪。8 月 12 日，美国国务卿克里斯托弗表示，“我们必须对货船进行检查”，绝对不能让危险化学品“落到坏人手中”。[①]

8 月底，中国同意“银河号”在沙特阿拉伯的达曼港停泊，并由中立国对船上物品进行检查。中央情报局的专家和美国化学武器专家飞往达曼港进行监督。在经过了一个星期对船上所有的 782 个集装箱和船体本身的检查后，证明了“银河号”没有承载任何危险的化学品。9 月 4 日，中国、沙特阿拉伯和美国官员共同签署了证明文件，证实船上没有与化学武器有关的物品。同时，美国国务院官员也表示，对中国“银河号”货轮的检查没有发现载有化学武器原料的证据。[②] 至此，美国企图利用“银河号”事件败坏中国形象的图

---

① Suettinger Robert L., *Beyond Tiananmen: The Politics of U.S.-China Relations, 1989—2000*. Brookings Institution Press, 2003, p.176.

② 陶文钊:《中美关系史》(1972—2000)下卷，上海人民出版社，2004 年版，第 240—241 页。

谋彻底破产了。原想凭借“银河号”向中国发难的美国，不仅丢了面子也使自己陷入了被动和不利的处境。

2. 台湾问题

在经历了最惠国待遇、“银河号”事件后，两国的关系更为严峻。因此，美国国内要求提升与台湾关系的呼声日益强烈，并以此作为向中国政府施加压力的重要筹码。

(1)李登辉访美

1994年底，美国参众两院换届选举之后，大批共和党人进入国会，他们多是带有强烈反共色彩的保守派，是美国国会中支持台湾的重要力量，新的反华浪潮再次被掀起。如何与台湾搞好关系，成为他们讨论的主要问题。同时，李登辉认为与美国保持密切友好的关系，将会在1996年的竞选中助他一臂之力。台湾当局不遗余力，采用“银弹攻势”不断向美国国会进行游说。不惜用重金聘用美国专业游说团体和政治顾问，竭尽全力争取国会议员的支持。

1994年12月9日，美国—台湾政策研讨会在纽约举行，其目的是“以非官方的方式重新考虑美国对中华民国的政策”，对“中华民国的政治前途和美国政府应采取的对策”提出建议。事实上，这次研讨会是为李登辉访美作最后的舆论准备。1995年1月2日，众议院国际关系委员会举行听证会，对共和党保守派颇有影响的思想库传统基金会建议允许李登辉访美，将此作为加强美台关系的一个步骤。①

1995年3月6日，美国参议员36名议员提出议案，要求总统批准李登辉访问美国。3月18日，“美中经济委员会”宣布，他们已经决定邀请李登辉出席9月22日举行的美“台”经济合作年会。3月23日，美国参议员外交委员会再次通过决议，要求克林顿立即批准李登辉到康奈尔大学做“私人访问”。4月5日，美国众议院国际关系委员会通过决议，要求行政当局允许李登辉访美。1995年5月2日，美国众议院以396票赞成对0票反对通过了邀请李登辉访美的决定，一周后，参议院也以97票赞成对1票反对通过了类似的决定。5月23日，美国国务院发言人伯恩斯正式公布了美国政府允许李登辉访美的最后决定，“允许李登辉以纯私人的身份访问美国，但不得从事任何官方活动”；同意其参加康奈尔大学的校友会并在毕业典礼上发表演讲。②

1995年6月7日，李登辉一行登上了飞往美国的飞机。6月9日下午，李登辉在康奈尔大学作了演讲，题目为“民之所欲，长在我心”。虽然之前美国官员警告过李登辉演讲不得涉及政治问题，但是演讲中他16次用到了“中华民国在台湾”或具有相同意思的字样，充分暴露了他试图制造“两个中国”的思想，使这次演讲充满了强烈的政治色彩。

美国允许李登辉访美严重违反了中美三个联合公报，并极大地伤害了中国人民的感情，引起了中国政府及民众的强烈不满。虽然美方在中国的一再抗议下，一直声称此次访美完全属于私人性质，坚持“一个中国”的原则，但是行动已经说明了一切。中美关系再次陷入了困境。

(2)台海军事演习

自李登辉访美以来，台湾岛内以美国为后台，企图谋求台湾“独立”的势力日渐

① Suettinger Robert L., *Beyond Tiananmen: The Politics of U.S.-China Relations, 1989—2000*. Brookings Institution Press, 2003, p. 213.

② 陈锋、林宏等:《中美交锋大纪实》(1949—2001)，中国社会科学出版社，2001年版，第530—533页。

增长。台湾与大陆之间的局势受到了很大破坏。

为了显示中国在台湾问题上的立场以及对台湾的主权，中国人民解放军于 7 月和 8 月在东海海域进行了导弹发射和火炮演习，其中六枚地对地导弹全部击中目标。11 月，在福建的东山岛再次进行了大规模的军事演习，军委主席江泽民观看了这次演习。1996 年 1 月 31 日，国会中有人提出要求总统谴责中国对台湾的“军事恐吓”，并向国会报告美国如何保卫台湾免遭中国大陆的导弹袭击。

中国的做法并没有使台湾的“台独”势力收敛一些，加上美国国会内对于台湾的“保护主义”，在 1996 年 3 月台湾大选临近时，“台独”的言论与行动有增无减，并伴随着频繁的军事演习。1996 年 1 月台湾海军进行了 3 天的反潜演习，2 月在屏东县进行了实弹演习。

为了遏制“台独”的嚣张气焰，显示中国在维护国家统一上的决心，3 月 5 日中国政府决定再次进行导弹发射训练。美国对此作出了反应：白宫新闻秘书麦柯里称这是“挑衅性行动”，并说“总统强烈地感到，美国必须尽可能地制止台湾海峡紧张局势的加剧”。① 1996 年 3 月，中国政府在东海和台湾海峡再次进行导弹发射训练，随后进行了海军实弹演习和海陆空三军联合作战演习。其中，7 日发射的 3 枚 M－9 导弹，落于距离台湾省大约 25 海里处，8 日发射的四颗导弹分别落于高雄以西和基隆以东的目标区内。这次演习对台湾的局势造成了很大影响，尤其是打击“台独”势力收到了一定的成效，其在台湾的支持率不断下降。

中国的导弹演习使美国国会作出了强烈的反应。其中一些人认为，中国的导弹演习不仅是对台湾的威胁，更是对美国的挑战。如果美国对此不作出任何行动，就无法显示出美国在台湾问题上的立场，即和平解决台湾问题。对于中国的军事演习必须使用展示武力的方式作为回应，只有这样才能够使台湾放心，使美国的威信不受到置疑。

3 月 10 日和 11 日，美国先后派出了“独立”号和“尼米兹”号航空母舰进入台湾附近海域。两艘航母由 13 艘战舰和 150 架飞机组成。随后，美国众议院通过了一项保卫台湾的决议案；21 日，参议院也通过了要求克林顿政府重新研究台湾所需的物资与服务，以保证其自卫能力；美国政府也同意向台湾出售高级定位和导航系统，并提前交付 F－16 战斗机。② 面对美国军事压力和国会的压力，中国也表明了自己强硬的态度，并命令一批潜艇紧急出动。

中美两国在台湾地区剑拔弩张，出现了直接对抗的紧张局势。但事实上，双方并不想激化矛盾，更不想发生直接的冲突和武力对抗。美国的航母始终没有进入台湾海峡，而中国方面在完成了军事演习的预定目标后，于 25 日宣布，中国人民解放军在台湾海峡进行的联合演习已经结束。随后，美国的两艘航空母舰也分别返回了各自的基地。至此，台湾海峡的形势得到了缓和。

台湾问题始终是中美关系中最敏感、最重要的话题。这次台湾海峡危机使得中美关系经历了十分危急的时刻，但同时

---

① Patrick E. Tyler, “Beijing Steps up Military Pressure on Taiwan Leader”, *New York Times*, March 7, 1996, p. A－1.

② 熊志勇：《百年中美关系》，世界知识出版社，2006 年版，第 360—362 页。

也使美国认识到中国在台湾问题上坚定的立场和决心,认识到台湾问题对于处理中美关系的重要性。从这一点看,对于之后台湾海峡局势的稳定和中美关系的缓和是有一定积极作用的。

三

两国首脑互访

1996年11月克林顿竞选连任获胜,1997年开始了其第二任期。与第一任期的对华态度与政策不同,随着克林顿对华认识的转变,两国关系在很多方面取得了很大的进步。当然中美关系的发展从来都不是风平浪静的,其中也伴随着一些使两国关系产生倒退的事件。如果说,克林顿第一任期对华政策的关键词是"人权",那么第二任期的关键词是"接触"。

克林顿自上任以来的一系列反华政策并没有达到预期的效果,却引来了美国国内一些人士的批评与不满。他们主张缓和同中国的关系,实行"接触"政策,代表人物有基辛格,布什时期的国务院官员罗伯特·佐利克,以及哈佛大学约翰·肯尼迪管理学院院长、前国防部助理部长约瑟夫·奈等。他们认为,只有通过与中国政府的接触和交往,才能够做到影响中国政府,并将中国融入国际社会之中,促使中国在国际舞台上扮演一个负责任的角色。他们主张美国应该积极与北京领导人对话,寻求与中国的合作,特别是在人权和民主问题上,避免与中国发生直接的冲突。

正是在这种强大的舆论背景下,克林顿政府开始重新评估并修改对华政策。1996年5月,克林顿、克里斯托弗等美国高层领导人相继发表讲话,标志着美国对华政策向全面交往的"接触政策"上转变。克林顿甚至提出要与中国建立面向21世纪的"建设性的伙伴关系"。[①] 中美关系开始从谷底爬升。

1997年2月4日,再次当选美国总统的克林顿向国会发表就任后的首次国情咨文,全面阐述了新政府的对华政策。归纳起来,主要包括以下三个方面的内容:第一,孤立中国是不明智的做法,这不符合美国的国家利益;第二,美国必须加强与中国的接触和交往,才能够在广泛的分歧上,找到解决两国之间的重大问题的方法;第三,为了增加相互间的了解和沟通,减少两国的分歧,中美两国领导人将进行互访。

克林顿对华政策的转变使得中美两国关系在1996年下半年已经有所改善。11月24日,江泽民主席同克林顿总统在马尼拉亚太经合组织领导人非正式会议期间举行了会晤。双方都认为促进两国友好关系发展的机遇已经到来,克林顿还表示愿意同中国建立一个"合作伙伴关系"。进入1997年,这种良好的趋势继续保持着,在1997年10月江泽民主席受邀访问美国,次年6月,克林顿总统也对中国进行了回访,对双边关系的发展起到了巨大推动作用。

1997年10月26日至11月3日,江泽民主席对美国进行国事访问。这是12年来中国国家最高领导人首次访美,是中美关系发展中的重要一步。28日,江泽民抵达华盛顿的当晚,就受克林顿的邀请到白宫与其进行了非正式会晤。19日,两国领导人举行了正式会谈,双方就中美关系

① 张锡镇、章芹:《喜忧参半的中美关系走势》,第8—12页。

和一系列重要的国际问题交换了意见并达成了共识。

双方认为，虽然两国在有些问题上存在着重要的分歧，但是也有着广泛的共同利益，这将是两国合作的基础；两国建立健康稳定的关系既符合两国人民的根本利益，也对世界的和平与繁荣起着重要的作用；双方应该从长远的观点出发，在中美三个联合公报的原则基础上处理两国关系。会谈结束后，双方发表了《中美联合声明》，再次重申了上述共识。其中提到"两国元首决定，中美两国通过增进合作，对付国际上的挑战，促进世界和平与发展，共同致力于建立中美建设性战略伙伴关系。"

这次首脑会晤推动了中美关系向前发展，确立了两国建立建设性的战略伙伴关系。《人民日报》社论认为："这标志着中美关系进入一个新的发展阶段。"

1998 年 6 月 25 日至 7 月 3 日，克林顿总统对中国进行了回访。这是美国总统自 1989 年以来对中国的第一次访问。27 日，两国最高领导人举行了会谈，就中国加入世界贸易组织、军事领域、能源领域、环境领域等多个领域的问题与如何加强进一步合作进行了磋商，并取得了共识。两国领导人发表了三项联合声明：《关于〈生物武器公约〉议定书的联合声明》、《关于杀伤人员地雷问题的联合声明》和《关于南亚问题的联合声明》。此外，两国还签署了举行联合军事演习的协议。① 克林顿的访华同样取得了重要的进步，《人民日报》评论员文章说："这为建立面向 21 世纪中美建设性战略伙伴关系迈出了坚实的一步。"

两国领导人的互访使得自冷战结束后倒退的中美关系重新发展了起来，是整个 20 世纪 90 年代两国关系发展的顶峰。同时，两国之间的差异与矛盾并没有得到根本的解决。

四

美国国内政治的反弹

虽然两国领导人互访为中美关系友好发展提供了良好的平台，但是两国之间的问题仍然存在。不久，中美关系再次遭到了美国国内政治反弹的负面影响。一方面，中国的快速发展，经济、军事实力不断上升，由此引来了美国国内的"中国威胁论"；另一方面，此时克林顿身陷莱温斯基性丑闻案件，名声受损，面对反华势力的回潮，根本无暇顾及。

1. 政治献金案

1997 年 2 月 13 日，《华盛顿邮报》报道：去年中国在美国总统大选中非法向民主党捐款近 200 万美元。消息一经报道，引来了美国各阶层的强烈反应，掀起了新一轮的反华热潮。

首先是美国媒体对政治捐款铺天盖地的报道。指责民主党收取中国的献金，批评克林顿政府的对华政策。当然最大的攻击对象自然是中国，纷纷指责中国试图用金钱影响美国政治，干涉美国政治，以此来影响美国的对华政策。很多媒体报刊将中国认为是美国面临的最大的威胁，并要求对华实施"全面遏制"的政策。

其次，美国的学者也借题发挥，纷纷渲染"中国威胁论"。其中最突出的是前《时代周刊》驻北京记者伯恩斯坦和加拿大记者罗斯·芒罗合写的《即将到来的美

① 《参考消息》，1998 年 12 月 5 日。

中冲突》(The Coming Conflict with China)。书中强调中国的经济、军事实力的不断扩大,将是对美国最大的挑战与威胁,特别将对美国在亚洲的利益产生很大的负面影响,很可能重塑亚太地区的格局。

再次是美国国会提出多项反华议案。在美国总统竞选中,中国向民主党捐款的消息披露之后,国会内的反华势力积极游说,促成国会拨款 400 万美元专门立案调查此事,并举行了一系列的听证活动,意图诋毁中国的形象。

最后是美国的各种利益集团,包括劳联—产联为首的工会组织、人权组织、工商贸易保护组织等等也都加入了这次反华浪潮中。

1997 年 7 月,负责调查"政治献金"案的政府事务委员会主席、参议员弗雷德·汤普森坚持"中国政府把钱非法地注入了美国的政治运动","企图破坏我们的竞选程序……这影响了 1996 年的总统竞选"。[①] 专项小组的调查和听证会持续了一个多月,但一直没有可以证明中国献金的证据。此事也慢慢平息了下来。

2. 李文和间谍案

1999 年 3 月 6 日的《纽约时报》大幅报道说,洛斯阿拉莫斯武器实验室工作人员,出生在台湾的华裔美籍科学家李文和在 20 世纪 80 年代末把美国的核弹头机密偷给中国。3 月 8 日,美国能源部以"违反国家安全有关规定"将其解聘。12 月 10 日,李文和遭到美国联邦调查局正式拘捕。指控他的罪证共有 59 项,包括非法修改、隐藏或转移保密资料、非法接收或获得保密资料、非法收集和保留国防资料等等。其核心是指控李文和下载了数千页核武器设计机密资料,然后把这些资料复制到个人的电脑磁盘里。在 1993—1994 年间,李文和用 9 个磁盘复制了 380 个文件,其中 7 个已经失踪。1997 年,李文和又把一些机密数据复制到第 10 个磁盘上。按照美国法律,这些被指控的罪名最高可判终身监禁。

由于美国政府捕风捉影地调查所谓的"中国核间谍案",加上媒体恶意渲染和炒作,李文和被强制剥夺工作,一家人时刻生活在特工的调查和舆论的重压之下。但是在对李文和指控罪名的冗长清单中没有"间谍罪",这一点使李文和的案件变得十分蹊跷。"考克斯报告"煞有介事地将李文和作为中国窃取美国核机密的一个主要证据,此番美国当局并没有以间谍罪指控李文和,这本身就说明了一件事:所谓"中国间谍案"纯粹是无中生有。

既然没有证据指控李文和有"间谍"嫌疑,美国政府就无法证明李文和复制和保存保密资料存在不良动机。美国政府官员声称:"纵然李文和没有以转移机密资料给外国的罪行被起诉,但在案中声称的错误处理机密资料罪,在政府眼中已给国家利益构成严重损害","这些不是随意的档案,不是一般资料。"然而李文和在此前就已经承认自己曾经复制过机密档案,这样做是因为把档案移到办公室的电脑里作备份,以防实验室的电脑系统出现故障。事实上洛斯阿拉莫斯实验室很多职员为了工作便利也经常这样备份机密档案。然而偏偏李文和被挑出来起诉,定下如此重的刑罚,唯一的动机是因为李文和是华裔,其中的反华意图显露无遗。

---

① Mann, James. *About Face, A History of America's Curious Relationship with China, From Nixon to Clinton*, New York: Alfred A. Knopf, 1999, p. 351.

经过将近一年的调查，根本无法寻找到能证明“间谍行为”的真凭实据。美国参议院政府事务委员会的调查报告指出，对李文和的不利证据基本上都是旁证，李文和根本无法从一开始就被列为主嫌犯。于是，当时主管该事务的能源部官员不得不宣告辞职。

美国对李文和的审判不仅仅证据不足，在审判程序上也出现了很多不合理的情况。在第一次庭审会结束时，法官宣布：由于检察官认为李文和有可能潜逃，对社区构成危险，因此不准保释。自 1999 年 3 月以来，李文和受到每周 7 天，每天 24 小时监视，连政府也不得不完全承认，没有任何证据证明他参与了间谍活动。现在却“以他会潜逃为由，剥夺了他的保释权，实在没有道理”。

面对美国政府和媒体侵犯人权、违背司法公正的现象，李文和事件的当事人正确地拿起了法律的武器。12 月 20 日，李文和通过律师向华盛顿联邦地区法院提起诉讼，控告美国联邦调查局、司法部和能源部侵犯公民隐私权：未经授权便向媒体透露他的私人资讯——其中许多是虚假不实，导致他错误地被描绘成中国间谍，对他本人和家庭造成了严重的伤害。2000 年 9 月 13 日，李文和获释，美国检察院也撤回了对他的控诉。这一起诬蔑华裔科学家的“间谍案”以美国的彻底失败而告终。

3. 考克斯报告

在美国反华势力努力渲染“中国间谍威胁论”的高潮中，1998 年 6 月 18 日众议院专门设立了由共和党议员考克斯为首的“中国技术转让特设委员会”，调查美国劳拉和休斯公司向中国转让先进技术的问题。随后，调查范围从航天技术扩大到其他高技术和军民两用技术。考克斯委员会在经过 6 个月的“调查”后，于 12 月 20 日向国会提交了一份长达 800 多页的《关于美国国家安全以及对华军事和商业关系的报告》(简称“考克斯报告”)。

报告诬蔑中国“20 年来通过商业贸易或考察交流，从美国窃取先进军事技术，危害美国国家安全”，①而且，“几乎可以肯定地说如今仍在进行”。② 报告中称，中国“窃取”了美国所有最先进的热核弹头的机密情报，包括 W－88、W－78、W－76 等 7 种热核弹头，以及中子弹的设计机密。此外还“窃取”了包括 F－15、F－16、F－117 在内的美国多种先进战斗机的机密，以及导弹设计技术和与卫星有关的电磁武器技术，用于改善民用和军用火箭的可靠性和制造武器。中国间谍活动遍布美国最主要的国家武器实验室，如洛斯阿拉莫斯、劳伦斯—利弗莫尔等。

这份报告使用了大量不确定的词语，如“可能”、“或许”、“大概”等等。报告并不是建立在确凿证据的基础上，而是采用推理猜测的方式，显然是难以让人信服的。就连一些美国媒体与专家也对其持否定态度。美国卡内基国际和平基金会专家西里内森认为“考克斯报告缺乏事实根据，纯粹是宣传品”，这是他见过的“最缺乏依据的调查报告”。美国 ABC 广播公司新闻网在题为《考克斯报告漏洞百出》一文中说，这一份报告存在大量令人吃惊的事实错误，难道报告中的结论就是依据这些错误的事实得出的吗？③

---

① 《人民日报》，1999 年 1 月 8 日。

② 《环球时报》，1999 年 5 月 28 日。

③ 王立：《回眸中美关系演变的关键时刻》，世界知识出版社，2008 年版，第 188 页。

考克斯报告不仅引起中国政府的强烈不满和反驳，同时煽动了美国国内的反华情绪，对中美关系产生了极大的消极作用。由此可见，在美国国内，以意识形态对抗为主的冷战思维还广泛存在着，中美关系的发展是曲折的。

五

世纪之交的走势

进入20世纪末，中美关系仍然在曲折中前行。

1. 朱镕基访美

由于美国国内政治的反弹，中美关系有所倒退。为了推动中美关系向前发展，中国总理朱镕基应邀于1999年4月6日至14日对美国进行了正式访问。这是中国总理15年来首次访美。克林顿政府热情地接待了朱总理的到访，两国领导人就双方共同关心的问题举行了会谈，其中最为重要的要属中国加入世界贸易组织的协商。

7日晚，朱总理与克林顿举行了非正式会晤，克林顿说："如果国会否决中美之间的协议，不批准给予中国永久正常贸易待遇——而这是协议的核心内容，那就将是灾难性的。"他建议双方在第二天的会谈中至少解决一些市场开放议题，特别是签署农产品检疫标准的协议。朱镕基同意这一建议。随后，白宫拿出已准备好的"联合声明"草稿，双方进行推敲至深夜。① 克林顿在讲到中国加入世贸组织时说："底线是：如果中国遵守全球贸易规则，美国若对它说'不'，将是莫名其妙的错误。"②

4月9日，中美双方就农业合作问题举行了谈判，谈判的过程异常艰难，直到10日清晨才达成《中美农业合作协议》。这一协议的达成有着重要的意义，因为它是中美有关中国加入世贸组织一揽子协议中的重要组成部分。

中美双方还达成了一项《联合声明》。在中国加入世界贸易组织的一些问题上双方已取得了一定的共识，并积极努力进一步推动这一目标的实现。美国对于中国"入世"也表示了支持。双方愿意就有关问题继续进行磋商与谈判，尽快在强有力的商业条件下达成协议。③ 朱镕基总理此次访美不仅缓和了两国关系下滑的不利局势，也促成了中美两国在商贸领域更加广泛的合作，最重要的是它极大地加快了中国加入世界贸易组织的步伐。

2. 科索沃战争

1999年3月25日，以美国为首的北约以南斯拉夫联盟共和国科索沃省出现"人道主义灾难"为借口，未经联合国授权便以"国际社会"的名义对其进行了为期78天的空袭，科索沃战争由此爆发。1999年5月8日，美国以精确制导炸弹突然袭击我国驻南联盟大使馆，使得中国记者3人殉职，21名中国外交人员受伤，大使馆被炸毁。对这一事件中国政府和人民作出了强烈的反应。

中国政府强烈谴责美国对中国主权的侵犯，并要求美国对此承担全部责任。中国政府发表严正声明："中国政府和人民对这一野蛮暴行表示极大愤慨和严厉谴责，并提出最强烈的抗议。以美国为首

① 巩小华、宋连生：《中国入世全景写真》，中国言实出版社，2001年版，第133页。

② *Public Papers: Clinton*, 1999, Vol. Ⅰ, pp. 506－512.

③ 《人民日报》，1999年4月11日。

的北约必须对此承担全部责任。中国政府将保留采取进一步措施的权利。”中国人民不满的怒火也由此点燃，举行了声讨、抗议游行，谴责美国的暴行。从 9 日开始，全国群众纷纷举行座谈、集会、发抗议信或抗议电等各种活动，①拥护我国政府的严正声明，对美国的暴行表示强烈地谴责。

此后，美国应中国的强烈要求，对此次炸馆事件进行调查，并对中国人民作一交代。可美方的交代更像是辩解，一直说并不是有意袭击中国使馆，他们用“可怕的事故”、“误射”、“失误”、“悲剧”来形容此事，并仅仅表示“遗憾”、“同情”和“慰问”。克林顿发表讲话，承认“这是一个可悲的错误”，并向中国领导及中国人民道歉，但是这并不是暴行。美国副国务卿皮克林一再说这场悲剧是出于“误炸”，②绝对不是有意这样做的。

1999 年 8 月，美国对中国人员伤亡作出赔偿，向死者家属支付 450 万美元，此后又同意赔偿中国大使馆被炸毁所遭受的财产损失 2800 万美元。对于肇事者的惩治，直到 2000 年 4 月，中央情报局才宣布处罚一批对此事负有责任的情报官员，解雇一人，另六人给予行政处分。

中国驻南联盟大使馆被炸一事，以美国为首的北约并没有给出合理的、有说服力的解释，难以平息中国政府与人民的愤怒，这是中美关系的严重倒退。

3. 中美 WTO 协议与 PNTR 的通过

在 1997－1998 年，中美首脑实现了互访，双方同意共同致力于建立中美建设性战略伙伴关系。在这一政治气氛下，克林顿政府决定改变美国在中美 WTO 谈判中的态度，在灵活务实的基础上争取使中国早日加入世界贸易组织。1999 年 4 月，朱镕基对美国的访问有效地影响了美国的舆论。中美签署了《中美农业合作协议》并就中国加入 WTO 发表联合声明，美方承诺“坚定地支持中国于 1999 年加入世界贸易组织”。5 月 8 日，美国轰炸中国驻南斯拉夫使馆事件再度中断了谈判的进程，但两国领导人从战略的高度出发，重新启动并加快了谈判的进程。

1998 年 9 月中美双方就中国加入世贸组织一事重开谈判。9 月 11 日江泽民主席与克林顿总统在亚太经合组织领导人非正式会议上举行了正式的会谈，重点就中国加入世界贸易组织的问题交换了意见。中国希望能够在平等互利的基础上进行谈判，争取早日达成共识。美国一方则表示将继续支持中国加入世贸组织，并将为此作出努力。

这次中美领导人会晤加紧了关于中国“入世”谈判的步伐。11 月 10 日，由外经贸部部长石广生率领的中国政府代表团与巴尔舍夫斯基率领的美国政府代表团在北京继续进行谈判。12 日谈判结束后，克林顿表示，两国的谈判只剩下一些“具体”和“少数”的问题没有解决，他并没有放弃与中国达成协议的希望。但是谈判双方都不愿意作出让步，使得谈判陷入困境。

直到 15 日下午，谈判终于达成协议。中美关于中国加入世界贸易组织的双边协议在外经贸部签署。石广生表示，协议的达成符合中美两国的利益，也有利于中美关系的稳定和发展。巴尔舍夫斯基说，协议的达成使中美关系有了新的“固定装

① 熊志勇：《百年中美关系》，世界知识出版社，2006 年版，第 398 页。

② 王立：《回眸中美关系演变的关键时刻》，世界知识出版社，2008 年版，第 184 页。

置”，使两国关系变得更加坚固。① 11月15日，历时13年的谈判终于画上了圆满的句号，达成了中美关于中国加入世界贸易组织的双边协议。

在对华永久正常贸易关系(PNTR)的问题上，克林顿政府实际上采取了同中国加入WTO协议相挂钩的政策。这种做法一方面使美国政府可以在WTO谈判中用PNTR为条件，交换中国在市场准入等问题上的让步；另一方面也使中国政府可以用WTO协议为条件，交换美国提供对华PNTR的承诺。实际上，中美达成的WTO协议并不需要美国国会的批准，美国国会即使拒绝对华PNTR，在法律上并不妨碍中国加入世界贸易组织。但是，作为世界贸易组织的首要原则，相互提供最惠国待遇是该组织成员必须享受的基本待遇。如果美国不向中国提供PNTR，中国就有理由拒绝执行中美WTO协议中向美方作出的承诺。这样一来，中美WTO双边协议就成为一纸空文。因此，克林顿在中美达成WTO的同时以书面形式作出保证，要说服国会通过中国永久性正常贸易关系地位法案。

克林顿总统在获知中美达成WTO协议时正在土耳其访问，他在欣喜之余的第一反应是：下一步“同国会磋商以保障同中国的永久性正常贸易关系”，并立即与国会议员通电话。2000年1月10日，克林顿在白宫记者招待会上宣布，他将“全力以赴”地发动一场“战役”，敦促国会尽早批准给予中国永久性正常贸易关系地位，支持中国加入世界贸易组织。② 同一天，白宫专门成立了以商务部长戴利为首的工作小组，协调推进PNTR法案。3月8日，克林顿政府正式向国会提交了给予中国永久正常贸易关系地位的议案。

在克林顿发动的这场关于中国PNTR地位的“战役”中，美国跨国公司和工商组织是他最强大、最坚定的同盟军。美国企业界几乎在第一时间就开始了对中国PNTR地位的政治游说活动。各大公司老总和商业组织领导人纷纷发表讲话或声明，支持政府给予中国PNTR的立场。几乎美国所有的商业利益集团和组织都积极行动起来，投入国会的游说活动。

克林顿和美国工商界联手发动的关于对华PNTR法案的游说“战役”被认为是继1993年北美自由贸易协定以来，美国国内最大规模的政治游说活动。跨国公司和工商界的政治游说，不仅保证了国会多数议员的支持，而且成功地动员了美国社会各界的舆论，从而形成了支持PNTR法案的强大阵营。《华盛顿邮报》的专栏文章评论道：“尽管辩论双方都有充分的理由，但正确的行动方针只有一条，那就是尽快批准。”③

2000年5月24日，美国国会众议院以237票赞成、197票反对通过“给予中国永久性正常贸易地位”议案。9月19日，美国国会参议院以83票赞成，15票反对的绝对多数通过了相同的议案。10月10日，克林顿总统在白宫玫瑰园正式签署该议案，使之成为美国的一项法律：《授权对中华人民共和国延长非歧视待遇(正常贸易待遇)及建立美中关系框架》(PL 106－286)。在签字仪式上，克林顿表示：“今天

① 巩小华、宋连生：《中国入世全景写真》，中国言实出版社，2001年版，第249页。

② 同上，第317页。

③ 转引自简易：《USDIC对中美关系的影响：关于PNTR案的分析与思考》，北京大学硕士学位论文，2002年，第31页。

对于美国来说是个伟大的日子，对于 21 世纪的世界来说是充满希望的日子。它标志着我们付出的努力终于结出硕果。”①

美国参众两院最终通过了对华正常贸易关系法案，这对中美两国人民来说都是个好消息。其最重大的意义在于能够使中美两国的经贸关系建立在一个比较坚实稳定的基础上，避免受到过多的其他因素冲击。长远地看，中美经贸关系的发展也有利于两国关系总体的稳定。相互依存的经济使彼此在利益上形成你中有我、我中有你的格局。密切的经贸交往也能促进两国人民之间的交流和相互了解。

20 世纪 90 年代的中俄关系

一

苏联解体初期的中俄关系

1991 年 12 月 25 日 19 时，戈尔巴乔夫在莫斯科电视台发表《告人民书》，宣布停止自己作为苏联总统职务的活动。19 时 38 分，印有镰刀斧头图案的苏联国旗从克里姆林宫落下，白蓝红三色的“安德列旗”升起。12 月 26 日，苏联最高苏维埃联盟院召开最后一次会议，代表们以举手表决的方式通过一项宣言，宣布苏联作为国际法的主体停止存在。从此，俄罗斯联邦代替苏联出现在世界舞台上。

面对急剧变化的形势，12 月 26 日，国务委员、外交部长钱其琛在向第七届全国人大常委会第二十三次会议作报告时指出：苏联解体标志着第二次世界大战后近半个世纪的美苏对抗、东西方冷战和两极体制的最终结束。中国人民与苏联各共和国人民有着悠久的传统友谊和友好往来。苏联解体后，中国政府本着不干涉别国内政的原则，尊重各国人民的选择，同时，将继续与这些共和国保持和发展友好合作关系。②

同日，中国外交部发言人表示，由于苏联各加盟共和国已宣布成立独立国家，中国政府本着不干涉别国内政的原则，尊重各国人民自己的选择，并愿意继续履行与苏联签署的各项条约、协定和有关文件所规定的义务，希望有关共和国继续履行苏联与中国签署的各项条约、协定。③

12 月 27 日，钱其琛外长分别致电除波罗的海三国以外④的苏联 12 国（包括俄罗斯、乌克兰、白俄罗斯、哈萨克斯坦、乌兹别克斯坦、塔吉克斯坦、吉尔吉斯斯坦、土库曼斯坦、格鲁吉亚、亚美尼亚、阿塞拜疆、摩尔多瓦）外长，宣布：中国政府承认 12 个新国家的独立，并准备进行有关建交事宜的谈判。钱其琛在致电俄罗斯外长科济列夫时，正式通知他：中国政府决定承认俄罗斯联邦政府，并决定中国原驻苏联大使王荩卿改任驻俄罗斯大使，还表示中国政府愿在和平共处五项原则的基础

① 刘连第编著：《中美关系的轨迹：1993—2000 年大事纵览》，时事出版社，2001 年版，第 459 页。
② 钱其琛：《外交十记》，世界知识出版社，2003 年版，第 224 页。
③ 《人民日报》，1991 年 12 月 26 日
④ 此前中国已与波罗的海三国，即拉脱维亚、立陶宛、爱沙尼亚建立了外交关系。——笔者注

上，保持和发展同俄罗斯的友好合作关系。

王荩卿本来是作为中国新任驻苏联大使，于当年11月底到达莫斯科的。12月初，他按照惯例拜会苏联副外长罗高寿时，苏方告诉他，戈尔巴乔夫总统可能在12月7日到14日之间接受王大使的国书。但是，局势瞬息万变，这份国书还没有来得及递交，苏联便已不复存在了。

苏联解体后，其外交部四名副部长被临时任命为俄罗斯联邦外交部的"执行特别任务大使"。12月24日，已成为这四位大使之一的罗高寿约见了王荩卿，对王大使没能及时递交国书表示歉意，并表示将尽快安排王大使向俄罗斯领导人递交国书。王大使赴任时原准备递交的致苏联国家元首的国书，由于形势的变化已经不能用了。外交部立即委托信使给他带去了新的国书。等到王大使终于向叶利钦总统交上国书的时候，已经是转年的2月了。这段插曲在新中国的外交史上是极为罕见的。

苏联解体这段时间，以李岚清为团长、田曾佩为副团长的中国政府代表团正在对乌克兰、俄罗斯进行访问。李岚清在同俄罗斯副总理绍欣见面时表示，中国政府不干涉别国内政，尊重俄罗斯人民的选择。这是中国官方首次就俄罗斯出现的新形势的表态。田曾佩与俄罗斯副外长库纳泽就两国关系问题进行了会谈，并于12月29日晚签署了《中俄两国会谈纪要》。在纪要中，中国承认俄罗斯是苏联的继承国，是联合国安理会常任理事国。纪要肯定和平共处五项原则为两国关系的基础，确认1989年戈尔巴乔夫访华时签署的《中苏联合公报》和1991年江泽民访苏时签署的《中苏联合公报》规定的各项基本原则为两国关系的指导原则。双方同意将继续履行中国与苏联签订的条约、协定所规定的义务，并加强各领域各级别的交往。同时，两国将尽快批准《中苏东段边界协定》。这个纪要继承了中苏关系正常化的积极成果，是在新形势下开展中俄关系的第一个指导性文件。①

李岚清率领的代表团按计划要到中亚地区继续访问，但因年底独联体各国首脑要在明斯克开会，于是，代表团先返回乌鲁木齐，然后从1992年1月2日起，开始访问乌兹别克斯坦、哈萨克斯坦、塔吉克斯坦、吉尔吉斯斯坦、土库曼斯坦五国。代表团每到一地，即与对方进行建交谈判，签署建交公报。因当场来不及打印，许多建交公报的正本都是手工誊抄，这在新中国的外交史上，也是前所未有的。

与此同时，代表团成员之一的王荩卿返回乌克兰，与乌方商谈建交问题，并于1992年1月4日签署了两国建交公报。1月中旬，王荩卿又作为中国代表，同亚美尼亚、阿塞拜疆、格鲁吉亚和摩尔多瓦的代表在莫斯科进行建交谈判，后来又分别去了这些国家，与对方签署了建交公报。中国与白俄罗斯的建交公报，是1992年1月20日在北京签署的。这样，中国与所有的苏联前加盟共和国都正式建立了外交关系。

苏联的政治经济体制明显转变之前，邓小平就提出："不管苏联怎么变化，我们都要同它在和平共处五项原则基础上从容地发展关系，包括政治关系，不搞意识形态的争论。"②根据这一论断，中国外交

① 钱其琛：《外交十记》，世界知识出版社，2003年版，第226页。

② 《邓小平文选》第三卷，人民出版社，1993年版，第353页。

制定了超越意识形态和社会制度的不同，在平等互利、互不干涉内政的基础上，与俄罗斯及其他独联体国家开展政治经济等各方面交往的方针。

1992年1月底，联合国在美国纽约举行了历史上第一次安理会首脑会议。中国总理李鹏出席了这次会议。俄罗斯方面由叶利钦总统前往参加。这也是俄罗斯取代苏联在联合国的席位后，俄领导人首次参加联合国活动。李鹏总理和叶利钦总统在联合国总部见了面，就两国关系交换了意见。

叶利钦总统首先表示，俄将恪守双方已有的两个联合公报，同时希望将两国关系提高到一个新的高度。俄将尽快批准两国东段边界协定。① 李鹏总理说，中国在处理与外国关系时，不以意识形态和社会制度画线，中俄两国人民有着传统的友谊，两国间的4000多公里边界应成为和平与友谊的边界。中俄之间经济上有很大的互补性。② 叶利钦还特别指出，俄很重视俄罗斯的西伯利亚和远东地区与相邻的中国省份发展经济合作关系。

这是自苏联解体以来中俄领导人的首次会晤。双方都对会晤表示满意，认为是一个良好的开端。事实也确实如此。同年2月，中国全国人大常委会和俄罗斯议会先后批准了两国东段边界协定。4月，中俄边界东段勘界专家会议在北京举行，并开始着手勘界工作。

从1991年12月底苏联解体，中国很快正式承认俄罗斯，至中国政府代表团访问俄罗斯并签署两国关系会谈纪要；从转年1月底李鹏总理与叶利钦总统在纽约联合国总部的会见，至2月份中国首任驻俄大使递交国书正式就任、中国人大常委会和俄罗斯最高苏维埃分别批准《中苏东段边界协定》，在短短一个多月的时间里，经过双方的共同努力，两国基本上完成了从中苏关系到中俄关系的平稳过渡。

此后，中国和俄罗斯在各个方面的来往开始增多，两国关系展开了新的局面。3月，科济列夫外长访华。他的随行人员中有五位俄罗斯远东地区的边疆区和州的负责人，还有一些实业界人士，显示了俄方对其远东地区与相邻的中国省份发展经贸关系的重视。钱其琛外长在与科济列夫外长会谈时指出，去年底中国代表团访问俄罗斯时双方签署的会谈纪要为两国关系的进一步发展奠定了基础。今年1月两国领导人在联合国的成功会见，更使双方在发展两国睦邻合作关系方面有了许多共识。两国领导人通过各种渠道加强接触十分有益，并愿将这种接触继续下去。

科济列夫表示，俄中关系不是从零开始，而是有基础的，因为过去俄联邦就坚决支持苏中关系正常化。俄的对外政策是实现对外关系的平衡，既要同西方国家发展友好关系，也要进一步发展同邻国，特别是同中国的睦邻关系。在对华关系上，俄尊重过去，注重未来。俄非常希望同中国进一步发展经贸关系。

钱其琛认为，两国发展经贸关系的前景很好，最近中国决定在中俄边境地区开放绥芬河、黑河、满洲里和珲春四个城市，为的就是开展两国之间的交流。科济列夫在肯定中俄两国领导人在联合国安理会首脑会议期间的会晤对两国关系发展的作用时，提出希望两国领导人的这种接

① 《人民日报》，1992年2月1日。

② 钱其琛：《外交十记》，世界知识出版社，2003年版，第228—229页。

触继续下去。他说，叶利钦总统在纽约时就曾说过，应该去中国访问。钱其琛表示，中国方面欢迎总统在双方方便的时间访华。就这样，俄罗斯首任总统对中国的访问，提到议事日程上来了。为了准备此次元首访问，中俄之间开展了一系列积极的外交活动。①

二

叶利钦总统第一次访华

1992年4月，俄罗斯新任驻华大使罗高寿到任。钱其琛在同他会面时，回顾了1989年中苏关系正常化以来双方领导人往来的情况，认为叶利钦总统访华将是中俄领导人高级接触的继续，是合乎逻辑的。并指出，中方愿在新的基础上与俄罗斯发展经济关系和政治关系，两国边界谈判和边境地区裁军谈判应继续进行下去。两国经贸关系已有一定的发展，特别是边贸十分活跃。对此，两国政府都应采取积极支持的态度，并共同协商在这个过程中可能遇到的问题。罗高寿对此表示完全同意。

8月下旬，俄方正式提出叶利钦总统访华的建议日期。9月，钱其琛在出席联合国大会期间，又与同来与会的科济列夫外长就访问的具体时间和将要签署的文件等交换了意见。10月，俄罗斯副外长库纳泽来华，就叶利钦访华的政治文件及两国联合声明与中方进行磋商。由于苏联解体，当时中苏西部边界已经成为中国和俄罗斯等四国的边界，库纳泽同时率俄罗斯、哈萨克斯坦、吉尔吉斯斯坦、塔吉克斯坦联合代表团，同中国就边界问题进行会谈。10月24日，中国与这四个国家签署了边界会谈纪要。纪要确认了在中苏边界谈判中已达成并载入两个中苏联合公报的解决边界问题的原则，确认中苏边界谈判中就边界线走向所达成的协议原则上仍然有效，并同意成立负责起草边界协定工作小组。对尚未协商一致的边界地段有关方面将继续进行讨论。

中国和俄罗斯、哈萨克斯坦、吉尔吉斯斯坦、塔吉克斯坦四国的边界谈判，逐步发展成为“上海五国”的机制。五国领导人每年进行会晤，讨论范围扩大到在边境地区建立信任措施、地区安全形势和加强经贸往来。后来，乌兹别克斯坦也参加了。这成为“上海合作组织”的前身。

1992年12月17日上午，叶利钦总统夫妇一行飞抵北京。由于是叶利钦出任总统后首次访华，引起了各国舆论的高度关注。数百名记者提前一个小时赶到莫斯科机场“尾追堵截”。总统新闻秘书把新华社记者领到叶利钦身边。记者未及开口，叶利钦就高声喊道：“新华社记者在哪里？”并问他：“你要提什么问题？”当记者请他谈谈首次访华的目的时，他脱口而出：“发展俄中睦邻友好关系。”接着阐述了理由。

踏上中国土地后，叶利钦的第一句话是“俄中两国应该建立我们相互关系的新纪元”。② 中国国家主席杨尚昆在人民大会堂主持了欢迎仪式，并同叶利钦进行了会晤。杨尚昆说，中俄进行高级会晤有重要意义，国际舆论对此也很重视。相信总统的这次访问定将推动两国关系的进一步发展。叶利钦对中方为他的访问所做

① 钱其琛：《外交十记》，世界知识出版社，2003年版，第230页。

② 《人民日报》，1992年12月18日。

的各种安排表示满意，同时他又说，毛泽东主席说过不到长城非好汉，代表团的成员也都想去当一回好汉。

杨主席说，我们没有理由把关系搞坏，只能把关系搞好，现在两国都面临发展本国经济的共同任务，更应该建立稳固的睦邻友好和互利合作关系。现在两国贸易额已超过中国与苏联的最高水平，这是个好的开端。两国各有所长，在经贸合作方面，以及其他领域的合作都有许多文章可做。除高级会晤外，两国在其他各个级别上，在公司和企业之间，都应更广泛地进行接触。

第二天，李鹏总理和叶利钦总统举行了会谈。在小范围会谈时，李鹏评价说，叶利钦的来访将两国关系推向了更高水平。叶利钦强调，发展俄中关系在俄对外关系中居优先地位。双方会谈中只有在禁止核试验方面意见不一。叶利钦说，俄美将达成协议，第一步将战略核武器削减2/3，于2003年完成，并停止核试验。他要拉中国也参加禁止核试验，并说五核大国都加入，世界就太平了。李鹏指出，无论从核武器数量和质量，中国只是美俄的零头，就是削减2/3以后，美俄的核武库也大大高于中国的水平，届时俄可能还有2500个弹头。叶利钦在大组会谈时，对中国的核政策表示理解。他在此后和江泽民主席的会谈中，也没有再提核禁试问题。

中午，江泽民总书记在钓鱼台会见并宴请了叶利钦总统。江泽民说：一年来中俄关系取得了良好的进展，中俄双方本着互不干涉内政、平等互利的精神进一步发展两国关系的前景是很好的。俄罗斯人民是伟大的人民，在科学、文化等方面产生过许多杰出的人物。中国人民一向对俄罗斯人民怀有友好的感情，中俄两国人民有着传统友谊。叶利钦说：我们十分注意中共十四大的决定，对中国在改革中取得巨大成就，人民生活迅速改善表示赞赏。我们愿意在发展两国关系中遵循和平共处五项原则，特别是平等互利、睦邻友好的原则。中俄是两个相互睦邻的伟大国家，双方的合作有着广阔的前景。①

17日晚和18日下午，分别举行了关于中俄相互关系基础的联合声明和24个政府间和部门间的合作协议及有关文件的两次签字仪式。杨尚昆主席和叶利钦总统在中俄相互关系基础的联合声明上签了字。钱其琛和科济列夫外长、绍欣副总理也分别在两国政府科技合作、文化合作、互免团体旅游签证、和平利用与研究宇宙空间等协定上签字。

两国元首在签署的联合声明中确定了新时期中俄关系的基本原则。其中包括：中俄视对方为友好国家；在和平共处五项原则基础上发展睦邻友好关系；尊重对方人民选择各自发展道路的自由；和平解决争端；不参与针对对方的政治和军事联盟；不与任何第三国签署任何有损对方主权和安全的协议等等。此外，中方还在台湾问题上得到俄方的明确保证。双方确定继续谈判解决边境、边境裁军、建立信任措施等问题。②

叶利钦此次访华在中俄关系的发展中具有重要的意义，真正实现了由中苏关系向中俄关系的平衡过渡。联合声明宣布中国和俄罗斯相互视为友好国家，使中俄关系在全面继承中苏关系正常化成果的基础上，又迈上了一个新的台阶。

---

① 新华社北京12月18日电，转引自《跨世纪的战略抉择》，新华出版社，1999年版，第3—4页。

② 同上，第4—7页。

三

江泽民主席首次访问俄罗斯

1994年9月，江泽民主席对俄罗斯进行了正式访问。这是苏联解体后，中国国家元首首次访俄，也是对叶利钦总统1992年访华的回访，标志着中俄关系发展到了一个新的阶段。通过会晤，两国领导人就双边关系和共同关心的重大国际问题广泛、深入地交换了意见，高度评价了中俄政治、经济、科技、文化等各个领域的合作，并就建立面向21世纪中俄长期稳定的睦邻友好新型国家关系达成了共识。江主席强调，双方要从实际出发，充分利用各自的优势，循序渐进地向贸易行为规范化过渡。他希望中俄两国进一步巩固边境地区友好、睦邻、相互信任与合作的局面，把两国边界建设成为一条和平、安宁、共同发展的边界。叶利钦对江主席的看法表示赞同。他说，我们双方对进一步发展两国关系的态度是一致的，我们双方相互信任，发展合作，不仅有利于双方，而且有利于世界和平。[①] 两国领导人在会谈后签署的《中俄联合声明》中宣布："两国已具有新型的建设性伙伴关系，即建立在和平共处各项原则基础上的完全平等的睦邻友好、互利合作关系，即不结盟，也不针对第三国。"强调"以和平共处各项原则为基础，从社会制度和观点的不同不妨碍各个领域关系的发展这一共识出发，始终如一地维护和发展长期睦邻友好的相互关系，保持经常和多方面的对话，根据公认的国际法准则，本着坦诚、信任和考虑相互利益的精神解决出现的问题"[②]。《联合声明》确定双方将在政治、经济、科技、国防和国际关系领域推动合作进程。它的签署标志着中俄"建设性伙伴关系"的形成。除联合声明外，双方还签署了《中俄两国首脑关于不将本国战略核武器瞄准对方的联合声明》、《中俄国界西段协定》等重要文件。

江主席此次访俄，通过与叶利钦总统的最高级会晤，为中俄关系勾画了未来，为中俄关系的长期稳定发展奠定了基础，具有重大的意义。俄官方和新闻媒体对此给予了高度评价。俄外长科济列夫认为，俄中关系首次取得了新质量的突破。俄外交部第一亚洲司副司长阿法纳西耶夫指出，双方不把导弹瞄准对方的联合声明是一件大事，反映了两国间的高度信任，是对保持国际稳定作出的重大贡献。俄中西部边界协定的签署在俄中历史上第一次将边界用法律形式固定下来，这为最终解决两国间的边界问题奠定了基础。

江主席访俄取得圆满成功，以及中俄建设性伙伴关系的建立，使1994年成为俄罗斯外交中的"中国年"。在这一年中，中俄双方高层往来频繁。中国出访俄国的有江泽民主席和钱其琛外长。俄国到华访问的有总理切尔诺梅尔金、外长科济列夫，总参谋长科列斯尼科夫、国家杜马主席雷布金等。这一系列的交流大大推动了相互的了解和信任。

---

① 《人民日报》，1994年9月4日。

② 同上。

四

中俄关系在政治经济军事等领域的进一步发展

1995 年 5 月,江泽民主席应邀赴俄参加反法西斯战争胜利五十周年庆典,并在莫斯科卫国战争纪念馆揭幕式上发表了重要讲话。江主席指出:中俄两国人民在反法西斯战争中结下了深厚的友谊。今天我们两国关系又有了新的发展,这就是:共同面对 21 世纪,遵循和平共处五项原则,成为不对抗、不结盟、睦邻友好、互利合作、共同繁荣的好邻居、好伙伴、好朋友。我深信,这种新型关系是有生命力的,必将造福于中俄两国人民,造福于世界的和平与发展。① 俄国外交人士认为,江主席出席庆典不仅是由于俄中都为伟大的反法西斯战争胜利作出了重大贡献,而且反映了两国目前睦邻友好关系的水平和两国人民的传统友谊。5 月 8 日,叶利钦在克里姆林宫会见了江泽民主席。双方一致同意为发展中俄两国之间的长期稳定的睦邻友好、互利合作的新型关系而继续共同努力。

1996 年 4 月,在叶利钦第二次访华期间,双方把两国间的"建设性伙伴关系"重新定位为"面向 21 世纪的战略协作伙伴关系"。本来,在叶利钦启程之前,双方已经基本确定了联合声明的文本。4 月 23 日晚,俄驻华使馆主管官员向中方紧急通报,说叶利钦总统在专机起飞不久,在认真阅读了双方商定的文本后,认为这个文件还不能真正反映两国关系今后一个时期的发展方向,他建议将两国关系表述为"平等信任、面向 21 世纪的战略协作伙伴关系"。外交部立即把这个情况报告了江主席。江主席同意了叶利钦总统的建议。访问中,两国元首签署了联合声明,宣布双方"决心发展平等信任、面向 21 世纪的战略协作伙伴关系",②从而把中俄关系提升到一个新的水平。声明还指出:双方同意保持各个级别的经常性对话,建立两国政府间的热线电话。成立中俄友好、和平与发展委员会。进一步扩大和发展双边经济贸易合作。始终遵循互不将战略核武器瞄准对方和互不使用武力,特别是互不首先使用核武器的义务。严格遵守中俄国界协定,公正合理地解决遗留的边界问题,按期完成勘界立标工作,巩固两国边境地区友好、睦邻、相互信任与合作的局面;中俄作为安理会常任理事国,将继续支持联合国,同其他国家一起促进增强其在维护世界和平和安全、促进发展、防止和调解冲突方面的作用。③ 也就是在这一次访问中,中俄以及哈萨克斯坦、吉尔吉斯斯坦和塔吉克斯坦五国元首在上海签署了五国《关于在边境地区加强军事领域信任的协定》。这个协定是五国"决心成为好邻居、好朋友、好伙伴这一愿望的生动表现"。

1998 年 10 月,江泽民又一次访问了莫斯科,与叶利钦举行了两国元首首次非正式会晤。因叶利钦突患肺炎,住院治疗,会晤是在莫斯科中央门诊医院进行的。双方在亲切友好、无拘无束的气氛中就中俄关系及共同关心的问题广泛交换了意见,取得了积极和重要的成果。双方

① 新华社莫斯科 5 月 9 日电,转引自《跨世纪的战略抉择》,新华出版社,1999 年版,第 36 页。
② 《中华人民共和国条约集》,世界知识出版社,1999 年版,第四十三章(1996),第 644 页。
③ 《人民日报》,1994 年 9 月 4 日。

一致同意，为了把两国各领域的合作全面推向新世纪，要继续发挥元首互访、总理会晤及各合作委员会等机制的作用。

关于两国边境问题，江泽民说，两国东、西两段已勘定的边界首次在实地得到标示，这是对两国睦邻友好关系的历史性贡献。同时，我们达成了边境裁军和信任措施协议，共同在亚洲大陆创立了一个崭新的边境安全模式，这有利于地区的和平与稳定。叶利钦对两国在解决边界问题上取得的重大成果给予高度评价。他说，双方作出的努力有利于建设一条长期稳定和平的边界，中俄之间的这种新的边境安全模式在世界上是独一无二的。[①] 双方还就共同关心的问题交换了意见。两国领导人一致同意就此次会晤的成果及中俄边界问题发表两个联合声明，访问结束时还将发表联合公报。

五

20世纪90年代中俄关系顺利发展的成果总结

中俄两国人民友好交往历史悠久，传统友谊源远流长。20世纪90年代初，冷战结束，两极格局解体，国际形势和世界格局发生了巨大变化。要和平，求稳定，谋合作，促发展，成为各国人民的共同愿望和国际形势发展的主流趋势。中俄两国领导人顺应两国人民的根本利益、愿望和时代的呼唤，决心共同建立一种完全不同于冷战时期的新型中俄关系。为此，从90年代初起，两国元首开展了密切的高层交往，为建立新型的中俄关系进行了积极的探索。1992年12月，两国元首签署了《关于中俄相互关系基础的联合声明》，宣布双方“相互视为友好国家”。1994年9月，江主席与叶利钦总统签署了《中俄联合声明》，确定两国建立“建设性伙伴关系”。1996年4月，叶利钦总统访华，双方在签署的《中俄联合声明》中宣布，发展“平等信任的、面向21世纪的战略协作伙伴关系”。这样，中俄关系在短短的四年内连续上了三个台阶，为建立新型的睦邻友好与互利合作关系奠定了良好的政治基础。

通过双方的共同努力，两国间确立了发展国家关系的五大机制：一是新型国家关系机制。其主要内容是：睦邻友好、互利合作、不对抗、不结盟，共同繁荣。在总结中苏历史经验的基础上，两国认为双边关系的发展要排除社会制度不同和意识形态差异所带来的影响，确认和平共处五项原则是发展两国关系的准则。二是高级领导人对话机制。自1992年建立起两国国家元首和政府首脑间对话机制后，两国首脑频繁会晤；政府首脑也已实现定期互访机制。此外，两国政府部门、一些地方政府间也建立了相应的合作机制。三是睦邻友好的安全机制。1993年中俄签署两国国防部合作协议，声明互不首先使用核武器，互不把战略核武器瞄准对方；1996年和1997年中俄先后签署边境地区加强军事领域信任协定和边境裁军协定。四是经济科技合作机制。1992年8月建立了中俄经济和科技合作混合委员会工作机制，规定两国副总理担任混合委员会主席，每年在双方首都轮流举行一次会晤，以促进中俄经贸合作的发展。五是国际问题磋商机制。1994年1月两国签署《中俄两国外交部磋商议定书》，决定在重

① 新华社莫斯科11月23日电，转引自《跨世纪的战略抉择》，新华出版社，1999年版，第79—80页。

大国际问题上经常进行磋商，协调立场，加强合作。

两国关系不仅在政治领域，在经济领域也得到了发展。中俄经济合作是维系两国关系发展的支柱。由于两国在经济方面有很强的互补基础，因而受到两国领导人的高度重视。两国的自然地理、资源、经济和人文区域，为进一步发展两国经济与合作提供了巨大的潜力。中俄在经济领域里的发展突出表现在经贸和科技方面。1992 年 3 月，中俄两国在北京签署了《中俄两国政府贸易协定》。按照这个《协定》，中俄双方保证向对方提供最惠国待遇。8 月，中俄政府间经贸和科技合作委员会在莫斯科举行的第一次会议，双方就完善合作方式和扩大两国间经贸、科技合作领域、促进两国间地方和边境贸易，其中包括在边境地区建立经济技术合作区等问题达成了一系列协议。此后，两国高级领导人频繁互访，中俄政府间经贸和科技合作委员会每一年半举行一次会议。贸易额也由 1994 年的 50.8 亿美元，发展到 2000 年的 80 亿美元，2001 年更突破 100 亿美元，达到 105 亿美元。1999 年 2 月，中俄两国总理会晤时强调，中俄经济互补性强，合作潜力巨大，关键是要发挥各自优势，取长补短，开展平等互利的经贸合作。两国正在探讨新的合作形式和领域，特别是在进行大项目合作方面，并取得重大进展。中俄建交以后，两国进一步开放了边境地区。经过两国政府努力，两国边境共开放了 21 对口岸。目前，中俄间经贸和科技合作已涉及农业、能源、交通、和平利用原子能、航空航天以及军转民等领域。中俄双方认为，两国的经贸经济和科技合作规模不符合双方所拥有的潜力，所以双方都在寻求可行的途径，努力把经贸、科技领域的合作，从传统的低水平合作形式提高到符合国际规范的经济合作关系水平上。

两国关系在军事安全和军事技术合作领域里也得到了长足的发展。1992 年，俄罗斯从蒙古国撤出了全部驻军。1992 年 12 月，双方签署了《中俄两国首脑关于不将本国核武器瞄准对方的联合声明》。1993 年 11 月，两国又签署了《国防部军事合作协议》。1995 年 7 月，两国国防部部长签署了《政府间的预防危险军事活动的协定》。在 1996 年签署的五国关于《在边境地区加强军事领域信任的协定》中规定，五国中各方部署在边境地区的军事力量互不进攻；各方不进行针对第三方的军事演习并彼此邀请观察实兵演习；相互通报边境 100 公里范围内地区的重要军事活动情况；加强边境地区武装力量和边防部队之间的友好交往等。90 年代中俄军事部门高级领导人以及各军种、兵种首长来往频繁，在中俄边境地区中俄边防军首长也经常进行会晤。

边境问题也是 20 世纪 90 年代中俄关系发展中一个重要方面。中俄两国间的边境线总长 4300 多公里。经过中国和苏联旷日持久的谈判，1991 年终于达成《中华人民共和国和苏维埃社会主义共和国联盟关于中苏国界东段的协定》。1992 年 2 月，这项协定分别被中俄两国的立法机构所批准。1994 年 9 月，两国又签署《中俄国界西段协定》，同年 12 月和 1995 年 6 月，中国全国人大常委会和俄罗斯国家杜马先后批准了该协定，从而使两国 97%左右的边界线用法律形式固定下来。1997 年 11 月，中俄双方宣布，两国边界东段勘界的所有问题业已得到解决。1998 年 11 月，两国发表《关于中俄边界问题的联合声明》，指出“中俄边界西段勘界工作野外作业已结束，至此，中俄东、西段勘定的边界在两国关系史上首次在实地得到准确标示。"[1]1999年12月，中俄双方签署《关于对界河中个别岛屿及其附近水域进行共同经济利用的协定》，至此，中俄99%以上边界问题已得到解决。[2]

在国际事务方面，俄罗斯在调整了独立伊始时向西方倾斜的外交政策以后，从1994年开始，寻求在国际事务上同中国相互协作的可能性，并得到了中方的积极响应。1994年9月双方签署的《中俄联合声明》指出，两国"互视对方为在多极世界体系形成条件下维护和平与未定重要因素的大国，加强在国际事务中的合作，包括在解决全球性问题上的合作"[3]。1995年江泽民在接见来访的俄罗斯外交部长时指出："中俄两国都是大国，在反对霸权主义、维护世界和平方面，负有重大责任，也存在共同利益。"1996年4月中俄两国发表的《联合声明》指出，"当今世界处于深刻而复杂的变化之中。谋求和平、稳定、合作和发展已成为当今国际生活的主流。但是，世界并不太平。霸权主义，屡次施压力和强权政治仍然存在，集团政治有新的表现，世界的和平与发展仍面临严峻的挑战"。[4]

在处理国际事务中，中俄双方互相支持，寻求理解和协调一致，维护了共同的利益。1997年4月，两国元首签署了《中俄关于世界多极化和建立国际新秩序的联合声明》，专门就国际问题发表联合声明，这在两国关系史上是罕见的。叶利钦在签署《联合声明》后对记者说，"俄罗斯过去没有同任何国家签署过国际问题和世界多极化的联合声明。当前世界上有些大国总是要把世界多极化的模式强加给我们，总是要向其他国家发号施令。我们要建设一个多极化的世界，世界应该有多个极作为国际新秩序的基础。"[5]1998年11月，两国元首发表《世纪之交的中俄关系》的联合声明，又就世界多极化、世界文明多元性、世界经济全球化、联合国以及冷战后的大国关系等问题阐述双方共同的观点和立场。

总的来说，中俄关系在20世纪90年代的演变是朝着友好、健康、稳定和全面合作的方向发展的，为两国关系在新的世纪继续朝着这个方向发展奠定了坚实的基础。当然，中俄关系虽得到了积极的成果，并非就不存在问题了。首先，中俄经贸合作虽有较大进展，但与两国政治关系相比仍显滞后；其次，政治互信度仍有待提高。俄罗斯一些媒体受西方收买，有意炒作所谓"中国威胁论"，毒化了中俄友好气氛。进入新的世纪后，中俄领导人已认识到存在的问题，正在共同努力切实解决，以消除其对两国关系的消极影响。

1999年12月，叶利钦总统第三次也是作为总统最后一次访华回国后，于31日正午12时出现在电视画面上，宣布了一个令世界吃惊的决定："我决定在即将过去的世纪的最后一天辞去总统职务。"随后，叶利钦签署了把总统职责交给政府总理普京的命令，并将核密码箱等移交给普京。2000年3月，普京正式当选为俄罗斯总统。中俄关系也进入新的世纪，掀开了新的一页。

---

① 《人民日报》，1998年11月24日。

② 《当代中国外交》，复旦大学出版社，2007年版，第223页。

③ 新华社莫斯科9月3日电，转引自《跨世纪的战略抉择》，新华出版社，1999年版，第15页。

④ 新华社北京4月25日电，转引自《跨世纪的战略抉择》，新华出版社，1999年版，第44页。

⑤ 新华社莫斯科1997年4月23日电，转引自《当代中国外交》，复旦大学出版社，2007年版，第224页。

1992—2002 年的中日关系

1992－2002 年的中日关系在中日关系史中具有重要的地位。这段时期是中日关系向新世纪过渡的时期。以江泽民为核心的第三代领导集体，继承并发展了第一代领导集体和第二代领导集体的对日方针，在睦邻外交和“以史为鉴、面向未来”思想的指导下，积极推动中日关系向前发展。由于受冷战结束后世界多极化和经济全球化的影响，中日关系在总体上向前发展的同时，也出现了一系列的摩擦和分歧。总体特点是呈现波浪式前进的态势。1992－1994 年是第一阶段，以中日首脑互访为契机，中日关系出现友好合作的新高潮。同时，两国关系也出现一些困扰。1995－1996 年是第二阶段，这段时期，虽然有村山富市的“八一五讲话”，但是中日出现了大的波折，1996 年中日关系陷入低谷。1997－2002 年是第三阶段，以 1998 年江泽民访日和《中日联合声明》的发表为标志，中日两国构建了以致力于和平与发展的友好合作伙伴关系为主要特点的面向 21 世纪的中日关系。

一

发展中的中日关系
（1992－1996 年）

1. 中日首脑互访掀起中日友好合作新高潮

1992 年是中日邦交正常化 20 周年，以此为契机，中日两国政府和人民都希望进一步推动中日关系向前发展。为此，两国举行了多种多样的纪念活动。其中，中日首脑人物的互访引人注目。

1991 年 8 月，日本海部俊树首相访华，中日关系恢复正常。海部俊树首相在会见江泽民总书记时邀请江总书记访问日本。1991 年 12 月，中国副总理田纪云在访日时提出在中日邦交正常化 20 周年之际，希望能够实现日本天皇访华。

1992 年 1 月，日本副首相兼外相渡边美智雄在访华时指出：“日本政府十分希望江泽民总书记今年上半年能访问日本。”[①]1992 年 4 月 6 日－10 日，江泽民总书记访问日本。这是江泽民就任总书记后首次访问日本。

临行前，江泽民总书记就访日等问题接受了记者的采访，江泽民总书记表示，前往日本进行友好访问的目的有三个：一是纪念中日邦交正常化 20 周年；二是进一步推动中日睦邻友好关系的发展；三是加深两国人民之间的传统友谊。就国内形势，江泽民指出：国内有一个很好的气氛，大家都有一个共同的、一致的意见和愿望，这就是坚定不移地始终贯彻党的“一

① 《李鹏会见渡边美智雄对日本国重视中日关系表示赞赏》，《人民日报》1992 年 1 月 5 日。

个中心、两个基本点”的基本路线，进一步扩大改革开放，把经济建设搞上去。①

江泽民总书记抵达日本后，受到日本政府的隆重欢迎和盛情款待。4月6日下午，江泽民总书记与日本首相宫泽喜一就双边关系和广泛的国际问题举行了正式会谈。江泽民总书记说：发展同日本的长期稳定的睦邻友好合作关系，是中国外交政策的一项重要内容。中国方面希望两国关系在《中日联合声明》和《中日和平友好条约》的基础上进一步巩固和发展。在谈及中日之间那一段不幸的历史时，江泽民总书记指出：“前事不忘，后事之师。”希望日本以史为鉴，坚持走和平发展道路。宫泽表示赞成通过双方友好协商来解决出现的问题的意见。② 宫泽还就中日关系指出：“今天的日中关系不仅是日中两国之间或地区性的关系，而且已进入‘世界中的日中关系’的时代。……我国期望就军备管理、裁军以及地球环境等国际社会的共同课题，同贵国今后也继续加深政治对话，以致力于实现‘为世界作出贡献的日中关系’。”③

4月7日—8日，江泽民总书记会见了日本明仁天皇、日本各主要政党领导人、六位前首相、参众两院议长和其他日本朋友。4月8日下午，江泽民总书记在东京举行记者招待会指出：“中日邦交正常化20周年来，两国在平等互利基础上的经贸合作关系有了很大发展，已经形成了良好的基础。我们希望这种经济合作关系能够不断扩大和加强。……中日两国经济上互补，地理上毗邻，合作潜力很大。在当前动荡的国际社会，中日关系的发展是一个不可缺少的稳定因素。中日关系的前景是令人乐观的。”④4月10日，江泽民总书记回京。11日，《人民日报》发表社论，祝贺江泽民总书记访日获得圆满成功。

江泽民总书记在会见日本天皇时曾表示期待天皇和皇后陛下对中国的访问。1992年8月25日，外交部发言人宣布日本天皇和皇后陛下将于10月23日至28日访华，并指出：“日本天皇和皇后在中日邦交正常化二十周年之际访华是中日两国关系中的大事，对增进两国人民之间的传统友谊，推动两国睦邻友好合作关系在和平共处五项原则的基础上长期稳定发展具有十分重要的意义。”⑤

日本战后宪法虽然对天皇的权力进行了一定的限制，但仍规定天皇是国家和国民整体的象征。天皇要处理许多政务，尤其是外交事务。天皇出访的对象需由日本政府选择和决定，这种访问往往反映了两国关系的发展水平。中日两国友好交往两千多年，但是天皇访华还是历史上的首次。

10月23日下午1时40分，日本明仁天皇和美智子皇后乘坐的专机抵京。下午4时，杨尚昆主席为明仁天皇和美智子

---

① 《江泽民谈访日目的(1992年4月6日)》，田桓主编：《战后中日关系文献集(1971—1995)》，中国社会科学出版社，1997年版，第810页。

② 《江泽民与宫泽喜一首相举行正式会谈(1992年4月6日)》，田桓主编：《战后中日关系文献集(1971—1995)》，中国社会科学出版社，1997年版，第811页。

③ 《宫泽首相在欢迎江总书记宴会上发表讲话(1992年4月6日)》，田桓主编：《战后中日关系文献集(1971—1995)》，中国社会科学出版社，1997年版，第812页。

④ 《江总书记在东京举行记者招待会(1992年4月8日)》，田桓主编：《战后中日关系文献集(1971—1995)》，中国社会科学出版社，1997年版，第823—824页。

⑤ 《应杨尚昆主席邀请日本国天皇十月访华》，《人民日报》1992年8月26日。

皇后举行了隆重的欢迎仪式，奏两国国歌，鸣礼炮 21 响，明仁天皇在杨尚昆主席的陪同下检阅了三军仪仗队。23 日晚，在欢迎日本天皇和皇后访华的宴会上，杨尚昆主席首先发表讲话，对天皇、皇后的来访表示热烈的欢迎。他还表示："中日邦交正常化 20 年来，我们两国在各个领域的交流与合作都取得了长足的发展，两国人民之间的友谊不断加深，中日友好的基础更加坚实。天皇陛下和皇后陛下的这次访问，将进一步增进两国人民的相互了解和传统友谊，推动两国的友好合作关系向着新的深度和广度迈进。"①明仁天皇在答词中就侵华史表示："在两国关系悠久的历史上，曾经有过一段我国给中国国民带来深重苦难的不幸时期。我对此深感痛心。战争结束后，我国民基于不再重演这种战争的深刻反省，下定决心，一定要走和平国家的道路，并开始了国家的复兴。……今年正值日中邦交正常化 20 周年，在此两国关系继往开来的年头，为增进相互理解和加强友好亲善，两国国民之间正在进行各种各样的活动。贵国江泽民总书记阁下和万里委员长阁下相继访问了我国，为进一步扩大和加强两国间的友好纽带作出了贡献。此次我们访问贵国，如能作为一个契机，使以此友好纽带连接在一起的两国国民作为良好邻居向着未来共同迈进，我将感到无比高兴。"②

10 月 24 日上午，天皇和皇后游览了长城。当晚，江泽民总书记在钓鱼台国宾馆会见并宴请了天皇夫妇。江泽民对天皇和皇后访华表示诚挚的欢迎，并就天皇在 23 日发表的关于中日关系的讲话说："在我们看来，对于中日关系一要以史为戒，二要向前看，三要世世代代友好下去。"日本天皇听了江泽民总书记关于中日关系的讲话后表示有同感，并说："日中两国要回顾过去，展望未来，加强两国关系十分重要。"天皇夫妇在离开北京后，先后去西安和上海访问。

10 月 28 日下午，日本明仁天皇和美智子皇后结束了对中国历时 6 天的历史性访问，乘专机回到东京。

为纪念中日邦交正常化 20 周年，中日首脑进行了互访，对推动中日两国之间的友好关系具有重要的历史意义。由于中日两国人民都对中日邦交正常化 20 周年寄予了很大期望，希望通过 1992 年的纪念活动，使 90 年代的中日关系有一个新的发展，所以，除了政府高层的互访外，中日两国大使馆、中日两国民间的友好协会都组织了相关纪念活动。这些活动反映了中日邦交正常化 20 年来友好发展的强大基础，也反映了中日两国人民对于进一步推动中日关系发展的期望。

基于包括中日关系在内的中国同周边国家关系的良好发展态势，1993 年 1 月 13 日，江泽民就当前国际形势提出论断："当今世界正处于大变动的历史时期。总的看来，目前国际形势对我国发展是有利的。首先，在今后一个较长时期内，争取和平的国际环境，避免新的世界大战，是有可能的。……其次，在新格局的形成过程中，世界各种矛盾都在深入发展，各种力量正在重新分化组合，各种重大战略关系也在调整变化。……再次，与世界其他

① 《杨尚昆主席在欢迎明仁天皇和皇后宴会上的讲话(1992 年 10 月 23 日)》，田桓主编：《战后中日关系文献集(1971－1995)》，中国社会科学出版社，1997 年版，第 848—849 页。

② 《日本明仁天皇在杨尚昆主席欢迎宴会上致答词(1992 年 10 月 23 日)》，田桓主编：《战后中日关系文献集(1971－1995)》，中国社会科学出版社，1997 年版，第 850 页。

地区相比，亚太地区保持了相对稳定，各国的经济联系和合作日趋紧密，原有的热点问题已经或正在实现政治解决。我国周边安全环境不断得到改善，同周边国家的睦邻友好关系处于新中国成立以来最好的时期。……以上这些条件和因素，为我们集中精力发展国民经济提供了一个比较好的外部环境。”①

2. 细川护熙和村山富市首相就侵略历史表示反省

1993年8月9日，细川护熙内阁的组成，宣告了1955年形成的以自民党和社会党为代表的保守革新两大政党对垒的“55年体制”的终结。20世纪90年代，受日本政治改革等因素的影响，日本内阁更迭频繁。细川内阁也仅执政了8个月。细川护熙执政的时间虽然短暂，但是他促进了中日关系的稳定发展。

1993年是《中日和平友好条约》签订15周年。8月23日，细川首相在国会发表演说时，对二战中日本对外实行侵略和殖民主义统治表示谢罪和反省。11月19日，江泽民主席在出席西雅图APEC会议期间会见了日本首相细川护熙，双方就中日关系等问题进行了有益的交谈。1994年1月8日—9日，日本副首相兼外相羽田孜访华。

1994年3月19日中午，细川护熙首相抵达北京，开始了对中国的正式访问。3月20日上午，李鹏总理和细川护熙首相举行会谈。李鹏总理说，江泽民主席前年对日本的访问和天皇及皇后陛下访华标志着中日关系进入一个新的发展时期。两国高层来往增多，经贸关系迅速发展，这是两国政府和人民共同努力的结果，值得双方珍惜。细川阁下就任首相以来，继续高度重视中日关系，并致力于两国友好合作，我们对此予以高度评价。细川首相就过去的那段历史表示：我们对过去由于我国的侵略行为和殖民统治而给亚洲各国人民带来的难以忍受的苦难表示深刻的反省和道歉。日本将在对过去历史反省的基础上，为与中国建立面向未来的日中友好关系而进一步努力。② 在谈及台湾问题时，细川首相重申，日本将严格遵守日中联合声明的原则，不同台湾发生任何官方关系。李鹏总理对此表示赞赏。③ 20日下午，江泽民主席会见细川首相。同日，中日签订关于保护环境的合作协定。21日，细川首相结束对中国的访问回国。

细川护熙首相对“过去由于我国的侵略行为和殖民统治而给亚洲各国人民带来的难以忍受的苦难表示深刻的反省和道歉”，这在日本战败投降后历届日本政府中还是第一次。④

此后，日本政府官员一再出现否认侵略历史的言论，均遭到中国政府的严正反驳。1994年6月29日，社会党委员长村山富市以261票当选为日本第52位首相。村山富市首相更加重视对亚洲的外交政策，希望进一步发展对中关系。在历史问题上，他不仅在多种场合承认日本的侵略行为和殖民统治，还真诚地向被侵略国家道歉。

① 江泽民：《国际形势和军事战略方针（一九九三年一月十三日）》，《江泽民文选》第一卷，人民出版社，2006年版，第278—280页。

② 《李鹏总理会见细川首相两国总理举行会谈（1994年3月19—20日）》，田桓主编：《战后中日关系文献集（1971—1995）》，中国社会科学出版社，1997年版，第882页。

③ 同上，第883页。

④ 冯瑞云、高秀清、王升著：《中日关系史》第三卷，中国社会科学出版社，2006年版，第467页。

1995 年 5 月 2 日—6 日，村山富市首相访华。李鹏总理与村山首相举行会谈。李鹏总理说，日本不做军事大国是明智的，应努力避免重蹈历史覆辙，使中日两国世世代代友好下去。村山首相谈到，日本的侵略行为和殖民统治，给中国及其他亚洲国家带来了灾难，对此日本表示深刻反省。日本愿以二战结束 50 周年作为新的起点，决心走和平发展的道路，决不当军事大国，并以日中联合声明及和平友好条约为基础，同中国建立长期稳定的友好关系。谈到台湾问题，李鹏说，正确处理台湾问题是两国关系中的重大原则问题，我们希望日本从维护中日友好的大局出发，根据中日建交联合声明的原则，妥善处理台湾问题。村山富市首相对此回答："我可以明确表示，日本将基于建交的联合声明，将日台关系限制在非官方交往的范围，不搞'两个中国'。"①5 月 3 日下午，村山富市首相参观了中国人民抗日战争纪念馆。他是第一位访问抗战纪念馆的日本首相。参观完抗战纪念馆之后，江泽民主席会见了村山富市首相，村山首相表示："我刚参观了卢沟桥，重温了历史，日本愿意深刻反省过去曾给中国人民造成重大灾难的那段历史，在此基础上推动中日友好，为维护亚太和平作出努力。"②5 月 4 日，村山首相在北京举行记者招待会表示日本要正视历史反省侵略，随后他赴西安、上海访问。5 月 6 日，村山首相回国。

1995 年是二战结束 50 年，世界各国人民都举行了各种纪念活动。然而，日本国会众议院于 6 月 9 日通过的《日本国会关于战后 50 年的决议》，由于未能正视侵略战争的历史，遭到日本和世界各地舆论的强烈谴责。

为此，村山在 8 月 15 日，即抗日战争胜利 50 周年纪念日的当天，发表了关于战后 50 年的谈话。村山在该谈话中讲道："我们为了不再重犯过去的错误，必须把战争的悲惨讲述给年青一代，特别是与近邻各国携起手来，为确保亚洲太平洋以及世界的和平，最重要的是，同这些国家培育深刻理解和信赖的关系是不可缺少的。……我们过去不远的一段时期，国策错误，走上战争道路，使国民陷入生死存亡的危机，由于进行殖民统治和侵略，给很多国家，特别是亚洲各国人民带来极大的损害和痛苦，我为将来不再犯错误，虔诚地接受这些无可怀疑的历史事实。在此再次表示沉痛的反省、由衷的歉意。同时对因这段历史而受害的国内外所有牺牲者深表哀悼。"③

村山富市首相的谈话在国内外引起较大的反响，受到了好评。由于这个讲话日期的特殊性，人们将这次讲话称为"八一五讲话"。村山富市首相的"八一五讲话"是以后历届日本政府对待日本侵略历史问题认识的基调。

中日两国政要的互访和对话，推动了中日经济关系的发展。1991 年中国实际利用外资总额为 1155417 万美元，其中，实际利用日资的总额为 189405 万美元，对外

① 《李鹏总理与村山首相举行会谈并设宴欢迎村山首相(1995 年 5 月 3 日)》，田桓主编：《战后中日关系文献集(1971—1995)》，中国社会科学出版社，1997 年版，第 918—919 页。

② 《江泽民主席、乔石委员长分别会见村山首相(1995.5.3、4)》，田桓主编：《战后中日关系文献集(1971—1995)》，中国社会科学出版社，1997 年版，第 921 页。

③ 《村山富市首相关于战后 50 年的谈话(1995 年 8 月 15 日)》，田桓主编：《战后中日关系文献集(1971—1995)》，中国社会科学出版社，1997 年版，第 933—934 页。

借款128453万美元，外商直接投资53250万美元。1992年中国实际利用外资总额则高达1920233万美元，其中，实际利用日资的总额为317944万美元，对外借款243167万美元，吸收外商直接投资70983万美元。1992年实际利用日资总额较1991年增长67%。①

1992年10月，日本天皇访华前夕，中日举行了日本对华第三批日元贷款本年度的政府换文签字仪式。“这笔总额为1373亿日元的贷款将用于建设湖北鄂州火力发电站等5个新建项目和五强溪水电站等16个续建项目。”②第三批日元贷款于1990－1995年度实施，贷款方式是总承诺后分年度签署政府换文和贷款协议。

总体来看，1992年以来，随着中国市场经济的快速发展，加上日本宣布采取放宽和鼓励向中国出口的政策，中日之间的贸易额猛增。1992年至1995年，是中日贸易总额增长最快的阶段，平均增长速度达到25%，1994年增幅更是高至30.9%。③ 1993－1995年，出现了日本企业对华投资的第三次高潮。1991－1995年度的《中日长期贸易协议》，在1995年又延长至2000年，为稳定和扩大中日贸易也发挥了非常关键的作用。

二

中日关系发展中的曲折
（1992－1996年）

在以江泽民为核心的第三代领导集体的领导下，中日关系不论在政治还是在经济和文化领域都大大加深了彼此的联系和依存度。在中日两国政治领域不断加强对话和交流的同时，中日经贸关系的发展创历史新高。但是，受冷战后世界多极化和经济全球化趋势以及日本国内政治总体右倾化的影响，中日两国之间也屡屡出现矛盾和摩擦。

20世纪90年代中期前后，中日两国之间发生了一些矛盾和摩擦，干扰和阻碍了中日关系的发展。对于一些认识上的分歧，中日两国政府积极通过对话加以沟通和化解，而对于一些破坏中日关系发展政治基础的言行，中国政府则坚决予以驳斥和谴责。认真分析这些分歧和争端，对于消除中日关系未来发展的不确定性因素具有非常重要的意义。

1. 历史问题

对于历史问题，毛泽东、周恩来等第一代领导人非常注意区分广大日本人民和日本军国主义分子，采取向前看的态度，但是前提是日本必须正视和承认历史。这也正是《中日联合声明》和《中日和平友好条约》的重要政治基础。但是日本国内不断有人在历史问题上制造事端。此段时期，中日之间的历史问题主要体现在为日本侵略历史翻案、靖国神社问题、新版教科书问题等方面。

1994年5月3日，日本法务大臣永野茂门声称，“南京大屠杀是捏造的”，“把那场战争说成是侵略战争的看法是错误的”，日本行为“目的不是侵略，而是为了解放殖民地，建立（大东亚）共荣圈”。此言一出，舆论哗然，引起中外一致批判。

---

① 根据中国经济编辑委员会编：《中国经济年鉴》1992年，经济管理出版社，1992、1993年版，第889、791页中国利用外资概况整理。

② 《第三批日本对华贷款在京换文》，《人民日报》1992年10月7日。

③ 程勇明、石其宝著：《中日经贸关系六十年（1945－2005）》，天津社会科学院出版社，2006年版，第235页。

中国外交部发言人严词批驳了这种言论，并指出："在战争结束近 50 年，中日关系进入新的发展阶段的今天，有的日本内阁成员竟然公开篡改历史、否认事实，为日本军国主义侵略行径辩解，我们感到震惊和愤慨，希望日本政府从维护两国关系大局出发，认真严肃对待这一问题。"5 月 4 日，日本首相羽田孜在巴黎就永野茂门否认日本在二战中的侵略行为一事发表谈话，指出永野茂门关于"南京大屠杀是捏造的"讲话"是不适当的"。6 日，永野茂门在记者招待会上表示，不久前关于战争问题的发言是"不适当的"，宣布"收回"。7 日，永野茂门被迫辞职。① 8 月 12 日，村山内阁的环境厅长官樱井新又出新论："日本进行太平洋战争并不是出于侵略目的"，而是"从好意出发，却添了麻烦"。当天，中国外交部官员约见日本驻华使馆临时代办，对樱井的言论提出严厉批评。14 日，樱井引咎辞职。

1995 年 8 月 9 日，日本文部大臣岛村发表谈话，拒绝承认日本过去进行的那场战争是侵略战争，中国外交部发言人对此郑重指出："岛村谈话的实质是掩饰日本的侵略罪行，拒绝反省。作为日本政府主管教育的重要阁僚，在战后五十周年之际竟然发表这样缺乏历史常识的言论，严重伤害了中国人民和亚洲各受害国人民的感情。我们对此深表遗憾和愤慨。"②10 日，岛村被迫承认日本侵略的历史。

日本政界不断有人公然否认侵略历史和为其侵略历史翻案并不是孤立的，这种现象根源于日本政治的右倾化。日本政治右倾化还表现在靖国神社问题上。日本政界人士参拜供奉着甲级战犯的靖国神社一直遭到包括中国在内的亚洲国家和人民的强烈反对。

1996 年 7 月 29 日，日本首相桥本龙太郎参拜靖国神社，遭到日本国内和亚洲各国舆论的谴责。中国外交部发言人指出："靖国神社里祭祀着东条英机等军国主义分子头目的亡灵。遭受过日本侵略的亚洲国家历来坚决反对日本首相及政府领导人前往参拜。近十年来，日本首相及政府主要领导人，均在此问题上采取了慎重态度，未再前往参拜。桥本首相前往参拜的做法严重伤害了包括中国在内的深受日本军国主义之害的亚洲各国人民的感情。日本应当真正反省过去那段侵略历史，以实际行动取信于亚洲各国人民，走和平发展道路。"③8 月 15 日，日本 6 名内阁成员和 80 多名国会议员参拜靖国神社，中国外交部发言人表示愤慨。迫于各方面的压力，桥本龙太郎首相对记者表示，考虑到中国等亚洲国家的感情，作为首相，今后在参拜靖国神社之类的事情上要"谨言慎行"。

此外，围绕新版教科书和慰安妇等问题，日本国内也有一些违背历史事实的言行。

2. 台湾问题

历史问题和台湾问题都是涉及中日友好关系的政治基础的敏感问题。台湾问题是中国的内政。中日两国围绕台湾地位问题已经通过邦交正常化，从政治上加以解决，中国政府对于日台关系的立场是明确的，即对于日台开展的民间往来不

① 《中国外交部发言人严词驳斥日本法务大臣永野茂门否认侵华历史的言论(1994 年 5 月 3－7 日)》，田桓主编：《战后中日关系文献集(1971－1995)》，中国社会科学出版社，1997 年版，第 887—888 页。

② 《外交部发言人答记者问》，《人民日报》1995 年 8 月 11 日。

③ 《桥本参拜靖国神社中国政府深表遗憾》，《人民日报》1996 年 7 月 30 日。

持异议，但坚决反对进行任何形式的官方往来。

20世纪90年代以来，在台湾问题上，又出现了一些新的动向。20世纪90年代“台湾独立”势力加强活动，美国国会中一部分亲台势力也加强了对“台独”势力的支持，日本政府乘机试图同台湾当局加强“官方”接触。1992年11月，日本内阁官房长官加藤弘一宴请了来日的台湾“经建会”主任郭婉容及出席“亚洲展望研讨会”的台湾代表团团长辜振甫等。1993年2月16日，台湾“外交部长”钱复访问日本。[①]

1994年9月，日本政府在筹办第12届广岛亚运会之时，不顾中国政府的坚决反对，允许台湾当局“行政院副院长”徐立德赴日进行政治活动。徐立德赴日事件是台湾当局继李登辉赴日被拒后而发起的“外交攻势”。广岛亚运会组委会将徐立德列为“客人”，并且发放了便于入境的证件。

对此事件，9月22日，中国外交部副部长田曾佩在北京会见日本驻华大使国广道彦，就日本政府不顾中方一再反对允许台湾“行政院副院长”徐立德借亚运会之机企图赴日本活动一事再次向日方提出严正交涉。田曾佩副部长指出，目前围绕广岛亚运会出现的麻烦不是中国方面造成的，而是台湾当局为突破中日邦交正常化以来达成的日台关系框架，在国际上制造“两个中国”或“一中一台”而精心策划的政治事件……徐立德无论以什么身份去日本，也改变不了其所谓“行政院副院长”的官方身份和此行的政治意图。日本政府同意徐立德等台湾政要入境，明显违背了中日联合声明原则，并在国际上开创了一个恶劣的先例。中国政府和人民对此坚决反对。田曾佩强调，台湾问题历来是涉及中日关系政治基础的重大原则问题。我们希望日方不折不扣地遵守中日联合声明原则，履行只与台湾维持民间和地区性往来，不进行任何官方接触的郑重承诺，不要作出失信于中国政府和中国人民的事。[②] 9月26日，中国副总理兼外长钱其琛与日本副首相兼外长河野洋平举行会谈，河野洋平为日本政府允许台湾政要出席在广岛的亚运会作了辩解。他说，日本政府愿意保证台湾“行政院副院长”徐立德在日逗留期间，日本政府绝不会同徐立德接触，不希望日中关系因这件事受到影响。他还重申日本政府将严格遵守日中联合声明。钱其琛指出，“本届亚运会和亚奥理事会根本不谈申办2002年亚运会的问题。台湾政要企图到日本去活动，根本不是什么体育问题，而是政治问题。台湾方面对他们的政治意图也直言不讳。日本政府对此不可能不了解”，中国政府对日本政府的做法和解释是完全不能接受的。[③]

但是，日本政府最终给徐立德发放了入境证明书，使徐立德得以成行，中日关系因此受到严重损害。中国政府为此取消国务委员李铁映的访日计划。9月29日，新华社发表了题为《日本政府难辞其

---

① 田桓主编：《战后中日关系史(1945—1995)》，中国社会科学出版社，2002年版，第448页。

② 《田曾佩副外长就日本政府允许台湾“行政院副院长”徐立德借亚运会之机企图赴日活动事向日方提出严正交涉(1994.9.22)》，田桓主编：《战后中日关系文献集(1971—1995)》，中国社会科学出版社，1997年版，第896页。

③ 《中日两国外长举行会谈钱其琛指出，中国不能接受日本对徐立德访日事件的做法和解释》，《人民日报》，1994年9月27日。

咎》的评论员文章。

历史问题和台湾问题涉及中日关系的政治基础。历史表明,中日两国关系要顺利发展,就必须恪守 1972 年《中日联合声明》和 1978 年《中日和平友好条约》的原则。

3. 钓鱼岛问题

钓鱼岛等岛屿是台湾的附属岛屿,它和台湾一样是中国领土不可分割的一部分。钓鱼岛问题主要指中日之间就钓鱼岛等岛屿主权归属存在的争端。中日邦交正常化和签订《中日和平友好条约》的过程中,对此问题采取了"搁置争议"的政策,希望"共同开发"此岛屿附近的资源。1992 年 2 月,中国通过的《中华人民共和国领海及毗连区法》,明确将"中华人民共和国的陆地领土包括中华人民共和国大陆及其沿海岛屿、台湾及其包括钓鱼岛在内的附属各岛、澎湖列岛、东沙群岛、西沙群岛、中沙群岛、南沙群岛以及其他一切属于中华人民共和国的岛屿"写入法律。①

近年来,日本右翼分子在钓鱼岛问题上不断制造事端。1996 年 7 月 14 日,日本右翼团体青年社在钓鱼岛上设置了一个高 5 米、重 210 公斤的金属结构的灯塔。7 月 17 日,日本内阁官房长官在会见记者时,居然说日本政府不想对此进行干预。8 月 18 日,日本冲绳县的右翼团体在钓鱼岛南侧设置了长 3 米、宽 2 米的木质日本国旗。8 月 31 日,就日本右翼分子在钓鱼岛的非法行径,《人民日报》发表评论员文章《日本别干蠢事》。9 月 9 日,日本右翼团体青年社再次登上北小岛修建灯塔。9 月 10 日,中国外交部发言人沈国放对日本右翼分子的行径提出强烈抗议,沈国放指出:钓鱼岛及其附属岛屿自古以来就是中国的固有领土。对于日本右翼分子连续登上这些岛屿非法建造设施,中国政府已多次向日本政府提出严正交涉。② 同日,中国外交部亚洲司司长王毅紧急约见日本驻华使馆临时代办,就日本右翼团体 9 月 9 日再次侵犯中国钓鱼岛主权提出强烈抗议。9 月 15 日—16 日,香港、台湾等地先后举行反日保钓游行。26 日,香港保钓领袖陈毓祥等人组织一艘"保钓号"驶抵钓鱼岛海域时,遭到日本巡逻艇的阻拦,陈毓祥等数名保钓人士跳入海中,准备游向钓鱼岛。但是,日本直升机掀起的海浪过大,陈毓祥不幸溺水身亡。30 日,日本自民党把"实现首相和阁僚正式参拜靖国神社"和"钓鱼岛是日本固有领土"写入竞选公约。

10 月 3 日,中国外交部发言人沈国放严正指出:中方对日本自民党把"实现首相和阁僚正式参拜靖国神社"和"钓鱼岛是日本固有领土"写入竞选公约的错误决定表示强烈愤慨。同日,日本兵库县警方查抄了在钓鱼岛上设置灯塔、制造事端的右翼团体日本青年社的总部以及其他三个场所。4 日,日本政府决定不批准在钓鱼岛设立的航标灯塔为合法。③

1996 年 11 月 24 日,江泽民主席出席马尼拉亚太经合组织第四次领导人非正式会议时会见了日本首相桥本龙太郎,他强调说:"钓鱼岛是中国领土不可分割的一部分。日本对此有不同的看法,这是客

① 《中华人民共和国领海及毗连区法》(1992 年 2 月 25 日第七届全国人民代表大会常务委员会第二十四次会议通过),《人民日报》1992 年 2 月 26 日。

② 《外交部发言人表示中国强烈抗议日本右翼分子再登钓鱼岛》,《人民日报》,1996 年 9 月 11 日。

③ [日]浦野起央等编:《钓鱼台群岛(尖阁诸岛)问题研究资料汇编》,香港励志出版社、东京刀水书房,2001 年版,第 395 页。

观事实。我们注意到日方近来为解决这一问题所作的努力，希望日方能采取进一步的措施，尤其要杜绝日本右翼势力再次制造新的事端。”①

中日之间出现的政治摩擦，在一定程度上影响到中日经济关系的正常发展。日本在对华援助方面，出现了一些波折，日本开始将经援政治化。1995年5月，日本借中国进行核试验为由宣布削减1995年度的对华无偿援助，中国外交部发言人表示：“我们一贯反对将经济问题政治化，反对把经济合作与政治问题挂钩，并借此施加压力。日方的做法是不明智的，也不利于中日关系的健康发展。”②1996年日本对华直接投资的项目数为1742亿美元，较1995年的2946亿美元降低40.9%，合同资金为51.3亿美元，较1995年的75.9亿美元降低32.4%。③

在20世纪90年代中期前后，虽然日本方面频频在历史问题和台湾问题等方面挑起事端，但是中日两国经济关系还是取得了长足的发展，这种现象被人们称为中日关系的“政冷经热”。

三

中日关系发展的新阶段（1997－2002年）

中日关系历经20世纪90年代中期的低谷，自1997年开始好转。1997年1月13日，日本首相桥本龙太郎表示希望努力发展中日关系。他说：“去年日中关系中的确出现过‘令人尴尬的局面’，但从11月亚太经合组织会议时两国领导人在马尼拉会晤后，日中关系‘已经转向积极发展的方向’。”④4月3日，李鹏总理在会见日本关西财界访华团时表示，中日经贸关系发展很快，双边贸易额已超过600亿美元，希望两国继续保持这种良好的发展势头。欢迎日本财界到中西部地区投资，开展经贸合作。⑤ 4月30日，江泽民总书记在会见日本自民党代表团时说：“中日关系正处于承前启后、继往开来的重要时期，坚持中日联合声明和中日和平友好条约是推动我们两国关系健康、稳定向前发展的重要保证，也是我们两国人民世世代代友好下去的重要保证。”⑥1997年内桥本龙太郎首相和李鹏总理还实现了互访，推动了中日关系的健康稳定发展。

1. 面向21世纪的中日关系

1998年4月21日—25日，胡锦涛副主席对日本进行访问。桥本首相会见了胡锦涛副主席。胡锦涛副主席说，中日关系现在正处于承前启后，继往开来的重要历史时期。如何构筑面向21世纪的中日睦邻友好合作关系的基本框架，实现两国世代友好，是双方面临的共同课题和责任。展望今后的中日关系，双方应以史为鉴，着眼未来，从维护世界和平与促进发展的战略高度出发，始终正确把握两国关系的发展方向。桥本首相表示，日本将正视历史，面向未来，与中国建立更广泛、更

① 《江泽民主席抵达马尼拉参加亚太经合组织领导人非正式会议并访问亚洲四国》，《人民日报》，1996年11月24日。
② 《外交部发言人答记者问》，《人民日报》，1995年5月25日。
③ 张季风主编：《中日友好交流三十年》经济卷，社会科学出版社，2008年版，第13页。
④ 《日本首相桥本表示努力发展日中关系》，《人民日报》，1997年1月14日。
⑤ 《李鹏会见日本客人》，《人民日报》，1997年4月4日。
⑥ 《江泽民会见日本客人指出中日关系正处于承前启后继往开来重要时期》，《人民日报》，1997年5月1日。

稳定的互信关系。①

1998年8月28日，江泽民在第九次驻外使节会议上发表了《当前的国际形势和我们的外交工作》的讲话："在世纪之交的重要历史时期，我们要坚定不移地贯彻邓小平外交思想，始终不渝地奉行独立自主的和平外交政策，认真落实党的十五大精神，进一步开创外交工作的新局面，努力为实现我国社会主义现代化建设的战略目标营造一个更为良好的周边环境和国际环境……近些年来，我国的周边环境得到很大改善。继续加强对周边国家的工作，坚持睦邻友好，保持良好的周边环境，对我们的发展至关重要。日本、俄罗斯是世界大国，也是我们的重要邻国。维护中日友好，对我们稳定周边和发展经济有利。目前，日本正处在十字路口，政治力量仍在分化改组，经济问题不少，短期内难以好转。日本军国主义者非常残忍，在日本侵略军的屠刀下，中国死伤人数达三千五百万。战后日本军国主义未得到彻底清算。在日本国内，满脑子军国主义思想的还大有人在。对这个问题，我们必须警钟长鸣。日本曾经侵占台湾五十年。把台湾称为是自己的'不沉的航空母舰'，就是日本人首先提出了的，后来美国有些人继承了日本人的衣钵。对日本，台湾问题要谈深谈透，历史问题要始终强调，而且永远要谈。在亚洲金融危机发生后，日本有些人采取不负责任的态度，企图把自身的经济困难转嫁给他人，引起许多国家不满。在这个问题上，要对日本施加影响，要求它承担责任。"②这次讲话体现了以江泽民为核心的第三代领导集体对发展中日友好关系的高度重视及在历史问题和台湾问题上的原则性。

应日本政府邀请，1998年11月25日，江泽民主席抵达东京，开始对日本进行为期6天的国事访问，这是中国国家元首首次访日，对构建面向21世纪的中日关系意义重大。

江泽民主席在羽田机场发表了书面讲话。江泽民主席说：今年是《中日和平友好条约》缔结20周年。值此中日关系承前启后、继往开来的重要时期，认真总结中日关系的历史经验，对发展未来的两国友好合作具有重要的意义。在这次访问期间，我将会见明仁天皇陛下，同小渊惠三首相就如何开辟面向21世纪的中日关系以及共同关心的问题交换意见，并将广泛接触日本朝野各界人士，实地了解日本人民在经济、科技和社会发展方面所取得的成就。③

11月26日下午，江泽民主席出席了明仁天皇举行的盛大欢迎仪式，随后双方举行了会见并进行了友好的谈话。

江泽民主席在会见天皇后，在迎宾馆同日本首相小渊惠三举行会谈。双方一致认为，这次会谈是重要和有益的，将对两国关系的发展起到积极的促进作用。

江泽民主席全面阐述了中方对历史问题和台湾问题的立场。他指出：在历史问题和台湾问题上，有人认为已谈论得很多了，但我认为，这两个问题越谈，对中日关系发展越有好处。历史问题和台湾问题实际上伴随了本世纪中日关系的整个历史过程，不能回避，也无法回避……我们谈这两个问题，并不是要再去算历史旧

① 《应邀赴日本韩国进行正式友好访问胡锦涛抵东京开始访日》，《人民日报》，1998年4月22日。

② 江泽民：《当前的国际形势和我们的外交工作(一九九八年八月二十八日)》，《江泽民文选》第二卷，第202—204页。

③ 《圆满结束访俄开始对日本进行国事访问》，《人民日报》，1998年11月26日。

账，而是希望通过认真回顾和总结历史，从中汲取有益的教训，以使我们能够正确对待和妥善处理这两个问题，更好地开辟两国关系的未来。①

关于历史问题，江泽民主席指出，回顾中日邦交正常化26年的历程，不能不遗憾地指出，日本国内不断有人在历史问题上制造事端，否认甚至歪曲历史事实。这些都极大地伤害了战争受害国人民包括中国人民的感情，干扰了中日关系的正常发展。中方从维护历史真相和中日关系政治基础的大局出发，不能不作出必要的反应……要解决好历史问题的关键在日本自身。希望日本政府能够认真总结这方面的经验教训，真正遏制否认和歪曲历史的势力。小渊首相表示，为发展面向未来的两国关系，首先有必要正视过去的历史，日中两国间在过去曾有过不幸的关系。1995年发表的日本内阁总理大臣谈话，对日本过去的殖民统治和侵略表明了深切反省和由衷道歉。小渊首相强调，日本政府在此再次向中国表示反省和道歉。

关于台湾问题，江泽民主席说，维护国家统一和领土完整，是每一个主权国家的神圣权利。解决台湾问题，实现祖国的完全统一，是中华民族的夙愿。从历史上看，在台湾问题上日本是有负于中华民族的……必须指出，日本国内在台湾问题上仍存在一些错误的认识。我们希望日方切实尊重中国政府关于台湾问题的立场，恪守在中日联合声明中就台湾问题作出的郑重承诺，妥善处理好台湾问题。小渊首相说，日本深刻地认识到台湾问题对中国的重要性。自日中邦交正常化以来，在台湾问题上，日本一直遵循日中联合声明确定的只有一个中国的原则，并愿在此基础上，全力以赴地发展日中关系。他强调，日本不支持台湾独立，这一点已明确表述过，今后也不会变。同时，日本对台湾也没有野心。日本在台湾问题上将恪守日中联合声明和日中和平友好条约所确定的各项原则。他希望海峡两岸之间的交流进一步取得进展，并希望台湾问题通过对话和平解决。②

会谈中，双方还谈到了加强两国青少年交流，加强两国经贸、科技、环保领域的合作问题。

江泽民主席和小渊惠三首相通过会谈，达成了广泛的共识，发表了《中日联合宣言》和《联合新闻公报》。此外，中日双方还签署了《中日关于进一步发展青少年交流的框架合作计划》、《中日面向21世纪的环境合作的联合公报》、《中日关于在科学与产业技术领域开展交流与合作的协定》。

江泽民主席在与小渊惠三首相会谈后，于11月28日，会见了日本政党领导人。江泽民主席在会谈中指出："中方对中日关系的基本看法，一是要正视历史，以史为鉴；二是在此基础上采取向前看的态度，共同努力开辟未来。这对于两国关系的稳定发展，对于两国人民世代友好，乃至对于亚洲和世界的和平与发展，都是十分重要的。"③29日，江泽民主席在日本早稻田大学发表《以史为鉴开创未来》的演讲，并举行了记者招待会。30日，江泽民主席结束访问回京。

① 江泽民：《发展中日关系必须正确处理历史问题和台湾问题（一九九八年十一月二十六日）》，《江泽民文选》第二卷，2006年版，第241页。

② 《江泽民主席同日本首相小渊惠三举行会谈》，《人民日报》，1998年11月27日。

③ 《江主席会见日本政党领导人》，《人民日报》，1998年11月28日。

江泽民主席是在中日关系处于承前启后、继往开来的历史时期对日本进行国事访问的，取得了重要成果。《中日联合宣言》宣布两国建立“致力于和平与发展的友好合作伙伴关系”。该宣言在《中日联合声明》和《中日和平友好条约》的基础上，指出中日双方认为正视过去以及正确认识历史，是发展中日关系的重要基础，确认中日关系对两国均为最重要的双边关系之一，宣布面向21世纪建立致力于和平与发展的友好合作伙伴关系。这一重要定位，为21世纪中日关系的发展指明了方向，标志着两国关系进入了一个新的阶段。在经贸合作方面，中日双方达成共识：在平等互利基础上，建立长期稳定的经贸合作关系，进一步拓展在高新科技、信息、环保、农业、基础设施等领域的合作。中日双方一致同意根据《中日联合声明》及《中日和平友好条约》的各项原则，本着求同存异的精神，最大限度地扩大共同利益，缩小分歧，通过友好协商，妥善处理两国间现存的和今后可能出现的问题、分歧和争议，避免因此干扰和阻碍两国友好关系的发展。

《中日联合宣言》的发表，是继《中日联合声明》、《中日和平友好条约》之后，指导两国关系的第三个重要文件，反映了两国人民的根本利益和共同愿望，顺应了和平与发展的时代潮流，对面向21世纪的中日关系具有指导意义。

继江泽民主席成功访日，1999年7月8—10日，日本小渊惠三首相对中国进行正式访问。这是小渊惠三任首相之后的首次访华。中日双方重申了共同构筑面向21世纪致力于和平与发展的友好合作伙伴关系，并对两国的民间友好交流寄予了很大的期望。

2.“青山遮不住，毕竟东流去”

进入21世纪以来，中日两国政府致力于发展友好合作伙伴关系，两国经济关系取得了长足的发展。但是，“树欲静而风不止”，因为日本在关系中日关系政治基础的问题上频频出现问题，两国政治关系趋冷。

(1)中日关系中既有障碍的新动向

20世纪90年代中期前后中日关系发展中的障碍直接影响了此后中日关系的发展。进入21世纪前后，阻碍中日关系发展的主要障碍体现为：否认侵略历史问题、靖国神社问题、修改历史教科书问题、日美防卫范围中是否包括台湾的问题以及钓鱼岛主权争端。

1997年4月，日本一名议员和一名记者登上钓鱼岛，中国外交部发言人崔天凯在记者招待会上重申钓鱼岛等岛屿自古以来就是中国的固有领土。同年5月5日，日本国会众议院议员西村真悟与日本冲绳县石垣市议员仲间均和两名摄影师登上了钓鱼岛。这是日本国会议员首次登上钓鱼岛。中国外交部发言人对此表示愤慨和抗议。中国外交部副部长唐家璇紧急召见日本驻华大使，强烈要求日本政府采取果断有效措施，惩处肇事者，消除由此产生的恶劣后果和消极影响。日本外相池田行彦表示应以不损害中日友好的大局为原则来对待此事。因此，他不能不对西村的行动感到“遗憾”。①

1998年5月22日，日本外务省北美局局长高野纪元说，“日美新防卫合作指针”中所说的“远东”地区包括台湾，因此

① [日]浦野起央等编：《钓鱼台群岛(尖阁诸岛)问题研究资料汇编》，香港励志出版社、东京刀水书房，2001年版，第397页。

日本的“周边事态”也包括台湾在内。这是日本政府官员首次明确表示“日美新防卫合作指针”中所划定的地理位置包括台湾。在此之前，日本政府过去一直解释说“周边事态”是指对日本的和平与安全产生重要影响的事态，而不是地理上的概念。[①] 5月28日，日本驻华大使谷野作太郎，表示十分重视中方的交涉，并奉桥本首相之命代表日本政府正式向中方作出如下说明和解释：一、日本领导人迄今就日美新防卫合作指针向中方作出的说明和解释没有任何变化。日美修订防卫合作指针并不针对包括中国在内的任何第三国。二、所谓“周边事态”是指在日本周边发生的可能对日本安全构成重大影响的事态，不是地理上的概念。三、日本政府将继续严格按照日中联合声明和日中和平友好条约及日本领导人迄今在台湾问题上作出的承诺处理台湾问题。[②] 1999年4月23日，中国外交部发言人再次重申任何直接或间接把中国台湾纳入所谓“周边事态”的做法，都是中方坚决反对的。[③]对此问题，江泽民主席在同日本小渊惠三首相谈话时明确表示，“日美安全合作无论直接或间接地把台湾列入其中，都是对中国领土主权的侵犯和对中国内政的干涉，中国政府和人民对此坚决反对”[④]。

2000年1月，日本大阪府暨大阪市政府准许日本右翼势力在大阪国际和平中心召开所谓“20世纪最大的谎言——‘南京大屠杀’的彻底检证集会”。此举遭到中外强烈谴责和抗议。1月18日，中国外交部发言人指出：南京大屠杀是日本军国主义对中国人民犯下的残暴罪行，铁证如山，举世公认，不容否定。日本右翼势力策划这一活动的企图昭然若揭，就是要篡改历史事实，美化侵略暴行，伤害中国人民感情，破坏中日友好大局。历史问题事关中日两国关系的政治基础。希望日本政府高度重视目前事态的严重性和危害性，立即采取有力措施，阻止事态的发展，切实维护来之不易的两国关系大局。[⑤] 1月26日，外交部部长唐家璇约见日本驻华大使谷野作太郎，再次就此事件向日方表明中方的严正立场。

2001年4月，李登辉以治病为由赴日，损害了中日关系的政治基础，中方被迫暂停中日高层往来，中止了2000年朱镕基总理访日时达成的中国海军舰队访日计划。

2001年8月13日，日本首相小泉纯一郎参拜靖国神社，将中日两国之间围绕靖国神社的争论推向浪尖。当天下午，外交部副部长王毅紧急约见日本驻华大使阿南惟茂，就日本首相小泉纯一郎参拜靖国神社向日方提出严正交涉。王毅强调：中国是日本军国主义侵略战争的最大受害国。1972年中日实现邦交正常化时，日方在联合声明中明确表示，痛感过去由于战争给中国人民造成的重大损害并表示深刻反省。1998年江泽民主席访日时，通过中日联合宣言和双方领导人的正式会谈，日方又郑重承认对中国的侵略，并向中国人民表示反省和道歉。在此基础上，

① 《日本官员竟然声称日美防卫范围包括台湾》，《人民日报》，1998年5月24日。

② 《我就日本政府官员侵害中国主权言论事再次提出交涉》，《人民日报》，1998年5月30日。

③ 《外交部发言人答记者问》，《人民日报》，1999年4月24日。

④ 江泽民：《发展中日关系必须正确处理历史问题和台湾问题（一九九八年十一月二十六日）》，《江泽民文选》第二卷，人民出版社，2006年版，第246页。

⑤ 《外交部发言人发表谈话》，《人民日报》，2000年1月19日。

中日双方达成了"以史为鉴，面向未来"的重要共识。但小泉首相一意孤行，执意参拜靖国神社的行为，违背了日本政府的上述基本立场，也使日本在历史问题上再次失信于包括中国在内的亚洲和世界人民。王毅还进一步提出，我们注意到小泉首相放弃了在"八一五"这一敏感日期进行参拜的原定计划，并发表了关于历史认识问题的谈话，表示承认侵略，反省历史。但他执意参拜的实际行动，与这些谈话精神自相矛盾，背道而驰。必须指出的是，日本领导人的所作所为，损害了中日关系的政治基础，伤害了中国人民和亚洲广大受害国人民的感情，也势将影响中日关系今后的健康发展。① 2002 年 4 月 21 日，日本首相小泉纯一郎再次参拜靖国神社。外交部副部长李肇星奉命紧急召见日本驻华大使阿南惟茂，就日本首相小泉纯一郎当天参拜靖国神社一事向日方提出严正交涉。历史证明，小泉纯一郎在其任内连续参拜靖国神社对中日关系的发展产生了严重的影响，直接导致了中日两国关系发展的"冬天"。

(2)努力开拓中日关系发展的新局面

在新的世纪，中国政府非常重视加强同包括日本在内周边国家之间的睦邻友好关系。2001 年 8 月 6 日，江泽民主席在周边安全问题座谈会上指出："目前，我国周边安全环境处于新中国成立以来较好的时期……在新世纪，加强睦邻友好关系，进一步稳定周边，具有重大的现实意义和深远的历史意义。周边国家是我国重要的战略依托。做好周边工作，是推进社会主义现代化建设、实现中华民族伟大复兴的需要，是确保边陲安宁、维护国内稳定的需要，是完成祖国统一大业的需要，是外交斗争全局的需要。"②

2000 年 8 月 29 日，江泽民会见了日本外相河野洋平，江泽民主席说，"我对中日关系的前景是乐观的。中日两国加强互利合作，将对下个世纪亚洲的发展与繁荣起到重要的推进作用"。河野洋平强调，中国的发展对亚洲的和平与繁荣十分重要。日中合作不仅有利于日中两国，对世界的和平与发展也是十分有益的。日本政府将继续致力于推进对华友好合作。③

为了进一步推进中日两国关系进入新的世纪，2000 年 10 月 12－17 日，朱镕基总理对日本进行了为期 6 天的正式访问。朱镕基总理在机场发表了书面讲话："我希望通过这次访问政治上增进相互了解和信任，经济上深化互利合作。访问期间，我将会见明仁天皇陛下，同森喜朗首相举行会谈，并广泛接触朝野各界人士，共商新时期中日友好大计。"④ 10 月 14 日，朱镕基总理在日本经济团体午餐会上发表演讲，他指出，目前，中日经济都在加快回升，世界科技革命和经济全球化迅速发展，扩大中日两国互利合作面临着新的机遇。中方愿在以下一些优先和重点领域加强与日方的合作：第一，拓展在中国西部大开发中的合作。第二，深化双方技术和投资合作。第三，开辟区域经济合作

---

① 《我副外长王毅紧急约见日本驻华大使就小泉首相参拜靖国神社向日方提出严正交涉》，《人民日报》，2001 年 8 月 14 日。

② 江泽民：《同周边国家发展睦邻友好关系（二〇〇一年八月六日）》，《江泽民文选》第三卷，人民出版社，2006 年版，第 313 页。

③ 《江泽民主席会见日本外相》，《人民日报》，2000 年 8 月 30 日。

④ 《离京赴日本韩国访问并出席亚欧会议朱镕基抵达东京》，《人民日报》，2000 年 10 月 13 日。

的新领域。①

2001年10月8日，日本首相小泉纯一郎访华。小泉首相参观了卢沟桥抗战纪念馆，对日本侵华历史表示反省和道歉。同日，江泽民主席会见日本首相小泉纯一郎。小泉首相说："我亲眼目睹了纪念馆中展示的残酷场面，认识到战争对人民造成的创伤是难以估量的，我们应该从对历史的深刻反省中认识将来的发展道路，绝不能让战争再发生。"江泽民主席说：小泉首相抱着改善中日关系的意愿来访华，我们表示欢迎。你就任首相后对中日关系做过多次积极表态，重要的是行动。这次你采取行动，参观了抗日战争纪念馆，是有意义的。他们还就即将在上海举行的亚太经合组织领导人非正式会议和打击国际恐怖主义活动等共同关心的问题交换了意见。②

2002年9月28日，胡锦涛副主席出席庆祝中日邦交正常化30周年大型招待会并会见日本客人。10月27日，江泽民主席在墨西哥洛斯卡沃斯会见日本首相小泉纯一郎，江泽民主席说：今年是中日邦交正常化30周年。与其他国家相比，中日关系的最大特点是中国人民和日本人民有着十分悠久的交往，有相互借鉴、相互帮助的友好传统；但也有日本军国主义侵略中国、给中国人民造成巨大灾难的惨痛历史。为此，我们提出要"以史为鉴，面向未来"。对历史问题的认识涉及13亿中国人民的感情，希望日方特别是日本政府领导人能正确对待，妥善处理有关问题，以利于实现中日世代友好。小泉首相表示：日中邦交正常化30周年的纪念活动规模宏大，表明日中两国关系有着牢固的基础，日本各界都希望进一步加强与中国的关系。对过去那场战争，日本方面要深刻反省，不能使其重演。双方领导人还就共同关心的其他问题交换了意见。③

在中日"政冷"的同时，经济继续保持发展势头。由于中日经贸合作具有互补和双赢的特点，因此，虽然中日经济关系也出现过一些矛盾和摩擦，但是从总体上看还是顺利发展。中日贸易额由1992年的289亿美元增长到2000年的857亿美元，增长了近2倍。自1993年起至2002年为止，日本连续10年是中国最大的贸易伙伴，中国是日本的第二大贸易伙伴。至21世纪初，中国是日本政府开发援助的最大的受援国，而日本则是在向中国提供政府资金援助的国家中居第一位。中日经济合作是在国家发展阶段不同、社会制度不同的国家之间经济合作成功的典范。2001年以后，对华日元贷款在贷款形式上由多年度方式改为单年度方式。2001年12月，中国加入世贸组织以来，中日之间的经贸关系更为紧密，中国成为日本的第二大贸易伙伴，第一大出口国、第二大进口国。

综上所述，1992—2002年的中日关系有机遇也有挑战，发展过程可谓一波三折，但是总体来看，两国关系的发展取得了重要的成果。日本在90年代深陷泡沫经济，内阁更迭频繁，国内政治总体右倾化。中国在以江泽民为核心的第三代领导集体的领导下，坚持睦邻友好方针政策，致力于社会主义市场经济建设，所处的国际环境总体得到改善，综合国力有了

① 《在日本经济团体午餐会上朱镕基发表演讲》，《人民日报》，2000年10月15日。

② 《江泽民主席会见日本首相小泉纯一郎》，《人民日报》，2001年10月9日。

③ 《江泽民会见日本首相指出对历史问题的认识涉及13亿中国人民的感情》，《人民日报》，2002年10月29日。

很大提高。面对中国经济的飞速发展，自视为经济发展“优等生”的日本对中国的日益强大产生了畏惧心理，“中国威胁论”甚嚣尘上。一些右翼势力利用中日民间亲近感的下降，在中日敏感问题上制造事端。中日两国的不互信，也加深了两国的摩擦和隔阂。同时，中日关系的发展也较易受到外界因素的影响。在中日两国政治摩擦加剧的同时，两国经济关系保持良好发展态势，“政冷经热”的现象更为突出。虽然此段时期的中日关系的发展曲曲折折，但是，《中日联合宣言》为21世纪中日关系的发展定了方向，为此后中日关系的进一步发展提供了基础和前提。

冷战结束后中国与周边国家关系

冷战结束后，中国周边外交经历了通过稳定周边而为国内经济建设创造良好环境，进而为促进区域合作而“与邻为善和与邻为伴”的阶段。应该说，中国的周边外交是改革开放后中国外交中取得巨大成就的一个重要部分。

一

冷战后中国与东南亚国家关系的大发展

冷战结束对东南亚国际形势的变化发生了重大影响。随着柬埔寨问题的政治解决，东南亚安全形势得到了缓和，东盟先后接纳越南、老挝、缅甸和柬埔寨。至此，东南亚十个国家都成为东盟成员国，作为一个次区域性国际组织，东盟在国际社会中发挥着重要的作用。这期间，中国奉行“立足亚太，稳定周边”的外交方针，与所有东南亚国家建立外交关系，通过积极发展双边关系，为中国改革开放的深化创造了稳定的周边环境。

1. 外交关系的新突破

在这种形势下，国际环境的改变和共同战略利益促使中国与印尼在恢复外交关系方面加快了步伐。1989年2月23日，中国外长钱其琛在东京参加日本天皇葬礼期间，分别与印尼总统苏哈托和国务部长穆迪奥诺就双边关系和共同关心的问题进行了会谈。双方就恢复邦交关系正常化问题达成了三点一致意见：一、双方同意，进一步采取措施，实现两国关系正常化；二、两国关系应建立在和平共处五项原则和万隆会议十项原则基础上；三、双方决定，通过双方驻联合国代表就两国关系正常化进行具体商讨，必要时，两国外长举行会晤。① 这是中国与印尼断交以来，两国官方首次正式会谈。12月5至9日，由外交部部长助理兼亚洲司司长徐敦信率领的中国代表团，同以印尼外交部政治事务总司长罗哈纳佩西为首的印尼代表团就中、印两国实现外交关系正常化的技术性问题在雅加达举行会谈。两国代表团在会谈中讨论了为重建使馆相互提供方便和双重国籍问题；审议了两国间过去签订的双边协定；双方还讨论了债

① 中华人民共和国外交部外交史编辑室编：《中国外交概览》，世界知识出版社，1990年版，第66页。

务以及双边关系中的其他问题。[①] 双方一致认为,两国复交的相关问题已经解决,将由两国外长具体实施。在两国复交谈判中,中国考虑到,印尼在东盟国家中具有举足轻重的地位,早日同印尼复交,可以带动另外两个东盟国家新加坡和文莱同中国建交,有利于进一步打开中国与东盟国家关系。因此,采取了"坚持原则,适当灵活"的方针,对一些较为复杂的问题,大体商定原则后留待复交后继续商谈。[②]

1990年是中、印尼两国恢复外交关系取得突破性进展的一年。3月23日至27日,中国外交部亚洲司副司长张青率中国代表团与印度尼西亚财政预算总局外国基金司司长尤素福·安瓦尔率领的印尼代表团在北京就两国间财务问题举行了会谈,就印尼方面过去欠中国债务数额、结算和偿还方式等交换了意见。5月21至22日,两个代表团在香港再次就债务问题举行会谈并达成一致。7月1日至4日,应钱其琛外长邀请,印尼外交部长阿里·阿拉塔斯对中国进行正式访问。这是1967年10月两国中断外交关系以后,印尼外长首次访华。两国外长就双边关系、柬埔寨问题以及其他地区和国际问题交换了意见,签署了关于解决印尼欠中国债务的协定和中华人民共和国政府与印度尼西亚共和国政府关于恢复两国外交关系的公报,发表了联合新闻公报,宣布自1990年8月8日起实现两国关系正常化。1990年8月6日至11日,应印尼总统苏哈托的邀请,中国总理李鹏对印尼进行正式友好访问。访问期间,签署了中国和印尼政府关于恢复外交关系的谅解备忘录和中国、印尼两国贸易协定。[③]

此外,两国经贸关系也获得稳步发展。复交后双方签订了《投资保护协定》、《海运协定》、《避免双重征税协定》,并就农业、林业、渔业、矿业、交通、财政、金融等领域的合作签署了谅解备忘录。1990年两国成立经济贸易技术合作联委会。2001年底,双方将农业、能源和资源开发以及基础设施建设确定为经贸合作重点领域。2002年3月成立两国能源论坛,9月召开首次会议。2006年10月,双方在上海召开了第二次会议。2006年中印尼双边贸易额共计190.6亿美元,同比增长13.5%。

在中国与印尼复交大局已定的情况下,1990年4月双方商定7月开始建交谈判。新加坡外交部于7月4日发表声明,欢迎中国和印尼实现两国关系正常化,并重申一旦中国和印尼实现关系正常化,新加坡将与中国正式建立外交关系。7月,两国先后在北京和新加坡举行了两轮谈判。1990年8月11至13日,应新加坡总理李光耀邀请,李鹏总理对新加坡进行正式友好访问。访问期间,双方同意尽快完成关于两国建立外交关系的谈判。10月3日,中国外长钱其琛与新加坡外长黄根成在纽约分别代表两国政府签署了建交公报。两国原商务代表处随即升格为大使馆。[④]

此外,中国同文莱也于1991年建立大使级外交关系,为两国友好关系的发展掀开新的篇章。1999年8月东帝汶举行全民公决并脱离印尼后,中国与东帝汶交往逐步增多。2001年9月中国在帝力设立大使级代表处。2002年5月20日东帝汶

① 中华人民共和国外交部外交史编辑室编:《中国外交概览》,世界知识出版社,1990年版,第67页。
② 钱其琛:《外交十记》,世界知识出版社,2003年版,第129页。
③ 中华人民共和国外交部外交史编辑室编:《中国外交概览》,世界知识出版社,1991年版,第71页。
④ 同上,第64页。

宣告独立，中国与东帝汶于当日建立外交关系。至此，中国与所有东南亚国家都正式建立了外交关系，中国与东盟国家的关系得以全面发展。

2.与越南关系

1991年10月，关于柬埔寨问题的第二次国际会议在巴黎举行，会议制定了全面政治解决柬埔寨冲突的各项文件，最终签订了政治解决柬埔寨问题的“巴黎协定”，延续多年的柬埔寨战火终于熄灭，而柬问题的解决也消除了中越两国实现关系正常化的主要障碍，中越两国关系开始进入正常化阶段。

巴黎协定签订后，应中国的邀请，越共中央总书记杜梅和部长会议主席武文杰率领越南高级代表团于1991年11月对中国进行正式访问。江泽民总书记在欢迎宴会上表示：关于政治解决柬埔寨问题的协定刚刚在巴黎签署，这表明阻碍中越两国关系正常化的关键问题已经解决，中越之间“结束过去，开辟未来”的时机已经成熟。① 随后，中越两国领导人进行了小范围和大范围的两次会谈，在许多问题上交换了意见，达成了共识，最后签署了联合公报，宣布中越高级会晤标志着中越关系正常化，②签署了《中越两国政府贸易协定》和《中越两国政府关于处理两国边境事务的临时协定》，双方同意发展睦邻友好关系，两国之间存在的遗留问题将通过谈判予以解决。③

中越关系正常化后，两国、两党高层交往十分密切。如1992年11月30日至12月4日，中国国务院总理李鹏应邀对越南进行了正式友好访问。这是21年来中国总理首次访越。双方就进一步发展双边关系和共同关心的国际问题深入、广泛地交换了意见。这次访问进一步增进了中越双方彼此之间的了解，推动了两国睦邻关系不断向前发展。1993年11月9日至15日，越南国家主席黎德英应邀访华。这是自1959年胡志明主席访华之后，越南国家元首首次对中国进行正式友好访问。④ 1994年11月19日至22日，中共中央总书记、国家主席江泽民应邀对越南进行正式友好访问。这是自中越两国1950年1月18日建交以来中国共产党最高领导人第一次访问越南，这也是继刘少奇1963年访问越南之后，中国国家元首首次访问越南。访问结束时发表的《中越联合公报》指出：“双方认为，中共中央总书记、国家主席江泽民对越南的访问取得了圆满成功，把中越两国的友好合作关系提高到一个新的水平，并扩大了范围。双方一致认为，在1991年11月10日联合公报和1992年12月4日联合公报提出的指导两党、两国关系的原则的基础上，进一步巩固和加强两国之间的睦邻友好与互利合作关系，并使之长期稳定地发展，符合两国人民的迫切愿望和两国的根本利益，有利于本地区的和平、稳定与发展。双方均表示应面向21世纪，面向未来，推动两国关系向着更加深入和广阔的方向发展。”⑤ 1999年2月，越共中央总书记黎可漂对中国进行正式访问，江泽民总书记与黎可漂举行了正式会谈，会谈后，两党总书记发表联合声明，确定了新世纪中越关系的发

① 《杜梅武文杰率高级代表团抵京江泽民李鹏主持仪式热烈欢迎》，《人民日报》，1991年11月6日。

② 《中越发表联合公报》，《人民日报》，1991年11月11日。

③ 中华人民共和国外交部外交史研究室编：《中国外交概览》，世界知识出版社，1992年版，第50页。

④ 《越南国家主席黎德英今日来我国进行正式友好访问》，《人民日报》，1993年11月9日。

⑤ 《人民日报》，1993年11月22日。

展框架，即“长期稳定、面向未来、睦邻友好、全面合作”16字方针，这是对半个世纪以来中越关系正反两方面经验的深刻和全面的总结。①

此外，在其他很多方面，中越关系也得到稳步发展，边界问题也得到逐步解决。1999年2月，越共中央总书记黎可漂访华期间，两党总书记就边界谈判问题达成协议，在1999年内签署陆地边界条约和在2000年内解决北部湾划界问题，共同把两国边界建设成和平、友好、稳定的边界。根据以上精神，通过谈判，中越双方于1999年12月30日在河内签署了《中越陆地边界条约》，中国全国人大常委会和越南国会分别于2000年4月和6月批准了该条约。同年7月，两国互换了条约的批准书，条约正式生效。之后又于2000年12月签署了《中华人民共和国和越南社会主义共和国在北部湾领海、专属经济区和大陆架的划界协定》和《北部湾渔业合作协定》，北部湾海域得到了公平的划分。对于中越两国在南海问题上的争议，双方已建立了磋商机制，一致同意通过谈判寻求一项双方都能接受的基本和长久的解决办法。两国重大边界问题的解决，既为中越友好合作关系顺利发展奠定了基础，也为中国与其他周边国家在公正合理地和平解决相互间的领土争端树立了典范。

在经贸关系方面，中国已成为越南第一大贸易伙伴。中越双边贸易额1991年只有约3200万美元，2006年增加到99.5亿美元。在双边贸易额稳步增加的同时，中越双边投资合作领域不断拓展，大型合作项目也取得了新的突破。

3.与东盟整体关系的大发展

随着冷战格局的结束，中国改革开放事业的不断推进以及东盟自主地位的增强，中国—东盟关系的发展迎来了难得的历史机遇。在冷战后的十几年时间里，中国与东盟在政治、经贸等各个领域的关系都取得了长足的发展，中国参与东盟主导的多边机制的态度也从怀疑、小心转变为乐观、热情。在参与模式上也从被动卷入，变为积极参加并提出前瞻性建议。

中国与东盟绝大多数成员国一样同属发展中国家，在冷战格局结束后，双方都面临着维护本地区和平、促进地区发展的重要任务。中国与东盟的合作就是开启于这样一个大背景下。中国与东盟的对话活动开始于1991年。在双方的共同努力下，中国与东盟的政治关系经历了由对话伙伴到睦邻互信再到战略伙伴的过程，实现了三大跨越。1991年7月，国务委员兼外长钱其琛应邀首次出席在吉隆坡举行的第二十四届东盟外长会议开幕式，中国开始与东盟对话。1996年7月，第二十九届东盟常设委员会第六次会议将中国由过去的东盟磋商伙伴国升格为东盟全面对话伙伴国。1997年12月，中国参加首次东盟—中、日、韩(“10＋3”)领导人非正式会议。双方于同年建立了面向21世纪的睦邻互信伙伴关系，并建立了双方领导人年度会晤机制。2003年10月，在巴厘岛举行的第七次“10＋1”领导人会议上，中国政府宣布加入《东南亚友好合作条约》，并与东盟签署了建立“面向和平与繁荣的战略伙伴关系”的联合宣言。中国因此成为东盟的第一个战略伙伴，成为东盟组织外第一个加入《东南亚友好合作条约》的域外大国，东盟也成为和中国建立战略伙伴关系的第一个地区组织。政治互信的不断增强，为中国—东

① 中华人民共和国外交部政策研究室编:《中国外交》，世界知识出版社，2000年版，第62页。

盟通过对话协商和平解决领土、领海问题奠定了基础。在南海问题上，从维护地区和平、稳定的大局出发，中国创造性地提出了“搁置争议、共同开发”。2002年11月4日，中国同东盟各国签署《南海各方行为宣言》，这一宣言是中国与东盟签署的第一份有关南海问题的政治文件，对维护我国主权权益，保持南海地区和平与稳定，增进中国与东盟互信有重要的积极意义，为相关国家在南海开展务实合作和共同开发奠定了重要的政治基础。2005年3月，中、菲、越三国的三家石油公司签署《在南中国海协议区三方联合海洋地震工作协议》，这是“搁置争议、共同开发”的初次实践，是南海沿岸三个邻邦共同落实《南海各方行为宣言》的重要举措。①

二

冷战结束后中朝关系的发展

冷战结束后，整个国际形势发生了巨大变化，东北亚的国际战略格局也经历着深刻的重组。中朝关系在这种新旧格局交替的历史过程中也遇到一些新的课题。1991年9月朝鲜和韩国同时加入了联合国，特别是中国与韩国建交后，中朝传统友好关系经受了考验，并在新形势下得到进一步的发展。

作为社会主义国家，中国政府一如既往地积极支持朝鲜人民的社会主义建设事业，并给予了力所能及的帮助。1991年10月，金日成最后一次正式访华，当时邓小平因为年事已高，早已不再会见外国客人，但对金日成他还是破例会见。可见中朝关系在小平同志心中占有极其重要的位置。1992年4月，中国国家主席杨尚昆在平壤参加金日成主席80寿辰庆祝活动时，首次向朝鲜方面提出了中方正在考虑与韩国建交的问题。② 7月，中国政府派遣钱其琛为特使前往平壤，向金日成通报中方与韩国建交的立场，并得到金日成主席的理解。③ 但中韩建交对中朝关系仍然造成了一定影响。1992年中韩建交后的一年时间里，中国和朝鲜之间没有重要的互访，双方的政治交往明显减少，两国关系显得较为平淡。伴随着中朝贸易结构的转型和经济合作的结构性变化，中朝贸易陷入停滞的状态。据统计，中朝之间的贸易额1993年为8.99亿美元，1994年下降为6.24亿美元，1995年进一步跌到5.50亿美元。④

但中朝两国的传统友谊是经受得住考验的。中韩建交后，中国仍然十分珍惜同朝鲜的传统友谊和团结，始终强调中朝友好合作关系，愿意继续推动同朝鲜友好关系向前发展。1993年7月26—29日，应朝鲜劳动党中央委员会和朝鲜政府邀请，中国派出以中共中央政治局常委、中央书记处书记胡锦涛为团长，国务委员兼国防部长迟浩田为副团长的中国党政代表团对朝鲜进行友好访问并参加了朝鲜“祖国解放战争胜利40周年”庆祝活动，使近年来两国高层不相往来的局面得到突破。同年9月，中国政府又分别派出人大和政协代表团访问朝鲜，主动加强与朝鲜

---

① 《平等互信合作共赢》，《人民日报(海外版)》，2006年10月30日。

② 钱其琛：《外交十记》，世界知识出版社，2003年版，第157页。

③ 同上，第157—160页。

④ 《中国对外经济贸易年鉴》，中国社会出版社，1995/1996年，第409页；《中国对外贸易统计1994—1995》，日本贸易振兴会，1996年10月，第2—3页。

方面的联系。4月11日,江泽民主席致电金正日,祝贺他在朝鲜九届五次最高人民会议上当选国防委员会委员长。由于当时因第一次朝核危机的发生而面临着来自美国的压力,朝鲜与中国之间需要相互进行协调。1994年6月,朝鲜人民军总参谋长崔光率领朝鲜军事代表团访华,这是中韩建交后朝鲜派出访华的第一个高级代表团。江泽民主席在会见中强调,"中国党和政府非常重视发展同朝鲜的友好关系","加强和发展中朝友谊,是我们党和政府坚定不移的方针,也是我们全党和全国人民的愿望,我们将为此作出自己的努力"。[①] 同年9月,朝鲜国家副主席李钟玉率领朝鲜党政代表团访华,江泽民、李鹏、荣毅仁等分别会见,并一再重申,"不管国际风云如何变幻,各自国内发生什么变化,这一友谊将是永恒的"。[②] 经过双方的共同努力,中朝高层互动逐渐加强,两国关系回到了正常状态。

1994年7月8日,金日成主席逝世。7月9日,邓小平同志专门发出唁电给朝鲜劳动党中央委员会。江泽民主席、李鹏总理和乔石委员长也同时联名致唁电给朝鲜劳动党中央、中央军委和政务院,对金日成主席不幸逝世表示最深切的哀悼。唁电说,"金日成同志一贯以极大的热忱维护和发展中朝两国人民的传统友谊,他同中国老一辈革命家结下了深厚的友谊,推动中朝友好合作关系不断向前发展。""中国人民将永远怀念他。我们坚信,朝鲜人民必将继承金日成同志的遗志,紧密团结在以金正日同志为首的朝鲜劳动党中央周围,为建设好自己的祖国,争取朝鲜半岛的持久和平而继续前进。中朝两党、两国和两国人民的友谊必将不断巩固和发展。"中国党和政府以极高的规格举行了悼念活动。江泽民、刘华清、胡锦涛、李鹏、乔石、李瑞环、朱镕基、丁关根先后前往朝鲜驻华大使馆出席了吊唁活动。[③] 这也从一个侧面体现出中方对中朝关系的高度重视。

中朝友好关系在金正日将军成为朝鲜最高领导人之后得到了巩固和发展。1994年9月,中朝两国领导人先后相互致电,对两国的国庆表示了祝贺,双方共同认为用鲜血凝成的中朝友谊应该继续得到加强和发展。9月27日—10月4日,朝鲜劳动党中央政治局委员、国家副主席李钟玉率领党政代表团访华并参加中国45周年国庆活动。江泽民主席在会见李钟玉时表示,相信朝鲜人民将在金正日同志为首的朝鲜劳动党中央领导下,继承金日成主席的事业,建设好自己的国家,并将两国间的深厚友谊更加巩固。同时还表示,中国希望维持朝鲜半岛的和平与稳定,支持朝鲜实现无核化,赞成通过和平对话解决朝鲜半岛的有关问题。[④] 这样,两国友好合作关系得到了进一步的巩固和发展。

连续几年较大的自然灾害使得朝鲜的经济出现比较严重的困难。这些因素导致中朝高层互访相对减少,但在朝鲜最困难的时候,中国还是伸出了援助之手。

---

① 《中国对外经济贸易年鉴》,中国社会出版社,1995/1996年,第409页;《中国对外贸易统计1994-1995》,日本贸易振兴会,1996年10月,第2648页。

② 同上,第2658—2660页。

③ 《江泽民等吊唁金日成逝世》:载于《人民日报》1994年7月12日;《李鹏乔石李瑞环朱镕基等吊唁金日成主席逝世》,《人民日报》,1994年7月14日。

④ 中华人民共和国外交部政策研究室编:《中国外交概览:1995》,世界知识出版社,1995年版,第29—30页。

1996年5月，朝鲜副总理洪成南访问中国，中朝签订了中朝两国政府经济技术合作协定和中国向朝鲜无偿提供粮食援助的换文。同年7月《中朝友好合作互助条约》签订35周年纪念期间，中朝两国都举行了隆重的纪念活动。两国领导人相互热情互致贺电。中国国务委员兼国务院秘书长罗干率领中国代表团访问朝鲜，朝鲜政务院副总理金润赫率友好代表团访华，在对方首都参加了纪念活动，同时表达了对相互友谊的重视。①

1998年9月，金正日正式出任朝鲜国防委员会委员长，中国国家主席江泽民立即致电表示最热烈祝贺，衷心祝愿兄弟的朝鲜人民"在建设朝鲜式社会主义和争取国家自主和平统一的事业中不断取得新的胜利"，"具有悠久历史传统的中朝友谊合作关系在两党、两国政府和两国人民的共同努力下一定会得到进一步的巩固和发展"。② 1999年6月3日—7日，朝鲜最高人民会议常任委员长金永南率领朝鲜政府代表团对中国进行了正式友好访问，朝内阁总理洪成南等其他高级领导人一同来访。③ 江泽民主席、李鹏委员长和朱镕基总理分别与金永南会见或会谈，就两国关系和共同关心的地区和国际问题深入交换了意见，中国领导人指出，"进一步巩固和发展传统的中朝友好合作关系，不仅符合两国人民的共同愿望和根本利益，而且有利于本地区乃至世界的和平与稳定。……希望双方适应形势的发展变化，为进一步发展两国传统友好合作关系而共同努力。"双方决心共同努力将两国友好合作关系带入新世纪。④ 这是自金日成主席逝世后朝鲜的首次高规格国家代表团访华，表明中朝两国高层领导人互访得以恢复，中朝友谊也将继续得到发展。同年10月，中国外长唐家璇访问朝鲜并参加中朝建交50周年纪念活动，中朝关系出现了新的起色。⑤

在整个20世纪90年代，中国政府积极发展与朝鲜的经济合作关系。1992年1月，为适应改革开放进一步深入的需要，中国主动提出与朝鲜签订新的贸易协定，决定将过去以物易物的贸易方式转变为用外汇结算，而且希望两国间的企业往来尽量减少政府的干预与限制。⑥ 中国政府多次与朝鲜方面达成协议和换文，以便中国向朝鲜提供粮食和煤炭等物资方面的援助。两国间的科技合作和文化交流不断得到发展。总体来说，中朝关系不仅经受住了冷战结束后国际局势变化的考验，而且在新的基础上两国的传统友谊得到了进一步的巩固和提高。

三

中韩建交与两国关系的发展

朝鲜战争的爆发和中国的抗美援朝使得中国与韩国在冷战期间长期处于敌对状态，两国在政治上直接对立，外交上互不承认、民间断绝往来，国家间关系处

① 中华人民共和国外交部政策研究室编:《中国外交概览:1997》，世界知识出版社，1997年版，第28—29页;另见《人民日报》1996年7月10—12日的有关报道。

② 《人民日报》，1998年9月7日。

③ 中华人民共和国外交部政策研究室编:《中国外交概览:2000》，世界知识出版社，2000年版，第33页。

④ "李鹏与金永南举行会谈"，《人民日报》，1999年6月4日。

⑤ 中华人民共和国外交部政策研究室编:《中国外交》，世界知识出版社，2000年版，第35页。

⑥ 《人民日报》(海外版)，1992年1月29日。

于相互隔绝的状态。20世纪七八十年代，伴随着国际形势的变化，中韩两国政府不失时机地作出政策调整，以缓和对立关系。中国政府以坚定的态度、务实的精神、稳定的步伐，不懈地推动着中韩两国关系向正常化迈进。在两国政府的共同努力下，中韩关系迎来了新曙光。

1. 中韩建交的历程

推动中韩关系松动以至建交，是当代中国外交中非常困难、十分棘手且敏感的一项工作。冷战的结束为两国关系的建立创造了有利的条件。

20世纪60年代末70年代初，国际局势和东北亚地区国际关系出现重大变化，中美关系改善、中日关系正常化，东西方出现了新的缓和。在这种背景下，1973年6月23日，韩国总统朴正熙发表了旨在改善同社会主义国家关系的“关于和平统一外交政策的特别声明”，即“六二三和平宣言”，表示在“平等互惠”的原则下，韩国将向包括苏联和中国在内的所有一切国家实行门户开放政策，不管其意识形态和社会制度是否存在差异，其核心内容是：只要不敌视韩国，即使是意识形态与社会制度不同的国家，韩国也愿意与之改善关系。在此前后，韩国政府采取了一系列积极措施，发展与社会主义国家的关系，如修改相关法律，使与社会主义国家的交往合法化，允许与社会主义国家进行商贸活动，允许社会主义国家的商船进入韩国港口，允许社会主义国家的有关部门在韩国建立自己的商务机构等等。①

进入80年代，韩国更加积极地推行北方外交，谋求同中国的关系正常化。1983年，韩国总统全斗焕进一步指出，韩国不仅要同与朝鲜有关系、甚至关系密切的国家如苏联、中国建立外交关系，而且也不反对同韩国关系密切的友邦国家同朝鲜改善关系。为了推进与中国关系的发展，韩国制定了三阶段具体计划以实现同中国关系的正常化，即扩大体育交流、增加经贸往来、建立外交关系。对韩国的这一系列积极动作，中国开始适度地作出反应。而两次飞机事件的发生，为中韩两国关系的松动提供了机会。

1983年5月5日，中国民航296号客机在自沈阳飞上海的途中遭到6名武装暴徒劫持飞往韩国，被迫降落在汉城附近的春川佩奇营军用机场。5月7日，中国民航总局局长沈图率领民航工作组和机组人员一行33人飞抵汉城金浦机场，同韩国振幅谈判解决劫机事件。韩国在这次劫机事件中基本上予以了积极的配合，事件得以圆满解决。此次劫机事件成为双方官方接触的开始，进一步促进了两国体育、经贸等方面的交流与合作。

1983年8月，在北京申办1990年第11届亚运会之际，中国致函亚奥理事会表示，如果申办成功，将欢迎包括韩国在内的亚奥理事会全体成员派团参加。考虑到中朝关系，中方及时向朝鲜作了通报。②从此，中韩两国在体育事业领域内开始有了交流，两国人民交流的局面逐渐打开。1986年中国派出规模庞大的体育代表团参加在汉城举办的第十届亚洲运动会。汉城出现了欢腾的“中国热”。

随着体育、文化交流的增多，两国间的敌意逐渐减弱，韩国开始酝酿并推动两国政治关系的突破。1988年2月25日，韩国总统卢泰愚宣布，将积极推动北方外

① 郭镇之主编：《跨文化交流与研究韩国的文化和传播》，北京广播学院出版社，2004年版。

② 钱其琛：《外交十记》，世界知识出版社，2003年版，第151页。

交。7月7日，卢泰愚发表七七宣言，提出实现民族和解六点主张。而随后苏东剧变，韩国与多个社会主义国家建交，"北方外交"取得显著成绩。与此同时，中国也转变思维，开始调整对朝鲜半岛的政策，采取灵活措施，松动与韩国的关系。而此时朝鲜半岛南北关系的缓和为中国调整政策提供了良好环境。1991年9月17日，半岛南北双方同时加入联合国，解决了中韩建交的一大难题。从此，中韩官方层次交往增多，两国关系正常化进程加快。

随着两国良性互动的增加，中韩双边贸易进一步发展。为进一步推动双边贸易的发展，中国于1988年决定与韩国开展民间直接贸易，取代多年来的间接贸易。1988年底，钱其琛外长就我方打算在韩国设立贸易机构这一问题向朝方表明了立场，指出建立贸易机构的不可避免性。1990年9月，江泽民主席与金日成主席会见时，也就这个问题开诚布公地交换意见。半年后，金日成再访中国时正式表示：如果你们感到确有必要在韩国设立贸易代表处，我们充分理解。[①] 至此，双方最终就此问题达成谅解。中国国际贸促会与韩国大韩贸易振兴公社经过几轮谈判，于当年10月在北京就互设民间贸易办事处问题达成了协议。1990年，中国开始考虑与韩国互设民间贸易办事处的问题。1991年1月和4月中韩双方在北京和汉城正式设立代表处，这在中韩关系发展史上具有重要意义。也正是这一年，韩国大型体育代表团来北京参加了第11届亚运会，朝鲜也派大型体育代表团参赛。这样，对韩国政策的调整取得成功。

1991年11月13日，亚太经合组织第三届部长级会议在汉城开幕，中国国务委员兼外长钱其琛率代表团于11月12日抵达汉城。这是在中韩没有外交关系的情况下，中国第一个高级代表团来到汉城，引起国际上的高度关注。12日下午，卢泰愚总统在集体会见前来参加亚太经合组织第三届部长级会议的各国代表团之后，在青瓦台总统府单独会见了与韩国没有外交关系的中国外长钱其琛，表示韩方愿意结束隔绝的历史，加强往来，尽快与中国建交。

此次中国出席汉城部长级会议成为了中韩关系的"转折点"。此后，有关中韩建交问题渐渐提上了日程。1992年4月15日，联合国第48届亚太经社理事会第45届年会在北京召开，韩国外务部长官李相玉率团参加。会议期间，中国总理李鹏会见李相玉，双方就两国建交和加强经济联系等问题交换了意见。随后，钱其琛外长与李相玉进行会谈，双方除讨论了与年会有关的问题外，还就两国关系问题交换了意见，并就双方继续进行秘密接触事宜达成了协议。根据两国外长协议，双方很快任命了大使级谈判代表，开始了在北京和汉城的秘密接触，实际上是建交谈判的开始。[②]

1992年5月13日，韩方副代表权丙铉大使率领一个七人代表团抵京，开始了中韩建交的正式外交谈判。中方首席代表由徐敦信副外长担任，副代表由张瑞杰担任。具体商谈在双方副代表之间进行。经过三次谈判，双方关注的问题得到陆续解决，中韩建交谈判基本结束。

7月29日，中方首席代表徐敦信副外

① 钟之成：《为了世界更美好——江泽民出访纪实》，世界知识出版社，2006年版，第5—6页。
② 张庭延：《跨越历史的时刻——中韩关系演变回顾(下)》，载《当代韩国》，2006年春季号。

长、韩方首席代表卢昌熹外务次官在北京草签了建交公报。1992年8月24日，中国国务委员兼外长钱其琛同韩国外务部长官李相玉在北京分别代表本国政府签署《建交联合公报》。韩国方面承诺，“承认中华人民共和国政府为中国的唯一合法政府，并尊重中方只有一个中国、台湾是中国的一部分之立场”；中国方面则“尊重朝鲜民族早日实现朝鲜半岛和平统一的愿望，并支持由朝鲜民族自己来实现朝鲜半岛的和平统一”[①]。自此，中国与韩国正式建立外交关系，两国关系开始步入一个崭新的阶段。

2.20世纪末期中韩关系的发展

中韩两国关系正常化，为双方在各个领域的交流与合作扫清了障碍，双方关系在政治和经济领域的友好合作关系迅速得到发展。两国关系突出的特点是，两国领导人之间经常保持密切的交往，从而保持着相互之间的密切关系。

1992年9月27日，韩国总统卢泰愚率团访华。这是大韩民国新中国成立以来第一位访问中国的国家元首，也揭开了中韩两国建交后高层领导人互访的序幕。访华期间，卢泰愚分别与中国领导人杨尚昆、江泽民、李鹏等举行会谈，就进一步发展双边友好合作关系以及地区和国际形势广泛交换了意见。[②] 9月30日，中韩两国政府签订《中韩贸易协定》、《中韩投资保护协定》、《中韩关于设立经济、贸易、技术联合委员会协定》以及《中韩科学技术协定》。这些协定的签署不仅有助于加强和拓展两国在经贸、科技等领域的交流与合作，还为两国的经济合作确立了基本框架。卢泰愚的中国之行，开启了双方高层互访的大门，为增进两国友好合作，共同开发未来建立了一个新的里程碑。[③]

1993年5月26日—29日，国务院副总理兼外交部长钱其琛应韩国外务部长官韩升洲邀请访问韩国，接受金泳三总统会见。钱副总理同金泳三总统和韩升洲外务长官就两国关系、国际和地区形势等问题广泛、深入地交换了意见，双方对中韩建交以来两国关系的发展表示满意。双方签署了《中华人民共和国政府和大韩民国政府海运协定》。9月27日—10月2日，国务院副总理李岚清率中国政府代表团访问韩国。接受金泳三总统会见了李岚清。11月19日，江泽民主席在美国西雅图参加亚太经合组织领导人非正式会议期间会见了韩国总统金泳三。

1994年3月26日，韩国新当选总统金泳三应邀对中国进行了为期5天的正式访问，进一步巩固和发展了中韩两国的实质性协作。访华期间，金泳三总统与中方领导人就朝核问题进行了协商并就如何处理朝核危机达成一致。中韩政府间还签署了《中华人民共和国政府和大韩民国政府关于所得避免双重征税和防止偷漏税的协定》、《中华人民共和国政府和大韩民国政府文化合作协定》。1994年10月31日，中国国务院总理李鹏应韩国总统金泳三邀请对韩国进行友好访问。这既是对卢泰愚总统、金泳三总统先后访华的回访，也是中国领导人首次访问韩国，同时也是为了巩固朝鲜半岛和平并进一步加强中韩两国的经贸合作。访问期间，两国领导人不仅就如何进一步加强两国经济关系进行了讨论，还就朝鲜半岛形势广泛

---

① 《中韩两国建交联合公报》，《人民日报》，1992年8月25日。

② 中华人民共和国外交部外交史研究室编：《中国外交概览》，世界知识出版社，1993年版，第40页。

③ 《中韩签署四项协定——杨主席同卢泰愚总统话别》，《人民日报》，1992年10月1日。

地交换了意见。双方还签署了《中韩两国政府民用航空临时协定》、《中韩两国政府和平利用核能协定》及《中韩两国政府合作开发民用客机备忘录》等三个合作文件。① 中国总理李鹏还首次提出了发展中韩经贸关系四原则，即和平共处、长期友好，平等互利、优势互补，加强磋商、真诚合作，抓住机遇、共同发展。② 中国领导人对韩国的访问增进了两国和两国人民之间的相互了解和友谊，进一步促进了中韩睦邻友好合作关系的发展，也将有利于朝鲜半岛的和平与稳定。③ 11月4日，江泽民主席在出席亚太经济合作组织领导人非正式会议期间同金泳三总统会晤，就双边关系等问题进行了友好交谈。江泽民主席强调，不断发展中韩关系符合双方愿望和利益，也有利于朝鲜半岛以及东北亚地区的和平与稳定。④

1995年4月17日—22日，应韩国国会议长黄珞周的邀请，全国人大常委会委员长乔石对韩国进行正式友好访问。访问期间，乔石委员长会晤了金泳三总统、黄珞周议长和李洪九总理，就两国关系和相互关心的国际问题交换了意见；同韩国各界人士特别是经贸界人士进行了广泛接触。5月9日—15日，应李鹏总理的邀请，韩国国务总理李洪九对中国进行正式访问。李鹏总理同李洪九总理举行会谈，就进一步发展两国关系和朝鲜半岛形势等共同关心的问题交换了意见。江泽民主席、乔石委员长分别会见了李洪九总理。⑤ 11月13日，中国国家主席江泽民对韩国进行正式国事访问。这是中国国家主席首次访问韩国，将中韩友好关系推向了一个高潮。访问期间，江泽民先后会见了韩国总统金泳三、总理李洪九和国会议长黄珞周等，双方就国际关系及国际形势等彼此共同关心的问题交换了意见。⑥ 江泽民表示，“中国愿意本着平等互利、优势互补、真诚合作、共同发展的原则，继续深化同韩国的经贸关系”。金泳三也强调，“为了21世纪人类的和平与繁荣，韩国将永远成为中国的亲密近邻和良好伙伴”。⑦ 江泽民的访问获得了圆满成功，在两国关系史上具有重要的历史意义。

1996年3月1日，出席亚欧会议的国务院总理李鹏在曼谷会见了韩国总统金泳三，双方就共同感兴趣的问题交换了意见，并对建交以来双边关系的迅速发展表示满意。同年11月24日，出席亚太经合组织（APEC）领导人非正式会议的国家主席江泽民在菲律宾会见了韩国总统金泳三。江泽民主席表示，中国重视和韩国的关系，愿在和平共处五项原则基础上与韩国共同努力，使中韩友好关系沿着长期睦邻友好、互利合作的道路不断前进。⑧

1997年1月28日至2月1日，韩国议长金守汉率领韩国国会代表团对中国进行正式友好访问。江泽民主席和全国人大常委会委员长乔石分别会见。2月20日，韩国总统金泳三、国会议长金守汉分

① 刘金质、杨淮生主编：《中国对朝鲜和韩国政策文件汇编》，中国社会科学出版社，1994年版，第2665页。
② 同上，第2670页。
③ 《祝贺李鹏总理访问韩国取得圆满成功》，《人民日报》，1994年11月5日。
④ 中华人民共和国外交部外交史研究室编：《中国外交概览》，世界知识出版社，1995年版，第33页。
⑤ 中华人民共和国外交部政策研究室编：《中国外交》，世界知识出版社，1996年版，第24页。
⑥ 同上，第25页。
⑦ 《金泳三总统举行隆重仪式欢迎江泽民主席——中韩两国元首举行会谈》，《人民日报》，1995年11月15日。
⑧ 中华人民共和国外交部政策研究室编：《中国外交》，世界知识出版社，1997年版，第31页。

别致电江泽民主席、乔石委员长，对邓小平逝世表示哀悼。在8月24日中韩建交五周年之际，中韩双方举行了一系列纪念活动。江泽民主席与金泳三总统互致贺电。两国驻对方的使馆分别举行大型招待会。应中国政府邀请，韩国副总理兼财政经济院长官姜庆植于8月20日—24日率团访华，并出席中方为建交五周年举行的纪念活动。国家主席江泽民会见。同年11月24日，出席亚太经济合作组织（APEC）领导人非正式会议的国家主席江泽民在加拿大温哥华会见韩国总统金泳三，双方就两国关系和共同关心的地区、国际问题交换了意见。①

1998年4月2日，国务院总理朱镕基、外交部长唐家璇在伦敦参加亚欧会议期间，分别会晤了韩国总统金大中、外交通商部长官朴定洙。4月26日—30日，国家副主席胡锦涛访问韩国。韩国总统金大中、代国务总理金钟泌、议长金守汉和外交通商部长官朴定洙等会见。胡锦涛同韩国领导人就在世纪之交新形势下如何实现中韩睦邻友好关系长期稳定的发展坦诚、深入地交换了意见，并与韩国各政党、工商界人士进行了广泛的接触。8月1日，韩国总统金大中致电国家主席江泽民，对中国遭受特大洪水灾害表示慰问。同年12月22日，第三次中韩文化共同委员会会议在北京召开，双方签署了《1999—2000年中韩两国政府文化交流计划》。②

1998年11月11日，韩国总统金大中访华，双方在峰会后发表了一项联合声明，决定建立面向21世纪的合作伙伴关系，将中韩关系推向新的高潮。另外，双方还签署了《中韩刑事司法协助条约》、《中韩关于简化签证手续和颁发多次签证的协定》、《中韩两国政府青年交流谅解备忘录》和《中国铁道部和韩国建设交通部铁路交流与合作协定》，并草签了两国渔业协定。③ 这些协定和文件的签署，标志着两国关系正在向更深入、更密切的方向发展，也为中韩建立面向21世纪的合作伙伴关系构筑了基本框架。

1999年5月9—15日，应韩国政府邀请，中国人民政治协商会议全国委员会主席李瑞环对韩国进行正式友好访问。访问期间，韩国总统金大中、总理金钟泌、国会议长朴浚圭分别会见，双方就进一步发展中韩关系和共同关心的问题交换了看法，表示将为进一步充实面向21世纪的中韩合作伙伴关系的内涵而努力。9月11日，中国国家主席江泽民在新西兰奥克兰出席亚太经合组织（APEC）第七次领导人非正式会议期间会见韩国总统金大中，双方就双边关系、朝鲜半岛形势等共同关心的问题交换意见。

以上分析可以看出，中韩两国建交以来，两国领导人几乎每年都进行相互访问。由于在政治上两国高层互访频繁，从而加深了相互了解与信任，促使两国关系向着纵深发展。

随着中韩两国政治关系的快速发展，20世纪末期两国的经贸关系也取得了很大发展。为了中韩两国的经贸关系的持续健康增长提供制度性保障，两国建交后签署了一系列重要的双边经贸条约。1992年12月14日—16日，中韩两国政府间第一次经济技术合作联委会会议在北

① 中华人民共和国外交部政策研究室编：《中国外交》，世界知识出版社，1998年版，第38—39页。
② 同上，第35—38页。
③ 同上，第35页。

京举行，双方就中韩贸易现状以及今后的合作交换了意见。① 从某种意义上讲，此次会议的召开在中韩贸易史上具有划时代的意义。1993 年对于中韩经贸关系而言是不同寻常的一年。在这一年有中韩经贸史上的几个“第一”。② 1993 年 7 月，韩国递信部长官尹东润访华期间，双方签订了两国政府邮电合作协定。同年 7 月 1 日，中国空间技术研究院和韩国航空宇宙研究所签署了中韩空间技术合作谅解备忘录。1994 年 6 月 6 日，中韩两国政府签署了《中华人民共和国政府和大韩民国政府关于成立“中韩产业合作委员会”的协议》和《中华人民共和国政府和大韩民国政府关于民用航空工业技术合作与开发的谅解备忘录》。6 月，在汉城举行了中韩产业合作委员会第一次会议。双方确定支持和鼓励双方相关企业在汽车、民用客机、高清晰度电视、新一代程控电子交换机等四个领域进行产业合作。同年 12 月 13 日，中韩核安全合作协议在汉城签署。③ 1997 年 5 月 23 日，中韩两国政府签署了《中华人民共和国与大韩民国政府职业培训合作协议》。8 月 26 日，中国和韩国在首尔就中国加入世界贸易组织问题达成协议。同年 10 月，双方签署了中韩合作在华建立劳动就业培训中心的协议。④

中韩两国政治关系的改善直接促进了双方经济和贸易关系的紧密结合。1992 年韩国对华投资 171 项，金额 1.412 亿美元，分别比上年增长 147.8% 和 132.2%。据中国海关总署统计，1992 年中国同韩国贸易总额为 50.6061 亿美元，其中中国出口额为 24.3745 亿美元，进口额为 26.2316 亿美元，分别比上年增长 11.8% 和 14.6%。⑤ 据中国海关总署统计，1993 年中韩双边直接贸易总额为 82.20 亿美元，1994 年中韩双边贸易额达 117.2 亿美元，1995 年中国和韩国贸易总额为 169.82 亿美元，1996 年中国同韩国贸易总额为 199.92 亿美元，1997 年中国同韩国贸易总额为 240.36 亿美元，其中中方出口额为 91.16 亿美元，进口额为 149.2 亿美元。1998 年，中国同韩国贸易总额为 212.64 亿美元，其中中方出口额为 62.69 亿美元，进口额为 149.95 亿美元。受金融危机影响，1998 年中韩贸易总额比 1997 年下降了 11.6%。⑥ 这是中韩建交以来中韩贸易额首次下降。1999 年，中国

① 中华人民共和国外交部外交史研究室编：《中国外交概览》，世界知识出版社，1993 年版，第 41 页。

② 1993 年 3 月 9 日—4 月 4 日：对外贸易经济合作部负责人王文东率中国长江流域投资洽谈会代表团访韩。这是由中国政府组织的第一次长江流域跨省市投资洽谈会。5 月 19 日，中国银行副行长杨惠求与韩国输出入银行行长金荣彬在汉城签署了韩国向中国吉林省提供 1.4 亿美元的买方信贷贷款。这是中韩建交以来韩方提供的第一笔大额贷款。5 月 20 日—26 日，中国贸易展览会在汉城举行。来自中国 17 个省、市的 93 家公司和企业参展。本届展览会是中韩建交以来中国在韩国举办的首次大型展览会。5 月 25 日，中国人民建设银行汉城代表处正式开业。这是建设银行在英国伦敦和日本东京设立代表处后的第三个海外机构。8 月底，1993 年中韩国际经济贸易技术洽谈会在山东烟台举行。本次洽谈会是中韩建交以来首次联合举办的大型经贸洽谈会，包括贸易洽谈、合资合作洽谈、技术交流与产品展示、融资与咨询服务等内容。10 月 8 日，韩国大宇水泥有限公司在北京宣告成立。这个由韩国大宇集团全额投资 3 亿美元的水泥厂是当时外商在中国投资规模最大的独资项目。引自：中华人民共和国外交部外交史研究室编：《中国外交概览》，世界知识出版社，1994 年版，第 38 页。

③ 中华人民共和国外交部外交史研究室编：《中国外交概览》，世界知识出版社，1995 年版，第 34 页。

④ 同上，第 39 页。

⑤ 同上，第 39 页。

⑥ 同上，第 37 页。

同韩国贸易总额为 250 亿美元，其中中方出口额为 78 亿美元，进口额为 172 亿美元，分别比上年增加了 17.7%、24.9%和 14.7%。截至 1997 年 9 月底，中国批准韩国企业来华投资项目 9302 项，协议金额 124.78 亿美元，实际使用 51.48 亿美元。① 截至 1998 年底，中国共批准韩国企业来华投资项目 11177 项，协议金额 148.35 亿美元，实际使用 72.89 亿美元。② 截至 1999 年底，中方共批准韩国企业来华投资项目 12825 项，协议金额 163.81 亿美元，实际使用 87.4 亿美元。③ 很明显，1999 年的各项经贸指标都显著高于中韩建交后的历年。从以上统计数据可以看出，从中韩两国建交后到 20 世纪末，两国经贸关系不断发展和深入。

由于中韩两国政治关系的改善和发展，在科技文化领域，两国间的交流也日益增多，不仅加深了两国科技文化界的相互认识和了解，而且对两国的政治和经贸关系的进一步深入发展也奠定了良好的基础。1993 年 6 月 29 日，中国韩国友好协会在北京成立，朱穆之任会长。同年 9 月 9 日，中韩两国奥林匹克委员会签署了中韩体育交流协定。同年 10 月 23 日，北京市市长同韩国首尔市李元钟市长签署了北京首尔结成友好城市协议。同时还签署了北京与首尔"关于加强经济交流和协作的谅解备忘录"和"1994 年两市友好交流项目备忘录"。④ 1995 年 7 月 18 日—22 日，朴烘植长官率韩国教育代表团访华，签署《1995—1997 年中韩教育交流与合作协议》。⑤ 该协议的签署，对促进中韩两国教育文化交流起到了非常积极的促进作用。在中韩两国教育交流史上具有重要的基础性地位。1998 年 12 月 22 日，第三次中韩文化共同委员会会议在北京召开，双方签署了《1999—2000 年中韩两国政府文化交流计划》。⑥

总之，中韩建交以来，两国关系在各个领域彼此促进，得到了快速良好的发展，为新世纪中韩关系的进一步深入发展打下了坚实的基础。

四

90 年代中印建设性战略伙伴关系

冷战结束后，中国在与南亚其他国家保持睦邻友好关系的同时，积极推动与印度关系的顺利发展。从中国的角度来说，改善与印度的关系主要有以下几个方面的考虑：首先，中印是世界上两个最大的发展中国家，对许多重大国家问题的看法都有相同或相似之处，两国需要在国际事务，特别是南南合作中相互支持与合作。其次，中国与印度都在致力于发展本国经济，都制定了雄心勃勃的，面向 21 世纪的现代化计划，两国都需要有一个和平、稳定的周边环境。最后，中印关系的改善，有利于中国防止达赖集团和某些西方国家利用印度搞"西藏独立"，有利于我国大西南地区的稳定和安全。⑦ 与此同时，印

① 中华人民共和国外交部外交史研究室编：《中国外交概览》，世界知识出版社，1995 年版，第 40 页。
② 同上，第 40 页。
③ 同上，第 37—40 页。
④ 中华人民共和国外交部外交史研究室编：《中国外交概览》，世界知识出版社，1994 年版，第 40 页。
⑤ 同上，第 28 页。
⑥ 同上，第 38 页。
⑦ 孙士海主编：《南亚的政治、国际关系及安全》，中国社会科学出版社，1998 年版，第 253—254 页。

度方面也在积极考虑与中国的关系问题。这样中印两国都把改善彼此之间的关系重新放在比较重要的位置上。

1991年12月，李鹏总理应印度总理拉奥的邀请对印度进行正式友好访问。两国总理在会谈中一致同意，继续保持两国领导人的高层互访，推动双方关系的深入发展，开拓和深化政治、经贸、科技、文化等各领域的合作，并一致认为，两国之间的边界问题不应成为发展关系的障碍，表示希望通过友好协商早日达成双方都能接受的解决方法。双方一致认为，在复杂多变的国际形势下，发展中国家应相互支持，加强在国际事务中的合作，共同对付面临的挑战。双方签订了包括《中华人民共和国和印度共和国关于在孟买和上海设立总领事馆的协议》、《中国政府和印度政府关于恢复边界贸易的备忘录》等6份文件，还共同发表了《联合公报》。①

1992年5月，应杨尚昆主席的邀请，印度总统文卡塔拉曼对中国进行国事访问。这是中印建交以来印度总统首次访华，在两国关系史上具有重要意义。杨尚昆主席、江泽民总书记和李鹏总理分别会见了印度总统。两国领导人对近年来两国关系的发展给予积极评价，赞扬中印50年代共同倡导的和平共处五项原则已成为当今国际社会公认的国与国关系的基本准则。双方一致同意继续保持两国间高层接触，扩大两国在各个领域的合作。双方认为，中印边界问题是复杂的，主张继续通过和平谈判早日找到双方都能接受的解决办法，同时采取必要的信任措施，确保边境地区的和平与安宁，为解决边界问题创造良好的气氛和条件。在谈及西藏问题时，印度总统重申，西藏是中国的一个自治区，西藏问题是中国的内政，外国不得进行干涉。印度政府不支持达赖喇嘛在印度领土上进行任何反对中国政府的政治活动。两国领导人还介绍了各自国内的建设情况，并就共同关心的国际、地区问题交换了看法。②

1993年9月，印度总理拉奥应李鹏总理的邀请，对中国进行回访。拉奥访华期间，中印两国正式签署了《关于在中印边境实际控制线地区保持和平与安宁的协定》等4份文件。协定明确规定，中印边界问题应该通过和平友好方式协商解决，双方互不使用武力或以武力相威胁。在两国解决边界问题之前，彼此严格尊重和遵守双方之间的实际控制线。双方将把实际控制线地区各自的军事力量保持在最低水平，以便于两国日益发展的睦邻友好关系相适应。③ 这一协定，在很大程度上改善了中印关系的气氛，为最终解决边界问题创造了有利条件。

1994年2月，中印外交军事专家小组开始轮流在两国举行会议，并制定了《工作条例》。1995年3月4日，“中—印外交军事联合专家小组”新德里第三轮会议决定，两国边界军方指挥官除在东段的棒拉和西段的斯潘古尔举行定期会晤外，还将在乃堆拉山口及中段的一个点进行会晤。这一决定意义重大，印度舆论认为，“中国从未承认锡金并入印度这一事实，而双方现在同意在乃堆拉山口举行边界会晤，谈论实际控制线的确定问题，表明中国承认

① 《中印总理举行第二轮正式会谈》，《人民日报》，1991年12月14日。

② 中华人民共和国外交部外交史编辑室：《中国外交概览》，世界知识出版社，1993年版，第87页。

③ 《中印签署关于边界问题等文件》，《人民日报》1993年9月8日；中华人民共和国外交部外交史编辑室：《中国外交概览》，世界知识出版社，1994年版，第94页。

锡金的现实地位”[1]。当年夏天，在喜马拉雅山拉达克地区的两国边界沿线，双方举行了联合军事演习。1995年印度海军访问了中国。这期间，双方还进行了包括国防部长在内的多层次的军事领导人之间的互访。[2] 此外，双方努力促进边境贸易，增开了面向对方的贸易口岸，在边境地区创造了一种良好的祥和气氛。[3]

在双方的共同努力下，中印关系逐渐走向了正常的轨道，从而促使双方决定将两国关系提升到伙伴关系的程度。1996年11月29日到12月1日，中国国家主席江泽民应印度总统夏尔马的邀请，对印度进行国事访问。通过两国领导人之间的友好会谈，认识到两国的共同利益远远大于分歧，只要双方在和平共处五项原则的基础上增进信任，加强协商，以长远的眼光看待和处理相互关系，就没有解决不了的问题。基于此，双方决定建立“面向21世纪的建设性合作伙伴关系”。[4] 访问期间双方签署了四项重要协定：《关于中印边境实际控制线地区军事领域建立信任措施的协定》、《关于打击非法贩运毒品、精神药物和麻醉品及其他犯罪活动的合作协定》、《关于印度在香港保留总领事馆的协定》和《中印海运协定》。其中《关于中印边境实际控制线地区军事领域建立信任措施的协定》尤为重要，规定裁减军队、停止大规模军事演习及避免向对方使用武力，这是双方加强边境地区信任措施的一项非常重要的行动，该协定的签署有助于进一步维护中印边境实控线地区的和平与安宁，它使两国安全关系明显得到改善。

江泽民这次访印，标志着中印关系已经进入一个新阶段。[5] 江泽民在印度接受记者采访时指出，这一协定的签订，有助于加快核实实际控制线的进程和进一步维护边境地区的和平与安宁，并为边界问题的最终解决创造良好的气氛。这也是中印两国为维护本地区的安全与稳定作出的积极贡献。[6] 中国方面真诚希望与印度长期和平共处、睦邻友好、互惠合作、互助发展。[7] 中印两国从恢复正常国家关系，进入建立建设性合作伙伴关系的阶段，双方关系得到了新的提升。

五

中国与蒙古关系的发展

新中国成立到20世纪60年代初，两国关系发展顺利。从1956—1965年，我国向蒙提供三笔援款（总额为4.6亿旧卢布），无任何附加条件向蒙派遣了1.8万名专家和工人。1960年5月27日至6月1日，周总理访蒙并签署了《中蒙友好互助条约》，奠定了中蒙关系的基础。1962年12月25日—27日，蒙古主要领导人泽登巴尔访华并签订了《中蒙边界条约》，顺利划定了两国边界线。[8]

从60年代中期到80年代中期，在中

---

① 转引自孙士海主编：《南亚的政治、国际关系及安全》，中国社会科学出版社，1998年版，第143页。
② 中华人民共和国外交部外交史编辑室：《中国外交概览》，世界知识出版社，1995年版，第93页。
③ 苏浩“中印经贸关系的现状、前景及对策建议”，《南亚研究季刊》，1995年第4期。
④ 中华人民共和国外交部政策研究室编：《中国外交》，世界知识出版社，1998年版，第118页。
⑤ 徐平、李景卫：《江主席同印度总理高达会谈》，《人民日报》，1996年11月30日。
⑥ 《新华月报》，1997年第1期，第95页。
⑦ 苏浩著：《90年代中国外交中的伙伴关系》，《跨世纪的中国外交》，世界知识出版社，2000年版，第326页。
⑧ 韩念龙主编：《当代中国外交》，中国社会科学出版社，1987年版，第151页。

苏对抗的大背景下中蒙关系处于疏远和敌对状态。1983 年 11 月，乌兰巴托摔跤队应邀来呼和浩特、北京进行友谊比赛，这是两国冷漠 20 多年后的第一次接近。1984 年和 1986 年两国副外长实现了互访，双方开始了改善双边关系的交流。1987 年 6 月彭冲副委员长率领的全国人大代表团访问蒙古，1988 年 9 月蒙古大人民呼拉尔代表团对中国进行正式友好访问，开启了二十多年来两国议会间的首次正式接触。这年 11 月蒙古第一副外长达·云登访华。中国外长钱其琛在与云登的会谈中表示，中国希望两国营造和平共处五项原则基础上发展关系，并开展经济合作。云登则表示蒙古只有南北两个邻国，愿意同中国和苏联保持睦邻友好关系。访问期间中蒙两国签订了《关于中蒙边界制度和处理边境问题的条约》。这是中国与邻国签订的第一个这类条约。[①] 1989 年 8 月，中国外交部长钱其琛应邀对蒙古进行正式友好访问。蒙古领导人对中国的改革开放给予了积极的评价和肯定。这次访问标志着中蒙关系实现了正常化。

东欧剧变和苏联解体及经互会内部“经济一体化”的瓦解，使得蒙古失去了往日的支柱，与之三面相邻的中国便成为它今后生存发展的至关重要因素。冷战后蒙古奉行“等距离、多支点”外交战略。苏联解体后，俄罗斯停止对蒙古经援，并从蒙古全面撤军。失去依靠的蒙古不得不开始重新探索安全与发展的新路。虽然俄罗斯的撤离使蒙古一度陷入了政治迷茫和经济衰退，但同时也为蒙古摆脱俄罗斯的控制，实现真正独立提供了契机。蒙古从自身安全利益出发，决定放弃“一边倒”政策，引入大国利益，实行地缘战略，确立了同俄、中等距离友好交往，同时加强与美、日、欧盟等“第三邻国”关系的等距离、全方位、多支点的不结盟和中立外交路线。但是，作为蒙古的邻国，中国与蒙古有漫长的共同边界，有跨境的共同民族和共享的文化历史渊源，使得中蒙之间有着天然的亲近感。随着中俄积极构筑面向 21 世纪战略协作伙伴关系后，也使中蒙关系发展进入“快车道”。

1. 高层联系密切

1991 年 8 月，杨尚昆主席访蒙，这是中蒙建交 40 多年来中国国家主席首次访蒙。[②] 1994 年 4 月，李鹏总理应邀访蒙，双方签署了《中蒙友好合作关系条约》，这对长期、稳定地发展两国关系具有重要的政治意义。1998 年巴嘎班迪总统成功访华，两国发表了《中蒙联合声明》。蒙古认为它是确立两国发展面向 21 世纪的政治性文件。为保持两国高层接触的连续性，蒙古总统巴嘎班迪希望将在年内再次访华。1999 年 7 月，应蒙古国总统那楚克·巴嘎班迪的邀请，国家主席江泽民对蒙古进行国事访问，这是江主席首次访蒙。[③] 2003 年 6 月，中国国家主席胡锦涛对蒙古进行了国事访问，与蒙古总统那楚克·巴嘎班迪举行正式会谈，并在议会发表了《中蒙联合声明》，重申相互尊重各自的独立、主权和领土完整，尊重各自对本国发展道路的选择，主张加强在政治、经济和安全事务上的对话与合作，协商合作处理

① 中华人民共和国外交部外交史编辑室:《中国外交概览》，世界知识出版社，1989 年版，第 36 页。
② 中华人民共和国外交部外交史编辑室:《中国外交概览》，世界知识出版社，1992 年版，第 35 页。
③ 外交部政策研究室编:《中国外交》，世界知识出版社，2000 年版，第 29 页。

两国间出现的任何问题。[1]

2. 双边经济纽带拉紧

1991年中蒙签署了《关于蒙古国通过中国领土出入海洋和过境运输的协定》，我国将为蒙古国过境货物通过中国领土和使用天津港提供方便。中国还降低边贸收税率50%，并简化往返人员和货物进出境的手续。1990—1996年期间，商品贸易以26.7%的年均增长率上升。在此期间，中国分三次向蒙古国提供了总计达1.3亿元人民币的无息贷款。近几年，中蒙两国睦邻友好合作关系向新的深度和广度发展，中国市场与蒙古市场连接起来，成为带动蒙古经济发展的推动力。中国在蒙投资企业已达847家，协议投资额2.82亿美元，占在蒙投资企业总数的35.3%，投资总额的42.4%，已取代俄成为其第一大贸易伙伴和最大的投资国。

3. 增进军事信赖关系

蒙古从1990年起大幅度调整对外政策，1994年公布了《蒙古国外交政策构想》，正式确认"同俄罗斯和中国保持友好关系是蒙古国对外政策的主要目标"。蒙古为改善蒙中两军关系采取了一些措施。首先提出互派武官的问题，并主动邀请内蒙古军区司令员刁从洲率领的中国人民解放军代表团于1991年3月4日—19日访蒙。中国军事代表团受到高规格接待。1998年蒙古国防部长访华并签署了《蒙中领域合作协议》等一系列文件，为建立相互军事领域信任关系、开展边防合作、裁减边境地区驻军打下了良好基础。1999年蒙国防部长提议拟定了中蒙军事合作交流计划。此后，两国军方高层互访频繁。

发展中蒙友好关系符合两国人民的共同利益，增进和发展同蒙古国的睦邻友好关系，维护边境地区的安定，促进民族地区的团结与发展是中国对蒙政策的核心内容，也是中国周边政策的一个重要组成部分。而且，两国经济具有很强的互补性。中国可在蒙古参与东北亚经济合作中大有作为。

六

中国与中亚邻国的关系

对于冷战结束后从苏联分离出来而实现了独立的中亚国家，中国非常重视与它们建立和发展睦邻友好的国家间关系。从历史上来看，这些国家是中国与地中海沿岸国家交通必经的"丝绸之路"的国家，同中国有一定的历史情结。从现实来看，它们刚独立，从抛开原有的苏联政治经济机制到建立自己独立的机制，不免有不少困难，非常愿意同周边国家建立良好关系。在这样的背景下，中国开展主动积极的睦邻友好外交，同它们建立了很好的关系。总的看来，中国同这些中亚国家之间关系的发展主要在解决边界问题，交通连接，能源合作，反对"三股势力"和应对非传统安全问题等方面。

事实上，中国同苏联关于西段边界问题的谈判，在1991年12月后就成了需要中国同俄、哈、吉、塔四国一起谈判的问题了。1994年4月，中国同哈萨克斯坦签订了边界协定。中国同吉、塔之间继续保持谈判，而在取得协议之前双方保证维持边界现状，维护边界的安宁和平。至1996年，中国同哈、吉、塔、俄四国元首还签订了在边境地区加强军事领域信任的协定。

---

① 外交部政策研究室编:《中国外交》，世界知识出版社，2000年版，第185页。

1. 中哈关系的建立与发展

1991年哈萨克斯坦共和国刚宣布立国，12月27日中国便宣布予以承认。1992年是中哈建立关系的第一年，两国政治、经贸等领域的关系都顺利发展。1992年1月3日，由中华人民共和国经贸部部长李岚清、外交部副部长田曾佩率领的中国政府代表团访问哈萨克斯坦，双方签署了两国建交公报，确定在相互尊重主权和领土完整，互不侵犯、互不干涉内政、平等互利、和平共处的原则基础上发展两国的友好合作关系。哈萨克斯坦政府承认中华人民共和国是中国的唯一合法政府，台湾是中国领土不可分割的一部分。哈萨克斯坦政府确认不和台湾建立任何形式的官方关系。① 2月24日—28日，哈萨克斯坦总理谢尔盖·亚历山大罗维奇·捷列先科正式访华，与杨尚昆主席、江泽民总书记和李鹏总理分别会见和会谈，哈萨克斯坦总理感谢中国是最早承认并与之建交的国家之一。访问期间，双方签署了联合公报和一些经贸、科技领域的协定。11月22日—24日，中国国务委员兼外交部长钱其琛访问哈萨克斯坦，哈萨克斯坦总统纳扎尔巴耶夫会见。双方表示将继续巩固和发展两国间的睦邻友好和互利合作关系，将两国的经济往来提升到一个新的水平，中哈共同的边界应是友谊和稳定的边界。在8月哈外长访华期间，两国外长对中国同苏联在边界谈判中就中哈边界地段所取得的积极成果给予积极评价，认为必须继续进行两国边界谈判和在中哈边境地区裁军的谈判。② 这就为中哈关系的进一步发展奠定了良好基础。

中哈有着1700多公里的共同边界。建交以来，两国睦邻友好与互利合作关系一直保持着良好的发展势头。1992年中哈建交时，两国只是一般友好国家，还存在诸如边界等悬而未决的问题。14年过后，两国已经成为战略合作伙伴、上海合作组织的成员，签署了睦邻合作条约，并一致表示要世代友好、永不为敌。哈萨克斯坦是最早与中国解决边界问题的独联体国家。14年来，中哈高层互访不断，哈萨克斯坦总统纳扎尔巴耶夫已经12次来中国访问和休假，我国近几任国家主席和国务院总理都访问过哈萨克斯坦。两国其他级别的领导人和负责人互访更多。与此同时，两国的民间交往也很频繁。③此外，哈萨克斯坦是中国在独联体国家中的第二大贸易伙伴。中哈经济技术合作在大项目上特别是在能源领域颇有成就，阿克纠宾斯克油田、PK油田、中哈输油管道都是投资很大的项目。在安全方面，两国有着广泛的共识与合作，为维护中亚地区的和平与稳定作出了重要贡献。中哈两国都受到恐怖势力、极端势力、分裂势力的威胁。面对毒品、走私、跨国犯罪等非传统安全问题，维护安全与稳定是两国面临的艰巨任务，也是需要加强合作的领域。中哈签订的打击“三股势力”公约和举行的联合军演，是两国在安全领域从法律到实践成功合作的体现。两国对许多重大国际问题持相同和相近的立场，对彼此关切能给予积极支持和照顾。另外，随着两国经济实力的增强和对人文交流重要性认识的提高，教育、科技、文化、体育、

① 《中国和哈萨克斯坦建交联合公报》，见新华网《新华资料》。

② 中华人民共和国外交部外交史研究室编：《中国外交概览》，世界知识出版社，1993年版，第238—241页。

③ 赵常庆：《中哈关系发展前景广阔》，中国社会科学院网站 http://www.cass.net.cn/file/2006122084458.html。

新闻等领域的交流日益增多，留学生数量也明显增加，中国还在哈萨克斯坦开办了两所“孔子学院”。这对增信释疑、促进友好发挥了重要作用。[①]

1993年10月，应中华人民共和国主席江泽民的邀请，哈萨克斯坦总统对中国进行了正式访问。10月18日，双方签署了《关于中华人民共和国和哈萨克斯坦共和国友好关系基础的联合声明》。[②] 1994年4月25日—28日，应哈总统纳扎尔巴耶夫邀请，中国总理李鹏对哈进行了正式访问。这是哈萨克斯坦独立后中国政府首脑首次访哈。访问期间，中哈在台湾、西藏、“东土耳其斯坦”、原教旨主义、泛突厥主义等问题上取得了一致立场。[③] 1994年4月，李鹏总理在访问哈萨克斯坦结束时的一次记者招待会上说，中哈双方都反对民族分裂主义；还提到在会谈中，纳扎尔巴耶夫总统“明确表示，哈萨克斯坦不允许所谓‘东土耳其斯坦’在哈进行反对中国的活动”，表示“反对泛突厥主义”。[④]中国表示重视发展同哈的睦邻友好关系，尊重哈萨克斯坦的独立和主权；哈萨克斯坦则表示把中国视为友好邻邦和重要合作伙伴，发展同中国的关系是哈萨克斯坦外交的优先方向。在此期间签署了《中国哈萨克斯坦国界协定》等一些协定。

1996年7月，中国国家主席江泽民对哈萨克斯坦进行了国事访问，这是中哈建交以来中国国家元首首次访问哈萨克斯坦。4月，中、哈、吉、塔、俄在上海共同签署了《五国关于在边境地区加强军事领域信任的协定》。1997年2月，在哈萨克斯坦总统一行来华休假时，中国国家主席江泽民会见了哈萨克斯坦总统及主要随行人员。江主席表示，两国自建交以来关系发展很好，高层往来频繁，各领域的合作不断扩大并取得丰硕成果。同哈萨克斯坦发展长期稳定的友好合作关系是中国睦邻外交的重要组成部分，希望双方共同努力，构筑面向21世纪的全面合作伙伴关系，并希望哈萨克斯坦总统本着同等优先的原则对中国石油天然气总公司参加哈萨克斯坦乌津油田项目投标问题给予支持。哈萨克斯坦总统纳扎尔巴耶夫则表示，哈萨克斯坦高度重视对华关系，将其视为哈萨克斯坦外交的优先方向。发展中哈关系不存在任何障碍。哈理解和支持中国奉行的内外政策，支持中国维护国家统一、反对民族分裂、主张世界多极化、反对霸权主义等立场，希望中国保持稳定和繁荣。[⑤] 9月，中国国务院总理李鹏对哈萨克斯坦进行了访问，并出席了中哈石油合作协议的签字仪式。在李鹏总理同哈萨克斯坦总统举行会谈时，李总理表示，中哈关系无论是政治还是经济关系都带有战略性质，而中哈石油合作是两国跨世纪的合作项目，中国石油天然气总公司在哈萨克斯坦两个油田项目上的中标对两国的经济发展都具有十分重要的意义。哈萨克斯坦总统则表示，李鹏总理应邀亲自参加中哈石油合作协议签字仪式，是对哈萨克斯坦政治上的支持。双方在石油领域的合作标志着两国经济合作取得了

---

① 赵常庆：《中哈关系发展前景广阔》，中国社会科学院网站 http://www.cass.net.cn/file/2006122084458.html。

② 中华人民共和国外交部外交史研究室编：《中国外交概览》，世界知识出版社，1994年版，第263页。

③ 中华人民共和国外交部外交史研究室编：《中国外交概览》，世界知识出版社，1995年版，第279页。

④ 谢益显主编：《中国当代外交史(1949—2001)》，中国青年出版社，2002年版，第484—486页。

⑤ 中华人民共和国外交部政策研究室编：《中国外交》，世界知识出版社，1998年版，第343页。

战略性突破,是中哈关系具有转折意义的重大事件,两国关系从此进入一个新的阶段。[①] 1998 年 7 月 3 日,中国国家主席赴哈萨克斯坦出席五国元首会晤,签署了《阿拉木图会晤联合声明》。7 月 4 日,江主席对哈萨克斯坦进行了工作访问。在两国领导人会谈结束后,江主席和纳扎尔巴耶夫总统共同签署了中哈国界第二补充协定,标志着中哈 1700 多公里边界问题得到全面彻底的解决。至此,中哈边界成为中国同独联体交界国中第一条没有争议的边界。[②] 5 月,哈萨克斯坦总理对中国进行了正式访问,双方就进一步推动两国各领域友好合作、特别是经贸关系的发展广泛交换了意见。

1999 年,在哈萨克斯坦总统应邀对中国进行正式访问期间,双方签署了中哈关于在 21 世纪继续加强全面合作的联合声明、中哈关于全面解决边界问题的联合公报等协定。之后,每年的上合组织成员国元首会晤都成为中国与中亚国家进行会谈和意见交换的良好机会。

2. 中国与吉尔吉斯斯坦及塔吉克斯坦关系的发展

1992 年 1 月中国分别与吉尔吉斯斯坦及塔吉克斯坦建立了外交关系,中国与这两个国家的睦邻友好与互利合作关系稳步发展。

1992 年 1 月 4 日—5 日,由经贸部部长李岚清、外交部副部长田曾佩率领的中国政府代表团先后访问了塔吉克斯坦与吉尔吉斯斯坦两国,签署了中国与塔、吉两国建交公报,确定在和平共处五项原则基础上发展彼此间的友好合作关系。塔吉克斯坦与吉尔吉斯斯坦政府都承认中华人民共和国是中国的唯一合法政府,台湾是中国领土不可分割的一部分,确认不和台湾建立任何形式的官方关系。同年 5 月 12 日—16 日,吉尔吉斯斯坦总统阿·阿卡耶夫对中国进行正式访问。双方对两国建交后双边关系的发展表示满意,声明彼此视作友好国家,并积极评价中国同苏联在边界谈判中就现中吉边界地段所取得的成果并商定继续讨论尚未解决的边界问题。[③] 双方发表了联合公报并签署了经贸、教育等领域的合作文件。吉尔吉斯斯坦代表参加了 1992 年举行的中国同独联体四国边界裁军谈判和边界谈判。

1994 年 4 月 22 日—25 日,应吉尔吉斯斯坦总统阿卡耶夫邀请,中国总理李鹏对吉尔吉斯斯坦进行了正式访问。这是吉尔吉斯斯坦独立后中国政府首脑首次访问吉尔吉斯斯坦。在边界问题上,中方表示愿意在任何时候、任何地点同吉尔吉斯斯坦在互相尊重领土完整、互谅互让的基础上举行谈判,使边界问题得到尽快解决。吉尔吉斯斯坦表示坚决反对宗教极端主义和伊斯兰原教旨主义,反对任何形式的民族分裂主义,并称发展对华关系是吉尔吉斯斯坦外交最优先考虑的方向之一。1995 年 4 月、11 月,中国同俄、哈、吉、塔边界走向工作小组第 15、16 次会议召开。

1996 年 7 月,中国国家主席对吉尔吉斯斯坦进行了国事访问,这是中吉建交以来中国国家元首首次访吉。9 月,塔吉克斯坦总统拉赫莫诺夫对中国进行了国事访问。16 日,两国元首签署了《中国和塔吉克斯坦共和国联合声明》,之后又有一

① 中华人民共和国外交部政策研究室编:《中国外交》,世界知识出版社,1998 年版,第 343—345 页。
② 同上,第 273 页。
③ 中华人民共和国外交部外交史研究室编:《中国外交概览》,世界知识出版社,1993 年版,第 250—252 页。

系列的各类领域的协定协议得到签署。

1997年，中、俄、塔、吉、哈在莫斯科共同签署了关于在边境地区相互裁减军事力量的协定。签字前，江主席单独会见了塔吉克斯坦总统，称1996年签署的“信任协定”和这次将要签署的“裁军协定”具有重大意义，将在世界上引起良好反响。① 签署协定期间江主席又会见了吉尔吉斯斯坦总统阿卡耶夫，对吉尔吉斯斯坦在台湾、西藏和反对民族分裂问题上一贯支持中国的立场表示赞赏，并希望与吉尔吉斯斯坦在这些问题上继续进行合作。阿卡耶夫高度评价中吉关系，认为中吉关系是大国同小国关系的典范。② 1998年4月，阿卡耶夫对中国进行国事访问，双方主要就双边关系、经贸合作、中吉边界等问题交换了意见，再次表明在民族分裂问题上的一致立场和努力尽快解决两国剩余的边界问题的态度。

1999年8月，塔吉克斯坦总统对华进行友好访问期间签署了《中华人民共和国和塔吉克斯坦共和国关于中塔国界的协定》等一些文件，从而解决了两国长期悬而未决的边界问题。8月24日—26日，中国江主席在赴吉尔吉斯斯坦首都参加五国首脑会晤期间，同吉尔吉斯斯坦总统阿卡耶夫签署了中吉国界补充协定，同吉尔吉斯斯坦总统和哈萨克斯坦总统签署了中、吉、哈三国国界交界点协定。至此，中国与中亚邻国间的边界问题得到全面的解决。

2000年7月，在赴杜尚别出席“上海五国”元首会晤期间，江主席同塔吉克斯坦总统举行会谈，两国元首签署了《中华人民共和国和塔吉克斯坦共和国关于发展两国面向二十一世纪的睦邻友好合作关系的联合声明》和一系列其他协定。

七

中国与阿富汗关系的新基础

新中国建立以来，中国与阿富汗一直保持友好关系。1955年1月20日，中阿两国建立外交关系，1963年中阿两国通过友好协商，解决了边界问题。直到2001年“9·11事件”发生后，阿富汗局势发生重大变化，中国积极参与阿问题解决进程，2002年，中国与阿富汗新政府建立了密切的联系，2月恢复了中国驻阿富汗使馆的正常工作，积极参与阿富汗重建，中阿关系得到全面恢复和发展。

冷战后期，由于1979年12月27日苏联入侵阿富汗，中阿关系发生了变化。12月30日，中国政府发表声明，强烈谴责苏联对阿富汗的武装入侵。中国对卡尔迈勒政权不予承认，虽保留驻阿富汗使馆（临时代办级），但不同该政权发生正式官方关系。

1992年4月，阿富汗纳吉布拉政权垮台，游击队接管政权，改国名为阿富汗伊斯兰国。中阿关系实现正常化。但不久后阿游击队各派发生冲突，内战加剧。出于安全考虑，中国于1993年2月撤离驻阿使馆工作人员，两国间正常往来中断。直到2001年“9·11事件”发生后，阿富汗局势发生重大变化。中国积极参与阿问题解决进程，明确提出解决阿问题的五条基本原则。中国代表参加了在华盛顿、伊斯

① 中华人民共和国外交部政策研究室编：《中国外交》，世界知识出版社，1998年版，第357页。

② 同上，第362—363页。

兰堡和布鲁塞尔召开的阿富汗问题重建会议。12 月 22 日，阿富汗临时政府成立后，中国与其建立了友好关系。

台湾地区概况

一

李登辉完全控制台湾政局

1.“实质修宪”阶段党内的争吵

1991 年 12 月 21 日，台湾当局如期举行了第二届“国大代表”的选举。这是国民党退台 40 多年来首次对“中央民意机构”进行全面的换届改选，也是国民党退台 40 多年来“中央民意机构”的最大一次选举。

第二届“国代”选举完成后，国民党进入“实质修宪”阶段。但由于对李登辉版的“修宪方案”中一些条文的不满，国民党与民进党、国民党内部“主流派”与“非主流派”吵闹不休，其中争论最大的是“总统”产生方式问题。

从原来的“宪改”构想来看，“宪政改革”的另一项重要内容就是：改“总统”由“国民大会”间接选举为“由自由地区全体选民选举”的直选。李登辉认为，只有通过“公民直选”产生的“总统”，才是具有民意基础的“总统”，才会有“公信力”和“公权力”。其实，李登辉力主“总统直选”的真正目的是要将台湾的政体由“内阁制”改为“总统制”，要做有实权的“总统”，从而使台湾的党、政、军各层面的政治改革能够按自己的意愿进行。“宪政改革”正是沿着这一想法进行的。

但国民党“非主流派”担心通过“公民直选”产生的“强势总统”会削弱“行政院长”的权力，故极力反对改变“总统”选举方式。民进党则企图通过改变“总统”选举方式，实现其夺取政权这一政治目的，故极力主张改变“总统”选举方式。因此，是否改变“总统”选举方式以及采取何种政治体制就成为“宪改”中“两党三方”争论的焦点。

相比较而言，民进党与李登辉有共同之处，观点也相近。早在 1990 年 6 月召开“国是会议”讨论“宪政改革”之前，双方就已通过秘密渠道进行过多次沟通，很快达成了“总统”应由全体公民选举的共识。此事一公开，国民党的大多数代表，甚至包括一些“主流派”的核心人物也不知内情，均有被捉弄之感，党内反弹强烈。经过争论和妥协，到 1991 年下半年才在党内逐渐达成“委任直选”的共识。①

1992 年 3 月 4 日，李登辉忽然表示要推动“公民直选”，国民党宣传机构也立即转向。3 月 8 日，李登辉以国民党主席身份邀集党内高层人士召开“宪改”讨论会，与会的“副总统”李元簇、“中央党部秘书长”宋楚瑜、“总统府秘书长”蒋彦士、“监察院长”黄尊秋和“司法院长”林洋港、“台湾省主席”连战、“内政部长”吴伯雄、“法务部长”施启扬等 8 人主张“公民直选”，李

① “公民直选”是由选民直接投票选举“总统”、“副总统”，不再通过“国民大会”。“委任直选”是指选民只投一张选票，选举“国代”，再由“国代”选举“总统”、“副总统”；“国代”在竞选时必须向选民说明自己所支持的“总统”候选人，当选后也必须遵守对选民的承诺。

焕、邱创焕、沈昌焕、谢东闵、梁肃戎和蒋纬国等人则坚持“委任直选”，郝柏村持保留态度。3月9日，国民党召开临时中常会，针对“总统”选举方式议题，又经过长达七个半小时的激烈争论，结果是15人主张“公民直选”，10人支持“委任直选”，4人主张两案并陈交国民党十三届三中全会讨论。两种意见相持不下，只得将两案并列提交十三届三中全会讨论。

3月14日至16日，国民党举行十三届三中全会，中心议题是“宪政改革”。会上出现了“国民党迁台以来最激烈的斗争”。“行政院长”郝柏村也转变立场，明确支持“委任直选”。由于众多国民党元老反对，李登辉不得不决定将“总统”选举方式交由二届“国大”第一次临时会议讨论。国民党勉强挽救了迁台40多年来最严重的一次分裂危机。

1992年3月20日至5月30日，台湾第二届“国大”第一次临时会议举行。会议通过了“宪法增修条文第11条至第18条草案”。主要内容有：“总统”选举为“公民选举”，“总统”任期由6年减少到4年，具体选举方式在1995年5月20日前决定；“国代”任期与“总统”一样减为4年；扩大“总统”权力，赋予“总统”对“司法院长”、“监察院长”、“考试院长”及“大法官”、“监察委员”、“考试委员”的提名权；对“总统”的制衡机制进一步削弱，“国大”罢免“总统”的门槛由1/6提名、半数同意，提高到1/4提名、2/3同意；“监委”由“总统”提名，则“监察院”对“总统”的监督权被取消；扩充“国大”权限，“国大”增加对“司法院长”、“监察院长”、“考试院长”行使同意权；听取“总统国情报告”，若“国大”一年不集会，可由“总统”召集，实际上把“国大”定位成如同“立法院”的“常设国会”；改变“监察院”和“考试院”的性质，“监察委员”由“省市议会选举”改为“总统提名”，且人数大幅下降，初定只有9人，其原有的对“大法官”、“考试委员”行使同意权被取消，“监察院”实质成为“准行政机构”；设立“宪法法庭”，审理政党是否“违宪”事项，“政党解散”提升到“宪法”层次，强化地方自治，赋予“立法院”就个别省份制订“地方自治法律”的权限，为下一步制订“台湾省自治法”、实行“省长民选”准备条件。

会议期间，民进党不仅在形式上没有给国民党“主流派”面子，而且还将“独立建国”的私货与“总统公民直选”夹在一起塞到他们提出的“宪法修正案”中，并组织“4·19”大游行、策动民进党籍和部分无党籍“国代”退出会议以示抗议，使争论愈加激烈。最后大会只是通过了“总统”不再由“国代”选举，改由“台湾全体人民选举”产生这一妥协原则，但究竟是采取“公民直选”，还是“委任直选”仍未确定，拟在该届“总统”任期结束前，召开“国大”临时会议决定。

2.第二届“立委”选举

1992年12月19日，台湾举行了第二届“立委”选举。此次选举是国民党退台43年来对“立法院”进行的第一次全面改选。由于在“宪政体制”下“立法院”对“行政当局”的监督、制衡作用越来越强，该院已成为岛内政治的运作中心和争夺场所，各党都力争在“立法院”中获取尽可能多的席位以影响台湾的政局。

在这次事关政党前途的选举中，国民党因内部的分化实力大受影响，民进党则吸取二届“国大”选举失利的教训，淡化“台独”诉求，增加公共政策以吸引选民。选举结果：国民党获得103席（包括“区域立委”80席，“全国不分区立委”19席，“侨选立委”4席），占总席位的63.97%；民进党获50席(包括“区域立委”37席,“全国不分区立委”11席和“侨选立委”2席),占“立委”总数的31.05%;无党籍人士获7席,社民党获1席,共占“立委”总数的4.98%。民进党及其他在野势力,在第二届“立委”中共有58席,已超过“立委”总数的三分之一。

第二届“立委”的选举结果,无论在组织机构,还是在运作方面,都发生了很大的变化。第一,省籍结构发生变化。原“立委”总数中,虽有不少在台湾选出的台籍“增额立委”,但台湾与大陆籍“立委”的比例为3∶7,经此次选举两者比例改为8∶2,与第二届“国代”一起,完成了“中央民意机构”的“本土化”。第二,年龄结构发生变化。新选出“立委”的年龄在30至60岁之间,大多数是台湾出生或在台湾长大的中青年“精英”,他们逐渐成为日后台湾政坛上的风云人物。第三,政党结构发生变化。过去国民党在“立委”中占绝对优势,民进党在“立法院”中席位最多时仅21席,约占总数的8.4%。此次选举后,民进党与国民党实力差距大为缩小。民进党的席位增至50席,接近1/3,将在“立法院”内形成与国民党抗衡的力量。第三势力比重虽小,但因民进党仅差4票就可以否决国民党的提案,第三势力能够发挥关键少数的作用。第四,“立法院”内国民党内部斗争仍将存在。此次选举国民党“主流派”未能达到把“非主流派”排除在外的目的。“非主流派”在“立法院”中仍占30个席位,与国民党“主流派”有矛盾的中生代“精英”赵少康、王建煊、关中、郁慕明、李庆华、魏镛等人都以高票当选“立委”,而“主流派”在“立法院”中最大派系“集思会”成员,却在选举中失利,“主流派”控制的席位有所下降。台湾“立法院”内的竞争更趋复杂。

总之,第二届“立委”选举后,彻底改变了过去国民党依靠“立法院”,维护大陆籍官僚集团利益的局面,使“立法院”成为国民党、民进党两党抗争、多党利益集团利益制衡的政治论坛,也使之成为台湾地区各政治集团、各阶层为维护自身利益进行争斗、妥协的“议会”。从功能运作来看,经过此次“全面改选”后,“立法院”的作用将明显增大,对“行政院”的监督、制衡力度将迅速增强。可以说,自此之后的“立法院”在台湾政治舞台上的地位与作用将更加突出。

3.连战出任“行政院长”

在台湾当局的政治体制上,“行政院”被赋予“国家最高行政机关”,拥有相当重大的行政权力。蒋氏父子时期,台湾权力中心依其父子地位转换,“总统府”与“行政院”之间的矛盾并不十分突出。但李登辉出任“总统”后,面对的前后三任“行政院长”俞国华、李焕、郝柏村均是“政界重臣”,传统的“总统”权力不可避免受到侵蚀,“府”“院”矛盾再度激化。在短短的5年时间里,李登辉先后进行了4次“行政院”改组,更换了3位“行政院长”。

1993年2月4日,郝柏村在一片“倒郝”声中,不得不率“内阁”总辞职。在下台前,郝柏村曾建议由林洋港继任“行政院长”,邱创焕出任党中央秘书长。但李登辉却于10日决定由听信于己的“台湾省主席”连战出来“组阁”,并把自己的亲信安插到全部的重要部门中。2月23日,连战出任“行政院长”获“立法院”通过,3月1日率新“内阁”就职。

连战出任“阁揆”在岛内颇有争议。连战祖籍福建长泰县江都,1936年8月27日出生于陕西西安,其祖父连横(字雅堂,1878年生)是台湾著名的爱国知识分子,著有《台湾通史》、《台湾语典》、《台湾诗乘》等著作。连横一生五次回到大陆求学、工作、旅游。1933 年,率全家迁居大陆。连战之父连震东遵照父亲连横“欲求台湾之解放,须先建设祖国”的教诲,于 1931 年回大陆工作,台湾光复后,先后出任台湾省建设厅厅长、民政厅厅长、省政府秘书长、台湾“行政院内政部部长”等要职,活跃台湾政坛 40 年。连战曾就读于台湾大学政治系,毕业后,在政工干校服役。1959 年 6 月,连战赴美芝加哥大学深造,获外交学硕士和政治学博士。之后,他在威斯康辛大学和康乃狄克大学任教多年,1968 年回到台湾任教于台大政治系,次年升任系主任。1970 年,连战荣获台湾第八届“十大杰出青年”称号。1975 年 6 月,他出任台湾驻萨尔瓦多全权“大使”。1986 年 11 月,连战回台,先后出任国民党中央党部青工会主任、中央副秘书长、“行政院青辅会主任”、“交通部长”、“行政院副院长”、“外交部长”、“台湾省政府主席”,党政资历较为完整。因此,支持者认为他既有良好的“政治世家的庇荫”,又有“辉煌的学历”,是“集学术、青年、外交、党务与行政五方面的磨炼为一炉的完整的形象”,其丰富的阅历和完整的资历,有助于增进“府院和谐及行政、立法两院双向的沟通”,有利于“推动台湾整体务实外交”和台湾“国际舞台的伸展”,尤其是岛内工商界、金融界对连战“组阁”普遍表示支持,并对“连战内阁”寄予很大希望;反对者则认为连战是纨绔子弟,且在政坛多年,一向“谨守分际”,“不敢逾越”,只有听话,充其量是个“有责无权”的“娃娃院长”,指责李登辉此举无非是自己想当“太上行政院长”,并批评新“内阁”“充满金权色彩”。

此次“行政院”改组,是在李登辉主导下,以“世代交替”的名义进行的。因此,整个“内阁”人事变动呈现以下几个特点:①人事变动幅度极大。新“内阁”从正副“院长”到“八部二会”首长,除 4 人留任外,其余均为新人。启用人马大多为李登辉班底,原“郝内阁”中的“非主流派”成员遭到大面积撤换,几乎全军覆没。②“阁员”年纪轻、学历高。新任“阁员”平均年龄比上届降低 2 岁,绝大部分在 50 岁左右,年纪最轻者为 43 岁;“阁员”都具有相当完整的学历,全都受过高等教育,其中博士 17 名,硕士 4 名,学士 6 名,有 6 人曾担任过大学校长职务。③财经阵容强大。新任“阁员”中,具有财经专业高等学历者占三分之一以上,具有财经专长和原来主管过经贸、金融工作的多达 10 人。“行政院”副院长、秘书长、“财政部长”、“经济部长”以及部分“政务委员”都是台湾财经界名声显赫、颇有建树的专家。④台籍人士占据要职。改组后的“行政院”成员的省籍构成虽与上届一样各占半数,但此届“阁揆”由台湾人担任,出现了以台籍人为主导的新的“省籍平衡”。通过“行政院”改组,李登辉最终控制了台湾的“行政”大权。

4. 中国国民党第十四次“全国”代表大会

1993 年 8 月 16 日至 22 日,在李登辉的主导下,国民党在台北召开了第十四次“全国”代表大会。

“十四全”是国民党历史上的一次重要会议,出席会议的代表有 2498 人,其中正式代表 2100 人,列席代表 398 人,代表台湾地区 261 万国民党党员,代表人数为历届国民党代表大会之冠。大会讨论通过了党务、政务、两岸关系、国际形势等四大报告,并按原计划修正通过《中国国民党政纲》、《中国国民党党章修正案》、《中国国民党现阶段党务发展纲领》、《厚植国力积极推动国家建设》和《中国国民党现阶段政治任务之提示》等五大议题，以无记名投票方式选举李登辉为党主席（得票率82.53%），同意由李登辉提名的李元簇、郝柏村、林洋港和连战等4人为副主席；同时，大会还选出210名中央委员、105名候补委员；增聘28人为中央评议委员会主席团主席；增聘196人为中央评议委员。8月23日，在十四届一中全会上产生出31名中央常务委员。

这次大会标志着国民党向“民主政党”转型的开始。首先是在党的性质上，修改后的党章去掉了“革命民主政党的”字眼，换上了“具有革命精神的民主政党”，规定党代表任期4年，主席有任期限制以突出国民党的“民主”属性和“革新精神”，明确提出了党的政策“以民主为依归”，党的任务是在政党政治竞争中“赢得选举，巩固政权”。其次，党内的权力机构发生变化，首次增设副主席一职。再次是选举方式发生了变化，党主席的产生由以前的“起立鼓掌通过”改由全体党代表以无记名投票方式直接选举产生，中央委员部分开放自行联署参选，中常委的产生也改变了以往的方式，31名中常委中15名由国民党主席指定产生，16名由中央委员会选举产生。最后是在代表构成方面，将“民意代表”增列为当然代表，多名“立委”和“国大代表”被选为中央委员或中常委，加强国民党内的党意与“民意”的结合。这些转变标志着国民党为了适应“宪政改革”后出现的政党政治新环境，开始在内部运作方式、政策取向等方面朝“民主政党”的方向转型。

“十四全”完成了国民党中央和地方组织机构权力的调整和分配，使权力体系发生结构性的变化，加快了年轻化、知识化、本土化的步伐。“十四全”中，对中央委员、中央常委委员的调整幅度为国民党退台后最大的一次。在210名中央委员中，有123人是新任，更换率56.6%；31名中常委中，有新人19人，更换率61.3%。人员调整中，更注意对本土化、年轻化和知识化标准的考量。在本土化方面，31席中常委中，台籍人士占18席，比上届增加2席，加上主席李登辉和副主席林洋港、连战，在最高层中台籍人数的比例已达58.30%。中央委员中，台籍人士由上届的69席增加到116席，占总数210席的55.2%。一大批台籍人士迅速进入党政权力核心，占据主导地位，在中央，党主席和秘书长、组工会主任均由台籍人士担任，打破了蒋经国时代省籍平衡的惯例。国民党权力机构中已形成台籍官僚为主体，大陆籍官僚从属的格局。在年轻化方面，原任中常委的沈昌焕、倪文亚、李国鼎等6位元老级人物自动退出，使常委会成员的平均年龄由上届63.7岁降为60.7岁；新当选的210名中央委员平均年龄较低，高学历的比例较大，得票最高的吴伯雄、宋楚瑜等10人均为中生代政治精英，前30名中，中生代占了25名，充分显示出新生代已取代元老派势力，成为高层权力的中坚力量。值得注意的是，在权力结构调整上，军方开始退出党的权力核心，参加“十四全”的119名军方代表均为现役少将以下人员，现役将领无1人入选中委，仅有6名退役将领进入中委，比上届的32人大幅下降。这表明一向在党内占相当比重的军方人士逐渐退出了政治决策圈。相反，“中央民意代表”及工商界人士进入决策体系的比例增高。“十四全”上共有65位“国大代表”、“立法委员”进入中委和中常委，占31%，特别是“立委”由“十三全”时的14人骤增至32人，并有4人成为中常委；有工商背景人士进入中委的也有24人，占11.4%。

"十四全"的召开，标志着"李登辉时代"的开始。"十四全"是国民党高层权力的一次再分配，党内各派都对此高度重视，使出浑身解数，企图借此机会最大限度地获取各自权益，党内权力斗争出现了一个新的高峰。其中最主要的是"主流派"与"非主流派"之间的斗争。"主流派"利用掌握党内主导大权的有利态势，从容布置，进一步清除"非主流派"在党的决策核心中的势力和影响。如420名中央委员选举有一半由主席提名候选人，31名中常委选举时，有15名由主席以职务功能硬性指派的制度保证了李登辉在党的决策核心中已至少掌握了三分之二以上的多数。"非主流派"虽知此次会议为事关生存，誓死一拼，在党代表的产生、中委和中常委的选举、要不要设党的副主席等问题上进行顽强抵抗，迫使李登辉不得不做一些象征性的退让，但总体而言，"主流派"基本上达到了预期目的，非主流派则失去了党内大规模抗争的实力。

5.第三阶段"修宪"

1992年底，岛内的形势开始发生重大的变化。一是李登辉利用新一届"立法院"组成之机，集结党内外力量打击"行政院长"郝柏村，迫使郝于1993年2月辞去"行政院长"职务，完全掌握了行政大权；二是在"十四全"上，李登辉利用职权掌握了国民党中央大权和一半以上的中央要员；三是在国民党籍的"民意代表"中，有近2/3的票源已被李登辉所掌握。在这一系列的较量中，"非主流派"惨败，处于绝对的少数地位，再也无力制衡李登辉，也无力阻止李登辉的"修宪"方案了。

1994年5月2日至7月29日，台湾召开第二届"国大"第四次临时会。经过激烈争吵，会议最终通过了国民党版的第三阶段"宪法增修条文"。该"修宪"条文使"总统"的地位和职权发生了如下变化：一是确定"总统"、"副总统"由"中华民国"自由地区全体人民"直接选举"的"总统直选"的原则，并决定自1996年起实行；二是"总统"和"副总统"的罢免案由"国代"总额的四分之一提议，三分之二同意后提出，并经选举人总额过半数投票，有效票过半数同意罢免时即为通过；三是"'总统'、'发布依宪法经''国民大会'或'立法院'同意任命人员之任命令，无须'行政院院长'副署"，等于剥夺了"行政院长"的人事副署权。"副署权"①的大幅缩水，无疑削弱了"行政院"对"总统"的相对制衡，使1986年才开始的"行政院"的"复权"进程被迫中断，"总统"的权力大增。

1994年7月7日、8日，"立法院"通过"省县自治法"和"直辖市自治法"，将1950年实行的"县市自治"提高到"省市"层次，使台湾所有地方层级的行政长官全部实行"民选"。1994年12月13日，首次"台湾省长"、"台北市长"、"高雄市长"民选活动举行。选举结果，国民党籍候选人宋楚瑜获得"省长"宝座，民进党籍候选人陈水扁和国民党籍候选人吴敦义赢得"台北市长"、"高雄市长"的职位。国民党首次丢掉了台湾最大城市台北市的行政大权，并在同时举行的台北"市议会"选举中未能过半，丧失了对该市"议会"的主导权。这次选举，标志着岛内"两党对抗，三党竞争"的政治格局基本确立。

6.国民党政权完全台湾化

随着"宪政改革"和国民党的转型，特

① "副署权"为"行政院"专有职权，该权包括对"总统"公布之法令，及有关人员的任免令，必须经过"行政院长"副署方能有效。

别是李登辉在意识形态方面极力宣扬“台湾人意识”和“台湾生命共同体”等观念，并以台湾为中心调整和实行其内外政策，国民党已台湾化，变成了台湾国民党，台湾当局也成了“地方势力”和“地方利益”的代表。

一是“中华民国”的管辖范围、“宪法”的适用对象发生了变化。终止“戡乱”，废除“临时条款”；“对中共政权重新定位”，将两岸关系定位为“对等政治实体”，并在“宪法增修条文”中明确规定“修宪”是为了“因应国家统一前之需要”等。这实际上是将“中华民国”的管辖范围、“宪法”的适用对象改变为仅局限于台湾地区及其2100万居民，使其“宪法”变相成为台湾地区的基本法。

二是改变台湾基本政治架构。不管实质如何，蒋氏父子一直标榜自己是孙中山先生的信徒，认为台湾的政治思想是孙中山先生的三民主义，政治体制也是按孙中山先生“权能区分”、“五权分立”的理论建立起来的。然而，李登辉主政后进行的“宪政改革”，一方面保留“五权分治”的组织结构，另一方面对其内部相互关系和权力分配做了调整，即表面上依旧是“五权体制”，但实质上将“五权体制”内的制衡机构破坏，等于是否定了“五权体制”。如将“总统”改为台湾地区选民直选，不仅将“总统”的代表性刻意局限于台湾地区，以制造“台湾的总统”的法理、事实，而且因“总统”是直接民选，民意有所增强，将造成对“五权体制”的冲击。果然，李登辉在大力推动国民党台湾化、台湾政权本土化的过程中，最后将“五权体制”完全抛弃，按照自己的意愿重构了台湾的基本政治架构。

三是全力改选“国会”、“立法院”，导致“民意机构”的构成发生质变。国民党在实施台湾地区增额“民意代表”选举后，台籍人士进入“中央民意机构”人数有所增加，但所占比例仍相当小。1988年，在935名“国大代表”中，台籍人仅有101人，约占总数的10.7%；在312名“立法委员”中，台籍人有78名，约占总数的25%，即使是经过1989年“增额立委”改选，台籍“立委”也仅占“立委”总人数的30%。经“国民大会”与“立法院”的全面改选后组成的第二届“国大”、二届“立法院”的组成，其省籍结构一改过去以大陆籍人士为主体变成以台籍人士为主体。在403名二届“国代”中，台籍324人，占总数的80.69%，外省籍79人，仅占19.31%；在161名二届“立委”中，台籍136人，占总数的84.4%，外省籍25人，仅占总数的15.6%，总计在新一届“国会”564名代表中，台籍人士占总数的81.2%。这样，“中华民国国民大会”已演变成“台湾国民大会”、“中华民国立法院”已蜕变成“台湾立法院”，“中华民国国会”基本实现了台湾化。

四是大力推进本土化，台籍人士垄断党政主要职务。经过“十四全”、“行政院”的几度改组、“宪政改革”及二届“立法院”、“国民大会”的全面改选，国民党权力结构中的省籍比例，在短短的数年里发生了根本性的变化。在国民党中央，一大批台籍人士迅速进入党政权力核心，占据主导地位；在地方上，台湾省、台北市、高雄市党部主委由台籍人担任，21个市、县党部主委绝大多数由台籍人担任，至于国民党基层领导人，则完全是台籍人士的天下。在行政系统方面，此时台湾当局的“五院”中，除“监察院”外，“行政”、“立法”、“司法”、“考试”四院院长均为台湾籍人。特别是连战出任“行政院长”后，“内阁”部会首脑中台籍人数大增，以往“大陆籍人士为主轴、台籍人士为辅”的权力分配结构，变为“台籍人为主轴，大陆籍为辅"的新政权结构模式。在地方政权上，1993年底台湾新选出的23名县、市长中全部由本土人士担任，完全控制了台湾的基层。这样，国民党政权形成了党主席、秘书长及"总统"和"五院"乃至基层党政机构均为台籍人士掌控的局面，它标志着台籍本土势力全面执掌台湾政权的新时代业已开始。

五是推行以"台湾为中心"的意识形态、内外政策。国民党推行台湾化表现在理念方面，是确立所谓"台湾优先"、"台湾为中心"及"台湾生命共同体"的新理念，即"凡事以维护2100万人利益及福祉为出发点"。这一思想源于国、民两党共同鼓吹的"建立台湾生命共同体"（民进党称"命运共同体"）。因此在1993年的台湾县、市长选举中，朝野各党派当选人在竞选中提出的政见与思想倾向明显突出台湾优先的公共政策，国民党的竞选口号是"爱国家（台）、爱乡土，为台2000万民众服务"。新当选的县市长也均强调"认同台湾"、"台湾利益优先"。

台湾化之后的国民党奉行"台湾利益优先"原则，并以此作为制订台湾当局内外政策的标准。在"对外关系"上，以"首脑外交"、"经济外交"、"度假外交"、"校友外交"等多种形式频繁活动，推行"务实外交"；不惜一切代价拼命挤入包括联合国在内的国际组织，以凸显台湾的所谓"国际人格"、"主权独立"地位。在内政上，将台湾作为一个"国家"来规划、规定，"总统"由台、澎、金、马地区公民直接选举产生；在军事上采取守势防御战略，以保卫"台湾安全"为目标。在大陆政策上，从"国统纲领"、"阶段性两个中国"论的出笼，到1994年7月5日发表《台海两岸关系说明书》，强调两岸"分裂分治"，抛售"一个中国，两个对等政治实体"，把"一个中国"定义为"历史上、地理上、文化上、血缘上"的中国，宣称"中共代表大陆，我们代表我们"，大陆与台湾"各自享有统治权"，在国际社会是"并存之国际法人"。

国民党的台湾化是与岛内社会经济的变迁，政治权力重组及"宪政改革"等紧密相连的，其结果是使原来的中国国民党变成台湾国民党，国民党政权台湾化。民进党主席施明德在国民党展开"十四全"后说："李登辉就任总统四年来的最大功能是瓦解了旧国民党那个巨无霸。"李登辉也多次声称，国民党已"老店新开"，"国民党早就是台湾国民党了"。

对于国民党和国民党政权台湾化问题，应该一分为二地看。一方面，这种变化是台湾社会、历史发展的必然，是台湾民众自主意识觉醒的表现，无可厚非；但另一方面，我们必须清醒地认识到，李登辉和民进党相勾结，就是借助台湾化来实现"台独"的野心。李登辉在与日本作家司马太郎谈话时就露骨地表示，国民党是一个"外来政权"，"要成为台湾人的国民党"，并妄称要建立"台湾人的国家"。李登辉及民进党强调的台湾化就是切断台湾与祖国的联系，就是搞"台湾独立"，这一图谋是与两岸人民追求祖国统一的愿望相悖的，必须予以批判。

二

台湾政党竞争和政党政治的到来

1. 民进党的转型

民进党动辄发动群众走上街头，甚至不惜制造流血事件，借以壮大声势，争取民众的同情和支持的斗争策略和露骨的"台独"言行使民进党在台湾第二届"国代"选举中失败,"台独"分子纷纷落马。面对现实,民进党一方面调整斗争策略,不仅大规模的街头造势运动已基本放弃,而且议会上的抗争也较以往理性了许多,就连一向热衷于街头群众运动的党内激进派,例如"新潮流"和"独联",也都转向了体制内的选举路线;另一方面,在"务实台独派"领导人主导下吸取了1991年第二届"国代"选举失败的教训,不再刻意凸显"台独"或"台湾共和国"字样,以淡化"台独党"形象,他们打出"一中一台"的旗号,叫嚷"台湾是台湾,中国是中国"。在1992年第二届"立委"选举中,改用"一中一台"作为诉求。在公共政策的研究制订方面,为适应"宪政"改革后岛内外出现的新形势和自己地位、角色的变化,也作了相应的调整。自1992年第四季度起,民进党先后公布了《宪政体制改造政策纲领草案》、《现阶段两岸关系与对中国政策》、《民主进步党的外交政策》等10余个政策性文件,合称"公共政策白皮书"。它涉及"宪政改革"、"大陆政策"、"国防"、"外交"、"经济发展"等12个方面,比较全面地勾勒出其未来的"施政蓝图"。在1992年举行的第二届"立委"选举中,民进党以公共政策为主要诉求,提出"三反三要"口号,即"反军权、反特权、反金权,要减税、要(总统)直选、要(台湾)主权",在选民中收到了明显的效果。在这次选举中,民进党获得50席,得票率为31%,首次突破30%大关。1993年的县、市长选举,民进党的得票率更是达到41.03%。

在两岸关系上,民进党也调整了大陆政策,更积极介入两岸事务。20世纪90年代初,随着岛内"大陆热"的持续高涨,民进党已逐渐认识到未来两岸关系及台湾前途将是岛内朝野竞争的主要议题,希望发展两岸关系,就连持激进"台独"主张的"新潮流系"也赞同在此对等的前提下组团赴大陆,把"台独意见与大陆进行交换"。此时的民进党内部,在与大陆接触并建立联系上已基本形成共识。1993年后,民进党在两岸关系上的冷漠态度开始有所变化,主动调整大陆政策,积极介入两岸关系。是年,民进党秘书长张俊宏先后两次赴大陆访问,并要求与大陆有关部门负责人接触。随后,民进党中央高层谢长廷、姚嘉文、蔡同荣以及"立委"陈水扁等人,也分别赴大陆进行考察。

在主动寻求改善与大陆关系的同时,民进党也开始积极介入两岸事务。然而,由于民进党的大陆政策是建立在"台独党纲"基础之上的,其大陆政策必然陷入死胡同。1993年4月底两岸准备在新加坡举行首次"汪辜会谈",对此,民进党忧心忡忡,担心台湾和自己被出卖,因而对谈判很不放心。在这种心态下,民进党开始改变被动消极态度为主动出击。在"汪辜会谈"时,民进党积极要求监督、参与。在得不到答应时竟组织"立法院汪辜会谈观察团"前往新加坡,大闹会场,干扰两岸举行的首次谈判,引起海内外舆论一致谴责。1993年底海峡两岸举行"台北会谈",民进党也在无法参与的情况下,要求"海基会"将每日会谈的内容向民进党演示文稿。此外,在大陆政策上,民进党还主张废除"国统纲领"、裁撤"国统会",要求"国统会"、"海基会"吸纳反对党人士,以参与国民党大陆政策的决策与执行过程。在民进党的强烈要求下,"国统会"聘请了4名民进党人士为咨询委员,"陆委会"也被迫吸纳该党人士作为当局制定政策的咨询对象。

民进党主动介入两岸事务,打破了以往国民党一党垄断的局面,由于其强烈的"台独"倾向和主张,也进一步增加了两岸关系，尤其是两岸事务性谈判的复杂性。

由于民进党历史和现实政纲的制约，它的些微调整并不足以使其彻底摆脱困境。民进党始终只获得30%～40%的民众支持率。为实现其执政之梦，民进党不得不进行转型。但民进党的转型，却使其内部派系斗争的分化、组合进一步加剧。

民进党成立之初是反国民党政治势力的联合体，是在野政治明星及地方山头的结合体。由于各领导人政治阅历及社会、经济基础的不同，彼此在政治观念、运动路线等方面存有较大的分歧，形成形态各异的诸多山头派系。主要有“党外”编联会人马形成的新潮流派系，“党外”公政会中“美丽岛连线”人马形成的“美丽岛系”，还有原“党外”公政会内的“康系”、“前进系”和“超派系”等。随着台湾政治形势的发展，各派系势力不断变化，并重新分化组合，“康系”瓦解，分别被“美丽岛系”和“新潮流系”所收编，“前进系”也并入“美丽岛系”。

长期以来，民进党内存在着“新潮流系”与“美丽岛系”之间的较量。两大派系在运动目标、斗争路线，以及国民党政权性质和台湾前途走向等方面都存在着程度不同的分歧，某些问题甚至严重对立，斗争异常激烈。“美丽岛系”的社会基础是台湾的中上阶层，他们的主要目标是争夺台湾的最高统治权，实现执政之梦，因此，他们倾向于温和的体制内抗争，主张对政治民主化的追求优先于“台湾独立”；而“新潮流系”的社会基础主要集中在台湾的中下阶层，“台独”是他们为之奋斗的目标。因此，他们强调对国民党统治体制的抗争和群众运动路线，主张对“台湾独立”的追求优先于政治民主化。

“美丽岛系”人数众多，但组织涣散，各自为战，成员没有纪律约束，内聚力较差，只有在党内资源重新分配时，才体现出整体运作能力。“新潮流系”人数虽少，但以理念作为结合的基础，组织严密，纪律严格，凝聚力强。90年代初期，“新潮流系”逐渐控制民进党党权，在党内大肆推行其“台独”路线。“美丽岛系”对“新潮流系”掌握中央权力不满。特别对民进党上层顽固坚持“台独”立场的做法持有异议，认为民进党的“台独党”形象严重地影响了民进党得票率的提高，是该党执政的绊脚石。他们宣扬“执政优先论”，主张与在野势力和部分国民党力量结合，早日分享权力。

1994年底，台湾举行历史上首次台湾省长、台北市长和高雄市长的选举。民进党推出陈定南参选台湾省长、陈水扁参选台北市长。陈定南采用民进党传统的竞选策略，即诉诸选民的悲情意识和“出头天”的愿望，争取选民的认同，夺得省长的职位。陈水扁却一改民进党的传统和习惯，提出了“走出悲情、迈向希望”的口号，树立清新、欢乐的选举氛围，并刻意回避政党色彩，争取中间选民。选举结果，被认为最有希望的陈定南失利，败在外省籍的宋楚瑜之手。陈水扁却成功地打败了国民党的黄大洲和新党的赵少康，夺得了台北市长的宝座。

这次选举使民进党内有识之士认识到“转型”的重要性，开始筹划民进党的“转型”工作。1995年3月，许信良的著作《新兴民族》正式出版。该书提出“大胆西进”，以经贸“经略中国”，主张两岸应“政治放两旁，经贸摆中间”，暂时搁置争议，主动回避政治问题。以经贸关系建立互信，最终寻求一个解决问题的短、中、长期架构。许信良此举是想改变民进党的大陆政策，从而为民进党的未来开辟一条新的发展道路。紧接着，第六任民进党主席施明德又在1995年9月15日公开表示“民进党如果执政,不必也不会宣布台湾独立,因为台湾在1949年就已经是一个主权独立的国家”。这实际上是为民进党改变“台独”策略、实现转型奠定了基调。

2.新党的成立

正当国、民两党相互较量之时,国民党内部发生了分裂。1993年8月10日,国民党内“非主流派”政治团体“新国民党连线”(下称“新连线”)部分核心成员正式宣布脱离国民党,成立新党。8月22日,新党举行成立大会,通过党章,选举产生负责人。8月25日,台“内政部”正式核准成立,使其成为岛内第74个政党。

新党主要由赵少康、郁慕明、李胜峰、王建煊、李庆华、陈癸淼、周荃(女)等人发起组成。他们多年来受国民党培养,平均党龄26年,在党内多有职务,如郁慕明和王建煊还是国民党十三届中委。另外,除李胜峰外,其余均是“立法委员”。从新党成员的构成上看,他们实属国民党第三代“政治精英”。因此,新党的成立是国民党退台40多年来首次出现的公开分裂,在国民党内部和台湾政坛造成极大的震撼,影响极其深远。

新党的前身“新国民党连线”本是以促进国民党的政治革新、维护国民党的执政地位为宗旨的国民党党内的次级派别,成立于1989年8月25日。1990年5月10日晨,该派在“立法院”正式开始运作,由当时的国民党“立委”候选人赵少康、李胜峰、郁慕明发起组成,成员以“增额立委”为主,鼎盛时期曾有朱凤芝、萧金兰、沈智能、周荃、陈癸淼、王滔夫、何智辉等多达10名“增额立委”参与。其主要政治主张包括“革新国民党,加速党内民主化”、加快宪政改革,实行“内阁制”、“反对金权政治”、“反对台独”。他们还主张通过两岸实质接触交流,最终实现和平统一。

本来,作为国民党内革新派的“新连线”成员在蒋经国去世、李登辉继任“总统”和代理党主席时,为推动国民党的改革,曾积极地支持李登辉。但李登辉主政以来的所作所为以及国民党的自甘堕落很快令他们失望,他们只能以组织“新连线”,继而组建新党的方式来实现自己的理想。

首先,李登辉在党内玩弄权术排斥异己和对“台独”姑息纵容的政策,引起他们强烈的不满。李登辉上台后,国民党内部两派斗争愈演愈烈,“非主流派”连遭打击,在党内受到压制和围剿。1993年2月,郝柏村“内阁”下台标志着“非主流派”已被排挤出党内高层权力核心,双方关系势如水火。“新连线”在国民党内部两派斗争之初扮演了调和的重要角色。因为就成员构成来说,它与“非主流派”有相近之处,就人脉关系来说,则与“主流派”较为密切,加上其政治观点与两派有交集之处,因此在最初的三年多时间里,“新连线”担当的是“和事佬”的角色。但李登辉日益独裁的作风以及为保地位不惜与民进党勾结、纵容“台独”的行为,与“新连线”的基本理念相距甚远,双方日益疏远。另外,随着形势的发展,“新连线”在党内同样也成为“主流派”打击的对象,赵少康等人鉴于其建言、主张不被采纳,且“主流派”放话,“十四全没有新连线的位置,对党不满意就离开”,痛感处境艰难,萌生“与其在党内坐以待毙,不如走出党外呼群保义”,遂决意另组新党,与国民党分道扬镳。

其次,国民党金权政治的日益腐败和民进党“台独”主张的日益加剧,使他们更坚定了从国民党内“出走”的决心。80年代以来,岛内民众对国民党的腐败作风深恶痛绝，执政的国民党使民众逐步失去信心。90年代后，国民党的腐败作风不仅没有收敛，反而日趋恶化。金权政治泛滥、腐败成风、内斗频繁、丑闻迭起，严重影响了国民党在民众中的形象。而民进党趁国民党内斗不已、日益堕落之际，打出“反金权”、“反特权”的招牌到处争取民心，努力把自己塑造成“清廉”的形象。但与此同时，岛内“台独”活动愈演愈烈，民众又担心有“台独”倾向的民进党上台，将会给“台湾安全带来明显的危害”。因此，民众在选举中普遍有“选国民党不甘心，选民进党不放心”的心理状态。新党抓住这一特殊的民众心理，提出“将给那些希望政局安定、政策清廉的民众带来新的选择和期望”，只有站出来，发挥自身的力量和影响，才能“革新政治，安定政局，制衡两党”，特别是阻止民进党上台。

此外，新党之所以选择在“十四全”开幕前从党内拉出来建立新党，还有其他因素的考虑。第一，“十四全”前从党内拉出来组党，无疑会引起党内外震动，尤其使李登辉难堪。第二，1993年11月，台湾将举行县、市长选举，“新连线”留在党内难以发展，而单独组党可以不受制约地参加年底的县、市长选举，争一席之位，为今后发展打下基础。第三，1993年7月，执政长达33年之久的日本自由民主党发生分裂，羽田派另立门户，这一变局也对他们有启发和鼓舞，决心走独立建党的道路。

新党宣布成立之时，马上公布了自己的政治主张和基本政策。其政治主张是：该党是“小老百姓的发言人”，是“以国会为中心，以民意为导向，以选举为手段的民主政党”；在政治路线上“追求民族统一，政治民主、民生均富的目标，坚守公义、平等、和平、安全、务实、干净的原则”，在台湾政坛“扮演革新政治、安定格局，制衡两党的角色”。其基本政策是：①“壮大中华民国，保障台湾安全是最高准则”；②“三党合作一致对外，相互监督，避免台湾被出卖，积极与中共展开谈判”，包括“拓展国际生存空间，重返国际舞台”，“开放两岸直航，促进全面交流”，“保障台商利益，争取大陆市场”，“建立互利共生的大中华经济圈”等；③“确立权责相符，受国会监督的直接民选总统制，避免独裁”；④“各族群一律平等，推动系列人权法案，保障人权”；⑤“改征兵为募兵，采减兵不减官，储备整军干部的精兵政策，推动国防科技化、现代化，确保安全”；⑥“设立直属行政院之廉政总署，推动系列阳光法案，贯彻反贪污、反腐化、反特权”；⑦“反金权，不反商。尊重守法守分的企业家、生意人，使他们不受刁难。全力支持中小企业，要做他们的后盾”；⑧“规划照顾弱势团体的社会福利政策，保障小老百姓的生活”。

新党党章共分10章34条。其主要内容有：宗旨——“让人民有更好的日子过”；党员——“凡认同新党并登记者为新党党员，未登记者为精神党员”；组织结构——“全国组织：设置立院委员会、国大委员会及全国竞选及发展委员会”，这三个机构是平行组织，其召集人共同为新党负责人，任期一年，不得连任。此外，在地方成立“竞选及发展委员会”；监督机构——在“全国竞选机关发展委员会”设“廉政勤政委员会”；入党方式——“不必宣誓，不交党费，认同理念（即认同三民主义，追求政治民主，发展两岸关系）”。

新党负责人是赵少康（“全国竞选机关发展委员会”召集人）、陈癸淼（“立院委员会”召集人）。此外，由王建煊出任“廉政勤政委员会”召集人。

新党成立后的最初四年是其发展的

黄金时期。第一，党的组织不断扩大。新党成立时，由于力量薄弱，只建立了人员高度重叠的“全国竞选与发展委员会”和“立法院委员会”两个“中央级”的组织。通过选举，新党的势力开始壮大，逐步建立起“三权分立”式的中央组织架构——“全选会”(负责行政和组织发展)、“立法院委员会”和“国民大会委员会”(负责制定、推动政策)、“廉政勤政委员会”(负责监督该党日益庞大的公职人员的操守及勤惰)以及高雄竞选及发展委员会、台北市议会党团、台湾省议会党团等三个“省级”组织，在台北县、台中市、桃园县等县市设立了竞选与发展委员会(即县党部)和100多支义工队伍，并在美国建立起10多个“新党之友”和新党后援会。党员人数也因其采取不缴党费这一发展党的模式而迅速增加。第二，党的群众基础逐步扩大。新党成立之初，被视为“外省党”、“台北党”，不易为台湾民众特别是南部地区的民众接受，严重地削弱了党的群众基础。经过几次重大的选举，情况有所改变。一是该党在选举中推出的各类公职候选人以本省籍居多，仅在当选的第三届21位“立委”中，本省籍达15人，占绝对多数。二是新党支持群中本省籍所占比例有所扩大。省市长选举时，投票支持新党省市长候选人的本省籍选民与外省籍选民之比是50.5∶49.5。而在第三届“立委”选举时，新党的支持群中，本省人占62.8%，外省人只占37.2%。三是逐渐克服了主要成员过于集中在台北地区的局限性。在第三届“立委”选举中，新党大举扩展，除在台北县、市、桃园县等“大台北地区”拥有地盘外，并顺利进入基础薄弱的台中市、高雄市等中南部地区。“总统”和第三届“国代”选举后，新党又在基隆、新竹县市、苗栗县及花莲等地区建立起新的滩头堡，并首次攻克金门、马祖外岛。第三，台湾第三大党的地位开始确立。由于政、经、社会资源相当缺乏，新党成立时曾被视为“泡沫政党”。然而，新党在后续的选举中成绩不俗。在1994年底的省市长选举中，新党获得7.7%的选票，并成功地促成台北市议会出现“三党不过半”的局面，使国民党首次失去了对台北市议会的主导权；在第三届“立委”选举中，新党又获12.95%的选票，取得21席，比刚成立时的7席增加了2倍；在初次参选的第三届“国民大会”选举中，新党又夺得了46席，获13.67%的选票；在“总统”选举战中，新党支持的“林郝配”也获得14.9%的选票。经过一系列的选举，新党展现出近140万选票的实力，在岛内确立起第三大党的地位。

新党能在如此短促的时间内得以迅速发展的原因是多方面的。首先是个人素质引人注目。新党形象清廉，部分核心成员个人素质良好，问政能力强，操守和品德早为部分民众所肯定。党成立后，他们又采取一系列措施突出其“反金权”、“反贪污”、“反特权”的清廉形象和显现出高水平的问政能力，赢得了不少中产阶级、青年、妇女的选票。其次是大陆因素的作用。祖国大陆反对分裂、反“台独”斗争，沉重打击了“台独”和“独台”分子的嚣张气焰，使相当一部分受国民党欺骗和民进党影响的选民逐步认识到“台独”的危害，将选票改投新党，客观上支持了新党在岛内的政治活动，提高了新党的得票率。再次是坚持反对“台独”、发展两岸关系的主张，符合民众维持政局稳定的心态，争取到不少中间选票。在新党扩展之时，李登辉与民进党正在大肆进行“台独”活动，导致两岸关系高度紧张，岛内股市下跌，民心浮动，局势不稳。新党明确指出“台独”是两岸关系紧张、台湾社会不稳的根源，要求台当局“外交休兵”，优先发展两岸关系，积极与大陆“三通”。新党强硬的“反台独”立场必然赢得一部分“反台独”的台湾民众的支持。又次是新党的发展，与以国民党内非主流派为核心的外省人的大力支持有关。新党在“反李反独”议题上与非主流派有高度的一致性，非主流派视新党为“正统的国民党”及“孙中山嫡系”，是与主流派进行斗争的盟军，故积极地支持新党。在非主流派的影响下，不少处在李登辉“本土化”压力下的外省籍军公教以及眷村荣民也视新党为其基本利益的代表和精神支柱，支持新党。这批占岛内居民约15%的外省人最终成为新党的基本支持力量。最后是所采取的策略得当。新党积极拓展本省籍票源的策略发挥了较大作用。为淡化“外省党”的形象，新党相继采用了一些争取本省人、扩大社会基础的措施：大力启用本省籍人士。在公职候选人提名时，将本省知名学者列为优先提名对象，而在象征族群政策的不分区候选人提名中尽量照顾到四大族群，以示对各族群的尊重；推行淡化意识形态、“台湾优先”、“维持现状”的政策和作为。与民进党进行“大和解”会谈，以压低其“外省党”的形象；主要负责人王建煊、赵少康等多次表示，台湾最重要的是“自保”，“维持现状”，不要搞“独立”，也不急于统一。新党积极拓展本省籍票源的策略发挥了较大作用，不少本省籍民众逐渐改变了新党是“外省党”的成见，在选举时投票支持新党。此外，新党还在竞选时提出“三党不过半，国泰又民安”等口号，组织各种易为老百姓接受、又能突出自身形象的活动，采取“强制配票”以避免选票过于集中某些“明星级”人物的措施，确实起到了开拓票源、扶持新人、争取更多席位的作用。

新党成立初期的发展壮大，对岛内政局和两岸关系确实产生了较大的影响。一是压缩了国民党拓展选票的空间，削弱了国民党的执政优势。新党与国民党票源重叠较大，其在外省族群、尤其是在军公教阶层中势力的扩张，已经使国民党在眷村的“铁票”发生动摇。不少外省人，尤其是外省第二代纷纷支持新党。新党席次的增加，也相应地减少了国民党的席次，极大地削弱了国民党在岛内的执政优势，使国民党在岛内政党角逐的主要场所“立法院”面临实质不过半的危机。二是遏制了民进党的上升势头。新党实力的增加，客观上在一定程度上牵制了民进党的发展势头。出于淡化“台独”形象和执政的考虑，民进党还被迫与日益强大的新党“大和解”，这又使民进党内“务实台独派”与“基本教义派”矛盾加剧，整体实力有所削弱。三是奠定了其在岛内政局中的“关键性少数”地位，并为今后的进一步发展创造了条件。在民进党表示不与国民党组织“联合内阁”的情况下，此时的新党又通过“大和解”的策略，扮演“关键性少数”的角色。四是在一定程度上有利于两岸关系的发展。新党是岛内遏制“台独”、“独台”势力膨胀、影响台湾当局大陆政策走向的一支重要政治力量，其缓和、发展两岸关系，反对“台独”的主张已经得到越来越多民众支持。为了能在岛内激烈竞争的政党政治环境中扩大空间，国民党、民进党不得不调整其大陆政策，以适应岛内普遍希望缓和、发展两岸关系的“民意”。新党的存在和发展，客观上有利于两岸关系的发展。

但必须看到的是，新党的弱点也是极明显的，主要是：①民意基础不够雄厚，政经资源有限。新党的支持者以大陆籍军公教人员和荣民眷属为主，势力范围以台北市等都会型地区为主，其中又以中青年知识阶层占多数，以致被贴上“外省党”、“都会党”标签。由于台湾的所谓“政党政治”从一开始就走上一条过分依赖政经资源的畸形发展道路，因此新党在本省籍民众占总人口多数的台湾势难成为主流政党，加之新党反对金权勾结，开展政治活动所需的巨额活动经费和不断攀升的选举费用使其发展受到限制，难以扩展。②政风难树一帜，问政表现的拓展乏力。在“内政”、“外交”等问题上，新党的政治主张不能向民众清楚地表明其与国民党或民进党的区别，这是新党面临的一个深层次发展瓶颈。一些新党成员自诩为“正统的国民党”，提出“反李不反国(民党)，反独也反(中)共”，充分说明了该党在理念和主张上的矛盾性和局限性。新党在抗争后迷失了方向，在党内出现“一中两国”这样与“台独”无异的主张。③“明星”效应难以为继，人员素质开始下降。新党由建党时的所谓“七人党”发展为岛内第三大党，在很大程度上是依赖几个“明星”人物的形象，并以此成为外省族群倚赖和年轻人青睐的对象而成长，但“明星”光环难以长久，加之新党内部时有龃龉，内讧不断，不仅使新党的号召力受挫，而且直接影响了组织运作而导致新党的素质下降。④选举成绩极不稳定。新党在台湾政坛活跃了二三年后，开始走下坡路，在之后的诸多选举中的席次波动不已，不升反降，民众对其逐渐失去了信心和希望。由此可见，经历了几年的快速成长后，新党的制约因素将逐渐显现出来，其地位和影响力下降是必然的。

3.第三届“立法委员”选举

1995年12月2日，台湾进行了第三届“立法委员”选举。此次需选出“立委”164名，较上届增加3名，共有398人登记参选。

此次“立委”选举结果将直接影响台湾地区权力再分配，也将影响1996年3月“总统”选举，朝野各方均给予高度关注。国民党把这次选举视为“政权保卫战”和“总统”选战的前哨战；民进党认为是“迈向执政的契机”；新党则认为，选举结果只有“三党不过半，才能发挥制衡”。

为了争取更多的席位，三党都提出了各自的参选口号和纲领。国民党强调该党是“最重视民众福利的政党”，并公布了国民党“立委”参选的共同政见，提出将以“稳健领航，跨越世纪”为主轴，做到“一个坚持、三大保证、五大目标及十五项具体作为”，来规划“国家整体建设，引领全国同胞跨越21世纪”。所谓“一个坚持”，是“坚持反共产、反台独及捍卫中华民国”。“三大保证”是保证“国家安全、社会安定、民生安定”。“五项目标”是“政治清明、经济成长、社会公义、文化多元及国际参与”。民进党将选战主轴定为“给台湾一个机会”，提出“加强国防、确保主权、简化政府、改革经济、普及福利”等五大纲领及43项议题。新党公布的竞选政见，以“关键时刻、关键新党”为轴，强调唯有“三党不过半”，方能形成三足鼎立的态势，“对国家、社会有帮助”。新党还誓言将实现不打仗，促进两岸签订和平协议，不加税，抓贪污等承诺。

选举结果，国民党遭到挫折，仅获85席，占总席次的51.83%，刚过半数，但比第二届“立委”选举时的103席少了18席。在得票率方面，国民党获46.06%，在“立委”选举中首次没有过半数。这表明，国民党的席位虽过半数，但席次和总得票率均有所下降。民进党得54席，占32.93%，比第二届“立委”的50席增加4

席，但得票率(33.17%)却比第二届“立委”降低了2.92个百分点，可谓小幅度增加。新党攻下21席，占12.80%，比从国民党中分裂出来时的7席多14席，增加了200%，得票率则达到了12.95%。这一结果基本上反映了此时台湾的政治生态和各种政治势力的实际情况，也反映了岛内大多数民众“不急统”、“不急独”，主张维持现状的心态。

此次“立委”选举，民进党和新党期望的“三党不过半”的目标虽未实现，但国民党也仅以过半数三票的优势成为“立院”中的第一大党，其在“立法院”的主导权实际上已经丧失。民进党完全有可能利用活动空间，通过政党的联合，在“立法院”内实施有效制衡。台湾政坛出现“强势立法院”和“弱势行政院”的对立将不可避免。

选举结果，新党和民进党仍居少数党地位。为扭转不利地位，增加在“立法权”上与国民党抗衡的力量，自选举结束起两党就开始协商“社会大包容，政治大和解”问题，意图组成政治联盟对付国民党。12月14日，民进党和新党领导人施明德、赵少康在“立法院”的咖啡厅举行首度会谈，商讨合作的可能性。12月20日，新党领导人赵少康等人又首度拜访了民进党中央总部，达成一定的共识。尽管这一“大和解”的政策遭到来自民进党内“台独”分子们的强烈反弹，遭受挫折，但反对党对国民党咄咄逼人的态势已充分显示出来。

为了能在今后行使“立法权”时占得有利阵势，国民党把“立法院长”作为自己必守的主要目标。国民党推出的候选人是上届“院长”刘松藩及搭档王金平，竞选连任。国民党一些上层人士频频动作，为刘、王二人拉票；刘、王二人更是到处拜票，拉拢支持者，摆出了务必打赢选后第一仗的架势。在野党也进行了频繁的活动，以“副院长”一职为代价公开拉走国民党的两位“原住民不分区立委”，推出民进党主席施明德、蔡中涵(国民党籍原住民“立委”)搭档参选。

1996年2月1日，新任“立委”宣誓就职后，随即举行正副“院长”的选举。经过双方紧张的较量，最后刘松藩以82∶81多一票的结果险胜施明德，王金平则以84∶78多6票，压住蔡中涵，分别出任第三届正副“立法院长”。

从第三届“立院”成立后各方的较量的结果，可以看出国民党在“立院”的“主导权”已经丧失。一是关键时刻国民党“跑票”严重。国民党本身有85票，可刘松藩只获得82票，其中还包括无党籍“立委”支持的2票，至少跑掉了5票。这表明国民党名义上“过半数”实质上无法过半数已成为现实，刘松藩这位“一票院长”在之后的“立法院”工作中难以有效行使职权。二是开始出现国民党的“立委”与在野党的“立委”进行“议事合作”。此次在野党联合提出的“立法院副院长”候选人蔡中涵就是国民党确保的“原住民立委”，而另一名“原住民立委”也没有支持本党候选人。三是李登辉的意志在现实中无法得到贯彻，“党鞭”指挥不灵。此次选举过程险象环生，波涛汹涌，国民党“立院”党团全盘控制，甚至在最后采取“一对一”的监票这种非常手段艰难取胜，表明国民党籍“立委”不坚持党的主张、不支持党籍候选人已成为阻挠贯彻国民党中央意志的主要障碍。四是党内利益集团“互别苗头”现象严重。“立法院”历来是国民党内派系活动的主要阵地，自第三届“立委”选举完成后，院内的次级政团就对“院长”人选有不同主张，“民意会”更是有意推出高育仁等人出来主持“立法院”，这种派系之争已成为严重干扰国民党在“立法院”贯彻中央决策的障碍。

4.“二月政争”与“六月政改”

在“立法院”正副院长选举中，新、民两党的联合行动已直逼国民党的执政防线，虽说没能挫败国民党籍候选人，但仍不失为两党“议事合作、政策性合作”的一次成功尝试，也为下一轮行使“阁揆同意权”时双方的合作提供了极有价值的参考。可以说，在与国民党争夺“立法权”进而也是“执政权”的斗争中，在野党方面由于没有历史包袱，受牵制较少，生存空间和运作半径肯定要比执政党大得多，他们的合纵连横对台湾政坛的影响越来越大，不可低估。

初尝合作之味不久，在野党再次合作向执政党发起攻势。2月23日，“立法院”进行行使“行政院长”同意权的投票①，民进党和新党都想利用这次机会“倒阁”，迫使国民党与在野党合作，组成“联合内阁”。国民党吸取了上次教训，事前就采取了多种方式和手段动员保“阁”。最终，民、新两党合作发起的“二月政争”有惊无险，国民党推出的连战“内阁”以比法定票数仅多三票的微弱优势暂时保住了“政权”。

仅过了一个月，在野党再次向国民党的执政地位发起挑战。3月23日，台湾举行了第三届“国民大会”代表选举。此届“国大”虽因“总统”选举改由选民“直接选举”，原有的职权大幅萎缩，但毕竟承担着“修宪”任务。出于今后发展的考虑，此次选举时朝野三党均投入了相当的精力争取席位。

选举结果，国民党不论是当选席位还是得票率都大幅滑落，从第二届“国代”的254席(占总数的78%)、71.17%的得票率降为183席(只占总数的55%)、49.685%。国民党在“国大”的席位已不足四分之三，原来掌控“国大”、进行“一党修宪”的优势完全丧失。民进党和新党的当选席位和得票率都比上届大幅增长。其中民进党99席，占总数的29%多，比上届多了9个百分点；得票率近30%，比上届多5个百分点。民进党所获席位已超过总额的四分之一，彻底改变了上届“国大”因席位过少，只能对国民党的“修宪”采取消极的“退席抗议”形式的局面，取得了在“体制”内通过“合法”程序对国民党“修宪”的制衡权，具备了与国民党进行讨价还价的资本，国民党为了换取民进党的支持，将不得不接受其部分“修宪”的主张。新党则获得46席，且在金马、花莲、苗栗等原本新党势力薄弱的地区都有“国代”当选，成功地扎下了根。这是新党继1995年“立委”选举后取得的又一次胜利。但新党在第三届“国大”所占席位尚不足构成“关键少数”地位，只有结合国民党内部同情“非主流派”、反对“台独”的力量，才可能阻止“明独”与“暗独”的合流。

“国大”新局面的出现，使三大政治势力在“国大”围绕“修宪”所进行的妥协、斗争将更加复杂、激烈，台湾政坛更加动荡不安。6月5日，李登辉忽然在国民党中常会上宣布他已决定由连战续任“行政院长”，其出尔反尔的消息传到“立法院”后，一场政争风波再次掀起。11日，“立法院”由民进党、新党两党联手主导，并得到国民党部分“立委”的倒戈支持，顺利以80对65的悬殊票数通过了“咨请总统尽速重新

① 根据台湾的“宪法”，新一届“立法院”组成后，“总统”必须重新提名“行政院长”，经“立法院”行使“阁揆”同意权后，方能正式担任。

提名行政院长，并咨请立法院行使同意权案”的在野党提案，李登辉掌权8年来最严重的“宪政”危机爆发。

然而，李登辉对“立法院”的决议置之不理。民、新两党决定发起“六月政改”，除继续要求行使“阁揆同意权”外，还提出改选“立法院正副院长”的要求。6月29日，“立法院”内朝野双方上演了一场激烈的战斗。最终在野党阵营以1票之差落败。恼怒不已的在野联盟在“审查国营事业预算”、“第四核电厂复议案”、“劳动基准法”以及“考试院、监察院人事案”上对国民党进行联手抵制，并强力抵制连战到“立法院”进行施政报告和总质询，连战只好史无前例地站在“立法院”门口以召开记者会的方式宣读其施政报告。

三

“百年老店”的国民党面临着执政的危机

1. 李登辉登上“民选”“总统”的宝座

岛内的第九届“总统”直选，是台湾地区第一次由民众直接选举产生最高权力执行者，也是李登辉“宪政改革”完成“中华民国”“台湾化”的最后一站。在这场政治大拼搏中，共产生了四组“总统和副总统”候选人，即国民党的李登辉和连战，新党的林洋港和郝柏村，民进党的彭明敏和谢长廷，无党籍的陈履安和王清峰。

3月23日，第九届“总统”选举活动结束。经过激烈的角逐，国民党提名的“李连配”获得54%的选票当选第九任“总统”；反对“台独”、诉求“稳定”的“林郝配”和“陈王配”分别获14.9%、9.98%的选票，超过主张“台独”的“彭谢配”；民进党提名的“彭谢配”获21.13%的选票，大大低于近几年选举中民进党35%左右的平均得票。

导致以上结果的主要原因是祖国大陆“批李批独”政治攻势、军事演习对选情产生强大震撼以及选民的政治心态和投票意向出现了新的组合。

李登辉在大陆“批李批独”舆论攻势和在台湾海峡连续3次军事演习的强大压力下，被迫将其得票目标调降为“过半”，并采取欺骗手法蒙骗岛内民众。大陆发动的“批李批独”攻势和军事演习，使岛内民众进一步认清了李登辉是两岸关系紧张和岛内局势动荡的根源所在，为数不少的原本支持国民党的“铁票”流向“林郝配”和“陈王配”，致使“李连配”的得票虽超过五成，但在“国代”选举的得票率则远低于该党第二届“国代”选举时的得票率，比其预设的60%票率低了10多个百分点。民进党虽一直希望通过“总统”直选加快夺取政权、实现“台独”的美梦，但当大陆发动“批李批独”的政治攻势和军事演习后，相当一部分受民进党影响的选民深刻认识到“台独”将给台湾带来难以估量的危害，再加上该党内一直存在的“李登辉情结”的影响，最终果然出现“弃彭保李”现象，把票投给了“李连配”，使“彭谢配”遭到了空前挫败，得票率创下了民进党自成立以来在各项主要选举中的最低纪录。相比较而言，反对“台独”，主张稳定的“林郝配”、“陈王配”顺应了岛内“维持安定、反对台独”的民意，得票率总和超过了“彭谢配”。

另外，在选举中各组人马的综合实力和策略运用，也是影响选举结果的重要原因。“李连配”可凭借手中掌握的行政资源和人脉资源进行全方位动员，广泛吸纳选票。“彭谢配”虽通过加强内部整合来吸纳选票，但因难以突破“台独”的瓶颈，最终遭到中间选民的唾弃。

“林郝配”和“陈王配”的批李攻势取得了一定的成效，但他们毕竟属于国民党内“非主流派”，实力有限，加之他们互不相让，各自参选，力量分散，更无法获得胜选所需的票数。

第九任“总统”选举是李登辉主导的“宪政改革”的压轴戏，是李登辉以“民主”为名推行“台独”谋求台“国际人格”，迎合西方反华势力的集中体现，其结果对岛内局势和两岸关系的走向均产生重大的影响。一方面，李登辉在岛内政局中的权力、地位更加巩固。经过几波激烈的权力斗争，李登辉已经将“非主流派”排挤出国民党权力核心，掌握了党、政、军、特大权，建立起李氏“一言堂”。李当选首届“民选”“总统”后，所谓“民意”基础大幅扩大，李成为强势“总统”，可以完全主导岛内政局发展，推行“分裂分治”的大陆政策和所谓“务实外交”。另一方面，台湾的“政党政治”趋于稳定和常态，岛内各种势力之间权力争夺战更加激烈，岛内政局更加复杂。随着“政党政治”的推进和政党的分化组合，台湾政局充满了不确定性，两岸关系也因台湾政党操纵的“民意”的变化而跌宕起伏。

“李连配”赢得“总统”选举，是国民党进行“宪政改革”后取得的罕见的胜利。自“宪政改革”后，国民党丢失了许多重要席位，整体实力在迅速下降。在1994年底的省市长及省市议员选举时，国民党失去台北市长这一重要职位，也首次失去对台北市议会的主控权。1995年第三届“立委”选举时，国民党虽勉强维持过半数席次，但面临“实质不过半”的危机，其得票率也首次在各类“中央民代”选举中不过半。1996年第三届“国代”选举，国民党获得过半席次，但比第二届“国代”选举时大幅减少，远远低于主导“修宪”所必需的四分之三席次，得票率大幅下滑了21.49个百分点。因此，此次选举的胜利对国民党来说有重要的象征意义。但必须看到的是随着政治资源的减少、党内中生代权力争夺战的激化和“李登辉情结”的淡化，国民党的整体实力下降无法避免。

此次选举，在野党喜忧不一。民进党的得票率下降至最低点，仅二成选民支持，显示多数台湾民众不支持“台独”路线和主张，从而进一步加剧了民进党内的权力、路线之争。“总统”选举后，党主席施明德不得不在民进党内各派的夹击下辞职，民进党一度面临建党以来的最大危机。新党则在选举中达到历史上最高的得票率——14.9%，确立其在岛内第三大党的地位，成为一支不容忽视的政治势力，引起岛内外的关注。

1996年间的“总统”直选和第三届“国代”选举，使第三届“立委”选举后已基本成型的三党政治趋于稳定。国民党虽拥有执政优势，但依然面临在野党的强力挑战。而在组织架构的关系上，随着“总统”权力的扩大，“行政院长”权力相应缩小，“行政院”和“立法院”的矛盾已相应转变为“总统”和“立法院”的矛盾，岛内的政争开始出现新的转位和格局。

2.国民党的“再造”

改革、再造国民党一直是李登辉任期中的一项重大任务，但由于国民党内长期陷入“主流派”与“非主流派”的派系纷争，李登辉主导的“党务革新”受到了党内诸多批评和掣肘，各种革新方案的实施困难重重，加之自1989年以来，岛内几乎每年都有选举，国民党为了保住执政的地位不得不全力应付各项选举，以至于对党的改革没有投入很大的精力，“党务革新”一再延缓。

但1996年“总统”选举后岛内政局有了很大的变化。首先是以李登辉为首的“主流派”已完全主控国民党权力中心，“非主流派”势力的影响力极弱，国民党领导体系趋于一体化、单纯化，李登辉想推动的“党务革新”阻力已排除。其次是“总统”大选过后，台湾要到次年底才有选举，出现了一个选举的“空档期”，国民党有时间与精力来进行党务的整顿。而推动国民党进行改造的最大原因在于国民党面临新的形势，甚至濒临危机，迫使国民党不得不进行改革。一是国民党在“国会”中的优势地位逐步丧失，在“立法院”中已实质不过半，国民党执政地位已岌岌可危。二是党组织对党籍公职人员的约束力下降，中央的政策难以贯彻实施。三是选民对国民党的认同感减少，社会精英不愿加入国民党，社会资源大量流失。四是面对政治多元化、反对党不断强大的现实，国民党必须放下一党独大的身段，处理好与反对党的关系，并善加利用反对党之间的矛盾。

基于以上原因，1996年4月“总统”选举一结束，国民党立即刮起了“革新”之风。4月8日，国民党中央展开“党务革新”规划、部署工作。随后，国民党中央“组工会”、台湾省党部等部门根据李登辉的指示，进行了“党务革新”的探讨。7月24日，“组工会”草拟完成“党的再造案”。27日，国民党中央召开十四届中央委员会第四次全体委员会议筹备会，确定了国民党“再造”的五大实施纲领，即“调整组织、文宣造势、深耕社区、推动政党合作、探讨民意与改进行政管理”。8月8日，国民党十四届四中全会议题研修小组修正通过了“党的再造案”，将原方案的五大内容修改为“组织动员、文化宣传、政策协调”三大内容。8月15日，国民党中常会通过“党的再造案”，确定前述三大内容为三大改造主轴，并决定送交月底召开的十四届四中全会进行最后的表决；表决之后，国民党中央成立“执行小组”，以4年为期，以便在公元2000年以前完成国民党的“再造”。

国民党的“再造”主要有以下几个方面的内容：第一，调整结构，归口管理。本着“中央精简、省级整合、地方充实”的原则，将国民党的组织规划为“组织动员”、“文化宣传”、“政策协调”三大块，将中央现有工作会、委员会并入这三个部门，不能并入者或裁撤，或与其他组织合并；各省级党部作阶段性和局部性调整，部分省组专业党部、特种党部合并或划归地方党部；党在村里区的分部改称工作责任区，工作责任区所属党员划编小组。第二，精简人员，节省开支。由于历史原因，国民党的党机器特别庞大，每年的人事开支近40亿新台币。面对越来越沉重的选举经费的负担，国民党不得不采取节省开支的办法。一是裁撤、合并中央及地方机构，减少人员编制和员额，降低人事开支至新台币20亿元；二是整顿、合并党营事业，减少亏损，其中，将党营文化事业归口“投资事业民族管理委员会”，明确规定党营文化事业以营利为主要目标。三是在地方党部中成立“服务基金”，将党员缴纳的党费或其他捐款，一半存入“服务基金”，另一半及“服务基金”所生利息作为县、区党部服务活动及经营工作责任区经费，减轻中央党部的财务负担。第三，转换组织功能，提升党的战斗力。为使党务系统完全服从、服务于选举，国民党提出“党工义务化”、“组织社区化”、“活动社会化”、“运作服务化”，让民众真正感受到国民党的关怀，发挥“全民政党”的力量；并力主公职人员与党务系统结合，基层党部成为党籍公职人员的服务中心，其组织构成及运作都要以赢得选举为中心目标，使国民党立于不败之地。第四，下放权力，充实地方党部。一是实行地方党务自治，将中央一条鞭式的指挥权下放到地方，使地方党部有更多的自主权。二是整合地方党部，把公职人员的竞选总部、后援会纳入地方党部组织系统，使这些本是地方派系领袖的公职人员参与党的决策、协调，以有利于改善已往地方公职“民代”与党务系统壁垒分明的弊病。第五，强化政策协调，推动政党合作。明确了国民党中央与地方组织的职能除了辅选之外，另一重要功能是做好各行政部门与“国会”协调和国民党与在野党协商的工作。要求党组织要熟悉党籍“国会议员”的情况，及时化解党籍“国会议员”与各方面的恩怨情结，保持党团组织的一致性，保证国民党的政策顺利实施，保住国民党的执政地位。同时，积极推动“政党合作”，力求使政治协商制度化，发挥政党良性互动功能。第六，加强党员联系，扩大党员队伍、培养政治人才。依西方国家政党管理的模式来加强与党员之间的联系，扩大党员参与面，借重义务干部，运用资源，邀请各级选任从政党员共同推展基层党务工作；吸收精英入党，壮大基层组织；结合外围组织，推展社会群众运动，增进国民党与社运界的关系；培植政治人才，对形象清廉、具有发展潜力的党员，分别纳入人才库，有计划的予以培植、训练、贮备、适时辅导参加公职人员选举。

李登辉推动“党务改革”的目的是既想通过机构调整、人事革新、决策模式的改变来提高国民党的竞争能力，也想在“革新”中排除异己势力，培植自己的班底，建立以自己为核心的新权威，进而为未来的权力过渡作好安排。从其“革新”的规划上看，这次改革将给国民党带来一定的生机，问题是从方案规划的纸上作业到落实到具体项目上存在相当大的差距，实施的难度巨大。首先，李登辉要把国民党组织系统定型为“选举机器”，但国民党是一个强势的政党，拥有众多的党产，党组织结构复杂，党主席权大位高，权力机制呈三角形，组织运作是以上临下，由党可以入政，由政也可以入党，党职的权力有时比当局的行政部门的权力还要大，要脱胎换骨实属不易。其次，以国民党百年的历史，刚性而外显的政党性格，要在旦夕间蜕变为一个以地方掮客主导的世俗化政党，或许在选票上有些增长，但可能要付出理想性格丧失、党员认同弱化的代价，一些党内高层人物指出，国民党赢了选票却丢了理想与纪律，国民党将无以生存。第三，由于“再造”方案与该党现行组织体制有一定程度的差距，加上组织的变动势必同时牵动大量人事与权责的变动，这样就面临既有党部官僚的反弹与阻碍，部分党工与党的管理干部因害怕被裁减或丧失权利而对“再造”提出异议或反弹，中央高层也有人反对过激的改革。再者，将地方社会势力纳入党内，国民党可能成为派系松散的联盟，从而使国民党陷入激烈的派系之争，最终导致国民党的分裂。

3.在野党的分化和组合

民、新两大在野党在1996年间的合作虽未取得成功，但已在体制内对国民党产生了极大的压力。李登辉早就想与民进党在某些方面寻求合作来控制台湾的政局，但受制于党内的强烈反对而无法实现。李登辉获得“总统”职位后，势力独大，在党内已没有能与之抗衡的异己力量存在，国民党与民进党的合作遂成必然。6月18日，李登辉在会见民进党“国代”时，向民进党伸出了“政党协商、联合”的橄榄枝。

对民进党来说，国民党毕竟是执政党，与之合作可在未来“宪改”中塞进有利于自己的东西，为夺取政权扫清障碍，加之国民党的政治理念也与自己日益趋同，较易获得党内“执政优先”派和“柔性台独”派的赞同。反之，新党过于弱小，且民进党与新党的政治理念区别甚大，两党的合作在民进党内一直存在较大的争议，只是因主张与新党合作的施明德在台上而作罢。随着施明德下台，张峻雄竞选党主席失利，党内“台独基本教义派”从民进党中分化出去以及民进党内赞同与国民党合作的许信良出任第七任民进党主席，民进党逐渐远离新党，靠近国民党。

7月1日，第一次到民进党中央党部上班的许信良就秘密拜见了李登辉。双方交谈甚欢。李、许会谈引发了民进党和新党内部的强烈反应，纷纷表示反对。但由于民进党内主张“联合执政派”在中央占据上风，因此，民进党内的争议主要围绕是与新党合作还是与国民党合作而已。7月3日，民进党举行中常会例会，经过激烈的争论，民进党最终决定接受许信良的主张，同意加入李登辉主导的“国发会”。

弱小的新党强烈的反对也无任何实质的意义，试图与两大党妥协进入政治协商同样遭到冷遇。新党愤然退出“国发会”以示抗议，在野联合阵营宣告解体。

民、新两党的短暂合作，对两党未来的发展影响甚大。民进党在利用新党迫使国民党对合作做出更多的让步，即增强了自己的实力和谈判的筹码，又使自己在三党合作的空间中处于主动的地位。新党则在合作过程中，模糊了本党的政治理念，导致自己内部混乱，加之在合作中又只讲联合抗衡，不讲拓展政治空间，对民进党放松了应有的警惕，故当民进党抛弃了新党后，新党的政治空间急剧缩小，势力迅速削弱，“关键性的少数”成了“无用的少数”。可以说，新、民两党的合作，民进党是利大于弊，新党则是弊大于利。新党不仅没有捞到任何好处，反而为此付出了惨痛的代价。

新党被民进党抛弃已使新党内部沮丧不已，但对新党打击更大的是来自内部的分化。随着1996年台湾“总统”大选结束，新党过去以反李登辉为主张的政治诉求也随之失去了着力点，继续发展组织困难加大。为发展势力，新党内部出现了重视“本土化”和“普及化”的主张。这与新党初创时的政治理念是不相吻合的，内部的政治分歧加大。一些创党的元老灰心丧气。1996年10月，赵少康宣布退出政坛，转入新闻界；王建煊随之转入宗教界，郁慕明表示有转入医药界发展的考虑。

面对这一变局，新党召集人陈癸淼开始着手新党的转型工作，但却加剧了新党内部的争论。1997年1月中旬，新党爆发了首次内讧。

1月16日，新党“立委”朱高正、黄国忠陪同帝堡国际公司总经理刘华盛举行记者会，指控新党“立委”姚立明与其兄涉嫌利用大陆投资案，“诈取”支持新党的厂商提供的200万美元，并进一步指责新党高层“包庇”姚立明，点名要求陈癸淼、郁慕明下台，由赵少康、王建煊出面整顿新党。

朱高正炮轰中央的行为在新党中发生连锁反应。新党内部分化为陈癸淼、郁慕明和朱高正、李庆华两大阵营，同室操戈，自相残杀。朱高正被开除党籍，李庆华也被迫辞去了党内的职务。

新党内部争斗使新党元气大伤，大大地削弱了原来就非常有限的实力。争斗使新党“团结、清廉、民主”的形象受损，动摇了新党的群众基础，使原有的支持者和中间选民大量流失。争斗也使中央领导层分化，内部矛盾加剧，人心离散，士气低落。开除朱高正则使新党试图淡化“外省党”的努力受阻，对新党巩固和拓展政治空间极为不利。1997年底和1998年底，新党在台湾的“县市长”选举和“三合一”选举中惨败，之后，一直在痛苦的竞争中苦苦挣扎，风光不再。

台湾“总统”选举后的政治结构的变化也使民进党内出现了分化，一部分激进的“台独”势力从民进党内出走，组成“建国党”。

其实，激进的“台独”势力与民进党内的“温和派”在取代国民党统治、争取台湾“独立主权”等方面意见是一致的，但在如何夺取政权、如何实现“台独”等方面则存在分歧，双方一直存在矛盾。1995年底，以施明德为首的民进党党中央为了加快实现该党执政的步伐，提出应趁国民党面临自1949年以来前所未有的分化危机，积极调整民进党的政治策略，与主张两岸关系缓和和国家统一的新党进行“大和解”，以共同对付国民党。许信良再次当选民进党主席后，又重提“政党重组”论调，却反过来与李登辉晤谈“政党合作”，与国民党主流派形成策略联盟。短期内民进党的政策竟发生如此大的变动，是民进党历史上少有的。党内政治主张混乱，加之“总统”选举失败后，党内内讧事件不断，黑金也逐渐浸入党的肌体，已导致不少社运团体渐渐远离民进党，就是一些有较顽固“台独”思想的民众对民进党的态度也由支持转向了怀疑。

对此，一些自诩为社会清流、崇尚理想、追求台湾“独立”的“台独基本教义派”开始强烈批评民进党的嬗变和恶质倾向。他们指责民进党已经放弃了“台独”，背离了自党外运动以来，坚持“改革”与“台湾主权独立”的两大立党精神，指出民进党在附庸国民党或迎合新党之间，在“反对统一”和“大陆热”之间迷失方向。1996年4月9日，彭明敏公开表示，“台湾要独立建国，不能寄望于民进党”。其他激进的“台独”分子也跳出来鼓吹与不是同路人的民进党分道扬镳，另组新政党，继续推动岛内的“台独运动”。于是出现了激进“台独”分子一幕幕的组党举动。

事实上，激进的“台独”势力酝酿组党已久。民进党成立后不久，一些激进的“台独”分子就鼓吹成立所谓“台独党”，只是由于各种原因一直未能实现。当素有“台独教父”之称的彭明敏返台后，岛内“台独”势力逐渐云集在他的麾下。在彭明敏的影响下，各路“台独”势力于1995年成立了“建国广场”，成为当时民进党最大的外围组织。彭明敏决定代表民进党参加“总统”竞选后，岛内“台独”势力立即成立了“台湾建国阵线”，积极支持、协助彭参选。大选失利后，彭明敏恼怒之余立即着手筹组“建国会”(1996年4月9日正式成立)，并即在台北、高雄、嘉义、三重、台中等地成立了分会，吸收了12000多名会员。7月底，以“建国会”为骨干组织的“台独”分子成立了“9人组党工作小组”，展开党章、党纲的研拟工作。8月18日，“建国会”主要成员与台湾教授协会等“台独”组织的骨干分子召开新政党第一次组党筹备会议，确定1997年元旦成立新政党，党定名为“建国党”(后改为1996年12月10日建党)，由“建国会”、台湾教授协会、万佛会、长老教会、“外独会”等“台独”组织组成，台大教授林山田担任组党筹备委员会总召集人。该党筹委会的成立，标志其组党工作大体完成。

1996年10月6日，“建国党”筹备委

员会在台北市举行发起人大会，彭明敏及部分民进党成员出席。大会宣布“建国党”正式成立并通过了先前公布的党纲、党章，选举台“中央研究院院士”李镇源为该党首任主席，最后发表宣言，声称“台湾绝不是中国的一部分”，“建国党以建立新而独立的台湾共和国，维护台湾国民及其世代子孙追求民主、自由、安全、公平、幸福的权利为永不改变的宗旨”，“将致力于推动以台湾全体国民为主体，形成命运共同体，制定台湾共和国宪法”，“反对中国”、“反对黑金”、“推动各项改革”，主张台湾必须用“台湾共和国”名称加入联合国。李镇源还代表该党表示：如果民进党未来能坚持“独立建国理念”，则将会与其合作，但不与长期“欺骗台湾人民”的国民党、新党合作。

“建国党”是一个彻头彻尾的“台独”党。其成员主要来自于民进党党员和过去支持民进党的外围民众。从参加成立大会的发起人的成分构成来看，230 多人中，大学教授、中小学教师近 70 人（占 1/3）、工商界职员 70 人左右（亦占 1/3），其余为医界人士（约 26 人）、文化界人士（近 30 人），表明该党属知识分子型政党，代表台湾部分中产阶级的利益。

“建国党”成立后的影响是多方面的。首先，一定程度上对民进党形成较大的冲击，暂时缓解了国民党的执政压力。就短期来看，“建国党”势必从民进党中分出部分资源，对民进党是一大损失，也使国民党能够利用在野党之间的矛盾，从中渔利。从长远来讲，激进“台独”势力脱离民进党，从而使民进党得以放下“台独”与偏激的包袱，进而有可能为发展实力提供机会。其次，使台湾政治格局的变化更趋复杂化。“建国党”的基本票源约在 5％至 10％之间，具备分配政党不分区席次所需的 5％“门槛”票源，如不出现意外，将成为台湾政坛上的第四大政党。这样，目前台湾“两党（国民党与民进党）对抗、三党（国民党、民进党与新党）鼎立”的格局将演变为“二大（国民党与民进党）、二小（新党、建国党）”合纵连横的局面，台湾政局的变化越来越复杂。最后，增加了两岸关系发展的变量。“建国党”的成立无疑会使岛内的“台独”分子形成新的中心，“台独”活动因而变得更加猖獗。

当然，“建国党”要想成为台湾的第四大政党，并摆脱泡沫党的阴影，困难不少。在 1998 年的“三合一”选举中，“建国党”惨败即是明证。

4.“宪改”的继续进行

李登辉再次当选“总统”后，一再表示其施政的重点之一就是要推动“宪政改革”的继续进行。1996 年 12 月 23 日到 28 日，李登辉主持召开了第二次“国是会议”——“国家发展会议”（简称“国发会”）。在李登辉的强势主导下，国民党联合民进党中的许信良派，共达成了 192 项共识。其中“宪政体制及政党政治”议题方面达成共识 22 项，主要有：①“总统”任命“行政院长”不需“立法院”同意；②“总统”有权解散“立法院”；③“立法院”可对“行政院”提出不信任案；④审计权、“总统”弹劾权改“立法院”，“立法院”建立听证制度和调阅权；⑤冻结“国民大会”的创制、复决权，人民得就全国性事物行使创制、复决权；⑥调整精简省府的功能业务与组织，自下届起冻结省自治选举；⑦取消乡镇市级选举，“乡镇市长”改为派任；⑧县市增设“副县市长”，县市政府职权应予增强；⑨“国大代表”改由政党比例代表制产生，并自下届起停止选举；⑩“中央民意代表”选举制度采单一选区制与比例代表制二者混合制的两票制。李登辉以“冻省废宋”为诱饵，用“冻结五项选举”来换取“立法院”释出“阁揆同意权”，建立“改良式混合制”，从而达到为自己扩权的目的。1997 年 1 月 30 日，国民党中常会选出连战等 22 人组成“修宪策划小组”策划修宪，并决定在 7 月 1 日前完成。3 月 5 日，策划小组提出了国民党版的修宪条文。4 月 28 日，李登辉召开国民党临时中全会，通过“党版修宪草案”。

“国发会”召开后，国、民两党党内都出现巨大的反对声音。

在国民党内，先是宋楚瑜“请辞待命”，震撼台湾政坛。3 月中旬，又因补选桃园“县长”失利，民进党的“台独”积极分子吕秀莲获胜，国民党内的反弹声更甚。

宋楚瑜原是李登辉的亲信人马。国民党内“非主流派”瓦解之后，“主流派”内部的连战、宋楚瑜、吴伯雄、许水德等中生代争夺“接班人”的斗争成为国民党内部斗争的焦点。为避免中生代“卡位战”造成严重内伤，李登辉曾对“后李时期”的人事安排部署进行规划。1996 年 3 月“总统”选举后，李登辉就向外界透露他未来 4 年的“交棒计划”，即“十五全”时辞去党主席职务，改由连战“接棒”并专任“副总统”，其腾出的“行政院长”职务则由“票王”宋楚瑜填补。待两人经过两年多的历练后，于 2000 年以“连宋配”代表国民党参选第十任正、副“总统”。但这一计划很快因此次“冻省”与“反冻省”的争斗所破坏。

“冻省废省”原是“台独”分子提出，企图借此来改变台湾的政权结构，割断与祖国大陆的联系，实现“台湾独立”这一不可告人的目标。此议此行多次遭蒋氏父子强力禁止。李登辉当选首任“民选总统”后，为争取民进党协同一起搞“独台”，竟主动提出“冻省废省”。当遭到“省长”宋楚瑜反对后，李登辉迅速与民进党的主流派许信良联手达成了“冻省废省”更要“废宋”的共识。李登辉对其竞选期间效过犬马之劳的“最大轿夫”宋楚瑜采取卸磨杀驴的动作，使李宋之间的矛盾势同水火。

面对李登辉的“冻省废省”，宋楚瑜以“请辞待命”的形式予以抗拒。他到香港等地“度假”，长时间不到省府上班，不时对所谓的“冻省”共识提出尖锐的批评。不仅如此，宋楚瑜还暗中策划省议会召开了“省发会”，以民主的旗号，反对李登辉。5 月 14 日，宋楚瑜重返中常会，批评李登辉和国民党中央的政党路线过于模糊，使国民党失去了向心力，此后，宋又多次在省议会上，炮轰国民党决策层的“修宪”，并扬言誓死维护省议会的存在。由于宋将“反冻省”与“保卫中华民国”、“维护国民党利益”等联系在一起，使“修宪”进程一再受阻，李登辉试图在 7 月 1 日前完成“修宪”的计划落空。在“国大”延会期间，许多国民党籍“国代”也因李宋之间的斗争而对“修宪”毫无兴趣，常以缺席的方式消极怠工。

为了实现“冻省”计划，李登辉对“立法院长”刘松藩施加重重压力，要求刘多与“立委”沟通、协商，以获得“立委”们的支持；祭出党纪，对“反冻省”最积极的“祥和会”负责人吕学樟处以停止党权两年的处分；下达国民党内“总动员令”，提出了对党籍“国代”进行“人盯人”的策略以保证“冻省”决议被通过。

在民进党内，正义连线和福利国连线反对“国发会”达成的共识，坚持其“台湾宪章”和“总统制”，而支持许信良的“美丽岛系”和“新潮流系”则倾向于“民主大宪章”和“混合双首长制”。两大阵营尖锐对立，势如水火。为了缓和两大阵营的矛盾，民进党干脆两案并存，对外公布了“双首长”和“总统制”两个版本的“修宪”案。

就在国、民两党党内为“修宪”讨价还价，台湾政坛一片混乱之时，台湾著名艺人白冰冰的独生女、年仅17岁的白晓燕在台北遭歹徒（其中两人为民进党党员）绑架、凌辱、杀害，加上半年前发生的桃园县长刘邦友、民进党妇女发展部主委彭婉如被杀等重要血案，使台湾民众对言行不一的国、民两党完全失望。5月4日和18日，台北民众连续发动两次示威大游行，要求李登辉道歉、连战下台、停止“修宪”、整顿治安。5月30日，台湾400多名学界人士发表连署声明反对“修宪”，短短数日，获得了1200多名教授的连署。民进党内反对“修宪”，要求罢免许信良党主席的声浪也急剧高涨。

尽管如此，“国大”照常开议。在李登辉的强势主导下，国民党再次联合民进党许信良派，经过长达两个月的讨价还价，国、民两党“国大党团”终于达成了14项共识。7月18日，台第三届“国民大会”第二次会议在经过一场血战之后，三读通过了“中华民国宪法增修条文”，完成了第4次“修宪”。

此次“修宪”的核心内容有二：一是调整“中央政府体制”，规定“行政院长”由“总统”任命，不需经“立法院”同意；但“行政院”对“立法院”负责，“立法院”可对“行政院长”提出不信任案，“行政院长”应于10日内辞职；当然，提案提出10日内“行政院长”可以不辞职并呈请“总统”解散“立法院”；“总统”有解散“立法院”之权。自此，李登辉通过“宪政改革”，在“总统选举方式”和“总统权限”等方面对原“宪法”作了较大的调整，建立起以“总统”为轴心的政治体制，使其由“内阁制”实质上向“总统制”转变。李登辉终成“超级总统”。二是“冻结台湾省级选举”。

“修宪”结果一出，宋楚瑜立即宣布，将不参加国民党“十五全”、不参加中常会、不参加“行政院”院会的“三不”声明，并拒绝出任“台湾省政府功能业务与组织调整委员会”副召集人。但宋的这一动作，只能取得民众的同情，而无法改变李登辉的决心。李登辉终成“超级总统”，宋楚瑜在国民党内备受打击。宋、李一战也因李登辉的“修宪”未完全获得国民党内充分认同，使国民党的凝聚力与向心力急剧下降，李登辉在岛内的“政治光环”进一步暗淡失色，党内矛盾公开化。

相比之下，民进党获得了更大的政治空间。“修宪”条文通过后，民进党马上逼着国民党签下协议，双方同意在此届“总统”任期届满前，再将国民党主张的“总统选举采绝对多数制”与民进党主张的“公民投票入宪”以及“国大”、乡镇市级选举再办一届后停办等议题，再交“国大”在第二阶段“修宪”时通过。

此次“修宪”是李登辉和岛内一些政治势力在维护“中华民国宪法”的幌子下，以“民主政治”反对国家统一，以“独台化”加速两岸分裂，为“中华民国在台湾”“制宪”。经过调整后的“中央政府体制”及其运作程序，在摆脱原有“法统基础”和“五权体制”的同时，塑造了所谓“中华民国在台湾”的“新政权体制”；“冻省”则是要把“国发会”的“冻省共识”上升到“宪法层次”，判处“省建制”的死刑，此举无非是为了改变“台湾为中国的一个省的现状”，以否定台湾为中国一部分的事实。民进党借助李登辉，在一步一步向“台独”目标前进。

当“国民大会”“修宪”的阶段性作用基本发挥完毕，并成为李登辉谋求“独台宪政体制”、确立“三权分立”体制的障碍时，李必将对“国民大会”开刀。

“国民大会”是孙中山先生“权能区

分”理论的产物，是“中华民国法统”的重要象征。正因为如此，“国大”改革一直是李登辉主政以后的重要政治目标之一。李登辉执政后，一方面把“国大”当成谋求“独台”“修宪”的“宪政工具”，不得不等待时机再改动，另一方面又通过“修宪”对“国民大会”进行“改革”，“国大”的职能遭到大幅削弱。其中关键的“五权架构”下的“总统选举制”已经丧失，对“总统”的“罢免权”已名存实亡。“创制、复决权”也因为“立法院”的扩权而受到威胁。“立法院”和“国大”的矛盾愈演愈烈。1997 年 4 次修宪完成后，国大作用已不大，被称之为“宪政怪兽”的“国大”存亡再次成为众所关注的问题。借此机会李登辉又重申其在 1994 年提出的“不是不能单一国会”，“单一国会制可以研究”、“国会体制必须改革”的观点，企图推动废“国大”活动。但碍于“修宪冻省”激起的反弹过于激烈，不能“毕其功于一役”，李才用“国代以比例代表制产生”的方式暂时保存了“国大”。

废除“国大”的议题被媒体炒热后，基于不同的政治立场和利益考虑，岛内各界迅速作出了不同的反应。

国民党高层普遍强调“调整国会职权”的必要，但因担心“国代”反弹冲击以及国民党 1998 年底“三合一”选情，遂否认了“修宪废国大”的说法。民进党及“台独”势力因废除“国大”符合“台独势力”“独立建国”的主张，表示“乐观其成”。一贯坚持维护“五权宪法体制”的新党则主张维持“国大”，但可将其职权功能缩小。

而朝野“国代”基于维护自身利益的考虑，强烈反对废除“国大”，主张“单一国会两院制”，即或是民进党籍“国代”也多有附和。由于多数朝野“国代”主张“单一国会两院制”，“立委要透过修宪提案权废国大”，然后再由“国大”进行表决，是“根本不可能”，“废国大势将引起政局动荡”。

1998 年 8 月 12 日，李登辉在国民党中常会上以“国大、立院两国会职权合理化”为由，指示国民党中央政策会研究“国会改革”的具体方案；8 月 16 日，他重申“国会体制是该改革了”，并希望任内完成改革。之后，国民党高层又考虑由改革选后的“立法院”提出“冻结国大专章修宪案”，交由“国大”复决通过，甚至“不排除将国会改革议题直接诉诸公民投票决定”，再次将废除“国大”这一敏感议题提了出来。

从台湾“宪改”的基本方向和各政治势力围绕废除“国大”议题的争论可以看出，李登辉推动“国会”改革的决心已定，但废除“国大”仍面临强大的反弹压力。

第一，“修宪废国大”将遭到强烈反对。首先，反“台独”力量必将坚决反对。“国民大会”是“中华民国法统”最后一张未倒的骨牌，未来国民党内的反“台独”力量、被逐出国民党权力核心的非主流势力，必将联合新党，反对废“国大”。其次，“国代”自废武功的可能性不大，许多朝野“国代”必将从自身利益出发反对废除“国大”。再次，通过“立院”提出“废国大修宪案”也并非易事。按规定，“立院”必须经由“立法委员四分之一之提议，四分之三之出席，及出席委员四分之三之决议”才能拟订“修宪案”，“提请国大复决”。如果超过四分之一的“立委”坚决反对，那么“废国大修宪案”就难以出笼；即使出笼，“国大”仍能以复决的方式予以否决。

第二，“公民投票”废除“国大”有可能引发“宪政争议”，激起两岸冲突。首先，制定“公民投票法”面临挑战。岛内目前尚无“公民投票的法源”，若必须以公投的方式废“国大”，则“立院”势将面临三读通过“公投法”的压力。其次，以普通法律案改变“宪政体制”的非常手段有可能引发“宪政争议”。如果“国大”不服，申请“大法官释宪”，必将引发“国大”、“立院”更严重的对立，仍可能造成政局不稳。再次，“公投”废除“国大”难释“公投”搞“台独”的嫌疑，必将激起两岸冲突。

第三，将在一定程度上影响国民党内部的团结，挫伤国民党基层力量。

综上所述，“国民大会”阶段性作用基本发挥完毕，“国大”的生死存亡已摆上台面。由于李登辉谋求建立“独台宪政体制”，必然会不顾岛内反对废“国大”的政治势力的强烈反对，将“宪改列车”开进“国大”。“国大”的死亡或名存实亡只是时间问题。

趁混乱之机，“国代”们首先采取了行动。1999 年 9 月 4 日凌晨，台湾“国民大会”在议长苏南成的主导下以无记名方式三读通过了“国代延任案”。这既是国民党与民进党的“国代”们为自己的利益私下串通的产物，也是朝野两党高层推动的结果。朝野两党高层认为“国代延任”虽是“宪政改革”的“必要之恶”，但只有“国代延任”，才有可能推动最后一波的“修宪”工程。否则，2000 年 3 月新一届“总统”选举后，“国代”必将换马，台湾政治版图必将重新分化，“国大”的局面可能无法控制。所以，必须利用现任铁定“国代”以完成“修宪”目标。基于两党私利，对其党籍“国代”的行动听之任之。

“国代延任案”在岛内形成强烈反弹，国、民两党的形象大损。特别是控制“国大”的国民党，“国代延任案”败坏的不仅仅是形象，也给正在从事竞选“总统”职位的国民党候选人带来了麻烦。迫于压力，国民党于 9 月 8 日召开中常会，决定开除苏成南的党籍。2000 年 3 月，“司法院大法官会议”做出“释字第 499 号解释”，认为“国大”第五次“修宪”行为及其通过的“延任案”是“违法”的，不具有法律效力。

在“国大”面临必须改选的局面下，2000 年 4 月 24 日，“国大”在国民党和民进党的联手下匆匆通过了第六次“修宪”的条款，把“国民大会”改为非常设、功能性、任务型的复决机构，将原属“国大”职权的司法、考试、监察三院的人事同意权，罢免正副“总统”、补选“副总统”、决议领土变更权等移转“立法院”；“国大代表”将采“任务型”，根据议题需要依政党比例代表制选出，名额为 300 人，任期与集会期限相同，以一月为限；第三届“国代”任期至 2000 年 5 月 19 日止。25 日，“中选会”即发布“中止第四届国代选举”的公告，台湾当局终于彻底地将“国大”职权冻结了，只留下虚名的“国民大会”。“国大虚级化”表明，台湾当局在“实质台独”的道路上又迈出了重要的一步。

至此，由李登辉于 1990 年当选“总统”以来的“宪政改革”，暂时告一段落，但岛内围绕着这场“宪改”所展开的斗争尚未平息，“宪政”的许多设计亦为日后的政坛埋下了动乱的伏笔。从历史的角度看，这场“宪改”毕竟是国民党统治台湾 50 年来政治发展过程中重大的事件之一，它不仅关系到台湾当局“法统”的转换，台湾政治生态的衍变，而且对台湾当局大陆政策的调整以及两岸关系的走向均产生重大的影响。

四

台湾“变天”

1. 中国国民党第十五次“全国”代表

大会

1996年，李登辉当选台湾的“总统”后，台湾实际上进入“后李时代”，连战已被李登辉确定为“接班人”。从挑选连与其搭配竞选“总统”到让连兼任“行政院长”，都体现出李刻意培养连战接班的用心。在“十五全”上，李登辉更是一手把连战扶为第一副主席，进一步确定与巩固他的接班人地位。应该说，连战赢得了中生代“卡位战”中最为关键的一战。

但由于连战在“行政院长”任内政绩平平，又接连发生“刘邦友命案”、“白晓燕案”、“彭婉如案”三大命案，连战声望急剧下降，不仅使连战接班人地位受到怀疑，而且使连战再也无法保住“行政院长”之职。无法掌控行政资源，无疑会使徒有“副总统”虚衔的连战难以顺利接班。李登辉不得不选用既有较好形象，又有选战经验，且为各方接受的萧万长出任“行政院长”，以配合连战接班。1997年8月21日，“副总统”兼“行政院长”连战率“内阁”总辞。8月30日，时年58岁、素有“微笑老萧”雅号的萧万长成为台湾第一位不需通过“立法院行使阁揆同意权”，而由李登辉直接任命的首位土生土长的台籍“行政院长”。

萧万长出生在台湾省嘉义农村，1961年毕业于台湾政治大学外交系，曾派驻吉隆坡“领事馆”。返台后历任“国贸局长”、“经济部长”、“经建会主委”、“陆委会主委”。其任内有一定的政绩，是一位能力较强的技术官僚。萧有左右逢源的性格，从政以来基本没有介入党内派系之争，与中生代重量级人物连战、宋楚瑜都保持相当好的关系，在岛内各界甚至在野势力中也颇有人缘，人称“微笑老萧”。1995年底在李登辉亲自点名下，萧万长辞官竞选“立法委员”，历经苦战而当选。1996年12月，在李一手策划的“国发会”上，萧担任“副总召集人”，鞍前马后地为李奔波。1997年“修宪”，萧又被李委以“国民党修宪顾问咨询小组召集人”重任。此次萧万长被委以接任“行政院长”的重任，除了具备不断转换政、经舞台，跨越“行政、立法、政党”决策领域，资历较完整的优势外，更重要的是萧万长与李、连“政治配合度”高，能将李登辉的“政治遗产”继承下来。萧万长取代连战出任“行政院长”，标志着宋楚瑜在国民党内排行“老三”的政治地位被取代，也意味着宋楚瑜被李登辉完全抛弃。

“李连萧体制”的形成，为“中生代”之间的激烈争斗埋下了种子。

宋楚瑜，1942年3月16日出生于湖南湘潭。其父宋达曾任国民党军联勤副总司令和退辅会秘书长等职，与蒋经国有一定的私交。1949年，宋楚瑜随父母退台，暂居高雄，1955年迁往台北。1959年中学毕业后宋楚瑜参加大学联考理组考试落榜，次年才通过文法组考试，终于进入政治大学外交系就读。1966年赴美加州柏克莱大学和华盛顿乔治城大学深造，获国际关系和图书馆的双硕士学位、政治学博士学位。1974年回台后，先任“行政院”兼任秘书及蒋经国英文翻译，后任“新闻局副局长”、“新闻局长”、文工会主任、中央党部副秘书长。他是李登辉上台，控制国民党的最得力干将。1994年，出任台湾“省政府主席”。

宋楚瑜是一个有极强政治抱负的人，曾是扶助李登辉上台，控制国民党的最得力干将。早期合作时因彼此都有利用价值，双方相交甚密。20世纪90年代中期，双方在“修宪”和“接班”问题上产生矛盾并不断升级。从李登辉“修宪”的“政治使命”看，其中一个重要的内容是“冻省”。

李登辉志在必行，而宋楚瑜则企图依赖省主席的资源为自己未来政治前途打下坚实的基础，坚决反对。双方初次较量，宋楚瑜就败下阵来，也失去了李登辉的信任，政治地位岌岌可危。宋楚瑜决定在没有李登辉支持下利用自己手中掌握的政经和人脉资源以及通过刻意塑造的公众形象，赢得广大民众的支持，继续与连战就争夺国民党内的实际“老二”和下任台湾“霸主”的地位展开较量。宋、连之战，李登辉处处偏袒连战，打压宋楚瑜。“十五全”上，李登辉频繁活动，不仅设法让连战出任国民党第一副主席，而且还动员党务系统，试图在票选时让新崛起的萧万长以第一高票当选中委，以进一步压制宋楚瑜，确保连战在党内接班的地位不受威胁。结果是连战获任党内副主席，但宋楚瑜却击败萧万长，以第一高票当选国民党中央委员。这意味着在“卡位战”中有李登辉的支持连战只不过是赢得了形式上的胜利，无李登辉支持的宋楚瑜却依自己的实力增强其在党内的地位和声望。双方实力相当，宋、连之战更趋复杂、激烈。

2. 国民党地方版图的丢失

正当国民党进行激烈内争之时，1997年11月台湾第13届县、市长选举又至。因受“修宪冻省”的影响，此次选举被各党视为“政权攻防战”和1998年底台北、高雄“市长”选举、第四届“立委”选举及未来“总统”选举前哨战，备受重视。国民党内中生代各派人马一方面为了对抗民进党，另一方面也为了扩展自己的基础势力，为下届“总统”大选热身，纷纷派出自己的人马参选，但选举结果是国民党大败，民进党大胜。在台湾的23个县、市长中，国民党仅获得包括离岛的澎湖及金门、连江在内的8个席位，得票率42.1%，主政县市人口、预算、税收仅占台湾地区的22.16%、24.95%、13.31%。而民进党却获得包括台北等县在内的12席，得票率也以43.3%，主政县市总人口、预算、税收（含台北市）分别占台湾地区的71.59%、69.24%、83.12%。民进党不仅在总席次和得票率上首次超过了国民党，而且控制了岛内诸多至为关键的地方政权，成为了地方政权的“第一执政党”，已对国民党的执政地位构成直接威胁。

国民党之所以在这次县市长选举中惨败，主要原因是施政背离民意激起民怨，“冻省”造成党内辅选系统不畅，内斗激烈，影响整体战斗力的发挥。但是选举结束后，只有中央党部秘书长吴伯雄辞职以示负责，李、连等人并无具体的反省表示。党内“反李”风声再起，除了党内的“非主流派”人士及一些党籍“立委”如朱凤芝、洪秀柱等要求李不要再连任党主席外，宋楚瑜、吴伯雄、吴敦义等人也含沙射影“反李”。

为压住党内的反对声音，李登辉一方面推出蒋家后代章孝严接任中央党部秘书长，让他四处救火，收拾残局；另一方面，又极力推卸败选责任，甚至无中生有将责任归结到党内派系。然而无济于事，李、连的支持度创下空前的纪录。据12月下旬盖洛普的一份民意调查结果显示，对李登辉的施政满意度的人数比例已经降到39%，连战不到34%，就连一直拥有较好形象的萧万长，也只有50%多一点，远远落在宋楚瑜的80%后面。

这些情况表明，国民党内的中生代中，谁能走出李登辉的阴影，谁就更能得到民众的认同。“李登辉情结”已经开始失效。有鉴于此，连战开始注重改变自己与李登辉亦步亦趋的形象，到处抛头露面，除到大学生党员中去接受劝进外，还一再发出与李登辉并不完全一致的声音。

如12月14日，连战就提出：在处理两岸关系时应坚持“不独、不统、不对立”，“要和平、要交流、要双赢”；“三通”、高层互访等问题都可以谈；对于“三通”，固可“戒急用忍”，但也须要“渐进用心”；李登辉与司马辽太郎的谈话“真是害死人”；岛内政局无论如何变化，国民党应当打出鲜明旗帜与民进党相区隔；未来的“总统”选举方式应当坚持采取“绝对多数制”。12月20日，连战甚至迎合党内的“反李”声音，提出候选人的提名问题不能由少数人决定，必须改采更民主方式，并对李在选举期间滥开老人年金的做法，表示不以为然。

或许迫于外界对其长期“压宋扶连”不满的压力，或许是连战的言论有违李登辉的“圣意”，12月19日，李登辉在接受日本《产经新闻》专访时称，“后继人选希望能重视其政策的传承，而不限于特定的人选”。尽管此时李、连关系尚未出现重大变化，但可肯定的是2000年台湾“总统”大选中，李登辉在关键时刻抛弃连战与此有密切的关系。

3.国民党召开十五届二中全会，内部权力斗争日趋激烈

1998年8月22—23日，国民党召开十五届二中全会。此次会议是国民党面临年底“三合一”选举的危急情势、李登辉接班部署面临挑战、内部权力斗争日益激烈的情况下召开的，其结果对国民党党内的政治生态及年底选情产生了一定影响。

国民党中央主席、副主席、中央委员及各级党务主管共869人出席了会议，另有92名村里长列席。国民党第十五届中央评议委员会也同时举行第二次会议。会议由副主席连战主持，李登辉致开幕词。会议听取了“行政院长”萧万长的“政务工作报告”、中央党部秘书长章孝严的“党务工作报告”、“国民大会议长”钱复的“国大工作报告”和“立法院长”刘松藩的“立院工作报告”，分别就行政目标、未来“国大”定位、调整“立院”组织结构与运作程序以加强“立法”功能等问题提出改革思路。最后，会议讨论并通过了“现阶段政治任务提示案”、“本党候选同志共同政见”等文件。

中常委改选是此次会议的一个重要议题。在33名中常委规划人选中，李登辉指定16名，17席票选名额也完全依规划版本当选。指定中常委包括萧万长、章孝严、钱复、“考试院长”许水德、“立法院长”刘松藩、“总统府”秘书长黄昆辉、“国安会”秘书长丁懋时、“国防部长”蒋仲苓、台湾省长宋楚瑜、海基会董事长辜振甫、“总统府”资政吴伯雄、高雄市长吴敦义、高雄市议长陈田茅、台湾省议会会长刘炳伟、台北市议长陈健治、原住民“立委”章仁香；票选者为：“文建会”主委林澄枝、“交通部长”林丰正、“经建会”主委江丙坤、“财政部长”丘正雄、“立法院”副院长王金平、“行政院”副院长刘兆玄、“经济部长”王志刚、“商总”理事长王又曾、“农委会”主委彭作奎、“政务委员”赵守博、“工总”理事长高清愿、“外交部长”胡志强、“退辅会”主委杨亭云、“总工会”理事长李正宗、“内政部长”黄主文、“国大代表”苏南成、中央政策会执行长饶颖奇。王志刚、丘正雄、江丙坤、彭作奎等财经“部会”首长全部进入中常委，显示财经议题将在国民党运作中占有很大比重。

此次会议在人事安排上表明国民党的交接班工作基本按照李登辉接班部署逐渐实施。

首先，“李连萧体制”得到巩固，连战接班态势更加突出。“后李登辉时代”国民党内接班部署极为复杂、敏感，不易处理，稍有不慎将打乱全局。李登辉巧妙地

抓住国民党决策核心——中常会改选的有利时机，巩固其“接班架构”。在李登辉主导，连战、萧万长实际操作下，行政系统推出的中常委候选人不仅全部当选，而且还囊括前四名票选中常委，若包括指定中常委，再加上蒋仲苓、杨亭云，行政系统多达13人上垒，堪称最大赢家。新任中常委除黄主文及彭作奎是萧万长任“行政院长”后新入“阁”者外，其余大都是连战任“行政院长”的旧部。如刘兆玄曾任“交通部长”及“国科会”主委、林正丰曾任“内政部长”、胡志强曾任“新闻局长”、赵守博曾任“劳委会”主委、江丙坤曾任“经济部长”、王志刚曾任“公平交易委员会”主委等。此种结果，增强了行政系统，尤其是萧万长在国民党决策核心的分量，更突出了连战在国民党决策中的关键作用。李登辉巩固“李连萧体制”、为连战竞选下届“总统”铺路的意图更加明显，连战接班的架势越来越突出。

其次，“中生代化”和“地方化”更加明显。从“十五全”选举结果和人事安排看，国民党高层权力结构已呈现“中生代化”。如新任中常委中，指定的丁懋时、章仁香，票选的叶金凤、江丙坤、杨亭云、李正宗、林澄枝、彭作奎、戴东原等人，均为中生代骨干。而老一代中常委和军方代表排名普遍下降或被淘汰，如上届中常委蒋彦士、周世斌、宋长志、陈金让、侯彩凤、郭婉容等人，或被转到中央评议委员会，或是淡出政坛，元老中只剩下辜振甫和李焕二人为中常委，但位居前10名之外。中央委员排序上，蒋仲苓排名100，而李焕更是排名第159。这表明国民党中生代已逐步占据权力核心，“世代交替”正在完成。与此同时，权力组合“地方化”趋势已比较明显。“十五全”中央委员中，地方首长和“民意代表”比上届明显增多，且名次大多靠前，如高雄市长吴敦义排名第4、云林县长廖泉裕排名第15、台中县长廖了以排名第24，复职不久的台中市长林柏榕、新竹市长童胜男、基隆市长林水木、台南市长施治明、民进党控制的台北县议长许再恩、属于林洋港势力范围的南投县议长郑文洞等也榜上有名。值得注意的是，工商财经界代表在中委中的比例较往常为高。工商界在党内地位和影响力将进一步加强。

再次，国民党中央开始注意到党内族群融合问题。台湾有所谓“四大族群”之分①。长期以来，由于权力、利益分配不均，族群问题一直困扰国民党。李登辉上台后，“四大族群”内部在统、“独”问题上的分歧加大，权益倾斜更加严重，族群问题已成为影响党内团结、获取民众支持的一个重要因素。可以说推动“族群融合”既是国民党巩固政权的策略，同时也是岛内政治发展一个不可回避的现实。在“十五全”及之后的权力分配上，虽然“本省籍”人士所占比例提高、“外省籍”比例减少这一趋势未能改变，但国民党还是在权力结构调整注意到“族群融合”的问题。如原住民代表章仁香首次被指定为中常委，开创了原住民代表进入中常委的先例。这是继1997年11月“行政院”成立“部会级”“原住民委员会”之后，拉拢原住民的又一项重要举措；“外省籍”的“退辅会”主委的杨亭云被安排出任“退辅会”主委，以稳住那些跟随蒋氏父子渡海逃台、而又不满李登辉的“荣民”，对于国民党赢

① 所谓“四大族群”是指包括占人口总数65%左右的闽南人、18%左右的客家人(上述两类统称“本省人”)、14%的“外省人”及3%的“原住民”。

得选举关系重大。属蒋家嫡传的章孝严被重用,“非主流派”的马英九则被推为台北市长候选人,都表明了国民党内存在着族群融合的倾向。

会议期间,为保护自己的利益,以宋楚瑜为首的反“冻省”势力再次与国民党中央进行了激烈抗争,省长宋楚瑜、副省长吴容明、省府秘书长蔡钟雄、省府发言人秦金生、民政厅长陈进兴、农林厅长陈武雄等,也在不同场合的分组会议中,慷慨激昂地指责行政当局独断蛮干。部分中央委员和中评委甚至当着李登辉的面,直指国民党中央大搞党内斗争。面对宋楚瑜及省方的强烈反对,“冻省派”也毫不示弱,章孝严、萧万长等或亲自响应,或指示党务、政务系统人马予以还击。结果是“冻省派”大胜。大会不但将“反冻省派”所不容的“内政部长”黄主文(力主“冻省”)选入中常会,大会还决定把“精省”问题留在以后由李登辉亲自坐镇的“精省委员会”讨论决定,“反冻省派”基本没有伸展空间。这次激烈的较量表明,国民党“废省”引发的同室操戈不仅没有因为有李登辉的安抚和时间的流逝而趋向缓和,反而更加激烈复杂,也表明宋楚瑜虽得到选民的支持,但在国民党体制下的内部权力斗争中不可能取胜。宋楚瑜及宋派人员被排挤出中央决策层,加剧了国民党内部的分化,对是年年底举行的“三合一”选举(即第四届“立法委员”、台北和高雄“市长”、两市“市议员”选举)以及2000年“总统”大选产生相当大的影响。

1998年底,台湾“三合一”选举开始。由于此次选举不仅攸关“立法院”席次的消长及“直辖市”政权的掌控,而且将对下届“总统”选举和未来政治运作的影响极大,各政党均全力以赴。已丢失大部分基层政权的国民党更是不敢掉以轻心。在国民党十五届二中全会上,国民党进行了战前总动员,要求各级党务干部加强动员,全力争取年底“三合一”选举的胜利。为赢得选举,国民党不仅提出“公平正义新社会,繁荣稳定新生活”的新口号来拉选民,还为提名参选“立法委员”、(台)北高(雄)两市市长及市议员的候选人造势打气,李登辉更是特意为马英九与吴敦义授旗,高呼“团结、胜利、成功、国民党成功”的口号。就某种程度而言,此时国民党内部尚未完全分裂,在这场事关国民党生死存亡的选举中各派尚能寻求一致,为国民党赢得年底的“三合一”选举创造了难得的条件。

民进党则在1997年选举胜利后出现了较大的内部分歧。1998年6月9日,民进党首席顾问林义雄在新潮流、福利国和正义连线的联合支持下,当选为该党首届由全体党员直接投票产生的党主席。林义雄是一个有顽固“台独”理念的人。上台后,他一方面加强与独派团体联系,促成独派势力的回归;另一方面,将许信良大力推动的转型路线予以停顿,保持民进党刚性的“台独”特色。林义雄及民进党的言行,使大批中间选民流失,特别是美国明确提出对台“三不”政策后,台湾百姓怕乱求稳、寻求安全的心态强化,中间选民放弃对民进党的支持是必然的。

1998年12月5日,第四届“立委”选举揭晓。国民党获胜,总共获得225席中的123席,已过半数,得票率46.43%;民进党得70席,得票率为29.56%,比上届下降了3.61个百分点;新党下滑显著,得票率为7.06%,比上届下降了近6个百分点,总席次由21席跌至11席。1999年2月2日,由国民党提名的王金平、饶颖奇当选为新一届“立法院”的正副院长。

台北、高雄两市市长的选举,备受各

界注目。岛内三党各显神通，为选举造势不遗余力。1998年12月5日，选举结果揭晓。国民党的台北市长候选人马英九以高出5.22%的得票率击败竞选连任的陈水扁，夺回台北市大权，但在高雄市市长选举中，国民党籍的吴敦义则被民进党籍的谢长廷以高出4500余票的微弱优势赶下了台。

台北市议员的选举结果仍是维持“三党不过半”的局面，国民党、民进党、新党分别获得23席、19席和9席。高雄市议员选举中，国民党略占优势，获25席，民进党获9席，新党仅获1席。

1998年的选举表明，国民党一党独大的历史已经结束。台湾执政、在野两党在政坛上的势力交替变化，彼消此长，胜负难定。

4. 国民党成为在野党

国民党“十五全”后，党内已基本形成了“李连萧体制”，以连战为核心的“亲李”人马在中生代争斗中暂时得势。但这并不表明国民党内中生代之间的斗争已经结束。李宋、连宋的矛盾尚未最终清除，“李连萧体制”依然存在变数。

“李连萧体制”的特点是“三位一体”，李为中心，连萧呼应。但此体制面临四个方面的挑战。一是李登辉不仅在民间的“满意度”不断下降，就是党内也出现要求“李登辉下台”的呼声。二是“李连萧”的“合作度”面临考验。“李连萧体制”的根基是“李连”的合作，而实际操作则是更多体现为“李萧”的合作。李是否进一步放权，“副总统”与“总统”、“行政院长”之间，“行政院长”与正副“总统”之间配合如何，都是易生变故的敏感问题。三是2000年“总统”选举前，连战权力地位将受到严峻挑战。四是民进党一直企图打破国民党的一统局面，取而代之。所有这些，都会影响“李连萧体制”的稳固。

相比之下，体制外的宋楚瑜声望不减，马英九风头正健，吴敦义虎视眈眈。可以说，不管李登辉掌权与否，国民党中生代为了抢班夺权势必开展各式各样的合纵连横。这些各式各样的合纵连横或许能使国民党的权力组合发生变化，但对国民党执政资源的消耗是不可避免的，更可怕的是国民党的权力斗争使其分裂的危险性大大增加。

20世纪90年代初期，国民党因分化就已经尝到了分裂的苦果，但李登辉却一意孤行，置国民党的生死于不顾，继续挑动国民党内斗。“十五全”后，“李连萧”派和宋楚瑜派势同水火，不可能在权力组合中形成妥协和平衡，党内权力斗争的激烈程度已到了国民党将再次分裂的紧要关头，宋派人马另立山头的事情随时都有可能发生。从台湾内部政局发展状况看，国民党已经不起再次分裂。如果再次发生分裂，国民党的执政地位难保，民进党取而代之的可能性大大增加。这不仅对国民党而且对整个台岛人民而言都将是场灾难。故国民党内的有识之士，都在积极设法避免该党再次分裂。

但是，分裂仍不可避免地再次降临到了国民党的头上。2000年3月，台湾“总统”选举如期而至。此次选举，是自1996年举办所谓民选“总统”后的第二次“总统”选举，其激烈、复杂程度均甚于上届。从1999年年初开始，岛内各党、各派都在为获取“总统”候选人进行着激烈争斗。国民党内由连战、宋楚瑜组成“连宋配”的呼声一直很高，但国民党内以李登辉为首的高层则力主排宋，并大肆指责、攻击宋楚瑜。国民党最终推出连战、萧万长搭档竞选“总统”。7月15日，满怀悲愤的宋楚瑜宣布“自行参选”。11月，国民党以“违纪参选总统”为由开除宋楚瑜党籍，随后又注销了支持宋楚瑜的数十位“立委”党籍，双方逐渐形成对立之势。

民进党内也为争取候选人提名进行着激烈的较量。其中，以许信良与陈水扁之争最为激烈。按民进党“四年条款”①的规定，陈水扁早在1998年底就已代表民进党参选过台北市长，不能再次获得提名，但民进党内各派为支持陈水扁参选，纷纷主张修改“四年条款”。5月7日，遭党内派系排挤的许信良被迫宣布退党参选。7月10日，民进党推出陈水扁和吕秀莲搭档参选。

陈水扁，祖籍福建诏安县白叶村(一说磁窑村)，客家人(一说福佬人)，早年曾是国民党党员。1950年农历九月(身份证登记日为1951年2月18日)，陈水扁出生于台南县官田乡一个“三级贫民户”家庭中。1969年考入台湾大学商学系工商管理组，不久自动弃学，第二年再考入台大法律系司法组。大学期间，陈水扁成绩优异，考获律师证书成为全台最年轻的律师。毕业后，在华夏海商律师事务所任专职律师，主要从事海事及商务领域的律师工作，曾出任长荣集团法律顾问。1980年初，经朋友介绍，陈水扁加入“美丽岛事件”律师团队，为黄信介辩护，开始投身“党外”运动。1981年11月，陈水扁以高票当选台北市议员，与谢长廷、林正杰号称市议会“三剑客”。但任职未满，就因“蓬莱岛案”被判入狱而辞职。1987年2月28日，刚出狱18天的陈水扁加入民进党，被补选为中执委，并于年底被选为民进党第二届中常委。1989年12月，陈水扁又以高票当选“增额立委”。1992年12月，再次当选为第二届“立委”。在职期间，以“形象清廉”、“办事认真”、“问政有力”成为“立法院”里的政治明星。1994年，陈水扁当选为台北市首任民选市长，1998年欲连任台北市市长，却被国民党候选人马英九击败。

吕秀莲，祖籍福建南靖县书洋乡。1944年6月7日出生于桃园县一个以种菜为生的农民家庭。1967年她以优异的成绩毕业于台湾大学法律系后，开始从事新闻工作，后获得美国伊利诺大学比较法硕士学位并获得在哈佛大学攻读博士课程的资格。吕秀莲是台湾女权运动的创始人之一，为台湾的妇女解放运动作出过一定的贡献。1978年，她因不服党内安排坚持参加“立委”选举，被国民党除名，逐渐成为“党外”活动的重要成员。1979年8月，吕秀莲出任《美丽岛》杂志社副社长，参与“美丽岛事件”，1980年4月，以“通匪、叛国罪”，被台湾军事法庭判处有期徒刑12年，1985年3月出狱。1992年，吕秀莲加入民进党，从此成为民进党内主张“台独”的强硬分子。

陈水扁是一个善于挑起冲突又灵活善变的人，不论是做民意代表还是地方行政长官期间，他都善于以全新观念、犀利语言、务实政绩赢得选民支持。尽管他不是民进党主席，但在民进党变成“台独”党以及民进党的转型中，都能找到他在其中的影响。

在1998年台北市长选举失败后，陈水扁一方面开始调整、改变其“急独”形象，以争取中间选民的支持。1999年3月19日，陈水扁首次向新闻界提出了他的所谓“新中间路线”，把自己打扮成温和、务实“独”派的代表。另一方面，陈水扁积极推动民进党重新诠释“台独”党纲，为其形象

① 该条款规定：四年内民进党员只能就“总统”、“副总统”、“省长”、“院辖市长”择一参选。

调整背书。民进党在1998年北高市长选举受挫后，也开始积极加大“台独”政党转型和政策诉求调整的幅度和力度，企图通过重新诠释“台独”党纲、推出所谓“以国家安全为主轴”的“新中间路线”，向国民党李登辉靠拢。

经过党内数度磋商，民进党最终在1999年5月8日召开的八届二次全代会上通过了《台湾前途决议文》，重新诠释了“台独”党纲，以应因大选时争取中间选民的需要。新的诠释在“台独”基本理念和最终目标上、在以“一中一台”为核心分裂中国的大陆政策上、在图谋“台湾问题国际化”目标上均无变化，只是将原来拒绝接受“中华民国国号”、主张建立“台湾共和国”变为阶段性间接承认“中华民国国号”；对“公民投票”功能和取向重新作了界定，把原来“台独”党纲中追求“独立建国”的进攻性“独立公投”，调整为维护“独立现状”的防御性“统一公投”。可以说，新的诠释使民进党党纲更具有分裂性、虚伪性和欺骗性。

参加此次“总统”选举的候选人共5组，除代表国民党的连战、萧万长和代表民进党的陈水扁、吕秀莲外，还有被国民党除名参选的宋楚瑜、张昭雄，从民进党退党参选的许信良、朱惠良，代表新党的李敖、冯沪祥。其中，以连萧、扁莲、宋张三组人马实力最强。

最初，三组候选人的支持率都是两成多，彼此相差只有三、四个百分点，另有两成多的游离票。宋楚瑜曾一度处于领先地位，连战则因“9·21”大地震后的积极救援活动，使民意上升，处于第二位。但是，让宋楚瑜当选是李登辉绝不能容忍的。1999年12月9日，即李登辉痛批宋楚瑜“奸狡”之后的第二天，国民党籍“立委”杨吉雄忽然爆出宋楚瑜之子宋镇迈在中兴票券的私人账户中，拥有1.4亿票券储蓄，引发所谓“兴票事件”，使宋楚瑜形象遭到重大损害，导致选情发生重大变化。“兴票事件”不仅使宋楚瑜阵营迅速重挫25个百分点，而且其资金形同冻结、信用面临破产。

尽管李登辉阴谋一度得逞，但是宋楚瑜仍处于三强之一。3月初，在选情十分紧张之时，李登辉阵营忽然出现“弃连挺扁”浪潮，李登辉亲信纷纷倒入陈水扁阵营，三强势均力敌的局面最终被打破。3月18日选举结束，陈水扁终以497.7万票、39.3%得票率的微弱优势夺得台湾第十任“总统”宝座。连战以292.5万张选票、23.1%得票率惨败。民进党成为执政党，国民党则沦为在野党，台湾出现了第一次政党轮替。

五

转型中的台湾经济

1.《振兴经济方案》的出台

为配合“国建六年计划”的实施，解决民间投资意愿过低问题，创造良好、长期的投资环境，满足技术型产业升级的需要，台湾当局在1993年7月出台《振兴经济方案》。

该方案着重从土地、人力、技术以及财政、金融等10个领域入手，通过政策引导，加强对经济资源的有效利用。①在财政方面，规定科技事业5年免税，凡购置海外产制的自动化设备等支出抵减营利事业税比例，比照购置台产设备的抵减；②在金融方面，采取适度宽松的货币政策，适时核拨中小企业发展基金，增拨中小企业信用保证基金，加强对科技型产业的融资；③在公共建设方面，鼓励民间参与社会公共基础设施建设，放宽设立发电厂的限制；④在环保方面，合理调整污染管制及检测执行标准，鼓励民间设立废弃物处理厂；⑤在土地方面，计划释出大量公地和农地，以低价的工商用地，支援技术型产业的发展；⑥在人力方面，适时、适量引进外籍劳工，延揽海外产业专家和高级技术专门人才返台服务；⑦在行政革新方面，精简机关人事，缩减经常性支出，提高行政效率；⑧在公营事业民营化方面，限期达成列入转移民营的22家公营事业单位完成民营化；⑨在两岸经贸方面，扩大开放大陆物品，包括供加工出口的半成品进口；⑩在科技升级方面，对科技事业开发新产品以及新科技投资计划给予充分的融通和资金资助，确立有助于产业升级的工业合作模式。

2."亚太营运中心计划"

随着"国建六年计划"的实施，台湾当局在1993年拟订的《振兴经济方案》中正式提出将台湾建成"亚太区域营运中心"的构想，并以此作为台湾未来的重要经济发展目标。

所谓区域营运中心是国际跨国公司为了适应世界区域经济整合的新形势，进行经营策略调整，将营运决策由集权转为分权而形成的一种新做法。[①] 台湾当局积极谋求建立"亚太营运中心"是有着深刻背景的。

首先，从经济因素看，台湾发展"亚太营运中心"是为了促进台湾产业升级，摆脱来自各方的经济压力。

台湾经济自20世纪80年代中期进入转型期后，在改变经济体制和促进产业升级方面取得了明显的进步，但并未从根本上使之摆脱海岛型的经济发展模式，导致台湾经济在80年代末期走入困境。进入90年代后，台湾当局一方面加快产业升级步伐，增强产品的国际竞争力，另一方面加大公共投资，以拓展内需，但效果均不理想。台湾当局的财政状况根本无法长期维持公共投资的高速增长，六年"国建计划"实施一段时间之后，只剩下"12项重点项目"继续支撑。新兴产业特别是资讯工业虽然增长势头强劲，但仍然难以抵消制造业比重下降所造成的空缺，而且企业在追求技术升级和发展高科技方面困难重重，仍未摆脱发达国家高新技术与发展中国家劳动密集型产业的夹击。

与此同时，国际经济环境也发生了很大的变化。在世界经济形势低迷的情况下，东南亚经济持续高速增长，国际资本大量流入亚洲地区，世界经济的重心逐渐转向亚洲，这是台湾经济发展的有利条件。但是，随着世界经济区域化、集团化的趋势增强，台湾必须迅速作出相应的调整，增加国际化程度，才能在国际经济联系中发挥进一步的作用。

其次，从政治因素看，台湾通过发展"亚太营运中心"力图实现三个重要目的。一是让投资大陆的台湾企业"根留台湾"，防止岛内产业空洞化；二是主导两岸经贸的发展，将与大陆的经济关系纳入国际多

① 具体地说，就是一些"跨国企业针对特定地区之海外业务，在该地区寻找据点设置区域性中心或总部，以统筹相关之业务，包括生产制造、储运发货、国际采购、产品研发、市场测试、产品维修、技术支持、信息汇集、员工训练等事宜。换言之，该中心统筹该区域内所有子公司的相关业务"。"区域营运中心"的作用主要表现在三个方面：一是这种形式可以提高跨国公司的决策效率，跨国公司易于掌握当地市场信息，减少资源重复配置，以及便于确定各分公司的营运责任等；二是可以促使所在国或地区不断充实经济基础设施，提高各种工作效率，带动当地企业的发展；三是跨国公司所具有的先进生产技术、管理经验等，可以提高当地有关企业的整体生产效率，而当地企业通过与跨国公司进行策略性联盟合作，可以更快地实现国际化。

边经济关系中；三是想在“九七”后取代香港地位，使台湾成为亚太区域经济的枢纽，进而扩大“国际生存空间”，冲破“外交”困境。

20 世纪 90 年代后，亚洲已有不少的竞争者在建设营运中心方面进行角逐，香港、新加坡、日本的大阪、澳大利亚的悉尼都在推进营运中心计划。此外，上海也提出要在 2000 年成为亚太金融中心，菲律宾的苏比克湾正在积极建立运输中心，新西兰的奥克兰则欲发展成为商业中心。因此，台湾当局特别强调必须加快亚太地区营运中心的建设步伐。经过一段时间的研究、筹集规划后，台“行政院”于 1995 年 1 月通过了“发展台湾成为亚太营运中心计划”。这项计划是根据台湾经济发展优势条件，择取生产制造、货物及旅客转运、专业服务三大项营运活动，把台湾建成制造、海运、空运、金融、电信、媒体等六种特定功能中心。

为了争取时间，台湾当局决定营运中心的建设采取设置特区的方式进行，依各种不同功能的营运中心所需的软、硬件条件，在不同地点设置专业特区。例如，“航海货运转运及分装配送中心”可在国际商港附近设置特区，“电讯传输中心”及“媒体事业中心”可在都市区寻找适当地点规划特区，“金融中心”可以采取开放业务的方式，不规定地点而以功能性特区的形式开展业务。鉴于亚太营运中心必须以大陆为腹地，两岸直航是建成营运中心的关键所在，因此，台“经建会”提出设置“境外转运中心”以开通两岸航运的变通方案，提出了“先海运后空运”、“先货运后客运”的模式，并指定高雄港为首建目标。

为推动台湾成为亚太营运中心的建设，台湾当局采取了一些措施：一是加强交通、通信、港埠等硬件建设；二是积极规划特定自由贸易区，允许制造业、服务业、贸易业、金融业、仓储业和运输业与世界各国进行自由贸易；三是全面放宽外商到台投资限制，降低进口关税，落实经济自由化政策；四是改善与美、日的关系，全力推动加入 GATT 的调适工作。

台湾最终能否成为亚太营运中心，目前尚难定论。一方面，台湾有不少的有利条件，诸如有较强的经济和科技开发实力作后盾，地理位置适中，位居太平洋西缘，处于北起日韩、南迄东南亚国家这一片经济快速发展地区，在交通、运输、通信、外销网络方面条件优越等；但另一方面也存在诸多的限制因素，如世界经济持续不景气，亚太区域经济发展迅猛，许多国家或地区竞争力增强，凡此种种使台湾经济发展面临考验。此外，岛内行政效率低下，投资环境不断恶化以及香港的地位不可取代等，也是制约其经济发展的重要因素。然而，台湾能否实现其构想的最为关键因素还在于两岸关系的发展。因为“亚太营运中心”的构想是以大陆作为主要的经济腹地，如果台湾当局不摒弃过时的大陆经贸政策，代之以灵活、务实、有利于两岸经贸关系深入发展的新大陆经贸政策，进一步缓和两岸关系的话，“亚太营运中心”的构想是无法产生实质性效果的，必将以失败告终。

3. 东南亚金融风暴冲击下的台湾经济

1997 年 7 月，由泰国汇率制度改革引发的金融风暴使整个东南亚乃至全球经济都遭重挫，处于金融风暴圈中的台湾经济面临着严重的考验。

风暴初期，台湾的股价指数虽下跌 9.3%，台币贬值 15.8%，通货膨胀率 0.9%，但对台湾整体经济的影响尚不明显。1997 年间，台湾几乎没有发生大企业的倒闭与金融机构的挤兑风潮，全年的外贸增长8.3%，经济增长率仍有6.81%，名列世界第七，是整个东南亚的国家和地区中受冲击最小的地区之一。

1998年6月，日元贬值引起的第二波金融市场波动又至，台湾经济所受影响逐渐显现。金融市场动荡不安，外贸出口出现衰退，但因内需强劲以及国际原油价格低、祖国大陆经济维持较高增长的因素影响，台湾的物价仍保持较低的水平，经济发展仍达到6%左右的增长率。

1999年初，随着亚洲地区各国经济的逐渐复苏，美国经济持续稳定，从第二季度开始，台湾经济已止跌回升，出现了快速增长的势头。下半年，出口也连续出现高增长，再加上外资进入积极，金融危机的阴影逐渐散去。不料，9月21日凌晨，台湾中部发生百年未遇的大地震，给台湾经济造成了严重的打击。不过，台湾震后工业生产以较快的速度得以恢复，没有给台湾经济的恢复带来根本性的影响。第四季度的经济增长率回升到了6.77%。是年，台湾仍创造了5.67%的经济增长率。其中，台湾工业的增长率达到7.51%，是1988年以来最好的水平。

台湾经济之所以能在此次金融危机中维持下去，得益于自20世纪80年代中期以来通过推行的“三化”改革、产业升级所拥有的良好应变能力以及在危机中采取的宏观经济政策：

一是循序渐进逐步开放的金融管制。东南亚金融危机的爆发原因很多，其中最重要的一点就是由于东南亚一些国家金融开放过快，对资本项目的外汇进出不加限制。台湾的金融开放则经过了较长时间，在开放中十分注意次序与速度，在其利率尚未能按照市场需要形成均衡价格、通货膨胀率被有效控制时，对其资本项目没有彻底放开。对外资进入岛内证券市场的问题，台湾当局也非常慎重，在投资金额和资本汇出上加以严格限制，使国际游资在台湾股市上的炒作空间不大。对金融机构的设置，台湾当局也进行了严格限制，并提供优惠条件鼓励金融机构合并。

二是合理的产业结构政策。东南亚金融危机爆发的一个重要原因是产业结构不合理，经济的快速发展主要依靠日本与“四小龙”转移的“短、平、快”的劳动密集型产业的推动，缺乏竞争力，加之基础产业与基础设施严重不足和缺乏高科技产业的支撑所导致。而台湾在20世纪八九十年代利用东南亚和大陆经济发展急需引进“外资”的有利时机，将大批已不具竞争力的劳动密集型产业转移到东南亚与祖国大陆，为台湾高科技产业的发展提供了空间，加快了产业升级。到90年代中期，台湾的技术密集型产业产品的出口比重已达50%左右，传统工业产品的出口则降至不足1/4。1996年，台湾的资讯工业产值达到164亿美元，仅次于美国和日本，居全球第3位。其中，有11种产品的市场占有率高居世界第一。1999年台湾的电子资讯产业的年增长幅度达到18.61%，成为带动台湾经济走向景气的一个亮点产业。经济转型的成效增强了企业的竞争力和应变能力，使整体经济素质有了较大的提高。

三是“稳定先于发展”的策略。东南亚国家在经济发展过程中，为更快地追赶“四小龙”，往往采取过度扩张的经济政策，追求发展速度，忽视经济基础方面的建设与维持经济的平稳发展。而国民党退台后，为避免经济波动引起经济危机，危及统治，较长时间一直采取“稳定中求发展”的经济发展策略，始终将经济的稳定放在第一位考虑。20世纪80年代中后期,台湾一度出现过泡沫经济所带来的虚假繁荣,但在台湾当局的积极干预下,90年代初期台湾的泡沫经济开始破灭,提高了抗击金融冲击的能力。此次金融危机爆发后,台湾当局更是积极控制市场物价和货币供给量,并数次降低银行存款准备金率,以降低银行经营成本,稳定市场。

四是多种预警制度的及时调整。台湾在经济发展中建立了多种预警制度,能及时根据环境与预警指标的变化作出较为科学的政策调整。特别是台湾对物价、股价与汇价的反应与措施及时快速。如1997年时,台湾就根据经济发展情况先后四次调整了17种主要油品的价格,其中三次调高,一次降低。特别是金融市场出现波动,股市重挫、台币贬值时,台湾当局除动用外汇储备干预外,还动员党营、公营企业和民营企业成立股市稳定基金来维持股市。1997年8月东南亚金融危机爆发后,台湾股市开始下跌,外资流出,台币贬值。为控制局面,台湾当局从9月11日起,采取了一系列应急措施。如台"中央银行"宣布放宽外资投资台湾股市的限制,并不断抛售美元,支撑台币汇率;"财政部"宣布将融资成数一律提高五成,融资保证金成数提高为九成,以刺激股市止跌回稳。

五是实行较理想的混合经济体制。由于台湾实行的是混合经济体制,因此台湾当局在金融危机爆发后能充分利用党营和公营企业联合民营大企业在关键的时刻出来支撑股市,稳定经济。

4.第三次土地改革

随着台湾经济向后现代社会迈进,台湾原有的农地政策和农业经营模式再次出现新的问题,影响农业向更高层次发展,为此,台湾当局决定从20世纪90年代开始,进行第三次土地改革,以解决台湾农地市场化问题,构筑适合社会经济发展的"土地规模经营"的新模式,应对经济全球化和加入世贸组织的需要。

此时,台湾原有的农地政策的主要问题是:①农地承受人身份(以自耕农为限)受到较大的限制,农业经营者老化的现象日益严重;②租佃制度僵化,土地利用效率明显降低;③农地流通受到制约,不利于农业生产经营规模的扩大;④农地丘块细小化,农村土地产权不清;⑤农村土地布局零乱,建筑缺乏规范,影响农业生产环境。农业经营的主要问题是:①岛内城市化和工业化进程导致农村青壮年劳力流出加快,农业劳动力老化问题无法遏止;②农业生产结构性矛盾突出,米糖生产成本过高,产量过剩,而畜渔饲料产品生产不足;③农业经营方式单一,生产规模偏小,农地利用率有限;④稻作机械化过剩与其他作物机械化不足的矛盾日益突出;⑤农家收入长期偏低,农民务农意识不断降低。

为推动第三次土地改革,台湾当局对原有的土地政策进行了大规模的调整,主要有:①改革土地流转制度。1990年,台湾当局修改《土地法》,将其中第30条进行修订,原条文规定"私有农地所有权之转移,其承受人以能自耕为限,并不得转移共有,但因继承而转移者,得为共有。违反前项规定者,其所有权转移无效",修订后取消了原有受让人必须为自耕农的限制。1991年7月31日,台湾又宣布停止实施长达38年的《耕者有其田条例》及配套实施的《实施耕者有其田条例台湾省施行细则》。所有这些调整为土地流转制度的改革扫清了法律上的障碍。②实施农地释出政策。1993年8月,台湾"农业委员会"批准《台湾农地释出方案》,放宽农地变更限制，规定“特定农业区为配合政府之重要建设需要，亦得变更使用”，并对农地释出的总量予以控制。为配合这项方案的实施，台湾当局于 1994 年 5 月 23 日公布了修订的《非都市土地使用管制规则》，调整了该规则对农地使用和转移的严格限制，对一些不适合作为农业用地的土地进行了重新规划，调整使用分区，使土地管制与经济发展相互配合。③修订农业发展计划。1996 年 11 月，台湾当局对 1988 年颁布的《国土综合开发计划(1987—2000)》进行全面修订，其中一项重点是：确保农地保护的新理念，以市场经济体制来经营农地，从而达到保护农地的目的。2000 年 1 月，台湾当局又对 1973 年制定的《农业发展条例》进行了全面修订，将原来“农地农有、农地农用”的政策调整为“放宽农地农有、落实农地农用”政策。

由此可见，第三次土地改革的政策核心在于“农地农有”、“农地农用”以及“地尽其利”三者并用。尤其在“地尽其利”方面，第三次土地改革有了一些政策上的新突破，如放弃全面保护农场的立场，不再坚持优良农地不得变更为非农业用地的原则；同意农地变更使用从以往的供给引导，转为需求引导，减少行政部门对市场机制的干预，调整行政部门管理职能，既保证了农地自由买卖，又严格监控农地农用，加强了土地管理。

六

实质“外交”政策下的小动作

1. 台美关系的变化

1993 年 1 月，美国新一任总统克林顿上台。上台之初的克林顿政府并未清醒地认识到中美关系的重要性，而是采取进一步措施，加强美国与台湾的关系。

在最为敏感的对台“军售”问题上，克林顿政府置与中国政府签订的《八一七公报》于不顾，多次强硬地表示要继续出售武器给台湾。1994 年 4 月 28 日，美国国会通过了《1994 和 1995 财政年度对外关系授权法》，该法宣布：基于台湾防卫需要，国会声明：①《与台湾关系法》再度被确认；②该法第二和第三款要比美国《相关军售》之政策声明，包括公报、规则与指令等来得重要；③在衡量中共追求“和平解决台湾问题”的基本政策下，美国得考虑中共之(军事)能力及用意；④总统应定期衡量中共能力与用心之改变情形并考虑是否适度调整对台之军售。该法首次以国内法的形式宣布，《与台湾关系法》重要性优于《八一七公报》。

不仅如此，美国政府还开始公开检讨其对台政策，决定调整对台政策，全面提升台美关系。经过为时一年的策划，1994 年 9 月 8 日，美国提出了新的对台政策，提升台美间政治关系。调整的主要内容有：①台驻美机构的名称，由“北美事务协调委员会”更名为“台北驻美经济文化代表处”；②美国的经贸、科技、文化官员(包括内阁成员)，在“个案处理”的情况下，可以访问台湾，并可访问任何机构；③台北的“高层首长”(如“总统”、“副总统”、“行政院长”等)可以在美国“过境停留”，但不宜“访问美国”；④美国同意支持台湾加入一些非国家性的国际经贸组织，但在“一个中国”原则下，不支持台湾加入联合国以及其他以“国家”为入会资格的国际组织；⑤美对台军售政策不变，仍以《八一七公报》和《与台湾关系法》为基本准则。这是美台“断交”15 年以来美国对台政策所作出的最大调整。

1995年5月22日，美国政府又不顾中国政府的强烈抗议，宣布允许李登辉以“私人”、“非官方”身份访问美国。6月7日至11日，李登辉在台“外交部副部长”和“新闻局局长”的陪同下赴美活动，大肆鼓吹所谓的台湾“经济奇迹”和“政治奇迹”，宣扬其“两个互不隶属的中国”的政治理念。为了打击“台独”势力，中国政府在闽南沿海举行了一系列军事演习，美国却采取不合作的方针，在台湾海峡集结了大量军事力量，为“台独”助威，中美关系跌入低谷。

1995—1996年的“台海危机”后，美方知道台湾问题对中美关系至关重要，并理解这对中国来说是一个极其敏感的问题。因此其对华政策又发生了一些新的变化。1997年10月江泽民主席访问美国，两国宣布建立建设性战略伙伴关系。美方重申坚持一个中国政策，遵守中美三个联合公报，不支持台湾独立，不支持“一中一台”、“两个中国”，不支持台湾加入任何必须由主权国家才能参加的国际组织。1998年6月，克林顿总统访华，再次明确宣布对台“三不”政策。领导人的互访使中美关系得到一定程度的修复。

但必须看到的是美国对海峡两岸的“分离”政策仍未有实质性的改变，在主张发展美中关系、促进两岸和谈以稳定台海局势的主流意见中仍有许多不和谐的声音。从1998年底以来，美国国内再次升起一股反华逆流，“考克斯报告”、“李文和间谍案”、“轰炸中国驻南斯拉夫大使馆事件”使中美关系受到极大的伤害；另一方面，美国对台军售步子越迈越大，美国一些“反华”“亲台”势力甚至提出将台湾纳入美国的“战区导弹防御系统”。2000年2月1日，美国国会众议院表决通过了所谓《加强台湾安全法》法案，该法案不仅加强了美国国会对售台武器问题介入的权利，同时也大大提高了美台间的军事关系。6月2日，美国宣布两笔对台军售项目，总价值3.56亿美元；9月28日，美再宣布对台军售13.8亿的项目。2000年底，共和党候选人小布什上台，其对华强硬态度使美国的两岸政策更加复杂，充满变数。

2. 台日关系的加强

李登辉是一个有相当浓厚“日本情结”的台湾政客。上台后，其在“外交”上最想发展的就是台日关系。其实，自1972年台日“断交”后，台日间的贸易交流、人员往来一直非常密切，到1988年时，台日贸易额达230亿美元，占台湾外贸总额的20%；人员往来136万人次，其中日本人到台湾的约有95万人次。

从1989年开始，台日关系出现了一些新的变化，但仍集中在经济领域。台湾从中并未捞到多少好处，贸易逆差不减反增，从1988年的60亿美元逐年增至1991年的96.93亿美元。然而，李登辉却想通过贸易的让步换取台日间的政治提升。

1991年，日本政府大力支持台湾加入亚太经济合作组织，被认为是日本对台政策开始变化的一个风向标。1992年，日本重量级人物频繁访台。是年4月24日，日本同意将台湾驻日机构——“亚东关系协会”改名为“台北驻日经济文化代表处”，同意台湾增加驻日工作人员。

90年代中期，日本国内要求进一步改变对台政策、提升日台关系的呼声上扬。尤其是日本国会中的部分亲台议员甚至企图弄出一个日本版的“与台湾关系法”；台湾当局也极力呼应，建议建立“台湾琉球经济圈”，与日本结成某种意义上的“同盟”关系。

对李登辉而言，赴日本访问是其最醉心的追求之一。早在1991年台日高层接触中，台湾当局就开始策划李登辉的访日活动，但几经周折均未成功。1994 年日本广岛举办亚运会，李登辉企图借机圆其访日梦，台湾的民进党甚至还专门组织"护送李登辉到广岛宣达团"，最后计划落空，台湾当局只得改派"行政院副院长"徐立德前往参观。1995 年 1 月 6 日，日本政府重申将不邀请李登辉出席是年 11 月在大阪举行的亚太经济合作组织领导人非正式会议，也不同意台湾派"经济部长"以上的官员入境参加会议，由此可见，在这一敏感的问题上，日本政府还是采取较慎重的态度。

但随着 1995 年李登辉的访美以及日本政坛的新老交替、政局的变化，日本对台政策发生变化。1998 年上半年，日本方面宣布恢复自 1990 年中止的对台湾观光客实行赴日 72 小时免签证的待遇，并在台湾"护照"上直接加盖签证的做法。在台湾加紧活动和日本内部亲台势力的影响下，2000 年初日本有关人士表示：日本可以等到李登辉 5 月 20 日卸任"总统"职务后邀请其来访。

3.台湾与东南亚之间的关系

东南亚是亚洲的一个重要地区，也是台湾拓展"外交"的一个重要地区。长期以来，东南亚地区的国家与台湾有着密切的关系。对东南亚国家来说，中国的统一发展将对其构成一定的威胁；同时，随着台湾的经济发展，东南亚地区的国家也非常愿意与台湾发展经贸合作关系，带动本国经济的发展。从台湾方面来看，东南亚地区有华人数以百万计，他们长期在那里生活，有较浓厚的社会经济基础，当中有相当一部分有"反共情结"，与台湾形成了一种"无形的纽带"；另外可以通过与东南亚的贸易获得工业发展所需的原料和市场。

1988 年，台湾开始加强了对泰国、越南、马来西亚等国的经贸活动，高层官员频繁活动于东南亚各国。1989 年 3 月，李登辉以所谓"台湾来的总统"之名义到新加坡访问。1991 年，台湾当局又通过与东南亚国家签订"投资保障协定"、"全面租税协定"、"渔业协定"等官方性质的协定，显示其"主权政府"地位，提高与东南亚国家的"实质关系"。

1993 年 7 月至 8 月，台湾"经济部长"江丙坤赴越南和新加坡考察返台后，正式提出了"以东南亚国家为今后对外投资和贸易重点地区"的"南进政策"(1994 年 1 月改称"南向政策")，建议利用政府力量辅导在岛内发展困难的产业赴东南亚投资。"行政院长"连战对此表示"全力支持"。随后，台湾"经济部"专门设立了"南向专案小组"，负责具体筹划和制订实施细则。8 月，"亚洲台湾商会联合总会"在台北成立。11 月 9 日，台"经济部"推出《南向政策说帖》，选定越南、菲律宾、印尼、新加坡、马来西亚、泰国为重点投资国家，由官方出面在融资、资讯、投资政策保障等方面予以辅导和协助。

台湾当局推出"南向政策"的目的：一是为了降低 90 年代初持续升温的大陆投资热，减少台湾经济对大陆的依赖程度，降低因两岸关系波动可能对经济造成冲击的危险；二是为了加强与东南亚国家的"实质关系"，扩大台湾在亚太地区的影响；三是为了利用东南亚国家丰富资源、廉价劳动力及对欧美国家出口的市场配额和低关税优惠，拓展海外市场；四是为台湾建立"亚太营运中心"计划的实施创造条件。

"南向政策"实施的初期，台湾对东南亚地区的投资和贸易有较快的增长，台湾高层也借此频繁到东南亚地区进行访问活动，允诺对这些地区投资开发，并大力推动国民党党营事业和公营事业到这些国家考察、投资。1995年，台湾当局将“南向政策”的范围扩大至印度、老挝等国，1995年又进一步扩大至巴基斯坦、孟加拉、斯里兰卡、缅甸、柬埔寨等国。然而，由于大陆投资环境明显优于东南亚国家，所以台湾民营资本大多不愿配合“南向政策”而放弃大陆市场，“南向政策”设置的多个预期目标未能实现。

七

动荡的两岸关系

1.“汪辜会谈”

随着两岸政策的调整，两岸的各种交流与交往进入持续调整发展的阶段，同时两岸间的民事纠纷、渔事纠纷以及走私、偷渡等问题也越来越多，且层面日益扩大，为两岸关系的发展增添了许多困难和麻烦亟待解决，红十字会已无力承担更多超越其管理职权范围的事务。1990年11月21日，台湾当局策划组建了一个具有官方背景而以民间形式出现的机构——“财团法人海峡交流基金会”。该会是台湾当局为应付两岸关系发展和推行大陆政策的产物，是台湾当局配合“国统会”、“陆委会”展开大陆事务性工作的半官方机构，由国民党中常委辜振甫出任董事长，许胜发、陈长文为副董事长，陈长文为秘书长；同时，还聘请了前“行政院长”孙运璇为名誉董事长。该会的主要任务是执行台湾当局委托办理的有关海峡两岸民间交流技术性和事务性工作。1991年4月28日，海基会副董事长首访大陆。7月，该会副秘书长再访大陆，解决台湾与广州、厦门、福州和上海的经贸、旅游问题。

为更好地开展对台工作，大陆也于1991年12月16日成立了由各界人士组成的民间团体——海峡两岸关系协会（简称“海协会”），推举荣毅仁任名誉会长，选举汪道涵为会长，唐树备为常务副会长，经叔平、邹哲开为副会长。该会将根据国务院台办的委托，与台湾海基会就海峡两岸的具体事务进行商谈并达成协议。两会的成立标志着台湾和祖国大陆的事务性接触与协商的渠道正式建立。

海协会成立后，在逐步建立和发展与台湾岛内外民间团体和人士的联系与相互合作，发挥民间力量，共同促进两岸直接三通和双向交流等工作上作出了巨大的成绩。1992年1月8日，刚成立仅23天的海协会首次致函邀请台湾海基会董事长、副董事长、秘书长率团访问大陆。

1992年3月21日，海基会法律处处长许惠佑率6人抵京，就两岸公证文书使用与查证及两岸开办挂号信函查询及补偿事宜等两项事务性商谈首次与海协会人员会面。

会谈之中，一个最大的分歧是关于一个中国的问题。我方强调，在海峡两岸事务性商谈中应表述一个中国的原则，但不涉及“一个中国”的政治含义，表述方式可以充分讨论协商。经过台湾当局内部长达3个多月的争论，8月1日，台湾“国统会”作出“一个中国”含义的结论，表述其对“一个中国”的诠释。其基本观点是：①“海峡两岸均坚持一个中国之原则，但双方所赋予含义有所不同。”②1949年以后，中国处于暂时分裂的状况，由两个政治实体分治海峡两岸。③台湾当局制订“国家统一纲领”，“开展统一步伐”。尽管大陆方面不同意台湾有关方面对“一个中国”含义的理解，但考虑到台湾当局已经接受在两岸事务性商谈中坚持一个中国的原则这一共识，大陆同意继续举行会谈。1993年4月7日，新任海基会秘书长的邱进益抵京，10日，双方在北京钓鱼台国宾馆草签已达成的两项协议。这是海协与海基会成立以来第一次取得事务性商谈的具体成果。

海基会和海协会成立后，双方曾就两岸交往中亟待解决的问题进行过多次商谈，但由于接触层次太低，海基会所获授权不足及政治因素的影响等原因，进展一直不大，因此，从海协成立之时，我方就积极倡议两会高层负责人直接坐下来进行商谈，以早日解决这些问题。

1992年8月4日，海协会会长汪道涵亲自向海基会董事长辜振甫发出邀请，希望"就当今经济发展及双方会务诸问题交换意见，洽谈方案"。8月22日，辜振甫复函接受邀请。之后，虽然大陆多次致函海基会，希望就会谈的时间和预备性磋商等问题交换意见，早日实现"汪辜会谈"，但台湾方面以大陆坚持将"一个中国"写入正在协商的"两岸文书查证"与"两岸挂号函件查询补偿"两个协议中为由，拖延会谈举行。之后，大陆方面本着"相互尊重，求同存异"的原则，采取灵活态度，同意各自表述"一个中国"并采纳了辜振甫在第三地举行会面的建议，从而为"汪辜会谈"的顺利举行"创造了良好的气氛"。

1993年3月2日，海协会再次致函海基会，建议"汪辜会谈"在3月下旬或4月初举行。3月12日，海协会常务副会长唐树备与副会长兼秘书长邹哲开又联名致函，邀请海基会副董事长兼秘书长邱进益访问北京。3月18日，台湾当局"陆委会"公布《辜汪会谈背景说明书》，表达了愿意举行会谈的意向，遂拉开了"汪辜会谈"的序幕。在此后的一个多月的时间里，两会又举行了第一阶段预备性磋商的"会前会"和第二阶段的"唐邱磋商"的预备性会谈后，双方最终就"汪辜会谈"的技术性细节达成八点共识。

1993年4月27日至29日，在我海协会的倡议和积极推动下，经过海峡两岸的共同努力，备受世人瞩目的第一次"汪辜会谈"在新加坡正式举行。这是海峡两岸授权的民间机构最高负责人之间的首次会晤，也是40余年来，两岸高层人士的首次接触商谈。尽管这次会谈只局限于民间性、经济性、事务性和功能性的范围，但其本身所具有的意义及对两岸关系的影响已引起台湾岛内的高度重视和国际社会的普遍关注。

27日上午10时，会谈正式在新加坡海皇大厦内举行，海峡两岸的会长隔桌4次握手，并互相致意。在场的一百多名中外记者纷纷摄下了这一具有历史意义的镜头。

会上，汪道涵会长首先发言。汪会长重申了这次会议是民间性、经济性、事务性、功能性的，充分说明了两岸经济交流的迫切性和必然性，并集中论述了两岸经济交流合作中的八个具体问题：①对两岸经济合作的基本主张；②直接"三通"应当摆上议事日程；③关于两会共同筹开民间的经济交流会议（制度）的建议；④台商在大陆投资和大陆经贸界人士访台问题；⑤两岸劳务合作问题；⑥台湾参与开发浦东、三峡、图们江问题；⑦合作开发能源、资源问题；⑧两岸合作开发台湾海峡和东海无争议地区石油资源问题。此外，汪会长还就两岸科技、文化交流及两会会务问题提出了意见，阐明了大陆方面的观点。

接着，辜振甫董事长就两会联系合作，共同打击海上走私、犯罪及两岸经济合作，青少年和科技文化交流等问题发表了意见，表示愿意设法促进两岸企业界人士互访与海协会商讨筹开民间经济交流会议及共同开发和资源与能源问题。辜振甫还表示,目前两岸情势还不能开放双向投资,但又希望大陆更具体地保障台商的权益,并提出了一些相关的具体问题。此后,唐树备和邱进益就有关具体问题和双方存在的分歧的部分多次进行磋商和会谈。会议第三天,即4月29日上午,在唐邱会谈的基础上,汪道涵会长和辜振甫董事长代表两会正式签署了《两岸公证书使用查证协议》、《两岸挂号函件查询、补偿事宜协议》、《两会联系与会谈制度协议》及《汪辜会谈共同协议》四个文件。至此,“汪辜会谈”顺利结束。

“汪辜会谈”是海峡两岸高层人士在长期隔绝之后的首次正式接触,是两岸走向和解的历史性突破,是两岸关系发展史中的“重要里程碑”,具有极为重要的现实意义和历史意义。江泽民总书记对这次会谈给予了高度评价。5月6日,江总书记在会见台湾民营银行大陆考察团时说:“汪辜会谈”是成功的,是有成效的,它标志着两岸关系发展迈出了历史性的重要一步。会谈的结果双方均感满意。

两岸及国际社会均对会谈普遍给予高度的评价,认为会谈本身及其取得的一系列原则共识和具体成果,无论在形式上还是在实质上,均“具有相当深刻的政治意义”。其意义在于:第一,双方在会谈中相互尊重、平等协商,为今后各领域的互相合作提供了可资借鉴的范例,标志着两岸的“谈判时代已经来临”。第二,两会联系与沟通管道的建立,开启了两岸沟通的正常化、制度化的大门,对今后两会领导人互访及解决两岸交往中存在的问题将起到积极作用。第三,会谈的成功有助于增进两岸的互信,说明只要双方本着“求同存异、平等协商”的原则坐下来谈,许多问题都可望得到解决。

2.海峡两岸关系跌入谷底

在两岸协商大门开启的另一面,“台独”的气焰也在台湾甚嚣尘上。1993年,是李登辉施政计划中凸显所谓“独立政治实体”,突破“外交”现状,“重返联合国”的一年。台湾的“行政院”成立了“参与联合国决策小组”,各驻外机构成立了“联合国工作小组”,台湾官员也在国际舞台频繁活动,进行“攻关”;岛内外“台独”分子与之相配合,发起成立“台湾加入联合国同盟”,并举行大规模的街头运动和集会。

为促使台湾当局觉悟及让台湾民众和世界了解台湾问题的真相,8月31日,国务院台办和国务院新闻办联合发表了《台湾问题与中国的统一》白皮书。这是一份极为重要的历史文献。它以翔实的史料介绍了台湾问题的由来及现状,回答了一些与解决台湾问题相关的问题,向国内外阐明了中国政府关于台湾问题和实现祖国统一的基本立场和方针政策。它是新中国成立以来就台湾问题对外发表的第一份最全面、最系统、最完整的纲领性文件。

白皮书的发表使台湾的“台独”活动遭到剧烈的打击。是年10月,原定参与台“双十大典”的国家元首们纷纷借故取消行程。11月,拥有“台独”党纲的民进党在县市长选举中失利。中美洲“七国提案”尚未列入联合国总务委员会议程就被否决,台湾的图谋宣告失败。一系列的失败使台湾的“独台”分子和“台独”分子恼羞成怒。李登辉在完全排挤了国民党“非主流派”,全面掌握了台湾的党政军大权,并在县市长选举中抑制了民进党咄咄逼人的夺权攻势之后,开始极力推行所谓“中华民国在台湾”的行动。

1994年是两岸关系喜中带忧的一年,

也是两岸关系发生重大转折的一年。一方面,根据“汪辜会谈”的协议,两会在北京、厦门、台北、南京等地的会谈均取得重大进展,并准备在台北举行第二次“汪辜会谈”,进一步探讨两岸民众最关心的“违反规定进入对方地区人员的遣返及相关问题”、“海上渔事纠纷”、“两岸劫机犯遣返”等3个议题。两会的正常运作必将使两岸的接触进一步扩大;另一方面,两岸关系的阴云已经密布。3月底有“千岛湖案件”的政治化,有李登辉与日本作家司马辽太郎谈话的发表,7月有“陆委会”关于“台海两岸关系说明书”的出台,以及10月广岛亚运会事件的发生,特别是岛内民进党势力的发展,“台独”意识的增强,使两岸关系蒙上了一层阴影。两岸关系处于“死结”之中。台湾当局正从持守“一个中国”滑向“两个中国”或“一中一台”,两岸关系出现了“不统不独”、“不战不和”、“不即不离”状况。

1994年3月31日,浙江千岛湖景区游轮“海瑞”号遭3名歹徒洗劫,船上的24名台湾游客与8名工作人员同时遇难。此事是两岸交流以来发生在大陆的最大涉台刑事案件。中共中央、国务院领导十分重视,立即责成有关部门全力调查、妥善处理。经调查,“千岛湖事件”实为普通的刑事案件,没有任何政治背景。3名案犯经审判后被执行枪决。

但台湾当局却借此大做文章,恶语相向,刻意使之政治化。4月12日,台湾宣布:即日起暂停两岸文教交流活动;自5月1日起停止民众赴大陆旅游,暂停审查大陆经贸人士赴台许可办法。他们与“台独”分子遥相呼应,肆意谩骂、威胁大陆。尽管如此,大陆仍以民族大义为重,忍辱负重,就事论事,冷静、细致地处理了“千岛湖事件”。

“千岛湖事件”的风波尚未平息,波澜又起。4月30日,台湾的《自立晚报》全文发表3月底李登辉与日本作家司马辽太郎的谈话——《孤岛的痛苦——生为台湾人的悲哀》。在对谈中,李登辉以“到目前为止所有掌握台湾权力的全是外来政权”为“依据”,描述了“生为台湾人的悲哀”,否定台湾自古以来就是中国的领土,进而否定台湾是中国的一个省,质疑“中华”、“中国”、“中国人”的含义,突出“台湾必须是台湾人的东西”。在谈话中,他表示要充当《出埃及记》中的摩西,带领“台湾人”“走出中国的阴影”,“创造台湾的新时代”,也就是要“与中国分裂,独立建国”。4月14日,李登辉又接受台湾《自由时报》专访,更是公开否认“一个中国”的原则,称:“目前看不到一个中国,一个中国在哪里?这是将来的目标。现阶段是‘中华民国在台湾’与‘中华人民共和国在大陆’,我们应该尽量忘记一个中国、两个中国这种字眼。”“中华民国在台湾是一个民主的独立主权国家”,是“真正主权在民的国家”,台湾的“主权在所有的二千一百万人民”。在此,李登辉明确地道出了“中华民国在台湾”的内涵,即所谓“台湾人的国家”,这个国家的名称叫“中华民国在台湾”,其主权范围是台澎金马,与在大陆的中华人民共和国互不隶属。这表明李登辉已公开将两岸关系定位为“一中一台”。

7月5日,台湾当局召开“94年大陆工作会议”,会上“行政院陆委会”发表了《台海两岸关系说明书》(即所谓的《大陆政策白皮书》),作为对大陆白皮书的回应。该“白皮书”是台湾当局继《国家统一纲领》之后推出的又一份指导大陆事务的最高纲领性、政策性文件,是台湾当局对其以“一个中国,两个对等政治实体”为核心的大陆政策的全面阐述。它的正式出笼,标志着台湾当局的大陆政策已彻底脱离“一个中国”，迈向了“两个中国”或“一中一台”的轨道。

“白皮书”由“前言”、“台海两岸分裂分治的根源与本质”、“台海两岸关系的发展”、“影响两岸关系的内外环境因素”及“结论”5部分组成。综观全文，这是一份阻碍中国统一的“白皮书”，其主要错误是：以“两岸分裂分治”立论，歪曲国共两党关系及台湾问题形成的历史事实，拒绝接受“一国两制”统一模式，提出与大陆在国际间成为两个“并存之国际法人”，并首次将国际政治中的“统合”、“分离”因素纳入其构思两岸关系的战略架构中。

首先，“白皮书”通篇很少谈及如何发展两岸关系，却大谈两岸分裂分治的所谓“客观事实”，只是将中国统一作为其未来长远追求的目标，并首次正式将两岸关系明确界定成两个“对等政治实体”。“白皮书”声称：“中国目前暂时分裂为两个地区”，存在着“两个本质上完全对等的政治实体”，“并各自在其管辖的区域内，享有排他的管辖权”。“白皮书”之所以刻意强调两岸分裂分治的“客观事实”，其实质就是想拖延统一进程，企图拖以待变，为最终实现“一中一台”、“两个中国”创造条件。

其次，“白皮书”将两岸暂时分离之因错误地归结于“以中华文化为基础的‘三民主义中国’与以马列主义为根源的‘共产主义中国’之争”，“两种不同的政治、经济、社会制度与生活方式之争”。尤为荒唐的是台湾当局在“白皮书”中竟指称台湾某些人的分离意识是中国共产党造成的，是“中共领导人从未放弃过对台动武的恫吓”，“始终刻意封杀台湾的国际活动空间”的“充满敌意的行为”，“刺激台湾内部分离意识的升高”。而事实是无法改变的。正是由于台湾当局的纵容和庇护，“台独”大本营由海外移回岛内，“台独”言论完全合法化，“台独”气焰日益嚣张。

再次，“白皮书”提出两岸“暂时搁置主权争议”，以“对等政治实体”相待，并首次明确表示：台湾在国际间始终是一个“具有独立主权的国家”，与大陆为“并存之两个国际法人”，今后台湾不再在国际上与大陆竞争“中国代表权”；在中国未达成最后统一以前，两岸应“各自有平行参与国际社会的权力”。台湾当局有意识地混淆主权之含义，然后别有用心地提出两岸将“主权争议”暂时搁置起来，设下圈套诱使大陆承认台湾是所谓“具有独立主权的国家”。事实是台湾并没有拥有主权，它只是中国的一个地方单位。两岸之间并不存在“主权争议”。“主权争议”纯属无稽之谈。

最后，鼓吹和推行“务实外交”，扩大国际生存空间，企图将台湾问题国际化。由于国际社会普遍承认“一个中国”就是“中华人民共和国”，李登辉的“务实外交”进展并不大。为了从根本上突破参与联合国所面临的“一个中国”政策的束缚，台湾当局炮制这份“白皮书”，旨在为其推行“务实外交”的理论指导和制造“两个对等政治实体”的借口提供依据。从内容上看“白皮书”并没有什么新意，但在手法上却用心良苦。它采取声东击西的手法，以“外交”为筹码，大幅度凸显“务实外交”和“国际定位”，其玩弄的策略是：以不谈“一个中国”来规范大陆政策。以李登辉为代表的新大陆政策的核心，就是要大陆承认两岸是“分裂分治”的“对等政治实体”，确保台湾的“国际地位”。这与“台独”分子主张的“台湾独立于中共政权之外”、“台湾为主权独立国家”、“台湾与中国大陆分属两个不同主权政府管辖”；“未来台湾的前途将从量变到质变，量变将产生‘新中华民国’，质变将产生‘新台湾国’”等观点已无明显区别。

总之，“白皮书”的一系列论调动摇了实现统一的共同基础，实际上是在搞分裂，把统一空洞化并推到遥遥无期，实际上是一个愚弄两岸人民、混淆国际视听、欺骗国际社会的荒谬之作。

与“白皮书”的发表相呼应，台湾当局频繁活动，千方百计利用各种国际场合刻意制造两岸分裂、分治的政治效果。是年9、10月间，台湾当局策划了一系列活动，如发动了进军联合国的第二轮冲击战，积极活动借“广岛亚运会”和美国康奈尔大学校友会的机会，实现其访问日、美的企图，李登辉甚至还想借在印尼召开的“亚太经济合作组织非正式首脑会议”制造江、李在国际场合平等会面的事实。

面对台湾当局出台的新大陆政策，江泽民于1995年1月30日发表题为《为促进祖国统一大业的完成而继续奋斗》的重要讲话，就推动两岸关系的发展提出了一系列具体建议和主张，成为对台工作的指导性纲领文件。

江泽民的讲话精神和内容是“一国两制”构想的具体化，是系统阐述中国共产党和中国政府对台湾政策的纲领性文件，既有原则的坚持，又务实、灵活，具有现实性和针对性，在全世界引起了强烈的反响。4月8日，李登辉在改组后的“国统会”第一次会议上，提出了“李六条”进行回应。其主要点是：①承认台湾当局是“对等政治实体”，只有在“两岸分治现实下”寻求统一的可行方式，才能对“一个中国”含义尽快获得较多共识。②提出中华文化是两岸交流的基础，两岸在文化领域应加强各项交流的广度与深度，进一步推进资讯、学术、科技、体育等方面的交流与合作。③认为大陆是台湾经济发展的腹地，要增进两岸经贸往来，发展互利互补关系，表示在适当时机就商务和航运问题进行沟通。④提出两岸领导人在“国际场合”见面要求。⑤主张大陆正式宣布放弃对台湾使用武力后，两岸在适当时机就如何结束敌对状况进行协商。⑥将港澳问题纳入两岸关系范围，提出继续维持台湾与港澳的关系，进一步参与港澳事务。李登辉的讲话仍继续坚持“对等政治实体”、“分裂分治”、“平等参加国际组织”不放，但与他和司马辽太郎的谈话相比已大大降低了调门。在此氛围下，海协会与海基会协商确定于7月下旬在北京举行第二次“汪辜会谈”。

正当两岸局势有所缓和之际，形势再次发生变化。5月23日，美国务院违反承诺，宣布允许李登辉到美国做“私人访问”。中美关系降至1972年以来的最低点。台湾为此次变局欣喜若狂，“独台”的调子越唱越高。6月16日，海协会致函海基会，指出：鉴于台湾方面近期采取的一系列破坏两岸关系的行动，将举行第二次“汪辜会谈”的时间推迟。

7月17日，《人民日报》以《究竟谁在破坏两岸关系?》一文拉开了中国政府和中国人民反分裂、反“台独”斗争的序幕。有关部门先后组织了《人民日报》评论员、新华社评论员的连续四评“李登辉在康奈尔大学的演讲”以及新华社评论员连续四评“李登辉的台独言行”等8篇文章，大陆报刊、电视台、广播电台等主要舆论机构也组织发表了一系列文章，深刻揭露和批判了李登辉的政治野心和分裂阴谋。

伴随着声讨声，从7月21日至11月，中国人民解放军在东海公海海域，即台岛北部，连续进行了逐步升级的M—9地对地导弹、导弹火炮实弹、海空联合作战与海上封锁等四次军事演习。前两次事先宣布,后两次演习完公布。演习充分显示出中国人民解放军高科技现代化武器装备及制空、制海、登陆作战能力。

大陆的言行,使台湾深受震撼。演习的当天,台湾股市重挫229.9点,81种股票跌停,之后更是一路狂跌难止。岛内经济生活开始混乱,李登辉的支持率也有所下降。8月13日,台湾民众以“我是中国人”为主题在台北举行了“八一三”万人大游行。国民党内坚持统一的人士也纷纷指责李登辉的“台独”活动。美国政府也不得不通过新闻界表示愿意与中国恢复高层接触和谈判,以维护和发展中美关系。

1996年台湾的“总统”选举,实际上也是“统”、“独”的大较量。大陆对此次台湾领导人的选战关注与施加影响是必要的、正当的、必然的。3月5日,大陆将选择更接近台湾的海域进行导弹实验的消息一公布,台湾股市立即下降了62.49点。3月8日至25日,我威慑性极强的三军联合军事演习连续展开。18天中,我多枚M—9型导弹分别击中台岛南北指定海域。台湾经济生活几尽崩溃。3月6日以后,台湾抢购物资、美金、黄金,抛售股票,其数额均创历史新高;大规模移民浪潮更是蜂拥而至,数万人移居海外。全岛进入四级战备,金门、马祖进入一级战备。整个台岛在“战争”的恐怖中战栗。在台湾当局的乞求下,美国虽派遣“尼米兹号”和“独立号”航空母舰为主体的特混舰队赴台湾海峡附近窥视,但在中国政府强硬立场和大无畏精神面前,美国军舰也只能远远地游离在外海,避免进一步激化矛盾,引发大规模的战争。

此次海峡两岸的紧张对峙,使海峡两岸关系降至冰点,双方的不信任感加深,特别是美国借机修改《与台湾关系法》,向台湾出售大量先进的防御性武器,对今后两岸的统一极为不利。但不可否认的是,通过此次行动,我方已清楚地向世人表明了我国在台湾问题上的立场及维护国家领土主权的决心和能力,既使美国看到搅入台海危机的危险性,不得不积极地调整对华关系,也在一定程度上震慑了“台独”势力,使他们的言行有所收敛。

八

风云变幻的两岸关系

1. 日益张扬的“台独”活动

1996年台湾大选后,李登辉迫不及待地与民进党联手“冻省修宪”,企图切断与大陆之间的各种联系,完成其“独立建国”的准备,“台独”活动日益张扬。

在政治领域:李登辉不仅与“台独”分子进行明目张胆的勾结,而且公然与达赖等“藏独”分子扯在一起,阴谋分裂祖国。1997年3月,台湾当局邀请达赖访台,开创“台独”势力与“藏独”势力勾结的恶例。9月,台湾“内政部”又允许“达赖喇嘛西藏宗教基金会”奉达赖为荣誉董事长,在台湾设立“办事处”,“处理台藏之间经济文化交流”。双方你吹我拍,都将对方视为“独立的政治实体”,要联手进行分裂祖国的阴谋活动。

在经济领域:面对两岸经贸交流热潮,李登辉极力降温。1996年8月14日,李登辉在“国大”上声称,应检讨“以大陆为腹地,建立亚太营运中心”这一“扭曲的论调”,并要求财经部门重订台商对大陆投资规模的限制指标。9月14日,李登辉出席台“经营者大会”时又提出台商投资大陆应“戒急用忍”。为此,台湾当局对两岸贸易、投资设定种种限制，并采取行政、法律手段对违规企业予以制裁。李登辉此举的目的就是企图以经济为筹码进行“政治勒索”，迫使大陆让步，实现其分裂祖国的阴谋。

在社会文化领域：李登辉大肆鼓吹“新台湾人主义”，推动所谓“心灵改革”，倡导建立所谓“新台湾人的新文化观”，旨在从意识形态上抛弃“大中华主义”。1997年9月1日，台湾当局在“独台化”方面迈出的一个实质性步骤，就是抛出了一套在全岛范围内使用的初中一年级教科书《认识台湾》。《认识台湾》教科书分“历史篇”、“社会篇”、“地理篇”。前两篇以“落实本土教育”、“认识乡土文化”为名，割裂台湾与祖国大陆自古以来的联系，否定台湾是中国一部分的史实；割裂台湾文化与中华文化内在联系，宣扬所谓“新台湾人”观念，淡化中华民族意识；极力美化日本殖民统治、掩饰日本殖民者屠杀台湾同胞的滔天罪行，抹杀台湾同胞抗日业绩。《认识台湾》的要害和实质就是挑战“一个中国”的原则，宣扬“中华民国在台湾”的“国家观”。教科书把“大陆”一词都改为“中国大陆”，把历史上台湾与祖国大陆的关系说成是“国际性的关系”；声称“中华民国是一主权独立的国家”，两岸要在所谓“对等”原则下，“建立和平友好关系”。叫嚣要建立以台澎金马为“实质上的命运共同体”的“新台湾国度”，绝口不提“未来的统一”。台湾当局在“意识形态脱中国化”的道路上越走越远，不仅为现在而且也为未来两岸关系的发展设置了人为的障碍。

在军事领域：20世纪90年代以来，台湾当局为了增强与大陆对抗的实力和谈判的筹码，在军事上也采取了一系列的措施，为两岸的和平统一设置障碍。

首先是调整了军事战略。李登辉上台后，迫于国际国内形势的变化，出于谋求“独立政治实体”和制造“两个中国”分裂政策的需要，对台军事战略作了重大调整。1994年台湾当局公开发表“国防报告书”，将军事战略调整为“守势防卫”。[①] 其基本构想是：建立对付从海上进攻台湾的空中优势，使用海军兵力打破海上封锁，部署空中和海上实力对付来自海上的两栖抢滩登陆；以“战略持久、战术速决”为指导，动员后备力量、运用总体战力，借“空中防卫”、“海上防卫”、“陆上防卫”诸作战手段，适时集中优势兵力，以速战速决致长期固守作战之效果，并企图使用“吓阻战略”来达到防卫作战的特殊效果。台军事战略调整也表明国民党政权台湾化之后，李登辉为首的国民党主流派企图巩固台湾政权，实现“实质独立”的美梦。

其次是改革了军事体制，以适应军事战略的调整。李登辉军事体制改革的主要设想就是改军政、军令二元化的军事体制为一元化军事体制。国民党退台后基本上沿用了大陆时期的军事体制：“总统”是台军最高统帅，通过“国防部长”对军队行使统率权，通过“参谋总长”对军队行使指挥权。根据1998年5月21日台湾当局“行政院”通过的“国防法”草案及“国防部组织法”修正草案规定，今后“参谋总长”为“国防部长”的军事幕僚长，参谋总部为

---

① 台湾的军事战略经历了“攻势作战”时期(1949—1969年)、“攻守一体”时期(1969—1979年)和“守势防卫”时期(1979—2000年)三个阶段。李登辉上台之初虽然在口头上仍然表示奉行“攻守一体”的军事战略，但实际上已是“守势防卫”战略。直到1994年台湾当局的“国防报告书”发表后，才公开表示将军事战略由“攻守一体”调整为“守势防卫”。

“国防部长”的军事幕僚及三军联合作战指挥机构；原来隶属参谋总部的各军兵种司令部等改为直接隶属于“国防部”。这样，“总统”就可以直接下令“国防部长”，由“国防部长”责成“参谋总长”指挥军队。军政、军令一元化的军事领导体制将有利于改变原来军事机构重叠、臃肿、职责交叉、行动迟缓等弊端，为李登辉更加直接、牢固地掌握军权创造了条件。与此同时，李登辉还借军事体制改革之机大规模地提拔受其信任的台籍将领，进一步巩固了自己在军队的权力基础，完成了“中华民国”军队台湾化。

再次是扩大军事开支，精实军事力量。国民党退台后军事数量庞大。台湾当局不再追求数量，而是注重质量。李登辉上台后极力推行“国军精实案”，核心是调整和改革编制体制，重点是裁减部队员额、精简总部机关编制、缩小地面作战部队规模及改革后勤管理体制、更新武器装备，将台军建成一支“精、小、强”即装备与人员素质精良、兵力规模较小、整体作战能力较强的现代化部队。为实现上述军事目标，台湾当局逐步扩大了原来有所下降的军费开支。1998 年台湾军费的实际开支约 117 亿美元，全台人均 530 美元，台军人均 2.6 万美元，大大高于世界平均拥有的军费数额。

为了给自己寻找加强军事实力的借口，台湾当局配合国际反华势力大肆宣扬中国“军事威胁论”，不断在岛内进行军事演习，以“中共将武力犯台”等危言耸听的谎言欺骗岛内民众，企图增加台湾人民对大陆及统一的恐惧心理。此外，台湾当局还通过各种手段，力图参与美国组织的军事研究及战略防御计划，并在可能的情况下将美、日拖下水，挑起中、美(日)的军事冲突。

台湾当局的种种言行，无疑为岛内“台独”势力打了一剂“强心针”，“台独”分子更加嚣张、狂妄，为民进党的上台准备了社会条件。

2. 辜振甫大陆行

1997 年 8 月，中国共产党向正在召开的国民党“十五全”发去贺电。这是自 1996 年两岸关系紧张后的第一声和解的问候。9 月 12 日，在中国共产党举行的“十五大”上，江泽民郑重重申了“江八点”的立场，强烈呼吁：“希望台湾当局认真回应我们的建议和主张，及早同我们进行政治谈判。在‘一个中国’的前提下，什么问题都可以谈，只要是有利于祖国统一的意见和建议，都可以提出来。”10 月底，江泽民应邀访美，与克林顿总统达成构筑 21 世纪的建设性战略合作伙伴关系的共识，中美关系进入了一个新的时期。

11 月 6 日，海协会向海基会发出了邀请函，邀请海基会副董事长焦仁和率海基会董、监事参加 12 月 7 日在厦门举行的“两岸经贸研讨会”，并参访厦门、上海、北京等地。1998 年 2 月 24 日，鉴于台湾“县市长”选举后台湾政局的变化，海协会再次致函海基会，表示欢迎辜振甫“在适当的时候来访”，在双方政治协商及随之进行的经济性、事务性协商开始前“应进一步扩大两会的交流接触”。

1998 年 10 月 14 日下午 3 时，辜振甫率海基会参访团 12 人到达上海。这是两岸会谈“三年多来高层会晤的第一次，也是半个世纪来在自己土地上的第一次”，意义非同寻常。在与汪道涵会长会谈后，双方达成四点共识：①两会决定进行包括政治、经济等各方面内容的对话，由两会负责人具体协商作出安排；②进一步加强两会间多层次的交流与互访；③对涉及两岸同胞生命财产安全的事件，两会加强个案协助；④汪道涵会长对辜振甫先生邀请他访问台湾表示感谢，并表示愿意在适当的时候访问台湾，加深了解。16日下午，辜振甫一行飞往北京。这是台湾政府授权的民间团体最高负责人首度来到北京。在北京期间，辜振甫受到了江泽民、钱其琛等领导人的热情接见。

辜振甫的大陆行，在海峡两岸各界引起极大的关注。有识之士均认为此次接触将有利于两岸沟通迈向正常化。经两会协商，大陆海协会会长汪道涵定于1999年秋季赴台，落实双方四点共识，以进一步推动两岸的政治对话。两岸关系发展的新阶段即将到来。

3.李登辉的"两国论"

1999年初，由科索沃民族问题引发的北约干涉南斯拉夫内政的战争升级。5月7日晨，美国导弹袭击了中国驻南斯拉夫使馆，造成3名工作人员死亡，馆舍被严重损毁的"使馆事件"。中美关系再次跌至冰点。利用这一机会，李登辉于5月19日出版了他的《台湾的主张》(实际上是李登辉的主张)一书，系统地阐述了他在政治、经济、两岸关系上以分裂中国为核心的一贯主张，把台湾定位为具有"国家主体性"的"在台湾的中华民国"，坚持两岸"分裂分治"，甚至露骨地鼓吹把中国分为台湾、西藏、新疆、蒙古、东北等七个区域，让文化与发展程度各不相同的地区享有充分的自主权，相互竞争，追求安定。此论一出，立刻遭到大陆和台岛内外及国际社会有识之士的批判。他们指出李登辉的"七块论"实际上是台湾学者王世榕在《和平七雄论》中提出的分裂中国的"七国论"和日本学者中鸟岭雄肢解中国的"十二块论"的翻版，其拼命鼓吹此种谬论的实质是想借此挑战一个中国的原则，扬弃大中华框架，分裂肢解中国，是彻头彻尾的分裂阴谋。

为使自己的政治生涯结束后，台湾当局能继续按其制定的路线处理两岸关系，李登辉进一步提出更加露骨的分裂言论。1999年7月9日，李登辉在接受德国一家电视台采访时，进一步大放厥词，公然说大陆与台湾的关系"是国与国的关系，至少是特殊的国与国的关系"。

"两国论"实际上就是在两岸关系的定位上抛弃了过去的"两个对等政治实体"，进入"国家与国家"的阶段。这种公开鼓吹"两个中国"的分裂言论，从某种意义上说是李登辉变相地宣布了"台湾独立"。李登辉完全撕下了主张统一的假面具，彻底暴露了他与"台独"合流的丑恶面目和险恶用心。不仅如此，李登辉还不顾一切地于8月29日将"两国论"塞进国民党十五届二次会议通过的《政治任务提示案》中，使其成为国民党的大陆政策，并企图伺机将其法律化。

很明显，"两国论"的要害是分裂中国的主权，是对"一个中国"原则的公然挑战和否定，严重影响两岸关系的发展和世界局势的稳定。因此，李登辉"两国论"一出台，即遭到海峡两岸人民和全世界炎黄子孙乃至全世界爱好和平的国家、人民和政府的同声谴责和批判，绝大多数国家的政党和政府重申坚持一个中国的政策。

李登辉的"两国论"不仅恶化了本来刚刚改善了的两岸关系，也给中美关系带来麻烦，从而也对亚太及世界的和平稳定与发展带来威胁。美国政府明确表示不赞成李登辉的"两国论"，并指责李登辉是"麻烦的制造者"。

李登辉"两国论"的"台独"言行，使刚刚有所改善的两岸关系又跌入了低谷，引发了又一次台海危机。海协会和海基会的会谈因李登辉及台湾当局提出并顽固坚持两国论再次陷入进退维谷的境地，且造成台湾海峡的紧张局势。从7月中下旬开始，我战机频繁出巡海峡，有时越过中线，迫近台湾；8月10日起，中国海军南海舰队作战舰船在雷州半岛以东海域实施导弹及火炮实弹射击训练；9月上旬，人民解放军南京、广州战区又在浙江、粤南沿海举行了自1996年以来最大规模的诸兵种联合渡海登陆作战实兵演习。大陆的一系列军事活动，造成台湾股市震荡，投资信心丧失，经济形势不稳。"两国论"发表后的一周内，台湾股市狂泻1200点，成交额大幅降低；上市公司总市值骤减1.5万亿新台币，约1/6的"国民生产总值"在股价涨跌期间消失；银行出现抢购美元风潮，新台币面临贬值压力；复苏过来的房地产市场再度阴霾笼罩。7月29日11时30分，台湾岛发生空前规模的大停电，三座核电站的发电机组全部停机，南北输配电网全部瘫痪，80%的电量输送停顿。台湾经济、社会运作陷入瘫痪和混乱，更加剧了民众的恐慌，股市随之再跌，民众怨声载道。可以说，"两国论"几乎要把战火引到台湾，使台湾人民的生命和财产安全受到严重威胁。

李登辉为什么迫不及待而又明目张胆地冒天下之大不韪抛出"两国论"？其原因显然是多方面的。首先，从根本上说这是李登辉由来已久的分裂祖国的本性和图谋所决定的。如前所述，李登辉早已将自己中国人的身份抛在脑后，认为自己是日本人。他分裂中国的图谋已久，决心已定，时刻在等待时机和提出的方式。其次，从直接目的上看，李登辉是想在下台前为接班人和国民党创造继承自己"台独"路线的有利条件，以便最终实现他未能实现的"台独梦"，至少可以过一把"台独国父"的瘾。再次，是李登辉错误地估计了形势。一是错误地估计了国际形势，认为美国轰炸中国驻南使馆后中美关系处于低潮，即使出现台海危机，美国也会支持台湾。二是错误地估计了岛内形势，以为台湾人民希望维持现状就是希望独立，他一提出"两国论"便可主导台湾"总统"选情，为其指定接班的"总统"和"副总统"竞选拉来大量选票。不料其"两国论"一出笼便遭到台湾人民强烈的批判和反对。国民党的"总统"和"副总统"候选人的支持者在民意调查中并未上升，相反倒把一些原本投国民党候选人票的支持者赶到了其他候选人的阵营。李登辉不仅没有占到便宜，反而"偷鸡不成蚀把米"。当然，也不排除李登辉暗中帮助"民进党"的考虑——通过分化主张统一的国民党的选票，从而达到相对增加民进党"总统"候选人选票的目的。三是错误地估计中国人民捍卫国家主权和维护祖国统一的坚强意志和能力。李登辉自恃台湾经济、军事实力已有很大提高，而且可以挟洋自重，大陆则因正在从事经济建设，不会也无力对台湾搞独立采取武力阻止措施。

正当大陆对"两国论"进行批驳，台海危机进一步升级之时，9月21日，台湾发生罕见的大地震。这次大地震，共造成2474人死亡、11000人受伤、31万人无家可归。台三军部队紧急投入抗震救灾中。面对这一变局，大陆从民族大义出发，暂停了对台的进一步行动。

对于台湾同胞的生命财产的损失，大陆人民送去了最亲切的问候。大陆有关方面纷纷致函表示慰问。医疗小组、地震抢险小组整装待发，救援物资、捐款也陆续到位，等待入台。可是，台湾当局却将此行动泛政治化，顽固拒绝大陆的援助，并肆意煽动台湾民众的对立情绪。10月9日，李登辉在"双十节"的祝词中，再次重申两岸是“特殊的国与国之间的关系”。李登辉就是这样置台湾人民的生命、利益于不顾，顽固坚持分裂路线的。

面对李登辉分裂祖国的图谋，中央政府的态度十分明确。2000 年 2 月 21 日(即台“总统”大选前的 26 天)，中华人民共和国台湾事务办公室和国务院新闻办公室以政府文告的方式发布了长达 1.1 万字的《一个中国的原则与台湾问题》白皮书。该书意义重大，它不仅是对两岸交流十多年来，特别是 20 世纪 90 年代以来统“独”斗争历史的总结，也是中国政府在新千年到来之际，面向未来，对历史对民族作出的完成祖国统一使命的决心和誓言，是中国政府在新的历史阶段对台系统政策的明确宣示。

在白皮书中，中国政府再次强调“一个中国原则具有不可动摇的事实和法理基础”，“是实现和平统一的基础和前提”，“中国政府坚决捍卫一个中国的原则”；强调目前统独斗争不可更改的统一结局与两种途径：统即和，“独”即战，之间没有任何中间路线可走、中间目标可循。特别是在白皮书中，首次提出了台湾问题不能无限期地拖延下去，等于向台湾当局提出了一个“没有讲时间表的时间表”，有力地粉碎了李登辉在两岸关系上“不独”、“不统”、“不谈”，骑墙拖变的惯用伎俩。另外，在白皮书中，中国政府还宣示了推进、实现和平统一的诚意和反对外国干涉的决心。

九

民进党的艰难执政

1.“全民政府”的美梦破灭

毫无经验和准备的陈水扁仓促上台后，面对纷繁复杂的岛内政局、两岸关系和国际形势，始终无法掌控局势的发展，陷入决策混乱、执行无力、纷争不断、效率低下的困境。

这些困境的产生，与上台之初的陈水扁处于“三少”的不利态势有关。所谓“三少”，一是“少数民意”，即陈水扁当选得票率只有 39.3%，是以相对多数当选的“总统”，仅代表不到 40%的选民，民意基础较弱；二是“少数党”，即民进党籍“立法委员”在“立法院”中仅占 66 席，相对于国民党的 113 席而言，处于绝对少数，民进党“立院”党团支持施政的力量有限；三是“少数派”，即陈水扁所属的“正义连线”在当时的民进党内属少数派，且内部凝聚力不强，难以控制和摆平党内各派权利争斗。除此之外，此时的民进党缺乏执掌整个台湾地区政治、经济、军事、对外关系和两岸关系大权的人才，相关经验也不足，仓促上台，执政难度之大可以想见。

掌握大量行政资源的最高行政机关“行政院”的组建是关系到政权能否平稳交接最重要也是最紧迫的问题。由于民进党是“立法院”的少数党，按台湾的制度设计和西方政治运作常规，少数党筹组政府时，应联合其他政党共组“联合政府”，以避免少数党组成的“行政院”与多数党控制的“立法院”发生矛盾和冲突，引发政坛动荡。

初掌政权的陈水扁既不愿意民进党内其他派系的人与之争权夺利，也不愿意与在野党分享权利。为摆脱“三少”困境，陈水扁努力把自己打造成“全民总统”。他左右开弓，一方面表示辞去党职，“不介入党务”，并要求“入阁”的民进党员辞去党职，刻意与民进党保持一定的距离，以期新当选的党主席能在党内积极调整政策，降低意识形态色彩，同时摆平党内争权夺利，配合执政；另一方面，打着“全民政府，清流共治”招牌，在没有与国民党中央沟通、洽谈合作的情况下，借助“总统”拥有自行任命“行政院长”的权力，径自任用有军方背景的国民党籍外省人唐飞“组阁”，并邀请多名国民党人“入阁”，组建所谓“全民政府”，缓和执政之初来自各方面的压力。

在唐飞“内阁”45个职位44名成员中（包括“故宫博物院”院长、“台湾省政府”主席、“福建省政府”主席），国民党籍人士有16人之多，无党籍人士也有18名，而民进党籍“阁员”只有10人，不到总数的三分之一。其中，国民党籍人士控制着“行政院”院长、“政务委员”（3人）、“行政院”正副秘书长、“国防部”部长、“经济部”部长、“中央银行”总裁、“农委会”主委、“公平会”主委、“体委会”主委、“海巡署”署长、“人事局”局长、“退辅会”主委、“福建省政府”主席等一系列职位；民进党籍人士控制的只有“行政院”副院长、“法务部”部长、“交通部”部长、“侨委会”委员长、“研考会”主委、“劳保会”主委、“消保会”主委（由“行政院”副院长游锡堃兼任）、“主计长”、“环保署”署长、“青辅会”主委、“原民会”主委。民进党幻想以此低调的“全民政府”来抵御国民党提出由国、民两党合组“联合政府”的建议。

唐飞，1932年3月15日生，江苏省太仓人，战机飞行员出身，先后毕业于空军军官学校第32期飞行科、空军参谋大学中队军官班、三军大学兵学研究所。青年时期的唐飞，曾有担任驻美国、南非“大使馆”武官长达8年的经历，其独特的经历以及思想开放与西化，在同期将领中显得相当突出。1983年后，唐飞先后担任过空军联队长、空军总司令部计划署署长、空军军官学校校长、空军总部政战部主任、空军作战司令部司令和空军副总司令，并从空军少将升至空军中将。1990年李登辉继任“总统”后，升任唐飞为二级上将国防部督察室主任，在郝柏村辞去“行政院长”后将其升任为空军总司令、参谋总部副参谋总长兼执行官、参谋总部参谋总长，并晋升为空军一级上将。1999年1月，唐飞升任“国防部长”，成为台军中第一位空军出身的“国防部长”，也是台军中第二位非陆军将领担任的“国防部长”。

空军将领唐飞之所以得以升任“国防部长”，与90年代后期台湾从陆军主导走向空军优先的军事路线，陆军掌权的传统逐渐被削弱有关。由于唐飞资历完整，既有部队基层主官经历，又执掌过最高军事行政部门；既做过军校校长，又担任过驻美“使馆”武官，且在推动“国防法”、“国防组织法”制定及修正，军政、军令一元化等军队现代化进程中卓有贡献，在台军中较有影响，自然为李登辉所器重。民进党上台后，台军的态度和动向是刚上台的陈水扁最担心也是最恐惧的。毕竟台军由国民党组建并长期控制，其高级将领绝大多数为大陆籍，民进党很难涉足其间。因此，陈水扁赢得“总统”选举后任命有外省籍背景的唐飞为首位“阁揆”，可以收到安抚长期倾向国民党的台湾军队、化解党派和省籍方面的矛盾、巩固台美关系、加强与李登辉联系、保持政局稳定等多重功效。

但事与愿违。经过激烈角逐，与陈水扁有“瑜亮情结”的民进党“福利国连线”首领、时任高雄市长的谢长廷在2000年7月25日召开的民进党第9届全代会上出任民进党主席。谢长廷任主席后，力图建立与陈水扁的“全民政府”遥相呼应“全民政党”，并打着“以党辅政”的旗号，通过建立由党主席谢长廷主持，由“总统府”秘书长、“行政院”副院长、党部秘书长，必要时邀请“立法院”党团负责人参加的“党政协商会报”，促进“府”、“院”、党部代表定期沟通机制，形成党政共识，加强党中央执政决策的地位和权威。由于民进党内各派系的利益无法平衡，谢长廷的提议难获共鸣；一些重要的政策，如是否“废除台独纲领”，因党内意见不一，不了了之；党政协商机制也因握有许多决策权的“总统府”时常由代秘书长代表、参加会议的“行政院”副院长没有决策权，特别是“立法院”党团被排斥在“府、院”、党决策之外的制度框架下难以发挥作用，无法也无力配合陈水扁的施政。

通过启用唐飞、让国民党人士出掌各“部”、“会”来缓和与在野党之间矛盾，也只不过是陈水扁的一相情愿。受制于岛内政治的影响，台湾的政治体制无法彻底改变原有的“内阁制”转而实施“总统制”，只能实行“向总统制倾斜的双首长制”。如此造成了“中央政府”有两个行政中心，一是“总统府”，二是“行政院”。虽在台湾的法律中规定“总统”负责“中央政府”的大政方针和内外政策，“行政院长”执掌“中央政府”的日常施政行为并承担施政的政治责任，但事实上“总统”和“行政院长”的权力及范围很难划分清楚，且“行政院”该向谁承担政治责任也不甚清晰。根据台湾上世纪 90 年代修改后的“宪法”第 55 条第 1 款的规定，“行政院长”由“总统”任命，不必经过“立法院”同意。可以说，“总统”是大权独揽的施政核心，空有“宪法”规定“最高行政机关”的“行政院”只享有部分副署权，无疑使“行政院长”成为“总统”的附庸，必须听从“总统”的吩咐。但令人费解的是，“宪法”又同时规定“行政院长”必须向“立法院”负责，接受“立法院”质询；“立法院”可通过对“行政院长”的“不信任案”，迫使“行政院长”辞职。这一充满矛盾的体制若在“总统”和“立法院”多数成员为同一政党时运作不成问题，但“总统”和“立法院”多数成员不属同一政党时，“行政院长”往往成为“总统”与“立法院”作战时的挡箭牌和替罪羊，饱受折磨，甚至陷入四面楚歌的境地。唐飞“内阁”就是如此。一是“行政院”和“总统府”职责不分，作为“行政院长”的唐飞，行政权力极为有限，且受制于在诸多事务上意见不一的“总统”陈水扁，难以施职。任职初期的陈水扁尚能遵守“府”“院”分际，不敢过于干涉“行政院”施政，却经常要为“行政院”的失职背负骂名，双方磨合艰难。其他国民党籍的“部长”，也受到民进党籍“次长”钳制，难以发挥作用。二是国民党对民进党企图通过释出几个位子拉拢国民党的做法不予理睬，明文规定党籍政务官原则上不应参加新“政府”，“入阁”国民党员只能以个人名义加入，对国民党员“入阁”行为“不鼓励、不背书”，并称任何党员都要支持党的政策、政纲，如果不能完成党的要求，将考虑以党纪处理。三是“行政院”各“部”“会”成员，来自不同政党、不同领域、不同层级，理念千差万别、施政毫无章法、协调困难重重，造成行政混乱、效率低下。四是民进党当选后，原以为能在行政部门瓜分权利的党内各派心怀不满。他们趾高气扬，根本不把唐飞“内阁”放在眼里，又因民进党无法主导施政却又要为施政失误担责而抱怨，不断抨击行政系统。8 月 7 日、9 日以及 9 月 27 日，民进党秘书长吴乃仁就在公开场合数度炮轰“行政院”，指责唐飞没有魄力，未能承担起施政的责任，明确表示对“内阁”没有信心，也没有期待，并称新“政府”包括“行政院长”都应由民进党来主导。

上任后的唐飞极力周旋于民进党和

国民党之间，拼力维持，饱受劳苦，频生退意，均被挽留。先是6月中旬“行政院”与劳资双方达成的“周工时44小时”的提案被“立法院”否决，“行政院”成为众矢之的；再有7月22日发生的“八掌溪事件”，由于行政当局的麻木、迟钝、冷血，导致八掌溪地区4名被困洪水中的工人因救援不及时丧生，唐飞“内阁”备受全社会指责。9月底，“核四”是否继续兴建的争议浮现政坛，唐飞“内阁”终于支撑不住，轰然垮台。

台湾第四核能发电厂（简称“核四”或“核四厂”）是国民党执政时期为缓解大台北地区用电紧张而确定的基础建设大项目，并获得“立法院”的通过，自1999年开始兴建以来已投入数百亿新台币资金。“核四”在规划和兴建期间在岛内备受争议，一方面，产业界与能源部门从增加供电量、降低电力成本出发，积极支持兴建“核四”；另一方面，环保人士与“核四”厂周边的居民则持强烈反对态度。

民进党站在环保团体一边，一贯坚持“反对兴建核四”立场，并将“反核”列入党纲，成为该党仅次于“台独”的“神主牌”，陈水扁在参加“总统”竞选时曾承诺“当选后停止兴建核四”。成为执政党后，出于兑现承诺和反对国民党的需要，民进党坚决主张停建“核四”，陈水扁、谢长廷等也相继作出在此问题上将遵守党纲的表态。在“立法院”占优势的国民党则坚决反对停建“核四”，明确表达“拥核”立场的唐飞也主张必须遵守“立法院”所通过的法律决议，续建“核四”。

唐飞在“核四”问题的坚定立场，得到国民党和亲民党的支持，却遭到民进党的强烈反对，双方的矛盾与冲突失去模糊与回旋的空间后必然走向最后摊牌。10月3日，“总统府”以罕见的方式发表文字说明，表示对唐飞关于推动“核四”的讲话“讶异与困惑”，指其“违背两周来扁唐会谈的共识”。此时，陈水扁要唐飞走人的信息已较为明显，但唐飞仍无任何心理准备。当晚，在前往“总统府”与陈水扁进行例行餐会前，唐飞尚表示对扁有相当的信心。不料两人见面后，陈水扁便告知“你以前的辞呈我准了”。错愕的唐飞不得不对外宣布将辞去“行政院长”职务。执政仅137天的唐飞“内阁”寿终正寝，成为台湾历史上最短命的“内阁”。

唐飞辞职的表面原因是“核四”的兴建问题，实质是陈水扁为避免权力被瓜分，以这种“非驴非马”的所谓“全民政府”取代与部分在野党合组“联合政府”的尝试破产。

2.从“少数政府”到“全面执政”

10月6日，陈水扁任命民进党籍“行政院”副院长张俊雄接任“行政院长”，游锡堃出任“总统府”秘书长，邱义仁任“行政院”秘书长，并对“内阁”小幅改组，组成完全由民进党主导的“少数政府”。然而，“少数政府”和“全民政府”一样难解施政危机，政坛持续动荡，没有政绩。

陈水扁自以为组建“少数政府”就可以将“总统府”、“行政院”、“立法院”党团和民进党中央整合起来，避免再次出现“全民政府”时期各说各话、协调不一的状况，保证民进党施政能顺利进行。这种不顾台湾政坛实力对比现状一意孤行的做法是一种极为幼稚且冒险的行动。固然，这种体制可以使“府”“院”之间、党政之间的矛盾和冲突减弱，民进党高层屡屡炮轰“行政院长”的事情大为减少，但它仍无法改变其实力与权力不相符的事实与困境，无法改变“立法院”党同伐异的情形。毕竟，唐飞“组阁”时，在野党面对的是有不少自己同志参与的执政团队，对其制衡多少还有些顾及情面、手下留情。当张俊雄“组阁”时，在野党面对的是不带杂质的民进党执政团队，政党竞争已经转变为单纯的政党对抗，在野党利用“立法院”的优势对台湾当局的制衡力度进一步增大，导致政坛剧烈动荡。

另外，陈水扁任命张俊雄担任民进党的第一个“行政院长”有向党组织靠拢、摆平党内派系的考虑。在民进党内部，陈水扁的“正义连线”相对较弱，而其当选，是全党鼎力辅选的结果，不让其他派系从中分羹，实难获得党内的支持，更谈不上与国民党相抗衡。

出生于基督教长老会家庭的张俊雄毕业于台湾大学法律系。1980 年初，张俊雄出任“美丽岛事件”受刑牧师林弘宣、高俊明的辩护律师，开始投身“党外”活动。从 1981 年开始，他先后多次当选省议会议员和“立法委员”；1986 年民进党成立后，又先后当选为民进党中执委、高雄市党部执委、民进党中常委、政策协调委员会主委，“立法院”党团干事长、召集人。早期，张俊雄在党内“美丽岛”与“新潮流”的派系争斗中保持中立，后投身“新潮流”阵营，1992 年又成为“福利国连线”成员。“福利国连线”是民进党内一个能与陈水扁“正义连线”相抗衡的派系，成立于 1992 年 9 月 28 日，创办人是谢长廷，核心人物有施明德、姚嘉文、谢长廷、张俊雄、苏嘉全、蔡同荣等人。该派系以“创立福利国，重建新台湾”为理念，长期以来与陈水扁主导的“正义连线”明争暗斗。2000 年 7 月，谢长廷担任民进党主席以后，又与党内另一大派系“新潮流”联手，由“新潮流”吴乃仁担任民进党秘书长，并通过合作配票推选派系成员出任民进党中常委。其中，“福利国连线”就拥有 3 名中常委、8 名中执委，成为民进党中最大的派系，逐渐成为民进党中央的主导力量，对“正义联线”控制的行政团队形成巨大压力。由于张俊雄独特的身份和经历，使之与党内各派系均能保持密切的关系，也与属台湾极“独”势力的基督教长老会有密切往来，自然是新“阁魁”的理想人选。随着张俊雄“内阁”产生，民进党形成了正、副“总统”属“正义连线”、“行政院”院长和党主席属“福利国连线”、“行政院”和党中央的秘书长属“新潮流”的派系共治局面。

张俊雄执掌行政院后面临的第一个难题仍然是“核四”是否继续兴建的问题。10 月 27 日上午，秉持合作善意的国民党主席连战携林丰政等人到“总统府”，与陈水扁商讨“核四”问题。对于连战“核四”不可停建但可通过“立法”逐渐关停、拆除“核一”、“核二”的建议，陈水扁表示“会再考虑、再研究”。此时的陈水扁逐渐倾向于有条件续建“核四”。但就在连战离开“总统府”不到半小时里，新任“行政院长”张俊雄火速召开记者会，强硬下令停建已经在建的“核四”，引发台湾政坛震荡。国民党召开临时中常会，为抗议废建“核四”，暂不批准副主席萧万长出席亚太经济合作会议，原来坚决反对“倒阁”的态度也发生重大变化，同意与亲民党合作，联合推动“倒阁”、罢免“总统”或双管齐下。国、亲、新三党党魁纷纷释出善意，频繁互动，就三党合作问题达成初步共识。30 日，在野的国民党、亲民党和新党组成“在野联盟”，拉开了与民进党全面开战的序幕。在巨大压力下，11 月 5 日，陈水扁不得不发表道歉讲话，停建案也被迫取消。

张俊雄之所以敢冒如此大的政治风险，断然宣布停止“核四”的建设，除了与台湾“修宪”后“立法院”与“行政院”职责不清有关外，还与民进党内“院”、“府”、党、“立法院”党团因权利牵扯协调失灵有关，也与民进党错估政治形势有关。

首先，民进党成为执政党后，自认为已经掌握了台湾的行政大权，特别是替换仅有一百多天的唐飞“内阁”，也没有在台湾政坛上掀起轩然大波，增加了其胡作非为的底气和勇气。其次，民进党建立新的“党政协商会报”，强调决策仍以“行政院”为中心，但必须获得党中央和“立法院”党团的支持，并确定参与“党政协商会报”的名单包括“总统府”、“行政院”、中央党部的秘书长和“立法院”党团代表，意在通过“行政院”插手行政事务的决策，进一步分散“总统府”影响力。再次，在“立法院”中，民进党虽是少数，但在野党中也没有任何一个政党席位超过半数，且此时在野党尚处于一盘散沙，难以对民进党形成制衡。最后，民进党认为，在野党中不论是国民党还是亲民党都忙于本党的生存和发展，未必愿意在“废核”问题上多做文章，失去民意。因此，在连战与陈水扁难得一次的会见后，民进党不仅没有抓住进一步沟通的有利时机，反而错误地估计国民党在“废核”立场上有退让的可能，继续以民进党的性格和过去的经验，期望在国民党虚弱示好之时，越过国民党的底线，迫使国民党接受现实。

但此次民进党打错了如意算盘。张俊雄强硬下令停建已经在建的“核四厂”，置“立法院”的决议于不顾，视国民党的善意为妥协，不仅威胁着国民党的最后阵地，也极大地羞辱了国民党，必然引起国民党的强烈反弹，也引起与之地位、处境与支持者相同的亲民党、新党的强烈反弹，三党联手对抗民进党不可避免。

对于为何出现前后政策的大转变，陈水扁百口难辩。受到羞辱的国民党、亲民党、新党将此次斗争的矛头完全对准站在第一线的陈水扁。11 月 7 日，在国、亲、新三党推动下，“立法院”以 131 票赞成、66 票反对、4 票弃权的压倒性多数三度通过《立法院职权行使法》44 条之一修正案，规定：“立委罢免正副总统，需经全体立委四分之一连署，交由程序委员会编列议程提报院会，不经讨论，交全院委员会于 15 日内完成审核；之后，以记名投票表决，经全院立委三分之二同意，罢免案即成立。”

修正案的通过，使“立法院罢免正副总统”职权得以确立并完成了法律程序。尽管此次罢免风潮因诸多原因被暂时搁置，让陈水扁保住了位置，但此案通过速度之快，支持力量之强表明朝野之间的互信已荡然无存，双方纷组阵营，对抗加剧。

一波未平，一波又起。就在陈水扁发表道歉讲话，停建案被迫取消，“核四”危机尚未完全平息之际，又发生了阿玛斯货轮漏油事件。2001 年 1 月 14 日，一艘 3.5 万吨级希腊籍货轮在台湾南部肯丁公园龙坑生态保护区附近触礁搁浅，船体破裂，油料外泄。事件发生后，事故主要负责单位“环保署”迟至 23 天后才到达事故现场成立紧急应变小组，以致大量燃油污染海岸，不仅严重破坏了生态环境，也给附近的渔业生产带来了巨大的经济损失。在野联盟强烈要求执政当局按照“责任政治”原则，宣布在“核四”停建案和货轮漏油事件中的责任者——“行政院长”张俊雄下台。2 月 14 日，经“行政院”和“立法院”协商，“行政院”宣布续建“核四”；25 日，陈水扁被迫表示将进行“内阁”改组。3 月 4 日，“环保署”署长林俊义、“原能会”主委夏德钰、“国科会”主委翁政义下台，分别由郝龙斌、胡锦标、魏哲和接任。由“核四”引发的风暴暂告一段落。

“核四”停建案引发的一系列政治风暴，使陈水扁意识到，根据“宪法”第 53 条第 1 项(即：“行政院”会议由“行政院长”主持,“总统”不得出席)明文规定,自己虽贵为“总统”,但没有直接领导“内阁”的权力,不仅很难协调与“行政院”的关系,也很难影响和控制“行政院”的决议,要想真正掌握最高行政的决策大权,必须迅速建立一套有效的机制。民进党高层也通过这一事件意识到,必须加强党内协调,才能应付在野党的巨大压力。11 月 15 日,由“总统”陈水扁、“副总统”吕秀莲、“总统府”秘书长游锡堃、“行政院”院长张俊雄、“行政院”秘书长邱义仁、民进党主席谢长廷、民进党秘书长吴乃仁、民进党“立法院”党团召集人许添财以及干事长彭绍瑾组成的“九人党政会报”机制形成。

表面看来,“九人党政会报”作为执政党最高决策核心,集合了民进党在各方面的头号人物,主持人也由谢长廷改为陈水扁。这意味着陈水扁掌握了“九人党政会报”最高决策权,也等于掌握了行政的最高决策权。但实际上,陈水扁并不愿意将手中的权力释放出来与他人分享,也不愿意受这一机制的约束。如此,9 人小组不可避免地由最初定位的“决策小组”沦为“沟通小组”、“咨询小组”,成为为陈水扁决策背书的工具,最终名存实亡。民进党追求党、政、“立法”部门协同之梦仍未实现。

就在政局混乱动荡之际,台湾经济出现了历史罕见的全面恶化。从 2000 年 10 月开始,经济景气指标开始下降,工业生产大幅度衰退、对外贸易及吸引侨外资急剧衰退、银行坏账空前提高、股市大幅波动、房地产市场继续低迷、财政状况进一步恶化。导致台湾经济环境骤变的原因很多,既有岛内因素,也有国际因素;既有现实原因,也有历史遗留,但民进党执政后,台湾政坛的持续动荡与两岸关系紧张,造成投资环境恶化,民间投资愿望不足是此次经济大衰退的主要原因之一。

2001 年 12 月 1 日,台湾第五届“立法委员”选举开始,民进党能否凭借执政优势获取“立法院”多数席位解决“行政”、“立法”分属不同政党问题在此一举。民进党争取中间选民,终获“立委”225 席中的 87 席,取代国民党成为台湾“立法院”第一大党,若加上台联党的 13 席,此时的“泛绿阵营”席位达到 100 席;“泛蓝”国、亲两党勉强维持 114 席超过“立法院”半数席位(2002 年 6 月,国民党开除 4 名违纪“立委”党籍,“泛蓝”在“立法院”席位过半的局面被打破)。在民进党内部,陈水扁的“正义连线”获得胜利,掌控的“立法院”席位由原来的 12 席增至 33 席,成为该党在“立法院”中的第一大派系。在地方执政上,民进党也保持了相对的优势,在 2001 年 12 月台湾第 14 届县市长选举中,民进党共获得 9 个县市的执政权,若加上投靠民进党的嘉义市长陈丽贞,中南部地区(彰化县以南除云林县外)全部为民进党人执政,且控制着大部分台湾地区人口、经济大县。凡此种种,陈水扁自认为有了“组阁”的主动权和主导权,于 2002 年 1 月 21 日宣布由以陈水扁马首是瞻的游锡堃“组阁”,并对“内阁”进行大幅度改组,安插大量亲信,控制“行政院”要害部门,进入其所谓“全面执政”阶段。

3.“全面执政”的困局

2002 年 1 月 21 日,标志着民进党“全面执政”的游锡堃“内阁”成立。游锡堃的“内阁”实际上是为陈水扁 2004 年大选服务的“战斗内阁”,包括“行政院”院长在内的总共 39 位“内阁”成员中,只有 16 人续任,换血人数高达 23 人。此次改组是陈水扁上台以来的第三次,也是改组幅度最大的一次,具有三个明显的特征。其一,“行政院”院长游锡堃是陈水扁的“铁杆兄弟”,也是民进党内派系色彩不明显的人。1948年出生于宜兰县冬山乡的游锡堃自幼家境贫困,曾几次辍学,谋生养家。为弥补失学的遗憾,自20岁开始游锡堃曾游走于台湾多间名不见经传的学校,半工半读,直至37岁才拿到东海大学政治系的毕业文凭。1981年,游锡堃当选台湾省议员,正式踏入政坛。1986年9月28日,由于其积极游说在选举前组党,又以“党外选举后援会”召集人身份决定改变会议议程,召开组党会议并在随后召开的记者会上宣布民进党成立,被喻为“民进党的助产士”,连任4届民进党中常委。1989—1997年,游锡堃曾连续当选两届宜兰县长,创造了所谓“宜兰经验”,颇受好评。离任后,游锡堃离开宜兰,加入陈水扁团队,原本安排他担任台北市副市长,发挥其施政才能,但因陈水扁落选而告吹。在民进党2000年“总统”候选人党内初选过程中,时任民进党秘书长的游锡堃曾联合党内一些人破解了提名条件的限制,为扁解套,甚至逼退有意参选的前党主席许信良。在选战的关键时刻,游又利用与“中央研究院”院长李远哲的旧关系,游说李远哲支持陈水扁,为扁的上台立下了汗马功劳。陈水扁上台后,游锡堃出任“行政院”副院长,但因“八掌溪事件”被迫下台转任“总统府”秘书长。任内,游锡堃促成了“扁连会”和“扁宋会”,组织召开了“经发会”,使陈水扁非常满意。另外,游锡堃一向话不多,为人低调、谦和,让陈水扁很放心。其二,为使“行政院”高度贯彻陈水扁的意志,一些具有高度指标性意义的“部”“会”首长悉数由陈水扁嫡系人马及“挺扁”人士掌控,而那些曾被扁倚重的非民进党人士、学者则基于忠诚度或配合度不够被一一撤换。其三,为开拓票源,一批具有选举经验的离任县市长和特定族群人士,尤其对原住民及客家选票有一定号召力的陈建年、范振宗、叶菊兰等人被陈水扁延揽“入阁”。

与此同时,陈水扁抛弃原来追求“全民总统”的目标,加快实施以“党政同步”为主题的党务改造案步伐,通过“总统”兼任党主席、由“立委”兼任中央一级主管的所谓党务改造,一方面减缓各派系要求参与政府重大决策的压力,另一方面加强对“府”、“院”、党的掌控,避免出现各吹各调现象,使其意志得以高度贯彻。4月20日,民进党召开九届二次临时全会,通过“总统兼任党主席”、“增列当然中执委、中常委”、“党主席提名副主席”等党务改造案。在7月21日召开的民进党十届一次全代会上,陈水扁以“总统”身份出任民进党主席,其嫡系“正义连线”和亲信也在中常会等党内决策核心中占据多数重要位置,民进党内决策核心呈现出“陈水扁一人独大,派系力量弱化”的局面。

然而,让陈水扁兼任党主席后,各派系对于党政重大决策依然难以与闻。首先,陈水扁在任命张俊雄为党部秘书长后,采取推诿、拖延的方式拒设能对其形成牵制的副主席;其次,在“一边一国论”提出、“老人津贴扩大发行案”、“农渔会信用部”改革等事件上,陈水扁一意孤行,覆手为雨,翻手为云,为所欲为,政策朝令夕改,党政同步机制形同虚设,导致“院”、“府”、党部、“立法院”党团莫衷一是,到处救火,严重影响了民进党的形象,引起党内强烈不满,纷纷将矛头对准陈水扁,甚至有人点名要陈水扁为此负责。

受陈水扁势力独大损伤最大的是游锡堃“内阁”。这个号称为“拼经济”的“战斗内阁”组建时,陈水扁就在“内阁”中许多掌握重要政经资源的部门安插了自己的嫡系人马,使之处于有利的辅选位置。

因此，“内阁”的“拼经济”，仍难敌陈水扁的“拼政治”。在以辅选为主要任务时，一切经济决策的制订和实施都以选举为考量，造成行政当局预算浮编乱用，财政继续恶化，公营事业只问酬庸不问专业，“经发会”共识迟迟得不到落实，经济政策不能对症下药，导致台湾社会出现诸如股市长期在低线徘徊，失业率不断攀升，治安状况未见好转，“教改”乱改，农渔会信用部改革决策粗糙等一系列经济、社会乱象，民众深受其害。从2002年下半年开始，台湾各行各业民众因健保费调涨、教师征税、基层金融改革等问题纷纷走上街头，举行抗议活动，主要有：8月27日“八二七全民反健保调涨大联盟”发动的3万人街头抗议；9月28日，6万余名教师举行的“九二八教师节大游行”；10月10日，中南部“九二一大地震”灾民发起的“双十节九二一灾民大游行”；10月29日，台湾各地农渔会同步在各县市游行和陈情活动；10月30日，260余位乡镇长前往“行政院”、“立法院”陈情；11月10日，“工人立法行动委员会”发起数千劳工举行“秋斗大游行”；尤其是陈水扁在基层金改政策上决策反复，引发来自岛内各地12万农渔民于11月23日走上街头抗争，举行“与农共生——农渔民自救大游行”，最终导致“财政部长”李庸三、“农委会主委”范振宗纷纷去职，重创“内阁”士气。

十

“泛蓝阵营”的分分合合

1. 国民党的改造与“连战时代”的到来

2000年“总统”选举结果出来后，国民党陷入分崩离析的困境中。数万名国民党党员和支持者走上街头，要求李登辉下台。3月24日，在国民党“倒李派”强烈抗议下，李登辉不得不辞去国民党主席职位，由连战出任代主席，开始进行党的改造运动。

3月29日，国民党成立了包括“立法委员”、“国大代表”、社会人士共54名委员在内的改造委员会，连战任改造委员会召集人，对国民党体制和运行机制进行全面改革，使国民党“浴火重生”。5月17日，国民党中常会通过了改造预案。

6月17日至18日，在国民党第15届“全国临时代表大会”上名为“从零开始，全面改造”的国民党改造案以及党章修订案被审议通过。会上，连战以1597张选票、94.83%的高得票率当选为党主席，萧万长、王金平、蒋仲苓、吴伯雄、林澄枝等5人当选为副主席，决定在3至6个月内展开党籍总检，党员重新登记，并于2001年6月前举行党主席直选，实现党内民主。

6月19日，国民党十五届四中全会召开，主要任务是党内权力机构改组，组建以连战为核心的新领导班子。这是国民党推动党内民主12年来第一次将31席中常委全部改为票选，有近百人参加角逐。改选后的中常委中，18位为新任，13位为原任。这次权力调整和重组，一个重要的特点是李登辉人马淡出了权力核心，日益边缘化，而连战人马大举进入；二是加强了“立法院”党团力量，首次将三分之一中常委席位让给“立委”，以影响“立法院”运作。

国民党在“全国临时代表大会”和十五届四中全会召开后，立即着手从党的理念、组织、形象等多个方面对党进行改造，取得了一定的成绩。

第一，重新确定了党的政治理想和核心价值。明确的政治理想不仅是一个政党的政治标志，更是其凝聚认同基础、争取民众支持以夺取政权的必要条件。国民党进行改造时面临的情况是党的政治理想和核心价值逐渐丧失。国民党建党百年来，一直以孙中山的三民主义为最高纲领，坚持“一个中国”，追求国家统一。然而，李登辉执掌国民党后，将三民主义束之高阁，使之与社会、现实脱节；背离“一个中国”的原则，抛出“两国论”，并在国际社会上推行所谓“务实外交”，追求“双重承认”，鼓吹台湾加入联合国；撤除原有政治架构，重塑权力高度集中的“总统制”；排挤外省籍人士，向民众灌输“台独”意识。所有这些言行，使国民党支持者思想混乱、人心涣散。不仅如此，随着台湾社会的发展，选举已成为岛内政治生活的常态，在多重因素的影响下，民众的政治价值、“国家认同”、族群认同、投票行为等已发生深刻的变化。因此，国民党关注的并不只是简单恢复原有的政治理想和核心价值，更重要的是必须根据现实情况，提出顺应潮流和民意的新内容、新观点，在保持原有支持群众的基础上，争取更多的支持者。经过多次讨论，国民党决定将党定位为“全民政党”，以三民主义为党的理念，以“建设台湾为人本、安全、优质和永续的社会，实现自由、民主、均富和统一的国家”为努力的目标。在两岸关系的定位上，强调“两岸对等分治”，但“对等不等于独立”，提出应回归1992年“一个中国，各自表述”的“九二共识”。在两岸关系走向上，“将依国统纲领，推动两岸关系进入中程阶段”，在坚持“面对现状、增加交流、相互尊重、追求统一”的原则下，与大陆建立联系。

第二，再造党的组织，增强党的整体活力和实力。国民党的组织问题较多，首先是机构庞大，效率奇低。长期以来，国民党一直采取“以党领政”、“以行政领导立法”的组织方式，中央党部各工作会和地方党部也一直按行政部门管理与协调的方式运作，造成党机器叠床架屋，极为庞大。组织臃肿，冗员众多，不仅影响行政效率，也极易滋生官僚腐化。二是基层组织涣散。长期以来，基层薄弱是国民党的沉疴，党组织和党员之间的互动并不密切，党纪也不严格，导致违反党纪的现象时有发生。三是党组织过于重视伦理，讲究年轮资历，青年人发展的空间有限。四是组织功能不健全，竞选经验不丰富。五是党组织内部缺乏民主机制。针对这些问题，国民党按“精简中央党部，裁并省级党部，充实地方党部”的原则对党组织进行大调整，并建立党内民主机制。具体而言，在组织调整方面，一是将中央党部原来的18个工作会、处、办公室精简重组为政策、选务、文宣、行政四大部门，使党真正成为功能齐全的“选举机器”；二是采取党籍与户籍合一的办法，将专业党部并入各县市党部，仅保留一个以荣民荣眷为工作对象的黄复兴党部；三是改革基层组织，以各投票所为单位布建基层组织，使基层组织朝社团化、义务化、弹性化方向发展，加强与党员的联系，以适应未来的选举要求；四是精简党务干部，提高干部素质，并要求大量吸收年轻的党务干部；五是重新登记党员、滤去泡沫，使国民党员成为真正认同国民党、支持国民党、为国民党打拚的党员；六是党务工作与公职、民意代表的选民服务相互结合，便于党内公职人员为选民服务，以期更好地发挥作用。在党内民主机制建立方面，一是未来党主席将由全体党员以直接、秘密投票方式产生，党代表、各级党部委员会委员、中央委员乃至中央常委，也依民主选举方式产生；二是未来“总统”、县市长、

“立法委员”等各项民选公职的提名，均以“党员初选”及“民意调查”相结合的方式产生，两者权重各为百分之五十。

第三，慎重处理党产，重塑党的正面形象。国民党党产是国民党在执政期间建立起来的庞大的党营企事业利用独特的政治、经济优势创造的利润，既是国民党的资产，也是国民党的包袱，成为民进党攻击的主要对象。党产问题不解决或没有得到很好的解决，国民党就不能得到选票，尤其是中间选民的选票。对此，国民党采取如下措施来解决：一是透明化，即委托有关机构成立专案小组对党产进行一一核查，形成核查报告公之于众，并将资产处理的过程和细节公开化；二是效率化，即将原由中央党部控制的中央投资、光华投资、华夏投资、悦升昌投资、建华投资、启圣实业、景德投资等7大控股公司合并精简为中央投资、光华投资、华夏投资公司等3家，缩小投资范围；三是信托化，即由专家学者组成“党产信托规划小组”，尽速完成规划报告，推动“立法”及行政部门尽速完成“信托业法”，以作为党产信托的法律机制；四是公益化，即将部分党产、土地及经济收入投资到公益事业，并以青年、妇女、年长者、身心障碍者、优秀清寒学生及需要急难救助者为优先执行目标。

“黑金政治”也是影响国民党形象的严重问题。李登辉执掌国民党以来，“黑金政治”出现并愈演愈烈。黑道侵入政权，政权受制于黑道，普通百姓权益受损，已严重影响国民党形象。为此，国民党在党纲和党章中明订“黑金排除条款”，规定凡有违反组织犯罪、检肃流氓、肃清烟毒、枪炮弹药刀具管制等罪，经一审判定有罪者，一律丧失参与党内初选资格，并不得由党提名。与此同时，尽快完成《政党法》、《信托业法》、《游说法》、《政治献金法》等相关法案的立法程序，规范政党运作，争取民众认同。

事关国民党改造成败的大动作——办理党员总登记工作于9月开始进行，至2001年1月底，国民党党员总登记结束，参加总登记以及新入党党员共有952835人，其中新党员为100080人。重新登记后，国民党的党员数比过去号称250万降低了不少，但仍是台湾第一大党，比位居第二的民进党多出70万党员。一些因李登辉原因出走的国民党老党员返回党内。

在核实党员人数基础上，改造的另一个大动作——国民党党主席直选于2001年3月24日拉开帷幕。在全岛设置的657个投票所中，53.7万党员参加了投票，连战以97.09%高得票率顺利当选为党主席，从而使国民党进入了“连战时代”。

但国民党的改造也留下了不少问题。

第一，在党的政治理想重塑方面，没有对党的理念重新命名或诠释，只是简单停留在三民主义的口号上，使其缺少必要的新意和活力；将党定位为“全民政党”，既不符合台湾社会已进入政治多元化、思想多元化的现实，也与当时国民党的实力不相当，必然导致空谈。第二，党组织再造方面，国民党仍沿用过去一党领政时的传统，没有应急速变化的台湾政治生态，把党组织改造成“选举机器”。党内机构重叠臃肿，决策机制难以摆脱“宫廷政治”传统，基层组织涣散，组织动员能力有限，世代交替受阻，对一般有潜力的年轻人缺乏吸引力。第三，在党产处理方面，国民党的党工有1700多人，数字庞大，难以精简。这支庞大的队伍，每月需开支2亿元新台币的薪水，若加上优退党工18%的优惠利率的开支，缺口甚大，全党难以承担。

因此，国民党在处理党产的同时，也在想方设法保住党产，如全力阻止“泛绿”通过《政党法》草案和《政党不当取得财产处理条例》草案，尽力维持在“中投公司”等机构的股份占有比例等，引发民众对国民党处理党产诚意的怀疑，也使国民党积极处理党产行动的正面效果大打折扣。

2.迅速崛起的亲民党

在选举中以2.46个百分点痛失选举的宋楚瑜，在前“立法院长”刘松藩等支持者的力挺下，2000年3月21日宣布既不退出政坛，也不回归国民党，而是以原竞选班底“新台湾人服务团体”为基础组建新政党，并将新政党定名为“新台湾人民党”(24日改为“亲民党”)，以“PEOPLE FIRST PARTY”作为党的英文名称，以橘色为政党象征色。31日，亲民党在台北圆山饭店举行成立大会，宋楚瑜、张昭雄分别出任正、副主席，钟荣吉出任秘书长。

亲民党主要由国民党内拥宋、反李势力和宋楚瑜任省长时的省府团队人员组成，其成立完全是选举失败后，宋楚瑜借高昂民意的匆忙之举，并无完整、清晰的政纲和政策，政党定位模糊，只以笼统的“柔性政党”概之，参加者只需交纳一次党费便可成为终生党员，并允许党员跨党，即使将来因意见不同离开时也不会像国民党和民进党那样有严格纪律约束。直至2001年3月，亲民党的政纲和政策才得以逐渐明晰。

2001年3月31日，亲民党在台中市举行建党一周年党庆，宋楚瑜发表了题为《给台湾一个希望，给台湾人民一个机会》的演说，全面阐述了亲民党的定位。他说：亲民党的成立是因应于“台湾社会累积了太多对民进党执政不放心、对国民党没信心的中间选民，也就是这一股社会主流催生了亲民党！”强调亲民党的理念就是高举“新台湾人主义”，就是“救台湾主义”，并用“新台湾人主义”解读三民主义。在两岸关系上面，宋楚瑜认为：“两岸不是族群之争，而是制度之争”，“是自由民主和极权专制之争”，主张“一个中国，各自表述”，“两岸关系回到1992年共识，依国统纲领进行三阶段整合——经贸交流、社会互动、政治整合；任何台湾现状的改变必须得到台湾民众的同意”。为争取中间选民，亲民党左右开弓，左打民进党，右攻国民党。宋楚瑜指责民进党自执政以来，“最大的问题是躁进，对族群和两岸问题都没有包容性，处理问题意识形态挂帅”，将台湾引入“腐化”、“沉沦”、“无能”的地步；指责国民党党内不民主，保守腐化。从宋楚瑜的表述来看，亲民党有意识显现其政纲与国民党和民进党的区隔，在选民面前树立该党温和、理性、改革的形象，以求在国、民两党的夹缝中生存和发展。

成立之初的亲民党不仅大力招纳国民党内部拥宋力量，“大挖国民党的墙脚”，而且在民意机构和基层组织积极拓展实力，准备取代国民党，双方因此积怨甚深。4月7日和21日，亲民党“立法院”党团和“国大”党团分别举行成立大会，一批来自国民党、新党的“立委”和“国大代表”纷纷加入亲民党，使亲民党不费吹灰之力就拥有19个“立委”和21个“国大”代表；在各县市议会和基层组织里，也有不少国民党籍议员和乡镇长、村里长集体加入亲民党。到2000年底，亲民党的党员人数突破30万大关。2001年12月，新一届“立委”选举产生，亲民党获得46个席位，席位数达到总数225席的五分之一，成为“立法院”席位数名列第三的政党，多出第四大政党台联党33个席位，与国民党、民进党一起构成岛内三党鼎立的政治格局，成为台湾政坛新的政治势力。

亲民党迅速崛起的原因有三。

一是“兴票案”的终结，恢复了宋楚瑜的清白和诚信，为亲民党的发展扫清了障碍。2001年1月20日，台北地检署经一年多的侦察后，宣布“兴票案”结案，宋楚瑜等人获不起诉处分。罩在宋楚瑜头上的紧箍咒除去，对于以宋为精神领袖的亲民党来说无疑增强了政党的公信力和自信心。

二是政党定位有一定的针对性。台湾社会在两大政党的恶斗中，确实有20%以上的中间选民，他们对“民进党执政不放心、对国民党没信心”，但在两极对立的台湾社会，却没有一个有实力的政党突显中间群体的政治诉求，亲民党把自己塑造成这一群体的代言人和利益的维护者，极易将这一群体的选民吸引到自己的麾下。

三是在选举中采取了较为有效的策略。由于宋楚瑜在亲民党内的地位和影响，也由于亲民党缺乏基层组织，因此，亲民党党内候选人的提名采取“中央决定”的方式。这种提名方式，既有利于最大限度地发挥党的人才优势，也有利于通过组织协调等手段，协调党内各方利益，增进党内团结。

但亲民党也有致命的弱点。

一是政治纲领欠清晰，与国民党、新党大同小异，区别不大；大陆政策和公共政策基本与国民党和民进党都有相同之处，如大陆政策方面，亲民党坚持“中华民国为一个主权国家”，反对“一国两制”、“坚持台湾的未来应尊重台湾人民的意志”等，与民进党没有太大的区别；其坚持“九二共识”、“一中屋顶、两岸两席、三段三通”，又与国民党、新党现行的两岸政策雷同。

二是党中央缺乏整体力量，除宋楚瑜外，党内缺乏水平高、影响大的政治人物。亲民党的成立与宋楚瑜的个人形象有关，许多支持者与其说是支持亲民党，不如说是支持宋楚瑜。但随着时间推移，宋楚瑜在做省长时建立起来的光环必然会褪色，一些受恩回报的支持者也会在后来的选举中回报一、两次后逐渐离去。亲民党的政党支持率在达到一定高度后下降在所难免。

三是党的基层组织不完善，组织动员缺乏基础。创党之初，亲民党继承了宋楚瑜竞选台湾领导人时建立的后援组织“宋楚瑜之友会”。该会在全岛各个地区都有分支机构，在美东、美西、欧洲、大洋洲、南非、东南亚和日本设有办事处。这些组织和“宋楚瑜工作室文教基金会”一起对亲民党的成立、发展起到相当大的作用，但那毕竟不是党的基层组织，难以发挥基层组织在组织、宣传、动员方面的效率，也使亲民党的支持者无所依托。尽管后来宋楚瑜积极运作成立地方党部，但在国、民两党的夹杀及资金、人才的制约下，除2000年5月成立面向原住民的那鲁湾党部和面向军人、荣民、荣眷的甘泉党部外，其他县市党部的组建工作迟迟没有太大的进展。

四是支持者与国民党高度重叠，难以保持稳定的支持群体，特别是因“宋楚瑜效应”而凝聚的支持者，他们大多是原来的国民党党员和国民党的支持者，他们或是被国民党边缘化，或是受恩于宋楚瑜，或是反对国民党李登辉的政治、经济、社会理念和政策，放弃支持国民党转而支持亲民党。也就是说，亲民党的支持者和国民党的支持者之间的界限极为模糊，亲民党要想扩充势力，除了从国民党处挖角外难有他途。然而，这种“亲者痛，仇者快”几尽自相残杀的做法往往得不到基层支持者的拥护和响应。

3."在野联盟"的成立

"在野联盟"是指由在野的国民党、亲民党和新党组成的政党策略同盟。民进党上台后,倒行逆施,以下流和卑劣的手段,打击、压制、排挤、分化甚至想消灭在野势力,从而让政治理念接近、支持群体重合、有一定历史渊源和联系的国、亲、新三党逐渐意识到必须放弃前嫌,联合起来,才能在"立法院"过半数,制衡民进党。可以说,是民进党的所作所为,促成了"在野联盟"的成立。

台湾"大选"结束之初,政坛一片混乱。在未来政治运作中,应如何处理与其他政党的关系,关系到自身的生存和发展。部分与国民党、亲民党关系密切的各界人士痛感国民党因分裂造成执政权丧失,极力促成"连宋会",实现国亲合作,对抗民进党,但无法得到两党响应。就国民党而言,在党内"拥李(登辉)派"因素的影响下,国民党高层一度考虑与民进党合作,共渡难关,而不是与亲民党、新党合作,对付民进党,加之国民党新败并将失败的主因归结为宋楚瑜的脱党参选,对党内挺宋人马耿耿于怀。选举结束后,国民党开除164名违纪助选者的党籍,其中149人为"挺宋"者。与此同时,国民党担心正如日中天的亲民党趁自己刚败元气尚未恢复,大肆扩展政治舞台,不惜与民进党联手,促使"国民大会"虚级化尽快完成,遏止亲民党的快速发展。

此时的亲民党也婉拒与国民党合作。新成立的亲民党,在接收投宋的19个"立委"后已成为台湾"立法院"中一支重要力量。宋楚瑜一度认为,凭借亲民党在"立法院"的实力,是可以与民进党联手,筹组"联合政府"的。2000年10月19日,宋楚瑜与陈水扁在台北宾馆见面,双方就"政党合作"、"两岸关系发展"、"民生议题"、"扫除黑金"四大议题达成一致意见。然而,亲民党与民进党毕竟政纲不同、党纲不同、基本理念不同、支持群众不同,陈水扁与宋楚瑜的见面,无非是想分化、打击国民党,达到各个击破的目的,加之亲民党的支持者强烈要求宋楚瑜与民进党撇清关系,与国民党合作,缺乏政治基础和群众基础的民、亲合作只不过是政客们的一相情愿。

2000年9月底,台湾"经济部长"林信义主导的"核四再评估委员会"提出"停止兴建核四"建议,此举遭到坚持兴建"核四"的国民党反对。双方在续建还是停建上发生严重冲突。10月27日,台湾"行政院"不顾"立法院"的有关决议,强行下令停建"核四厂"。随意停建"核四厂"表面看来是行政当局藐视"立法"当局,实际上是执政党藐视在野党,不尊重在野党的意见。由于停建"核四"是在"扁连会"后不到半小时宣布的,国民党有强烈的受骗和受辱的感觉,党内同仇敌忾。连战严词谴责扁的"两手策略""非常粗鲁、无礼、幼稚",称停建"核四"是"重大的历史性错误"。他还在国民党中常会上,要求"所有可结合的力量都要结合起来"。国民党"立法院"党团则成立了"罢免总统、副总统因应小组",并吁请"监察院"尽快弹劾张俊雄。亲民党也从民进党与国民党的对立中明白了自己的处境并敏锐地捕捉住战机,他们猛烈抨击"执政团队漠视民意","停建核四决策粗糙,导致社会动荡",主张"倒阁",并于30日正式提出对张俊雄的"不信任案"。代表"统派"力量并吃过民进党"暗亏"的新党则明确表示对"罢免案"与"倒阁案"均予以支持。可以说,此时国、亲、新三党在处理"核四"事件上的政治主张已十分接近,为实现"泛国民党势力"的空前大团结打下了坚实的基础。

29日，亲民党主席宋楚瑜释放出“整合在野党势力、寻求共识”的讯息，得到了国民党主席连战的迅速回应。30日下午，连战赴亲民党党部拜访宋楚瑜。双方就台湾当局骤然宣布停建“核四”而提出“罢免”或“倒阁”案等议题交换意见。两年未曾见面的连、宋终于坐在了一起，双方发表共同声明称，要“抛弃个人恩怨”，“力挽狂澜”，“恢复国民党精神”，“绝不允许任何人造成台湾奇迹泡沫化”；宋并表示，“成功不必在我”。国、亲两党还达成“建立主席、秘书长、立院党团三层级协商机制”，就“议题”进行合作的共识。亲民党“立法院”党团也在“连宋会”后表示，一旦国民党提出“罢免案”，他们将在表决时加入支持，为两党的进一步合作营造了良好的气氛。当天，连战还拜会了时任新党召集人的郝龙斌。同日，国、亲、新三党“立法院”党团联手组建“在野联盟”，达成包括“关闭与民进党立院党团协商大门”，“就罢免正副总统进行修法”的五点共识，从而拉开了三党合作的序幕。

“在野联盟”的组成是“泛蓝阵营”初步形成的标志。11月11日，国、亲、新三党党魁召开“主流民意高峰会”。会后，三方发表“护宪救台湾”的联合声明，达成“回归宪政体制、回归九二共识，尽速展开国统会及赋税改革会议”等六项共识，一致强调支持“在野联盟”在“立法院”继续推动“罢免案”。2001年2月8日，国民党宣布撤销由李登辉主持提出对“兴票案”的起诉，消除国、亲两党的恩怨和隔阂。之后，连战、宋楚瑜和新任新党召集人谢启大多次举行私人会面，三方在多项议题和行动中达成一致，共同制衡民进党。

4.国、亲、新三党的恩恩怨怨

国、亲、新三党的合作并非坦途，毕竟三党大小不一，有各自的政治理念和具体政策，也有各自的政治利益。不仅如此，三党中党与党之间、党魁和党魁之间、党员和党员之间的矛盾、猜忌、防范也不可能一时消除，纷争不可避免。特别是最能影响党派和个人利益分配的选举，不同政党的政党、派系、候选人之间，同一政党内党与派系、派系与候选人、各候选人之间，实难取得利益一致的平衡，而三党的支持选票又高度重合，纷争更多更复杂更激烈，合作的难度也更大。

2001年12月，台湾将举行“立法委员”和县市长“二合一”选举，国、亲、新三党对这场关系政党生存的选战各有盘算，如何整合人马，组织联合竞选团队成为三党面临的首要问题。三党之间因候选人问题多次发生矛盾，互不相让，各自指责对方，裂痕再次出现，最终导致合作破局。

最早出现矛盾的是亲民党和新党。1997年新党爆发内讧后，实力下降很快，仅在“立法院”保留住11个席位，迫切希望打赢这场“生存保卫战”。正当国、亲、新三党加快合作步伐时，出现了新党政策会执行长曲兆祥、政策顾问王高成、“立委”冯定国弃新(党)投亲(民党)事件，并进一步传出亲民党将争取与更多新党成员合作的消息。亲民党这种“挖友党墙脚”的做法，引发新党内部群情激奋，纷纷谴责亲民党、宋楚瑜所谓“借将”活动“过于权谋”。亲民党在解释无效的情况下，进行反击，指责新党是“泛蓝军”合作的破坏者。两党之间唇枪舌剑，几尽谩骂。

国、亲两党的矛盾主要体现在地方县市长选举的合作上。国、亲两党在地方县市长选举合作的区域是台北县、桃园县、台东县、台南县、高雄县、屏东县，双方约定采取“取三让三”(以上六县两党各提三个县市长候选人)模式。由于国民党地方势力难以摆平,“取三让三”几近告吹。亲民党中央率先宣布由秦金生代表“泛蓝”参选台北县长,不同意国民党和新党提出由民调决定共同支持候选人的做法。

国、亲两党各自阵营混乱放话,引发猜忌,互信不生,是双方合作破局的催化剂。由于历史的原因,国、亲两党互信薄弱,加之民进党大肆活动,离间国民党和亲民党的关系,双方更难增进互信,合作难以维系。在选举期间,民进党一会儿表示选举后与亲民党合组“代价最小、成本最小的联合政府”,一会儿又说民进党与国民党的合作能实现“阻力最小、搭配最合适的组合”。在选举的关键时刻,民进党又捅出7月份陈水扁与宋楚瑜曾三次秘密见面,宋楚瑜“要官”的消息,扩大国民党与亲民党之间的猜忌和怨恨,增加两党的政治裂痕。8月23日,两党主席连战和宋楚瑜会晤。在随后各自召开的记者会上,宋楚瑜明确宣布“两党县市长合作无法成局”。

2001年12月举行的台湾“立法委员”和县市长“二合一”选举,“泛蓝”内部三党势力彼消此长。国民党在政治定位不清、提名政策失误以及李登辉搅局等因素影响下,只获得了68个席位,痛失“立法院”第一大党地位。新党则在台湾本岛全军覆灭,仅在离岛金门县取得“立委”1席,政党得票率未过5%大关,彻底泡沫化。亲民党是一大赢家。这个成立不到2年的政党,在选举中赢得“立法院”46个席位和2个县的执政权,真正成为台湾政坛上关键的第三党。

国民党失败后,党内再次传出国、亲合并的呼声,但宋楚瑜明确表示两党合作有“无限空间”,合并却有“无限困难”。

宋楚瑜之所以拒绝合并却接受合作有其深刻的政治考量。就合并而言,大可不必操之过急。因为此次亲民党的席位虽有增长,但国民党仍是第一大在野党,如此时两党合并,国民党难以放下老大的架子,且党内排斥宋楚瑜的势力不小,回到国民党的宋楚瑜不可能作为“老大”,实现其问鼎“大位”的政治梦想。如果两党不合并,作为关键的第三大党的亲民党可以保持高度灵活,在民进党和国民党之间左右逢源、讨价还价,使其政治价值达到最大化。就合作而言,则是关系到亲民党的未来发展,必须加以重视。宋楚瑜深知亲民党的致命弱点,深知亲民党必须与他党合作才有发展的空间和可能。

在与何党优先合作的问题上,宋楚瑜认识到,与国民党合作将是不可避免的,也是获得最大利益的选择,应该优先考虑。这是因为:第一,亲民党的支持者不愿意看到“泛蓝”分裂让李登辉和陈水扁得益;第二,台联党因具备从国民党内分化本土派有进一步发展的可能,备受民进党关注,台联党和民进党联手之势已经形成,如亲民党优先与民进党合作,政治价值将大打折扣;第三,从此次选举的结果来看,国民党有进一步分崩离析的可能。只有与国民党合作,才有可能接收其政治遗产;或在其弱化后,择机入主国民党。

国民党在“立委”选举中再次惨败,也促使其放下老大的架子,进一步认识到国、亲合作的重要性。12月6日,连战和宋楚瑜进行了选举后首度“连宋会”,并发表四点共同声明,国、亲两党再次将合作摆到台面上来。

然而,随着2002年12月台北、高雄两市市长选举的到来,国、亲两党就高雄市长候选人选再次发生分歧。由于亲民党无法推出自己的候选人,希望国民党支持其在高雄市推选的无党籍候选人张博雅以换取亲民党支持国民党在台北市的候选人马英九，遭到国民党地方实力派的反弹。尽管亲民党在临近投票日表态支持国民党籍候选人黄俊英，但此次分歧对亲民党的负面影响已经形成。与此同时，亲民党无法推选出问鼎两市市长层级的候选人，也使宋楚瑜意识到党内人才匮乏，如不与国民党继续合作，亲民党有泡沫化的危险。

十一

"泛绿阵营"内的明争暗斗

1. 民进党的扩充与问题的出现

民进党执政后，迅速扩展，进入该党发展的黄金时期，主要表现在：

一是党员人数迅速增加，干部队伍有所增强。民进党成立之初，只有党员 1000 多人，经过 10 多年的发展，到"大选"前的 1999 年，已逐步发展成为一个拥有 20 万党员的政党。成为执政党后，民进党内士气大振，同时其政治资源剧增，涌现出一股入党潮。仅在当选后的一个月内，就有 5 万人完成入党程序，其中年轻人占大多数，主要集中在中南部地区。到 2000 年底，民进党已拥有党员 40 多万人。仅用 1 年的时间，就吸收新党员 20 万，成为台湾第二大党，这在人口只有 2300 万的台湾来说，也算得上是个奇迹。民进党上台之前，干部队伍主要来自于律师业和医疗卫生界，其他领域专业人才较少。执政后，民进党加快对重点领域，特别是公营事业部门、军警、公教系统的"绿化"，一些国民党籍、无党籍的公务人员也加入了民进党，扩充了民进党在行政机构的实力，使民进党逐渐形成了一支行政专业队伍。

二是拓展了民进党的财源，并借助公营企业民营化控制经济命脉。民进党成立之初，支持群众财力有限，财力不足始终困扰着政党的正常运作。成为执政党后，许多投机商人纷纷靠上民进党，愿意提供政治献金，财源逐渐多元化充足化。特别是民进党在执政后，可以名正言顺地借助公营企业民营化，以出任董事长或总经理的方式安置大量民进党员或亲"绿"人士入主过去难以置喙的公营企业，加快其"绿化"的步伐，逐渐控制了包括"中油"、"台糖"、"台电"、"中钢"等重要的、掌握台湾地区经济命脉的企业大权，使之成为民进党最重要的经济支柱和寻求财源的"诱饵"。

三是控制媒体，操纵舆论，引导民意。民进党成立之初，除控制少量杂志、渗透部分报纸以及部分地下电台外，在媒体的势力较为薄弱。执政后，民进党在巩固、扩大既有"绿色媒体"的同时，利用执政资源迅速"绿化"公有媒体，逐渐掌握了包括《自由时报》、《台湾日报》、《台湾时报》、《自立晚报》、《新台湾周刊》等报刊杂志，以及全民电视台、三立电视台等电视媒体，构建了完整的包括报纸、杂志、广播电视、网络等多元化媒体体系，将其变为宣扬民进党理念的工具。

四是控制工商团体，建立深厚的政商关系。国民党统治时期，台湾大型的重要工商团体负责人多是国民党要员或支持者，民进党只对一些小的、地位不高的团体如中小企业协会有影响力。民进党执政后，采取一系列策略和措施，架空、更换或收编工商团体负责人，使台湾三大工商团体——工业总会、商业总会、工商协进会逐渐转向亲"绿"，逐步建立起民进党主导的工商团体新格局。

五是与地方派系建立广泛联系，建立地方"桩脚"。地方派系是台湾政治生态中一支重要的力量，它依靠血缘、姓氏、婚姻等宗亲关系和经济利益关系建立的庞大社会关系网，控制着地方各种权力机构和经济社会资源，是选举中最重要的基层动员和组织机构，素为政党所关注。执政前的民进党主要通过政治理念和共同反对国民党的政治目标与地方派系联系，数量不多，主要集中在中南部地区。执政后，民进党利用手中掌握的资源，大量拉拢地方派系，使地方派系成为民进党巩固政权的重要力量。

为使民进党得到更大的发展，民进党内不断有人提出“改革”、“转型”，但在陈水扁日益独裁的情况下，效果并不明显。

民进党并非自始就是“台独”党，其“台独”主张逐渐升级到将“台独”条文列入党纲先后经历了 5 年。1991 年 10 月，民进党将建立“台湾共和国”为目标的“台独”理念列入党纲，成为不折不扣的“台独党”。

作为以“台独”为党纲的政党，民进党在台湾的发展空间有限。在 20 世纪 90 年代，台湾进行过多次选举，但不论是在“国大代表”、“立法委员”选举，还是在县市长乃至“总统”选举中，顽固坚持“台独”理念的候选人大多以失败而告终，而持模糊“台独”理念的候选人则有当选的可能，可以说，“台独”党纲已成为民进党获取执政地位的最大障碍。因此，整个 90 年代民进党内呼吁转型的声音不断，但因反对声浪太大，均未有实质性进展。1999 年 5 月 8 日，为应对来年“总统”大选，民进党在八届二次全代会上通过了《台湾前途决议文》，以“解释文”的方式对“台独”党纲作了重新诠释。决议文中不再提“建立台湾共和国”，也不再提追求“独立建国”并进行进攻性“台独公投”，将其修改为承认阶段性的“中华民国”，“公投”也只是为维护所谓的“独立现状”进行的带有防御性的“统一公投”。《台湾前途决议文》的通过，表明民进党在“台独”问题的立场上有所缓和。

夺取政权之初，面对少数民意支持的现实，如何调整党的纲领、政策，争取更多的选民支持，使政权得以稳定和巩固，是民进党极为关注的问题。民进党内“务实台独派”一度提出要落实“四不一没有”，改善两岸关系，甚至有人提出要修改“台独”党纲，以消除民众对民进党“台独”的疑虑，尽可能多地获取支持者，实现其“全面执政”、“永续执政”的梦想。这一主张遭到了党内“台独”基本教义派的强烈抨击，也引发了党内种种不同的意见。反对者认为：①民进党并未修改“台独”党纲照样走上执政地位，表明台湾民众对“台独”主张已不像过去那样疑虑和恐惧，甚至接受了民进党的政纲，修不修改已无大碍。②所谓民进党的“台独”党纲也可解释为“公投”党纲，过去也曾做过，政党性质随之发生变化，可以消除大陆和台湾社会的疑虑。③陈水扁当选后已不参与民进党的党务活动，而且也没有像国民党那样实行“以党领政”，“台独”党纲对“新政府”政策走向影响不大，不至于造成困扰。④大陆必须有善意的回应，民进党才能修改“台独”主张。⑤陈水扁已在“5·20”演说中提出了“四不一没有”，等于表明了民进党现行的政治主张，修不修改“台独”党纲已无关紧要。⑥“台独”条文已成为历史文献，民进党已在八届二次全代会上通过了《台湾前途决议文》，对“台独”党纲作了重新诠释，修不修改“台独”主张已不重要。

由于党内意见对立，支持者不多，民进党的“台独”党纲没有得到修改。为因应 2001 年底的选举，10 月 20 日，在民进党召开的九届二次全代会上，通过了党主席谢长廷提出的《提升全代会决议文位阶案》，将党章第12条第2项修正为“经全国代表大会就国家重大政策所做之决议文，视为本党纲领之一部分”。这意味着1999年5月召开的民进党八届二次全代会上通过的具有政纲性质的《台湾前途决议文》具有与民进党“台独”纲领同等地位的效力。可以说，该提案被通过，既是为了回避“台独”党纲废除或修改的问题，化解党内在此问题上的分歧，消除各界对《台湾前途决议文》位阶的质疑，也体现了民进党与社会主流意见及政治现实的契合，对年底民进党的选情极为有利。是年底，民进党终于成为“立法院”第一大党，并实现其所谓的“全面执政”。

被胜利冲昏头脑的陈水扁自认为完全掌握了台湾的政局，在各公开场合再次高调强调台湾是“主权独立的国家”，2002年8月3日，陈水扁更是将“一边一国”、“公投拒统”作为民进党的基本政纲，彻底封杀了民进党的转型之路。

2.台联党的成立

民进党最重要的政治同盟军是2001年8月12日成立的台湾团结联盟(简称台联党)。台联党是一个以李登辉为精神领袖，以国民党内“亲李”人士为主，社会各政党失意政客和政治野心家组成，以激进“台独”主张为政纲的极右政党。

国民党在2000年的“大选”失败后，李登辉在广大基层党员和支持群众的唾骂下被迫辞去国民党主席。随着李登辉的辞去，国民党在连战领导下进行改革和权力重组，李登辉的路线被清除，留在党内的“亲李”人马逐渐淡出权力核心，日益边缘化，特别是国、亲两党在与民进党抗衡的过程中逐渐接近，使党内亲李登辉的“李系”人马生存空间进一步萎缩，急欲寻找新的政治出路。他们聚集在李登辉旗下，以李登辉为精神领袖。为延续自己的政治生命，也为了避免日后被清算，李登辉及其支持者开始酝酿组建新的政党并积极与陈水扁合作；陈水扁为了抵抗国、亲两党的凌厉攻势，化解执政危机，也迫切需要李登辉的支持，特别是陈水扁对李登辉分化、削弱国民党抱有很大的希望，因此，陈水扁当选后，加紧与李登辉勾结。双方一拍即合，互动频繁。

最初，李登辉高估了自己的政治实力和影响力，对民进党只安排部分“亲李”人士进入新“政府”并不满足，先后向民进党提出共组“联合政府”、筹组“主流新政党”的意愿，均遭到民进党内保守势力的反对。在与民进党深入合作的梦想破灭后，李登辉认识到，如不尽快组党，利用2001年底举行的“立委”和县市长选举夺取政治资源，将无法维系他对未来台湾政局的影响力。2001年8月21日，台联党宣布成立，由李登辉的亲信黄主文出任首任党主席。

李登辉虽未出任主席，但他确是该党真正的唯一的重大决策者和支持者。可以说，没有李登辉，就没有台联党。

首先，台联党是按照李登辉的建党宗旨建立起来的政党，奉行的是李登辉路线。台联党成立后，以奉行李登辉路线为基础，融入了“台独基本教义派”的理念。在两岸关系上，以“台湾优先、全民公决和两岸交流”为三大主轴，主张“两国论”和“戒急用忍”政策，强调“台湾优先”、“两岸对等”，强调“公民投票决定两岸的将来”，主张“两岸的协商应以国与国形式进行”，反对“两岸三通”。

其次，李登辉运用自己的资源，构建了台联党的基层运作机构。台联党的基层组织薄弱，主要依靠李登辉的民间支持力量及其在政界、学界、工商界的资源。

李登辉执掌台湾政坛12年,在政界、学术界、工商界和海外拥有相当厚实的人脉资源和民间支持者。他们成立各种组织,经常举行活动,其中“李登辉之友会”就是最大也是最具影响力的一个。“李登辉之友会”的前身是海外侨界在1996年为支持李登辉竞选连任“总统”时成立的“世界李登辉总统之友联合总会”。台联党成立后,由于社会基础薄弱、经费紧张、人才奇缺等原因,没有在地方成立基层党部,基层动员能力较弱。为帮助该党在2001年底“立委”选举,李登辉积极号召岛内“独派”人士在全岛各地协助台联党成立“李登辉之友会”,作为台联党的“准党部”,为台联党进行基层动员,争取具有“李登辉情结”选民的支持。2001年11月14日,“李登辉之友总会”成立,并陆续成立各地“李登辉之友会”。这些组织成立后,成为台联党在进行选举动员时最主要的基层力量。

再次,台联党依靠李登辉的政治资源和人脉资源,筹措党的经费。在台湾,一个政党的生存需要大量的资金,据台联党中央党部的收支预算显示,该党一年运用在日常运作、竞选和造势活动的开销大约需要新台币5000万元,除50万元来自党费外,其余的400万元和4500万元分别来自于义卖收入和捐款收入。进入2000年后,随着台湾经济不景气,政治捐款越来越少,各政党都出现入不敷出的窘境,没有任何党产和行政资源可用且党员人数较少的台联党更是如此,只能依靠李登辉动用其原有的政治资源以及与财团、地方派系的人脉关系,来筹集经费维持政党的生存和发展。

最后,李登辉为协助台联党规划选举议题及选战策略,于2001年8月20日成立了“李登辉学校”,作为台联党的政策智库和人才培养基地。李登辉学校的成立,不仅为李登辉提供了一个宣扬个人政治理念、扩大政治影响的舞台,还成为台联党规划、指导选举技巧、培养问政人才的基地。

成立后的台联党利用李登辉的余热,在2001年底的“立法委员”选举中一举夺得13席,得票率为7.76%,跨过了5%的政党门槛,成为“立法院”第四大党,也成为台湾政坛一支不可忽视的力量。

台联党之所以迅速扩张,一是李登辉的效应。如前所述,李登辉在台湾掌握政权12年,一度也是台湾的政治明星,有着一大批受其恩惠以图报或欣赏其政治主张、佩服其政治能力、感怀其政治业绩的支持者。凭借李登辉的个人声望和影响力,台联党成立后,一批“立委”和其他公职人员投身其旗下,台联党的势力得以迅速扩大。二是“建国党”的衰败,使新成立的台联党成为“台独”势力的大本营。“建国党”原来是“台独”势力的大本营,但进入20世纪后,“建国党”因内部分裂呈现出瓦解的态势。台联党成立之时,正好填补“台独”势力群龙无首的窘境,将一批原“建国党”的干部和支持群众收归麾下。三是台联党当选者绝大多数原来就是国民党内有实力的干部,有一定的问政经验和固定的支持群众。

但台联党的弱势也极为明显。首先,台联党没有明确的政治理念和目标。台联党是以利益、金钱为诱饵,以激烈的政治主张为口号,是台湾政坛各主要政党的部分失意政客组成的政党。这些失意政客虽以李登辉为精神领袖,以其政治纲领和政治理念为政治主张,但他们更关注的是权力和利益。其次,台联党的组织机构不完善。成立之初的台联党除在中央设有领导机构外,没有在各地设立地方党部,基层动员工作主要依托“李登辉之友会”和“台联后援会”完成，缺乏完整的政党运作机制。直至2003年才陆续在各地设立地方党部，但进展缓慢。第三，党员人数少。由于该党自诩“精英政党”，入党条件严苛且审查程序复杂，党员人数一直只有几百人。第四，支持群众与民进党的支持群众高度重叠。台联党成立之初，主要是从国民党内部拉拢支持者，但随着国民党改造运动的完成，特别是2003年“连宋配”成型后，台联党利用“泛蓝”内部矛盾拉拢分化“泛蓝”的力量减弱，开始与民进党争夺“极独”支持者，两党的支持者重叠比例越来越大。第五，台联党几乎没有掌握任何行政资源。台联党的主要活动舞台是“立法院”和部分地方议会，集中了该党最主要也最有实力的干部。但自从台联党成立以来，在地方行政公职哪怕是乡镇市长选举，鲜有斩获，严重影响台联党向下扎根基层。

十二

陷入困境的台湾经济

1.“开门不红”的台湾经济

2000年初民进党上台时，台湾经济发展势头良好。由于正处于经济循环周期的扩张期，也由于两岸经贸往来走出多年徘徊与停滞不前的局面，台湾经济再度出现新高潮。在国际经济状况好转和两岸经贸升温刺激的有利条件下，第一季度经济增长率曾高达7.93%，经济势头良好。

然而，新旧政权交替后不久，台湾朝野就因“核四”事件关系彻底闹僵，互信流失，政局动荡加剧，加上台湾当局经济政策日见摇摆，导致民众投资与消费信心大减。台股大幅滑落，房市持续下跌，股市和房地产市场屡遭重创。股市和房地产市场所遭重创又反过来进一步影响民众的消费和投资意愿。由于对未来经济发展不看好，加之岛内金融机构逾期放款比率进一步上升使金融危机爆发的可能性加大，台湾银行贷款困难重重，民间投资者纷纷停止投资；而官方投资与消费也因财政紧张大幅缩减，所有这些均给台湾经济增长带来巨大的负面影响。投资环境的恶化导致境外投资不敢落户台湾，岛内企业纷纷出走海外，岛内的民间消费与投资快速冷却。在多重因素交相影响下，从11月开始，台湾经济迅速转入衰退，并拉低年度经济增长率。是年，台湾经济增长率最终只达到5.98%。

2001年，岛内政局持续动荡，原有的经济与民生问题进一步显现，内需进一步萎缩；岛外则因“9·11事件”爆发，美国经济增长速度放缓，连带影响整个世界经济，外需动力不足，拉动岛内经济力量有限。在国际经济不景气和岛内经济环境不佳的双重因素交互影响下，台湾陷入战后以来最严重的经济衰退局面，各主要经济指标衰退速度之快、幅度之大、持续时间之长，均为历史罕见。如2001年第一季度，台湾经济增长率为1.06%，远离维持台湾经济正常运转所需的“生命线”(一般认为约5%)，创下26年来单季度最低值；第二季度的经济增长率更是跌到0.76%。股市也是一片惨绿，到7月13日跌至4485.68点，为1995年两岸关系进入危机引起股票下跌以来的最低点；台湾当局紧急投入稳定股市的5000亿元新台币“国安基金”，不仅未起作用，反而亏掉了1500亿；新台币汇率也在同一天下跌至14年来最低价，为35.05元新台币兑换一美元。与此相伴的是岛内工厂大量倒闭、公司纷纷裁员，岛内失业率在6月份时高达4.22%，是20世纪80年代最高时期的一倍，一些地方甚至出现了失业工人因生活无望而自杀的事情。不满的劳工们终于按捺不住心中愤怒，不断上街游行示威，并打出了“陈水扁给饭吃”的标语。国、亲、新等在野党也纷纷指责民进党当局“只热衷于搞意识形态斗争，根本不知为民众福祉着想”，要求选民在年底选举中用选票唾弃民进党。

进入2002年，台湾内部政治、经济环境尚未得到根本改善，内需仍疲软无力，但由于大陆和台湾相继加入世贸组织，台湾对外经贸环境得到较大改观，外需扩大成为台湾经济增长的主要动力。特别是两岸经贸关系的发展，成为拉动台湾经济并使之增长率实现由负转正的关键因素。据大陆外经贸部统计，2002年全年两岸贸易总额达446.6亿美元，同比大幅增长38.1%，其中大陆对台湾出口65.9亿美元，增长31.7%；大陆自台湾进口380.3亿美元，增长率达到39.9%。是年，台湾经济增长率达到3.54%，已出现缓慢回升的迹象。尽管如此，该年度的经济增长率仍属40年来较低的水平，仅高于1974年、1982年和2001年，且由于新台币贬值0.06%，以美元计算的GDP总量和人均GDP大体相当于1998年和1999年的水平。失业人数则继续攀升，失业率高达5%以上。

2.“绿色硅岛经济”

进入21世纪后，台湾地区经济发展陷入困顿，内有严重政争与潜在本土金融危机，外则正进入后PC时代，面临青黄不接时期的尴尬以及中国大陆产业强力竞争的威胁。当传统产业日渐萎缩，而科技产业又处于转型的瓶颈，台湾地区产业的优势处于加速消逝中，大批科技产业转移中国大陆和外资撤离台湾地区股市的现象无法避免。事实表明，台湾地区经济发展正面临前所未有的竞争危机，过去与先进国家在产业布局上形成的垂直分工架构，因为中国大陆快速经济发展而被破坏殆尽，台湾地区的投资环境已无法与中国大陆在国际代工市场（OEM/ODM）竞争。因此，台湾当局不得不提出诸如知识经济方案与建设绿色硅岛构想，以应付即将到来的危机。

2000年8月31日，台“行政院”制定出“绿色硅岛经济”发展的长远愿景，着实诱人。所谓“绿色硅岛经济”，就是要充分掌握信息化、全球化、环保化原则，以建设美丽富强的台湾。“行政院”表示，过去经济发展的原则，如自由化、国际化，未来仍然适用，但未来还要加上绿色硅岛经济发展的原则，就是信息化、永续化及知识化。“行政院长”唐飞进一步指出，在永续化方面，就是发展经济的同时，要注重环境保护。至于知识经济发展方案，则是台湾未来10年发展基础。因为过去台湾可以使用廉价人力形成竞争力，但随着台湾社会发展，劳力涨价，特别是随着能提供更为廉价劳力的发展中国家加入竞争行列，跨国公司完全可以弃台湾而去，继续使用全世界最为廉价的劳力。因此，对民众收入较高的台湾而言，必须用更多的知识才能形成较强的竞争力，维持所得。

台湾当局认为，要扭转台湾地区科技劣势，必须效仿美国新经济发展模式与香港特区转型的先例，改善投资环境，留住旗舰型产业，发展多元化新兴高科技产业，加速检讨戒急用忍政策，主动将中国大陆资源及市场结合至台湾地区经济发展架构之中，循序渐进，由单点到全面，并且推动全功能的双向交流。

在“绿色硅岛”的大框架下，台湾提出了一个兼顾传统及高科技产业发展的知识经济发展方案，在网络环境、应用推广、创新机制、政府、人才及社会等六大方面，建立起产业发展的基础环境。台湾当局希望通过鼓励为网络提供服务者，协助创造商机，并鼓励产业使用网络等新知识，“政府”将给予产业界最快速、方便、便宜的资讯资源，让产业决定其发展的产业及产品，将知识运用在产业上。从这一角度看，在这项发展方案中，台湾当局已突破过去以租税奖励及提供资金等方式刺激产业发展的传统思维模式，采取建立环境及排除障碍的方式促进产业形成新的活力。

为在10年内把台湾建设成为“全球高科技制造中心和服务中心”，使台湾真正成为“绿色硅岛”，台湾当局采取了一系列方法发展高科技产业。一是于2002年5月8日提出“6年发展重点计划”，建设包括“建设创新研发基地”、“产业高值化”、“数位台湾建设”等10大类和8个科技园区，总预算规模1.2万—2.65万亿新台币。二是从发展知识经济着手。2001年8月30日，台“行政院”通过“知识经济发展方案”，提出要用10年的时间，达到技术进步对经济增长的贡献率超过75%，知识密集型产业产值占GDP的比例超过60%，宽频网络配置率及使用费用与美国相当。三是建立“高附加价值制造中心”。台湾“经济部”2001年10月拟订《高附加值产业推动方案》并经“行政院”于2002年4月通过，决定重点推动半导体、彩色显像管、数字内容与生物技术等4项核心优势产业，并规划包括宽频暨无线通讯、资讯家电、设计产业等17项作为高附加值产业，计划5年内将台湾转型为“区域高附加价值制造中心”，10年内成为世界十大“工业区”之一。四是发展新兴和重点产业。台湾“经济部”确定的新世纪重点产业包括“重点策略性产业”、“新兴重要策略性产业”、“未来深具发展潜力的新兴产业”、“重大产业科研计划”。五是实施“双兆双星计划”，加快“两兆”即半导体产业、影像显示产业和“双星”即数字化产业、生物技术产业的发展。

3.启动“全球运筹中心计划”

民进党执政后，为隔绝台湾与祖国大陆的联系，逐渐放弃了国民党当局在20世纪90年代提出的以大陆为发展腹地的“亚太营运中心计划”，而是在2000年10月启动以物流中心为代表的所谓“全球运筹中心计划”。该计划旨在协助企业发展全球运筹管理，使台湾成为国际产业供应链中的重要环节，运用台湾制造业优势，推动全球布局，建立竞争利基，全力提升台湾的物流、资讯流、资金流效率，协助企业整合跨区域资源，发展高附加值转运服务。同时，台湾积极建立运筹体系整合性资讯平台。为强化台湾“电子运筹”(E－LOGISTICS)全球竞争实力，台湾当局通过规划建立示范性全球运筹资讯共同交换平台，建立起一个与岛内系统商、零组件厂商、银行、物流及国际采购商接轨的共同网络平台，使在台湾采购、传递设计概念、电子表单转换、品质报告以及运筹业者资讯的连接，均可通过网络达到省时、省钱的效果，进而吸引国际采购商来台下单以掌握资源。

为实现该计划，台湾当局通过以下方式来推动：一是通过税收优惠方式鼓励各企业在台设立营运总部；规定在台设立总部的企业，享受免征营利事业所得税、海外子公司汇回台湾的权利金、研发管理服务费、投资收益等免缴营利所得税等多种优惠。二是计划在5年内发展台湾成为亚太地区的产业创新开发中心、本地企业的创新开发总部和跨国企业的区域开发中心。为实现这一计划，提供补助20亿元新台币，2001年1月确定在桃园和高雄机场周边地区成立“自由贸易港区”作为营运总部选择地点。

4.“‘总统府’经济发展咨询委员会议”的召开

陈水扁上台后，面对严重恶化的岛内政治经济形势，从2000年8月起，就召开过包括“财政会议”、“总统府财经座谈会”、“知识经济发展会议”等经济会议和由财经专家参与的“经济发展会议”，企图能从其中找到挽回经济颓势的灵丹妙药，但都无济于事。2001年第一季度，台湾经济增长率仅为1.06%，远离维持台湾经济正常运转所需的“生命线”（一般认为约5%），创下26年来单季度最低值；第二季度的经济增长率更是跌到0.76%。在2001年5月18日其“就职”周年纪念演说中，陈水扁发出将举行超政党的“‘总统府’经济发展咨询委员会议”（简称“经发会”）的言论。其实，陈水扁并非真想听取其他人的意见和建议，而是想借召开会议达成所谓共识之名，达到既化解在野党的制衡，又堵住党内“基本教义派”之口，为其面临的经济难题解套的目的，故积极邀请各在野党与会。

6月中旬，经过朝野的多次协商，几经讨价还价，最终确定会议相关议程。7月8日上午，“经发会”首次筹备会在“总统府”举行，来自政界、各党派、学界、企业界、劳动界代表等120人组成的经济发展咨询委员参加了会议。会上“经发会”召集人、“行政院长”张俊雄在致辞时宣称，“经发会”筹备会的召开，等于开启了岛内政党合作的一扇大门，具有非凡的历史意义。根据咨询委员会议题规划秘书处提出五大议题，即加速产业升级开创新兴产业、促进投资改善投资环境、财政改革提升金融效能、促进就业、健全社会福利及促进两岸经贸交流、根留台湾等，经筹备会议的专案小组在“总统府”反复讨论后，正式通过了“经发会”的五大议题及提纲，包括：失业率攀升问题；投资环境恶化问题、两岸经贸关系改善问题、产业竞争力下降问题、财经情况日趋严重问题。

19日，“总统府”公布“经发会”5位副主委、15位分组共同召集人名单。副主委包括国民党副主席萧万长、“行政院长”张俊雄、“立法院长”王金平、海基会董事长辜振甫与台塑集团董事长王永庆。五大议题与各分组召集人分别是：①产业竞争力下降问题（产业组）——麦朝成、张忠谋、赖英照；②投资环境恶化问题（投资组）——于宗先、殷琪、林信义；③财经情况日趋严重问题（财经组）——曾巨威、辜濂松、颜庆章；④失业率攀升问题（就业组）——张昌吉、黄清贤、陈菊；⑤两岸经贸关系改善问题（两岸组）——吴荣义、施振荣、蔡英文。

“经发会”分三阶段进行，第一阶段从7月22日开始召开预备会议，完成分组并审定议题、议程及注意事项。第二和第三阶段为正式会议，即7月22日至8月18日，分组进行专题研究并撰写报告；8月24日至26日，举行全体委员会议。在长达一个多月的会议中，经过各方争吵，最终形成322项共识。

产业组达成139项共识，主要包括：积极引进专业人才；扩大企业融资保证；放宽上市柜公司大陆投资限制；加强新产品新研发机制，推动产业结构调整；促进农业产业转型升级；促进生物技术产业发展等。多数意见部分包括：建议政府由中小企业发展基金在一定金额范围内，视实际需要采分期方式挹注互保基金，作为互助圈不可预期逾放的保证赔偿准备金，以促成银行对互助圈之合作意愿。由产业主管机关邀集银行公会透过适当评估机制，经评估通过之厂商，由政府相关基金提供信用保证，以协助其取得资金的融通。

投资组形成75项共识，包括：检讨建筑用地；部分滞销且具发展潜力的工业区比照科学园区模式出租；改变政府运作模式与人才晋用方式、简化办厂的环境评估手续等。原工商团体提出，已列入分组共识的开放陆资来台投资、四大基金投资创投及反对“核四公投”等意见，遭到封杀，改列仅供参考的“多数意见”。

就业组通过53项共识，包括修改劳动三法、失业保险单独立法、制定大量解雇保护法、修法大幅放宽工时规定、女性劳动保护条款松绑、劳工退休金制度改革双轨并行、规范外劳权益等重大共识，成为“经发会”中唯一“只有共同意见、没有多数意见”的组别。

财经组集中19项共识，其中追求财政平衡与政府再造成为本组最大的共识。财经组通过，“行政院”应成立财经改革委员会，规划在5到10年内达成财政收支平衡目标；同时，“行政院”在第五届“立法院”第一会期内必须提送整套税制改革计划至“立法院”审议；为降低政府支出，“行政院”组织法修正草案也须列为优先法案，尽速通过。至于未被通过的减税案，工商界则准备将之推到“立法院”。

两岸组得到36项共识。重要的结论有：确定推动两岸经贸发展基本原则为“台湾优先、全球布局、互惠双赢、风险管理”，将“戒急用忍”政策改为“积极开放，有效管理”。在两岸签署通航协议前，扩大“境外航运中心”的功能与范围，开放货品通关入境，减少两岸间接通航之不便；建立两岸资金流动的灵活机制；积极推动大陆人士来台观光。尽管会议就有关经济、两岸关系的结论不少，基本上也是岛内需要解决的问题，但原达成共识的“基于‘九二共识’基础之下，建议政府尽速与大陆协商‘三通’等议题”，在台湾“陆委会”、“国安局”等单位所谓“道德劝说”下，最终改为“基于咨询委员对‘九二共识’的不同意见，建议政府尽速凝聚朝野共识，化解‘九二共识’之分歧，依据《‘中华民国’宪法》定位两岸关系，搁置政治争议，尽速与大陆方面协商‘三通’及其他攸关人民福祉之议题”。

客观地说，“经发会”的一些意见，的确指出了台湾经济的不少弊端所在。特别是“产业组”、“财金组”等侧重于讨论岛内经济机制的小组，他们的看法与结论，若能真正被当局接受并付诸实施，对提振台湾经济是有一定助益的。然而必须看到的是，岛内经济之所以长期低迷的最主要因素并不单纯是经济层面的，很大程度来自于投资者“信心”的丧失，就连陈水扁也不敢否认这点。他说，台湾经济问题丛生的关键是“信心问题，而信心问题在某种程度上是政治问题”。而“信心”丧失，从某种角度来说，又与两岸关系长期处于僵持甚至是紧张对立的状态密不可分。因为随着大陆经济实力的不断增强，岛内经济对大陆的依赖性不断升高，两岸经贸已逐渐成为影响台湾经济发展的一个重要因素；与此同时，能否改善与大陆的关系，也直接影响岛内的投资环境和投资信心。所以，台湾经济要重振的关键还在于发展健康稳定的两岸经贸交流，而两岸经贸往来正常化，就不可能回避两岸之间政治上的对话与交流。

由此可见，“经发会”的主要突破点是在两岸关系上。此次会议，各方虽达成取消“戒急用忍”用语、两岸经贸政策都使用“积极开放、有效管理”字眼的共识，也在开放企业赴大陆投资、开放台湾金融服务业赴大陆地区设立分行、评估开放陆资赴台从事证券投资的时机及条件、建立境外资本市场等方面有所突破，但由于“九二共识”没有成为会议的共识，两岸关系不可能好转。

众所周知，承认“九二共识”是两岸恢复对话的前提和基础。陈水扁上台后，两岸关系依然处于僵局的主要原因就在于台湾当局拒绝承认“一个中国”，也拒绝承认体现“一个中国”原则的“九二共识”。可以说，承认还是不承认“九二共识”是关系到两岸能否恢复对话，能否改善关系的大问题。

“九二共识”这一两岸最为关键的问题没有成为会议的共识，意味着台湾当局的所谓加强两岸经贸交流，促进两岸关系发展只不过是一相情愿。在两岸无法恢复对话的情况下，不管台湾当局内部达成多少共识、制定出多少具体的规划和政策，都对打破两岸经贸关系的现状无助益，最终必然陷于空谈。

果然，“经发会”召开后所形成的提振经济、推动“三通”等一系列共识最终不了了之。两岸关系仍低迷不振，两岸直航无重大突破，就连许多台湾方面可以做的措施都未予以落实。正如前“经建会”副主委叶万安所指出的那样，“开放大陆人士来台观光”的共识，是期望有大量大陆人士来台以带旺观光业，现在仅限大陆旅居海外的人士可申请，与大家原来的期待相差太远；岛内各界已形成松绑“戒急用忍”的共识，但八寸晶圆厂赴大陆设厂却遇到极大的阻力，有关当局订了一套严格繁杂的管理办法，与“戒急用忍”比较差不了多少；“开放大陆货品入出境”的共识，被一再拖延落实，使得业界期望一年节省转运费新台币500亿元以上的梦想落空。

附　录

党、政、军、民主党派、人民团体、各级组织沿革和领导成员名录

一

中　央(十六大以前)

中国共产党

中国共产党第十四届中央委员会

(1992 年 10 月—1997 年 9 月)

中国共产党第十四次全国代表大会

(1992 年 10 月 12 日至 18 日在北京召开)

选举产生新的中央委员会:

中央委员(189 人,按姓氏笔画为序)

丁文昌　丁关根　丁衡高　于永波(满族)
王　克　王　涛　王　海　王　群　王汉斌
王成斌　王兆国　王茂林　王忠禹　王维澄
王朝文(苗族)　王森浩　王瑞林　毛致用
乌力吉(蒙古族)　尹克升　邓鸿勋　艾知生
卢荣景　叶连松　叶选平　田纪云　田曾佩
史玉孝　白立忱(回族)　白清才
司马义·艾买提(维吾尔族)
成克杰(壮族)　吕　枫　吕培俭　朱　训
朱光亚　朱森林　朱敦法　朱镕基　乔　石
伍绍祖　任建新　华国锋　全树仁
多吉才让(藏族)　刘中一　刘正威　刘仲藜
刘华清　刘安元　刘纪原　刘忠德　刘剑锋
刘精松　齐怀远　关广富(满族)　江泽民
阮崇武　孙维本　李　景　李　鹏　李九龙
李长春　李文卿　李来柱　李岚清　李伯勇

李希林 李际均 李基炎 李泽民 李贵鲜
李铁映 李瑞环 李德洙(朝鲜族)
杨正午(土家族) 杨白冰 杨国梁 杨德中
吴 仪(女) 吴文英(女) 吴邦国
吴官正 何光远 何竹康 何椿霖 佟宝存
谷善庆 邹家华 汪家镠(女) 沈达人
宋 健 宋汉良 宋克达 宋清渭 宋德福
迟浩田 张 工 张 震 张丁华 张万年
张立昌 张连忠 张勃兴 张思卿 张美远
张帼英(女) 张福森 陈玉英(女)
陈邦柱 陈光毅 陈希同 陈奎元 陈俊生
陈敏章 陈焕友 陈锦华 陈慕华(女)
邵华泽 邵奇惠 林丽韫(女) 固 辉
罗 干 和志强(纳西族) 岳岐峰 周 南
周文元 周玉书 周光召 周克玉 郑必坚
赵志浩 赵南起(朝鲜族) 赵富林
郝建秀(女) 胡 平 胡启立 胡富国
胡锦涛 侯 捷 侯宗宾 姜春云 袁伟民
热 地(藏族) 贾庆林 贾志杰 贾春旺
顾秀莲(女) 顾金池 钱正英(女)
钱其琛 铁木尔·达瓦买提(维吾尔族)
倪志福 徐惠滋 高 严 高天正 高德占
郭振乾 郭超人 陶驷驹 黄 菊 黄 璜
黄启璪(女) 黄镇东 曹双明 曹芃生
戚元靖 崔乃夫 梁栋材 尉健行
彭珮云(女) 葛洪升 蒋心雄 蒋民宽
蒋祝平 韩杼滨 程维高 傅全有 傅锡寿
鲁 平 普朝柱 温家宝 谢 非 谢世杰
雷鸣球 路甬祥 廖 晖 谭绍文 魏金山

中央候补委员(130人,按得票多少为序)

王学萍(黎族) 耿全礼 马启智(回族)
孙文盛 克尤木·巴吾东(维吾尔族)
吴光宇 赵金铎(满族)
贾那布尔(哈萨克族) 桑结加(藏族)
曹伯纯 梁光烈 王志武 王洛林
江村罗布(藏族) 杜青林 李毅中 吴基传
张孝文 张俊九 郑斯林 钱树根 阎海旺
谭乃达 王云龙 石宗源(回族) 刘泽民
杨永良 吴玉谦 奉恒高(瑶族) 贾治邦
高祀仁 郭东坡 黄 瑶(布依族) 曾庆存
廖文海(女) 王广宪 许其亮 孙同川
汪啸风 沈滨义 陈明义 岳海岩 龚谷成
程安东 田成平 汤洪高 孙家正
李慧芬(女) 宋宝瑞 张彦仲 郝 岩
柴松岳 乌云其木格(女,蒙古族) 刘明祖
彭崑生 温宗仁 石兆彬 刘 淇 张德江
秦玉琴(女) 顾 浩 钱国梁 王太华
王乐泉 史大桢 白恩培 朱开轩 刘振华
李奇生 李淑铮(女) 陈云林
陈玉杰(女) 王如珍(女)
石玉珍(女,苗族) 卢瑞华
朱丽兰(女) 杨健强(白族)
栾恩杰(满族) 王思齐 刘云山 李春亭
邹竞蒙 范钦臣 罗冰生 丹 增(藏族)
回良玉(回族) 苏 荣 刘 毅
张 肖(女) 周永康 贺国强 刘方仁
张秋祥 王梦奎 邹世昌 高昌礼 汝 信
姜永荣 戴相龙 李嘉廷(彝族)
沙健孙(回族) 陈至立(女) 钱运录
徐匡迪 郭树言 李建国 欧广源 厉有为
刘华秋 杨振怀 曾培炎 黎 明 俞正声
曾宪林 田凤山 王 占 吴爱英(女)
赵延年(回族) 吴贻弓 李继耐 郑贤斌
桂世镛 熊光楷 张健民 马忠臣 兰保景
何其宗 叶 青 房维中 肖 秧

十四届一中全会

(1992年10月19日在北京举行)

选举:

中央委员会总书记

江泽民

中央政治局常务委员会委员

江泽民 李 鹏 乔 石 李瑞环 朱镕基
刘华清 胡锦涛

中央政治局委员(按姓氏笔画为序)

丁关根 田纪云 朱镕基 乔 石 刘华清
江泽民 李 鹏 李岚清 李铁映 李瑞环
杨白冰 吴邦国 邹家华 陈希同 胡锦涛
姜春云 钱其琛 尉健行 谢 非 谭绍文

中央政治局候补委员(按得票多少为序)

温家宝 王汉斌

中央书记处书记

胡锦涛 丁关根 尉健行 温家宝 任建新

中央军事委员会

主　席　江泽民

副主席　刘华清　张　震

委　员　迟浩田　张万年　于永波　傅全有

十四届四中全会

(1994 年 9 月 25 日至 28 日在北京举行)

增选:

中央政治局委员　黄　菊

中央书记处书记　吴邦国　姜春云

十四届五中全会

(1995 年 9 月 25 日至 28 日在北京举行)

增补:

中央委员　耿全礼　马启智

中央军事委员会副主席　张万年　迟浩田

中央军事委员会委员　王　克　王瑞林

撤销:

中央政治局委员、中央委员会委员　陈希同

十四届六中全会

(1996 年 10 月 7 日至 10 日在北京举行)

增补:

中央委员　孙文盛

十四届七中全会

(1997 年 9 月 6 日至 9 日在北京举行)

增补:

中央委员　克尤木·巴吾东

中国共产党第十五届中央委员会

(1997 年 9 月—2002 年 11 月)

中国共产党第十五次全国代表大会

(1997 年 9 月 12 日至 18 日在北京召开)

选举:

中央委员(共 193 人,按姓氏笔画为序)

丁文昌　丁关根　于永波(满族)　马忠臣
王　克　王云坤　王乐泉　王兆国　王茂林
王茂润　王忠禹　王洛林　王梦奎　王瑞林
云布龙(蒙古族)　毛如柏　方祖岐　石云生
卢荣景　卢瑞华　叶连松　田凤山　田成平
田纪云　白立忱(回族)　白恩培　令狐安
包叙定　司马义·艾买提(维吾尔族)
邢世忠　回良玉(回族)　朱丽兰(女)
朱育理　朱镕基　伍绍祖　华国锋
多吉才让(藏族)　刘　江　刘　淇　刘云山
刘方仁　刘书田　刘仲藜　刘华秋　刘纪原
刘明祖　刘忠德　刘顺尧　刘剑锋　刘精松
江泽民　孙　英　孙文盛　孙家正　杜青林
杜铁环　李　鹏　李长春　李兆焯(壮族)
李克强　李岚清　李良辉　李金华　李泽民
李建国　李春亭　李贵鲜　李铁映　李继耐
李盛霖　李瑞环　李新良　李德洙(朝鲜族)
杨正午(土家族)　杨怀庆　杨国屏　杨国梁
肖　扬　吴　仪(女)　吴邦国　吴亦侠
吴官正　吴基传　何　勇　何椿霖　汪啸风
宋　健　宋宝瑞　宋瑞祥　宋德福　迟浩田
张　工　张丁华　张万年　张文岳　张文康
张立昌　张志坚　张国光　张思卿　张俊九
张维庆　张福森　张德江　张德邻
阿不来提·阿不都热西提(维吾尔族)
陈云林　陈邦柱　陈至立(女)　陈光毅
陈明义　陈奎元　陈炳德　陈焕友　陈耀邦
邵华泽　林丽韫(女)　罗　干　周子玉
周永康　周光召　周坤仁　郑必坚　郑斯林
项怀诚　郝建秀(女)　胡富国　胡锦涛
钮茂生(满族)　俞正声　闻世震　姜春云
姜恩柱　姜福堂　洪　虎　贺国强
热　地(藏族)　桂世镛　贾庆林　贾志杰
贾春旺　顾秀莲(女)　柴松岳　钱其琛
钱国梁　钱树根　倪志福　徐才厚　徐永清
徐匡迪　徐有芳　高　严　郭东坡　郭伯雄
郭超人　唐天标　唐家璇　陶伯钧　陶驷驹
黄　菊　黄启璪(女)　黄镇东　曹刚川
曹伯纯　盛华仁　阎海旺　梁光烈　尉健行
隋明太　隗福临(满族)　彭珮云(女)

蒋祝平 韩杼滨 程安东 程维高 傅全有
傅志寰 舒圣佑 舒惠国 曾庆红 曾培炎
温宗仁 温家宝 谢 非 谢世杰 蒲海清
雷鸣球 路甬祥 廖 晖 廖锡龙 滕文生
戴秉国(土家族) 戴相龙

候补中央委员(151人,按得票多少为序,得票相同的按姓氏笔画为序)

欧泽高(藏族) 岳海岩 黄智权
王正福(苗族) 石兆彬 汤洪高
杨健强(白族) 高祀仁 储 波 蔡长松
赵金铎(满族) 桑结加(藏族) 黄寅逵
乌云其木格(女,蒙古族) 任启兴 苏 荣
张华祝 陆 浩 郭金龙 管国忠(傣族)
王学萍(黎族)
艾斯海提·克里木拜(哈萨克族)
石玉珍(女,苗族) 张定发 贾治邦
黄 瑶(布依族) 龚谷成 葛东升
马庆生(回族) 王 占 王广宪
全哲洙(朝鲜族) 刘镇武 周声涛 胡永柱
石宗源(回族) 吕飞杰 刘泽民 吴玉谦
张宝明 钱冠林 高宜新 王武龙 王建民
许运鸿 李元正 季允石 房凤友
秦玉琴(女) 王云龙 杨永良 宋照肃
张祥林 范钦臣 崔林涛 王启人 王启民
列 确(藏族) 许其亮 孙春兰(女)
李清林 李嘉廷(彝族) 陈建国 秦光荣
高中兴 谢企华(女) 丹 增(藏族)
朱成友 刘振华 沈滨义 宋秀岩(女)
梁国庆 王金山 孙淑义 李乾元 赵忠贤
徐自强 石万鹏 陈佳洱 牛绍尧 杨晓堂
宋法棠 巴特尔(蒙古族) 李肇星 李毅中
袁守芳 聂卫国 黄洁夫 陈良宇
陈梅芳(女) 徐鹏航 卢展工 刘 玠
刘廷焕 许永跃 李 克(壮族)
王如珍(女) 钱运录 黄晴宜(女)
刘海燕 吴爱英(女) 倪润峰 于 珍
孟建柱 高昌礼 白春礼(满族)
陈玉杰(女) 岳喜翠(女) 李纪恒
吴铨叙 克尤木·巴吾东(维吾尔族)
乔传秀(女) 杜宇新 栾恩杰(满族)
熊光楷 罗保铭 韩桂芝(女) 吴光宇
金银焕(女) 贾 军 郭树言 缪合林
黄华华 金人庆 李国安 吴贻弓 李志坚
武连元(回族) 夏宝龙 王旭东 陶建幸
苏新添 欧广源 沈跃跃(女) 王太华
周正庆 裴怀亮 张高丽 王春正
马启智(回族) 王 刚 厉有为 吴金印
王太岚 王岐山 由喜贵 刘延东(女)
王雪冰 袁伟民 邓朴方 习近平

十五届一中全会

(1997年9月19日在北京举行)

选举:

中央委员会总书记

江泽民

中央政治局常务委员会委员

江泽民 李 鹏 朱镕基 李瑞环 胡锦涛
尉健行 李岚清

中央政治局委员(按姓氏笔画为序)

丁关根 田纪云 朱镕基 江泽民 李 鹏
李长春 李岚清 李铁映 李瑞环 吴邦国
吴官正 迟浩田 张万年 罗 干 胡锦涛
姜春云 贾庆林 钱其琛 黄 菊 尉健行
温家宝 谢 非

中央政治局候补委员(按得票多少为序)

曾庆红 吴 仪(女)

中央书记处书记

胡锦涛 尉健行 丁关根 张万年 罗 干
温家宝 曾庆红

中央军事委员会主席

江泽民

中央军事委员会副主席

张万年 迟浩田

中央军事委员会委员

傅全有 于永波(满族) 王 克 王瑞林

十五届三中全会

(1998年10月12日至14日在北京举行)

增补:

中央委员会委员 欧泽高

中央军事委员会委员 曹刚川

十五届四中全会

（1999年9月19日至22日在北京举行）

增补：

中央军事委员会副主席　胡锦涛

中央军事委员会委员　郭伯雄　徐才厚

撤销：

中央委员会候补委员　许运鸿

十五届五中全会

（2000年10月9日至11日在北京举行）

增补：

中央委员　岳海岩　黄智权　王正福

撤销：

中央委员会候补委员　徐鹏航

十五届六中全会

（2001年9月24日至26日在北京举行）

增补：

中央委员　汤洪高

撤销：

中央委员会候补委员　石兆彬　李嘉廷

十五届七中全会

（2002年11月3日至5日在北京举行）

撤销：

中央委员会候补委员　王雪冰

中央顾问委员会

1992年10月18日，中国共产党第十四次代表大会通过《中共十四大关于中央顾问委员会工作报告的决议》，同意关于不再设立中央顾问委员会的建议。

中央纪律检查委员会

中国共产党第十四届中央委员会期间

（1992年10月—1997年9月）

中国共产党第十四次全国代表大会

（1992年10月12日至18日在北京召开）

选举产生新的中央纪律检查委员会：

委员（108人，按姓氏笔画为序）

丁凤英（女）　万绍芬（女）　马世昌
王　光　王其超　王茂润　王宗春　王富中
王福义　王德顺　王德瑛
乌兰木伦（蒙古族）
巴　桑（女，藏族）
甘子玉　艾维仁　田聪明　冯少武　冯芝茂
冯锡铭　朱育理　多　巴（藏族）　刘　崑
刘　锷　刘丽英（女）　刘明仁　刘贵岭
刘峰岩　刘积斌　刘善祥　安启元　祁培文
孙祖梅　孙隆椿　李　钊　李文海　李成仁
李至伦　李金华　李俊杰　李振东　李恩潮
李焕政　李清林　李惠仁　杨兴富　杨英昌
杨贤足　杨昌基　杨崇汇　杨敏之　杨德清
杨德福　吴景春（女）　何　勇　佟国荣
闵耀中　汪文风　沈茂成　宋国臣　张　轰
张文岳　张华林　张均法　张宝顺　张惠新
陈为松　陈光琳　陈作霖　陈明枢　范新德
林兆枢　林殷才　尚　文　周声涛　郑国雄
赵　丛（满族）　赵　地（女）　赵宗鼐
胡之光　柳　斌　侯　颖　侯宗宾　饶凤翥
洪　虎　贺邦靖（女，白族）　袁守芳
格日勒图（蒙古族）　贾　军　夏国华
顾云飞　钱冠林　徐　青　朗大忠（傣族）
曹庆泽　曹克明　崔　毅　尉健行　隋永举
彭　钢（女）　董范园（女）　蒋冠庄
韩德乾　傅　杰　傅志寰　谢安山　靳玉德
谭福德　翟泰丰

十四届一中全会

（1992年10月19日在北京举行）

批准中央纪律检查委员会全体会议选举结果：

书　记　尉健行

副书记

侯宗宾　陈作霖　曹庆泽　王德瑛　徐　青

常务委员会委员(按姓氏笔画为序)

王　光　王德瑛　刘丽英　安启元　李至伦　何　勇　陈作霖　侯宗宾　徐　青　曹庆泽　尉健行　彭　钢　傅　杰

中纪委第五次全体会议

(1995年1月20日至23日在北京召开)

补选：

常务委员　祁培文

免职：

常务委员　安启元

中国共产党第十五届中央委员会期间

(1997年9月—2002年11月)

中国共产党第十五次全国代表大会

(1997年9月12日至18日在北京召开)

选举产生新的中央纪律检查委员会：

委员(共115人，按姓氏笔画为序)

于友先　于洪葆　马　駇(女)　马　凯　马世昌　王成铭　王同琢　王华元　王众孚　王国章　王胜俊　王莉莉(女)　王唯众　王德顺　尤　仁(蒙古族)　乌兰木伦(蒙古族)　方嘉德　布　穷(藏族)　田淑兰(女)　田聪明　白志健　冯芝茂　朱增泉　刘　锷　刘丰富　刘文杰　刘丽英(女)　刘学斌　刘峰岩　刘积斌　刘雅芝(女)　刘锡荣　祁培文　许中田　孙　淦　孙载夫　李有慰　李成仁　李至伦　李英唐　李虎林　李国光　李宝祥　李建玉　李铁林　李继松　李雪莹(女)　李焕政　李惠仁　李登柱　杨贤足　杨惠川　杨德清　吴广才　吴定富　吴润忠　吴野渡　何　勇　冷　宽　闵耀中　沈国俊　张　轰　张　黎　张　毅　张大保　张凤楼　张玉芹(女)　张左己　张华林　张吾乐　张柏林　张钰钟　张惠新　陈光琳　陈福今　范新德　罗　锋　罗清泉　金道铭(满族)　周子玉　周可仁　郑万通　郑坤生　赵　荣　赵　虹(满族)　赵春兰(女)　赵洪祝　赵海渔　胡家燕(女)　贺邦靖(女，白族)　贺美英(女)　袁纯清　夏国华　夏赞忠　徐光春　徐承栋　曹庆泽　曹克明　曹和庆　曹洪兴　曹惠臣　康成元　梁绮萍(女)　尉健行　彭　钢(女)　董　雷　董宜胜　韩　灵　韩杼滨　程世娥(女)　傅　杰　解振华　谭鼐达　翟月卿　濮洪九

十五届一中全会

(1997年9月19日在北京举行)

批准中央纪律检查委员会全体会议选举结果：

书　记　尉健行

副书记

韩杼滨　曹庆泽　何　勇　周子玉　夏赞忠　刘丽英(女)

常务委员会委员(按姓氏笔画为序)

马　駇(女)　刘丽英(女)　祁培文　李至伦　李登柱　何　勇　周子玉　赵洪祝　袁纯清　夏赞忠　曹庆泽　尉健行　彭　钢(女)　韩杼滨　傅　杰

中纪委第四次全体会议

(2000年1月12日至14日在北京召开)

增选：

副书记　刘锡荣　傅　杰

常　委　吴定富

中共中央直属机关

中共中央办公厅

主　任

曾庆红(1993 年 3 月—1999 年 3 月)

王　刚(1999 年 3 月—　)

副主任

王瑞林(1983 年—　)

曾庆红(1989 年—1993 年 3 月)

徐瑞新(1987 年—1995 年)

胡光宝

陈福今(1993 年—　)

王　刚(1994 年—　)

姜异康(1998 年 4 月—　)

由喜贵(1999 年 3 月—　)

邓力群(1979 年 1 月—　)

中共中央组织部

部　长

吕　枫(1989 年 12 月—1994 年 10 月)

张全景(1994 年 10 月—1999 年 3 月)

曾庆红(兼)(1999 年 3 月—2002 年 10 月)

副部长

张全景(1991 年—1994 年)

武连元

李铁林(1992 年—　)

王旭东(1993 年—　)

虞云耀(1997 年 6 月—　)

张柏林(1998 年 3 月—　)

中共中央宣传部

部　长

丁关根(兼)(1992 年 12 月—2002 年 10 月)

副部长

徐惟诚(常务副部长,1989 年—　)

聂大江(1990 年—　)

翟泰丰(1991 年—　)

郑必坚(1992 年—　)

白克明(1993 年—　)

龚心瀚(1993 年—　)

刘云山(常务)(1993 年 6 月—　)

徐光春(1995 年—　)

刘　鹏

中共中央统一战线工作部

部　长

王兆国(1992 年 12 月—2002 年 12 月)

副部长

万绍芬(女)(1988 年 12 月—　)

张声作(1988 年 12 月—　)

蒋民宽(常务副部长,1990 年 9 月—　)

刘延东(女)(1991 年 9 月—2002 年 12 月)

郑万通(1993 年—　)

李德洙(1992 年—　)

武连元(1986 年 5 月—1992 年 5 月)

张廷翰　胡惠平　田鹤年　朱维群

中共中央对外联络部

部　长

李淑铮(女)(1993 年 3 月—1997 年 8 月)

戴秉国(1997 年 8 月—2003 年 4 月)

副部长

李北海(1993 年—　)

刘敬铭(1997 年 12 月—　)

朱善卿(1985 年—　)

宦国英(女)(1993 年—　)

马文普(1997 年 12 月—　)

蔡　武(1998 年 4 月—　)

中共中央党校

院(校)长

胡锦涛(1993 年 9 月—2002 年 12 月)

副院(校)长

刘胜玉(1993 年—　)

汪家镠(1993 年—　)

刘海藩　杨春贵　陈维仁　张志新　王伟光

郑必坚

王　珏(1998 年 9 月—　)　李君如

中共中央文献研究室

主　任

逄先知(1991年—2002年)

副主任

金冲及(1984年—)　杨绍明

中共中央党史研究室

主　任

胡　绳(1982年4月—2000年12月)

孙　英(2000年12月—)

副主任

李传华　石仲泉　王传华　朱佳木

沙健孙(1986年—)

郑　惠(1986年—)

龚育之　李君如　陈　威　古安林

中共中央直属机关(工作)委员会

书　记

曾庆红(1993年3月—1999年3月)

王　刚(1999年3月中共中央任命)

中共中央国家机关(工作)委员会

书　记

罗　干(1989年3月—)

陈俊生　王忠禹　华建敏

人民日报社

社　长

邵华泽(1992年11月—2000年6月)

白克明(2000年6月—2001年8月)

许中田(2001年8月—2002年10月)

总编辑

范敬宜(1993年9月—1998年3月)

许中田(1998年3月—2001年8月)

王　晨(2002年10月—2003年2月)

求是杂志社

总编辑

有　林(1989年10月—1994年)

邢贲思(1994年—)

戴　舟

中共中央政策研究室

主　任

王维澄(1989年8月—1998年5月)

滕文生(1998年5月—)

王沪宁

中共中央外事工作领导小组办公室
(国务院外事办公室)

主　任　刘华秋

中共中央金融工作委员会

书　记

温家宝(1998年6月—)

中共中央企业工作委员会

书　记

吴邦国(1998年7月—)

中共中央马恩列斯著作编译局

局　长

宋书声(1980年8月—)

国家档案局

局　长　王　刚

国家保密局

局　长　毛林坤

全国人民代表大会

第八届全国人民代表大会常务委员会

（1993 年 3 月—1998 年 3 月）

第八届全国人大第一次会议

（1993 年 3 月 27 日）

选举第八届全国人大常委会：

委员长

乔　石

副委员长

田纪云　王汉斌　倪志福　陈慕华（女）
费孝通　孙起孟　雷洁琼（女）　秦基伟
李锡铭　王丙乾　帕巴拉·格列朗杰（藏族）
王光英　程思远　卢嘉锡　布　赫（蒙古族）
铁木尔·达瓦买提（维吾尔族）
甘　苦（壮族）　李沛瑶　吴阶平

秘书长

曹　志

委员（按姓氏笔画排列）

于洪恩　万绍芬（女）　王永宁　王佛松
王宋大　王启东　王叔文　王晓光
王淑贤（女）　王越丰（黎族）
王朝文（苗族）　厉以宁　叶正大
叶叔华（女）　史来贺
生钦·洛桑坚赞（藏族）　白尚武
冯之浚（回族）　冯克煦　曲格平　朱　良
朱启祯　伍精华（彝族）　任现春（瑶族）
刘国光　许　勤　许嘉璐　孙廷芳　孙鸿烈
阳忠恕　阴法唐
玛依努尔·哈斯木（女，维吾尔族）　严义埙
李立功　李永泰（朝鲜族）　李　伦　李旭阁
李克强　李学智　李桂英（女，彝族）
李绪鄂　李森茂　李登海　李　灏　杨纪珂
杨初桂（女，侗族）　杨　明（白族）
杨衍银（女）　杨泰芳　杨振亚　杨振怀
杨烈宇　杨竞衡　杨海波　来金烈　吴大琨
吴长淑（朝鲜族）　吴树青　邱　晴（女）
何厚铧　何浣芬（女）　何　康　佟志广
谷建芬（女）　汪　恩　沈辛荪　迟海滨
张文华　张仲先　张　寿　张克辉　张序三
张国祥　张明远　张　挺　张彦宁　张绪武
陈光健　陈培民　陈舜礼　林兰英（女）
林丽韫（女）　林宗棠　罗尚才（布依族）
周占鳌　周　南　周　觉　孟连崑　项淳一
赵东宛　郝诒纯（女）　胡　敏　柳随年
逄先知　姚　峻　秦仲达　聂大江　莫文祥
夏家骏（土家族）　顾林娫　顾诵芬
钱　易（女）　徐采栋　徐起超
徐　静（女）　爱新觉罗·溥杰（满族）
陶大镛　陶爱英（壮族）　黄长溪
黄玉章　黄毅诚　戚元靖　崔乃夫　康振黄
章师明　章瑞英（女）　彭士禄　彭清源
董建华　董耐芳（女）　董辅礽　蒋顺学
傅铁山　曾宪林　谢铁骊　谢颂凯　楚　庄
蔡子民　蔡　诚　熊清泉　滕　藤　潘　季
薛　驹　戴　杰　戚元靖（已故）

第八届全国人大第二次会议

（1994 年 3 月 10 日—22 日）

增选：

委　员　聂　力（女）　曾宪梓

第八届全国人大第三次会议

（1995 年 3 月 5 日—18 日）

增选：

委　员　张毓茂　普朝柱

第八届全国人民代表大会所属专门委员会

民族委员会

主任委员

王朝文(苗族)

副主任委员

李学智 伍精华(彝族) 宦爵才郎(藏族)
陶爱英(壮族) 爱新觉罗·溥杰(满族)

委 员

刀述仁(傣族) 于兴隆(蒙古族)
马思忠(回族) 王 润 田富达(高山族)
生钦·洛桑坚赞(藏族) 冯之浚(回族)
任现春(瑶族)
苏丹·张波拉托夫(哈萨克族)
李永泰(朝鲜族) 李先猷(哈尼族)
杨文贵(黎族) 杨初桂(女,侗族)
杨 明(白族)
阿不都热衣木·阿米提(维吾尔族)
罗尚才(布依族) 夏家骏(土家族)
曹龙浩(朝鲜族) 韩怀智

司法委员会

主任委员

孟连昆

副主任委员

顾林昉 张克辉 彭清源 朱 光

委 员

于恩光 王晓光 有 林 刘友法 江 明
阴法唐 李克强 杨衍银(女) 张云声
陈作霖 陈培民 逄先知 黄玉章 崔乃夫

教育科学文化卫生委员会

主任委员

赵东宛

副主任委员

杨海波 李绪鄂 聂大江 郝诒纯(女)

委 员

叶正大 朱 预 刘国光 齐民友 许嘉璐
严义埙 沈辛荪 宋木文 张序三 张明远
陈祖德 陈舜礼 英若诚(满族)
林兰英(女) 孟伟哉 顾诵芬 徐采栋
徐 静(女) 高 潮
常沙娜(女,满族) 常崇煊 董建华
傅铁山 谢铁骊 楚 庄 滕 藤

外事委员会

主任委员

朱 良

副主任委员

朱启祯 周 觉 杨振亚

委 员

王佛松 王淑贤(女) 李旭阁
邱 晴(女) 佟志广 张 挺 陈光健
林上元 徐 信 蒋顺学 蔡子民

华侨委员会

主任委员

杨泰芳

副主任委员

万绍芬(女) 林丽韫(女) 刘振华 王宋大

委 员

王 殊 古华民 古宣辉 卢蕙兰(女)
刘宜贵 吴序良 谷建芬(女) 陈联合
罗益锋 蚁美厚 徐起超 翁维权 郭南麟
黄军军(女) 黄忠勇 董占林

环境保护委员会

主任委员

曲格平

副主任委员

戚元靖 林宗棠 杨纪珂 秦仲达 杨振怀

委 员

王先进 王 涛(女) 冯兰明
江小珂(女) 孙鸿烈 杜碧兰(女)
张国祥 周秀骥 姚 峻 钱 易(女)
彭士禄

第九届全国人民代表大会常务委员会

（1998年3月—2003年3月）

第九届全国人大第一次会议

（1998年3月18日）

选举第九届全国人大常委会：

委员长 李 鹏

副委员长

田纪云 谢 非 姜春云 邹家华
帕巴拉·格列朗杰(藏族) 王 光 程思远
布 赫(蒙古族)
铁木尔·达瓦买提(维吾尔族) 吴阶平
彭珮云(女) 何鲁丽(女) 周光召
成克杰(壮族) 曹 志 丁石孙 成思危
许嘉璐 蒋正华

秘书长 何椿霖

副秘书长

于友民 姜云宝 刘 镇 吕聪敏 王宋大
冯兰明 苏秋成 周成奎 师金城

委员(按姓氏笔画排列)

丁兴隆(蒙古族) 于振武 万绍芬(女)
王永宁 王幼辉 王佛松 王宋大 王明时
王 选 王 涛 王 涛(女) 王家福
王维澄 王越丰(黎族) 王朝文(苗族)
毛达如 毛昭晰 尹克升 甘子玉 厉以宁
卢邦正(彝族) 叶叔华(女)
田玉科(女,土家族) 史玉孝 白清才
冯之浚(回族) 曲格平 朱开轩 朱育理
朱相远 伍精华(彝族) 伍增荣(女)
刘中一 刘亦铭 刘纪原 刘应明 刘 珩
江村罗布(藏族) 阮崇武 孙鸿烈
玛依努尔·哈斯木(女,维吾尔族) 严义埙
严克强(壮族) 杜宜瑾 李永泰(朝鲜族)
李来柱 李伯勇 李明豫(女)
李淑铮(女) 李绪鄂 李道豫 李登海
李 蒙 杨长槐(侗族) 杨兴富 杨国庆
杨振怀 束怀德 来金烈 吴长淑(朝鲜族)
吴树青 吴德馨(女) 何厚铧 佟志广
谷建芬(女) 谷善庆 汪家镠(女)
沈辛荪 迟海滨 张 玉 张 寿 张连忠
张 肖(女) 张怀西 张国祥 张明远
张学东 张皓若 张毓茂 陈心昭 陈光毅
陈明枢 陈建生 陈俊亮 陈癸尊 陈难才
陈敏章(已故) 奉恒高(瑶族) 范敬宜
罗尚才(布依族) 周 强 赵 地(女)
胡光宝 胡 敏 柳随年 俞泽猷 逄先知
姜恩柱 洪绂曾 宦爵才郎(藏族) 姚振炎
聂 力(女) 聂大江 顾昂然 顾金池
顾诵芬 钱 易(女) 徐惠滋 徐敦信
高德占 郭振乾 陶驷驹 黄长溪 黄玉章
黄启璪(女) 常沙娜(女,满族)
梁广大 隋永举 葛洪升 蒋心雄 蒋树声
傅铁山 童 傅 普朝柱 曾建徽 曾宪林
曾宪梓 谢安山 谢佑卿 谢颂凯 虞云耀
嘉木样·洛桑久美·图丹却吉尼玛(藏族)
滕 藤 戴证良

第九届全国人大第三次会议

（2000年3月5日—15日）

接受何厚铧辞去全国人大常委会委员职务的请求。

第九届全国人大第四次会议

（2001年3月5日—15日）

增选：

委 员

王学萍(黎族) 贺一诚 贾志杰 盛华仁

第九届全国人民代表大会所属专门委员会

民族委员会

主任委员

王朝文(苗族)

副主任委员

尹克升 江村罗布(藏族) 于兴隆(蒙古族)

韦继松(壮族) 冯之浚(回族)

委 员(按姓氏笔画排列)

马昌裔(回族) 王越丰(黎族)
卢邦正(彝族) 田玉科(女,土家族)
司马义·哈提甫(维吾尔族)
苏丹·张波拉托夫(哈萨克族)
李永泰(朝鲜族) 李映德(白族)
杨长槐(侗族) 杨福生(哈尼族)
张龙俊(朝鲜族) 陈素芝(女,满族)
奉恒高(瑶族) 岩 庄(傣族)
罗尚才(布依族) 谢伯阳
嘉木样·洛桑久美·图丹却吉尼玛(藏族)

法律委员会

主任委员

王维澄

副主任委员

李伯勇 周克玉 顾昂然 张绪武 乔晓阳

委 员(按姓氏笔画排列)

王 坚 王家福 邢贲思 刘 政 杨紫煊
张玉台 张秀夫 张国祥 郑成思 胡光宝
隋永举 谢安山 滕 藤

内务司法委员会

主任委员

侯宗宾

副主任委员

陶驷驹 顾金池 万绍芬(女) 束怀德
李九龙 刘 珩

委 员(按姓氏笔画排列)

李明豫(女) 杨兴富 杨英昌 应松年
陈明枢 陈俊亮 周 强 赵 丛(满族)
赵 地(女) 逄先知 黄玉章 崔乃夫
虞云耀

教育科学文化卫生委员会

主任委员

朱开轩

副主任委员

汪家镠(女) 陈敏章 李绪鄂 范敬宜
张怀西 王 选

委 员(按姓氏笔画排列)

朱相远 刘明璞 严义埙 杨伟炎
吴德馨(女) 宋木文 张序三 张明远
陆善镇 陈寿朋 陈建生 陈难先 陈章良
英若诚(满族) 柳 斌 聂 力(女)
聂大江 顾诵芬 徐 静(女) 高运甲
高 德 陶西平 常沙娜(女,满族)
傅铁山 谢 光 谢铁骊
霍 达(女,回族)

外事委员会

主任委员

曾建徽

副主任委员

李淑铮(女) 宋清渭 徐敦信 蔡方柏
郑 义(壮族) 童 傅

委 员(按姓氏笔画排列)

于振武 于恩光 王佛松 李国华(女)
杨慧珠(女) 佟志广 沈辛荪 张凤祥

华侨委员会

主任委员

甘子玉

副主任委员

徐惠滋 李道豫 朱添华 杜宜瑾 刘亦铭
杨国庆

委 员(按姓氏笔画排列)

王永宁 王宋大 古华民 古宣辉
冯玉兰(女) 朱士明 刘宜贵 许 胜
谷建芬(女) 张连忠 林明美(女)
罗益锋 罗棣庵 周 松 钱 青(女)
翁维权 凌伯棠 崔 毅 赖爱光

环境与资源保护委员会

主任委员

曲格平

副主任委员

张皓若　王　涛　白清才　黄启璪(女)

李　蒙

委　员(按姓氏笔画排列)

王先进　王　涛(女)　巴忠倓　冯兰明

江小珂(女)　孙鸿烈　杜碧兰(女)

李华忠　沈静珠(女)　陈　潜　周秀骥

胡　敏　俞泽猷　钱　易(女)　蔡仁山

农业与农村委员会

主任委员

高德占

副主任委员

柳随年　杨振怀　刘中一　伍精华(彝族)

洪绂曾

委　员(按姓氏笔画排列)

于汉卿　王连铮　毛达如　白尚武　任正隆

许行贯　严克强(壮族)　苏昌培　李来柱

李梅芳(女)　李登海　李殿荣　杨新人

杨雍哲　沈珠江　张百良　陈吉元　罗富和

曹双明　谢　勇

中华人民共和国政府

中华人民共和国主席、副主席

1993 年 3 月—1998 年 3 月

(第八届全国人大期间)

主　席　江泽民

副主席　荣毅仁

1998 年 3 月—2003 年 3 月

(第九届全国人大期间)

主　席　江泽民

副主席　胡锦涛

中华人民共和国国务院

1993 年 3 月—1998 年 3 月

(第八届全国人大期间)

总　理

李　鹏

副总理

朱镕基　邹家华　钱其琛　李岚清

(1993 年 3 月第八届全国人民代表大会第一次会议决定)

副总理

吴邦国　姜春云

(1995 年 3 月第八届全国人民代表大会第三次会议决定)

国务委员

李铁映　迟浩田　宋　健　李贵鲜　陈俊生

司马义·艾买提(维吾尔族)

彭珮云(女)　罗　干

秘书长

罗　干(兼)

(1993 年 3 月第八届全国人民代表大会第一次会议决定)

1998 年 3 月—2003 年 3 月

(第九届全国人大期间)

总　理

朱镕基

副总理

李岚清　钱其琛　吴邦国　温家宝

(1998 年 3 月第九届全国人民代表大会第一次会议决定)

国务委员

迟浩田　罗　干　吴　仪(女)

司马义·艾买提(维吾尔族)　王忠禹

(1998 年 3 月第九届全国人民代表大会第一次会议决定)

秘书长

王忠禹(兼)

(1998 年 3 月第九届全国人民代表大会第一

次会议决定)

第八届全国人大期间国务院组成部门、直属机构、办事机构、直属事业单位
(1993年3月—1998年3月)

外交部

部 长 钱其琛(兼)
(1993年3月第八届全国人大一次会议决定任命)
副部长
田曾佩(1988年—1998年3月)
刘华秋(1989年—1998年3月)
唐家璇(1993年3月—1998年3月)
李肇星(1995年—1998年)
王英凡(1995年9月—1999年11月)
张德广(1995年9月—2001年8月)
杨福昌(1990年—1993年7月)
戴秉国(1994年—1995年9月)
姜恩柱(1991年12月—1996年1月)

国家计划委员会

主 任 陈锦华
副主任
甘子玉(1988年—)
叶 青(1988年—)
郝建秀(女)(1988年—)
陈耀邦(1993年5月—)
王春正(1990年—)
郭树言(1993年1月—)
曾培炎(1993年1月—)
盛树仁(1988年—1993年5月)
刘 江(1990年—1993年5月)
芮杏文(1991年5月—1993年5月)
姚振炎(1991年1月—1994年1月)
桂世镛(—1994年8月)
罗植龄(1993年5月—1995年)
佘健明(—1997年9月)
马 凯(1995年—)
(1998年3月10日九届全国人大一次会议通过的《关于国务院机构改革的决定》将中华人民共和国国家计划委员会更名为中华人民共和国国家计划发展委员会)

国家经济贸易委员会

主 任 王忠禹
副主任
徐鹏航(1993年5月—1997年7月)
陈清泰(1993年5月—1998年11月)
石万鹏(1993年5月—1997年7月)
俞晓松(1993年5月—1997年12月)
李荣融(1996年3月—)
杨昌基(1993年5月—1996年)
张吾乐(1996年8月—)
张志刚(1997年7月—)
(1993年第八届全国人大一次会议决定成立国家经济贸易委员会)

国家经济体制改革委员会

主 任 李铁映(兼)
副主任
洪 虎(1991年—1998年)
刘志峰(1992年9月—)
乌 杰(蒙古族)(1993年5月—1998年1月)
张皓若(1995年—)
王东进(1996年3月—)
邵秉仁(1996年3月—)
马 凯 贺光辉

国家教育委员会

主 任 朱开轩
副主任
柳 斌(1985年—)
王明达(1985年—1996年11月)

张孝文(1993 年 5 月—)
韦 钰(女)(1993 年 5 月—)
张天保(1993 年 5 月—)
周远清(1996 年 2 月—)
滕 藤(1988 年—1993 年 5 月)
邹时炎(1985 年—1993 年 5 月)
张庆保(1996 年 11 月—)
陈至立(女)(1997 年 9 月—)
(1998 年 3 月 10 日九届全国人大一次会议通过的《关于国务院机构改革的决定》将国家教育委员会更名为国家教育部)

国家科学技术委员会

主　任　宋　健(兼)
副主任
惠永正(1990 年—)
朱丽兰(女)(1986 年—)
邓　楠(女)(1991 年 11 月—)
韩德乾(1993 年 9 月—)
徐冠华(1995 年 2 月—)　陈祖涛
李学勇(1997 年国务院任命)
黄齐陶(—1995 年)
(1998 年 3 月 10 日九届全国人大一次会议通过的《关于国务院机构改革的决定》将国家科学技术委员会更名为国家科技部)

国防科学技术工业委员会

主　任　曹刚川　丁衡高(免)
政　委　李继耐　戴学江
(1998 年 3 月 10 日九届全国人大一次会议通过《关于国务院机构改革的决定》,组建新的中华人民共和国国防科学技术工业委员会,将原国防科工委管理国防工业的职能、国家计委国防司的职能以及各军工总公司承担的政府职能,统归新组建的国防科学技术工业委员会管理。)

民族事务委员会

主　任　司马义·艾买提(维吾尔族)(兼)
副主任
江家福(壮族)(1986 年—)
陈　虹(1993 年 7 月—)
文　精(蒙古族)(1990 年—)
图道多吉(藏族)(1991 年 10 月—)
李晋有(1993 年 5 月—)
伍精华(彝族)(1985 年—1993 年 5 月)
陈　欣(女)(1986 年—1993 年 5 月)
赵延年(1986 年—1993 年 7 月)

公安部

部　长　陶驷驹
副部长
田期玉(1992 年 5 月—)　白景富
牟新生(1993 年 4 月—)
李纪周(1995 年 12 月—)
顾林昉(—1993 年 4 月)
俞　雷(—1993 年 4 月)
蒋先进(—1996 年 2 月)

司法部

部　长　肖　扬
副部长
张秀夫　肖建章
张　耕(1993 年 6 月—)
刘　飏(女)(1994 年—)
张福森(1995 年 12 月—)
金　鉴(—1993 年 6 月)
郭德治(—1993 年 6 月)
王巨禄(1993 年 6 月—1995 年)

国家安全部

部　长　贾春旺

监察部

部　长　曹庆泽

副部长

何 勇 冯梯云 李至伦

左连璧(1995 年—)

徐 青(—1993 年 5 月)

民政部

部 长 多吉才让(藏族)

副部长

范宝俊

李宝库(1955 年—)

阎明复(—1997 年)

杨衍银(女)(1993 年 7 月—)

徐瑞新(1995 年 8 月—)

陈 虹(—1993 年 7 月)

财政部

部 长 刘仲藜

副部长

刘积斌(—1998 年 3 月) 张佑才

李延龄(1993 年 7 月—)

谢旭人(—1998 年 3 月)

迟海滨(—1993 年 5 月)

项怀诚(—1994 年 7 月)

金人庆(—1995 年)

人事部

部 长 宋德福

副部长

张志坚(—1998 年 4 月)

张学忠(1994 年 8 月—)

李铁林(兼)(1995 年—)

徐颂陶(1995 年 2 月—)

张柏林(1995 年 2 月—1997 年 12 月)

程连昌(—1994 年 8 月)

张汉夫(—1995 年)

蒋冠庄(—1995 年)

赵宗鼐(兼)(—1995 年 2 月)

劳动部

部 长 李伯勇

副部长

朱家甄(—1997 年 3 月)

刘雅芝(女)(1994 年 7 月—)

林用三(1995 年—)

王建伦(女)(1995 年—)

李沛瑶(—1993 年 4 月)

令狐安(—1993 年 9 月)

张左己(—1994 年)

李其炎(1996 年 11 月—)

(根据 1998 年 3 月 10 日九届人大一次会议通过的《关于国务院机构改革的决定》组建中华人民共和国劳动和社会保障部)

地质矿产部

部 长

朱 训(—1994 年 5 月)

宋瑞祥(1994 年 5 月—)

副部长

张宏仁 陈洲其(1994 年 7 月—)

蒋承菘(1996 年 4 月—)

寿嘉华(女)(1996 年 4 月—)

张文驹(—1994 年 8 月)

张文岳(—1995 年 12 月)

(根据 1998 年 3 月 10 日九届全国人大一次会议通过的《关于国务院机构改革的决定》撤销地质矿产部、国家土地管理局、国家海洋局和国家测绘局,共同组建国土资源部)

建设部

部 长 侯 捷

副部长

叶如棠(常务)(1988 年—2001 年 3 月)

谭庆琏(—1998 年 4 月)

李振东(—1998 年 7 月)

毛如柏(1993 年 5 月—1997 年 9 月)

邹玉川(1993 年 9 月—1998 年 4 月)

周干峙（　—1993年5月）

煤炭工业部

部　长　王森浩

副部长

张宝明（常务）（1993年5月—　）

濮洪九（1993年5月—1997年）

王显政（1995年—　）

朱登山（1995年—　）

王　君（1997年10月—　）

韩　英（1995年免）

范维唐（1995年免）

铁道部

部　长　韩杼滨

副部长

孙永福（1984年—　）

傅志寰（1991年—1998年3月）

国　林（1993年5月—1996年8月）

蔡庆华（1996年2月—　）

交通部

部　长　黄镇东

副部长

刘松金　李居昌　刘　锷

洪善祥（1995年—　）

郑光迪（女）（　—1995年）

机械工业部

部　长

何光远（　—1996年2月）

包叙定（1996年2月—　）

副部长

邵奇惠（1994年5月—　）

孙昌基（1993年5月—　）

吕福源（1994年4月—　）

姚明伟（1996年11月—　）

张德邻（　—1995年12月）

（1993年3月第八届全国人大一次会议决定撤销机械电子工业部，设立机械工业部）

冶金工业部

部　长　刘　淇

副部长

徐大铨　毕　群（1993年8月—　）

王万宾（1996年—　）

翁宇庆（1996年—　）

黎　明（　—1993年8月）

王汝林（　—1993年8月）

殷瑞钰（　—1996年）

吴溪淳（1993年8月—1996年）

化学工业部

部　长　顾秀莲（女）

副部长

谭竹洲（1983年—1996年8月）

贺国强（1991年2月—1996年11月）

李士忠（1993年4月—　）

成思危（1994年5月—1997年3月）

李勇武（1995年4月—　）

潘连生（1986年—1993年4月）

李子彬（1991年12月—1994年）

陈士能（1996年8月—　）

王心芳（1996年8月—　）　林殷才

中国轻工总会

会　长　于　珍（1993年5月—　）

副会长

潘蓓蕾（女）（1993年—　）

傅立民（1993年—　）

张善梅　徐荣凯（　—1995年）

杨志海（1996年3月—　）

朱　焘　步正发（1996年11月—　）

（1993年3月第八届全国人大一次会议决定撤销轻工业部，组建中国轻工总会）

中国纺织总会

会　长

吴文英(女)(1993年—1997年)

石万鹏(1997年—)

副会长

杜钰洲(1993年—)

刘　珩(1993年—)

任传俊(1994年—)

许坤元(1994年—)

(1993年3月第八届全国人大一次会议决定撤销纺织工业部,组建中国纺织总会)

邮电部

部　长　吴基传

副部长

杨贤足(1990年—)

刘平源(1991年—1996年8月)

林金泉(1993年10月—)

周德强(1994年9月—)

朱高峰(1982年—1994年9月)

刘立清(1996年8月—1998年3月)

(1998年3月设立中华人民共和国信息产业部)

水利部

部　长　钮茂生(满族)

副部长

张春园(1988年—)

严克强(1990年11月—1998年7月)

周文智(1991年4月—)

朱登铨(1995年—)

张基尧(1996年—)

何　璟(女)(1993年5月—1995年)

电力工业部

部　长　史大桢

副部长

赵希正(1993年—)

查克明(1993年—)

陆延昌(1993年—)

汪恕诚(1993年—)

高　严(1997年9月—)

(1993年3月第八届全国人大一次会议决定成立电力工业部,同年5月28日正式宣告成立。根据1998年3月10日九届全国人大一次会议通过的《关于国务院机构改革的决定》撤销电力工业部,电力行业已组建国家电力公司,电力工业部的政府管理职能并入国家经贸委)

农业部

部　长　刘　江

副部长

吴亦侠(1993年4月—1996年8月)

洪绂曾(1989年—1997年5月)

张延喜(1992年5月—1997年9月)

万宝瑞(1993年4月—)

刘成果(1993年9月—)

陈耀邦(—1993年5月)

白志健(1996年11月—1998年7月)

林业部

部　长

陈耀邦(1997年8月—)

徐有芳(1993年3月—1997年8月)

副部长

王志宝　祝光耀(1993年7月—)

张文康　刘于鹤(1994年4月—)

李育才(1995年—)

沈茂成(—1995年)

刘广远(免)　蔡延松(免)

(根据1998年3月10日九届全国人大一次会议通过的《关于国务院机构改革的决定》撤销林业部,改组为国家林业局,列入国务院直属机构序列)

国内贸易部

部　长

张皓若(1993年3月—1995年2月)

陈邦柱(1995年2月—　)

副部长

张世尧　陆　江(1993年7月—　)

何济海(1993年7月—　)

罗植龄(1995年—1998年9月)

应文华(1995年—　)

杨树德(1995年—1998年3月)

白美清(1993年7月—1995年)

马李胜(1993年7月—1995年)

马毅民(1993年7月—1995年8月)

(1993年3月第八届全国人大一次会议决定撤销商业部,组建国内贸易部)

对外贸易经济合作部

部　长　吴　仪(女)

副部长

石广生(1993年5月—1998年3月)

李国华(女)(1994年2月—1998年7月)

刘山在(1994年2月—　)

孙振宇(1994年11月—　)

陈新华(1996年—　)

郑斯林(1993年7月—1994年8月)

谷永江(1993年3月—1996年)

(1993年3月第八届全国人大一次会议决定,将对外经济贸易部更名为对外贸易经济合作部)

文化部

部　长　刘忠德

副部长

徐文伯　李源潮(1996年3月—　)

潘震宙(1996年3月—　)

艾青春(1996后3月—　)

广播电影电视部

部　长

艾知生(　—1994年5月)

孙家正(1994年5月—　)

副部长

田聪明　刘习良(　—1997年)

何栋材(　—1997年)

同向荣(1998年4月—　)

杨伟光(1994年5月—1997年12月)

赵　实(女)(1996年2月—1998年4月)

王　枫(　—1994年5月)

张海涛(1997年12月—　)

马庆雄　徐崇华

(根据1998年3月10日九届全国人大一次会议通过的《关于国务院机构改革的决定》撤销广播电影电视部,改组为国家广播电影电视总局,列入国务院直属机构序列)

卫生部

部　长　陈敏章

副部长

孙隆椿(1990年—1998年7月)

殷大奎(1993年2月—　)

王陇德(1995年12月—　)

张文康(1993年2月—1998年3月)

顾英奇(　—1995年)

胡熙明(　—1995年)

何界生(女)(　—1996年1月)

国家体育运动委员会

主　任　伍绍祖

副主任

袁伟民　徐寅生　刘　吉

张发强(1994年4月—　)

何振梁(　—1994年)

(根据1998年3月10日第九届全国人大一次会议通过的《关于国务院机构改革的决定》撤销国家体育运动委员会,改组为国家

体育总局，列入国务院直属机构序列）

国家计划生育委员会

主　任　彭珮云（女，兼）

副主任

彭　玉（女）（　—1997年1月）　杨魁孚

蒋正华　李宏规（1994年1月—　）

张维庆（1994年—1998年3月）　常崇煊

吴景春（女）（　—1994年1月）

刘汉彬（　—1995年）

中国人民银行

行　长

戴相龙（1995年6月—　）

李贵鲜（1993年3月—1993年7月）

朱镕基（兼）（1993年7月—1995年6月）

副行长

陈　元（1988年—1998年4月）

周小川（1996年11月—1998年1月）

朱小华（1993年7月—1996年11月）

殷介炎（1994年1月—　）

尚福林（1996年—　）

陈耀先（1996年—1997年7月）

郭振乾（1990年—1993年7月）

童赠银（1985年6月—1993年8月）

王岐山（1993年6月—1994年）

戴相龙（1993年7月—1995年6月）

周正庆（1986年—1995年）

白文庆（1989年—1995年）

审计署

审计长

吕培俭（　—1994年5月）

郭振乾（1994年5月—　）

副审计长

金基鹏　李金华

郑　力（女）（　—1996年11月）　刘鹤章

翟熙贵（1996年—2003年6月）

崔建民（　—1995年）

国家统计局

局　长

张　塞（　—1997年5月）

刘　洪（1997年5月—2000年10月）

副局长

邵宗明　卢春恒（1993年6月—　）

翟立功（1993年6月—　）　李林书（免）

许　刚　郑家亨（　—1993年6月）

于广沛（　—1993年6月）

孙兢新（　—1993年6月）

海关总署

署　长　钱冠林

副署长

吴乃文　刘文杰

黄汝凤（1993年4月—　）

王乐毅（1993年8月—　）　王洁平

甄　朴　于庚申（　—1993年4月）

中国民用航空总局

局　长　陈光毅

副局长

沈元康（1993年12月—　）

鲍培德（1993年12月—　）

王开元（1995年—　）

边少斌（1995年—　）

蒋祝平（1993年12月—1995年）

阎志祥（1993年4月—1995年）

李　钊（1993年4月—1996年）

（原名中国民用航空局，1993年4月19日更名为中国民用航空总局）

国家旅游局

局　长

刘　毅（　—1995年12月）

何光玮(1995 年 12 月—)
副局长 程文栋 孙 钢(兼)

中国气象局

局 长 邹竞蒙
副局长
温克刚(常务) 马鹤年 李 黄
颜 宏 骆继宾
(1993 年国务院决定国家气象局更名为中国气象局)

国家档案局

局 长 王 刚
副局长
李凤楼 张成良 刘国能 沈正乐

国务院参事室

主 任 常 捷
副主任
王海容(女) 吕德润 王楚光 吴 空
白光涛 王立明

国家工商行政管理局

局 长 王从乎
副局长
甘国屏 白大华(1991 年—) 曹天砧
杨培育 朝新民(1994 年 10 月—)

国家土地管理局

局 长 邹玉川
副局长
刘文甲(1991 年 9 月—) 李长江
李 元(1994 年 1 月—) 王光希
陈 业 马克伟

国家新闻出版署

署 长 于友先
副署长
刘 杲 王强华 卢玉忆(女) 于永湛
桂晓风 梁 衡(1993 年 10 月—)
谢 宏

国家环境保护局

局 长
解振华(1993 年 6 月—)
曲格平(—1993 年 6 月)
副局长
王扬祖 叶汝求 张坤民
王玉庆(1994 年 2 月—)

国务院宗教事务局

局 长 叶小文
副局长
洛桑赤耐(藏族) 刘书良 杨同祥

国务院机关事务管理局

局 长
郭 济(1990 年—1997 年 9 月)
焦焕成(1997 年 7 月—)
副局长
鲍先广 曹剑峰
赵文海(1994 年 5 月—1997 年 7 月)
焦焕成(1994 年 5 月—)
田玉安 刘广振(—1994 年 5 月)
董述伟(—1994 年 5 月)

国务院发展研究中心

主 任 孙尚清(1993 年 4 月—1996 年)
副主任
刘中一(1993 年 4 月—)

陆百甫(1993年7月—　)
邓鸿勋(1994年—　)
鲁志强(1995年—　)
李庆伟(　—1993年7月)
王郁昭(　—1993年)
张　磐(　—1993年7月)
吴明瑜(　—1993年7月)
张万欣(　—1993年7月)
才晓予(　—1993年7月)

中国科学院

院　长
周光召(1987年—1997年7月)
路甬祥(1997年7月—　)
副院长
严义埙(1992年—　)
许智宏(1992年10月—　)
路甬祥(1993年11月—1997年7月)
陈宜瑜(1995年—　)
白春礼(1996年—　)
王佛松(1988年—1994年)
徐冠华(1994年8月—1995年)
胡启恒(女)(1988年9月—1996年)

中国社会科学院

院　长　胡　绳
副院长
王忍之　汝　信(　—1998年11月)
王洛林(1993年7月—　)
滕　藤(1993年5月—1998年11月)
刘　吉(1993年—1998年11月)
龙永枢(1993年—1998年11月)
刘国光(　—1993年)
曲维镇(　—1993年)
钱锺书(　—1993年)
江　流(　—1993年)

新华通讯社

社　长　郭超人(1992年11月—　)
副社长
夏赞忠(1993年4月—1997年2月)
南振中(1993年4月—　)
张宝顺(1993年4月—　)
高秋福(1994年10月—　)

国家税务总局

局　长
金　鑫(　—1994年)
刘仲藜(1994年兼任—1998年4月)
副局长
杨崇春(1994年—1998年7月)
陈景新　李永贵　张相海
项怀诚(1994年7月—　)
卢仁法(1994年7月—　)
程法光(1996年—　)
郝昭成(1996年—　)
金　鑫(1994年—1995年)
(1993年4月国家税务局改为国家税务总局)

国家专利局

局　长　高卢麟
副局长
安玉涛　姜　颖　明廷华　马连元

国务院法制局

局　长　杨景予
副局长
黄曙海　李培传　曹康泰　徐玉麟　王世荣

国务院港澳台办公室

主　任　鲁　平
副主任
陈滋英(1991年—　)
王凤超(1994年—　)

李　后　王启人

国务院侨务办公室

主　任　廖　晖

副主任

刘泽彭(1992年6月—　)

李海峰(女)(1994年9月—　)

张伟超(1994年9月—　)

李星浩(1994年9月—　)

陈　皡(1986年—1994年9月)

国务院特区办公室

主　任

何椿霖(　—1993年5月)

胡　平(1993年5月—1996年1月)

葛洪升(1996年2月—　)

副主任

陈顺恒　赵光华(1993年7月—　)

万季飞(1996年1月—　)

胡光宝(1992年—1993年5月)

赵云栋(1986年—1996年1月)

国务院特区办公室

主　任　葛洪升

副主任

陈顺恒　赵光华　万季飞

(国务院特区办公室原为中国进出口委员会、外经部、外贸部的一个组。1982年正式归国务院管辖,为国务院下设的主管全国特区工作的日常事务办事机构。根据1998年3月国务院机构改革决定,不再为国务院办事机构)

国务院外事办公室

主　任

齐怀远(　—1994年)

刘华秋(1994年—　)

副主任

吕聪敏(1994年5月—1998年4月)

原　焘(1995年8月—1998年4月)

马振岗(1995年8月—1997年1月)

程振声

夏道生(1992年6月—1995年8月)

国务院新闻办公室

主　任

曾建徽(1992年12月—1998年4月)

副主任

杨正泉(1993年5月—2001年5月)

李　冰(1994年—　)

马毓真(1995年8月—1997年7月)

李源潮(　—1996年3月)

赵启正(1998年1月—1998年4月)

王国庆(2000年12月—　)

蔡名照(2001年5月—　)

李　刚(2001年5月—　)

国务院台湾事务办公室

主　任　王兆国

副主任

孙晓郁(1988年—1996年11日)

唐树备(1989年6月—　)

张克辉(兼)(1990年2月—　)

陈云林(1994年—1997年1月)

国务院研究室

主　任

袁　木(　—1995年)

王梦奎(1995年—　)

副主任

杨雍哲(1990年—1998年3月)

姜云宝(1994年—1998年4月)

徐荣凯(1995年8月—1998年3月)

桂世镛(兼)(1988年—1993年11月)

王梦奎(1990年—1995年)

国家行政学院

院 长

李贵鲜(兼)(1994年—1998年4月)

副院长

桂世镛(1994年—)

唐铁汉(1995年—)

张修学(1995年—)

程连昌(1994年8月—1996年1月)

张镜源(1994年8月—1996年1月)

(1994年9月21日成立)

第九届全国人大期间国务院组成部门、直属机构、办事机构、直属事业单位

外交部

部 长 唐家璇

(1998年3月18日九届全国人大一次会议通过)

副部长

李肇星(1995年—1998年,2000年12月—2003年3月)

王英凡(1995年9月—1999年11月)

张德广

杨洁篪(1998年2月—2000年12月)

古佩定(1998年4月—2001年3月)

杨文昌(1998年6月—) 杨福昌

戴秉国 姜恩柱 唐家璇 田曾佩

刘华秋 王 毅(2001年3月—)

谷家淮(2001年8月—)

(外交部成立于1949年中华人民共和国成立后,是国务院负责全国外交工作的部门,代表国家和政府办理外交事务,对外发布国家重大对外政策和决定,公布国家外交文件和声明;负责外交谈判,签订有关条约、协定等外交文件;办理外交交涉;参加联合国和政府间的有关国际会议和国际组织的活动)

国防部

部 长 迟浩田(兼)

(1998年3月18日九届全国人大一次会议通过)

(1954年9月第一届全国人大第一次会议决定成立国防部,隶属于国务院,是国务院主管全国国防工作的部门)

国家发展计划委员会

主 任 曾培炎

(1998年3月18日九届全国人大一次会议通过)

副主任

王春正(1998年4月—)

郝建秀(女)(—2001年8月) 刘 江

包叙定(—1999年6月)

李荣融(—2000年4月) 江 洋

张国宝(1999年4月—)

李子彬(2000年10月—)

于广洲(2001年6月—)

姜伟新(2001年6月—)

黄淑和(2002年3月—)

顾利珍(2002年3月—)

(根据1998年3月10日九届全国人大一次会议通过的《关于国务院机构改革的决定》,国家计划委员会更名为中华人民共和国国家发展计划委员会)

国家经济贸易委员会

主 任 盛华仁

(1998年3月18日九届全国人大一次会议通过)

李荣融(2001年2月—)

副主任

张志刚(1997年7月—)

陈邦柱(1998年4月—2000年4月)

郑斯林(1998年9月—2000年4月)

于 珍(—2002年3月)

石万鹏(1998年4月—2002年3月)
陈清泰(1993年5月—1998年11月)
李荣融(1999年12月—)
蒋黔贵(2000年4月—)
王万宾(1999年8月—2001年8月)
谢旭人(2001年11月—)
李盛霖(2003年3月—)
黄淑和(2002年3月—)
欧新黔(2002年3月—)
(中华人民共和国国家经济贸易委员会是根据1998年3月国务院机构改革方案建立的,同年5月6日正式挂牌。根据1998年3月10日九届全国人大一次会议通过的《关于国务院机构改革的决定》,将煤炭工业部、机械工业部、冶金工业部,国内贸易部、轻工总会和纺织总会,分别改组为国家煤炭工业局、国家机械工业局、国家国内贸易局、国家轻工业局和国家纺织工业局,由国家经贸委管理。将化学工业部、石油天然气总公司、石油化工总公司的政府职能合并,组建国家石油和化学工业局,由国家经贸委管理)

国家经济体制改革委员会

主　任　朱镕基
副主任　刘仲藜
委　员
曾培炎　盛华仁　刘积斌　项怀诚　戴相龙　洪　虎
(国家体改委是根据五届全国人大常委会二十二次会议决定、于1982年5月4日成立的,是国务院研究协调和指导经济体制改革工作的综合职能部门。根据1998年3月10日九届全国人大一次会议通过的《关于国务院机构改革的决定》,国家经济体制改革委员会,改为国务院高层次的议事机构,总理兼主任,有关部长任成员,不再列入国务院组成部门序列,具体工作由国务院体改办承担)

教育部

部　长　陈至立(女)
(1998年3月18日九届全国人大一次会议通过)
副部长
吕福源(—2002年3月)
韦　钰(女)(—2002年7月)
张天保(—2002年4月)
周远清(1998年4月—2001年4月)
张保庆　柳　斌
王　湛(2000年4月—)
周　济(2002年6月—)
袁贵仁　章新胜
赵沁平(2001年4月—)
(教育部是国务院主管教育工作的综合部门,原为国家教育委员会。1949年10月成立文化教育委员会、教育部。1952年11月增设高等教育部、体育运动委员会、扫除文盲工作委员会。1954年扫除文盲工作委员会并入教育部。1958年2月高等教育部并入教育部。1964年7月恢复高等教育部。1966年7月高等教育部并入教育部。1970年6月中共中央决定撤销教育部,成立国务院科教组。1975年1月第四届全国人大决定恢复教育部。1985年6月18日全国人大六届十一次常委会决定撤销教育部,设立国家教育委员会。根据1998年3月10日九届全国人大一次会议通过的《关于国务院机构改革的决定》国家教育委员会更名为教育部)

科学技术部

部　长　朱丽兰(女)
(1998年3月18日九届全国人大一次会议通过)
徐冠华(2001年2月—)
副部长
徐冠华　惠永正(—2000年4月)
邓　楠(女)　韩德乾(—2000年4月)
李学勇　马颂德(2000年4月—)
程津培(2000年4月—)
刘燕华(2001年11月—)
(中华人民共和国科学技术部是国务院主管

国家科学技术工作的部门，其前身是国家科学技术委员会，成立于1956年5月。1958年11月23日，第一届全国人大常委会第一百零二次会议决定撤销国家技术委员会，设立科学技术委员会。1970年6月22日中央决定撤销该机构，1977年9月恢复科学技术委员会。1978年改为国家科学技术委员会。根据1998年3月10日九届全国人大一次会议通过的《关于国务院机构改革的决定》，国家科学技术委员会更名为中华人民共和国科学技术部）

国防科学技术工业委员会

主　任　刘积斌

（1998年3月18日九届全国人大一次会议通过）

副主任

徐鹏航　栾恩杰　张华祝　张洪飚　于宗林（1998年4月任）

张维民（1998年12月—　）

张俊九（1998年4月—1998年12月）

张广钦（2001年2月—　）

（国防科学技术工业委员会是根据1998年3月10日九届全国人大一次会议通过的《关于国务院机构改革的决定》而设立的。国务院机构改革方案决定，将原国防科工委管理国防工业的职能、国家计委国防司的职能，以及各军工总公司承担的政府职能，统归新组建的国防科学技术工业委员会管理。逐步将各军工总公司改组为若干企业集团，保留国家航天局和国家原子能机构，对外代表国家，对内作为国防科工委的机构。国防科工委要与军委有关部门配合，负责军事装备的生产供应，科研规划的制定和组织实施。国防科工委负责制定各类军工行业的发展规划和法规，实施行业管理，会同国家经贸委制定军工转民品生产的规划）

民族事务委员会

主　任　李德洙（朝鲜族）

（1998年3月九届全国人大一次会议通过）

副主任

江家福（壮族）

陈　虹（1993年7月—1999年11月）

文　精（蒙古族）（1990年—1999年11月）

图道多吉（藏族）（1991年10月—　）

李晋有（1993年5月—　）　包玉山（免）

伍精华（彝族）　陈　欣（女）　赵延年

牟本理（1999年11月—　）

（国家民委是国务院主管全国民族事务工作的职能部门，其前称中央民委，成立于1949年10月。1954年第一届全国人大后改为国家民委。1970年6月22日中共中央决定撤销国家民委。1978年2月重新恢复）

公安部

部　长

贾春旺（　—2002年12月）

（1998年3月18日九届全国人大一次会议通过）

周永康（2002年12月—　）

副部长

田期玉　白景富

罗　锋（1999年8月—　）

赵永吉（1999年8月—　）

胡之光　顾林昉　俞　雷　蒋先进

牟新生（1993年4月—1998年12月　2000年10月—2001年4月）

李纪周（1995年12月—1999年3月）

杨焕宁（2001年1月—　）

部长助理

李润森　朱恩涛（1998年3月—　）

（中央人民政府公安部成立于1949年，1954年改为中华人民共和国公安部，属国务院领导）

国家安全部

部　长　许永跃（1998年3月18日九届全国人

大一次会议通过)
(1983年6月,六届全国人大一次会议审议并批准成立中华人民共和国国家安全部的建议,1983年7月1日,安全部正式成立)

监察部

部　长　何　勇
(1998年3月18日九届全国人大一次会议通过)
副部长
李至伦
赵洪祝(1998年4月—2000年10月)
陈昌智(1998年11月—　)
干以胜(1998年11月—2002年12月)
黄树贤(2001年1月—　)
李玉赋(2002年12月—　)
(1998年11月国务院任命)
徐　青　何　勇　左连璧
冯梯云(　—1998年12月)
(中华人民共和国监察部是国务院领导下的国家行政监察部门,中华人民共和国成立初期,政务院曾设有人民监察委员会。1954年9月,人民监察委员会改为监督部,1959年4月撤销。1986年12月,第六届全国人民代表大会常委会第十八次会议决定设立中华人民共和国监察部。国家监察部由部长、副部长组成部务会议,讨论决定国家监察部的重大事项)

民政部

部　长　多吉才让(藏族)
(1998年3月18日九届全国人大一次会议通过)
副部长
范宝俊(　—2001年5月)
李宝库(1995年—　)
杨衍银(女)(1993年7月—　)
徐瑞新(1995年8月—2001年5月)
陈　虹　阎明复
李学举(2001年8月—　)
罗平飞(2001年5月—　)
姜　力(女)(2001年5月—　)
(民政部是国务院下设的负责统筹规划管理基层选举、优抚、救济、社会福利、婚姻登记和其他社会事务的政府职能部门,1949年至1968年由内务部管理民政部的工作,1970年6月22日中共中央决定撤销内务部。1978年3月5日第五届全国人大第一次会议决定成立民政部)

司法部

部　长
高昌礼(　—2000年12月)
(1998年3月18日九届全国人大一次会议通过)
张福森(2000年12月—　)
副部长
肖建章(　—1998年)
范方平(1999年3月—　)
刘　飏(女)　段正坤(1998年11月—　)
张福森　鲁　坚　金　鉴　郭德治　王巨禄
张　耕　张秀夫(　—1998年)
胡泽君(女)(2001年4月—　)

财政部

部　长　项怀诚
(1998年3月18日九届全国人大一次会议通过)
副部长
张佑才(2002年—　)　李延龄
楼继伟(1998年3月—　)　金立群
高　强(1998年9月—2001年8月)
谢旭人　刘积斌　迟海滨　项怀诚　金人庆
朱志刚(　—2000年10月)
肖　捷(2001年9月—　)
廖晓军(2002年9月—　)
部长助理　韩国春　汪兴益　刘长琨
(中华人民共和国财政部成立于1949年10

月，它是国务院综合管理国家财政收支、主管财税政策和实施财政监督的职能部门）

人事部

部　长

宋德福（　—2000 年 12 月）

（1998 年 3 月 18 日九届全国人大一次会议通过）

张学忠（2000 年 12 月—　）

副部长

张学忠（1994 年 8 月—2000 年 11 月）

李铁林（兼）（1995 年—2001 年 1 月）

徐颂陶（1995 年 2 月—2001 年 4 月）

万学远（1997 年 5 月—　）

戴光前（1997 年 12 月—　）

孙树义（1998 年 4 月—　）

步正发（1998 年 4 月—1999 年 11 月）

程连昌　张汉夫　蒋冠庄　赵宗鼐（兼）

张柏林　张志坚

尹蔚民（2000 年 12 月—　）

侯建良（2000 年 12 月—　）

舒惠国（正部长级）（2001 年 4 月—　）

（人事部的前身最早为政务院人事局，成立于 1949 年 10 月。1950 年成立中央人事部，安子文任部长。1954 年撤销中央人事部，成立国务院人事局。“文化大革命”期间，内务部撤销，有关人事方面的工作移交中央组织部办理，1978 年 3 月成立民政部政府机关人事局。1980 年，国务院决定将民政部政府机关人事局与国务院军队转业干部安置工作小组办公室合并，成立国家人事局，直属国务院领导。1982 年 5 月，劳动总局、国家人事局、国家编委和国务院科技干部局合并成立劳动人事部，赵守一任部长。1988 年，根据国务院机构改革方案，成立人事部。人事部是国家人事管理的职能部门）

劳动和社会保障部

部　长　张左己

（1998 年 3 月 18 日九届全国人大一次会议通过）

副部长

李其炎（1996 年 11 月—　）

刘雅芝（女）（1994 年 7 月—2001 年 3 月）

林用三（1995 年—2002 年 3 月）

王建伦（女）（1995 年—2002 年 3 月）

王东进　张小建（2001 年 6 月—　）

步正发（2002 年 3 月—　）

刘永富（2002 年 3 月—　）

（中华人民共和国劳动和社会保障部是根据 1998 年 3 月 10 日九届全国人大一次会议通过的《关于国务院机构改革的决定》而设立的，是在原劳动部的基础上组建的）

国土资源部

部　长

周永康（　—2000 年 2 月）

（1998 年 3 月 18 日九届全国人大一次会议通过）

田凤山（2002 年 2 月—　）

副部长

蒋承菘　寿嘉华（女）

李　元（1998 年 4 月—　）

鹿心社（1999 年 5 月—　）

（国土资源部是根据 1998 年 3 月 10 日九届全国人大一次会议通过的《关于国务院机构改革的决定》而设立的，1998 年 4 月 8 日正式成立。国土资源部是由原地质矿产部、国家土地管理局、国家海洋局和国家测绘局共同组建而成的）

国家海洋局

局　长

张登义（1995 年 12 月—2000 年 4 月）

王曙光（2000 年 4 月—　）

副局长

陈炳鑫　葛有信

王曙光（1998 年 3 月—2000 年 4 月）

陈志辉(1999 年 1 月—)
陈连增(1999 年 1 月—)
钱志宏　陈德宏　杨文鹤
(国家海洋局是 1964 年成立的,作为国务院机构的国家海洋局当时由海军代管,后成为国务院下设的统筹规划管理全国海洋工作的政府职能部门,是国务院直属机构。1993 年 4 月 19 日国务院决定国家海洋局由国家科学技术委员会管理。1994 年国务院决定,国家南极考察委员会办公室更名为国家海洋局南极考察办公室。根据 1998 年 3 月 10 日九届全国人大一次会议通过的《关于国务院机构改革的决定》将国家海洋局作为国土资源部的部管国家局,它是国土资源部管理的监督管理海域使用和海洋环境保护、依法保护海洋权益和组织海洋科技研究的行政机构)

建设部

部　长　俞正声
(1998 年 3 月 18 日九届全国人大一次会议通过)
副部长
叶如棠(常务)
赵宝江(1997 年 3 月—2001 年 6 月)
宋春华(1998 年 1 月—2001 年 6 月)
郑一军(1998 年 1 月—)
刘志峰(1998 年 4 月—)　周干峙
干志坚　毛如柏　俞正声　谭庆琏
邹玉川　李振东
傅雯娟(2001 年 6 月—)
仇保兴(2001 年 11 月—)
(建设部是负责建设行政管理的国务院组成部门,成立于 1988 年 3 月 28 日,原为 1982 年成立的城乡建设环境保护部的一部分。根据第九届全国人民代表大会第一次会议批准的国务院机构改革方案和《国务院关于机构设置的通知》(国发[1998]5 号),设置建设部)

铁道部

部　长　傅志寰
(1998 年 3 月 18 日九届全国人大一次会议通过)
副部长
孙永福　蔡庆华(1996 年 2 月—)
刘志军(1996 年 8 月—)
盛光祖(1999 年 3 月—2000 年 10 月)
国　林　傅志寰
王兆成(2000 年 10 月—)
彭开宙(2002 年 1 月—)
(铁道部是国务院管理全国铁路的机构,成立于 1949 年 10 月,根据铁道运输工作需要高度集中、统一指挥的特点,铁道部既是国家政府部门,又担负必要的企业管理职能,为国务院政府机构中唯一实行政企合一、兼有政企双重职能的部)

交通部

部　长　黄镇东
(1998 年 3 月 18 日九届全国人大一次会议通过)
副部长
李居昌(　—2000 年 10 月)
洪善祥(1995 年—)
胡希捷(1997 年 5 月—)
张春贤(1998 年 4 月—)
郑光迪(女)　刘　锷　刘松金
翁孟勇(2000 年 10 月—)
(交通部是国务院对全国水路、公路交通实行组织领导和宏观调控,归口进行行业管理的职能部门。最初成立于 1949 年 10 月,主要负责公路、港口建设和运输。1970 年 7 月,交通部、铁道部和邮电部的邮政部分合并组建为交通部。1975 年 1 月,交通部与铁道部分开,邮电业务归还邮电部,成立了独立的交通部)

国家机械工业局

局　长

邵奇惠(1998 年 4 月—1999 年 11 月)

吴晓华(1999 年 11 月—　)

副局长

姚明伟(1998 年 3 月任)

张德林(1995 年 12 月免)

张小虞(1998 年 5 月—　)

吴晓华(1999 年 4 月—1999 年 11 月)

孙昌基(常务)(免)

(根据 1998 年 3 月 10 日九届全国人大一次会议通过的《关于国务院机构改革的决定》撤销机械工业部,改组为国家机械工业局,由国家经贸委管理)

国家冶金工业局

局　长

王万宾(1998 年 4 月—1999 年 8 月)

蒲海清(正部长级)(1999 年 8 月—　)

副局长

吴建常

单亦和(1998 年 9 月—　)

赵喜子(1998 年 9 月—　)

翁宇庆

(根据 1998 年 3 月 10 日九届全国人大一次会议通过的《关于国务院机构改革的决定》撤销冶金部,改组为国家冶金工业局,由国家经贸委管理,1998 年 4 月 8 日挂牌)

国家石油和化学工业局

局　长　李勇武(1998 年 4 月 5 日—　)

副局长

阎三忠　陈　耕(1998 年 4 月—　)

谢钟毓(1998 年 7 月—　)

(根据 1998 年 3 月 10 日九届全国人大一次会议通过的《关于国务院机构改革的决定》,撤销化学工业部,将化学工业部、石油天然气总公司、石油化工总公司的政府职能合并,组建国家石油和化学工业局,由国家经贸委管理。国家石油和化学工业局于 1998 年 4 月 8 日挂牌)

国家轻工业局

局　长　陈士能(1998 年 4 月 5 日—　)

副局长　杨志海　潘蓓蕾(女)　朱　焘

(1993 年 3 月在八届全国人大一次会议上通过了国务院机构改革方案,决定撤销轻工业部,组建中国轻工总会。同年 7 月 15 日在北京成立,是对全国轻工业行使行业管理职能的国务院直属事业单位。根据 1998 年 3 月 10 日九届全国人大一次会议通过的《关于国务院机构改革的决定》将国家轻工总会改组为国家轻工业局,由国家经贸委管理。于 1998 年 4 月 8 日挂牌)

国家纺织工业局

局　长　杜钰洲(1998 年 4 月—　)

副局长　许坤元

(国家纺织工业局的前身是纺织工业部。1993 年 3 月全国人大第八届一次会议通过了国务院机构改革方案,决定撤销纺织工业部,组建中国纺织总会。1998 年 3 月 10 日九届全国人大一次会议通过《关于国务院机构改革的决定》将中国纺织总会改组为国家纺织工业局,由国家经贸委管理。国家纺织工业局于 1998 年 4 月 16 日在北京挂牌)

信息产业部

部　长　吴基传

(1997 年 3 月 18 日九届全国人大一次会议通过)

副部长

吕新奎(　—2000 年 2 月)

曲维枝(女)(　—2002 年 3 月)

周德强(　—2000 年 10 月)

娄勤俭(1999 年 8 月—　)

刘剑锋(　—1998 年 7 月)

杨贤足(　—1999 年 8 月)

张春江(2000 年 4 月—)
奚国华(2002 年 1 月—2002 年 6 月)
苟仲文(2002 年 3 月—)
王旭东(2002 年 12 月—)
(信息产业部是根据 1998 年 3 月 10 日九届全国人大一次会议通过的《关于国务院机构改革的决定》而设立的,1998 年 3 月 31 日挂牌。它是由原邮电部和电子工业部及广播电影电视部、航天工业总公司、航空工业总公司的信息和网络管理的政府部门组成)

国家邮政局

局　长　刘立清(1998 年 4 月—)
副局长
谭小为(1998 年 9 月—)
武士雄(1998 年 9 月—)
刘安乐(1998 年 9 月—)
马军胜(1998 年 9 月—)
(国家邮政局于 1998 年成立,为信息产业部管理的国家局,1998 年 4 月 28 日正式挂牌)

水利部

部　长
钮茂生(满族)(—1998 年 11 月)
(1998 年 3 月 18 日九届全国人大一次会议任命)
汪恕诚
副部长
张春园(—2000 年 4 月)
周文智(1991 年 4 月—2001 年 6 月)
朱登铨(—2000 年 4 月)
张基尧(1996 年 5 月—)　王守强
何　璟(女)　严克强
敬正书(2000 年 4 月—)
翟浩辉(2000 年 4 月—)
陈　雷(2001 年 6 月—)
李丽生(2001 年 6 月—)
(水利部是主管水利行政的国务院组成部门,成立于 1949 年 10 月,1958 年 2 月 11 日第一届全国人大第五次会议决定撤销电力工业部和水利工业部,设水利电力部。1979 年 2 月 23 日第五届全国人大第六次会议决定撤销水利电力部,分别设水利部和电力工业部。1982 年机构改革将水利部和电力工业部合并设水利电力部。1988 年 4 月,七届人大一次会议上通过国务院机构改革方案,确定成立水利部。水利部于 1988 年 7 月 22 日重新组建,根据第九届全国人大一次会议批准的国务院机构改革方案和《国务院关于机构设置的通知》(国发[1998]5 号)设置水利部)

农业部

部　长　陈耀邦
(1998 年 3 月 18 日九届全国人大一次会议通过)
副部长
万宝瑞(—2001 年 8 月)
刘成果(1993 年 9 月—2002 年 2 月)
路　明(1997 年 5 月—2000 年 4 月)
齐景发(1997 年 9 月—)
刘　坚(1999 年 3 月—)　白志健
张宝文(2000 年 4 月—)
范小建(2000 年 12 月—)
韩长赋(2001 年 8 月—)
(农业部成立于 1949 年 10 月,1970 年 6 月中共中央决定撤销农业部,设农林部。1979 年 2 月第五届全国人大常委会决定撤销农林部,分设农业部和林业部。1982 年国务院机构改革将农业部、农垦部、国家水产总局合并设立农牧渔业部。1988 年根据国务院机构改革方案,撤销农牧渔业部,成立农业部。农业部是国务院综合管理种植业、畜牧业、水产业、农垦、乡村镇企业和饲料工业等产业的职能部门,又是农村经济宏观管理的协调部门)

国家国内贸易局

局　长 杨树德(1998年4月—　)

副局长 丁俊发(1998年9月—　)

(根据1998年3月10日九届全国人大一次会议通过的《关于国务院机构改革的决定》撤销国内贸易部,改组为国家国内贸易局,由国家经贸委管理)

对外贸易经济合作部

部　长 石广生

(1998年3月18日九届全国人大一次会议通过)

副部长

孙振宇(1994年11月—2002年2月)

陈新华(1996年—2001年1月)

孙广相(1998年7月—2002年3月)

张　祥(1998年7月—2002年2月)

周可仁(1999年3月—　)　郑斯林

谷永江　石广生　李国华(女)

刘山在(1994年2月—1999年3月)

安　民(2001年3月—　)

魏建国(2002年2月—　)

马秀红(女)(2002年2月—　)

龙永图(2002年3月—　)

吕福源(2002年3月—2003年3月)

(中华人民共和国对外贸易经济合作部是根据1993年3月国务院机构改革方案,由对外经济部更名而来)

文化部

部　长 孙家正

(1998年3月18日九届全国人大一次会议通过)

副部长

李源潮(1996年3月—2000年10月)

潘震宙(1996年3月—2003年3月)

艾青春(1996年3月—2001年4月)

孟晓驷(女)(1997年7月—　)

徐文伯(　—1999年)

陈晓光(2001年4月—　)

周和平(2001年4月—　)

赵维绥(2001年9月—　)

郑欣淼(2002年10月—　)

部长助理 高运甲

(文化部是国务院负责全国文化艺术工作的职能部门。中央人民政府文化部成立于1949年10月,1954年改为中华人民共和国文化部,简称“文化部”。1970年6月22日中共中央决定撤销文化部,成立国务院文化组。1975年1月第四届全国人大决定恢复文化部的设置。1982年第五届全国人大常委会第二十三次会议决定将文化部、对外文化联络委员会、国家出版事业管理局、国家文化事业管理局、外交出版发行事业局合并,设立文化部)

卫生部

部　长 张文康

(1998年3月18日九届全国人大一次会议通过)

副部长

殷大奎(1993年2月—2001年11月)

王陇德

彭　玉(女)(1997年1月—2001年11月)

曹荣桂(1996年1月—2000年4月)

朱庆生(1998年11月—　)　孙隆椿

王陇德(1995年12月—　)

佘　靖(女)(2000年4月—　)

黄洁夫(2001年11月—　)

马晓伟(2001年11月—　)

(中华人民共和国卫生部是国务院主管全国卫生工作的职能部门,前身是1949年11月1日成立的中央人民政府卫生部。1954年11月1日改为现名)

计划生育委员会

主　任 张维庆

(1998年3月18日九届全国人大一次会议通过)

副主任

杨魁孚（ —2001年1月）

张玉芹（女）（1997年7月— ）

（1998年3月18日九届全国人大一次会议通过）

赵炳礼（1999年3月— ）

常崇煊 刘汉彬 彭 玉（女）

蒋正华（ —1999年3月） 李宏规

潘贵玉（女）（2001年1月— ）

王国强（2001年1月— ）

（1973年，国务院成立计划生育领导小组，1981年3月6日，经五届全国人大常委会第十七次会议批准设立国家计划生育委员会，1998年，根据九届全国人大一次会议批准的国务院机构改革方案和《国务院关于机构设置的通知》设置国家计划生育委员会。国家计划生育委员会是主管计划生育工作的国务院组成部门）

中国人民银行

行 长

戴相龙（ —2002年12月）

（1998年3月18日九届全国人大一次会议通过）

周小川（2002年12月— ）

副行长

尚福林（1996年—2000年4月）

史纪良（1997年12月— ）

阎海旺（1998年4月— ）

刘明康（1998年4月—1999年8月）

肖 钢（1998年10月— ） 刘鸿儒

邱 晴（女） 郭振乾 童赠银 王岐山

戴相龙 周正庆 白文庆 朱小华 陈耀先

周小川 陈 元

殷介炎（1994年1月— ）

刘延焕（2000年4月— ）

吴晓灵（女）（2000年4月— ）

郭树清（2001年4月— ）

（中国人民银行是中华人民共和国的中央银行，是在国务院领导下制定和实施货币政策，对金融业实施监督管理的宏观调控部门，成立于1948年12月1日，由原华北银行、北海银行、西北农民银行合并而成，以华北银行为总行，地点设在河北省石家庄市。1983年9月，国务院决定中国人民银行专门行使中央银行职能，不再兼办工商信贷和储蓄业务。1995年3月18日，第八届全国人民代表大会第三次会议审议通过了《中华人民共和国中国人民银行法》。至此，中国人民银行相对于国务院其他部委和地方政府具有明显的独立性，财政不得向中国人民银行透支，中国人民银行不得直接认购政府债券，中国人民银行分支行是总行派出机构，它执行全国统一的货币政策，依法对金融机构进行监督，其职责的履行不受地方政府干预）

审计署

审计长 李金华

（1998年3月18日九届全国人大一次会议通过）

副审计长

金基鹏（ —2000年4月）

刘鹤章（ —2002年2月）

翟熙贵（1996年5月— ）

刘家义（1996年11月— ）

罗进新 崔建民 郑 力（女） 李金华

董大胜（2000年4月— ）

令狐安（正部长级）（2001年11月— ）

项俊波（2002年2月— ）

（审计署组建于1993年9月，是中国最高审计机关，属国务院部级机构，负责组织领导全国的审计工作）

海关总署

署 长

钱冠林（1998年3月—2001年3月）

牟新生（2001年3月— ）

副署长

吴乃文 刘文杰（2001年5月— ）

黄汝凤 王乐毅(1998年11月—)
刘 京(—2000年10月)
赵光华(—2003年3月)
田润之(—1999年11月)
牟新生(1998年12月—2001年3月)
王洁平 甄 朴 于庚申
李长江(1999年11月—2001年4月)
盛光祖(2000年10月—)
李克农(2000年10月—)
龚 正(2003年3月—)
(海关总署成立于1949年10月25日,直属政务院领导,统一管理全国海关。1953年,海关总署划归对外贸易部领导。1961年,各地海关建制下放各省、自治区、直辖市,海关总署改为对外贸易部的一个局,称海关管理局。1980年初,国务院将当时由地方管理的海关建制收归中央,设立海关总署,直属国务院,海关总署是国家的进出境监督管理机关和查禁走私的主管部门。根据1998年国务院机构改革方案,撤销全国打击走私领导小组和国家口岸办,工作由海关总署承担)

国家税务总局

局 长 金人庆(1998年3月任)

副局长

陈景新 李永贵 张相海
卢仁法(1994年7月—2000年4月)
程法光(1996年—)
郝昭成(1996年—) 金 鑫
项怀诚 杨崇春
崔俊慧(2000年4月—)
许善达(2000年4月—)
钱冠林(保留正部长级)(2001年4月—)

国家环境保护总局

局 长 解振华

副局长

宋瑞祥(—2002年1月) 祝光耀
王心芳 王玉庆(1998年6月—)
汪纪戎(女)(1998年6月—)
(根据1998年3月国务院机构改革方案和《国务院关于机构设置的通知》(国发[1998]5号),设置国家环境保护总局(正部级),为国务院主管环境保护工作的直属机构)

中国民用航空总局

局 长

陈光毅(—1998年6月)
刘剑锋(1998年6月—2002年6月)
杨元元(2002年6月—)

副局长

沈元康(1993年12月—2000年4月)
鲍培德(1993年12月—2002年10月)
王开元(1995年—2001年6月) 王立安
蒋祝平 阎志祥 李 钊
边少斌(1995年—)
杨元元(1999年8月—2002年6月)
高宏峰(2000年4月—)
杨国庆(2000年—)
李 军(2001年6月—)
刘绍勇(2002年12月—)
(中国民用航空总局成立于1949年11月,后更名为中国民用航空局。1993年4月19日更名为中国民用航空总局,为国务院直属机构,同年12月国务院决定将中国民用航空总局定为正部级机构)

国家广播电影电视总局

局 长

田聪明(1998年3月任—2000年10月)
徐光春(2000年10月—)

副局长

张海涛(1998年4月—)
吉炳轩(1998年9月—2001年8月)
李树文(1998年9月—2001年4月)
赵 实(1998年4月—)
李东全(2000年10月—2001年1月)
同向荣(1998年4月—)

胡占凡(2001年4月—)

(根据1998年3月10日九届全国人大一次会议通过的《关于国务院机构改革的决定》撤销广播电影电视部，改组为国家广播电影电视总局，1998年4月8日挂牌，列入国务院直属机构序列)

国家体育总局

局　长

伍绍祖(1998年3月—2000年3月)

袁伟民(2000年3月—)

副局长

袁伟民(—2000年3月)

徐寅生(—1999年8月)

张发强　于再清(1999年8月—)

李富荣(1999年8月—)

段世杰(1999年8月—)

李志坚(2000年4月—)

(国家体育总局是于1998年3月全国人代会结束后由原国家体委改组成立的，并于4月6日正式挂牌。经国务院决定，体育总局与中华全国体育总会一个机构两块牌子)

国家统计局

局　长

刘　洪(1997年5月—2000年10月)

牛之鑫(2000年10月—)

副局长

卢春恒　翟立功　贺　铿　李林书　许　刚

郑家亨　于广沛　孙兢新　邵宗明

(国务院领导下的统筹规划管理全国统计工作的政府职能部门。1993年4月19日国务院决定国家统计局为国务院直属机构)

国家工商行政管理局

局　长　王众孚

副局长

甘国屏(2001年4月—)　白大华

曹天砧　杨培青

韩新民(2001年4月—)

惠鲁生(1998年12月—)

李建中(1998年12月—)

费开龙　李衍绶　卞耀武　田树千

杨树德(2001年4月—)

吉东生(2002年1月—)

(中华人民共和国国家工商行政管理局是国务院的直属机构，是经济监督机关，也是行政执法机关。中华人民共和国成立初期，政务院财经委员会内设有中央外资企业管理局和中央私营企业管理局，1953年两局合并，改称中央工商行政管理局。“十年动乱”中并入商业部。1978年9月重新恢复，改称为中华人民共和国国家工商行政管理局)

国家新闻出版署

署长(局长)

于友先(—2000年10月)

石宗源(2000年10月—)

副署长

刘　杲　王强华　卢玉忆

于永湛(2001年4月—)

桂晓风(2001年4月—)

梁　衡　杨牧之(2001年4月—)

谢　宏　杨斌杰(2002年6月—)

石　峰(2003年2月—)

副局长　沈仁干

(中华人民共和国新闻出版署和中华人民共和国国家版权局是一个机构两块牌子，中华人民共和国新闻出版署于1987年1月正式成立，是全国新闻出版系统进行行政管理的职能部门，为国务院直属机构，其前身为“中央人民政府新闻总署”和“中央人民政府出版总署”，成立于1949年11月，直属政务院领导。1952年2月新闻总署撤销。1954年11月出版总署撤销，此后，出版管理体制几经变化，1982年7月成立“文化部出版事业管理局”。1986年10月改称“国家出版局”，直属国务院)

国家林业局

局 长

王志宝(—2000年12月)

周志贤(2000年12月—)

国家质量技术监督局

局 长

李传卿(—2001年4月)

李长江(2001年4月—)

副局长

李传卿(2001年4月—)

王秦平(2001年4月—)

葛学平(2001年4月—)

满长成(2001年4月—)

王以铭 朱明暹 李忠海

国家药品监督管理局

局 长 郑筱萸

副局长 邵明立 任德权

国家知识产权局

局 长

姜 颖(女)(1998年7月—2001年1月)

高卢麟 王景川(2001年1月—)

副局长 马连元 杨正午 吴伯明

(根据1998年3月国务院机构改革,决定中华人民共和国专利局更名为中华人民共和国国家知识产权局,列为国务院直属机构,1998年4月1日挂牌)

国家旅游局

局 长 何光暐

副局长

孙 钢(兼) 张希钦(1999年4月—)

程文栋

(中华人民共和国国家旅游局的前身是1964年成立的中国旅行游览事业管理局,是国务院管理全国国际、国内旅游事业的职能部门。1993年3月,国家旅游局正式加入太平洋亚洲旅行协会,1993年4月19日,国务院决定国家旅游局为国务院直属机构。1998年8月11日,经国务院批准,国家旅游局开始使用"中华人民共和国国家旅游局"的名称和印章,原名称和印章停止使用)

国家宗教事务局

局 长 叶小文

副局长

刘书祥 杨同祥

王作安(1998年—) 洛桑赤耐(藏族)

(原为国务院宗教事务局,1998年3月更名为国家宗教事务局。国务院下设的统筹规划管理宗教事务的政府职能部门,是国务院直属机构)

国务院参事室

主 任

徐志坚(1997年1月—2003年2月)

崔占福(2003年2月—)

副主任

王海容(女)

吕德润(1990年8月—2001年1月)

王楚光(1991年7月—2001年1月)

吴 空 白光涛 王立明

陈鹤良(1995年6月—)

蒋明麟(2001年1月—)

(国务院参事室成立于中华人民共和国成立初期,是国务院的直属机构)

国务院机关事务管理局

局 长

焦焕成(1997年7月—) 郭 济

副局长

鲍先广　曹剑峰　寻寰中
（1998年11月国务院任命）
田玉安　刘广振　董述伟　赵文海　焦焕成

国务院外事办公室

主　任　刘华秋
副主任
查培新（1998年4月—　）　程振声
夏道生　马振岗　吕聪敏　原　焘
特别助理　万经常
（国务院外事办公室是国务院办事机构）

国务院侨务办公室

主　任
廖　晖（　—1997年8月）
郭东坡（1997年8月—2003年1月）
陈玉杰（女）（2003年1月—　）
副主任
刘泽彭　李海峰（女）
张伟超（　—2000年4月）
林水龙　李星浩　陈白皋
赵　阳（2001年4月—　）
许又声（2001年4月—　）

国务院港澳事务办公室

主　任
鲁　平（　—1997年8月）
廖　晖（1997年8月—　）
副主任
陈滋英（　—1998年7月）
刘名启（1996年11月—2001年3月）
陈佐洱（1998年2月—　）　李　后
王启人　王凤超（　—1998年7月）
徐　泽（2001年5月—　）
（国务院港澳事务办公室是国务院办事机构，主要负责归口管理港澳工作和处理港澳事务）

国务院法制办公室

主　任
杨景宇（1998年4月—2002年9月）
曹康泰（2002年9月—　）
副主任
曹康泰（1998年3月—2002年9月）
宋大涵　徐玉麟（2000年10月—　）
李适时（2000年10月—　）

国务院经济体制改革办公室

主　任
刘仲藜（1998年3月—2000年12月）
王岐山（2000年12月—2002年12月）
副主任
邵秉仁（1996年3月—2002年11月）
李剑阁（1998年11月—　）
洪　虎（1998年4月—11月）
宋宝瑞（正部长级）（1999年8月—　）
万季飞（　—2000年4月）
彭　森（2000年4月—　）
汤　岳（2000年4月—　）
（根据1998年3月国务院机构改革决定设置国务院经济体制改革办公室，为国务院办事机构。1998年3月国家经济体制改革委员会的具体工作由国务院体改办承担）

国务院研究室

主　任
桂世镛（1998年3月—2001年3月）
魏礼群（2001年3月—　）
副主任
尹成杰（1997年9月—　）
魏礼群（1998年3月—　）
李　伟（1998年6月—2003年3月）
王梦奎　姜云宝　杨雍哲　徐荣凯
侯云春（2002年6月—　）
（国务院研究室是国务院办事机构。主要职能有：重要政策的调查研究，重要文件的起

草工作,负责经济宣传和新闻发布,国务院交办的其他事项)

新华通讯社

社　长

郭超人(　—2000 年 10 月)

田聪明(2000 年 10 月—　)

副社长

南振中(1993 年 4 月—2000 年 10 月)

张宝顺(1993 年 4 月—2001 年 9 月)

高秋福(1994 年 10 月—2000 年 10 月)

蔡名照(1998 年 4 月 9 日—2000 年 5 月)

夏赞忠　马胜荣(2000 年 10 月—　)

何东君(2000 年 8 月—2009 年 5 月)

何　平(2001 年 5 月—　)

徐锡安(2001 年 11 月—　)

总编辑　南振中(2000 年 10 月—　)

副总编辑

张万象　徐学江　闵凡路　马胜荣　曹绍平　薛永兴　何　平(1998 年—　)

中国科学院

院　长　路甬祥(1997 年 7 月—　)

副院长

严义埙(1992 年 10 月—2000 年 10 月)

许智宏(1992 年 10 月—2003 年 2 月)

陈宜瑜　白春礼　孙鸿烈　李振声　王佛松　徐冠华　胡启恒

杨柏龄(1999 年 8 月—　)

江绵恒(1999 年 11 月—　)

陈　竺(2000 年 10 月—　)

中国社会科学院

名誉院长　胡乔木(已故)

院　长

李铁映(兼)(1998 年 3 月—2003 年 1 月)

陈奎元(2003 年 1 月—　)

副院长

王忍之(　—2000 年 10 月)

王洛林　李慎明(1998 年 11 月—　)

江蓝生(女)(1998 年 11 月—　)

陈佳贵(1998 年 11 月—　)

李慎之　郑必坚　郁　文　丁伟志　刘国光　曲维镇　钱锺书　江　流　滕　藤　龙永枢　汝　信　刘　吉

高全立(2000 年 10 月—　)

朱佳木(2001 年 1 月—　)

中国工程院

院　长　宋　健

副院长

王淀佑　朱高峰

沈国舫(2002 年 6 月—　)　侯云德

潘家铮(1998 年 7 月—2002 年 6 月)

邬贺铨　刘培德　杜群琬

国务院发展研究中心

名誉主任　薛暮桥　马　洪

主　任

王梦奎(1998 年 3 月—　)

孙尚清(已故)

副主任

陈百甫(　—2000 年 12 月)

鲁志强(1995 年—　)

孙晓郁(1996 年 11 月—　)

陈清泰(1998 年 4 月—　)

李庆伟　王郁昭　张　磐　吴明瑜　张万欣　才晓予　刘中一(　—1998 年 4 月)

邓鸿勋(　—1998 年 4 月)

谢伏腾(1999 年 11 月—　)

陈锡文(2000 年 12 月—　)

国家行政学院

院　长　李贵鲜　王忠禹(兼)

副院长

张志坚(1998 年 4 月—2000 年 4 月)

唐铁汉(1995年9月—)
张修学(1995年9月—)
桂世镛(1994年—2000年4月)
陈福今(2000年4月—)

中国地震局

局　长
陈章立(1998年4月—2000年4月)
副局长
高文学　葛治洲　何永年　岳明生
汤　泉(1997年4月—)
陈　颙　周　锐
(国家地震局于1971年成立,是国务院管理全国地震工作的政府职能部门,属国务院直属机构。1993年4月19日国务院决定国家地震局由国家科学技术委员会管理。1998年3月更名为中国地震局)

中国气象局

名誉局长　邹竞蒙
局　长
温克刚(1996年8月—2000年4月)
秦大河(2000年12月—)
副局长
马鹤年　李　黄　颜　宏　骆继宾
温克刚(常务)
(中国气象局是国务院下设的统筹规划管理全国气象工作的政府职能部门。1954年9月至1982年,国务院机构改革前设中央气象局,国务院机构改革后改称国家气象局。1993年国务院决定国家气象局更名为中国气象局,继续履行原国家气象局的职能,全国气象部门仍实行气象部门与地方政府双重领导、以气象部门领导为主的管理体制。1993年4月19日国务院决定中国气象局为国务院直属事业单位)

中国证券监督管理委员会

主　席
周正庆(1997年7月—2000年4月)
刘鸿儒(—1995年3月)
周道炯(1995年3月—1997年7月)
周小川(2000年4月—2002年12月)
尚福林(2002年12月—)
副主席
陈耀光(1997年—)
陈东征(1997年—2001年9月)
史美伦(女)(2001年1月—)
屠光绍(2002年9月—)
高西庆(—2002年)

国务院新闻办公室

主　任　赵启正(1998年4月—)
副主任
杨正泉(1993年5月—2001年5月)
王国庆(2000年12月—)
蔡名照　李　刚(2001年5月—)

国务院台湾事务办公室

主　任　陈云林(1997年1月任)
副主任
唐树备(1989年6月—2000年10月)
王永海(1997年1月—2000年10月)
李炳才(1997年1月—)
王富卿(2000年4月—)
周明伟(2000年10月—)
王在希(2000年10月—)

中国保险监督管理委员会

主　席
马永伟(1998年12月—2002年10月)
吴定富(2000年10月—)
副主席
吴定富(副部长级)(1998年12月—)
吴小平(1998年12月—)
唐运祥(1998年12月—2001年1月)

冯晓增(1998 年 12 月—)
魏迎宁(2002 年 2 月—)

全国社会保障基金理事会

理事长 刘仲藜
副理事长
刘雅芝(女)(2001 年 3 月—)
冯健身(2001 年 3 月—)
高西庆(2003 年 3 月—)

中华人民共和国最高人民法院

1993 年 3 月—1998 年 3 月(第八届全国人大期间)

院 长 任建新
(1993 年 3 月第八届全国人民代表大会第一次会议选举)
副院长
祝铭山 谢安山 高昌礼 唐德华 刘家琛
(1993 年 7 月八届全国人大常委会二次会议任命)
罗豪才(1995 年 6 月八届全国人大常委会十四次会议任命)
李国光(1995 年 12 月八届全国人大常委会十七次会议任命)
林 准(—1993 年 9 月)
华联奎(—1993 年 9 月)
端木正(—1995 年 6 月)
王景荣(1993 年 7 月—1995 年 10 月)
马 原(女)(—1995 年 12 月)

1998 年 3 月—2003 年 3 月(第九届全国人大期间)

院 长 肖 扬
(1998 年 3 月九届全国人民代表大会第一次会议选举)
姜兴长 沈德咏
(1998 年 12 月九届全国人大常委会六次会议任命)
谢安山 高昌礼
(1998 年 4 月九届全国人大常委会二次会议免)
刘家琛
(2002 年 12 月 28 日第九届全国人民代表大会常务委员会第三十一次会议免)
黄松有 江必新
(2002 年 12 月 28 日第九届全国人民代表大会常务委员会第三十一次会议任命)

中华人民共和国最高人民检察院

1993 年 3 月—1998 年 3 月(第八届全国人大期间)

检察长 张思卿
(1993 年 3 月第八届全国人民代表大会第一次会议选举)
副检察长
梁国庆 陈明枢 王文元 赵登举 赵 虹
张 穹 肖 扬(—1993 年 7 月)

1998 年 3 月—2003 年 3 月(第九届全国人大期间)

检察长 韩杼滨
(1998 年 3 月第九届全国人民代表大会第一次会议选举)
副检察长
梁国庆 赵登举 赵 虹 张 穹
胡克惠(女)(1998 年 4 月任)
陈明枢(1998 年 4 月免)
王文元(1998 年 4 月免)
副检察长 贾春旺 王振川
(2002 年 12 月 28 日第九届全国人民代表大会常务委员会第三十一次会议任命)

中国人民政治协商会议

中国人民政治协商会议第八届全国委员会

（1993 年 3 月—1998 年 3 月）

八届政协一次会议

（1993 年 3 月 26 日）

选举全国委员会：

主　席　李瑞环

副主席（25 人）

叶选平　吴学谦　杨汝岱　王兆国
阿沛·阿旺晋美（藏族）
赛福鼎·艾则孜（维吾尔族）　洪学智
杨静仁（回族）　周培源　邓兆祥　赵朴初
巴　金　刘靖基　钱学森　钱伟长　胡　绳
钱正英（女）　苏步青　侯镜如　丁光训
董寅初　孙孚凌　安子介　霍英东　马万祺

秘书长　宋德敏

副秘书长

朱作霖　赵伟之　张　治　卢之超　经叔平
范　康　吴修平　陈进玉　李赣骝　朱元成
宋金升　罗豪才　陈益群　潘渊静

常务委员（288 人，按姓氏笔画为序）

丁石孙　于洪亮　万国权　马大猷　马品芳
马烈孙（回族）　王　惠　王之泰
王丹凤（女）　王文元　王光美（女）
王扶之　王郁昭　王叔云　王厚德　王洪昌
王济夫　王恒丰　王神荫　王鸿祯　王照华
王锡爵　王黎之　毛增滇　方荣欣
巴　岱（蒙古族）　巴图巴根（蒙古族）
孔令仁（女）　石　泉　石邦定（苗族）
卢　强　卢帮正（彝族）　叶大年　叶至善
叶宝珊　叶笃义　田一农　田光涛　田麦久
田昭武　白纪年　冯元蔚（彝族）　冯克熙
冯宏顺　冯理达（女）　冯梯云　宁光堃
召存信（傣族）　邢永宁　邢崇智　朱元成
朱光亚　朱作霖　华联奎　多杰才旦（藏族）
邬沧萍　庄世平　庄逢甘　刘　珩　刘　豹
刘广运　刘世增　刘汉桢　刘邦瑞　刘存智
刘延东（女）　刘亦铭　刘应明　刘炳森
刘海清　关　涛（女）　关世雄　江　平
江家福（壮族）　江景波　安士伟（回族）
麦赐球　孙延年　孙敏初（哈尼族）
贡唐仓·丹贝旺旭（藏族）　芮杏文　严庆清
严克强（壮族）　严忠勤　苏　星
苏　赫（蒙古族）　李　刚　李　毅　李子奇
李世济（女）　李东海　李金培　李振声
李梦华　李鹿野　李蓼源　李默庵　李赣骝
杨　堤　杨　櫆　杨永斌　杨光华　杨纪珂
杨拯民　杨斯德　肖　乾（蒙古族）　吴　京
吴文俊　吴式铎　吴廷栋（侗族）　吴克泰
吴希海　吴修平　吴祖强　吴蔚然　何东昌
何振梁　何鲁丽（女）　余国琮　谷超豪
邹承鲁　沃祖全　沈求我　沈祖伦
沈遐熙（回族）　宋志英　宋克湘（土家族）
宋鸿钊　启　功（满族）　张　权（女）
张　明　张　治　张　竞　张存浩　张全景
张纪域（白族）　张志公　张伯权　张君秋
张宝顺　张春男　张素我（女）　张乾二
张敬礼　张媛贞（女，满族）　张新时
陆榕树（壮族）　陈仲颐　陈启智　陈明绍
陈秉权　陈学俊　陈荣悌　陈祖沛　陈家振
陈难先　陈培烈　陈彬藩　陈铭珊　陈灏珠
邵恒秋　拉敏·索朗伦珠（藏族）
松　布（土族）　明　旸　罗冠宗　罗涵先
罗豪才　帕提曼·贾库林（女，哈萨克族）
岳书仓（满族）　金　鉴（满族）　金开诚
金日光（朝鲜族）　金泰甲（朝鲜族）　金鲁贤
周与良（女）　周同善　周绍铮　周铁农
郑万通　郑守仪（女）　郑励志　宗怀德
房维中　经叔平　项朝宗（苗族）　赵先顺
赵伟之　赵庆夫　赵海峰　赵维臣（满族）
胡正名　胡如雷　胡峨亭　胡鸿烈　俞　雷
俞泽猷　施奠邦　姜笑琴（女）　姜培禄
姜夔生　恰扎·强巴赤列（藏族）　贺敬之
秦文俊　袁　木　袁行霈　袁隆平　都本洁
聂卫平　贾亦斌　顾英奇（满族）　钱李仁
钱景仁　徐四民　徐志纯　徐英锐　徐昭隆
徐展堂　徐崇华　徐惟诚　爱泼斯坦
高　天　高　狄　高占祥　高兴民　高振家
高景德　高镇宁　郭东坡　郭秀仪（女）

郭秀珍(女)　唐立民　唐有祺　唐树备
唐敖庆　唐翔千　浦　山　谈家桢　谈镐生
陶开裕　桑顶·多吉帕姆(女,藏族)
黄　昆　黄大能　黄甘英(女)　黄克立
黄启章　黄其兴　黄峻山　黄凉尘　梅养正
曹达诺夫·扎义尔(维吾尔族)
盘　俊(瑶族)　阎洪臣　梁步庭　梁尚立
梁黄胄　梁裕宁(女,壮族)　彭少逸
彭司勋(土家族)　葛志成　董幼娴(女)
蒋正华　蒋民宽　蒋光化　蒋丽金(女)
韩　叙　韩生贵(回族)　韩美林　韩培信
程连昌　程志青(女)　傅元天　童　傅
曾近义　谢希德(女)　路　明　解　峰
嘉木样·洛桑久美·图丹却吉尼玛(藏族)
蔡文浩　管仲伟　廖延雄　廖灿辉
廖静文(女)　黎遇航
翦天联(维吾尔族)
潘蓓蕾(女,高山族)　霍懋征(女)
戴树和　戴爱莲(女)

八届政协二次会议

(1994年3月18日—19日)

增选:

副主席　朱光亚　万国权

常务委员

王　蒙　王思明(布依族)　吴冠中
张永珍(女)　赵乙生(瑶族)　梅向明
谢　晋

秘书长　朱　训

八届政协三次会议

(1995年3月3日—14日)

增选:

常务委员

杨成哲　吴　福　胡政光　韩文藻　傅锡寿

八届政协四次会议

(1996年3月3日—13日)

增选:

副主席　何鲁丽(女)

常务委员

艾知生　厉无畏　刘　毅　刘诗白　成思危
何光远　宋汉良　胡　平

副秘书长

郑万通(1993年5月全国政协八届常委会第二次会议任命)
胡德平(兼)(1994年7月1日全国政协八届常委会第七次会议任命)
赵喜明(1994年10月8日全国政协八届常委会第八次会议任命)
王巨禄　梁金泉
(1995年2月25日全国政协八届常委会第十次会议任命)
张道诚(1996年2月28日全国政协八届常委会第十五次会议任命)

政协第八届全国委员会所属专门委员会

(1993年3月—1998年3月)

提案委员会

主　任　周绍铮

副主任

张文寿　周同善　陈秉权　孙轶青
赵　炜(女)　吴修平　李　毅　葛志成
(1993年5月全国政协八届常委会二次会议通过)

委　员

王连铮　邓团子(女)　冯锦汶　朱培康
任务之　刘　杲　杨　琛(女)　吴　京
邱国义　沈遐熙(回族)　张鹤镛　陆叙生
罗哲文　徐萌山　浦通修　盛树仁　焦力人
塞　风
(1993年5月全国政协八届常委会二次会议通过)

学习委员会

主　任　徐惟诚

副主任

苏　星　龚育之　沈求我　朱元成　金开诚
徐崇华

委　员

王庆成　王启宏　王林生　李　峰　李　琮
李汉秋　吴　荣　吴敬琏　何建章　汪东林
赵　曜　黄景钧　董绍华　蒋文良　蔡义江
蔡铭熹　熊大方　陆榕树(壮族)

(1993 年 5 月全国政协八届常委会二次会议通过)

(1995 年 3 月,第八届全国政协常委会第十二次会议决定,将全国政协学习委员会和全国政协文史资料委员会合并为全国政协文史和学习委员会)

文史资料委员会

主　任　杨拯民

副主任

金冲及　叶至善　黄　森　张楚琨　李默庵
李　佩

(1993 年 5 月全国政协八届常委会二次会议通过)

副主任　李东海(1994 年 3 月全国政协八届常委会五次会议通过)

委　员

叶宝珊　李希泌　沈　醉　张永祥(苗族)
张西洛　张克明　胡继高　柏　岳　蔡　端
潘静安

(1993 年 5 月全国政协八届常委会二次会议通过)

高兴民　张廉云(女)　李生玉　汪敬虞
张惠卿　张常海　王明哲　余绳武
宣　平(女)

(1993 年 10 月全国政协八届常委会三次会议通过)

(1995 年 3 月,第八届全国政协常委会第十二次会议决定,将全国政协文史资料委员会和全国政协学习委员会合并为全国政协文史和学习委员会)

经济委员会

主　任　房维中

副主任

王郁昭　赵维臣(满族)　马　仪　谢　华
经叔平　李　刚　阎　颖(女)　范　康
程连昌　刘鸿儒　范静宜
潘蓓蕾(女,高山族)

委　员

马志民　王　珏　王传纶　王奎章　王德衍
石希玉　甘培根　田一农　叶汝求
白大华(回族)　白景中　吕学俭　刘　珩
刘广运　严忠勤　李裕民　李梅芳(女)
杨启先　闵　豫　张万欣　张世尧　张春园
陈昌洁　陈道煦　陈耀邦　罗元铮　罗涵先
周叔莲　郑敦训　高尚全　姜　习　唐仲文
唐赓尧　钱椿涛　黄书谋　黄凉尘　韩　英
童赠银　谢绍明　潘连生　鞠庆麒

(1993 年 5 月全国政协八届常委会二次会议通过)

增补委员

杨永斌　张宝顺　庄逢甘　赵庆夫　刘松金
徐大铨　李天相　马祖彭　周之英　相重扬

(1993 年 10 月全国政协八届常委会三次会议通过)

增补委员

徐乾清　刘　堪　何升韬　凌毓勋　潘　遥

(1994 年 3 月全国政协八届常委会五次会议通过)

教育文化委员会

主　任　钱伟长(兼)

副主任

钱李仁　王济夫　张君秋　黄辛白　丁石孙
王　枫　陈明绍　陈益群

(1993 年 5 月全国政协八届常委会二次会议通过)

委　员

丁　聪　王之泰　王明达　王福祥　方　明
方福康　史树青　乔　羽　李　凖(蒙古族)
李维康(女)　吴祖强　邹时炎　沈　鹏
宋　堃　张德勤　陈　铎　陈仲颐
陈爱莲(女)　金日光(朝鲜族)　徐晓钟

高占祥 高景德 梁从诚 梁黄胄 傅庚辰
傅璇琮 谢雨辰 樊恭烋 霍懋征(女)
(1993年5月全国政协八届常委会二次会议通过)

增补委员

刘炳森 邵恒秋 王 昆(女) 于 洋
(1993年10月全国政协八届常委会三次会议通过)

增补委员 袁熙坤 张光璎(女)
(1994年3月全国政协八届常委会五次会议通过)
(1995年3月,第八届全国政协常委会第十二次会议决定,将全国政协教育文化委员会、全国政协医药卫生体育委员会和全国政协科学技术委员会合并为全国政协科教文卫体委员会)

科学技术委员会

主 任 朱光亚

副主任

吴武封 鲍奕珊 胡启恒(女) 季国标
唐有祺 马大猷 孙家栋

委 员

王 选 王荣生 王振纲 卢 强 叶大年
过益先 成思危 刘 恕(女) 刘 堪
许中明 阳含熙 李振声 何祚庥 何德全
邹承鲁 闵桂荣 张存浩 张复良 陈明德
陈能宽 陈肇博 周 平 赵玉芬(女)
荆其诚 姜孿生 夏国治 倪光南 郭正谊
郭肖容(女) 谈镐生 陶鼎来 黄大能
蔡睿贤
(1993年5月全国政协八届常委会二次会议通过)

增补委员

王鸿祯 高镇宁 蒋丽金 胡正名 俞泽猷
杨 桓 张开逊 徐如镜
(1993年10月全国政协八届常委会三次会议通过)
(1995年3月,第八届全国政协常委会第十二次会议决定将全国政协科学技术委员会、全国政协医药卫生体育委员会和全国政协教育文化委员会合并为全国政协科教文卫体委员会)

医药卫生体育委员会

主 任 钱正英(女,兼)

副主任

郭子恒 何振梁 宋鸿钊 林佳楣(女)
王绵之 宋金升 曲绵域

委 员

于生龙 王孝涛 王国相(女) 田麦久
冯 友(女) 朱相远 刘永纲 刘弼臣
孙衍庆 孙柏秋(女) 严庆汉 李连达
李炎唐 李乾构 杨天乐 吴蔚然 张 侃
张友会 张均田 张震康 陆广莘 陈 新
陈可冀 陈春明(女) 侯健存 施奠邦
胡熙明 顾英奇(满族) 钱贻简 徐益明
郭应禄 黄人健(女) 彭瑞聪 蒋正华
(1993年5月全国政协八届常委会二次会议通过)

增补委员

王 夔 程莘农 路志正 黄 健
李桓英(女) 罗爱伦(女) 陈君石
杜如昱
(1993年10月全国政协八届常委会三次会议通过)
(1995年3月,第八届全国政协常委会第十二次会议决定将全国政协医药卫生体育委员会、全国政协科学技术委员会和全国政协教育文化委员会合并为全国政协科教文卫体委员会)

法制委员会

主 任 华联奎

副主任

俞 雷 冯梯云 林亨元 王文元 王厚德
巫昌祯(女) 郭德治
(1993年5月全国政协第八届常委第二次会议通过)

增补:

副主任 吴庆彤
(1993年10月全国政协第八届常委会三次会议通过)

委　员

马英杰　王仲方　云世英(蒙古族)　孙文芳
叶维祯(女)　杨纪琬　吴庆彤　吴建璠
张志公　陈　卓　陈达之　陈春龙　林　准
周海婴　蒋先进　温崇真(女)　蔡才玑
(1993年5月全国政协第八届常委会二次会议通过)

增补：

委　员　李连秀(1994年3月全国政协第八届常委会五次会议通过)

(1995年3月，第八届全国政协常委会第十二次会议决定将全国政协妇女青年委员会和全国政协法制委员会合并为全国政协妇青和法制委员会)

民族委员会

主　任　金　鉴(满族)

副主任

卓　加(藏族)　陈　欣(女)
冯元蔚(彝族)　巴图巴根(蒙古族)
司马义·艾合苏提(维吾尔族)
(1993年5月全国政协八届常委会二次会议通过)

增补：

副主任　严克强(壮族)

(1993年10月全国政协八届常委会三次会议通过)

委　员

马烈孙(回族)　王　奇(满族)
王思明(布依族)　韦大卫(壮族)
召存信(傣族)　毕大川(赫哲族)
孙敏初(哈尼族)　严克强(壮族)
应伊利(女,蒙古族)　沙之沅(回族)
宋克湘(土家族)　张纪域(白族)
拉敏·索朗伦珠(藏族)　金宗哲(朝鲜族)
项朝宗(苗族)　钟毓斌(女,满族)
洛桑灵智多杰(藏族)　盘　俊(瑶族)
韩应选(撒拉族)　蓝　天(畲族)
谭承项(毛南族)　熊正美(土家族)
潘李珍(女,仫佬族)　霍　达(女,回族)
(1993年5月全国政协八届常委会二次会议通过)

增补委员

王家贤(黎族)　白有光(回族)
(1993年10月全国政协八届常委会三次会议通过)
(1995年3月，第八届全国政协常委会第十二次会议决定将全国政协民族委员会和全国政协宗教委员会合并为全国政协民族和宗教委员会)

宗教委员会

主　任　赵朴初(兼)

副主任

丁光训(兼)　张声作　宗怀德　傅元天
安士伟(回族)　明　旸　韩文藻
(1993年5月全国政协八届常委会二次会议通过)

委　员

马　贤(回族)　王神荫　仁　德
艾买提·瓦吉他(维吾尔族)　朱世昌
任法融　刘柏年　江　平
贡唐仓·丹贝旺旭(藏族)　却　西(藏族)
沈以藩　沈德溶　张继禹
阿不都拉·大毛拉·阿吉(维吾尔族)
罗冠宗　金鲁贤　周绍良　洛桑赤耐(藏族)
嘉木样·洛桑久美·图丹却吉尼玛(藏族)
真　禅
(1993年5月全国政协八届常委会二次会议通过)

增补委员　黎遇航(1993年10月全国政协八届常委会三次会议通过)

(1995年3月，第八届全国政协常委会第十二次会议决定，将全国政协宗教委员会和全国政协民族委员会合并为全国政协民族和宗教委员会)

妇女青年委员会

主　任　关　涛(女)

副主任

何鲁丽(女)　袁纯清　王庆淑(女)
肖东升　方掬芬(女)
(1993年5月全国政协八届常委会二次会议通过)

增补副主任

巴音朝鲁(蒙古族)

(1993年10月全国政协八届常委会三次会议通过)

增补副主任

康 泠

(1994年3月全国政协八届常委会五次会议通过)

委 员

于 蓝(女) 叶佩英(女)
白春礼(满族) 刘燕平(女) 李 扬
李大维 张厚粲(女) 张洁珣(女)
张素我(女) 林 娜(女)
罗天婵(女) 郑法雷 俞贵麟
倪以信(女) 徐祝庆 郭国庆
章 明(女) 雷 蕾(女,满族)
张光璎(女)(1994年免)

(1993年5月全国政协八届常委会二次会议通过)

(1995年3月,第八届全国政协常委会第十二次会议决定将全国政协妇女青年委员会和全国政协法制委员会合并为全国政协妇青和法制委员会)

华侨委员会

主 任 董寅初(兼)

副主任

马庆雄 肖 岗 罗豪才 李 克 陈白皋

委 员

马俊如 冯锡良 司徒擎 孙 瑛 吕瑞明
余兴远 李顺然 杨国庆 吴豪德 张椿年
陈木森 周远楣(女) 徐发淦 浦寿海
黄锡坚 章荣烈 靳 晋 鲜 恒(已故)

(1993年5月全国政协八届常委会二次会议通过)

(1995年3月,八届政协常委会第十二次会议决定,将全国政协祖国统一联谊委员会和全国政协华侨委员会合并为全国政协台港澳侨联络委员会)

祖国统一联谊委员会

主 任

王兆国(1993年5月—1994年7月)

(1993年7月全国政协八届常委会七次会议任命)

万国权(兼)

(1993年5月全国政协八届常委会第二次会议通过)

副主任

李梦华 杨斯德 唐树备 万国权 朱作霖
贾亦斌 张 洽 郭平坦 潘渊静

委 员

王大明 王锡爵 白雪石 白淑湘(女)
邬沧萍 刘小萍 李伯康 杨仲子 吴克泰
吴英辅 吴冠中 何 方 张春男 陈难先
陈滋英 林盛中 郑鸿业 赵海宽 胡逸州
相重扬 姜殿铭 顾方舟 黄植诚(壮族)
阎立中

(1993年5月全国政协八届常委会二次会议通过)

增补:

委 员

冯理达(女) 廖静文(女) 戴园晨

(1993年10月全国政协八届常委会三次会议通过)

(1995年3月,八届政协常委会第十二次会议决定,将全国政协祖国统一联谊委员会和全国政协华侨委员会合并为全国政协台港澳侨联络委员会)

外事委员会

主 任

韩 叙(1993年5月—1995年1月)

(1995年1月全国政协八届常委会九次会议任命)

钱李仁(1995年1月—)

(1993年5月全国政协八届常委会二次会议通过)

副主任

李鹿野 凌 青 蒋光化 温业湛 赵伟之
卢之超 钱嘉东 李赣骝 于洪亮 宋文中

(1993年5月全国政协八届常委会二次会议通过)

增补:

副主任 唐龙彬

委 员

于熙钟 王 坚 王光美(女)
王效贤(女) 史久镛 刘 山
李则望(已故) 李源潮 张芝联 范国祥
郁 文(女) 胡有尊 徐 葵 浦 山
黄甘英(女) 梅向明 梅绍武 曹克强
黎 虹 魏玉明
钱 青(女,1994年3月辞)

(1993年5月全国政协第八届常委会二次会议通过)

增补:

委 员 邢永宁

(1993年10月全国政协八届常委会三次会议通过)

增补:

委 员 王言昌

(1994年3月全国政协八届常委会五次会议通过)

台港澳侨联络委员会

主 任 董寅初

(1995年3月八届全国政协常委会第十二次会议决定设立)

民族和宗教委员会

主 任 赵朴初

(1995年3月八届全国政协常委会第十二次会议决定设立)

科教文卫体委员会

主 任 钱伟长

副主任 傅庚辰

(1995年3月八届全国政协常委会第十二次会议决定设立)

文史和学习委员会

主 任 杨拯民

(1995年3月八届全国政协常委会第十二次会议决定设立)

社会与法制委员会

主 任 钱正英(女)

(1995年3月八届全国政协常委会第十二次会议决定设立妇青和法制委员会。1996年2月,八届全国政协常委会第十五次会议决定更名为社会与法制委员会)

中国人民政治协商会议第九届全国委员会

(1998年3月—2003年3月)

九届政协一次会议

(1998年3月)

选举全国委员会:

主 席 李瑞环

副主席

叶选平 杨汝岱 王兆国
阿沛·阿旺晋美(藏族) 赵朴初 巴 金
钱伟长 卢嘉锡 任建新 宋 健 李贵鲜
陈俊生 张思卿 钱正英(女) 丁光训
孙孚凌 安子介 霍英东 马万祺 朱光亚
万国权 胡启立 陈锦华 赵南起(朝鲜族)
毛致用 白立忱(回族) 经叔平 罗豪才
张克辉 周铁农 王文元

秘书长 郑万通

常务委员会(按姓氏笔画排列)

丁衡高 王 东 王 蒙 王大明 王巨禄
王丹凤(女) 王玉柱 王立平(满族)
王宁生 王光美(女) 王传琛 王良溥
王启人 王忍之 王荣生 王厚德
王家贤(黎族) 王森浩 王锡爵 王德瑛
王鹤龄 瓦哈甫·苏来曼(哈萨克族)
毛增滇 乌力吉(蒙古族) 方兆本
巴音朝鲁(蒙古族) 孔令仁(女)
邓朴方 邓成城 邓伟志 甘子钊 艾维仁
厉无畏 厉有为 石邦定(苗族) 卢 强
叶 青 叶 朗 叶大年 叶小文 叶至善

田昭武 田期玉 田曾佩 史大桢
生钦·洛桑坚赞(藏族) 白大华(回族)
冯元蔚(彝族) 冯克熙 冯宏顺 冯培恩
冯梯云 冯骥才 召存信(傣族) 边长泰
曲钦岳 吕培俭 朱 训 朱元成 朱文渠
朱兆良 朱作霖 朱培康 任文燕(女)
任玉岭 伉铁保 全树仁 庄公惠 庄世平
庄逢甘 刘 毅 刘元仁 刘北辰 刘永好
刘西拉 刘延东(女) 刘祁涛 刘忠德
刘炳森 刘海荣(女) 齐怀远
齐续春(满族) 江家福(壮族) 江景波
安士伟(回族) 安振东 许柏年 孙安民
孙敏初(哈尼族) 阳忠恕 麦赐球
贡唐仓·丹贝旺旭(藏族)
克尤木·巴吾东(维吾尔族) 苏纪兰
李 景 李文卿 李世济(女) 李东海
李希林 李奇生 李金培
李京淑(女,朝鲜族) 李振声 李铮友
李雅芳(女) 李慈君 李慧珍(女)
李赣骝 杨大铮 杨伟光 杨纪珂
杨念一(侗族) 杨拯民 吴 福
吴文英(女) 吴正德 吴国祯 吴明熹
吴修平 吴冠中 吴祖强 吴敬琏 吴蔚然
邱大洪 何光远 何竹康 何添发 何鸿燊
佟国荣 佟宝存 谷超豪 邹竞蒙 闵乃本
闵智亭 汪 恩 沃祖全 沈祖伦
沈遐熙(回族) 宋汉良 宋克湘(土家族)
宋金升 宋德福 启 功(满族) 张 洽
张 竞 张大宁 张太恒 张永珍(女)
张发强 张圣坤 张存浩 张廷翰 张全景
张孝文 张宝文 张勃兴 张继禹 张乾二
张媛贞(女,满族) 张新时 陆道培
阿不都热依木·阿吉依明(维吾尔族)
阿嘉·洛桑图旦·久美嘉措(蒙古族)
陈昌智 陈高华 陈益群 陈震宇 陈灏珠
范宝俊 林东海 明 旸 固 辉 罗冠宗
罗涵先 和志强(纳西族) 岳 枫
岳书仓(满族) 岳岐峰 金 异
金 鉴(满族) 金开诚 金日光(朝鲜族)
金中·坚赞平措(藏族) 金基鹏(回族)
金鲁贤 周宜兴 周绍熹 郑守仪(女)
郑励志 郑国雄 房维中 项朝宗(苗族)
赵 燕(女) 赵乙生(瑶族) 赵伟之
赵展岳 赵维臣(满族) 胡 平 胡正名
胡政光 胡鸿烈 胡德平 钮守章
段昆生(女,白族) 侯 捷 俞云波
姜信真 姜洪泉 姜笑琴(女) 姜燮生
姚 峻 贺光辉 袁行霈 袁隆平 都本洁
夏家骏(土家族) 顾云飞 钱景仁 徐四民
徐至展 徐更生 徐采栋 徐宗俊 徐起超
徐展堂 徐麟祥 爱泼斯坦
高 庆(女) 高占祥 高振家 唐运张
唐树备 唐翔千
桑顶·多吉帕姆·德庆曲珍(女,藏族)
黄 璜 黄关从 黄克立 黄其兴 黄明度
黄孟复 萧墉壮 梅向明 梅养正 曹芃生
龚世萍(女) 龚育之 康 泠(女)
章师明 章祥荪 阎洪臣 梁尚立 梁金泉
梁植文 梁裕宁(女,壮族) 屠由瑞
彭清源 蒋民宽 韩大建(女) 韩文藻
韩生贵(回族) 韩汝琦 韩启德 韩南鹏
辜胜阻 喻长林 程连昌 程津培 傅锡寿
释圣辉 谢 晋 谢生林(回族) 谢克昌
谢丽娟(女) 谢希德(女) 靳尚谊
蒙素芬(女,布依族) 楚 庄 路 明
蔡子民 蔡睿贤 翟泰丰 墨文川 黎乐民
德继民(蒙古族) 潘 霞(女) 潘广田
潘金培 潘蓓蕾(女,高山族) 戴学江

1999年—2003年
全国政协常委变更情况

增选:

常 委

卢荣景
(1999年3月11日,政协第九届全国委员会第二次会议通过)
叶连松 陈广元(回族) 陈邦柱
珠康·土登克珠(藏族)
(2000年3月11日政协第九届全国委员会第三次会议通过)
叶少兰 却 西(藏族) 张榕明(女)
陈抗甫 邵华泽 郝建秀(女)
桂世镛 梁从诚 舒圣佑

（2001年3月12日政协第九届全国委员会第四次会议通过）

撤销：

阿嘉·洛桑图旦·久美嘉措（蒙古族）

（2000年6月24日政协第九届全国委员会常务委员会第十次会议通过）

吴文英（女）

（2000年10月18日政协第九届全国委员会第十一次会议通过）

1999年—2003年 全国政协副秘书长变更情况

任命副秘书长

张国祥　李昌鉴

（1999年3月1日政协第九届全国委员会常务委员会第四次会议决定）

张梅颖

（2002年2月28日政协第九届全国委员会常务委员会第十六次会议通过）

免去副秘书长

梁金泉（1995年2月—1998年12月）

（1999年3月1日第九届全国委员会常务委员会第四次会议决定）

齐续春（2000年6月—2007年10月）

（政协十届全国委员会常务委员会第十九次会议决定）

陈　洪（女）（2000年6月—2006年3月）

（2006年3月政协十届全国委员会常务委员会第十三次会议决定）

张宝文（1998年5月—2000年6月）

（2002年2月28日政协第九届全国委员会常务委员会第十六次会议通过）

政协第九届全国委员会所属专门委员会

（1998年3月）

提案委员会

主　任　何光远

副主任（按姓氏笔画排列）

吴文英（女）　赵　炜（女）　席德华　梅向明　盛树仁　章师明

委　员（34人）

王惠通　田期玉　冯　巩　冯克煦　朱新均　刘　正　刘　杲　刘荣汉　李奇生　杨孙西　杨震光　吴文英（女）　邱国义　何光远　余志华　张　彬　张宝文　张鹤镛　陈兰通　范宝俊　赵　炜（女）　赵登举　保育钧（蒙古族）　姜大明　郭　济　夏家骏（土家族）　席德华　梅向明　曹其真（女）　盛树仁　康　泠（女）　章师明　蒋秋霞（女）　滕进贤

增补：

副主任　范宝俊

（2001年2月28日政协第九届全国委员会常务委员会第十二次会议通过）

杨振杰

（2002年2月28日政协第九届全国委员会常务委员会第十六次会议通过）

增补：

委　员

刘民复　郑苏薇　周晋峰　温克刚

（1999年2月25日政协第九届全国委员会第十次主席会议通过）

方智远

（2001年1月19日政协第九届全国委员会第二十六次主席会议通过）

免去：

委　员　余志华

（1999年2月25日，政协第九届全国委员会第十次主席会议通过）

经济委员会

主　任　房维中

副主任（按姓氏笔画排列）

史大桢　刘广运　刘鸿儒　吴敬琏　赵维臣（满族）　胡德平　董辅礽

委　员（61人）

马永伟　王　彦　王林生　王慧炯　从翰香（女）　邓鸿勋　艾　丰　石山麟（朝鲜族）　石希玉　石启荣　史大桢　白大华（回族）　吕培俭　江　明　刘于鹤

刘广运　刘平源　刘成果　刘敏学　刘鸿儒
李志民　李京文　李居昌　李延龄　杨尚德
杨培青(女)　杨崇春　肖万钧　吴敬琏
何竹康　佘健明　张文驹　张世尧　张卓元
陆　江　陈顺恒　邵奇惠　林兆木　周叔莲
郑　力(女)　郑敦训　房维中　赵　宏
赵海宽　赵维臣(满族)　胡德平　贺　铿
高尚全　郭　炎　唐大智(女)
阎　颖(女)　黄平涛　萧灼基　屠由瑞
董辅礽　韩　英　程连昌　傅立民　雷祖华
潘连生　潘蓓蕾(女,高山族)

增补:

副主任　叶连松

(2001年2月28日政协第九届全国委员会常务委员会第十二次会议通过)

增补:

委　员

王荣生　沈祖伦　杨邦杰　顾云飞

(1999年2月25日政协第九届全国委员会第十次主席会议通过)

人口资源环境委员会

主　任　侯　捷

副主任(按姓氏笔画排列)

江泽慧(女)　李伟雄　杨纪珂　张　洽
张春园　陈洲其

委　员(42人)

王　东　王汝林　扎　舍(藏族)　方樟顺
石元春　田均良　史训知　刘汉彬　刘松金
刘宝珺　刘济民　江泽慧(女)　严宏谟
李士忠　李伟雄　李慈君(女)　杨纪珂
何升韬　何林祥　邹玉川　邹竞蒙
汪纪戎(女)　汪品先　沈茂成　沈国舫
张　洽　张　塞　张红武　张春园　张彦仲
陈厚群　陈洲其　范维唐　和志强(纳西族)
侯　捷　姚　峻　袁国林　黄书谋　曹文宣
曾庆存　蔡延松　谭庆琏

任命:

主　任　陈邦柱

(2000年6月24日政协第九届全国委员会常务委员会第十次会议通过)

增补:

委　员

刘迺强　唐守正　梁从诫　常近时

(1999年2月25日政协第九届全国委员会第十次主席会议通过)

王光谦　李世忠　倪晋仁

(2001年1月19日政协第九届全国委员会第二十六次主席会议通过)

教科文卫体委员会

主　任　刘忠德

副主任(按姓氏笔画排列)

王明达　孙隆椿　杨伟光　周干峙　徐冠华
蒋民宽　楚　庄

委　员(63人)

于　洋　马颂德　王世光　王明达　王福祥
王德炳　文　喆　左铁镛　龙致贤　卢之超
朱高峰　任彦申　刘习良　刘永纲　刘忠德
孙隆椿　李文珊　李振声　李维康(女)
杨天乐　杨伟光　吴昌顺　吴祖强　吴蔚然
邹时炎　闵桂荣　沈　鹏　沈士团
沈桂芳(女)　沈椿年　张开逊　张今强
张发强　张孝文　张均田　张震康　张德勤
陈　铎　陈　新　陈大白(女)　陈昌本
陈绍武　周干峙　胡启恒(女)　袁贵仁
栗前明　徐如镜　徐冠华　徐晓钟
郭肖容(女)　郭应禄　黄人健(女)
黄大娗　董志伟　常　城(回族)　蒋民宽
傅世垣　傅庚辰　楚　庄　楼大鹏　靳尚谊
蔡义江　蔡世雄

增补:

副主任　张发强　傅庚辰

(1999年3月1日政协第九届全国委员会常务委员会第四次会议通过)

增补:

委　员

王　浒　文　楼　巴德年　毕克官　吴光正
李国章　张复良　胡芝风　徐善衍　焦文俊
蔡冠深　潘　霞(女)　霍震霆

(1999年2月25日政协第九届全国委员会第十次主席会议通过)

张登义

(2001年1月19日政协第九届全国委员会

第二十六次主席会议通过）

张虎生　张燮林

（2001年2月20日政协第九届全国委员会第二十七次主席会议通过）

社会和法制委员会

主　任　王森浩

副主任（按姓氏笔画排列）

王大明　王厚德　王淑贤（女）　冯梯云　巫昌祯（女）　罗涵先　贺光辉　蒋先进

委　员（46人）

王大明　王文东　王厚德　王晓棠（女）　王展意　王淑贤（女）　王森浩　王德瑛　卞耀武　巴音朝鲁（蒙古族）　左连璧　卢天骄（女）　叶佩英（女）　叶维祯（女）　冯　卒（女）　冯梯云　许智明　孙柏秋（女）　巫昌祯（女）　李　钊　杨　钟　肖建章　吴伯明　吴建国　应文华　陈春龙　陈清泰　范　康　林用三　经君健　胡笑云　罗涵先　段存华（女）　姜洪泉　贺光辉　桂晓风　贾启玉　徐颂陶　郭广昌　唐德华　黄景钧　曹康泰　龚如心（女）　葛　健　蒋先进　雷　蕾（女，满族）

增补：

副主任　王德瑛　巴音朝鲁（蒙古族）

（1999年3月1日政协第九届全国委员会常务委员会第四次会议通过）

增补：

委　员

牛　平　孙金龙　陈　红　敬一丹　薛昭鋆

（1999年2月25日政协第九届全国委员会第十次主席会议通过）

万鄂湘　李永安

（2001年1月19日政协第九届全国委员会第二十六次主席会议通过）

民族和宗教委员会

主　任　乌力吉（蒙古族）

副主任（按姓氏笔画排列）

刀述仁（傣族）　韦　钰（女，壮族）　叶　青　金　鉴（满族）　金日光（朝鲜族）　赵延年（回族）　洛桑赤耐（藏族）

委　员（53人）

刀述仁（傣族）　万选蓉（女，彝族）　马　贤（回族）　马英林　王光德　王家贤（黎族）　韦　钰（女，壮族）　韦大卫（壮族）　云大棉（蒙古族）　乌力吉（蒙古族）　巴　岱（蒙古族）　龙志毅（彝族）　叶　青　叶小文　田富达（高山族）　生钦·洛桑坚赞（藏族）　冯元蔚（彝族）　毕大川（赫哲族）　齐续春（满族）　刘元仁　刘秀晨（回族）　刘柏年　买买提·赛来（维吾尔族）　却　西（藏族）　克尤木·巴吾东（维吾尔族）　杜祥明　杨文衡（苗族）　闵智亭　汪东林　沙之沅（回族）　宋　堃（回族）　张继禹　应伊利（女，蒙古族）　阿拉坦敖其尔（蒙古族）　阿嘉·洛桑图旦·久美嘉措（蒙古族）　陈永柱（白族）　陈丽华（女，满族）　罗冠宗　金　鉴（满族）　金日光（朝鲜族）　周文吉（回族）　净　慧　宛耀宾（回族）　赵延年（回族）　钟毓斌（女，满族）　洛桑赤耐（藏族）　根　通　黄　璜　梁自卫（壮族）　韩文藻　韩应选（撒拉族）　蒯英海（维吾尔族）　穆永吉（回族）

增补：

副主任　黄　璜

（1999年3月1日政协第九届全国委员会常务委员会第四次会议通过）

副主任　陈广元　江家福

（2001年2月28日政协第九届全国委员会常务委员会第十二次会议通过）

增补：

委　员

马国超　邝广杰　刘广均　杨　钊　张万欣　张千一　金基鹏　赵镇东　高苕华　释圣辉

（1999年2月25日政协第九届全国委员会第十次主席会议通过）

文史资料委员会

主　任　朱作霖

副主任(按姓氏笔画排列)

刘　恕(女)　李东海　金开诚　金冲及　龚育之

委　员(34人)

王庆成　王晓秋　王楚光　文　精(蒙古族)　朱作霖　刘　恕(女)　刘国能　刘海藩　刘景录(蒙古族)　李东海　李汉秋　李晓华　吴　福　陈　威　陈　砾　陈昊苏　金开诚　金冲及　周秉德(女)　郑凤荣(女)　郑科扬　弥松颐　赵　曜　胡文瑞　胡继高　宣　平(女)　袁行霈　唐克美(女)　黄高谦　曹幸穗　龚育之　傅璇琮　舒　乙(满族)　管　德

增补:

副主任　宋　堃　刘济民

(1999年3月1日政协第九届全国委员会常务委员会第四次会议通过)

副主任　吴　福

(2000年2月29日政协第九届全国委员会常务委员会第八次会议通过)

增补:

委　员　冯　友　张厚粲　陈漱渝

(1999年2月25日政协第九届全国委员会第十次主席会议通过)

港澳台侨委员会

主　任　朱　训

副主任(按姓氏笔画排列)

厉有为　朱培康　张伟超　林开钦　俞晓松　唐树备　蔡子民

委　员(51名)

马俊如　王成喜　王锡爵　王德衍　方俐洛(女)　厉有为　石四皓　白淑湘(女)　冯理达(女)　吕学俭　朱　训　朱元成　朱培康　伍淑清(女)　邬梦兆　刘炳森　孙安民　苏民生　李星浩　李顺然　杨思泽　吴英辅　吴国祯　何添发　张伟超　张克俭　陈白皋　陈金烈　陈宗皋　陈联合　范乐年　林开钦　林盛中　林毅夫　周远楣(女)　俞晓松　施子清　姜殿铭　姚美良　贺定一(女)　贾亦斌　徐展堂　郭国庆　唐树备　黄军军(女)　黄植诚(壮族)　黄紫玉(女)　靳　晋　蔡孑民　潘君密　瞿弦和

增补:

副主任

何添发

(1999年3月1日政协第九届全国委员会常务委员会第四次会议通过)

张道诚

(2002年11月22日政协第九届全国委员会常务委员会第十九次会议通过)

增补:

委　员　林祖基　施祥鹏

(1999年2月25日政协第九届全国委员会第十次主席会议通过)

外事委员会

主　任　田曾佩

副主任(按姓氏笔画排列)

齐怀远　李　景　吴修平　张毅君　原　焘

委　员(39人)

于熙钟　王光美(女)　王弄笙(女)　王林旭　王昌义　王效贤(女)　古建中　卢秋田　田曾佩　刘德有　齐怀远　苏振兴　李　景　李凤林　李北海　杨昌基　杨福昌　吴修平　沈仁道　宋文中　张永珍(女)　张椿年　张毅君　陈乃芳(女)　陈宗德　林杏光　宦国英(女)　秦华孙　袁　明(女)　原　焘　徐更生　徐虹霞(女)　高敬德　唐龙彬　谌取荣　喻权域　温业湛　詹永杰　黎　虹

增补:

副主任　李北海

(1999年3月1日政协第九届全国委员会常务委员会第四次会议通过)

副主任　秦华孙

(2000年2月29日政协第九届全国委员会常务委员会第八次会议通过)

增补:

委　员　资华筠(女)

(2001年1月19日政协第九届全国委员会第二十六次主席会议通过)

中国共产党中央军事委员会

1993 年 3 月—1997 年 9 月

主　席　江泽民

（1992 年 10 月 19 日中共十四届一中全会选举）

副主席　刘华清　张　震

（1992 年 10 月 19 日中共十四届一中全会选举）

张万年　迟浩田

（1995 年 9 月 28 日中共十四届五中全会增补）

委　员

于永波（满族）　傅全有　迟浩田　张万年

（1995 年 9 月 28 日中共十四届五中全会增补）

1997 年 9 月—2002 年 11 月

主　席　江泽民

副主席　胡锦涛

（1999 年 9 月 22 日中共十五届四中全会增补）

张万年　迟浩田

（1997 年 9 月 19 日中共十五届一中全会选举）

委　员

傅全有　于永波（满族）　工　克　王瑞林

（1997 年 9 月 19 日中共十五届一中全会选举）

曹刚川

（1998 年 10 月 14 日中共十五届三中全会递补）

郭伯雄　徐才厚

（1999 年 9 月 22 日中共十五届四中全会增补）

中华人民共和国
中央军事委员会

1993 年 3 月—1998 年 3 月
（第八届全国人大期间）

主　席　江泽民

（1993 年 3 月 27 日第八届全国人民代表大会第一次会议选举）

副主席　刘华清　张　震

委　员

迟浩田　张万年　于永波（满族）　傅全有

（1993 年 3 月 28 日第八届全国人民代表大会第一次会议根据中华人民共和国中央军事委员会主席的提名决定）

副主席

张万年（1995 年 2 月—　）

迟浩田（1995 年 2 月—　）

委　员

王　克（1995 年 2 月—　）

王瑞林（1995 年 2 月—　）

1998 年 3 月—2003 年 3 月
（第九届全国人大期间）

主　席　江泽民

（1998 年 3 月 17 日第九届全国人大一次会议选举产生）

副主席　胡锦涛

（1999 年 10 月 31 日九届全国人大常委会第十二次会议任命）

张万年　迟浩田

委　员

傅全有　于永波（满族）　王　克　王瑞林

（1998 年 3 月 17 日第九届全国人大第一次会议选举）

郭伯雄　徐才厚

（1998 年 10 月 31 日九届全国人大常委会第十二次会议任命）

中国人民解放军

中国人民解放军各总部、各军兵种

中华人民共和国国防部

部 长

迟浩田(兼)(1993 年 3 月—2003 年 3 月)

中国人民解放军总参谋部

总参谋长

张万年(1992 年 11 月—1995 年)

傅全有(1995 年—2002 年 11 月)

中国人民解放军总政治部

主 任

于永波(满族,1992 年 11 月—2002 年 11 月)

中国人民解放军总后勤部

部 长

傅全有(1992 年 10 月—1995 年)

王 克(1995—2002 年 11 月)

政治委员

周克玉(1990 年 4 月—1995 年)

周坤仁(1995 年—2002 年 11 月)

中国人民解放军总装备部

部 长

曹刚川(1995 年—2002 年 11 月)

政 委

李继耐(1995 年—2002 年 11 月)

中国人民解放军海军

司令员

张连忠(1988 年 1 月—1996 年 11 月)

石云生(1996 年 11 月—2003 年 6 月)

政治委员

魏金山(1990 年 4 月—1993 年 12 月)

周坤仁(1993 年 11 月—1995 年 7 月)

杨怀庆(1995 年 7 月—2003 年 6 月)

中国人民解放军空军

司令员

曹双明(1992 年 11 月—1994 年 10 月)

于振武(1994 年 11 月—1996 年 11 月)

刘顺尧(1996 年 11 月—2002 年 11 月)

政治委员

丁文昌(1992 年—1999 年)

乔清晨(1999 年—2002 年 11 月)

中国人民解放军第二炮兵

司令员

杨国梁(1992 年 11 月—2003 年 1 月)

政治委员

隋永举(1992 年—1997 年)

隋明太(1997 年—2003 年)

中国人民解放军各大军区

北京军区

司令员

王成斌(1990 年 4 月—1993 年 12 月)

李来柱(1993 年 12 月—1997 年 11 月)

李新良(1997 年 10 月—2002 年 1 月)

政治委员

谷善庆(1992 年 11 月—1996 年 11 月)

杜铁环(1996 年 11 月—2003 年 12 月)

南京军区

司令员

固　辉(1990年4月—1996年1月)

陈炳德(1996年1月—1999年12月)

梁光烈(1999年—2002年)

政治委员

刘安元(1992年11月—1993年12月)

方祖岐(1993年12月—2000年12月)

雷鸣球(2000年12月—　)

沈阳军区

司令员

王　克(1992年11月—1995年9月)

李新良(1995年9月—1997年10月)

梁光烈(1997年11月—1999年)

钱国梁(2000年1月—2004年12月)

政治委员

宋克达(1987年11月—1993年12月)

李新良(1993年12月—1995年9月)

姜福堂(1995年9月—2005年12月)

兰州军区

司令员

刘精松(1992年11月—1997年11月)

郭伯雄(1997年11月—1999年9月)

李乾元(1999年9月—2007年6月)

政治委员

曹芃生(1990年4月—1996年1月)

温宗仁(1996年1月—2000年6月)

刘冬冬(2000年6月—2002年10月)

济南军区

司令员

张太恒(1992年10月—1996年11月)

钱国梁(1996年11月—1999年12月)

陈炳德(1999年12月—2004年9月)

政治委员

宋清渭(1987年11月—1994年10月)

杜铁环(1994年10月—1996年11月)

徐才厚(1996年11月—1999年9月)

张文台(1999年9月—2002年11月)

广州军区

司令员

李希林(1992年10月—1996年1月)

陶伯钧(1996年1月—2002年1月)

政治委员

史玉孝(1992年11月—1998年8月)

刘书田(1998年8月—2003年12月)

成都军区

司令员

李九龙(1991年9月—1994年10月)

隗福临(1994年10月—1995年7月)

廖锡龙(1995年7月—2002年11月)

政治委员

谷善庆(1990年4月—1992年11月)

张　工(1992年11月—1993年12月)

张志坚(1993年12月—1999年5月)

杨德清(1999年5月—2003年12月)

中国各民主党派

中国国民党革命委员会

第八届中央委员会
(1992年12月—1997年11月)

名誉主席

朱学范(已故)　侯镜如(已故)

孙越崎(已故)

名誉副主席

贾亦斌　赵祖康(1992年12月22日民革中央第八届一中全会上选举产生)

主　席

李沛瑶(已故)

何鲁丽(女)(1996年11月11日民革中央第

八届五次全会选举产生）

副主席

彭清源（常务） 徐起超 李赣骝 沈求我
周铁农 童 傅 程志青 胡 敏
何鲁丽（女）

秘书长 朱培康

（1992年12月22日民革中央第八届一中全会上选举产生）

中央监察委员会

主 席

谭惕吾（女）

副主席

廖运周 覃异之（已故） 方少逸 张素我
张克明 邵恒秋 顾毓瑔 吴 京

第九届中央委员会

（1997年11月—2002年12月）

名誉副主席

贾亦斌 彭清源 徐起超 沈求我

主 席

何鲁丽（女）

副主席

周铁农 李赣骝 童 傅 程志青（女）
胡 敏 徐志纯 厉无畏 钮小明（女）
朱培康

秘书长

刘民复

中国民主同盟

第七届中央委员会

（1992年12月—1997年10月）

第七届全国代表大会

（1992年12月29日）

选举：

常务委员

丁石孙 马大猷 马梅苏 王 健（京）
王 健（冀） 王丹凤 王启宏 王积涛
孔令仁（女） 冯之浚 冯克熙 厉以宁
卢 强 江景波 池际尚（女） 刘德海
关世雄 朱宣人 邬沧萍 沈 晋 杨 明
杨奎章 吴汉家 吴克清 吴富恒 张芝联
张纪域 张厚粲（女） 张楚琨 张毓茂
陈心铭 陈癸尊 范 濂 林金铭 林宗彩
罗涵先 洪伯铿 祝汝方（女） 赵一明
胡政光 俞泽猷 费孝通 高 天 高景德
高擎洲 谈家桢 袁行霈 聂卫平 钱伟长
徐 鹏 徐景星 翁曙冠 陶大镛 康振黄
曾孝箴 谢颂凯 彭少逸 韩毅之 戴树和
端木正 叶大年 刘诗白 刘佩瑛（女）
吴修平 岳书仓 倪保珊 张存浩

七届一中全会

（1992年12月30日）

选举中央委员会：

名誉主席

楚图南（已故） 费孝通 钱伟长 谈家桢
（1996年11月民盟七届五中全会推举产生）

主 席 费孝通（辞） 丁石孙
（1996年11月民盟七届五中全会选举）

副主席

高 天（常务，已故）
丁石孙（1994年7月— ）
钱伟长（辞） 谈家桢（辞） 陶大镛
罗涵先 马大猷 冯之浚 康振黄
孔令仁（女） 谢颂凯 吴修平
张毓茂

秘书长 俞泽猷

七届四中全会

（1995年12月8日）

补选中央委员会：

副主席 厉以宁

常务委员 许柏年 周宜兴 谢佑卿

七届五中全会

（1996 年 11 月）

补选中央委员会

副主席　江景波　袁行霈

第八届中央委员会

（1997 年 10 月—2002 年 12 月）

名誉主席

费孝通　钱伟长　谈家桢　苏步青

名誉副主席

闻家驷　叶笃义　陶大镛　马大猷　康振黄

顾　问（按姓氏笔画为序）

冯素陶　邬沧萍　张楚琨　张敏之　萧　乾

主　席　丁石孙

副主席

罗涵先　冯之浚　孔令仁（女）　谢颂凯

吴修平　张毓茂　厉以宁　江景波　袁行霈

卢　强　俞泽猷　吴正德　张宝文

秘书长　张宝文（兼）

常务委员会（共 60 人，按姓氏笔画为序）

丁石孙　马克烈　王丰才　王玉柱　王维城

王耀华　孔令仁（女）　厉以宁　卢　强

叶大年　冯之浚　冯克熙　冯宏顺　朱　铭

朱振中　伉铁保　刘如琦　刘德海　江景波

许柏年　孙优贤　李增林　吴大诚　吴正德

吴修平　吴静波　沈立恭　张圣坤　张存浩

张国辉　张宝文　张梅颖（女）　张毓茂

张癸尊　罗涵先　岳书仓　金忠青　周宜兴

郑泽根　胡政光　俞泽猷　俞海潮　袁行霈

都本洁　聂卫平　聂向庭　桂中岳

徐吉浣（女）　高晓宇　唐克美（女）

陶建华（女）　梁超然　韩大建（女）

韩南鹏　傅仙罗　曾孝箴　谢佑卿　谢颂凯

黎乐民　欧阳仁荣

中国民主建国会

第六届中央委员会

（1992 年 11 月—1997 年 11 月）

六届一中全会

（1992 年 11 月 26 日）

选举：

中央委员会

名誉主席　孙起孟

（1996 年 12 月民建六届五中全会决定）

主　席　成思危

（1996 年 12 月民建六届五中全会选出）

孙起孟（辞）

副主席

万国权（常务）　陈邃衡　陈铭珊　冯梯云

黄大能　李崇淮　白大华　朱元成　冯克煦

路　明　刘　珩

秘书长　朱元成（兼）

六届四中全会

（1995 年 12 月 19 日）

增选：

副主席　成思危

第七届中央委员会

（1997 年 11 月—2002 年 12 月）

名誉主席　孙起孟

名誉副主席

万国权　浦洁修　陈邃衡　陈铭珊

顾　问

王光英　王艮仲　徐崇林　李文杰　周同善

主　席　成思危

副主席

冯梯云　白大华　朱元成　冯克煦　路　明

刘　珩　黄关从　黄孟复　朱相远

常务委员（按姓氏笔画为序）

方兆本　王之泰　王兆民　王宇平（女）

韦云隆　冯士筰　伍龙章　刘汉良　刘昌谋

阳忠恕　张汉英（女）　李雅芳（女）

陈昌智　陈明德　陈政立　陈春龙

陈毓珍（女）　周绍熹　林　强

姜笑琴(女) 赵 燕(女) 晏懋洵
资华筠(女) 陶醒世 顾宗棠 萧灼基
喻长林 程 炜 程贻举 辜胜阻 墨文川
潘金培

中国民主促进会

第九届中央委员会
(1992年12月—1997年11月)

第九届全国代表大会
(1992年12月16日)

推举:
名誉主席
谢冰心(已故) 赵朴初

九届一中全会
(1992年12月18日)

选举:
主 席 雷洁琼
副主席
陈舜礼(常务) 楚 庄 叶至善 梅向明
陈难先 冯骥才 邓伟志 许嘉璐
葛志成(已故)

九届四次会议
(1995年12月13日—15日)

增选:
副主席 张怀西
秘书长 陈益群

第十届中央委员会
(1997年11月—2002年12月)

名誉主席
雷洁琼 谢冰心(已故) 赵朴初
名誉副主席 陈舜礼 柯 灵 叶至善
顾 问 潘承孝 王鸿祯 方 明
主 席 许嘉璐
副主席
楚 庄 梅向明 陈难先 冯骥才 邓伟志
张怀西 潘贵玉 蔡睿贤 王立平
秘书长 陈益群
常务委员(共41名,按姓氏笔画为序)
丁德云 王立平 王佐书 邓伟志 冯骥才
朱维芳(女) 刘运来 刘恒椽 刘锦才
许嘉璐 麦赐球 苟建丽(女) 李光羲
李金培 李前宽 吴葵光 张正明 张怀西
陈 慧 陈益群 陈凌孚 陈难先 林 逸
罗棣庵 孟雁君(女) 冼鼎昌 赵陆一
俞曙霞(女) 姚建铨 袁祖亮 郭正谊
郭燕杰 梅向明 常 城 盖山林 梁植文
楚 庄 窦瑞华 蔡述明 蔡睿贤
潘贵玉(女)

中国农工民主党

第十一届中央委员会
(1992年12月—1997年11月)

十一届一中全会
(1992年12月9日)

选举:
中央委员会
名誉主席 周谷城
主 席 卢嘉锡
副主席
方荣欣(常务) 姚 峻 章师明 田光涛
蒯天聪 陈灏珠 阎洪臣 宋金升 蒋正华
杨烈宇(已故)
秘书长 宋金升(兼)

十一届四中全会
(1995年12月11日—14日)

补选:

副主席 李 蒙

第十二届中央委员会

（1997 年 11 月—2002 年 12 月）

选出：

名誉主席 卢嘉锡

名誉副主席

方荣欣 田光涛 蒯天聪 郭秀仪(女)

顾 问

宋鸿剑 管仲伟 邓昊明 梅日新 王大鲁

主 席 蒋正华

副主席

姚 峻 章师明 陈灏珠 阎洪臣 宋金升

李 蒙 朱兆良 陈建生 陈宗兴 张大宁

秘书长 于生龙

常务委员（共 41 名，按姓氏笔画为序）

于生龙 王士昌 王中刚 王宁生 王传琛

王迺谦 韦思琪 左焕琛(女) 冯炯华

朱兆良 刘敏如(女) 李 蒙 李汉秋

肖谷欣 沃祖全 宋金升 张 言 张 敏

张大宁 张广兴 张乾二 张慕洁(女)

陆道培 陈建生 陈宗兴 陈锡生 陈瑞清

陈灏珠 赵克正 俞祖彭 姚 峻 姚守拙

高 德 桑国卫 黄 畋(女) 曹国琛

常近时 章师明 阎洪臣 蒋正华

管晓虹(女)

中国致公党

第十届中央委员会

（1992 年 12 月—1997 年 11 月）

第十次代表大会

（1992 年 12 月 15 日—20 日）

推举：

名誉主席 黄鼎臣(已故)

名誉副主席 伍觉天

十届一中全会

（1992 年 12 月 15—19 日）

选举：

中央委员会

主 席 董寅初

副主席

杨纪珂 郑守仪 王宋大 罗豪才 陆榕树

秘书长 王宋大(兼)（ —1993 年 7 月）

十届四中全会

（1995 年 12 月 5 日—7 日）

增选：

副主席 吴明熹

秘书长 吴明熹(兼)

十届五中全会

（1996 年 12 月）

增选：

副主席 杜宜瑾

第十一届中央委员会

（1997 年 11 月—2002 年 12 月）

名誉主席 董寅初

名誉副主席 伍觉天 杨纪珂

顾 问 司德擎 吴豪德 张骏卂

主 席 罗豪才

副主席

郑守仪(女) 王宋大 吴明熹 杜宜瑾

俞云波 王珣章

秘书长 邱国义

常务委员（共 10 名，按姓氏笔画为序）

王宋大 王珣章 古华民 叶文虎

叶佩英(女) 邱国义 杜宜瑾 吴明熹

李家宝 李铮友 杨兆旋 郑守仪(女)

林子亮 罗 龙 罗豪才 周 畅 俞云波

程津培 蒋作君

九三学社

第九届中央委员会
（1992年12月—1997年11月）

九届一中全会
（1992年12月31日）

推举：
名誉主席
严济慈（已故）　金善宝（已故）
周培源（已故）
选举：
中央委员会
主　席　吴阶平
副主席
徐采栋（常务）　郝诒纯（女）
安振东　王文元　杨　樾　陈明绍　陈学俊
赵伟之　洪绂曾　金开诚
秘书长　刘荣汉

九届四中全会
（1995年12月22日—26日）

增选：
副主席　王　选　黄其兴

第十届中央委员会
（1997年11月—2002年12月）

名誉主席　王淦昌（已故）
名誉副主席
徐采栋　柯　召　郝诒纯（女）　杨　樾
陈明绍　陈学俊
顾　问（按姓氏笔画为序）
方　亮　叶恭绍　师昌绪　汤定元　李　毅
启　功　张光斗　陈　立　陈恩凤　唐有祺
笪移今　葛庭燧　程裕淇　魏寿昆
主　席　吴阶平
副主席
安振东　王文元　赵伟之　洪绂曾　金开诚
王　选　黄其兴　刘应明　闵乃本
谢丽娟（女）
秘书长　刘荣汉
常务委员（共45人，按姓氏笔画为序）
王　选　王文元　王幼辉　王明时　王辉丰
邓浦东　冯培恩　卢光琇（女）　田麦久
刘北辰　刘应明　刘荣汉　刘淑莹（女）
安振东　吴阶平　吴若秋　宋彭生　张　涛
李慧珍（女）　杨光华　汪　愚　沈根荣
闵乃本　陈　忠（女）　陈心昭　陈抗甫
陈家骅　周　翔（女）　罗锡恩　郑楚光
金开诚　姜信真　洪绂曾　赵　俊　赵伟之
赵奇僧　徐宗俊　高继中　黄其兴　黄明度
黄懋衡（女）　龚振栋　谢丽娟（女）
阙端麟　潘蓓蕾（女，高山族）

台湾民主自治同盟

第五届中央委员会
（1992年11月—　）

五届一中全会
（1992年11月29日）

推举：
名誉主席　苏子蘅
选举：
中央委员会
主　席　蔡子民
副主席　张克辉　陈仲颐
秘书长　潘渊静
中央常委
叶庆耀　叶纪东　江　浓　杨玉辉　吴克泰
吴国桢　张克辉　陈仲颐　范新发　林东海
林盛中　郑励志　洪　涛　黄启章　蔡子民
廖灿辉　潘渊静

五届四中全会
（1995年12月12日—15日）

增补：

副主席　刘亦铭

第六届中央委员会

（1997 年 11 月—2002 年 12 日）

名誉主席　蔡子民

名誉副主席

李　辰　田富达(高山族)　陈仲颐

顾　问(按姓氏笔画为序)

叶纪东　江　浓　吴克泰　徐萌山　曾重郎　潘渊静

主　席　张克辉

副主席　刘亦铭　林文漪(女)　吴国祯

秘书长　李敏宽

常务委员会(共 18 人，按姓氏笔画为序)

王琼瑛(女)　刘亦铭　孙南雄　孙桂芬(女)　李敏宽　吴国祯　汪毅夫　张克辉　张荣国　陈荣驾　陈昭典　林文漪(女)　林东海　林盛中　郑励志　洪　涛　袁柏雄　蔡世彦

中华全国工商业联谊会

第六届执行委员会

（1988 年 12 月—1993 年 10 月）

六届执行委员会第一次会议

（1988 年 12 月 2 日）

选举：

执行委员会

名誉主席　胡子昂

名誉副主席

罗叔章(1992 年 1 月逝世)

刘靖基　古耕虞

主　席　荣毅仁

副主席

李　定　马　仪　王光英　叶迪生　叶宝珊　刘念智　孙孚凌　张绪武　张敬礼　经叔平　姜培禄　郭秀珍　黄长溪　黄凉尘　梁尚立　熊应栋

秘书长　胡定一

第七届执行委员会

（1993 年 10 月—1997 年 11 月）

七届执行委员会第一次会议

推选：

名誉主席　王光英

名誉副主席

刘靖基　孙孚凌　古耕虞

顾　问

马　仪　叶宝珊　刘念智　李　定　张敬礼　黄凉尘　熊应栋

选举：

执行委员会

主　席　经叔平

副主席

蒋民宽　张绪武　姜培禄　郭秀珍(女)　黄长溪　梁尚立　曾宪梓　郑裕彤　何厚铧　桓玉珊　刘敏学　李宏昌　朱文榘　胡德平　陈景新　齐景发　王治国　刘一民　何凤祖　刘永好

秘书长　桓玉珊(兼)

第八届执行委员会

（1997 年 11 月—2002 年 11 月）

名誉主席　王光英

名誉副主席

孙孚凌　古耕虞　姜培禄　郭秀珍(女)　梁尚立　曾宪梓　郑裕彤　李宏昌

顾　问

蒋民宽　桓玉珊　刘敏学　陈景新　刘一民

主　席　经叔平

副主席

郑万通　张绪武　胡德平　朱文榘　黄长溪　严克强(壮族)　保育钧(蒙古族)　刘鹤章　谢伯阳　王治国　郭炳湘　何厚铧

伍淑清(女)　王以铭(回族)　甘国屏
姜永涛　谢树声　刘永好　柳传志　张宏伟

秘书长　程　路

人 民 团 体

中华全国总工会

中华全国总工会第十二届执行委员会
(1993年10月—1998年10月)

主　席　尉健行

副主席

张丁华　杨兴富　李奇生　刘　珩
江家福(壮族)　张国祥　方喜德
薛　鋆(女)　滕　龙

第十二届执委会第三次会议
(1995年12月)

增选:

副主席　倪豪梅(女)

中国工会第十三届执行委员会
(1998年10月—2003年9月)

主　席　尉健行

副主席

张俊九　卢展工　李奇生　刘　珩　张国祥
方嘉德　倪豪梅(女)　尤　仁(蒙古族)
王东进　徐锡澄

中国共产主义青年团

中国共产主义青年团第十三届中央委员会
(1993年5月—1998年6月)

第十三届一中全会
(1993年5月10日)

选举:

书记处第一书记　李克强

书　记

刘　鹏　袁纯清　吉炳轩　赵　实(女)
巴音朝鲁(蒙古族)　姜大明

第十三届四中全会
(1995年11月)

增选:

书　记　孙金龙　周　强

中国共产主义青年团第十四届中央委员会
(1998年6月—2003年7月)

第一书记　周　强

(1998年6月共青团十四届一中全会一次会议选举产生)

书　记

巴音朝鲁(蒙古族)　孙金龙　胡春华
黄丹华(女)　崔　波　赵　勇

增选:

书　记　胡　伟　杨　岳

(2001年12月共青团十四届五中全会通过)

中华全国妇女联合会

中华全国妇女联合会第七届中央执行委员会
(1993年9月—1998年9月)

主　席　陈慕华

副主席

黄启璪　张帼英　林丽韫　赵　地　聂　力
阿沛·才旦卓嘎(藏族)
玛依努尔·哈斯木(维吾尔族)　郝诒纯
何鲁丽　孔令仁　韦　钰(壮族)　王淑贤
刘海荣　顾秀莲(1998年6月任职)

中华全国妇女联合会
第八届中央执行委员会
（1998 年 9 月—2003 年 9 月）

名誉主席 陈慕华
主　席 彭珮云
副主席
顾秀莲　黄晴宣　巴　桑（藏族）　沈淑济
孔令仁　谢丽娟　钱　易　韦　钰（壮族）
刘海荣　彭　钢　刘雅芝　田淑兰　华福周

中华全国青年联合会

中华全国青年联合会
第七届全国委员会
（1990 年 8 月—1995 年 7 月）

主　席 巴音朝鲁（蒙古族）　刘　鹏（免）
副主席
巴音朝鲁（蒙古族）　袁纯清
赵　实（女）　俞贵麟　白春礼（满族）
陈章良　陈肇雄　李登海　郝　鹏
关牧村（女，满族）　蔡振华
赵玉芬（女）
阿嘉·洛桑图旦·久美加措（蒙古族）
霍震寰

中华全国青年联合会
第八届全国委员会
（1995 年 7 月—2000 年 7 月）

主　席 孙金龙
常务副主席 黄丹华
副主席
崔　波　赵　勇　邱晓华　陈章良　陈肇雄
蔡振华　吉狄马加　李静海　秦文贵
竺延风　夏敬源　李　杨　冯　巩　张继禹
杨慧珠　黄英豪　霍振宇　黄树森　申　跃

中华全国学生联合会

中华全国学生联合会
第二十一届主席团
（1990 年 8 月—1995 年 7 月）

主　席 杨　岳
副主席
陈　伟　王学勤　毛劲松　张　雁　薛剑文
包　钢　孟志强　李胤辉　安桂武　张　伟
张立军　朱　庆　徐明书　王　晓　童　磊
郭孝实　刘宏伟　李献峰　明　铭　毛晓峰
洪　军　包红胜　冷光明　郭晓帆　章勋宏
陈　颖（女）　邵　备　边　巴（女）
金志鹏　刘见明　石　敏（女）　郭书印
安尼瓦尔·热合曼

第二十一届二次会议
（1991 年 8 月）

更换：
副主席
贾兆为　赵　磊　傅垣洪　那顺孟和
李家文　刘　逊　任海斌　丁　宇　姚　昌
曹克舜　罗小钢　司徒英杰　林文南
田　原　贺　君　叶　鹏　邵风高　贾铁军
王占国　陈　苹
（后 4 名为 1991 年 11 月公布更换）

中华全国学生联合会
第二十二届主席团
（1995 年 7 月—2000 年 7 月）

主　席 张　菁（女）
副主席
杨瑞东　代　鹏　陈建文　黄可瀛（女）
王宏乾　任佩文　郭晓峰　苏小军　张健为
陈凯云　朱　健　宋　歌　张锁庚　唐屹峰
周　治　陈烨辉　谢　康　刘　钊　金玉磊
刘山鹰　欧阳峻　陈小峰　卢慧敏（女）

何 期（壮族） 张彬薰 杨云志 任利波
彭文才 普布顿珠（藏族） 苗彦民 吴 飞
马金芳（女，回族） 赵瑞宁
阿里木·克里木（维吾尔族）

中华全国台湾同胞联谊会

中华全国台湾同胞联谊会
第四届理事会

（1991 年 5 月—1995 年 5 月）

会 长 张克辉

副会长

李河民 吴愿金 杨国庆 陈 亨 郭平坦
徐兆麟 徐进星 梁泰平 廖秋忠

中华全国台湾同胞联谊会
第五届理事会

（1995 年 5 月—1997 年 11 月）

会 长 张克辉

副会长

石四皓 苏民生 杨玉辉 杨国庆 吴国祯
吴愿金（高山族） 陈 亨 陈贵州
林明月（女） 徐进星

中华全国台湾同胞联谊会
第六届理事会

（1997 年 11 月—2002 年 10 月）

名誉会长 张克辉

会 长 杨国庆

副会长

石四皓 田富达 苏民生 陈 亨 陈贵州
林明月 范乐年 曾重郎

顾 问 杨玉辉 吴愿金 徐进星

中华全国归国华侨联谊会

中华全国归国华侨联谊会
第四届委员会

（1989 年 12 月—1994 年 6 月）

名誉主席 张国基

主 席 庄炎林

副主席

王汉杰 王宋大 王善荣 庄世平 庄明理
陈兰通 陈 明 陈宗基 肖 岗 林水龙
罗豪才 蚁美厚 郭瑞人 徐发淦 黄长溪
黄军军（女） 黄其兴 廖灿辉

中华全国归国华侨联谊会
第五届委员会

（1994 年 6 月—1999 年 7 月）

主 席 杨泰芳

副主席

古华民 庄世平 朱添华 陈兰通 陈彬藩
林丽韫（女） 罗豪才 郭瑞人 郭麟恭
黄长溪 黄军军（女） 黄其兴
黄翠玉（女） 廖灿辉 何添发 冀朝铸
俞云波

中华全国归国华侨联谊会
第六届委员会

（1999 年 7 月—2004 年 7 月）

主 席 林兆枢

副主席

古华民 叶迪生 庄世平 刘锦才 李祖沛
李欲晞 杨国庆 林丽韫 林明江 林其珍
俞云波 郭麟恭 唐闻生 黄长溪 谢文霖
冀朝铸

专职副主席

林明江 郭麟恭 唐闻生 李祖沛

秘书长 李祖沛（兼）

二

各省、市、自治区(十六大以前)

北 京 市

中国共产党北京市委员会

第七届市委

（1992 年 12 月—1997 年 12 月）

书 记

贾庆林(1997 年中共中央决定)

陈希同(1992 年 12 月—1995 年辞)

尉健行(1995 年—)

副书记

李其炎(1992 年 12 月—1996 年 10 月中共中央决定)

陈广文(1992 年 12 月—)

李志坚(1992 年 12 月—)

汪家镠(女)(1992 年 12 月—1993 年)

张福森(1997 年 8 月中共中央决定)

第八届市委

（1997 年 12 月—2002 年 12 月）

书 记 贾庆林

副书记

张福森 李志坚 于均波

刘 淇(1998 年 4 月中共中央决定)

金人庆(免)

副书记

强 卫(2001 年 3 月中共中央决定任命)

程世娥(2002 年 1 月中共中央决定任命)

北京市人民代表大会常务委员会

第十届人民代表大会常务委员会

（1993 年 2 月—1998 年 1 月）

主 任 张健民(满族)

副主任

孟志元 夏钦林(1997 年 2 月辞)

陶大镛 郝诒纯(女) 梅向明 陶西平

徐炳忠

(1993 年 2 月北京市十届人大一次会议选举产生)

副主任 汪 统

(1996 年 4 月北京市十届人大四次会议补选产生)

第十一届人民代表大会常务委员会

（1998 年 1 月—2003 年 1 月）

主 任 张健民(满族)

(1998 年 1 月北京市十一届人大一次会议当选)

副主任

汪 统 段柄仁 陶西平 洪绂曾 王大中

北京市人民政府

1993 年 2 月—1998 年 1 月

（北京市十届人大期间）

市 长 贾庆林

(1997 年 2 月北京市十届人大五次会议选举产生)

李其炎(辞)

副市长

张百发(常务)(辞) 陆宇澄

何鲁丽(女)(辞) 胡昭广 孟学农 段 强

王宝森 (1993 年 2 月—1995 年 4 月)

李润五 (1993 年 2 月—1995 年 11 月)

(1993 年 2 月北京市十届人大一次会议选举产生)

副市长 金人庆

（1995年11月北京市十届人大常委会第二十二次会议任命）

副市长 阳安江

（1996年1月北京市十届人大常委会第二十四次会议任命）

副市长 林文漪

（1996年12月北京市十届人大常委会第三十四次会议任命）

1998年1月—2003年1月
（北京市十一届人大期间）

市 长

刘 淇（1999年2月北京市十一届人大二次会议当选）

贾庆林（辞）

副市长

孟学农 林文漪（女） 岳福洪 汪光焘 刘海燕 刘敬民 张 茅

（1998年1月北京市十一届人大一次会议当选）

副市长

张福森（1988年5月3日— ）

翟鸿祥（女）

（1999年3月北京市十一届人大常委会第九次会议任命）

金人庆（免） 刘 淇（免）

副市长(常务) 孟学农

（1998年12月，2002年12月中共中央批准任中共北京市委副书记）

副市长 岳福洪

（2001年8月3日，北京市十一届人大常委会第二十八次会议免去）

中国人民政治协商会议北京市委员会

第八届委员会
（1993年2月—1998年1月）

主 席 王大明

副主席

封明为 孙孚凌 沈仁道 黄纪诚 陈仲颐 祝谌予 陈大白（女） 王澍寰 卢松华 张廉云（女） 钱 易（女）

（1993年2月北京市政协八届一次会议选举产生）

副主席 万嗣铨 王之泰 靳 晋

（1994年4月北京市政协八届二次会议选举产生）

黄纪诚（罢免）

（1996年12月北京市政协第八届常委会第三十三次会议决定）

秘书长 宋维良

（1996年3月北京市政协八届四次会议选举产生）

杜审微（免）

（1993年2月北京市政协八届一次会议选举产生）

第九届委员会
（1998年1月—2003年1月）

主 席 陈广文

副主席

沈仁道 卢松华 万嗣铨 钱 易（女） 杜宜谨 李获生 宋维良 韩汝琦 朱相远 陆道培 孙安民 傅铁山

（1998年1月北京市政协九届一次会议选举产生）

副主席 朱育诚

（1999年2月北京市政协九届二次会议当选）

秘书长 宋维良（兼）

（1998年1月北京市政协九届一次会议选举产生）

北京卫戍区

司令员

何道泉（1992年12月—1994年12月）

刘逢君（1994年12月— ）

政治委员

张宝康(1990年6月—1994年12月)
杨惠川(1994年12月—1995年12月)
李文华(1995年12月—2003年)

天 津 市

中国共产党天津市委员会

第六届市委

(1993年5月—1998年5月)

书 记

张立昌(1997年8月中共中央决定)
高德占(1993年5月—1997年8月)

副书记

张立昌(1993年5月—1997年8月)
李建国(免)
李盛霖(1993年5月—)
房凤友(1995年12月—)
刘峰岩(1997年10月中共中央批准)
王旭东(免)

第七届市委

(1998年5月—2002年4月)

书 记 张立昌
(1998年5月中共天津市委七届一次会议选出)

副书记 李盛霖 房凤友 刘峰岩 宋平顺
(1998年5月中共天津市委七届一次会议选出)

天津市人民代表大会常务委员会

第十二届人民代表大会常务委员会

(1993年6月—1998年5月)

主 任 聂璧初

副主任

鲁学政 潘义清 朱文榘 王成怀 钱其璈 黄其兴 陈荣悌 刘文藩 张毓环(女) 苏宝琮
(1993年6月天津市十二届人大一次会议选举产生)

第十三届人民代表大会常务委员会

(1998年5月—2003年1月)

主 任 张立昌
(1998年5月天津市十三届人大一次会议当选)

副主任

罗远鹏 潘义清 李振东 朱文榘 王鸿江 黄其兴 张毓环(女) 庄公惠 卢金发
(1998年5月天津市十三届人大一次会议当选)

天津市人民政府

1993年6月—1998年5月

(天津市第十二届人大期间)

市 长 张立昌

副市长

李盛霖(常务) 宋平顺 叶迪生 张好生 庄公惠 王德惠 朱连康
(以上人员1993年6月天津市十二届人大一次会议选举产生)

副市长 杨新成
(1995年12月天津市十二届人大常委会第二十次会议任命)

副市长 曲维枝
(1996年1月天津市人大常委会任命)

副市长 夏宝龙
(1997年10月天津市十二届人大常委会第三十七次会议任命)

副市长 李慧芬(女)
(1993年6月—1995年7月)

1998年5月—2003年1月
（天津市十三届人大期间）

市　长　李盛霖

（1998年5月天津市十三届人大一次会议当选）

副市长

杨新成　夏宝龙　王德惠　俞海潮　王述祖
孙海麟　梁　肃

（1998年5月天津市十三届人大一次会议当选）

市　长　李盛霖

（2002年12月30日，天津市十三届人大常委会第三十八次会议决定接受其辞去市长职务）

戴相龙（代）

（2002年12月30日，天津市十三届人大常委会第三十八次会议决定任命）

副市长　戴相龙

（2002年12月30日，天津市十三届人大常委会第三十八次会议决定任命）

崔津渡

（2002年9月5日，天津市人大常委会决定任命）

中国人民政治协商会议
天津市委员会

第九届委员会
（1993年6月—1998年5月）

主　席　刘晋峰

副主席

李长兴　黄炎智　陈茹玉（女）　廖灿辉
陆焕生　余国琮　陈培烈　王积涛　张昭若
陈树勋

（1993年6月政协天津市九届一次会议选举产生）

副主席　张永根

（1995年2月天津市政协九届三次会议增补产生）

第十届委员会
（1998年5月—2003年1月）

主　席　房凤友

（1998年5月天津市政协第十届委员会第一次全体会议选举产生）

副主席

张好生　张永根　朱连康　张德铨　杨大峥
周绍熹　姚建铨　曹秀荣（女）　赵克正
程津培　蔡世彦

（1998年5月天津市政协第十届委员会第一次全体会议选举产生）

天津警备区

司令员

金仁燮（1992年12月—　）

滑兵来

政治委员

杨惠川

徐自强（1994年12月—1995年12月）

寇宪祥（1995年12月—1996年6月）

高云江

河　北　省

中国共产党河北省委员会

第四届省委
（1990年7月—1995年10月）

书　记

邢崇智（　—1993年1月）

程维高（1993年1月—1995年10月）

副书记

程维高（1990年7月—1993年1月）

吕传赞（1990年7月—1995年10月）

李炳良（1990年7月—1995年10月）

叶连松(1993年4月—1993年5月)
陈玉杰(女)(1994年3月中共中央批准)
许永跃(1994年3月中共中央批准)

第五届省委
(1995年10月—2001年12月)

书 记
叶连松(1998年10月中共中央任命)
程维高(1995年10月—1998年10月)
副书记
叶连松(免) 李炳良 陈玉杰(女)
许永跃(免)
(1995年10月中共河北省委五届一次全体会议选举产生)
卢展工(1996年8月中共中央决定任命)
赵金铎(1997年12月中共中央决定任命)
赵世居(1998年4月中共中央决定任命)

河北省人民代表大会常务委员会

第八届人民代表大会常务委员会
(1993年5月—1998年1月)

主 任 吕传赞
副主任
李永进 张震环 刘宗耀 董耐劳(女)
郜永堂 宁全福 周 欣
(1993年5月河北省八届人大一次会议选举产生)
副主任
姜殿武(撤销) 张建新
(1995年2月河北省八届人大三次会议补选产生)
副主任
王洪廉(1993年5月—1994年7月,已故)

第九届人民代表大会常务委员会
(1998年1月—2003年1月)

主 任 程维高
(1998年1月河北省人大九届一次会议选举产生)
副主任
李炳良 张震环 刘作田 张建新 郝廷华
白录堂 龚焕文 韩葆珍(女)
(1998年1月河北省人大九届一次会议选举产生)

河北省人民政府

1993年5月—1998年1月
(河北省八届人大期间)

省 长 叶连松
副省长
陈立友(常务) 郭洪岐 顾二熊 王幼辉
刘作田 郭世昌
(以上人员1993年5月河北省八届人大一次会议选举产生)
副省长
李海峰(女)(1993年5月—1994年11月)
副省长 何少存 杨 迁(女)
(1995年2月河北省八届人大三次会议补选产生)
副省长 丛福奎(1995年6月—)

1998年1月—2003年1月
(河北省九届人大期间)

省 长 钮茂生(满族)
(1999年2月河北省九届人大二次会议当选)
钮茂生(满族)(代)(免)
(1998年11月河北省九届人大常委会第五次会议任命,1999年2月河北省九届人大二次会议免)
叶连松(免)
(1998年1月河北省九届人大一次会议当选,1998年11月河北省九届人大常委会第五次会议决定免)

副省长

丛福奎　郭世昌　何少存　杨　迁(女)

刘健生　郭庚茂　才利民(满族)

(1998年1月河北省九届人大一次会议当选)

副省长　钮茂生(满族)(免)

(1998年11月河北省九届人大常委会第五次会议任命,1999年2月免)

省　长　钮茂生(满族)

(2002年12月21日,河北省九届人大常委会第三十一次会议决定辞去)

季允石(代)

(2002年12月21日,河北省九届人大常委会第三十一次会议决定任命)

副省长　季允石

(2002年12月21日,河北省九届人大常委会第三十一次会议决定任命)

中国人民政治协商会议
河北省委员会

第七届委员会

(1993年5月—1998年1月)

主　席　李文珊

副主席

张润身　王树森　黄　岚　都本洁　赵惠臣

马新云　余振中　王满秋　陈　慧

赵　燕(女)

(1993年5月河北省政协七届一次会议选举产生)

副主席　王幼辉　李月辉

(1995年2月河北省政协七届三次会议增选产生)

第八届委员会

(1998年1月—2003年1月)

主　席　吕传赞

副主席

刘荣惠　韩立成　都本洁　王幼辉　郭洪岐

陈　慧　赵　燕(女)　李月辉　吴振华

杨国春　齐续春(满族)　王士昌

(1988年1月河北省政协八届一次会议选举产生)

河北省军区

司令员

韩世谦(1990年6月—1995年1月)

滑兵来(1995年1月—　)　陈玉田

政治委员

任佩瑜(1990年6月—1994年4月)

汪潮海(1994年—　)　纪耀成

山　西　省

中国共产党山西省委员会

第六届省委

(1991年3月—1996年2月)

书　记

王茂林(1991年3月—1993年9月)

胡富国(1993年中共中央任命)

副书记

卢功勋(1991年3月山西省委六届一次会议选出)

梁国英(1992年—1996年2月)

孙文盛(1993年中共中央任命)

王森浩(1983年—1992年8月)

第七届省委

(1996年2月—2001年10月)

书　记　胡富国

副书记

孙文盛　郑社奎　王云龙(免)　刘泽民

山西省人民代表大会
常务委员会

第八届人民代表大会常务委员会

（1993 年 1 月—1998 年 1 月）

主　任　卢功勋

副主任

张邦应　吴达才　彭少逸　孟立正　王　民　光　敏　李蓼源　孙祥炎

（1993 年 1 月山西省人大八届一次会议选举产生）

副主任　梁国英　崔光祖　徐生岚

（1996 年 4 月山西省人大八届四次会议补选产生）

第九届人民代表大会常务委员会

（1998 年 1 月—2003 年 1 月）

主　任　卢功勋

副主任

梁国英　崔光祖　徐生岚　王文学　彭致圭　曹馨仪（女）　姚新章　白　升　李玉璋

（1998 年 1 月山西省七届人大一次会议选举产生）

张　铭

副主任　谢克昌

（1999 年 4 月山西省九届人大二次会议选出）

山西省人民政府

1993 年 1 月—1998 年 1 月

（山西省八届人大期间）

省　长

胡富国（1993 年 1 月—1993 年 9 月）

孙文盛

（1994 年 3 月山西省八届人大二次会议选举产生）

副省长　王文学　彭致圭　刘泽民　纪馨芳

（1993 年 1 月山西省八届人大一次会议补选产生）

副省长　杜五安

（1995 年 2 月山西省八届人大三次会议选举产生）

副省长　刘振华　薛　军

（1995 年 12 月山西省八届人大常委会第十九次会议选举产生）

副省长　王　昕

（1996 年 4 月山西省八届人大四次会议补选产生）

副省长　薛荣哲

（1996 年 8 月山西省八届人大常委会第二十三次会议通过）

副省长

孙文盛（1993 年 9 月—1994 年 3 月）

张维庆（　—1994 年 9 月）

郭裕怀（1993 年 1 月—1995 年 5 月）

刘泽民（免）

1998 年 1 月—2003 年 1 月

（山西省九届人大期间）

省　长　孙文盛

副省长

刘振华　杜五安　薛　军　王　昕（女）　范堆相　杨志明

（1998 年 1 月山西省九届人大一次会议选举产生）

中国人民政治协商会议山西省委员会

第七届委员会

（1993 年 1 月—1998 年 1 月）

主　席

郭裕怀（1995 年 2 月—　）

胡富国（1994 年 3 月—1995 年）

王茂林（1993 年 1 月—1994 年 2 月）

副主席

路正西　武三松　杨明葆　秦国栋　刘　波

宋绍华　靳承序　汤祊德　祁寿椿

（1993年1月山西省政协七届一次会议选举产生）

副主席

张长珍（1993年1月—1996年4月）

副主席　吴慧琴

（1995年2月山西省政协七届三次会议增选产生）

副主席　万良适　赵凤翔

（1996年4月山西省政协七届四次会议增选产生）

第八届委员会

（1998年1月—2003年1月）

主　席　郭裕怀

副主席

万良适　宋绍华　靳承序　祁寿椿　吴慧琴

赵凤翔　聂向庭　张正明　李龙城　徐大毅

（1998年1月山西省政协八届一次会议选举产生）

山西省军区

司令员

董云海（1990年6月—　）

刘荫超　段端武

政治委员

陈德毅（1992年12月—　）

邰万增

内蒙古自治区

中国共产党内蒙古自治区委员会

第五届区委

（1989年12月—1994年12月）

书　记

王　群（　—1994年8月）

刘明祖（1994年8月—　）

副书记

布　赫（蒙古族）（　—1993年3月）

张丁华　千奋勇（蒙古族）　乌力吉（蒙古族）

王　占　刘云山（　—1993年6月）

第六届区委

（1994年12月—2001年12月）

书　记　刘明祖

副书记

乌力吉（蒙古族）　白恩培　王　占

乌云其木格（女，蒙古族）　云布龙（蒙古族）

（1994年12月中共内蒙古自治区党委六届一次会议选举产生）

内蒙古自治区人民代表大会常务委员会

第八届人民代表大会常务委员会

（1993年5月—1998年1月）

主　任　刘明祖

（1997年1月29日内蒙古自治区八届人大五次会议补选）

王　群（免）

副主任

于兴隆（蒙古族）　刘作会　伊钧华　刘震乙

崔　维　贾　才　刘　珍　王秀梅

舍勒巴图（鄂伦春族）　刘晓旺

副主任　宋志民

（1997年1月内蒙古自治区八届人大五次会议通过）

副主任　刘作会（辞）

（1997年1月内蒙古自治区八届人大五次会议决定）

第九届人民代表大会常务委员会

（1998年1月—2003年1月）

主　任　刘明祖

副主任

白　音（蒙古族）　宋志民　张廷武

包文发（蒙古族）　云秀梅（女，蒙古族）

舍勒巴图（鄂伦春族）　贾　才　张鹤松

陈瑞清

（1998年1月内蒙古自治区九届人大一次会议选举产生）

内蒙古自治区人民政府

1993年5月—1998年1月

（内蒙古自治区八届人大期间）

主　席　乌力吉（蒙古族）

副主席

宋志民　张廷武　沈淑济（女）　周维德

包文发（蒙古族）

（以上人员1993年5月内蒙古自治区八届人大一次会议选举产生）

副主席　王　占

（1994年11月内蒙古自治区八届人大常委会第十一次会议通过）

副主席

王凤岐　宝音德力格尔（蒙古族）

（1995年1月内蒙古自治区八届人大常委会第十二次会议通过）

副主席

赵志宏（1993年5月—1994年11月）

云布龙（1993年5月—1995年1月）

林用三（1993年5月—1995年4月）

宋志民（辞）

1998年1月—2003年1月

（内蒙古自治区九届人大期间）

主　席　云布龙（蒙古族）

副主席

周德海　周维德（蒙古族）

宝音德力格尔（蒙古族）　云公民（蒙古族）

傅守正　郝益东

（1998年1月内蒙古自治区九届人大一次会议选举产生）

沈淑济（女）（1998年1月—1998年10月辞）

中国人民政治协商会议
内蒙古自治区委员会

第七届委员会

（1993年5月—1998年1月）

主　席　千奋勇（蒙古族）

副主席

张佐才　乃　登（蒙古族）　王崇仁　陈　杰

兰乾福　乌　兰（蒙古族）　奇思义（蒙古族）

张顺臻　袁明铎　格日勒图（蒙古族）

乌伦赛（蒙古族）　夏　日（蒙古族）

杨紫珍（女）　陈又遵　许柏年

（1993年5月内蒙古自治区政协七届一次会议选举产生）

副主席　谭博文

第八届委员会

（1998年1月—2003年1月）

主　席　千奋勇（蒙古族）

副主席

冯　秦　乃　登（蒙古族）

谭博文　乌　兰（蒙古族）

格日勒图（蒙古族）　夏　日（蒙古族）

许柏年　罗锡恩　奇英成（蒙古族）

盖山林（满族）　李仕臣

（1998年1月内蒙古自治区政协八届一次会议选举产生）

内蒙古军区

司令员

彭翠峰（1992年12月—　）

黄高成

政治委员

张　珍(1992年12月—　)

张金柱

辽　宁　省

中国共产党辽宁省委员会

第七届省委

(1990年8月—1995年8月)

书　记

顾金池(1993年9月任命)

全树仁(1986年—1993年9月)

副书记

孙　奇(1990年8月—　)

岳岐峰(1991年—1993年3月)

尚　文(1990年8月免)

副书记

曹伯纯(1992年6月—　)

张国光(1993年—　)

王怀远　闻世震

第八届省委

(1995年8月—2001年10月)

书　记

闻世震(1997年8月中共中央决定任命)

顾金池(1995年8月—1997年8月)

副书记

闻世震(免)　曹伯纯(免)　王怀远　张国光

(1995年8月中共辽宁省委八届一次会议选举决定)

辽宁省人民代表大会常务委员会

第八届人民代表大会常务委员会

(1993年3月—1998年1月)

主　任　全树仁

副主任

于希岭　冯友松　齐　政　李　军

陈素芝(女,满族)　徐廷生　高继中

(1993年3月辽宁省八届人大一次会议选举产生)

副主任

毕锡桢(1993年3月—1996年2月)

王充闾(1995年2月辽宁省八届人大三次会议选举产生)

张焕文(1996年2月辽宁省八届人大四次会议补选产生)

第九届人民代表大会常务委员会

(1998年1月—2003年1月)

主　任　王怀远

副主任

丛正龙　王充闾　高继中　徐廷生　张焕文

郭大维　王向民　董九洲

(1998年1月辽宁省九届人大一次会议选出)

辽宁省人民政府

1993年3月—1998年1月

(辽宁省八届人大期间)

省　长　闻世震

(1995年2月辽宁省八届人大三次会议选举产生)

副省长

肖作福(满族)　郭廷标(回族)　高国珠

张榕明(女)

(1993年3月辽宁省八届人大一次会议选举产生)

副省长

张荣茂(1993年3月—1994年1月)

闻世震(1993年3月—1995年2月)

丛正龙(1993年3月—1996年2月)

刘克田(1995年2月辽宁省八届人大三次会

议选举产生）
徐文才（1995年11月辽宁省八届人大常委会第十八次会议任命）
慕绥新（1996年5月辽宁省八届人大常委会第二十一次会议任命）（免）
赵新良（1997年5月辽宁省八届人大常委会第二十八次会议任命）

1998年1月—2003年1月
（辽宁省九届人大期间）

省　长　张国光
（1998年1月辽宁省九届人大一次会议选出）
副省长
郭廷标（回族）　高国珠　张榕明（女）
刘克田　赵新良（满族）　陈政高　杨新华
（1998年1月辽宁省九届人大一次会议选出）

中国人民政治协商会议
辽宁省委员会

第七届委员会
（1993年3月—1998年1月）

主　席　孙　奇
副主席
林　声　刘鸣九（已故）　岳维春　王树芝
高擎洲　张凌云　张成伦　龚世萍　马品芳
（1993年3月辽宁省政协七届一次会议选举）
副主席
刘庆奎（1993年3月—1993年12月，已故）
副主席　李国忠（1995年2月辽宁省政协七届三次会议增补）
副主席　丛正龙（1996年2月辽宁省政协七届四次会议增补）

第八届委员会
（1998年1月—2003年1月）

主　席　孙　奇
（1998年1月辽宁省政协八届一次会议选出）
副主席
肖作福　李国忠　张成伦　龚世萍　吕炳华
张毓茂　姜笑琴　郭燕杰　陈洪铎　王植时
（1998年1月辽宁省政协八届一次会议选出）

辽宁省军区

司令员
向经源（1990年6月—　）
王贵勤　钱南忠
政治委员
马盛林（1990年6月—　）
高殿成　张德友

吉　林　省

中国共产党吉林省委员会

第六届省委
（1993年4月—1998年4月）

书　记
何竹康（1993年4月—1995年）
张德江（1995年中共中央决定）
副书记　王金山　张岳琦
（1993年4月中共吉林省委六届一次会议选举产生）
副书记
王云坤（1995年中共中央决定）
张德江（1993年4月—1995年）
高　严（1993年4月—1995年）
苏　荣（1997年—　）

第七届省委
(1998年4月—2002年5月)

书　记
王云坤(1998年9月中共中央决定担任)
张德江(免)
副书记　陈玉杰　苏　荣
(1998年4月中共吉林省委七届一次全会选出)
副书记
洪　虎(1998年9月中共中央决定担任)
王云坤(免)
副书记　苏荣
(2001年10月中共中央决定免去)

吉林省人民代表大会常务委员会

第八届人民代表大会常务委员会
(1993年1月—1998年1月)

主　任　何竹康
副主任
谷长春　陈振康　可沐云　任俊杰　尚振令　曾孝箴　袁柏雄　徐如人　阿古拉(蒙古族)
(1993年1月吉林省八届人大一次会议选举产生)
副主任　李政文
(1996年2月吉林省八届人大四次会议补选)

第九届人民代表大会常务委员会
(1998年1月—2003年1月)

主　任　王云坤
(1999年2月吉林省九届人大二次会议当选)
桑逢文(代)(免)　张德江(免)
副主任
桑逢文　刘树林　曾孝箴　徐如人　阿古拉(蒙古族)　李政文　李玉堂　李世学　郭永德
(1998年1月吉林省九届人大一次会议选举产生)

吉林省人民政府

1993年1月—1998年1月
(吉林省八届人大期间)

省　长
高　严(1993年1月—1995年)
王云坤(1996年2月吉林省八届人大四次会议选举产生)
副省长　刘希林　魏敏学　王国发　全哲洙
(1993年1月吉林省八届人大一次会议选举产生)
副省长　桑逢文　刘淑莹
(1994年2月吉林省八届人大二次会议选举产生)
副省长
王云坤(1995年6月—1996年2月)
张岳琦(1993年1月—1994年2月)

1998年1月—2003年1月
(吉林省九届人大期间)

省　长　洪　虎
(1999年2月吉林省九届人大二次会议当选)
王云坤(免)
副省长
王国发　全哲洙(朝鲜族)　魏敏学　刘淑莹　杨庆才　李介车
(1998年1月吉林省九届人大一次会议选举产生)
洪　虎(免)
副省长　李　斌(女)
(2001年9月29日吉林省九届人大常委会第二十六次会议决定任命)

中国人民政治协商会议
吉林省委员会

第七届委员会

（1993 年 1 月—1998 年 1 月）

主　席　刘云沼

副主席

方建宇　张铁男（女，满族）　胡厚钧

冯锡瑞　李国泰　阎洪臣　吴式铎　陈秉聪

李宏昌

（1993 年 1 月吉林省政协七届一次会议选举产生）

副主席　梁植文

（1994 年 2 月吉林省政协七届二次会议增补）

副主席　李玉堂

（1996 年 1 月吉林省政协七届四次会议选举产生）

第八届委员会

（1998 年 1 月—2003 年 1 月）

主　席　张岳琦

副主席

刘希林　赵家治　阎洪臣　梁植文

郑龙喆（朝鲜族）　常万海　唐格森　伍龙章

李慧珍（女）　曾凡煦

（1998 年 1 月吉林省政协八届一次会议当选）

吉林省军区

司令员

周再康（1990 年 6 月—）

刘长富　葛成文

政治委员

施兆平（1991 年 6 月—　）

初　平

黑龙江省

中国共产党黑龙江省委员会

第七届省委

（1993 年 5 月—1998 年 4 月）

书　记

徐有芳（1997 年 7 月中共中央决定）

岳岐峰（1994 年 4 月中共中央决定）

孙维本（1993 年 5 月—1994 年）

副书记　马国良　田凤山　单荣范

（1993 年 5 月中共黑龙江省委七届一次会议选举产生）

副书记

王建功（1995 年—已故）

邵奇惠（1993 年 5 月—1994 年 5 月）

杨光洪（1997 年—　）

第八届省委

（1998 年 4 月—2002 年 4 月）

书　记　徐有芳

（1998 年 4 月中共黑龙江省委八届一次会议选出）

副书记

田凤山　韩桂芝　杨光洪

（1998 年 4 月中共黑龙江省委八届一次会议选出）

宋法棠（1999 年 12 月—　）

黑龙江省人民代表大会
常务委员会

第八届人民代表大会常务委员会

（1993 年 1 月—1998 年 1 月）

主　任　孙维本

副主任

李根深　安振东　戚贵元　谢　勇　杜显忠

朱典明　赵吉成　刘汉武

（1993年1月黑龙江省八届人大一次会议选举产生）

副主任

孟庆祥　赵林茂

（1996年3月黑龙江省八届人大四次会议补选产生）

第九届人民代表大会常务委员会

（1998年1月—2003年1月）

主　任　徐有芳

（1999年2月黑龙江省九届人大二次会议当选）

王建功（已故）

副主任

单荣范　孙魁文　安振东　王人生　孟庆祥
朱典明　赵吉成　赵林茂

（1998年1月黑龙江省九届人大一次会议选举产生）

黑龙江省人民政府

1993年1月—1998年1月

（黑龙江省八届人大期间）

省　长

田凤山（1995年2月—　）

（1995年2月黑龙江省八届人大三次会议选举产生）

邵奇惠（1993年1月—1994年5月）

副省长

孙魁文　周铁农　王宗璋　马淑洁

（1993年1月黑龙江省八届人大一次会议选举产生）

副省长

陈云林（1993年1月—1994年1月）

田凤山（1993年5月—1995年2月）

丛福奎（1993年1月—1995年6月）

杨志海（1992年10月—1996年2月）

副省长　马国良

（1995年1月黑龙江省八届人大常委会第十三次会议任命）

副省长　张成义　王振川

（1996年3月黑龙江省八届人大四次常委会通过）

1998年1月—2003年1月

（黑龙江省九届人大期间）

省　长

田凤山（1998年1月黑龙江省九届人大一次会议选举产生）

宋法棠（2000年1月任代省长，2000年2月任省长）

副省长

王先民　王宗璋　马淑洁　张威义　王振川
王东华　王佐书

（1998年1月黑龙江省九届人大一次会议选举产生）

中国人民政治协商会议黑龙江省委员会

第七届委员会

（1993年1月—1998年1月）

主　席　周文华

副主席

黄　枫　戴谟安　傅世英　郭守昌　陈文志
谭方之　赵士杰　陈占元　王治田　吴鼎和

（1993年1月黑龙江省政协七届一次会议选举产生）

第八届委员会

（1998年1月—2003年1月）

主　席　周文华

副主席

马国良　谭方之　曹亚范（女）　沈根荣
王玉柱　王廼谦　欧阳吟　刘文泮

(1998 年 1 月黑龙江省政协八届一次会议选举产生)

黑龙江省军区

司令员

唐作厚(1990 年 6 月—)

王贵勤　李　衡

政治委员

于景常(1993 年 5 月—)　肖玉国

上　海　市

中国共产党上海市委员会

第六届市委
(1992 年 12 月—1997 年 12 月)

书　记

黄　菊(1994 年中共中央决定)

吴邦国(1991 年 4 月—1994 年)

副书记

陈至立(女)(免)　王力平　陈良宇

(1992 年 12 月中共上海市委六届一次会议选举产生)

副书记

徐匡迪(1994 年中共中央任命)

黄　菊(1992 年 12 月—1994 年)

副书记

孟建柱(1996 年 11 月中共中央决定)

龚学平(1997 年 10 月中共中央决定)

第七届市委
(1997 年 12 月—2002 年 5 月)

书　记　黄　菊

副书记

徐匡迪　王力平　陈良宇　孟建柱　龚学平

(1997 年 12 月中共上海市委七届一次全会选出)

上海市人民代表大会常务委员会

第十届人民代表大会常务委员会
(1993 年 2 月—1998 年 2 月)

主　任　叶公琦

副主任

孙贵璋　谈家桢　叶叔华　陈铭珊　胡正昌　吴肇光

(1993 年 2 月上海市十届人大一次会议选举产生)

副主任

胡传治(1993 年 2 月—1996 年 2 月)

顾念祖(1993 年 2 月—1996 年 2 月)

沙　麟　漆世贵

(1996 年 2 月上海市十届人大四次会议补选产生)

第十一届人民代表大会常务委员会
(1998 年 2 月—2003 年 2 月)

主　任　陈铁迪(女)

副主任

孙贵璋　沙　麟　叶叔华(女)　胡正昌

漆世贵　厉无畏　包信宝　任文燕(女)

张圣坤

(1998 年 2 月上海市十一届人大一次会议选出)

上海市人民政府

1993 年 2 月—1998 年 2 月
(上海市十届人大期间)

市　长

徐匡迪(1995 年 2 月—)

(1995 年 2 月上海市十届人大三次会议选举产生)

黄　菊(1993 年 2 月—1995 年 2 月)

副市长

赵启正　夏克强　蒋以任　龚学平(免)

(1993年2月上海市十届人大一次会议选举产生)

副市长　华建敏(免)

(1994年12月上海市十届人大常委会第十四次会议任命)

副市长

左焕琛(女)(1996年2月补选产生)

副市长

徐匡迪(1993年2月—1994年10月)

沙　麟(1993年2月—1996年2月)

谢丽娟(女)(辞)　孟建柱(免)

副市长　陈良宇　冯国勤

(1996年10月上海市十届人大常委会第三十一次会议任命)

1998年2月—2003年2月

(上海市十一届人大期间)

市　长

徐匡迪(1998年2月上海市十一届人大一次会议选出)

副市长

陈良宇　蒋以任　韩　正　左焕琛(女)

冯国勤　周禹鹏　周慕尧

(1998年2月上海市十一届人大一次会议选出)

副市长　杨晓渡　严隽琪(女)

(2001年5月24日上海市人大常委会第二十八次会议决定任命)

中国人民政治协商会议上海市委员会

第八届委员会

(1993年2月—1998年2月)

主　席　陈铁迪(女)

副主席

毛经权　石祝三　刘靖基(已故)　徐以枋

陈灏珠　赵定玉　刘恒椽　郭秀珍(女)

杨　槱　郑励志

(1993年2月上海市政协八届三次会议选举产生)

副主席

王生洪(1995年2月上海市政协八届三次会议选举产生)

谢丽娟(女)　陈正兴　厉无畏

(1996年2月上海市政协八届四次会议增补)

第九届委员会

(1998年2月—2003年2月)

主　席　王力平

(1998年2月上海市政协九届一次会议选出)

副主席

朱达人　王生洪　谢丽娟(女)　郑励志

陈灏珠　刘恒椽　陈正兴　俞云波　黄关从

(1998年2月上海市政协九届一次会议选出)

上海市警备区

司令员

徐文义(1990年6月—1996年1月)

王文惠(1996年1月—　)

政治委员

朱晓初(1990年6月)　王传友　张立志

江　苏　省

中国共产党江苏省委员会

第八届省委

(1989年12月—1994年12月)

书　记

沈达人(1989年—1993年9月)

陈焕友(1993 年 9 月中共中央任命)

副书记

曹鸿鸣　孙家正　曹克明

邓鸿勋(1989 年 12 月—1990 年 5 月)

副书记　郑斯林(1994 年 8 月任命)

第九届省委
(1994 年 12 月—2001 年 11 月)

书　记　陈焕友

副书记　郑斯林　曹克明　顾　浩　许仲林

(1994 年 12 月中共江苏省委九届一次会议选举产生)

江苏省人民代表大会常务委员会

第八届人民代表大会常务委员会
(1993 年 4 月—1998 年 2 月)

主　任　沈达人

副主任

高德正　唐念慈　凌启鸿　吴锡军(女)

王敏生　曲钦岳

(1993 年 4 月江苏省八届人大一次会议选举产生)

曹鸿鸣(1995 年 2 月江苏省八届人大三次会议补选产生)

俞敬忠(1996 年 2 月江苏省八届人大四次会议补选产生)

张耀华(1993 年 4 月—1996 年 4 月)

王霞林(1997 年 3 月江苏省八届人大第五次会议补选产生)

第九届人民代表大会常务委员会
(1998 年 2 月—2003 年 2 月)

主　任

陈焕友(1998 年 2 月江苏省九届人大一次会议选出)

副主任

曹鸿鸣　曲钦岳　王霞林　俞敬忠　洪锦炘

黄孟复　柏苏宁(女)

(1998 年 2 月江苏省九届人大一次会议选出)

江苏省人民政府

1993 年 4 月—1998 年 2 月
(江苏省八届人大期间)

省　长

郑斯林(1995 年 2 月江苏省八届人大三次会议选举产生)

陈焕友(1993 年 4 月—1994 年 9 月)

副省长

季允石(常务)　俞兴德　杨晓堂(免)

姜永荣　王荣炳　张怀西(免)

(1993 年 4 月江苏省八届人大一次会议选举产生)

陈必亭(1995 年 6 月江苏省八届人大常委会第十五次会议任命)

张连珍(女)(1995 年 10 月江苏省八届人大常委会第十七次会议任命)

郑斯林(1994 年 9 月—1995 年 2 月)

王　珉(1996 年 12 月江苏省八届人大常委会第二十五次会议任命)

金忠青(1997 年 4 月江苏省八届人大常委会第二十七次会议任命)

1998 年 2 月—2003 年 2 月
(江苏省九届人大期间)

省　长

季允石(1999 年 2 月江苏省九届人大二次会议当选，2002 年 12 月 17 日，江苏省九届人大常委会第三十三次会议决定免去)

季允石(代)(免)

(1998 年 9 月江苏省九届人大常委会第五次会议通过，1999 年 2 月江苏省九届人大二次会议免)

梁保华(代)
(2002 年 12 月 17 日,江苏省九届人大常委会第三十三次会议通过任命)
郑斯林(1998 年 2 月江苏省九届人大一次会议选出,1998 年 9 月辞)

副省长

俞兴德 姜永荣 王荣炳 陈必亭
张连珍(女) 王 珉 金忠青
季允石(免) 刘 坚(免)
于广洲(免)
(2001 年 10 月 25 日,江苏省九届人大常委会第二十六次会议免去)
吴瑞林 张桃林
(2001 年 10 月 25 日,江苏省九届人大常委会第二十六次会议通过任命)

中国人民政治协商会议江苏省委员会

第七届委员会
(1993 年 4 月—1998 年 2 月)

主 席 孙 颔

副主席

段绪申 陈邃衡 章臣桓 彭司勋 徐英锐
韩文藻 童 傅 沙人麟 戴树和
(1993 年 4 月江苏省政协七届一次会议选举产生)
胡福明(1995 年 2 月江苏省政协七届三次会议增选产生)
周桑漪(1996 年 2 月江苏省政协七届四次会议增选产生)
林玉英(1997 年 3 月江苏省政协七届五次会议增选产生)

第八届委员会
(1998 年 2 月—2003 年 2 月)

主 席

曹克明(1998 年 2 月江苏省政协八届委员会一次会议选出)

副主席

胡福明 段绪申 韩文藻 胡序建 周桑漪
林玉英 闵乃本 朱兆良 冯健亲 陈凌孚
李 仁
(1998 年 2 月江苏省政协八届一次会议选出)

江苏省军区

司令员

郑炳清(1992 年 3 月—) 蒋文郁

政治委员

魏长安(1990 年 6 月—) 任潮海

浙 江 省

中国共产党浙江省委员会

第九届省委
(1993 年 12 月—1998 年 12 月)

书 记

张德江(1998 年 9 月中共中央决定任命)
李泽民(免)

副书记

万学远(辞,1997 年 4 月中共中央决定)
刘 枫 柴松岳 卢展工(免)
(1993 年 12 月中共浙江省委九届一次会议选举产生)
王金山(1996 年 8 月中共中央决定)

第十届省委
(1998 年 12 月—2002 年 6 月)

书 记

张德江(1998 年 12 月中共浙江省委十届一次会议当选)

副书记

柴松岳 刘锡荣 李金明 梁平波 周国富
(1998 年 12 月中共浙江省委十届一次会议

当选）
乔传秀（女）（2001年7月中共中央决定任命）

浙江省人民代表大会常务委员会

第八届人民代表大会常务委员会
（1993年1月—1998年1月）

主　任　李泽民
副主任
许行贯　王启东　杨　彬　李德葆　孔祥有　郑　树（女）　毛昭晰
（1993年1月浙江省八届人大一次会议选举产生）

第九届人民代表大会常务委员会
（1998年1月—2003年1月）

主　任
李泽民（1998年1月浙江省九届人大一次会议当选）
副主任
斯大孝　张友余　孔祥有　徐志纯　祝耀祖　李志雄　孙优贤
（1998年1月浙江省九届人大一次会议当选）

浙江省人民政府

1993年1月—1998年1月
（浙江省八届人大期间）

省　长
柴松岳（代）（1997年4月浙江省八届人大常委会第三十五次会议决定）
万学远（免）
副省长
柴松岳（免）　刘锡荣　龙安定　张启楣　徐志纯
（1993年1月浙江省八届人大一次会议选举产生）
副省长　鲁松庭　叶荣宝（女）
（1995年8月浙江省八届人大常委会第二十一次会议任命）
副省长
许运鸿（1993年1月—1995年8月）

1998年1月—2003年1月
（浙江省九届人大期间）

省　长　柴松岳
（1998年1月浙江省九届人大一次会议当选，2002年10月13日，浙江省九届人大常委会第三十八次会议免去）
习近平（代）
（2002年10月13日，浙江省九届人大常委会第三十八次会议通过任命）
副省长
鲁松庭　卢文舸　叶荣宝（女）　章猛进　李长江　黄兴国
（1998年1月浙江省九届人大一次会议当选）
副省长
王永明（1999年3月浙江省九届人大常委会第十二次会议选出）
副省长　习近平
（2002年10月13日，浙江省九届人大常委会第三丨八次会议通过任命）

中国人民政治协商会议浙江省委员会

第七届委员会
（1993年1月—1998年1月）

主　席　刘　枫
副主席
孙家贤　汪希萱　陈法文　吴仁源　詹少文　丁德云　苏纪兰　薛艳庄（女）　阙端麟

耿典华 张克健

副主席

汤元炳(1993 年 1 月—1995 年 4 月,已故)

第八届委员会
(1998 年 1 月—2003 年 1 月)

主 席 刘 枫

副主席

龙安定 耿典华 丁德云 陈文韶 阙端麟 李 青 汪希萱 程 炜 王务迪 陈昭典

(1998 年 1 月浙江省政协八届一次会议选举产生)

浙江省军区

司令员

杨士杰(1990 年 6 月—) 袁兴华

政治委员

徐永清(1988 年 8 月—1995 年 3 月)

贺家弼(1995 年 3 月—)

安 徽 省

中国共产党安徽省委员会

第五届省委
(1990 年 3 月—1995 年 1 月)

书 记 卢荣景

副书记 傅锡寿 孟富林

副书记

方兆祥(1993 年 9 月—)

王太华(1992 年—)

回良玉(回族)(1994 年—)

杨永良(1988 年—1993 年 8 月)

第六届省委
(1995 年 1 月—2001 年 10 月)

书 记

回良玉(回族)(1998 年 9 月中共中央任命)

卢荣景(免)

副书记

回良玉(回族) 王太华 方兆祥

(1995 年 1 月中共安徽省委六届一次全体会议选举产生)

副书记 王昭耀

副书记

沈跃跃(女)(2001 年 7 月中共中央决定任命)

安徽省人民代表大会常务委员会

第八届人民代表大会常务委员会
(1993 年 2 月—1998 年 1 月)

主 任 孟富林

副主任

卢声道 刘广才 江泽慧(女) 吴昌期 陆子修 陈基余 邵 明

(1993 年 2 月安徽省八届人大一次会议选举产生)

蔡秉久(1994 年 4 月安徽省八届人大二次会议选举产生)

王秀智(1997 年 2 月安徽省八届人大五次会议选举产生)

第九届人民代表大会常务委员会
(1998 年 1 月—2003 年 1 月)

主 任

孟富林(1998 年 1 月安徽省九届人大一次会议当选)

副主任

刘广才 吴昌期 王秀智 苏平凡 吴天栋 季昆森 朱维芳(女) 张春生

(1998 年 1 月安徽省九届人大一次会议当选)

安徽省人民政府

1993年2月—1998年1月
（安徽省八届人大期间）

省　长

傅锡寿（1993年2月—1994年12月）
回良玉（回族）
（1995年2月安徽省八届人大三次会议选举产生）

副省长

王秀智（辞）　王昭耀　杜宜瑾（辞）
杨多良（回族）　汪　洋
张润霞（女）（辞）
（1993年2月安徽省八届人大一次会议选举产生）
回良玉（回族）（1994年12月—1995年2月）
张　平　黄岳忠（1997年2月安徽省八届人大五次会议通过）

1998年1月—2003年1月
（安徽省九届人大期间）

省　长

王太华（1999年2月安徽省九届人大二次会议当选）
许仲林（2002年10月14日安徽省九届人大常委会第三十三次会议决定免去）
王金山（代）（2002年10月14日安徽省九届人大常委会第三十三次会议通过任命）

副省长

汪　洋　杨多良（回族）　张　平　黄岳忠
蒋作君　卢家丰　王昭耀
（1998年1月安徽省九届人大一次会议当选）
王太华（免）

中国人民政治协商会议安徽省委员会

第七届委员会
（1993年2月—1998年1月）

主　席

史钧杰（1993年2月—1996年2月）
卢荣景（1996年2月安徽省政协七届四次会议补选产生）

副主席

龙　念　汪涉云　钱景仁　岳书仓（满族）
李明俊　荣广宏　宋　明（女）　徐荣楠
吴东之　许学受　（1993年2月政协七届一次会议选举产生）

副主席

张润霞（女）　秦德文（1997年2月政协七届五次会议通过）

第八届委员会
（1998年1月—2003年1月）

主　席

卢荣景（1998年1月安徽省政协八届一次会议当选）

副主席

杜　诚　张润霞（女）　季家宏　岳书仓
秦德文　陈心昭　方兆本　俞祖彭　王鹤龄
（1998年1月安徽省政协八届一次会议当选）

安徽省军区

司令员　沈善文　王贺文

政治委员

石　磊（1987年4月—　）
陈培森　胡道仁

福　建　省

中国共产党福建省委员会

第五届省委
（1990年10月—1995年10月）

书 记

陈光毅(1990年10月—1993年12月)

贾庆林(1993年12月中共中央任命)

副书记

林开钦(1992年—)

陈明义(1993年9月—)

贾庆林(—1993年12月)

袁启彤 何少川

第六届省委

(1995年10月—2001年11月)

书 记

贾庆林(—1996年10月)

陈明义(1996年10月中共中央决定)

副书记

陈明义(免) 何少川 习近平 林兆枢

(1995年10月中共福建省委六届一次全会选举产生)

贺国强(1996年10月中共中央决定,1999年6月中共中央免去)

福建省人民代表大会常务委员会

第八届人民代表大会常务委员会

(1993年1月—1998年1月)

主 任

袁启彤(1997年4月福建省八届人大五次会议当选)

陈光毅(1993年1月—1994年)

贾庆林(辞)(—1996年10月)

(1994年4月福建省八届人大二次会议选举产生)

副主任

袁启彤(免) 郭瑞人 黄长溪 苏昌培

刘永业 张明俊 洪华生(女) 宋 峻

(1993年1月福建省八届人大一次会议选举产生)

黄文麟(1995年4月福建省八届人大三次会议补选产生)

第九届人民代表大会常务委员会

(1998年1月—2003年1月)

主 任

袁启彤(1998年1月福建省九届人大一次会议选出)

副主任

王建双 施性谋 洪华生(女) 宋 峻

童万亨 方忠炳 郑义正 黄贤模 林 强

(1998年1月福建省九届人大一次会议选出)

福建省人民政府

1993年1月—1998年1月

(福建省八届人大期间)

省 长

贺国强(1997年4月福建省八届人大五次会议当选)

贺国强(代)(1996年10月起任)

陈明义(1994年4月起任,1996年10月辞职)

贾庆林(1993年1月福建省八届人大一次会议选举产生)

副省长

施性谋 张家坤 王良溥 童万亨

(1993年1月福建省八届人大一次会议选举产生)

王建双(1993年9月福建省八届人大常委会第五次会议选举产生)

潘心城(1994年9月福建省八届人大常委会第十二次会议选举产生)

黄小晶(1995年4月福建省八届人大三次会议补选产生)

刘明康(1993年1月—1994年)

陈明义(1993年1月—1993年9月)

1998年1月—2003年1月
（福建省九届人大期间）

省　长
贺国强　习近平
（2002年10月13日福建省九届人大常委会第三十五次会议决定免去）
卢展工（代）
（2002年10月13日福建省九届人大常委会第三十五次会议通过任命）

副省长
张家坤　潘心城　黄小晶　朱亚衍　曹德淦　丘广钟　汪毅夫
卢展工（2002年10月13日福建省九届人大常委会第三十五次会议通过任命）

中国人民政治协商会议福建省委员会

第七届委员会
（1993年1月—1998年1月）

主　席　游德馨

副主席
陈希仲（已故）　刘金美　倪松茂（已故）　赵修复　卢浩然　林梦飞（已故）　邹尔均
（1993年1月福建省政协七届一次会议选举产生）
陈家振　林　逸（1994年4月福建省政协七届二次会议选举产生）
金能筹（1995年—　）
陈仰曾（1993年1月—1994年10月）

第八届委员会
（1998年—2003年1月）

主　席
游德馨（1998年1月福建省政协八届一次会议选举产生）

副主席
刘金美　王良溥　陈荣春　林　逸　金能筹　陈增光　周厚稳　周　畅　王耀华　李祖可　陈家骅
（1998年1月福建省政协八届一次会议选举产生）

福建省军区

司令员
任永贵（1992年12月—1996年3月）
陈明瑞　张鹤田

政治委员
郑仕超（1990年6月—　）
隋绳武　张玉江　陆风彬　吴青田

江　西　省

中国共产党江西省委员会

第九届省委
（1990年9月—1995年8月）

书　记
毛致用（1990年9月—1995年）
吴官正（1995年中共中央决定）

副书记
朱治宏（1991年—　）
卢秀珍（女）（1990年9月—　）
舒圣佑（1991年—　）
蒋祝平（　—1991年3月）
刘方仁（1985年—1993年）
吴官正（1990年9月—1995年）

第十届省委
（1995年8月—2001年12月）

书　记
舒惠国（1997年4月中共中央任命）
吴官正（免）

副书记

舒圣佑 舒惠国(免) 黄智权 钟起煌
(1995年8月中共江西省委十届一次全体会议选举产生)

江西省人民代表大会常务委员会

第八届人民代表大会常务委员会
(1993年2月—1998年1月)

主 任 毛致用

副主任

陈癸尊 胡东太(1993年2月江西省八届人大一次会议选举产生)
王昭荣(1993年2月—1996年2月)
王国本(1993年2月—1996年2月)
王仲发(1993年2月—1996年2月)
卢秀珍(女) 张逢雨 郑良玉
(1995年2月江西省八届人大三次会议补选产生)
黄名鑫 华 桐 周述荣 钱梓弘
(1996年2月江西省八届人大四次会议补选产生)

第九届人民代表大会常务委员会
(1998年1月—2003年1月)

主 任

舒惠国(1998年1月江西省九届人大一次会议选举产生)

副主任

卢秀珍(女) 周埜平 陈癸尊 黄名鑫
华 桐 钱梓弘 周述荣 金文甫
(1998年1月江西省九届人大一次会议选举产生)
张克迅(1999年2月江西省九届人大二次会议选举产生)

江西省人民政府

1993年2月—1998年1月
(江西省八届人大期间)

省 长

舒圣佑(1996年2月江西省八届人大四次会议选举产生)
吴官正(1993年2月—1995年4月)

副省长

舒圣佑(免) 周埜平 黄懋衡(女)
舒惠国(免) 黄智权
(1993年2月江西省八届人大一次会议选举产生)
孙用和 朱英培
郑良玉(1993年2月—1995年2月)
张云川(1993年2月—1995年4月)

1998年1月—2003年1月
(江西省九届人大期间)

省 长

舒圣佑(1998年1月江西省九届人大一次会议选举产生)

副省长

黄智权 孙用和 朱英培 蒋仲平 胡长清
(1998年1月江西省九届人大一次会议选举产生)
胡振鹏(1999年2月江西省九届人大二次会议选举产生)
黄懋衡(女)(辞)

中国人民政治协商会议江西省委员会

第七届委员会
(1993年2月—1998年1月)

主 席

朱治宏(1994年2月江西省政协七届二次会

议选举产生)
刘方仁(免)

副主席
叶学龄 吴永乐 廖延雄 戴执中 黄立圻
罗 明
(1993年2月江西省政协七届一次会议选举产生)
梅亦龙(女) 江国镇 厉志成
(1994年2月江西省政协七届二次会议选举产生)

第八届委员会
(1998年1月—2003年)

主 席 朱治宏

副主席
梅亦龙(女) 罗 明 江国镇 厉志成
韩京承 黄定元 喻长林 刘运来 沃祖全
张华康
(1998年1月江西省政协八届一次会议选举产生)
黄懋衡(女)
(1999年2月江西省政协八届人大二次会议选举产生)

江西省军区

司令员
张传诗(1989年4月—)
冯金茂

政治委员
张玉江(1990年6月—)
郑仕超 陈礼久

山 东 省

中国共产党山东省委员会

第六届省委
(1993年11月—1998年11月)

书 记
吴官正(1997年4月中共中央任命)
姜春云(1993年11月—1994年10月)
赵志浩(免)(1994年10月中共中央决定)

副书记
李春亭 李文全 韩喜凯
(1993年11月中共山东省委六届一次会议选举产生)
赵志浩(1993年11月—1994年10月)

第七届省委
(1998年11月—2002年6月)

书 记
吴官正(1998年11月中共山东省委七届一次会议当选)

副书记
李春亭 陈建国 宋法棠 吴爱英(女)
(1998年11月中共山东省委七届一次会议当选)
张高丽(2001年11月任)
陈建国(免)(2002年3月中共中央决定)

山东省人民代表大会常务委员会

第八届人民代表大会常务委员会
(1993年4月—1998年4月)

主 任
李 振(1993年4月—1996年3月)
赵志浩(1996年3月山东省八届人大四次会议补选产生)

副主任
马仲才 苗枫林 郭松年 徐建春(女)
马世忠 郭长才 严庆清 马绪涛 徐学孟
(1993年4月山东省八届人大一次会议选举产生)
赵林山(1995年2月山东省八届人大三次会

议补选产生）

王渭田（1996年3月山东省八届人大四次会议补选产生）

第九届人民代表大会常务委员会

（1998年4月—2003年4月）

主　任　赵志浩

（1998年4月山东省九届人大一次会议选出）

副主任

李文全　张瑞凤　董凤基　王玉玺　王克玉　张宗亮　王渭田　何宗贵（满族）　王道玉　墨文川

（1998年4月山东省九届人大一次会议选出）

主　任

赵志浩（2002年3月24日山东省九届人大五次会议决定免去）

韩喜凯

（2002年3月28日山东省九届人大五次会议通过任命）

副主任

董凤基　王玉玺　王克玉　张宗亮　王渭田　何宗贵（满族）　王道玉　墨文川　李文全

张瑞凤（2002年3月24日山东省九届人大五次会议决定免去）

莫振奎（2001年2月18日补选产生）

山东省人民政府

1993年4月—1998年4月

（山东省八届人大期间）

省　长

赵志浩（1993年4月—1995年2月）

李春亭（1995年2月山东省八届人大三次会议补选产生）

副省长

张瑞凤　宋法棠　陈建国　吴爱英（女）　王玉玺

（1993年4月山东省八届人大一次会议选举产生）

邵桂芳（1995年2月山东省八届人大三次会议补选产生）

韩寓群　杜世成

（1995年6月山东省八届人大常委会十五次会议任命）

陈抗甫（1996年3月山东省八届人大四次会议补选产生）

王建功（1993年4月—已故）

李春亭（1993年4月—1995年2月）

1998年4月—2003年4月

（山东省九届人大期间）

省　长　李春亭

（1998年4月山东省九届人大一次会议选出）

副省长

宋法棠　韩寓群　邵桂芳　杜世成　陈抗甫　林书香　林廷生　黄可华　陈延明

（1998年4月山东省九届人大一次会议选出）

省　长　张高丽

（2001年12月6日—2003年1月12日）

韩寓群（代）

（2003年1月12日山东省九届人大常委会第三十三次会议决定任命）

副省长

邵桂芳　林廷生　黄可华　陈延明　赵克志　蔡秋芳（女）　王仁元　王军民　张昭福

林书香（2002年3月24日，山东省九届人大五次会议决定免去）

谢玉堂

（2003年1月12日山东省九届人大常委会第三十三次会议任命）

中国人民政治协商会议山东省委员会

第七届委员会

（1993年4月—1998年4月）

主　席　陆懋曾

副主席

翟永浡　田　健　孔令仁(女)
郑守仪(女)　王裕晏　崔惟琳　吴富恒
吴鸣岗　王祖农　苏应衡(已故)　苗永明
李功九
(1993年4月山东省政协七届一次会议选举产生)
刘洪仁　李殿魁

第八届委员会

（1998年4月—2003年4月）

主　席　韩喜凯
(1998年4月山东省政协八届一次会议选出)

副主席

崔惟琳　苗永明　刘洪仁　李殿魁　王久祜
管华诗　周鸿兴　朱　铭　张　敏　潘广田
汪　峡
(1998年4月山东省政协八届一次会议选出)

主　席　吴爱英
(2002年3月26日山东省政协八届五次会议补选产生)

副主席　刘柏年　时立军
(2002年3月26日山东省政协八届五次会议选举产生)
林书香
(2002年3月26日山东省政协八届五次会议增选产生)

山东省军区

司令员

阎琢(1988年7月—　)
易元秋　张齐红

政治委员

李纯廷(1988年7月—　)
姜春云(兼)(1989年1月—　)
刘国福　何法祥

河　南　省

中国共产党河南省委员会

第五届省委

（1990年11月—1995年12月）

书　记　侯宗宾

副书记　李长春　吴基传　林英海

第六届省委

（1995年12月—2001年10月）

书　记

马忠臣(1998年3月中共中央决定)
李长春(免)

副书记

马忠臣(免)　任克礼　宋照肃(免)
范钦臣　李克强(1998年6月起任)

河南省人民代表大会常务委员会

第八届人民代表大会常务委员会

（1993年4月—1998年1月）

主　任　李长春

副主任

张志刚　刘广祥　范　濂　胡廷积　侯志英
秦科才　钟力生　王宏范
(1993年4月河南省八届人大一次会议选举产生)
宋国臣
(1995年2月河南省八届人大三次会议选举产生)

张德广 马宪章 张文彬(辞)
(1996年2月河南省八届人大四次会议选举产生)

第九届人民代表大会常务委员会
(1998年1月—2003年1月)

主 任 任克礼
副主任
张德广 马宪章 钟力生 张世英 俞家骅
亢崇仁 李长铎 袁祖亮
(1998年1月河南省九届人大一次会议选举产生)

河南省人民政府

1993年4月—1998年1月
(河南省八届人大期间)

省 长 马忠臣
副省长
李成玉(回族) 张世英 张洪华 俞家骅
(1993年4月河南省八届人大一次会议选举产生)
李志斌
(1994年6月河南省八届人大常委会第八次会议任命)
张以祥
(1996年2月河南省八届人大四次会议选举产生)
姚中民(1993年4月—1994年2月)
范钦臣(1993年4月—1996年1月)

1998年1月—2003年1月
(河南省九届人大期间)

省 长 李克强
(1999年2月河南省九届人大二次会议当选)
李克强(代)(免)
(1998年7月河南省九届人大常委会第四次会议任命,1999年2月河南省九届人大二次会议免)
马忠臣(免)
副省长
李成玉(回族) 张洪华 李志斌 张以祥
王明义 陈全国 张 涛
(1998年1月河南省九届人大一次会议选举产生)
李克强(免)
(1998年7月河南省九届人大常委员四次会议任命,1999年2月河南省九届人大二次会议免)

中国人民政治协商会议河南省委员会

第七届委员会
(1993年4月—1998年1月)

主 席 林英海
副主席
胡悌云 刘玉洁(女) 左明生(已故)
屠家骥 胡树俭 姚如学 朱书泉 梅养正
邵令方
(1993年4月河南省政协七届一次会议选举产生)

第八届委员会
(1998年1月—2003年1月)

主 席 林英海
(1998年1月河南省政协八届一次会议选出)
副主席
姚如学 张国荣 郭国三 胡廷积 梅养正
杨显明 杨光喜 冯宏顺 张汉英(女)
张广兴 张玉麟
(1998年1月河南省政协八届一次会议选出)
李清彪

（1998年9月河南省政协八届常委会三次会议任命）

河南省军区

司令员

李广生（1988年8月— ） 朱 超

王英洲 杨迪铣

政治委员

吴光贤 王英洲 岳宣义 张建中

湖 北 省

中国共产党湖北省委员会

第六届省委
（1993年12月—1998年11月）

书 记

贾志杰（1994年中共中央决定）

关广富（1993年12月—1994年）

副书记 钱运录 杨永良

（1993年12月中共湖北省委六届一次会议选举产生）

蒋祝平（1995年2月— ）

贾志杰（1993年12月—1994年）

回良玉（1993年12月—1994年）

第七届省委
（1998年11月—2002年6月）

书 记 贾志杰

（1998年11月中共湖北省委七届一次全体会议当选）

副书记

蒋祝平 杨永良 王生铁

（1998年11月中共湖北省委七届一次会议当选）

罗清泉（1999年1月中共中央任命）

钱运录（免）（1998年11月中共湖北省委七届一次全体会议当选，1998年12月免）

湖北省人民代表大会常务委员会

第八届人民代表大会常务委员会
（1993年5月—1998年1月）

主 任 关广富（满族）

副主任

郑云飞 王之卓 梁淑芬（女） 肖全涛

谢培栋 徐晓春 林金铭

（1993年5月湖北省八届人大一次会议选举产生）

副主任

王汉章（1993年5月—1996年2月）

第九届人民代表大会常务委员会
（1998年1月—2003年1月）

主 任 关广富（满族）

（1998年1月湖北省九届人大一次会议选举产生）

副主任

邓国政 刘荣礼 李其凡 朱纯宣 郝国道

章治文 鲍隆清 吴华品 张忠俭

（1998年1月湖北省九届人大一次会议选举产生）

湖北省人民政府

1993年5月—1998年1月
（湖北省八届人大期间）

省 长

贾志杰（1993年5月—1995年2月）

蒋祝平

（1995年2月湖北省八届人大三次会议选举产生）

副省长

李大强(常务) 韩南鹏(免) 孟庆平
王生铁 苏晓云(土家族)
(1993年5月湖北省八届人大一次会议选举产生)
张洪祥(1994年10月湖北省八届人大常委会第九次会议任命)
王守海(1995年11月湖北省八届人大常委会第十七次会议任命—免)
陈水文(1993年5月—1995年7月撤销)
赵宝江(1993年5月—1994年10月)
周坚卫(1997年2月湖北省八届人大五次会议任命)
高瑞科(1997年2月湖北省八届人大五次会议任命)
王少阶(1997年5月湖北省八届人大常委会第二十八次会议任命)

1998年1月—2003年1月
(湖北省九届人大期间)

省 长 蒋祝平(1998年1月湖北省九届人大一次会议选举产生)

副省长

苏晓云 张洪祥 周坚卫 高瑞科 王少阶
邓道坤
(1998年1月湖北省九届人大一次会议选举产生)
王生铁(1999年1月辞)

省 长

张国光(2001年2月—2002年10月18日)
罗清泉(代)(2002年10月18日湖北省九届人大常委会第三十六次会议通过任命)

副省长

王生铁(—1999年1月)
张洪祥(—2001年2月)
罗清泉(2002年10月18日湖北省九届人大常委会第三十六次会议通过任命)

中国人民政治协商会议湖北省委员会

第七届委员会
(1993年5月—1998年1月)

主 席

回良玉(1993年5月—1995年2月)
钱运录(1995年2月湖北省政协七届三次会议补选产生)

副主席

张怀念 袁照臣 蒴天聪(维吾尔族)
王启刚 周兹柏 蒙美路(女) 石 泉
平麟伯 沈克昌 刘建康 崔建瑞
(1993年5月湖北省政协七届一次会议选举产生)
戴见能 钟书樵(1994年—)

第八届委员会
(1998年1月—2003年1月)

主 席

杨永良(1999年2月湖北省政协八届二次会议选举产生)
钱运录(免)(1998年1月湖北省政协八届一次会议选举产生,1998年12月免)

副主席

丁凤英(女) 王重农 韩南鹏
蒙美路(女) 程运铁 杨斌庆 陶醒世
蔡述明 肖谷欣 郑楚光 张荣国
(1998年1月湖北省政协八届一次会议选举产生)

湖北省军区

司令员

刘国裕(1992年—1995年) 贾富坤

政治委员

王洁清 徐师樵 吴凤龙 刘勋发

湖 南 省

中国共产党湖南省委员会

第六届省委

（1990年10月—1995年10月）

书 记

熊清泉（1988年—1993年9月）

王茂林（1993年9月中共中央任命）

副书记

杨正午（土家族）（1990年10月中共湖南省委六届一次会议选举产生）

储 波（1994年任命）

汪啸风（1992年12月—1993年1月）

孙文盛（1990年2月—1993年）

陈邦柱（ —1995年）

第七届省委

（1995年10月—2001年11月）

书 记

杨正午（土家族）（1998年9月中共中央任命）

王茂林（免）（1998年9月中共中央决定）

副书记

杨正午（土家族）（免） 储 波 郑培民

（1995年10月中共湖南省委第七届一次全体会议选举产生）

湖南省人民代表大会常务委员会

第八届人民代表大会常务委员会

（1993年1月—1998年1月）

主 任 刘夫生

副主任

董志文 沈瑞庭 俞海潮 刘玉娥（女）

吴运昌（苗族） 赵培义 潘基硕 朱东阳

（1993年1月湖南省八届人大一次会议选举产生）

罗海藩

（1996年2月湖南省八届人大四次会议增选产生）

第九届人民代表大会常务委员会

（1998年1月—2003年1月）

主 任

杨正午（1999年2月湖南省九届人大二次会议当选）

王克英（代）（免）（1998年10月湖南省九届人大常委会第五次会议任命，1999年2月湖南省九届人大二次会议免）

王茂林（辞）（1998年1月湖南省九届人大一次会议选举产生，1998年10月湖南省九届人大常委会第五次会议决定同意辞职）

副主任

王克英 罗海藩 吴运昌（苗族） 谢佑卿

罗桂求 颜永盛 高锦屏（女） 郭俊秀

（1998年1月湖南省九届人大一次会议选举产生）

湖南省人民政府

1993年1月—1998年1月

（湖南省八届人大期间）

省 长 陈邦柱（1993年1月—1995年1月）

杨正午（土家族）（1995年2月湖南省八届人大三次会议补选产生）

副省长

王克英 郑培民（免） 周伯华 周时昌

唐之享 潘贵玉

（1993年1月湖南省八届人大一次会议选举产生）

庞道沐（1994年12月湖南省八届人大常委会第十二次会议通过）

贺同新（1996年11月湖南省八届人大常委会第二十五次会议通过）

储 波（1993年1月—1994年1月）

杨正午（土家族）（1995年1月—1995年2月）

1998 年 1 月—2003 年 1 月
（湖南省九届人大期间）

省 长

储 波（1999 年 2 月湖南省九届人大二次会议当选）

杨正午（辞，土家族）（1998 年 1 月湖南省九届人大一次会议选举产生，1998 年 10 月辞职）

副省长

周伯华 周时昌 唐之享 潘贵玉（女）

庞道沐 贺同新 郑茂清

（1998 年 1 月湖南省九届人大一次会议选举产生）

储 波（免）

（1998 年 10 月湖南省九届人大常委会第五次会议任命，1999 年 2 月免）

中国人民政治协商会议湖南省委员会

第七届委员会
（1993 年 1 月—1998 年 1 月）

主 席 刘 正

副主席

卓康宁 龙禹贤 邓有志（瑶族） 袁隆平

何绍勋 韩 明 徐有恒

石玉珍（女，苗族） 阳忠恕

（1993 年 1 月湖南省政协七届一次会议选举产生）

谢佑卿（补）

方毓棠（补）

陈彰嘉 范多富

（1996 年 2 月湖南省政协七届四次会议补选产生）

第八届委员会
（1998 年 1 月—2003 年 1 月）

主 席

刘夫生（1998 年 1 月湖南省政协八届一次会议选举产生）

副主席

石玉珍（女，苗族） 陈彰嘉 袁隆平

阳忠恕 方毓棠 范多富 游碧竹 蔡自兴

姚守拙 林子亮 卢光琇（女）

（1998 年 1 月湖南省政协八届一次会议选举产生）

湖南省军区

司令员

庞为强（1993 年— ） 张德仁 郑治栋

政治委员

金 锋（199 年 6 月— ）

邓汉民 乔新柱 李今伟

广 东 省

中国共产党广东省委员会

第七届省委
（1993 年 5 月—1998 年 5 月）

书 记

李长春（1998 年 5 月中共中央决定）

谢 非（免）

副书记

张帼英（女） 黄华华

朱森林（ —1996 年 2 月）

卢瑞华（1996 年 2 月— ）

高祀仁（1998 年 4 月中共中央决定）

黄丽满（女）（1998 年 4 月任）

第八届省委
（1998 年 5 月—2002 年 5 月）

书 记 李长春

（1998 年 5 月中共广东省委八届一次全体会

议当选）

副书记

卢瑞华　黄结华　高祀仁　张高丽

黄丽满（女）

（1998年5月中共广东省委八届一次全体会议当选）

广东省人民代表大会常务委员会

第八届人民代表大会常务委员会

（1993年2月—1998年1月）

主　任

林　若（　—1996年2月）

朱森林

副主任

方　包　凌伯棠　曾昭科　谢颂凯　张汉青

程志青（女）

欧阳德（　—1996年1月撤职）

于　飞（　—1996年12月）

（1993年2月广东省八届人大一次会议选举产生）

侣志广

（1996年2月广东省八届人大四次会议补选产生）

第九届人民代表大会常务委员会

（1998年1月—2003年1月）

主　任　朱森林

（1998年1月广东省九届人大一次会议选举产生）

副主任

张帼英（女）　曾昭科　王　骏

程志青（女）　侣志广　张　凯

（1998年1月广东省人大九届一次会议选举产生）

广东省人民政府

1993年2月—1998年1月

（广东省八届人大期间）

省　长　朱森林（　—1996年2月）

副省长

张高丽　卢钟鹤　刘维明

李兰芳（女，满族）

欧广源　卢瑞华（　—1996年2月）

（1993年2月广东省八届人大一次会议选举产生）

钟启权

（1996年4月广东省八届人大常委会第二十一次会议选举产生）

省　长　卢瑞华

（1996年2月广东省八届人大四次会议补选产生）

副省长　汤炳权

（1996年4月广东省八届人大常委会第二十一次会议任命）

1998年1月—2003年1月

（广东省九届人大期间）

省　长　卢瑞华

（1998年1月广东省九届人大一次会议选举产生）

副省长

王岐山　卢钟鹤　欧广源

李兰芳（女，满族）钟启权　汤炳权

许德立　游宁丰

（1998年1月广东省九届人大一次会议选举产生）

中国人民政治协商会议广东省委员会

第七届委员会

（1993年2月—1998年1月）

主　席　郭荣昌

副主席

黄　浩　李　辰　肖耀堂　李金培　沈永椿
张展霞　曾近义　林兴胜
黄耀燊（　—1993年12月）
（1993年2月广东省政协七届一次会议选举产生）
昝元龙　康乐书
（1996年2月广东省政协七届四次会议增补产生）

第八届委员会

（1998年1月—2003年1月）

主　席　郭荣昌

副主席

王宗春　刘维明　康乐书　彭禹贤　王殉章
林东海　李金培　张展霞（女）
韩大建（女）　潘金培

广东省军区

司令员

温玉柱（1992年—　）
刘国裕　张德仁　吕德松

政治委员

张洪运（1989年—1994年）
刘远节（1994年—　）　乔新柱

广西壮族自治区

中国共产党广西壮族自治区委员会

第六届区委

（1990年12月—1995年12月）

书　记　赵富林

副书记

成克杰（壮族）　刘明祖　丁廷模

第七届区委

（1995年12月—2001年10月）

书　记

曹伯纯（1997年7月中共中央决定）
赵富林（免）

副书记

成克杰（壮族）　丁廷模　马庆生　杨基常

副书记

陆　岳（1998年1月中共中央批准）

广西壮族自治区人民代表大会常务委员会

第八届人民代表大会常务委员会

（1993年1月—1998年1月）

主　任　刘明祖（　—1995年1月）
赵富林（1995年1月广西壮族自治区八届人大三次会议选举产生）

副主任

黄保尧（壮族）　黎济武　韦继松（壮族）
石兆棠　何　彬　杜昌一　张敦颢
张慕洁（女）
（1993年1月广西壮族自治区八届人大一次会议选举产生）
彭贵康（1995年1月广西壮族自治区八届人大三次会议选举产生）

第九届人民代表大会常务委员会

（1998年1月—2003年1月）

主　任

赵富林

副主任

丁廷模　覃日飞（女）　李振潜
张慕洁（女）　韦家能（壮族）
甘幼枰（壮族）　张敦颢　洪普洲

广西壮族自治区人民政府

1993年1月—1998年1月
（广西壮族自治区八届人大期间）

主　席
成克杰(壮族)
副主席
袁正中　李振潜　徐炳松　陆　兵(壮族)
袁凤兰(女)
雷　宇(1993年1月—1996年1月)
刘　洪(1993年6月—1997年3月)
奉恒高(1995年1月广西壮族自治区八届人大三次会议选举产生)
张文学(1996年1月广西壮族自治区八届人大四次会议选举产生)

1998年1月—2003年1月
（广西壮族自治区九届人大期间）

主　席
李兆焯(壮族)(1998年1月广西壮族自治区九届人大一次会议选举产生)
副主席
刘知炳　袁凤兰(女)　张文学　周明甫
吴　恒　孙　瑜(壮族)
(1998年1月广西壮族自治区九届人大一次会议选举产生)
徐炳松(1998年9月广西壮族自治区九届人大常委会第六次会议决定撤销)

中国人民政治协商会议广西壮族自治区委员会

第七届委员会
(1993年1月—1998年1月)

主　席　陈辉光
副主席
钟家佐　龙　川　黄语扬　卢燕南
韦瑞霖(已故)　侯德彭　姚克鲁　吴克清
马明龙　贺祥麟　莫虚光
(1993年1月广西壮族自治区政协七届一次会议选举产生)
陈雷卿
(1995年1月广西壮族自治区政协七届三次会议选举产生)

第八届委员会
(1998年1月—2003年1月)

主　席　陈辉光
(1998年1月广西壮族自治区政协八届一次会议选举产生)
副主席
袁正中　陈雷卿　王庆录　俞曙霞(女)
梁超然　卢湖山(壮族)　邓浦东
梁裕宁(女，壮族)　宋福民　陈震宇
(1998年1月广西壮族自治区政协八届一次会议选举产生)

广西军区

司令员
张云逸　李天佑　卢绍武　欧致富　赵欣然
张序登　李新良　肖旭初　文国庆　刘国裕
政治委员
张云逸　谭甫仁　覃士冕　方国安　李土才
魏佑铸　郭质甫　毕可用　肖旭初　王静波
熊自仁　龚平秋　周遇奇　周传统

海　南　省

中国共产党海南省委员会

第二届省委
(1993年7月—1998年2月)

书　记　阮崇武
副书记

杜青林　汪啸风　王学萍(黎族)　钟　文
张德春(女)　陈玉益　蔡长松

第三届省委
（1998年2月—2003年1月）

书　记　杜青林
（1998年2月中共海南省委三届一次会议选出）
副书记　汪啸风　蔡长松　王厚宏
（1998年2月中共海南省委三届一次会议选出）
王广宪(1999年1月中共中央决定)

海南省人民代表大会常务委员会

第一届人民代表大会常务委员会
（1993年2月—1998年4月）

主　任　杜青林
副主任
韦泽芳(　—1996年11月)
王信田　吴葵光
潘琼雄(　—1996年2月)
杨文贵(　—1996年2月)　毛志君
（1993年2月海南省一届人大一次会议选举产生）
辛业江(1994年—撤)

第二届人民代表大会常务委员会
（1998年4月—2003年1月）

主　任　杜青林
（1998年4月海南省二届人大一次会议选出）
副主任
王信田　吴葵光　陈苏厚　毛志君　董范园
王学萍　林明玉　曾浩荣
（1998年4月海南省二届人大一次会议选出）

海南省人民政府

1993年2月—1998年4月
（海南省一届人大期间）

省　长
汪啸风(1998年2月海南省一届人大常委会第三十四次会议决定)
阮崇武(免)
副省长
汪啸风(免)　陈苏厚(辞)
毛志君(辞)　王学萍　刘名启(辞)
（1993年2月海南省一届人大一次会议选举产生）
吴昌元　韩至中
（1996年12月海南省一届人大常委会第二十六次会议决定）
王厚宏(1997年3月海南省一届人大常委会第二十八次会议当选)

1998年4月—2003年1月
（海南省二届人大期间）

省　长　汪啸风
副省长
王厚宏　吴昌元　韩至中　李东生　朱明国
于　迅
（1998年4月海南省二届人大一次会议选举产生）

中国人民政治协商会议海南省委员会

第二届委员会
（1993年2月—1998年4月）

主　席　姚文绪(　—1996年2月)
副主席

王越丰(免)　周　松　胡　楷(女)
李明天(苗族)　陈　宏　王辉丰　林明玉
林鸿藻
(1993年2月海南省政协二届一次会议选举产生)

主　席　陈玉益

副主席　王家贤

(1996年2月海南省政协二届四次会议选举产生)

第三届委员会

(1998年4月—2003年1月)

主　席　陈玉益

(1998年4月海南省政协三届一次会议选出)

副主席

周　松　肖策能　李明天(苗族)　王辉丰
林安彬(回族)　伉铁保　符气浩
林栖凤(女)
(1998年4月海南省政协三届一次会议选出)

海南军区

司令员

肖旭初(1990年—　)　梁计秋

政治委员

龚平秋(1989年—　)
周传统　贺贤书

重　庆　市

中国共产党重庆市委员会

第一届市委

(1997年6月—2002年5月)

书　记　张德邻

副书记

蒲海清　王云龙　刘志忠　王鸿举
(1997年6月中共重庆市委一届一次会议选出)
甘宇平　刘学举
(1998年6月中共中央批准)

书　记

张德邻(1999年6月中共中央决定免去)
贺国强(1999年6月中共中央任命)

副书记

蒲海清(1999年6月中共中央决定免去)
包叙定(1999年6月中共中央任命)

重庆市人民代表大会常务委员会

第一届人民代表大会常务委员会

(1997年6月—2003年1月)

主　任　王云龙

副主任

金　烈　冯克熙　肖祖修　秦昌典　章必果
李克熙　陈之惠
(1997年6月重庆市一届人大一次会议选举产生)

重庆市人民政府

1997年6月—2003年1月

(重庆市一届人大期间)

市　长　蒲海清

副市长

王鸿举　甘宇平　许忠民　李德水　陈光国
吴家农　程贻举
(1997年6月重庆市一届人大一次会议选举产生)

市　长　包叙定

(2002年10月14日重庆市一届人大常委会第四十三次会议决定辞去)
王鸿举(代)

（2002年10月14日，重庆市一届人大常委会第四十三次会议通过任命）

中国人民政治协商会议
重庆市委员会

第一届委员会
（1997年6月—2003年1月）

主　席　张文彬

副主席

黄立沛　韦思琪　李　兵　窦瑞华　王式惠
徐宗俊　张忠惠　刘惠君（女）　张国忠
（1997年6月9日重庆市政协一届一次会议选举产生）

重庆警备区

司令员　林尊龙

政　委　王志学

四　川　省

中国共产党四川省委员会

第六届省委
（1993年4月—1998年1月）

书　记　谢世杰

副书记

肖　秧（已故）　宋宝瑞　秦玉琴（女）
张　峰　蒲海清（免）　杨崇汇
郭金龙（　—1993年12月）
张中伟（1997年3月中共中央批准）

第七届省委
（1998年1月—2002年5月）

书　记　谢世杰

（1998年1月中共四川省委七届一次会议选举产生）

副书记

宋宝瑞　秦玉琴（女）　杨崇汇　张中伟
黄寅逵
（1998年1月中共四川省委七届一次会议选举产生）

四川省人民代表大会
常务委员会

第八届人民代表大会常务委员会
（1993年2月—1998年1月）

主　任　杨析综

副主任

康振黄　罗通达（藏族）　任凌云
韦思琪（免）　王叔云　孙自强（彝族）
孟俊修　徐尚志
宋大凡（1996年2月—辞）
饶用虞（女）（　—1996年2月）
（1993年1月四川省八届人大一次会议选举产生）
刘子寿　李永寿
（1995年2月四川省八届人大三次会议选举产生）
牟绪珩（土家族）
（1996年2月四川省八届人大四次会议选举产生）

第九届人民代表大会常务委员会
（1998年1月—2003年1月）

主　任　谢世杰

副主任

孟俊修　牟绪珩　孙自强（彝族）　刘子寿
李永寿　张宗源　刘永顺　张国辉
钮小明（女）　卢铁城
（1998年1月四川省九届人大一次会议选举产生）

四川省人民政府

1993年2月—1998年1月
（四川省八届人大期间）

省　长　宋宝瑞
肖　秧（　—1996年2月）
副省长
蒲海清（免）　徐世群　张中伟
李　蒙（免）　欧泽高（藏族）
甘宇平（免）
马　麟（　—1996年2月）
刁金祥（　—1996年2月）
（1993年2月四川省八届人大一次会议选举产生）
李达昌　邹广严
（1996年2月四川省八届人大四次会议选举产生）
敬正书
（1996年10月四川省八届人大常委会第二十三次会议通过）

1998年1月—2003年1月
（四川省九届人大期间）

省　长　宋宝瑞
副省长
张中伟　徐世群　欧泽高（藏族）　邹广严
李达昌　敬正书　王金祥　李　进　王恒丰
（1998年1月四川省九届人大一次会议选举产生）

中国人民政治协商会议四川省委员会

第七届委员会
（1993年2月—1998年1月）

主　席　聂荣贵
副主席
杨岭多吉（藏族）　刘　元　刘昌杰　陈祖湘
李克光　杨代蒂　孔萨益多（藏族）　刘诗白
张廷翰　曾平江
韩邦彦（　—1996年1月）
王　于（　—1996年1月）
辛　文（　—1996年1月）
（1993年2月四川省政协七届一次会议选举产生）
刘绍先　罗元俊
（1995年2月四川省政协七届三次会议增补）
郝振贤　章玉钧
（1996年1月四川省政协七届四次会议增补）

第八届委员会
（1998年1月—2003年1月）

主　席　聂荣贵
副主席
曾平江　孙同川　史志义　郝振贤　章玉钧
阿　称（藏族）　杨光华　陈官权　吴正德
陈昌智　苟建丽（女）　唐运张
（1998年1月四川省政协八届一次会议选举产生）

四川省军区

司令员
任应来（1990年6月—　）
丁兆乾　罗列文
政治委员
张少松　（1990年6月—　）
耿全礼　周光荣

贵　州　省

中国共产党贵州省委员会

第七届省委

（1993 年 11 月—1998 年 8 月）

书　记　刘方仁

副书记

陈士能（免）　王思齐　吴亦侠　王广宪

王寿亭

第八届省委

（1998 年 8 月—2002 年 4 月）

书　记　刘方仁

（1998 年 8 月中共贵州省委八届一次全会当选）

副书记　吴亦侠　王寿亭　王三运

（1998 年 9 月中共贵州省委八届一次全会当选）

王广宪（免）

贵州省人民代表大会常务委员会

第八届人民代表大会常务委员会

（1993 年 1 月—1998 年 1 月）

主　任

王朝文（苗族）（1994 年 1 月—　）

刘玉林（代理）（1993 年 7 月—1994 年 1 月）

刘正威（辞）

副主任

刘玉林　梁旺贵（侗族）　王耀伦（苗族）

陈远武　禄文斌（彝族）　李仁山（苗族）

欧阳自远

王安泽（布依族）（　—1995 年 5 月）

（1993 年 1 月贵州省八届人大一次会议选举产生）

梁明德　李　玲（女）

（1994 年 1 月贵州省八届人大二次会议补选产生）

王淑森　杨守岳　张世德

（1996 年 2 月贵州省八届人大四次会议补选产生）

第九届人民代表大会常务委员会

（1998 年 1 月—2003 年 1 月）

主　任

刘方仁（1998 年 1 月贵州省九届人大一次会议当选）

副主任

胡贤生（苗族）　龚贤永　李万禄　步智信

欧阳自远　张世德　王淑森　杨谨华

杨序顺（侗族）　刘思培　司徒桂美（女）

（1998 年 1 月贵州省九届人大一次会议当选）

贵州省人民政府

1993 年 1 月—1998 年 1 月

（贵州省八届人大期间）

省　长

吴亦侠（1997 年 1 月贵州省八届人大五次会议补选）

陈士能（辞）

副省长

袁荣贵　张玉芹（女）（辞）　龚贤永

张树魁（　—1993 年 11 月）

姚继元（　—1996 年 3 月）

（1993 年 1 月贵州省八届人大一次会议选举产生）

胡贤生（苗族）　莫时仁（布依族）

（1993 年 9 月贵州省八届人大常委会第四次会议任命）

王广宪（1993 年 12 月贵州省人大常委会通过）

楼继伟（1995 年 8 月贵州省八届人大常委会第十七次会议通过）

刘长贵（1997 年 7 月贵州省八届人大常委会第二十九次会议通过）

1998年1月—2003年1月
（贵州省九届人大期间）

省　长

钱运录（1999年1月贵州省九届人大二次会议当选）

钱运录（代）（免）

（1998年12月贵州省九届人大常委会第六次会议决定担任，1999年1月免）

吴亦侠（逝世）

（1998年1月贵州省九届人大一次会议当选）

副省长

王正福（苗族）　莫时仁（布依族）

刘长贵　龙超云（女，侗族）　马文骏

（1998年1月贵州省九届人大一次会议当选）

郭树清（1998年7月贵州省九届人大三次会议任命）

楼继伟（1998年5月辞职）

王广宪（1999年1月辞职）

钱运录（免）（1998年12月贵州省九届人大常委会第六次会议决定）

中国人民政治协商会议贵州省委员会

第七届委员会
（1993年1月—1998年1月）

主　席

龙志毅

副主席

王思明　蒙素芬（女）　张超伦　邱耀国

安迪伟　李元栋　常　征（免）　王德懋

吴若秋　蒋希文　王玉璞

（1993年1月贵州省政协七届一次会议选举产生）

程天赋（1994年1月贵州省政协七届二次会议补选产生）

姚继元（1996年2月贵州省政协七届四次会议补选产生）

第八届委员会
（1998年1月—2003年1月）

主　席

王思齐

副主席

袁荣贵　李元栋　吴若秋　程天赋

杨光林（苗族）　王惠业（女）　王中刚

吴静波　许乐仁　吴嘉甫（布依族）

贵州省军区

司令员

朱　启（1990年6月—　）　陈庆云

政治委员

喻忠桂（1990年6月—　）　谌宏昌

云　南　省

中国共产党云南省委员会

第五届省委
（1990年8月—1995年8月）

书　记

普朝柱（免）

高　严（1995年8月中共中央决定—　）

副书记　和志强（纳西族）　尹　俊（白族）

梁金泉（增补）　令狐安（增补）

第六届省委
（1995年8月—2001年12月）

书　记

令狐安（1997年8月中共中央决定）

高　严（免）

副书记

和志强（纳西族）　令狐安　李嘉延（彝族）

王天玺

云南省人民代表大会常务委员会

第八届人民代表大会常务委员会
（1993 年 5 月—1998 年 1 月）

主 任

尹 俊（白族）

副主任

保永康 杨 明（白族） 刀国栋（傣族）
李树基 白佐光（哈尼族） 保洪忠（佤族）
麦赐球 杨一堂（ —1996 年 2 月）
（1993 年 5 月云南省八届人大一次会议选举产生）
吴光范 王义明（女）
（1996 年 2 月云南省八届人大四次会议选举产生）

第九届人民代表大会常务委员会
（1998 年 1 月—2003 年 1 月）

主 任

尹 俊（白族）（1998 年 1 月云南省九届人大一次会议选举产生）

副主任

张宝三 邱创教 保洪忠（佤族）
卢邦正（彝族） 戴光禄（壮族） 吴光范
王义明（女） 高晓宇

云南省人民政府

1993 年 5 月—1998 年 1 月
（云南省八届人大期间）

省 长

和志强（纳西族）

副省长

李嘉廷（彝族，常务） 牛绍尧 刘 京
黄炳生 王广宪（ —1993 年）
杨健强（白族）（ —1994 年 11 月）
（1993 年 5 月云南省八届人大一次会议选举产生）
赵淑敏（女）（1994 年 6 月云南省八届人大常委会第七次会议选举产生）
戴光禄（1994 年 11 月云南省八届人大常委会第十次会议任命）
梁公柳（1995 年 7 月云南省八届人大常委会第十四次会议通过）

1998 年 1 月—2003 年 1 月
（云南省九届人大期间）

省 长

李嘉廷（彝族）（1998 年 1 月云南省九届人大一次会议选出）
（2001 年 6 月 1 日云南省九届人大常委会第二十二次会议决定免去）
徐荣凯（代）
（2001 年 6 月 1 日云南省九届人大常委会第二十二次会议决定任命）

副省长

牛绍尧 梁公卿 刘 京 黄炳生
李汉柏（白族） 程映萱（女）
（1998 年 1 月云南省九届人大一次会议选出）
徐荣凯（2001 年 6 月 1 日云南省九届人大常委会第二十二次会议决定任命）

中国人民政治协商会议云南省委员会

第七届委员会
（1993 年 4 月—1998 年 1 月）

主 席

刘树生（回族）

副主席

赵廷光（瑶族） 刀世勋（傣族）
李 瑾（白族） 陈立英（女）

项朝宗(苗族) 李林阁 李明德
朱应庚 刘邦瑞 卢邦正(彝族)
王兆民 马开贤(回族)
(1993 年 4 月云南省政协七届一次会议选举产生)
郎大忠(傣族)(1994 年—)
江巴吉才(藏族)
(1996 年 2 月云南省政协七届四次会议选举产生)

第八届委员会
(1998 年 1 月—2003 年 1 月)

主　席
令狐安
副主席
赵淑敏(女) 孟继尧 刀世勋(傣族)
项朝宗(苗族) 和占钧(纳西族) 麦赐球
王兆民 马开贤(回族) 江巴吉才(藏族)
张学文(哈尼族) 许克敏
(1998 年 1 月云南省政协八届一次会议选举产生)

云南省军区

司令员
朱成友(1990 年 6 月—)
姚双友 王继堂
政治委员
陈连富(1990 年 6 月—)
李　杰 陈培忠 陶昌廉

西藏自治区

中国共产党西藏自治区委员会

第四届区委
(1990 年 7 月—1995 年 8 月)

书　记
胡锦涛
陈奎元(1992 年 10 月—)
副书记
热　地(藏族) 江村罗布(藏族)
田聪明(—1991 年)
巴　桑(女,藏族)
毛如柏 丹　增(藏族)
张学忠(1992 年 3 月—)
郭金龙(1993 年 12 月—)
列　确(藏族)(1994 年 11 月—)
杨传堂(增补)

第五届区委
(1995 年 8 月—2001 年 9 月)

书　记
陈奎元
副书记
热　地(藏族) 江村罗布(藏族,常务)
郭金龙(常务) 巴　桑(女,藏族)
丹　增(藏族) 杨传堂 列　确(藏族)

西藏自治区人民代表大会常务委员会

第六届人民代表大会常务委员会
(1993 年 1 月—1998 年 5 月)

主　任
热　地(藏族)
副主任
普　穷(藏族) 郑　英(藏族)
生钦·洛桑坚赞(藏族,已故)
布多吉(藏族) 朗　杰(藏族)
龚达希 田福俊 李维伦
白玛多吉(藏族)
桑顶·多吉帕姆·德钦曲珍(女,藏族)
永仲嘎瓦(藏族) 崔继国
霍康·索朗边巴(藏族)(—1994 年 12 月)
(1993 年 1 月西藏自治区六届人大一次会议选举)

曲　加(藏族)　索朗达吉(藏族)
马光华(回族)　恰白·次旦平措(藏族)
(1996年5月西藏自治区六届人大四次会议补选)

第七届人民代表大会常务委员会
(1998年5月—2003年1月)

主　任
热　地(藏族)(1998年5月西藏自治区七届人大一次会议选举产生)

副主任
普　穷(藏族)　江　措(藏族)
布多吉(藏族)　子　成(藏族)
龚达希　陆惠民
桑顶·多吉帕姆·德钦曲珍(女,藏族)
泽仁桑珠(藏族)　洛桑丹珍(藏族)
永仲嘎瓦(藏族)　曲　加(藏族)
索朗达吉(藏族)　马光华(回族)
(1998年5月西藏自治区七届人大一次会议选举产生)

西藏自治区人民政府

1993年1月—1998年5月
(西藏自治区六届人大期间)

主　席
江村罗布(藏族)

副主席
江　措(藏族)　吉普·平措次登(藏族)
拉巴平措(藏族)　泽仁桑珠(藏族)
杨　松　毛如柏(　—1993年6月)
梁公卿(　—1995年7月)
(1993年1月西藏自治区六届人大一次会议选举)
次仁卓嘎(女,藏族)
(1993年12月西藏自治区六届人大常委会六次会议选举产生)
杨传堂(1994年—　)
洛桑顿珠(藏族)(1993年—　)
向　阳(1994年12月—　)
孙岐文(1994年12月—　)
列　确(藏族)
(1995年4月西藏自治区六届人大常委会第十三次会议通过)
徐明阳(1995年7月西藏自治区六届人大常委会第十五次会议通过)

1998年5月—2003年1月
(西藏自治区七届人大期间)

主　席
列　确(藏族)(1998年5月西藏自治区人大七届一次会议选举产生)

副主席
杨传堂　徐明阳　拉巴平措(藏族)
洛桑顿珠(藏族)　吉普·平措次登(藏族)
杨　松　次仁卓嘎(女,藏族)　孙岐文
多　吉(藏族)　杨晓渡　尼玛次仁(藏族)
加　保(藏族)　群　培(藏族)
(1998年5月西藏自治区七届人大一次会议选举产生)

中国人民政治协商会议
西藏自治区委员会

第六届委员会
(1993年1月—1998年5月)

主　席
帕巴拉·格列朗杰(藏族)

副主席
巴　桑(女,藏族)　洛桑丹珍
拉敏·索朗伦珠(藏族)
金中·坚赞平措(藏族)
拉鲁·次旺多吉(藏族)
唐麦·贡觉白姆(女,藏族)
恰巴·格桑旺堆(藏族)
才旦卓玛(女,藏族)
多吉扎·仁增钦莫·江白洛桑(藏族)
尧西·索朗卓玛(女,藏族)

尧西·旺堆(藏族) 周岐顺 徐洪森
呷玛泽登(藏族) 杨朝济
江中·扎西多吉(藏族)(—1996年5月)
王海林(—1996年5月)
贡巴萨·土登吉扎(藏族)(—1996年5月)
恰扎·强巴赤列(藏族)(—1996年5月免职)
(1993年1月西藏自治区政协六届一次会议选举产生)
杨有才(1995年5月西藏自治区政协六届三次会议增选产生)

第七届委员会

(1998年5月—2003年1月)

主 席

帕巴拉·格列朗杰(藏族)(1998年5月西藏自治区政协七届一次会议选举产生)

副主席

巴 桑(女,藏族) 陈汉昌 桑 珠(藏族)
生钦·洛桑坚赞(藏族)(已故)
金中·坚赞平措(藏族)
拉鲁·次旺多吉(藏族)
拉敏·索朗伦珠(藏族)
才旦卓玛(女,藏族) 向 阳(藏族)
多吉扎·仁增钦莫·江白洛桑
尧西·索朗卓玛(女,藏族)
尧西·旺堆(藏族)
珠康·土登克珠(藏族) 和志光(藏族)
向巴嘎登(藏族) 平 措(藏族)
曾忠义(藏族) 高世珍(女,藏族)
(1998年5月西藏自治区政协七届一次会议选举产生)

西藏军区

司令员

周文碧 蒙进喜

政治委员

耿全礼(1990年—)
胡永柱 段禄定

陕 西 省

中国共产党陕西省委员会

第八届省委

(1993年5月—1998年5月)

书 记

李建国(1997年8月中共中央决定)
张勃兴(—1994年)
安启元(1994年—免)

副书记

白清才(免) 刘荣惠 支益民 程安东
蔡竹林 艾丕善

第九届省委

(1998年5月—2002年5月)

书 记

李建国(1998年5月中共陕西省委九届一次会议选举产生)

副书记

程安东 艾丕善 贾治邦 范肖梅(女)
(1998年5月中共陕西省九届一次会议选举产生)

陕西省人民代表大会常务委员会

第八届人民代表大会常务委员会

(1993年4月—1998年1月)

主 任

张勃兴

副主任

牟玲生 陈学俊 高凌云 沈 晋 任国义
毛生铣(—1996年2月)
(1993年4月陕西省八届人大一次会议选举产生)
徐山林 李天文 唐绩初

（1996年2月陕西省八届人大四次会议选举产生）

第九届人民代表大会常务委员会

（1998年1月—2003年1月）

主 任

李建国（1998年1月陕西省九届人大一次会议选出）

副主任

徐山林 刘搡楚 李天文 唐绩初 马大谋 桂中岳 陈 跃 刘枢机

（1998年1月陕西省九届人大一次会议选出）

陕西省人民政府

1993年4月—1998年1月

（陕西省八届人大期间）

省 长

程安东（1995年2月陕西省八届人大三次会议选举产生）

副省长

姜信真 范肖梅（女）

郑斯林（ —1993年7月）

程安东（ —1995年2月）

徐山林（ —1996年2月）

王双锡（ —1996年）

刘春茂（ —1996年2月）

（1993年4月陕西省八届人大一次会议选举产生）

贾治邦（1994年1月陕西省八届人大常委会第四次会议任命）

巩德顺（1994年11月陕西省八届人大常委会第九次会议任命）

王寿森（1996年2月陕西省八届人大四次会议选举产生）

赵德全（1996年9月陕西省八届人大常委会第二十一次会议任命）

1998年1月—2003年1月

（陕西省九届人大期间）

省 长

程安东（1998年1月陕西省九届人大一次会议选举产生）

（2002年5月20日陕西省九届人大常委会第二十九次会议决定免去）

贾治邦（代）

（2002年5月20日陕西省九届人大常委会第二十九次会议通过任命）

副省长

范肖梅（女） 潘连生 贾治邦 张 伟 巩德顺 陈宗兴 王寿森 赵德全

（1998年1月陕西省九届人大一次会议选举产生）

陈德铭

（2002年5月20日陕西省九届人大常委会第二十九次会议通过任命）

中国人民政治协商会议陕西省委员会

第七届委员会

（1993年4月—1998年1月）

主 席

周雅光

副主席

梁 琦（女） 纪鸿尚 孙天义 黄峻山 张鹤龄 王世臣 苏 明

董继昌（ —1996年2月）

（1993年4月陕西省政协七届一次会议选举产生）

姜信真 靠 山 朱振义

（1996年2月陕西省政协七届四次会议补选产生）

第八届委员会

（1998年1月—2003年1月）

主　席

安启元

副主席

蔡竹林　纪鸿尚　孙天义　苏　明　姜信真
靠　山　朱振义　黄　钟　李雅芳(女)
刘锦才
(1998年1月陕西省政协八届一次会议选举产生)

陕西省军区

司令员

王志成(1990年6月—　)
杜东海　邱衍汉　马殿奎　陈时宝

政治委员

赵连臣(1994年—　)　雷星平

甘　肃　省

中国共产党甘肃省委员会

第八届省委
(1993年12月—1998年11月)

书　记

孙　英(1998年4月中共中央任命)
阎海旺(免)

副书记

张吾乐(免)　孙　英　杨振杰
(1993年12月中共甘肃省委八届一次会议选举)
赵志宏(1994年—　)
李虎林(1994年1月—　)

第九届省委
(1998年11月—2002年4月)

书　记

孙　英
(1998年11月中共甘肃省委九届一次全会当选)

副书记

宋照肃　陆　浩　仲兆隆
(1998年11月中共甘肃省委九届一次全会当选)

甘肃省人民代表大会常务委员会

第八届人民代表大会常务委员会
(1993年1月—1998年1月)

主　任　卢克俭(藏族)

副主任

嘉木样·洛桑久美·图丹却吉尼玛(藏族)
王金堂　穆永吉(回族)　姚文仓
胡慧娥(女)　李　萍(　—1993年6月)
马玉海(回族)(　—1996年2月)
(1993年1月甘肃省八届人大一次会议选举产生)
柯茂盛(1994年4月甘肃省八届人大二次会议补选产生)
饶凤翥　杨怀孝(回族)
(1996年2月甘肃省八届人大四次会议选举产生)

第九届人民代表大会常务委员会
(1998年1月—2003年1月)

主　席

卢克俭(藏族)(1998年1月甘肃省九届人大一次会议选举产生)

副主席

嘉木样·洛桑久美·图丹却吉尼玛(藏族)
杨怀孝(回族)　姚文仓　胡慧娥(女)
柯茂盛　陈绮玲(女)　程有清　杨作林
(1998年1月甘肃省九届人大一次会议选举产生)

甘肃省人民政府

1993年1月—1998年1月
（甘肃省八届人大期间）

省 长

阎海旺（ —1993年9月） 张吾乐（辞）
（1994年4月甘肃省八届人大二次会议补选产生）
孙 英（1997年1月甘肃省八届人大五次会议补选产生）

副省长

陈绮玲（女） 郭 琨 崔正华
杨怀孝（回族）（ —1996年2月）
张吾乐（ —1993年9月）
路 明（ —1994年5月）
（1993年1月甘肃省八届人大一次会议选举产生）
贠小苏（1994年甘肃省八届人大常委会第十二次会议任命）
洛桑·灵智多杰（藏族）（1995年5月甘肃省八届人大常委会第十七次会议任命）

1998年1月—2003年1月
（甘肃省九届人大期间）

省 长

宋照肃（1999年1月甘肃省九届人大二次会议当选）

副省长

郭 琨 崔正华 小 苏 韩修国
洛桑·灵智多杰（藏族） 吴碧莲（女）
李重阉
（1998年1月甘肃省九届人大一次会议选举产生）
丁泽生（1998年12月甘肃省九届人大常委会第七次会议通过）
宋照肃（免）

中国人民政治协商会议
甘肃省委员会

第七届委员会
（1993年1月—1998年1月）

主 席

申效曾

副主席

黄正清（藏族） 黎 中 韩正卿 朱宣人
贡唐仓·丹贝旺旭（藏族） 王 平
陈剑虹 应中逸 杜大仕
（1993年1月甘肃政协七届一次会议选举产生）
拜立凤（女，回族）（1994年4月甘肃政协七届二次会议选举产生）
邓成城（1996年2月甘肃政协七届四次会议选举产生）

第八届委员会
（1998年1月—2003年1月）

主 席

杨振杰（1998年1月甘肃省政协八届一次会议当选）

副主席

贡唐仓·丹贝旺旭（藏族）
陈剑虹 拜玉凤（女，回族）
邓成城 朱作勇 杜 颖（女）
喇敏智（回族） 杨震刚（藏族）
周宜兴 李宇鸿
（1998年1月在甘肃省政协八届一次会议当选）

甘肃省军区

司令员

孙翠屏（1990年6月— ）
梁培禛 赵栓龙 赵建中

政治委员

李 忠（1990年6月— ） 李统厚

青　海　省

中国共产党青海省委员会

第八届省委

（1993 年 5 月—1998 年 4 月）

书　记

田成平（1997 年 4 月中共中央决定）

尹克升（免）

副书记

田成平（免）　蔡竹林　桑结加（藏族）

姚湘成　李明金　冯敏刚

白恩培（1997 年 4 月中共中央决定）

第九届省委

（1998 年 4 月—2002 年 5 月）

书　记

白恩培（1999 年 6 月任命）

副书记　桑结加（藏族）　姚湘成　赵乐际

（1998 年 4 月中共青海省委九届一次全会选出）

书　记　苏　荣

（2001 年 10 月中共中央决定任命）

青海省人民代表大会常务委员会

第八届人民代表大会常务委员会

（1993 年 1 月—1998 年 1 月）

主　任

宦爵才郎（藏族）

副主任

杨茂嘉（女，藏族）　马文鼎（回族）

格桑多杰（藏族）　马世清（回族）

高　尼（蒙古族）　才　旦（藏族）

孙肇然　王恩科

（1993 年 1 月青海省八届人大一次会议选举）

唐正人（1995 年 2 月青海省八届人大三次会议补选）

第九届人民代表大会常务委员会

（1998 年 1 月—2003 年 1 月）

主　任

田成平（兼）（1998 年 1 月青海省九届人大一次会议选出）

副主任

喇秉礼（回族）　李明金　格桑多杰（藏族）

高　尼（蒙古族）　才　旦（藏族）　王恩科

宋彭生　叀文林

（1998 年 1 月青海省九届人大一次会议选出）

青海省人民政府

1993 年 1 月—1998 年 1 月

（青海省八届人大期间）

省　长

白恩培（代）（1997 年青海省八届人大常委会第二十九次会议决定）

田成平（免）

副省长

王汉民　喇秉礼（回族）　白　玛（藏族）

刘光和　马元彪（　—1995 年 7 月）

（1993 年 1 月青海省八届人大一次会议选举产生）

赵乐际（辞）（1994 年 7 月青海省八届人大常委会第十一次会议选举产生）

贾锡太（1995 年 7 月青海省八届人大常委会第十九次会议选举产生）

郑欣淼（1995 年 9 月青海省八届人大常委会第二十次会议通过）

白恩培（1997 年 4 月青海省八届人大常委会第二十九次会议决定）

马元彪（土族）（免）

1998年1月—2003年1月
（青海省九届人大期间）

省 长
白恩培
副省长
王汉民 白 玛（女，藏族） 刘光和
徐 良 苏 林 贾锡太 穆东升（回族）
（1998年1月青海省九届人大一次会议选举产生）

中国人民政治协商会议青海省委员会

第七届委员会
（1993年1月—1998年1月）

主 席
韩应选（撒拉族）
副主席
班玛丹增（藏族）（辞） 廖霭庭
松 布（土族） 吉嘉赛（藏族）
韩生贵（回族） 扎喜安嘉（藏族）
程步云
阿嘉·洛桑图旦·久美嘉措（蒙古族）
李希竑 马进孝（回族）
（1993年1月青海省政协七届一次会议选举产生）
马元彪（1995年2月青海省政协七届三次会议增补产生）
卓 玛（女，藏族）（1996年4月青海省政协七届四次会议增补产生）

第八届委员会
（1998年1月—2003年1月）

主 席
韩应选（撒拉族）
副主席
程步云 松 布（土族） 韩生贵（回族）
阿嘉·洛桑图旦·久美加措（蒙古族）
李希竑 卓 玛（女，藏族） 蔡巨乐
王孝榆 任震宇 岳世淑（女）
（1998年1月青海省政协八届一次会议选举产生）

青海省军区

司令员
张美远 兰仲杰
政治委员
赵连臣（1990年6月— ）
陈燕勤 李天荣 刘喜廷

宁夏回族自治区

中国共产党宁夏回族自治区委员会

第七届区委
（1993年4月—1998年4月）

书 记
毛如柏（1997年8月中共中央决定）
黄 璜（免）
副书记
白立忱（回族） 姚敏学 马启智（回族）
康 义（免）

第八届区委
（1998年4月—2002年6月）

书 记 毛如柏
（1998年4月中共宁夏回族自治区委八届一次会议选出）
（2002年3月中共中央决定免去）
陈建国（2002年3月中共中央决定任命）
副书记 马启智（回族） 韩茂华 任启兴
（1998年4月中共宁夏回族自治区委八届一次会议选出）

宁夏回族自治区人民代表大会常务委员会

第七届人民代表大会常务委员会
（1993 年 5 月—1998 年 5 月）

主　任

马思忠（回族）

副主任

白振华（回族）　文　力（回族）
杨惠云（女，回族）　汪　恩
马启智（回族）　张位正　张立志
（1993 年 5 月宁夏回族自治区七届人大一次会议选举产生）
周秋英（女）（1996 年 4 月宁夏回族自治区七届人大四次会议选举产生）

第八届人民代表大会常务委员会
（1998 年 5 月—2003 年 1 月）

主　任

毛如柏（1998 年 5 月宁夏回族自治区八届人大一次会议选举产生）

副主任

马昌裔（回族）　周秋英（女）
韩有为（回族）　黄超雄　刘兴中（回族）
师梦雄　陈敏求
（1998 年 5 月宁夏回族自治区八届人大一次会议选举产生）
洪维宗（1999 年 2 月宁夏回族自治区八届人大二次会议选出）

宁夏回族自治区人民政府

1993 年 5 月—1998 年 5 月
（宁夏回族自治区七届人大期间）

主　席

马启智（回族）（代）（1997 年 12 月任—　）
白立忱（回族）（辞）

副主席

任启兴　马文学（回族）　周生贤
刘　仲（回族）
程法光（　—1994 年 4 月）
（1993 年 5 月宁夏回族自治区七届人大一次会议选举产生）
王魁才（1995 年 10 月宁夏回族自治区七届人大常委会第十五次会议增选产生）

1998 年 5 月—2003 年 1 月
（宁夏回族自治区八届人大期间）

主　席

马启智（回族）（1998 年 5 月宁夏回族自治区八届人大一次会议选举产生）

副主席

周生贤　刘　仲（回族）　于革胜
马骏廷（回族）　王全诗
（1998 年 5 月宁夏回族自治区八届人大一次会议选举产生）

中国人民政治协商会议宁夏回族自治区委员会

第六届委员会
（1993 年 5 月—1998 年 5 月）

主　席

刘国范

副主席

郝廷藻（回族）　洪清国（回族）
马烈孙（回族）　吴尚贤　刘闽生
强　锷（回族）　仝开锦（回族）
雷启霖（　—1994 年 12 月）
（1993 年 5 月宁夏回族自治区政协六届一次会议选举产生）
洪维宗（回族）　冯炯华　魏世成
（1996 年 4 月宁夏回族自治区政协六届四次会议选举产生）

第七届委员会

（1998 年 5 月—2003 年 1 月）

主　席

马思忠（回族）（1998 年 5 月宁夏回族自治区政协七届一次会议选举产生）

副主席

任怀祥　周文吉（回族）　洪维宗（回族）
魏世成　金晓昀（女，回族）　马国权（回族）
刘闽生　周振中　梁　俭
（1998 年 5 月宁夏回族自治区政协七届一次会议选举产生）

宁夏军区

司令员

李良辉（1993 年 7 月—　）
卢普阳　常贵祥

政治委员

董道圣（1990 年 6 月—1993 年 6 月）
王永正（1994 年 6 月—　）

新疆维吾尔自治区

中国共产党新疆维吾尔自治区委员会

第四届区委

（1991 年 3 月—1996 年 2 月）

书　记

宋汉良

副书记

铁木尔·达瓦买提（维吾尔族）
贾那布尔（哈萨克族）　栗寿山
阿木冬·尼牙孜（维吾尔族）
张福森　金玉辉（1991 年—　）
王乐泉（1995 年 12 月—　）
克尤木·巴吾东（维吾尔族）（1993 年—　）
阿不来提·阿不都热西提（维吾尔族）
（1993 年 12 月—　）

第五届区委

（1996 年 2 月—2001 年 10 月）

书　记

王乐泉

副书记

阿不来提·阿不都热西提（维吾尔族）
克尤木·巴吾乐（维吾尔族）
艾斯海提·克里木拜（哈萨克族）
张文岳　周　涛
张云川（1998 年 2 月中共中央批准）

新疆维吾尔自治区人民代表大会常务委员会

第八届人民代表大会常务委员会

（1993 年 1 月—1998 年 1 月）

主　任

阿木冬·尼牙孜（维吾尔族）
（1993 年 1 月新疆维吾尔自治区八届人大一次会议选举产生）

副主任

颉富平　玉素甫·穆罕默德（维吾尔族）
吐尔巴依尔（蒙古族）　许　鹏
马存亮　胡吉汉·哈克莫夫（维吾尔族）
阿米娜·阿帕尔（维吾尔族）
谢　宏（1995 年 2 月罢免）
何德尔拜（哈萨克族）（1996 年 4 月辞职）
（1993 年 1 月新疆维吾尔自治区八届人大第一次会议选举产生）
哈德斯（哈萨克族）　崔光华
（1996 年 4 月新疆维吾尔自治区八届人大第四次会议补选产生）

第九届人民代表大会常务委员会

（1998 年 1 月—2003 年 1 月）

主　任

阿木冬·尼牙孜(维吾尔族)

(1998年1月新疆维吾尔自治区九届人大一次会议选举产生)

副主任

李逢滋　海里且姆·斯拉木(女,维吾尔族)

许　鹏　章　恒

米吉提·纳斯尔(维吾尔族)

哈德斯·贾那布尔(哈萨克族)

胡吉汉·哈克莫夫(维吾尔族)

苏来衣曼(柯尔克孜族)　马建国(回族)

(1998年1月新疆维吾尔自治区九届人大一次会议选举产生)

新疆维吾尔自治区人民政府

1993年1月—1998年1月
(新疆维吾尔自治区八届人大期间)

主　席

铁木尔·达瓦买提(维吾尔族)(　—1993年)

阿不来提·阿不都热西提(维吾尔族)

副主席

吾甫尔·阿不都拉(维吾尔族)

李东辉　章　恒

米吉提·纳斯尔(维吾尔族)

阿不来提·阿不都热西提(维吾尔族)
(　—1994年3月)

王乐泉(　—1996年1月)

王友三(　—1996年4月)

艾斯海提·克里木拜(哈萨克族)
(　—1996年4月)

(1993年1月新疆维吾尔自治区八届人大一次会议选举产生)

玉素甫·艾沙(维吾尔族)

(1994年3月新疆维吾尔自治区八届人大二次会议补选产生)

张云川(1994年4月新疆维吾尔自治区八届人大常委会第十四次会议任命)

王怀玉　达列力汗·马米汗(哈萨克族)

(1996年4月新疆维吾尔自治区八届人大四次会议补选产生)

1998年1月—2003年1月
(新疆维吾尔自治区九届人大期间)

主　席

阿不来提·阿不都热西提(维吾尔族)

(1998年1月新疆维吾尔自治区九届人大一次会议选举产生)

副主席

张云川　吾甫尔·阿不都拉(维吾尔族)

王怀玉　达列力汗·马米汗(哈萨克族)

熊辉银　买买提明·扎克尔(维吾尔族)

张　舟

阿不都卡德尔·乃斯尔丁(维吾尔族)

(1998年1月新疆维吾尔自治区人大九届一次会议选举产生)

主席助理　刘　怡

中国人民政治协商会议
新疆维吾尔自治区委员会

第七届委员会
(1993年1月—1998年1月)

主　席

贾那布尔(哈萨克族)

副主席

依不拉音·肉孜(维吾尔族)　毛德华

迪牙尔·库马什(哈萨克族)　汪师贞(女)

韩有文(撒拉族)　吴佳和

苏来衣曼(柯尔克孜族)　沙　明(回族)

阿荣汗阿吉(维吾尔族)

帕夏·依夏(女,维吾尔族)

牙生·那斯尔(维吾尔族)(　—1993年6月)

冯大真(　—1996年3月)

文克孝(　—1996年3月)

(1993年1月新疆维吾尔自治区政协七届一次会议选举产生)

王友三　米吉提·库尔班(维吾尔族)

谢志强
(1996年3月政协七届四次会议补选产生)

第八届委员会
(1998年1月—2003年1月)

主　席
贾那布尔(哈萨克族)
副主席
王友三　毛德华　李东辉
玉素甫·艾沙(维吾尔族)
别克木哈买提·木沙(哈萨克族)
谢志强　王汉儒　张贵亭(回族)
阿荣汗阿吉(维吾尔族)
帕夏·依夏(女,维吾尔族)
赛尔杰(蒙古族)
阿不都热依木·阿吉依明(维吾尔族)
朱振中
(1998年1月新疆维吾尔自治区政协八届一次会议选举产生)

新疆军区

司令员
傅秉耀(1992年—　)
李良辉　邱衍汉
政治委员
潘兆民　周永顺　喻林祥

中华人民共和国 香港特别行政区

香港特别行政区 第一届政府

行政长官
董建华
政务司司长
陈方安生(1997年2月20日,根据香港特别行政区行政长官董建华的提名,国务院任命,1997年7月1日就职;国务院2001年2月9日免去)
曾荫权(根据香港特别行政区行政长官董建华的提名和建议,国务院2001年2月9日任命)
财政司司长
曾荫权(1997年2月20日,根据香港特别行政区行政长官董建华的提名,国务院任命,1997年7月1日就职;国务院2001年2月9日免去)
梁锦松(根据香港特别行政区行政长官董建华的提名和建议,国务院2001年2月9日任命)
律政司司长
梁爱诗(1997年2月20日,根据香港特别行政区行政长官董建华的提名,国务院任命,1997年7月1日就职)
公务员事务局局长
林焕光(1997年2月20日,根据香港特别行政区行政长官董建华的提名,国务院任命,1997年7月1日就职;国务院2000年2月免去)
王永平(根据香港特别行政区行政长官董建华的提名和建议,国务院2000年2月任命)
保安局局长
黎庆宁(1997年2月20日,根据香港特别行政区行政长官董建华的提名,国务院任命,1997年7月1日就职;国务院1998年7月27日免去)
叶刘淑仪(根据香港特别行政区行政长官董建华的提名和建议,国务院1998年7月27日任命)
教育统筹局局长
王永平(1997年2月20日,根据香港特别行政区行政长官董建华的提名,国务院任命,1997年7月1日就职;国务院2000年2月免去)
罗范椒芬(根据香港特别行政区行政长官董建华的提名和建议,国务院2000年2月任命)
卫生福利局局长
霍罗兆贞(1997年2月20日,根据香港特别

行政区行政长官董建华的提名，国务院任命，1997年7月1日就职；国务院1999年6月28日免去）

杨永强（根据香港特别行政区行政长官董建华的提名和建议，国务院1999年6月28日任命）

规划环境地政局局长

梁宝荣（1997年2月20日，根据香港特别行政区行政长官董建华的提名，国务院任命，1997年7月1日就职；国务院1999年10月9日免去）

萧炯柱（根据香港特别行政区行政长官董建华的提名和建议，国务院1998年10月9日任命；国务院2001年7月免去）

曾俊华（根据香港特别行政区行政长官董建华的提名和建议，国务院2001年7月任命；国务院2000年6月21日免去）

文康广播局局长

周德熙（1997年2月20日，根据香港特别行政区行政长官董建华的提名，国务院任命，1997年7月1日就职；国务院1998年2月12日免去）

运输局局长

萧炯柱（1997年2月20日，根据香港特别行政区行政长官董建华的提名，国务院任命，1997年7月1日就职；国务院1997年7月23日免去）

吴荣奎（根据香港特别行政区行政长官董建华的提名和建议，国务院1997年7月23日任命；国务院2002年6月21日免去）

民政事务局局长

孙明扬（1997年2月20日，根据香港特别行政区行政长官董建华的提名，国务院任命，1997年7月1日就职；国务院1997年7月23日免去）

蓝鸿震（根据香港特别行政区行政长官董建华的提名和建议，国务院1997年7月23日任命；国务院2000年2月免去）

林焕光（根据香港特别行政区行政长官董建华的提名和建议，国务院2000年2月任命）

政制事务局局长

吴荣奎（1997年2月20日，根据香港特别行政区行政长官董建华的提名，国务院任命，1997年7月1日就职；国务院1997年7月23日免去）

孙明扬（根据香港特别行政区行政长官董建华的提名和建议，国务院1997年7月23日任命）

经济局局长

叶澍堃（1997年2月20日，根据香港特别行政区行政长官董建华的提名，国务院任命，1997年7月1日就职；国务院2000年2月免去）

李淑仪（根据香港特别行政区行政长官董建华的提名和建议，国务院2000年2月任命）

库务局局长

邝其志（1997年2月20日，根据香港特别行政区行政长官董建华的提名，国务院任命，1997年7月1日就职；国务院1998年2月12日免去）

俞宗怡（女）（根据香港特别行政区行政长官董建华的提名和建议，国务院1998年2月12日任命；国务院2002年6月21日免去）

财经事务局局长

许仕仁（1997年2月20日，根据香港特别行政区行政长官董建华的提名，国务院任命，1997年7月1日就职；国务院2000年2月免去）

叶澍堃（根据香港特别行政区行政长官董建华的提名和建议，国务院2000年2月任命）

工商局局长

俞宗怡（1997年2月20日，根据香港特别行政区行政长官董建华的提名，国务院任命，1997年7月1日就职；国务院1998年2月12日免去）

周德熙（根据香港特别行政区行政长官董建华的提名和建议，国务院1998年2月12日任命；国务院2002年6月21日免去）

工务局局长

邝汉生（1997年2月20日，根据香港特别行政区行政长官董建华的提名，国务院任命，1997年7月1日就职；国务院1999年6月28日免去）

李承仕（根据香港特别行政区行政长官董建

华的提名和建议，国务院 1999 年 6 月 28 日任命；国务院 2002 年 6 月 21 日免去）

房屋局局长

黄星华（1997 年 2 月 20 日，根据香港特别行政区行政长官董建华的提名，国务院任命，1997 年 7 月 1 日就职；国务院 2002 年 6 月 21 日免去）

廉政专员

任关佩英（1997 年 2 月 20 日，根据香港特别行政区行政长官董建华的提名，国务院任命，1997 年 7 月 1 日就职；国务院 1999 年 6 月 29 日免去）

黎　年（根据香港特别行政区行政长官董建华的提名和建议，国务院 1999 年 6 月 28 日任命；国务院 2002 年 6 月 21 日免去）

审计署署长

陈彦达（1997 年 2 月 20 日，根据香港特别行政区行政长官董建华的提名，国务院任命，1997 年 7 月 1 日就职）

警务处处长

许淇安（1997 年 2 月 20 日，根据香港特别行政区行政长官董建华的提名，国务院任命，1997 年 7 月 1 日就职；国务院 2000 年 12 月 8 日免去）

曾荫培（根据香港特别行政区行政长官董建华的提名和建议，国务院 2000 年 12 月 8 日任命）

入境事务处处长

叶刘淑仪（1997 年 2 月 20 日，根据香港特别行政区行政长官董建华的提名，国务院任命，1997 年 7 月 1 日就职；国务院 1998 年 7 月 27 日免去）

李少光（根据香港特别行政区行政长官董建华的提名和建议，国务院 1998 年 10 月 9 日任命；国务院 2002 年 6 月 21 日免去）

海关关长

李树辉（1997 年 2 月 20 日，根据香港特别行政区行政长官董建华的提名，国务院任命，1997 年 7 月 1 日就职；国务院 1998 年 12 月 24 日免去）

曾俊华（根据香港特别行政区行政长官董建华的提名和建议，国务院 1998 年 12 月 24 日任命；国务院 2001 年 7 月免去）

黄鸿超（根据香港特别行政区行政长官董建华的提名和建议，国务院 2001 年 7 月任命）

资讯科技及广播局局长

邝其志（1998 年 4 月正式成立。根据香港特别行政区行政长官董建华的提名和建议，国务院 1998 年 2 月 12 日任命；国务院 2000 年 2 月免去）

尤曾家丽（根据香港特别行政区行政长官董建华的提名和建议，国务院 2000 年 2 月任命）

环境食物局局长

任关佩英（根据香港特别行政区行政长官董建华的提名和建议，国务院 1999 年 12 月 27 日任命；国务院 2002 年 6 月 21 日免去）

香港特别行政区第二届政府

行政长官　董建华

政务司司长　曾荫权

财政司司长　梁锦松

律政司司长　梁爱诗（女）

工商及科技局局长　唐英年

房屋及规划地政局局长　孙明扬

教育统筹局局长　李国章

卫生福利及食物局局长　杨永强

公务员事务局局长　王永平

民政事务局局长　何志平

保安局局长　叶刘淑仪（女）

经济发展及劳工局局长　叶澍堃

环境运输及工务局局长　廖秀冬（女）

财政事务及库务局局长　马时亨

政制事务局局长　林瑞麟

警务处处长　曾荫培

廉政专员　李少光

审计署署长　陈彦达

海关关长　黄鸿超

入境事务处处长　黎栋国

（以上根据香港特别行政区行政长官董建华的提名和建议，国务院 2002 年 6 月 21 日任命）

工商局局长　周德熙
民政事务局局长　林焕光
经济局局长　李淑仪
教育统筹局局长　罗范椒芬
环境食物局局长　任关佩英
库务局局长　俞宗怡
房屋局局长　黄星华
资讯科技及广播局局长　尤曾家丽
规划地政局局长　曾俊华
运输局局长　吴荣奎
工务局局长　李承仕
廉政专员　黎　年
入境事务处处长　李少光

（以上根据香港特别行政区行政长官董建华的提名和建议，国务院 2002 年 6 月 21 日免去）

香港特别行政区立法会

第一届

（1998 年 5 月 25 日）

主　席

范徐丽泰

议　员

刘皇发　何承天　罗致光　杨孝会　田北俊
黄宜弘　丁午寿　李国宝　许长青(菁)
梁刘柔芬　陆恭蕙　程介南　李柱铭
杨　森　刘千石　涂谨申　曾钰成　司徒华
李华明　陈婉娴　李永达　何俊仁　梁耀忠
李卓人　谭耀宗　黄宏发　刘慧卿　何秀兰
刘江华　郑家富　张永森　邓兆棠　黄容根
陈智思　刘健仪　张文光　吴蔼仪　李家祥
梁智鸿　何敏嘉　何钟泰　陈荣灿　李启明
陈国强　夏佳理　吕明华　霍震霆
周梁淑怡　单仲偕　杨耀忠　吴亮星
何世柱　马逢国　范徐丽泰　吴清辉
朱幼麟　陈监林　蔡素玉　刘汉铨
詹培忠(1998 年 9 月罢免)
冯志坚(1998 年 9 月补选)

委员会

	主席	副主席
人力	李启明(劳)	刘千石(民)
公务员	谭耀宗(建)	梁刘柔芬(自)
司法	吴霭仪(独)	曾钰成(建)
民政	蔡　玉(进)	何俊仁(民)
交通	刘健仪(自)	刘江华(建)
房屋	李永达(民)	程介南(建)
保安	涂谨申(民)	周梁淑怡(自)
政制	黄宏发(独)	刘慧卿(前)
财经	刘汉铨(进)	李家祥(早)
教育	杨耀忠(建)	吴清辉(早)
工贸	陈鉴林(建)	吕明华(早)
福利	陈婉娴(建)	何世柱(自)
资讯	单仲偕(民)	马逢国(早)
经济	田北俊(自)	李华明(民)
卫生	何敏嘉(民)	梁智鸿(早)
环境	陆恭蕙(权)	许长青(进)
规划地政	何承天(自)	邓兆棠(进)

(注)民:民主党　建:民建联　自:自由党　进:港进联　早:早餐派　权:民权党　前:前线　劳:劳联　独:独立人士

香港特别行政区立法会是香港特区的立法机关，其主要职权包括：根据香港基本法规定并依照法定程序制定、修改和废除法律；根据政府的提案，审核、通过财政预算案；批准税收和公共开支；听取行政长官的施政报告并进行辩论；对政府的工作提出质询；就任何有关公共利益问题进行辩论；同意终审法院法官和高等法院首席法官的任免；接受香港居民申诉并作出处理等。同时，基本法还对立法会提出行政长官弹劾案的法律程序作出了规定。

香港特区立法会由选举产生，其议员由外国无居留权的香港特区永久性居民中的中国公民组成。但非中国籍的香港特区永久性居民和外国有居留权的香港特区永久性居民也可以当选为香港特区立法会议员，其所占比例不得超过立法会全体议员的百分之二十。立法会除第一届任期为两年外，以后每届任期四年。

根据基本法的规定，香港特区第一届立法会共由 60 人组成，其中分区直接选举产生 20 名议员，由各界人士共 800 人组成的选举委员会选举产生10名议员，功能团体选举产生30名议员。1997年7月，香港特区政府决定在分区直接选举中采用比例代表制方式。同年9月，特区临时立法会审议通过《立法会条例》。临立会后又审议通过了一系列规范选举的附属法例，为第一届立法会选举做好了充分的法律准备。

1997年9月，香港特区政府宣布成立选举管理委员会，负责实施并监督选举，监督选民登记，规管选举程序，筹备成立选举委员会等。1997年11月至1998年1月，选民登记工作在全港展开，279.5万市民登记成为首届立法会选民。1998年4月2日，选举委员会分组选举完成，组成了800人的选举委员会。4月9日，首届立法会选举候选人提名工作全面展开，共有166名被提名人经确认后成为正式候选人。其中10名功能团体选举候选人因为没有竞争对手而自动当选。他们和5月25日选举产生的另50名议员组成了香港特区第一届立法会。

第二届

（2000年10月4日）

主　席

范徐丽泰

（2000年10月4日，按照基本法选举产生的香港特别行政区第二届立法会举行首次会议选举）

议　员

地区直选

新界西：

梁耀忠（街工会）　陈伟业（民主党）

何俊仁（民主党）　李卓人（前线）

谭耀宗（民建联）　邓兆棠（民建联）

新界东：

刘江华（民建联）　黄成智（民主党）

郑家富（民主党）　刘慧卿（前线）

黄宏发（独立人士）

九龙东：

陈婉娴（民建联）　司徒华（民主党）

陈鉴林（民建联）　李华明（民主党）

九龙西：

刘千石（独立人士）　涂谨申（民主党）

曾钰成（民建联）　冯检基（民协）

香港岛：

李柱铭（民主党）　杨　森（民主党）

程介南（民建联）　蔡素玉（民建联）

何秀兰（前线）

选举委员会

范徐丽泰　刘汉铨　杨耀宗　吴亮星

朱幼麟　吴清辉

功能界别

刘皇发（乡议局）　黄容根（渔农界）

陈智思（保险界）　刘健仪（航运交通界）

张文光（教育界）　吴霭仪（法律界）

李家祥（会计界）　劳永乐（医学界）

麦国风（卫生服务界）　何钟泰（工程界）

刘炳章（建筑、测量及都市规划界）

陈国强（劳工界）　梁富华（劳工界）

李凤英（劳工界）　罗致光（社会福利界）

石礼谦（地产及建造界）

杨孝华（旅游界）　田北俊（商界第一）

黄宜弘（商界第二）

丁午寿（工业界第一）

吕明华（工业界第二）

李国宝（金融界）　胡经昌（金融服务界）

霍震霆（体育演艺文化及出版界）

许长青（进出口界）

梁刘柔芬（纺织及制衣界）

周梁淑仪（批发及零售界）

单仲偕（资讯科技界）

张宇人（饮食界）　叶国谦（区议会）

香港特别行政区第二届立法会于2000年9月10日选举产生，共有60人当选。由于一人当选后提出辞职，立法会议席暂时出现一个空缺。空缺议席于2000年12月10日补选产生。第二届立法会议员任期为4年。

香港特别行政区终审法院

首席法官

李国能（1997年5月任命）

常设法官

列显伦　沈澄　包致金

（1997年6月14日香港特别行政区临时立法会议通过委任）

非常设本地法官

罗弼时　赫健士　麦慕年　康　士　邵　祺
傅雅德　郭乐富　麦德高　鲍伟华　黎守律
马天敏

（1997年7月23日香港特别行政区临立会会议同意委任）

李启新　贺辅明

（1998年7月23日香港特别行政区临立会会议同意委任）

非常设其他普通法适用地区法官

梅师贤　顾安国　沈穆善　杜伟舜

（1991年7月23日香港特别行政区临立会会议同意委任）

（1997年7月28日起正式开庭审理案件）

香港特别行政区第一届行政会议

第一届

（1997年—　）

召集人

钟士元

当然官守成员

政务司长　陈方安生

财政司长　曾荫权

律政司长　梁爱诗（女）

非官守成员

钟士元　钱果丰　钱瑞明　方黄吉雯
李业广　梁锦松　梁振英　谭耀宗　唐英年
王易鸣　杨铁梁

（行政长官董建华1997年1月24日公布）

行政会议为香港特区最高决策机构。董建华办公室1997年1月24日宣布，特区第一届行政会议将有15名成员。其中当然官守成员3名，非官守成员11名。

中央人民政府驻香港特别行政区联络办公室

主　任

姜恩柱（1999年12月—2002年9月）

高祀仁（2002年9月中央人民政府任命）

副主任

郑国雄（1999年12月—2001年1月）

高祀仁　王凤超　刘山在　邹哲开
陈凤英（女）　郑坤生

（1999年12月中央人民政府任命）

主任助理　王如登

（1999年12月中央人民政府任命）

中华人民共和国外交部驻香港特别行政区特派员公署

特派员

马毓真（1997年7月—2001年3月）

吉佩定（2001年3月中央人民政府任命）

副特派员　赵稷华　刘鸿晓

中国外交部驻香港特别行政区特派员公署1997年7月1日在香港正式开署。这是根据基本法的规定，中央人民政府负责管理与特区政府有关的外交事务而设立的，也是中国政府对香港恢复行使主权的重要象征。公署是处理由中央人民政府负责管理与香港特别行政区有关外交事务的机构，也是特区政府就此类外交事务与中央政府联系的渠道。

中国人民解放军驻香港特别行政区部队

司令员

刘镇武（1997年—1999年）

熊自仁（1999年—2003年）

王继堂（2003年—　）

政治委员

熊自仁（1997年—1999年）

王玉发（1999年—　）

1996年1月28日，中华人民共和国国务院、中华人民共和国中央军事委员会发布公告，宣布根据《中华人民共和国宪法》赋予中国人民解放军的使命和《中华人民共和国香港特别行政区基本法》关于中央人民政府负责管理香港特别行政区防务的规定，为维护国家的主权、统一和领土完整，保持香港特别行政区的繁荣和稳定，中华人民共和国中央人民政府派驻香港特别行政区的部队组建完成。

驻香港部队由中国人民解放军陆军、海军和空军部队组成，隶属中华人民共和国中央军事委员会领导。具体执行香港特别行政区的防务任务。部队不干预香港特别行政区的地方事务。特区政府与驻军分别按照独立的行政与军事系统运作，互不隶属，互不干预。香港特别行政区政府在必要时，可向中央人民政府请求驻军协助维持社会治安和救助灾害。驻军人员除须遵守全国性的法律外，还须遵守香港特别行政区的法律。驻军费用由中央人民政府负担。

1993 年初，驻香港部队组建工作开始。1995 年 3 月，江泽民在出席八届全国人大三次会议的解放军代表团会议上发表讲话，系统地提出了驻香港部队的建设标准：驻香港部队建设必须高标准、严要求，在政治思想、军事训练、作风纪律、管理教育等方面，都应该是一流的，一定要充分显示中国人民解放军是一支威武之师、文明之师。

1995 年 12 月 6 日，江泽民在深圳视察驻香港部队时题词："保持人民军队本色，维护香港繁荣稳定。"

驻香港部队于 1997 年 7 月 1 日 0 时正式进驻香港。

中华人民共和国澳门特别行政区

澳门特别行政区第一届政府主要官员和检察长名单

澳门特别行政区首任行政长官 何厚铧

根据中华人民共和国澳门特别行政区第一届政府推选委员会选举产生的人选，1999 年 5 月 20 日由国务院任命，1999 年 12 月 20 日就职。

澳门特别行政区行政长官是澳门特别行政区的首长，代表澳门特别行政区并依照澳门基本法规定对中央人民政府和澳门特别行政区负责。

按照澳门基本法规定，澳门特区行政长官由年满 40 周岁，在澳门通常居住连续满 20 年的澳门特别行政区永久性居民中的中国公民担任。行政长官在当地通过选举或协商产生，由中央人民政府任命，任期 5 年，可连任一次。

基本法附件——《澳门特别行政区行政长官的产生办法》规定，澳门特区行政长官由一个具有广泛代表性的选举委员会依照基本法选出，由中央人民政府任命。选举委员会委员共 300 人，由下列各界人士组成：工商、金融界 100 人；文化、教育、专业等界 80 人；劳工、社会服务、宗教等界 80 人；立法会议员的代表、澳门地区全国人大代表、澳门地区全国政协委员的代表 40 人。按照规定，不少于 50 名的选举委员会委员可联合提名行政长官候选人，选举委员会再根据提名的名单，经一人一票无记名投票选出行政长官候任人。澳门特区第一任行政长官则按照《全国人民代表大会关于澳门特别行政区第一届政府、立法会和司法机关产生办法的决定》产生。

行政法务司司长 陈丽敏

经济财政司司长 谭伯源

保安司司长 张国华

社会文化司司长 崔世安

运输工务司司长 欧文龙

廉政公署廉政专员 张 裕

审计署审计长 蔡美莉

检察院检察长 何超明

（根据澳门特别行政区行政长官何厚铧的提名，1999 年 8 月国务院任命，1999 年 12 月 20 日就职）

海关关长 徐礼恒

（根据澳门特别行政区行政长官何厚铧的提名和建议，2000 年 7 月国务院任命）

警察总局局长 白英伟

（根据澳门特别行政区行政长官何厚铧的提名，2000 年 10 月国务院任命）

澳门特别行政区立法会

第一届

（1999 年 10 月 12 日）

主　席　曹其真

副主席　刘焯华

（1999 年 10 月 12 日，澳门特别行政区第一届立法会第一次全体会议选举）

议　员（按简体字姓氏笔画为序）

冯志强　许世元　刘焯华　关翠杏　吴国昌　吴荣恪　欧安利　林绮涛　周锦辉　高开贤　唐志坚　崔世昌　梁庆庭　曹其真　廖玉麟

（澳门最后一届立法会由直接或间接选举产生的议员，经 1999 年 8 月 29 日全国人民代表大会澳门特别行政区筹备委员会第十次全体会议通过确认）

第二届

（2001 年 10 月）

主　席　曹其真

副主席　刘焯华

（2001 年 10 月 16 日，第二届立法会议员宣誓就职；同日第一次会议互选产生立法会主席、副主席）

议　员

直接选举

吴国昌　区锦新　郑康乐　关翠杏　梁玉华　周锦辉　方永强　梁庆庭　容永恩　张立群

（2001 年 9 月 23 日选举产生）

间接选举

曹其真　许世元　高开贤　郑志强　刘焯华　唐志坚　崔世昌　欧安利　陈泽武　冯志强

（2001 年 9 月 23 日选举产生）

行政长官委任

贺定一　区宗杰　许辉年　黄显辉　张伟基　戴明扬　徐伟坤

（2001 年 10 月 10 日何厚铧颁布行政命令委任）

立法会章程及任期委员会

许辉年　关翠杏　贺定一　戴明扬　吴国昌

立法会第一常设委员会

唐志坚　冯志强　贺定一　周锦辉　戴明扬　崔世昌　徐伟坤　陈泽武　区锦新

立法会第二常设委员会

区宗杰　梁庆廷　吴国昌　张伟基　黄显辉　方永强　梁玉华　关翠杏

立法会第三常设委员会

欧安利　高开贤　许世元　许辉年　容永恩　张立群　郑康乐　郑志强

（2001 年 10 月 24 日澳门特区新一届立法会全体会议选举通过）

澳门特区行政会议行政会

唐志坚（发言人）　吴荣恪　马有礼　廖泽云　梁庆庭　陈丽敏（行政法务司司长）

谭伯源（经济财政司司长）

张国华（保安司司长）

（遵照全国人民代表大会澳门特别行政区筹备委员会第九次全体会议的决定，特区第一任行政长官何厚铧根据澳门基本法第五十七条，特区行政会委员由行政长官从政府主要官员、立法会议员和社会人士中委任，其任免由行政长官决定。委员人数为 7 至 11 人，由澳门特别行政区永久性居民中的中国公民担任。何厚铧 1999 年 9 月 25 日任命）

澳门特别行政区法院

终审法院

岑浩辉（院长）　朱　健　利　马

中级法院

赖健雄（院长）　司徒民正　蔡武彬　陈广胜　白富华

初级法院

谭晓华（院长）　查　赟　高丽斯　赵约翰　梁祝丽　何伟宁　唐晓峰　周艳平　萧伟志　林炳辉　张婉媚　叶迅生　岑劲丹

行政法院　李年龙　冯文庄

（1999 年 10 月澳门特别行政区行政长官何厚铧决定）

澳门特别行政区检察院

检察长 何超明

助理检察长

宋敏莉

Augusto Serafim B. V. Vasconceios

(译名:韦高度)

马 翊 黄少泽 陈子劲 王伟华

检察官

Vitir Manuel Canralho Coe1ho(译名:高伟文)

Manuel de Amorim Corga(译名:高文礼)

江 志 米万英 陈达夫 郭少萍 郭婉雯

徐京辉 程立福 陈美芬 黎裕豪 梁文英

陈 豪 杜慧芳 刘因之 胡 晓

中央人民政府驻澳门特别行政区联络办公室

主 任

王启人(1999年12月—2001年10月)

白志健(2001年10月—)

副主任

李水林(1999年12月—2001年8月)

宗光耀(1999年12月—2001年6月)

柯小刚(1999年12月—2002年12月)

刘名启(2001年4月—2002年10月)

王今翔(1999年12月—)

李勇武(2001年4月—)

何晓卫(2002年12月—)

中华人民共和国外交部驻澳门特别行政区特派员公署

特派员

原 焘(1999年12月—2002年7月)

万永祥(2002年7月中央人民政府任命)

副特派员

韩肇康(1999年12月—2002年4月)

(根据《中华人民共和国澳门特别行政区基本法》规定,中央人民政府决定于1999年12月20日在澳门设立"中华人民共和国外交部驻澳门特别行政区特派员公署")

中国人民解放军驻澳门特别行政区部队

司令员 刘粤军

政治委员

贺贤书(1999年4月—2001年)

刘良凯(2001年—)

1999年12月20日,中华人民共和国恢复了对澳门行使主权。根据《中华人民共和国宪法》赋予中国人民解放军的使命,依照《中华人民共和国澳门特别行政区基本法》关于中央人民政府负责管理澳门特别行政区基本法、关于中央人民政府负责管理澳门特别行政区的防务的规定和《中华人民共和国澳门特别行政区驻军法》的有关规定,为维护国家的主权、统一和领土完整,保持澳门特别行政区的稳定和发展,中华人民共和国中央人民政府派驻澳门特别行政区的部队于1999年11月10日组建完毕,于1999年12月20日进驻澳门正式担负防务。

这支部队集摩托化步兵、装甲步兵、通信兵、侦察兵等多兵种于一体,主要由陆军组成,官兵人数近千名。指挥机关编有海、空军人员,并设有专门的训练和保障机构。武器装备如轻武器、通信设备、装甲车等,都是20世纪90年代的最新装备。机关人手一部电脑,实现了指挥、办公、管理等自动化。

中国人民解放军驻澳门部队由中华人民共和国中央军事委员会领导,驻军费用由中央人民政府担负,驻澳门部队不干预澳门特别行政区的地方事务。澳门特别行政区政府在必要时,可以向中央人民政府请求驻澳门部队协助维持社会治安和救助灾害。驻军人员除须遵守全国性的法律外,还须遵守澳门特别行政区的法律。

国史研究论著索引

一

论　文

“一国两制”与爱国统一战线理论的新问题/陈道华/理论视野/2004.6

“一国两制”的成功实践——写在香港回归十周年之际/李罗力/开放导报/2007.3

“一国两制”的宪政化及其历史意义/田恒国/党史研究与教学/2005.6

“一国两制”是香港基本法的法理核心/李昌道/复旦学报·社科版/2004.6

“一国两制”理论探讨综述/王林/毛泽东思想研究/1998.4

“三农”问题:一个有鲜明中国特色的课题/刘孚威/红旗文稿/2004.5

“乡政村治”:一项关于农村治理结构与乡镇政府职能转变的个案研究/崔永军/社会科学战线/2006.4

“中国:全球化与反全球化”会议综述/李存娜/世界经济与政治/2003.2

“中国历史上的环境与社会”国际学术讨论会综述/王利华/历史学/2006.4

“中国共产党与现代中国”学术研讨会综述/王文滋/中共党史研究/2001.6

“中国绿卡”的变迁/徐利/侨园/2007.1

“文化大革命”与当代中国政治发展/关海庭/当代中国史研究/1997.1

“无毒中国”缘何不再?——对中国共产党领导下的新中国禁毒运动辉煌历史的反思/胡金野/甘肃社会科学/2005.6

“只有改革开放,才能发展中国”科学论断的演化及其意义/毛玉美/内蒙古师范大学学报·哲社版/2008.3

“全球史观”和当代中国史研究/于沛/当代中国史研究/2001.3

“农村劳动力流动理论与对策研讨会”观点综述/杨灏/经济体制改革/1997.4

“自然延伸”还是“中间线”原则——国际法框架下透视中日东海大陆架划界争端/朱凤岚/国际问题研究/2006.5

“两弹一星”含义的历史变化/袁辉/历史学习/2008.1

“冷战与中国”学术研讨会综述/刘荣刚/中共党史研究/2000.6

“告别冷战”:中国实现中苏关系正常化的历史意义/牛军/历史研究/2008.1

“建国五十周年与当代中华民族凝聚力”研讨会综述/孔庆榕/中共党史研究/1999.5

十次中共中央全会通过的农业决议与当代中国“三农”政策演变/郑有贵/当代中国史研究/2001.5

1949—1994年中国科学技术发展战略研究/柯育芳/求索/2004.7

1949—1997年:西北地区人力资源的开发和利用/岳珑、田霞/当代中国史研究/1999.5

1949—2002年:走向共同富裕的两条思路及其实践经验/赵德馨/当代中国史研究/2007.2

1949—2006 年城乡关系演变的历史分析/武力/中国经济史研究/2007.1

1949—2007 年中国财政监督变迁/刘晓凤/地方财政研究/2008.6

1949 年以来中国大陆的纠纷解决机制/王亚明/阿坝师范高等专科学校学报/2008.4

1949 年以来中国城市现代化与城市化关系探讨/邱国盛/当代中国史研究/2002.5

1978—1998 年间中国国有企业改革发生与推进过程的历史分析/赵凌云/当代中国史研究/1999.5

1978—2003 年中国留学教育的回顾与思考/陈昌贵、粟莉/中山大学学报·社科版/2004.5

1978—2003 年我国农业科技投入和粮食产量关系的计量分析/杨剑波/科技管理研究/2007.5

1978 年以来中共对台文化交流政策的探析/张亚/阜阳师范学院学报·社会科学版/2006.5

1978 年以来的农村金融体制改革:政策演变与路径分析/匡家在/中国经济史研究/2007.1

1980 年代以来中国共产党政权选举史研究述评/李瑗、吴继平/党史研究与教学/2006.3

1982 年以来中国省级区域城市化水平趋势/沈建法/地理学报/2005.4

1982 年至 2003 年中国的五次政府机构改革/理论参考/2008.5

1983—2005 年中国农村劳动力情况/世界农业/2007.6

1983—2005 年中国农村经济在国民经济中的地位/世界农业/2007.6

1984 年以来中国宏观调控中的货币政策演变/吴超林/当代中国史研究/2004.3

1985—2000 年河南省儿童青少年身体形态动态发展规律研究/孙红、刘红/河南大学学报·社科版/2006.5

1986—2001 年国家 863 计划成果统计与分析/杨小凤/现代情报/2007.5

1989—2003 年我国信息教育领域论文文献计量分析/姜春林、王续琨/情报科学/2005.9

1990 年代以来中国县级人大候选人产生的多样化模式/杨龙芳/经济社会体制比较/2005.2

1990 年代以来关于建国初知识分子思想改造运动研究综述/谢涛/党史研究与教学/2002.5

1990 年代以来农业合作化运动研究若干问题综述/孙功/兰州学刊/2006.11

1990 年以来我国城镇真实失业率有多高?/丁仁船、王大犇/市场与人口分析/2007.6

1991—1995 年中国近现代史研究概述/曾景忠/史学月刊/1997.2

1992—2001 年中国居民收入的实证分析/宋士云/中国经济史研究/2007.1

1992 年以来三次宏观调控的多维比较研究/顾海兵等/学术界/2006.2

1994—2004 年中国老年人主要生活来源的变化/杜鹏、武超/人口研究/2006.2

1994—2007 年中国志愿服务的文献研究/吴江/中国青年研究/2008.1

1994 年以来我国城乡居民消费水平差异分析/石尊龙/价值工程/2009.1

1995 年当代中国史研究综述/张丁/当代中国史研究/1996.1

1996—1998 年中华人民共和国史研究十二大问题综述/吴敏先/当代中国史研究/1999.5

1996—2005 年中国都市报十年研究实证分析/陈强/乌鲁木齐职业大学学报·人社版/2007.1

1996—2005 年海峡两岸关系总评/朱卫东/台湾研究/2006.4

1997 年以来我国农村劳动力流动趋势分析/刘文/南开学报·哲社版/2004.3

1998 年中国现代史研究部分观点述要/姚玉萍/武汉大学学报·人文社会科学版/1999.6

2000 年中国国际政治研究综述(上)/本刊编辑部/世界经济与政治/2002.6

2000 年中国国际政治研究综述(下)/本刊编辑部/世界经济与政治/2002.7

2000 年以来台湾经济与两岸经济合作回顾与展望/曹小衡/台湾研究/2006.4

2000 年以来村民自治研究的新进展/孙琼欢/浙江师范大学学报·社科版/2007.1

2000 年以来的两岸经贸交流/谢静、李松林/新视野/2007.5

2001—2005 年我国社会保障事业发展状况实证分析/洪震等/华东经济管理/2007.1

2002 年:中国经济凸显稳步上升的一年/汪海波/中国社科院研究生院学报/2004.1

2002 年中共党史研究述评/刘晶芳/中共党史研究/2003.3

20 世纪 80 年代以来的历史认识主体研究/徐国利、路则权/史学月刊/2008.8

20 世纪 90 年代中共八大研究综述/潘彩霞/中国现代史/2006.8

20 世纪 90 年代以来中国近代社会史研究述评/闵杰/教学与研究/2006.3

20 世纪 90 年代以来国内南海问题研究综述/刘中民、滕桂青/中国外交/2006.9

20 世纪 90 年代社会学视野下我国社会政策和社会问题研究中的社会性别分析述评/颜烨/当代中国史研究/2001.2

20 世纪 90 年代国内毛泽东思想研究回顾/胡为雄/当代中国史研究/2003.3

20 世纪 90 年后期以来城市基层自治制度的变革与反思/胡位钧/武汉大学学报·哲学社会科学版/2005.3

20 世纪下半叶中国学者对土地政策的研究述评/姜爱林/当代中国史研究/2001.5

20 世纪中国电视剧的发展过程及几个理论问题/王钟陵/清华大学学报·哲社版/2004.3

20 世纪中国自然灾害对社会经济影响的时代变化与阶段差异/张业成等/灾害学/2008.2

20 世纪中美两国间政治冲突解决的基本经验和教训/胡元梓/山东社会科学/2008.5

20 世纪以来土地利用研究综述/谭少华、倪绍祥/地域研究与开发/2006.5

20 世纪以来中国重大思想理论成果的继承与发展/杨静/历史教学·高校版/2007.6

20 世纪末与 21 世纪初图书馆事业的发展特点及其主要标志/原宏盛/图书馆论坛/2005.8

20 世纪后期中国美学概观/薛富兴/南开学报·哲学社会科学版/2006.1

50 年代以来我国解决人口问题得失的再评价——兼评一种流行的人口历史观/黄宏/中共党史研究/2001.1

50 年代院系调整与 90 年代联合办学比较分析/薛天祥、沈玉顺/教育发展研究/1997.8

50 年来中国村治模式研究/关翠霞/石家庄师范专科学校学报/2004.4

50 年来我国社会主义经济建设中几个问题的回顾/袁宝华/当代中国史研究/1999.5

50 年来美国对中国的若干问题研究/任蕾/中共党史研究/2000.1

90 年代"人文精神"大讨论之反思/杨蓉蓉/兰州学刊/2005.5

90 年代以来中华人民共和国史热点问题研究述评/宁敏峰/黑河学刊/2000.6

90 年代以来国际格局变化与中国外交战略/刘艳红/中国民营科技与经济/2008.7

一个关于地方保护主义问题的综述/王敬云/社会主义经济理论与实践/2006.1

一部有历史意义和现实意义的力作——读《中华人民共和国史稿》序卷/方茂/当代中国史研究/1996.4

九十年代党的发展战略理论的进一步丰富与完善/龙平平/党的文献/1997.2

二十世纪中国社会史研究的回顾与思考/赵世瑜/历史研究/2001.6

二十世纪的中国历史地理研究/葛剑雄/历史研究/2002.3

二十年、三十年、五十年:世纪回眸——兼论建国以来的历史经验/陈答才/陕西师范大学学报·哲学社会科学版/2000.4

二十年来中国近代乡村经济史的新探索/李金铮/历史研究/2003.4

二十年来我国思想文化变迁的回顾与前瞻/刘能杰/湖湘论坛/1998.6

二元结构与经济发展——对中国农业经济发展要素的解析/陈先勇/武汉大学学报/2007.1

人民币汇率制度历史回顾/杨帆/中国经济史研究/2005.4

人民币汇率波动的贸易效应——基于 1980—2005 年的实证研究/张进铭、周才云/理论探索/2007.6

人民币实际汇率变动对我国进出口贸易的影响:1997—2006/徐明东/财经科学/2007.5

人民代表大会制度在宪政建设中的现状与对策研究/陈肖沫/社会科学研究/2005.3

人民军队“五化”征程/陈辉/瞭望/2007.25

人民政协理论与实践的几个问题/郑万通/中国政协/2004.9

人民解放军进驻香港的决策内幕/刘华清/中国作家/2006.19

人民解放军的预备役军衔制度/刘岩/军事史林/2004.4

人民解放军最高统帅部——中央军委的沿袭变革/于杰/军事史林/2004.5

十一届三中全会以来中共党史研究的新进展/唐培吉/党的文献/2002.4

十一届三中全会以来统一战线和民主党派研究新进展/周淑真/中共党史研究/2003.2

十一届三中全会以来党对中国特色社会主义道路的探索/谢春涛/中共石家庄市委党校学报/2007.7

十年来中国私营企业主研究述评/曹培强、于文善/科学社会主义/2005.5

十年来两岸经贸关系发展评估/王建民/台湾研究/2006.4

十年来我国数字图书馆研究统计分析/赵秀君/图书情报工作/2005.8

十年来国内裕固族研究综述/张晓东/民族问题研究/2006.7

十余年来的中国政治体制改革研究综述/赵景刚/学术界/2006.6

三个重要文件与新时期中国乡村政治的变革/李正华/党的文献/2006.4

三代领导人与长江三峡工程/田姝/红岩春秋/2007.3

三代领导人情系香港——中国共产党香港问题战略决策的回顾与展望/余科杰、杨亲华/当代中国史研究/1997.4

三代领导核心与中国现代化/曹普/党的文献/1999.5

三次台湾海峡军事斗争决策研究/牛军/中国社会科学/2004.5

三峡工程决议的前后四十年/林一山/武汉文史资料/2006.10

三峡工程的历史回顾与生态环境/袁国林/科技导报/2005.10

三峡工程规划、决策的由来——原长办主任林一山访谈录/刘思华/湖北文史/2006.2

个人所得税历史演变、问题及改革建议/谢国才/中共福建省委党校学报/2007.12

个体经济的性质和作用/孙学文/当代中国史研究/1997.1

义乌小商品市场的传统与变迁的历史制度分析——分工、产权与市场/白小虎、史晋川/中国经济史研究/2008.3

义务教育财政保障机制研究:文献综述/任晓辉/北方经济/2006.8

也谈中国电影工业全球化/李智/北京行政学院学报/2007.1

乡村干部行为与农地承包经营权市场流转/钱忠好/江苏社会科学/2003.5

乡村社会的宗教、实践及其变迁——对赣中S村宗教状况的田野调查/王处辉、郭云涛/广西民族研究/2006.4

乡镇企业股份制改革的实践与探索/朱铁民/经济社会体制比较/2001.1

乡镇机构改革观点综述/刘七军、李昭楠/中国政治/2006.2

乡镇建制:历史、现状及未来/侯保疆/汕头大学学报/2005.4

口述史:历史、价值与方法/傅光明/甘肃社会科学/2008.1

口述史与回忆录/朱志敏/北京党史/2005.6

口述史学的学术特点/虞和平/北京党史/2005.6

口述科技史中的事实与价值/贾玉树、邢润川/科学技术与辩证法/2008.6

大力推进史学理论研究的创新/张广智/史学理论研究/2008.1

大西北人口迁移形势的变动及其现状特点/张善余、李旭东/科学·经济·社会/2006.3

大国崛起的历史经验与中国的选择/张文木/战略与管理/2004.2
广电“村村通”建设:历史、现状和未来/周然毅/现代传播:中国传媒大学学报/2006.5
广州市人口空间分布变动与郊区化研究——兼与北京、上海的比较/谢守红/人口与经济/2007.1
马克思主义中国化与中国民族精神的现代化/刘力波/中共中央党校学报/2005.2
马克思主义中国化的历史进程/石仲泉/毛泽东邓小平理论研究/2006.6
马克思主义中国化的历史进程和三大成果/肖浩辉/湖南科技大学学报/2006.4
马克思主义中国化的文化解读/郭建宁/北京行政学院学报/2007.1
马克思主义中国化的两大最新概括/石仲泉/前线/2008.1
马克思主义文艺理论中国化研究/朱立元/中山大学学报·社科版/2006.3
马克思主义史学遗产的价值论说/张剑平/学术研究/2009.1
马克思哲学视野中的“历史”/李志/天津社会科学/2008.4
不同的土地占有制对三农现代化进程产生的不同影响——中国和印度的比较/张新华/历史教学·高校版/2007.3
中日文化交流的第三次高潮——纪念中日邦交正常化25周年/王金林/日本研究/1997.3
中日关系的10年回顾与反思/高科/现代日本经济/2005.10
中日关系的历史经纬和发展前景/陈都明/当代世界/2005.8
中日关系的历程及反思/李怀东/科教文汇/2008.1
中日两国对外直接投资比较研究/张宗斌、于洪波/中国社会科学文摘/2006.3
中央理论工作务虚会的前前后后/张湛彬/党史博览/2000.9
中共十三届四中全会以来军队和国防建设发展历程及经验/萧裕声/当代中国史研究/2003.4
中共三代领导人对社会主义市场经济理论的探索/高晓微/世纪桥/2004.2
中共三代领导集体对中国现代化的探索与实践/王效伯/党史纵横/2004.11
中共三代领导集体对多党合作理论的传承和发展/肖建中/常熟理工学院学报·哲社版/2007.3
中共三代领导集体对我国社会主义发展阶段理论的探索/文记东/理论探讨/2004.2
中共三代领导集体私营经济思想的传承和发展/胡愈等/毛泽东思想研究/2006.4
中共三代领导集体的主权思想/谢晓娟/中国特色社会主义研究/2004.2
中共中央三代领导集体与中国工业化/王骏/当代中国史研究/2003.1
中共对外政策和新中国外交史研究的起步与发展/章百家/当代中国史研究/2002.5
中共在实现革命向建设转变过程中的探索/艾丹/北京党史/2007.1
中共执政55年:非凡的历史巨变/赵忠范/世纪桥/2004.6
中共遏制既得利益集团的历史考察及其启示/刘彦昌/许昌学院学报/2005.6
中华人民共和国:注意加强对国史的研究/董仲其/毛泽东思想研究/1996.2
中华人民共和国50年经济发展与制度变革论析/武力/当代中国史研究/1999.5
中华人民共和国史/邓力群/当代中国史研究/1999.4
中华人民共和国史学科体系的几个问题/李彦宏/历史教学/1997.9
中华人民共和国史研究发展述论/周一平/学术月刊/1999.10
中华人民共和国史研究的发端/顾为铭/当代中国史研究/2004.4
中华人民共和国史研究的回顾和前瞻/程中原/当代中国史研究/2004.5
中华人民共和国史研究的新趋势/李少兵/学术界/2001.2
中华人民共和国史研究述评/杨亲华/党史研究与教学/1994.5
中华人民共和国史研究断想/侯且岸/当代中国史研究/2001.3
中华人民共和国民族互动过程述论/徐杰舜/广西民族研究/2005.4

中华文明复兴与和平发展道路/火正德/国际问题研究/2006.4

中印关系研究50年:多元化的议程和不对称的支点/隋新民/国际论坛/2005.6

中印关系——新型的大国关系/赵伯乐/当代亚太/2005.8

中印利用外资的比较研究/方慧、邱立成/国际问题研究/2006.3

中印俄"战略三角":设想与现实/左凤荣/理论视野/2004.6

中西部农村地区人口计划生育调查之分析/李建新/人口学刊/2006.5

中苏关系正常化始末/沈学明/党的文献/1996.3

中国"三农"问题的由来和发展/陆学艺/当代中国史研究/2004.3

中国50年宪政建设的困顿与前景/谢维雁/社会科学战线/2005.1

中国MPA教育回顾与展望/郭晓来、袁金辉/国家行政学院学报/2007.3

中国人口文化素质的空间格局及其演变/秦贤宏等/中国科学院研究生院学报/2008.4

中国人口性别结构的区域差异及演变动态分析/张海峰、白永平/西北人口/2008.6

中国人口变化对居民消费的影响/李文星/中国人口科学/2008.3

中国人大代表选举制度历史回溯/孙彬/中共党史研究/2001.2

中国人民解放军建设历史上跨越式发展两例/薛奇/军事历史/2004.3

中国人民解放军总装备部的发展历史/于杰/军事史林/2005.8

中国义务教育政策历史变迁及功能分析/冉敏/社科纵横/2007.12

中国乡镇问题研究综述与思考/陈华栋、顾建光/求索/2006.3

中国乡镇改革的历史阶段划分与现实问题研究/张新光/黄山学院学报/2006.1

中国女性期刊的发展脉络剖析/吴敏鹃/社会科学战线/2005.5

中国小城镇的曲折发展及其原因/邹远修/山东师范大学学报·人文社会科学版/2003.3

中国工人阶级发展历史及特点/黄旭东/云南师范大学学报·哲社版/2008.6

中国工业化与中国共产党/朱佳木/当代中国史研究/2002.6

中国工业化进程中的停滞趋势和组织转型/周耀东、余晖/南京大学学报·哲社版/2006.1

中国工业化进程中就业的产业结构变动/孙蚌珠/北京师范大学学报·社科版/2005.5

中国工业化路径转换的历史分析/武力/中国经济史研究/2005.4

中国飞航导弹事业的艰辛历程/黄瑞松/现代军事/2006.10

中国马克思主义以人为本价值观的崛起——兼论中国共产党价值观的三次转换/福建师范大学学报/2005.3

中国马克思主义史学发展道路的思考/陈其泰/当代中国史研究/2004.2

中国马克思主义史学理论发展脉络述评/张越/江西社会科学/2005.1

中国马克思主义史家论文史关系/徐国利、陈永霞/史学理论研究/2008.4

中国与IRRI:合作的历史及取得的成就和影响/世界农业/2008.1

中国与东盟关系:睦邻外交的范例/李庆日/国际论坛/2004.2

中国与周边国家关系的历史演变:模式与过程/张小明/国际政治研究/2006.1

中国与南非建交纪实/钱其琛/统一论坛/2004.2

中国与突尼斯建交的前前后后/谢定邦/百年潮/2006.11

中国六次行使大国否决权始末/庾莉萍/世纪风采/2007.9

中国历史学如何回应时代思潮:1978—2008/杨念群/天津社会科学/2009.1

中国天主教爱国会50年的成就与经验/刘柏年/中国宗教/2007.8

中国少数民族女子高等教育历史发展探析/龙江英/贵州民族研究/2007.6

中国少数民族服饰研究发展的历程及几点思考/冯敏/贵州民族研究/2006.2

中国文化现代转型的历史进程/胡忠明/中共中央党校学报/2006.1

中国文学史研究之演进历程论略/刘涛/太原师范学院学报·社科版/2007.2

中国—东亚关系中的历史理解问题/时殷弘/当代亚太/2009.1

中国东部地区三大都市圈人口迁移与经济增长极化研究/王桂新、毛新雅、张伊娜/华东师范大学学报·哲社版/2006.5

中国—东盟关系四十年发展的历程及其启示:共同利益的视角/徐善宝/东南亚研究/2007.3

中国史学走向世界的一次深刻反思——"走向世界的中国史学"国际学术研讨会述评/钟新/历史学/2006.9

中国史学的现代使命/赵毅、常金仓/西南师范大学学报·人文社科版/2006.6

中国外交和国际战略中的"共同发展"思想/张吉明/国际问题研究/2004.6

中国外交战略与和平发展/裴远颖/国际论坛/2006.2

中国外交政策的演变/张正宝/消费导刊/2008.20

中国外交理念的传承与发展/俞邃/当代世界/2008.3

中国对外开放进程的演化/赵兰英/生产力研究/2007.9

中国对外开放的决策过程/萧冬连/中共党史研究/2007.1

中国对外经济政策50年/郝雨凡/外交评论/2007.5

中国市民社会的文化建构:从身份走向契约/伍俊斌/学术界/2006.2

中国市场化进程中的结构性失业困境与对策分析/贾利军/工业技术经济/2007.6

中国民兵发展史/邹陆军/兵器知识/2008.4

中国民族区域自治制度的建立/李建辉/当代中国史研究/1995.1

中国民族关系思想史研究范围和方法的探讨/崔明德/民族研究/2006.2

中国电力管理体制——分分合合50年/朱成章/中国改革/2004.4

中国电影伦理叙事的历史变迁/张振华、孙玲/厦门大学学报·哲社版/2006.2

中国艾滋病立法的成效、问题及对策/姜爱林/中州学刊/2005.2

中国产权市场的回顾与思考/邓志雄/产权导刊/2007.7

中国传统军事文化转型的几点思考/马军伟、秦国涛/西南交通大学学报·社科版/2008.5

中国全面小康社会建设中的少数民族人口流迁及应对原则/王希恩/民族研究/2005.3

中国共产党"创新"战略任务的孕育和实施/王素莉/中共党史研究/2000.3

中国共产党三代领导集体的发展观比较——兼论科学发展观的历史地位/王健等/毛泽东邓小平理论研究/2004.6

中国共产党三代领导集体的西部开发思想与实践/陈东林/当代中国史研究/2001.4

中国共产党与20世纪三次农民浪潮/武力/中国现代史/2006.1

中国共产党与当代农民土地情感迁变——以湖南省溆浦县桐木坨村农民为例/米华/北京行政学院学报/2007.2

中国共产党与新中国侨务事业/刘华/中共中央党校学报/2005.1

中国共产党五十年来治理开发长江流域的历史进程和主要成就/魏明生/中共党史研究/2000.2

中国共产党对"三农"问题的认识历程及其启示/武力/党的文献/2002.5

中国共产党对台方针的历史特点/冯晓艳/鸡西大学学报/2008.3

中国共产党对台政策演变论析/孙代尧/中共党史研究/2006.6

中国共产党对台湾政策的历史演变/张元勋/信阳师范学院学报·哲学社会科学版/2001.2

中国共产党对农民问题的认识演进及其启示/许文兴、刘唐宇/东南学术/2008.4

中国共产党对社会主义认识的三次深化与升华/聂运麟、吴海晶/马克思主义研究/2006.2

中国共产党对社会主义本质论的实践探索与理论创新/孔祥云/清华大学学报·哲社版/2008.S1

中国共产党对宗教立法的探索历程/桑杰/中国宗教/2006.5

中国共产党关于“两制关系”曲折认识的历程/小沫等/理论前沿/2005.18

中国共产党关于中国现代化事业重大政治抉择的历史回顾/何多奇/西南大学学报·社科版/2008.5

中国共产党执政方式的历史考察与思考/吴家庆、彭正德/当代世界与社会主义/2004.2

中国共产党社会建设理论是国史研究的重要内容/柳建辉/当代中国史研究/2007.3

中国共产党宗教政策发展述略/金以枫/当代中国史研究/1999.5

中国共产党现代化理论形成之历史考察/李安增/当代中国史研究/2004.5

中国共产党的屯垦戍边政策与新疆兵团/王小平/兵团党校学报/2008.2

中国共产党的科技兴国战略与知识经济时代的崛起/王素莉/中共党史研究/1999.3

中国共产党第三代领导集体依法治国思想的理论渊源/江俊伟/党史研究与教学/2008.1

中国共产党媒介关系80年/贾奎林/新闻爱好者/2007.3

中国兴办“三资”企业中存在的若干问题及其对策/孙学文/当代中国史研究/1997.4

中国军队在社会主义生态文明建设中的重要作用/邓莉/科技信息·学术研究/2008.20

中国军队武器装备实现四次跨越/魏岳江/海事大观/2007.2

中国军队撤出商海始末/张震/中国作家/2006.19

中国军事外交的发展与战略选择/汪红伟/理论导报/2009.2

中国军事高等工程教育的历史、现状与未来/陈勇/军事历史/2008.5

中国军品外贸的历史演进及其启示/李湘黔/军事历史/2004.2

中国农地市场发育与农地产权制度演进的研究/李占通、郝寿义/天津社会科学/2006.5

中国农村50年:农业集体化道路与制度变迁/马晓河/当代中国史研究/1999.5

中国农村公共卫生:问题、出路与政府责任/王俊华/江苏社会科学/2003.4

中国农村公有制实现形式研究综述/郑有贵/当代中国史研究/1999.3

中国农村改革漫忆/杜润生/新华文摘/2004.8

中国农村社会保障制度的历史变迁/杨秀丽、索志林/经济研究导刊/2006.2

中国农村治理的历史与现状——以定县、邹平和江宁为例的比较分析/俞可平、徐秀丽/经济社会体制比较/2004.2

中国农村治理的历史与现状(续)——以定县、邹平和江宁为例的比较分析/俞可平、徐秀丽/经济社会体制比较/2004.3

中国农村金融发展对城乡收入差距的影响——基于1978—2004年数据的检验/张立军、湛泳/中央财政大学学报/2006.5

中国农村教育的发展路向/钱志亮、石中英/中国教育学刊/2005.1

中国在国际气候变化谈判中的立场:连续性与变化及其原因探析/张海滨/中国外交/2007.2

中国在非洲的文化传播和国家形象塑造/倪建平/对外传播/2008.1

中国在推进联合国改革中的作用/朱虹/理论前沿/2006.20

中国地区间收入差距问题的模型分析/张跃、王天龙/北京师范大学学报·社科版/2005.5

中国地方政府与乡镇企业关系变化研究——以山东省文登地区为研究中心/李周炯/国家行政学院学报/2005.6

中国妇女史研究中的医疗照顾问题/李贞德/四川大学学报/2005.1

中国妇女民间外交工作面临的机遇、挑战及发展前景/赵少华/理论前沿/2006.6

中国妇女运动史研究概述/坦丁/中共党史研究/1997.2

中国安全发展历史回顾(一)/周超/劳动保护/2008.1
中国导弹武器的发展之路/刘登锐/现代军事/2006.10
中国当代史研究的几个问题/李良玉/江苏大学学报·社会科学版/2007.2
中国当代农民负担问题研究:1949—2006/赵云旗/中国经济史研究/2007.3
中国当代私营经济发展六十年/武力/河北学刊/2009.1
中国成功解决民族问题的道路/黄铸/中央社会主义学院学报/2007.4
中国自主创新能力影响因素的实证分析:1990—2004/黎峰/世界经济与政治论坛/2006.5
中国西北地缘战略的发展演变/徐亚清、秦伟江/西北师大学报·社科版/2006.6
中国防空导弹的跨越式发展/钟山/现代军事/2006.10
中国阶层分化中的社会公正性研究/高红、朴贞子/理论探讨/2006.3
中国吸引外商直接投资产业政策研究:1978—2004/殷华方/产业经济研究/2006.6
中国改革20年:成就、挑战与新的征程/尼古拉斯·斯特恩、王武龙/经济社会体制比较/2003.4
中国改革中变化的政府角色/托尼·赛奇、丁开杰、高新军/经济社会体制比较/2002.2
中国改革开放与马克思唯物史观的新发展/曾祥耿、刘卓红/中国特色社会主义研究/2009.1
中国改革开放的历史取向——中国特色社会主义/石文文/理论观察/2008.4
中国改革开放战略的政治动因及意义分析/张玉芳/成都大学学报·社科版/2008.4
中国改革的历史回顾与理性反思/韩月香/廊坊师范学院学报/2006.1
中国社会主义发展与民粹主义研究综述/刘志光/中共党史研究/2000.2
中国社会学和人类学的百年发展与互动/朱冬亮/厦门大学学报·哲社版/2006.4
中国社会建设的历史经验/陈天林/科学社会主义/2006.5
中国社会保障制度改革:回顾和思考/高书生/经济学动态/2005.2
中国社会科学类社团发展历史探析/徐建源/党史纵横/2008.1
中国财政体制(1949—2004)变迁的实证研究——基于财政压力与竞争的视角/张恒龙/经济体制改革/2007.4
中国近现代史教学与大学生可持续发展意识的培育/杨军/黑龙江史志/2008.24
中国近现代各党派工运思想研究综述/高爱娣/中国劳动关系学院学报/2005.1
中国近期粮食生产与耕地资源变化的相关分析/周小萍等/北京师范大学学报·社科版/2005.5
中国周边关系中的非政府因素与中国学者研究方法的转变/查道炯/当代亚太/2009.1
中国和平发展进程中的中俄日关系/李勇慧/俄罗斯中亚东欧研究/2007.4
中国和平外交战略视野中的对外援助/张效民/国际论坛/2008.3
中国和平崛起与两岸统一/郑建邦/统一论坛/2004.5
中国和前苏联当代新闻改革的比较/张瑞栋/考试周刊/2007.13
中国国有工业部门绩效及其变动:1993—1997年/郭斌/中国社会科学/2004.3
中国国有资产监管的实践进程1979—2003/汪海波/中国经济史研究/2004.4
中国国防力量的综合评价/[韩]黄载皓/国际问题研究/2006.5
中国图书馆的历史变迁/赵玉光/兰台世界/2007.4
中国学术史研究的主要体式与成果/梅新林、俞樟华/浙江师范大学学报·社科版/2009.1
中国学术期刊的发展现状与需要解决的问题/张耀铭/清华大学学报·哲社版/2006.2
中国建国以来最大的减税行动/魏雅华/税收征纳/2008.12
中国拥有世界遗产的二十年/郭旃/中华遗产/2001.12
中国林业制度的演进/张文龙、刘东/中国经济史研究/2006.1
中国沿海地区工业化与城市化发展偏差分析/邓仕仑、方和荣/东南学术/2006.4

中国法律文化现代化的历史与现状分析/朱蕾/湖北经济学院学报·人社版/2008.1

中国现代化与西部大开发学术讨论会综述/陈廷湘/中共党史研究/2001.1

中国现代化区域发展战略的选择与西部开发/王海光/党的文献/2001.3

中国现代化进程中的两大难题:城乡差距和地区差距/王梦奎/农业经济问题/2004.5

中国现代化进程的艰难跋涉/汪敬虞/中国经济史研究/2007.1

中国现当代史教学中贯彻“三个代表”思想教育的探索/章翊中/南京广播电视大学学报/2003.4

中国的大国和平战略/王帆/当代世界/2007.11

中国的户籍制度与代际职业流动/吴晓刚/社会学研究/2007.6

中国的民间外交:历史反思与学术规范/刘建平/国际观察/2008.5

中国的地区和城乡经济发展差异——从交通基础设施建设的角度来看/张芬/武汉大学学报/2007.1

中国的和平崛起与对外移民/邱立本/华人华侨历史研究/2008.2

中国经济50年发展的路径、阶段与基本经验/赵德馨/当代中国史研究/1999.5

中国经济发展与改革的形势及走势——世纪之交中国经济体制改革的深层思考之四/四川省社会科学院经济体制改革研究所课题组/经济体制改革/1998.6

中国经济发展方式转变中工业化道路的转型/姚聪莉/福建论坛/2007.12

中国经济史学会2002年年会现代组讨论综述/林柏、陈华/当代中国史研究/2002.5

中国经济体制改革回顾与前瞻/魏礼群/国家行政学院学报/2008.5

中国经济体制改革的历史经验和基本方向/范恒山/理论前沿/2006.14

中国经济体制改革的历程/杨圣明/百年潮/2004.3

中国经济改革的回顾与展望/厉无畏/团结/2008.5

中国经济周期性波动微观基础的转变/睢国余、蓝一/中国社会科学/2005.1

中国经济的动态效率:1992—2003/项本武/数量经济技术经济研究/2008.3

中国经济的非国有化进程/王志勇/北方经济/2007.2

中国经济转型与发展的政治经济学分析——基于中俄经济转型比较/李湛/经济问题/2007.6

中国经济增长与环境污染关系的实证分析——来自1990—2005年省级面板数据/许士春/经济体制改革/2007.4

中国经济增长与减少贫困(1978—2004年)/胡鞍钢/当代中国史研究/2007.1

中国贫富差距问题研究综述/王铁锋/中共云南省委党校学报/2004.6

中国金融发展与企业改革(上下)/范德胜、高艳/中国国情国力/2004.3、4

中国金融改革的过去与未来/[澳]詹姆斯·劳伦斯逊等;周艳辉摘译/国外理论动态/2004.11

中国保护近现代文物理论与实践/李晓东/中国文物科学研究/2008.3

中国信息化理论研究回顾与述评/姜爱林/当代中国史研究/2002.4

中国城乡义务教育差距的政策审视/鲍传友/北京师范大学学报/2005.3

中国城乡关系演变的历史分析/刘应杰/当代中国史研究/1996.2

中国城乡居民收入差距不断扩大的原因及其解决方案/王海涛/东北大学学报·社科版/2007.4

中国城市史研究综述1986—2006/熊月之/史林/2008.1

中国城市收入分配中的集团因素:1986—1995/王天夫、王丰/社会学研究/2005.3

中国城镇医疗体制改革前后的医疗融资比较/王诺/中国卫生经济/2009.1

中国复关及加入世贸组织谈判大事记(一九八六年七月十日至二〇〇一年十一月十日)/兵团建设/2001.12

中国思想史研究的学科定位/张荣明/南开学报·哲学社会科学版/2006.5

中国政府在保护海外公民安全方面的制度化变革及原因初探/夏莉萍/国际论坛/2009.1
中国政府间关系的现状、趋势和调整的路径选择/林雄弟/蚌埠党校学报/2007.2
中国政府预算制度的演进:1949—2006年/彭健/中国经济史研究/2008.3
中国政治学研究的前沿问题综述/王蔚/湖湘论坛/2006.3
中国政治现代化的两大跃迁/孙力/天津社会科学/1999.5
中国省际R&D强度差异的决定与比较——基于1998—2004年的实证分析/江静/南京大学学报·哲社版/2006.3
中国省际人口迁移对区域经济发展作用关系之研究/王桂新等/复旦学报·社会科学版/2005.3
中国科普研究历史回顾/李大光/科普研究/2008.4
中国重返联合国的风风雨雨/魏敬民/党史天地/2004.5
中国革命史、中华人民共和国史教学改革新思路/钱明辉/云南高教研究/2000.4
中国哲学社会科学学术期刊学科结构分析/叶继元/清华大学学报·哲学社会科学版/2008.4
中国海防史研究述评/高新生/军事历史研究/2005.4
中国特色民族定义的历史演化/黄仲盈/广西民族研究/2006.4
中国特色社会主义:跨越"卡夫丁峡谷"的历史通途/王海英/科学社会主义/2008.6
中国特色社会主义发展观的历史变迁/潘利红、周新华/马克思主义与现实/2007.6
中国特色社会主义民族理论问题的发展历程/贺萍/实事求是/2008.1
中国特色社会主义宗教理论的几个基本问题/蒲长春/科学社会主义/2008.3
中国特色社会主义宗教理论的新发展/杨曾文/中国宗教/2008.1
中国特色社会主义法治的本质和特征/陶德麟/高校理论战线/2007.1
中国特色社会主义是几代中国共产党人在毛泽东思想的根基上精心培育的智慧结晶/李捷/中华魂/2008.10
中国特色社会主义是对苏联体制模式的超越/马龙闪/探索与争鸣/2009.2
中国特色社会主义理论体系的形成及其意义/陈学璞/桂海论丛/2008.1
中国特色社会主义理论的创立与发展/欧黎明、于建荣/中国特色社会主义研究/2004.2
中国特色社会主义道路的历史选择与启示/顾彤春/理论学习/2008.12
中国特色社会主义道路的立体比较分析/杨承训/红旗文稿/2004.19
中国特殊教育演进历程及其启示/牟映雪/中国特殊教育/2006.5
中国能源安全与政策选择/张文木/世界经济与政治/2003.5
中国高、低龄老人日常生活自理能力个体影响因素的比较研究/伊德挺/北京行政学院学报/2007.1
中国高科技空军的崛起:印度军方学者看解放军空中力量现代化/编辑部/国际展望/2007.12
中国高等教育管理体制改革分析/胡建华/南京师大学报/2005.4
中国崛起过程中的中日关系与中美关系/[英]巴瑞·布赞/世界经济与政治/2006.7
中国接受救灾外援历程/田书和/文史月刊/2008.8
中国教育技术学科:进展、问题和前景/孔令军、杜轶龙/陕西广播电视大学学报·综合版/2007.1
中国维护世界和平与地区安全的历史作用/肖裕生/军事历史/2008.1
中国综合国力全面飞跃递升的制度枢纽——社会主义基本制度在中国全面确立的历史功绩概论之三/高宝柱/党史文汇/2006.9
中国职业体育制度改革研究/陈小林/福建体育科技/2008.5
中国银行业的改革与国有企业的改组/[美]唐纳德·D.汤、周守吾摘译/国外理论动态/2004.11
中国援外医疗队的历史、规模及其影响/李安山/外交评论·外交学院学报/2009.1
中国散文理论存在的问题及其跨越/陈剑晖/中国社会科学/2005.1

中国期货市场的发展历程与背景分析/常远/中国经济史研究/2007.4

中国新时期劳动力供求形势分析/李文/中国经济时报/2006.6.23

中国福利制度反思/刘彦/政府法制/2007.5

中国粮食安全研究述评/吴志华、胡学君/江海学刊/2003.3

中国粮食国际贸易和性质的历史分析/瞿商/中国经济史研究/2006.3

中国融入国际人权两公约的进程与美国的对华政策/焦世新/复旦学报·社科版/2007.4

中国融入国际体系的进程及特点分析/王俊生、文雅/南京师大学报·社科版/2008.3

中拉关系的发展对中美关系的影响——从美国政策的角度分析/魏红霞、杨志敏/拉丁美洲研究/2007.6

中英关于香港问题的"秘密磋商"/齐鹏飞/中共党史资料/2006.4

中英关于香港问题谈判始末/唐文贵/四川统一战线/1997.7

中英香港回归祖国谈判中的驻军问题/齐鹏飞/党史博览/2007.3

中非关系与欧非关系比较/舒运国/西亚非洲/2008.9

中非关系发展辨析/潘华琼/西亚非洲/2008.7

中俄印三边合作与中国的选择/余华川/国际论坛/2004.2

中俄两国转型时期贫富分化问题比较研究——兼论中国渐进体制转型模式的合理性/关海庭/当代中国史研究/2003.6

中俄腐败比较研究/戴龙斌/当代世界与社会主义/2007.1

中美东南亚政策比较研究/马嫈/国际问题研究/2006.3

中美关系中的不信任问题分析及对策研究/毛艳/西南大学学报·社科版/2007.5

中美关系中的台湾问题:变化与影响/郭振远/国际问题研究/2007.2

中美关系中的防扩散与反扩散因素/滕建群/国际问题研究/2006.4

中美关系曲折发展原因初探/丁孝文/国际问题研究/2004.3

中美关系的发展与两岸关系/宫力/两岸关系/2005.10

中美印三边关系——形成中的动态平衡体系/慕永鹏/国际问题研究/2006.5

中美在朝核问题上的合作与分歧/孙茹/现代国际关系/2007.10

中美安全合作浅析/曹筱阳/当代亚太/2007.7

中美经济摩擦的焦点和主要问题/赵瑾/世界经济/2004.3

中美经贸关系在摩擦中迅速前进/周世俭、王丽军/国际问题研究/2006.1

中越边境问题研究述略/李桂华、齐鹏飞/南洋问题研究/2008.4

中韩文化交流的现状及问题/朴光海/当代亚太/2007.7

为争取早日实现工业化而奋斗的55年/朱佳木/前线/2004.10

云南三线建设调整改造的历史研究/晁丽华/红河学院学报/2007.4

五十年来中国大陆对孙中山的纪念与评价/张海鹏/党的文献/2001.5

从"一边倒"到"全方位"——对中国50年来中国外交格局演进的思考/章百家/中共党史研究/2000.1

从"三大作风"到"三个代表"——建国后肃清封建主义残余影响的历程与反思/谭献民/湖湘论坛/2001.6

从"义乌模式"看中国改革开放/陆立军/中共中央党校学报/2008.3

从"门户开放"到中国加入WTO/乔兆红/北京行政学院学报/2006.5

从"正常化"走向"睦邻友好"——1989—1992年中苏(俄)关系简析/丁明/当代中国史研究/2004.2

从"民工潮"到"民工荒":沉重的历史进步/王洪春/社会科学战线/2005.2

从“农村包围城市”到“城市带动乡村”——以新城市建设引领新农村建设/徐勇/东南学术/2007.2

从“实事求是”到唯物史观——中国史学理论的发展演变及其评价/罗炳良/高校理论战线/2006.6

从“武力解放台湾”到“和平统一祖国”——中国政府对台政策历史之考察/杨亲华/党史研究与教学/1996.1

从“战略竞争者”到“利益相关者”:美国对华定位转变与台湾问题——一种建构主义的分析视角/李鹏/台湾研究集刊/2006.1

从“集体保障”到“社会保障”:中国农村社会保障1949—2000/方青/当代中国史研究/2002.1

从《中国季刊》看西方学者对中华人民共和国史的研究/巫云仙/中共党史研究/2008.1

从60年历史看农村土地产权制度改革的目标/文宗瑜/中国投资/2008.9

从人民的生活变化看中国共产党执政的历史经验/张太原/理论前沿/2006.20

从工业化到全方位现代化:对中国现代化目标发展变化的历史考察/夏新萍/宁夏党校学报/2005.5

从中苏同盟到中俄战略伙伴关系/周慧杰/当代世界与社会主义/2005.3

从中国油画农民形象的变迁轨迹看中国社会人文精神的演进历程/莫鸣/美术之友/2008.6

从公共卫生到大众健康:中国公共卫生政策的范式转变与政策挑战/刘继同/湖南社会科学/2007.2

从内生型城市化到建构型城市化——我国城乡一体化中的“晋江模式”/贺东航/东南学术/2007.2

从区域的观点看中国与马来西亚政治经济关系的变化/顾长永/南洋问题研究/2006.2

从历史走向未来:中国外交战略的反思与前瞻/林晓光/中共党史研究/1997.6

从历史的可持续性观点客观评价我国计划经济/杨帆/探索/2007.12

从历史的角度看中国成人教育发展的阶段和特点/刘传进/继续教育研究/2008.6

从历史的角度看台湾地区金融机构法律职能的变迁/柴荣/近代史研究/2005.5

从历次制宪与修宪看中国社会保障的发展/崔凤、孙启泮/哈尔滨工业大学学报·社科版/2005.4

从引文分析看大陆华侨华人研究——基于CSSCI(1998—2005)的研究/徐云/华侨华人历史研究/2007.1

从引进消化走向自主集成创新——武钢投产五十年的回顾/张寿荣/中国科学·E辑:技术科学/2008.9

从毛泽东思想到科学发展观——毛泽东思想与中国特色社会主义理论体系关系探源/李捷/教学与研究/2008.6

从计划平衡到大开发——简析新中国西部发展战略的演变/杨火林/中共党史研究/2000.4

从出口大国走向出口强国——1980—2002年全球出口国别格局变化与中国地位分析/朱文晖/财贸经济/2004.3

从发展外资经济看完善我国基本经济制度/廖建成/理论前沿/2004.23

从对外开放到全面开放/门洪华/科学社会主义/2008.4

从布什政府对台政策的演变看两岸关系/陈世英/统一论坛/2004.3

从节制生育到计划生育——新中国人口政策的演变/汤兆云/百年潮/2007.5

从传统社会主义到中国特色社会主义的历史流变——基于全球化视角的省察/徐艳玲/理论探讨/2009.2

从传统到现代:西南民族地区社会文化变迁的规律/何颖/学术论坛/2006.10

从地区主义看冷战后中国与东南亚国家的关系/李一平/厦门大学学报·哲社版/2004.5

从巩固政治统治到构建和谐社会——社会主义发展观的历史性转变/张锡恩/山西大学学报·哲社版/2005.5

从阶级统治到阶层共治——新中国国家治理模式的历史考察/唐亚林、郭林/学术界/2006.4

从冷战结束到“9·11”事件美台关系的变化/何仲山、姚小玲/现代台湾研究/2005.4

从宏观上认识中国特色社会主义的50年/余金成/科学社会主义/2006.3

从我国科技指标体系的变迁看科技体制改革/金高峰/科技进步与对策/2008.1

从改革开放前后两个历史时期的联系看中国特色社会主义道路的内涵/朱佳木/中国社会科学院院报/2008.3.25

从社会经济角度分析新中国初期的政治体制建设/马翠军/中国特色社会主义/2005.3

从国际体系视角看中国和平外交思想的历史演进/余丽、刘力/中州学刊/2007.6

从国际秩序转型看中国的和平发展/阮宗泽/国际问题研究/2005.3

从国家利益看发展中欧关系的重要性/陆聂海/和平与发展/2007.4

从建国后农村土地政策的演变看党执政能力的提高/郑建敏/社会科学论坛(学术研究卷)/2007.9

从征婚启事看中国婚姻观念的变化/王佳坤/东北之窗/2007.10

从宪法的修订看我国新时期法制建设/李鹏/四川统一战线/2009.2

从科学技术普及到公民科学素质建设——对中国提高公众科学素质举措的历史考察/郑丹、高金辉/自然辩证法研究/2008.11

从海湾安全局势看中国的能源外交/李意/西亚非洲/2008.7

从高额外汇储备反思中国经济发展的内外部不平衡/王信/国际经济评论/2006.3

从唯物史观角度看中国特色社会主义理论体系/霍德发、邵军/中共中央党校学报/2008.4

从教育经济学理论看我国的教育政策/李天有/经济学动态/2004.6

从渐进改革到协调改革——一种制度演进视角的分析/孙代尧/辽宁大学学报·哲社版/2007.1

从感知历史、感受历史到感悟历史——关于国史教学展开的思路/侯松涛/时代人物/2008.5

从新中国成立以来的体育标语口号看时代精神的变迁/周红萍/中国科技信息/2008.21

从新时期宁夏回族群体文化心理的变迁看传统向现代化转型的趋势/张同基/宁夏社会科学/2005.4

从新时期的民族工作看西藏民族区域自治的发展和完善/廉湘民/中国藏学/2005.3

从旗帜的与时俱进看马克思主义中国化进程/贺海波、黄红发/湖北社会科学/2009.3

公立高校"转制"问题研究文献综述/吴开俊/教育发展研究/2006.6

公共收入体系改革的回顾与评析/刘薇/中共中央党校学报/2008.6

六十年来"台湾意识"发展面面观/李家泉/百年潮/2008.2

历史人物评价标准再认识/常智敏/天津社会科学/2008.2

历史比较初论:比较研究的一般逻辑/刘家和、陈新/北京师范大学学报·社科版/2005.5

历史比较研究方法浅析/东静蕾/辽宁行政学院学报/2008.6

历史主义方法及其对社会历史的解读/万斌、王学川/天津社会科学/2008.4

历史岂容虚无——评史学研究中的若干历史虚无主义言论/田居俭/高校理论战线/2005.6

历史事件与历史性事件/雷戈/重庆社会科学/2007.11

历史事实和客观规律/俞吾金/历史研究/2008.1

历史学与环境问题研究/梅雪芹/北京师范大学学报·社科版/2008.3

历史学的学术理念/李勇/史学月刊/2006.10

历史学者在解决中日历史问题中的作用/步平/南京大学学报/2005.4

历史研究中的价值中立问题/周一平/河北学刊/2007.5

历史研究中的材料与问题笔谈/邓小南、吴宗国、李裕民、张邦炜、龚延明/史学月刊/2009.1

历史研究方法论二题/方志远/江西社会科学/2007.6

历史唯物论与中国思想史研究/张岂之/历史研究/2007.1

历史虚无主义二题/龚书铎/高校理论战线/2005.5

历史解释建构中的理解问题/李剑鸣/史学集刊/2005.3
反应与调整:1996 年台海危机与美国对台政策/吴心伯/复旦学报·社科版/2004.2
开放性与主体性:考察中国社会学发展历程的一种角度/李迎生/人文杂志/2006.1
忆香港区旗区徽的诞生/韩秉华/纵横/2007.5
文化发展观的历史演变及其方法论辨析/魏海香/长白学刊/2007.6
文化史研究中的大、小传统关系论/张荣华/复旦学报·社科版/2007.1
文化史研究的边界亟待拓展/汪涌豪/文学遗产/2008.1
方兴未艾的中国口述历史研究/左玉河/中国图书评论/2006.5
日本如何面对 1996 年台海危机/徐若容/台湾周刊/2004.42
比较:三部中华人民共和国史/陈辽/南京理工大学学报·社会科学版/2005.4
比较视角下中国合作主义的发展:以经济社团为例/马秋莎/清华大学学报/2007.2
毛泽东、邓小平、江泽民实践马克思主义中国化之特点比较/王海军/当代世界与社会主义/2004.3
毛泽东邓小平江泽民胡锦涛人才思想述要/潘晔/邓小平理论、“三个代表”重要思想/2007.2
王一程研究员谈当代中国政治体制的鲜明特色和发展演变/当代中国史研究/2006.1
艺术还俗——90 年代“先锋”创作观念的嬗变/陈尚荣/学术界/2005.5
见证中国汽车工业 50 年/陈祖涛、欧阳敏/人物/2004.9
见证新中国民主法制建设的曙光——薄一波答《中国人大》《百年潮》记者问/薄一波/百年潮/2004.6
认识论、史学功能与本土经验——关于历史学方法论的几个问题/包伟民/浙江社会科学/2007.2
认真研究 13 年在国史中的地位/陈东林/当代中国史研究/2003.1
邓小平、江泽民同志对唯物史观的重大贡献/方卫兵/毛泽东思想研究/2007.2
邓小平与江泽民民族发展观共同点分析/农淑英/前沿/2008.1
世纪之交的问题意识与新范式探索——日本学者对中国“结构变动”的研究/刘建平/当代中国史研究/2001.2
世界的中国:21 世纪初的中国外交研究/牛军/国际政治研究/2006.1
世界经济新格局与中国的发展——陶大镛教授访谈/本刊记者/国外理论动态/2004.4
世界眼光与中国特色/瞿林东/江海学刊/2007.1
东北老工业基地对新中国的历史贡献/杨文利/经济研究参考/2005.91
东亚结构变迁与中日关系:权力转移理论视角/吴澄秋/当代亚太/2009.1
东西部差距扩大的成因及改革对策/林凌/经济体制改革/1996.4
东南亚地区安全与中美关系/张贵洪、唐杰/国际论坛/2004.6
主权原则与中国在联合国维和议案中的投票行为 1994—2004/毛瑞鹏/世界经济与政治/2006.4
当代中国工人阶级先进性研究综述/梁波/科学社会主义/2003.4
以科学的历史观指导历史评价——兼评历史虚无主义思潮/黄凯峰/毛泽东邓小平理论研究/2006.2
出版体制改革的历史回顾(上)/宋木文/中国出版/2006.5
加入 WTO 前我国工业发展战略的演变/郭克莎/当代中国史研究/2004.3
加入世贸组织三年中国传媒格局的嬗变与前瞻/童兵/复旦学报/2005.1
加强中华人民共和国史的研究/商翔/求是/1994.9
北京文化经济的融合与兴起——基于文化经济规划文本视角的历史考察/孔建华/新视野/2008.1
北京市应急管理体系的建立/郑珺/北京党史/2008.3
北京城乡社会家庭婚姻制度的变迁/唐灿/北京行政学院学报/2005.5

半个世纪中国城乡差距的历史考察/赵红军/中国经济问题/2005.2

发展和完善民营经济的若干思考/陈光志/经济体制改革/1998.4

另一角度考察的思考——西方研究当代中国史的一些问题/金春明/当代中国史研究/2004.6

台商投资大陆状况调查/方晓/台声/2004.5

台湾一大陆人口老龄化比较研究/刘琳/南方人口/2006.4

台湾公共行政研究状况综述/詹中原/中国行政管理/2005.6—7

台湾史专家谈台湾史研究/杲文川/学术界/2005.5

台湾农业税制演变及对大陆的启示/樊丽明/财贸经济/2005.9

台湾因素与1989—1993年的中美关系/李捷/党的文献/2001.3

台湾问题:中美互动的新态势/吴心伯/国际问题研究/2006.5

台湾经济转型与两岸经贸关系/张冠华/台声/2004.9

台湾教师教育政策演进及现状分析/肖远军/黑龙江高教研究/2007.5

史识:中国现代文学史研究的灵魂/刘中树/文学评论/2006.2

史学界要关注当代史研究/沈葵/安徽史学/1995.4

史学理论与史学实践相结合/何兆武/史学理论研究/2007.1

史学理论在史学研究中的地位和作用浅析/安涛/太原师范学院学报·社科版/2007.4

史实真相是如何被掩盖的——兼论历史人物的评价问题/张耕华/探索与争鸣/2005.7

叶剑英对社会主义和谐社会的探索/谢基昌/云南行政学院学报/2007.4

四次投资过热的经验和教训/国家统计局课题组/中国国情国力/2005.4

处于转型期的日本与中国对日政策/李薇/当代亚太/2009.1

外交的前瞻性:被动与主动的分水岭——从中美两国外交发展历程的比较谈起/张煜/江苏社会科学/2007.12

宁夏产业结构及其区位优势变化:1978—2003/李辉/西北民族研究/2006.4

对1997—2005年化解中国“三农”问题的思考/梁荣/探索/2006.4

对中国社会制度由新民主主义向社会主义转变的再思考/王韶兴、陈海燕/中国社会科学文摘/2006.5

对中国现代化曲折历程的反思/刘玲/宿州学院学报/2005.5

对历史需要有解密的勇气/杨耕身/领导文萃/2006.2

对台湾学界评祖国大陆的台湾文学研究之述评/张羽/厦门大学学报/2006.1

对当前历史观念的两个问题的分析/李杰/历史研究/2008.1

对当前我国社会主要矛盾的新认识/张纪、来丽梅/理论探讨/2004.6

对我国个体经济状况的分析/于俊霄/当代中国史研究/1997.2

对我国农业产业化问题的分析/刘解龙/当代经济研究/1997.3

对我国基础教育的思考——基础教育现状、存在问题及对策剖析/王拴正/经济社会体制比较/1998.6

对国史中的问题要全面客观地加以分析/张全景/当代中国史研究/2007.6

对国史研究中几个问题的思考/李茂盛/中共党史研究/1994.4

对国史研究中几个问题的探讨/王德新/石油大学学报·社会科学版/2005.4

对国史研究中争论较大的几个问题的思考/郭德宏/史学月刊/2002.2

对建立我国土地市场体系的探讨/马壮昌/经济体制改革/1994.3

对转型时期几个口号的理论反思/魏宏/国家行政学院学报/2007.2

对美国总统和国会在对华政策上的互动关系的考察:以克林顿时期为例/刘文祥/河南社会科

学/2005.5
对唯物史观几个基本概念的再认识/吴英/史学理论研究/2007.12
巨大的贡献辉煌的成就——人民解放军进军新疆58年历史回顾/新疆军区/军事历史/2007.5
市民社会与中国社会福利体制的构建/韩克庆/天津社会科学/2008.1
市民社会理论的变迁/袁勇、王庆延/海南大学学报/2005.5
市场经济条件下社会公平问题研究述要/白暴力、梁泳梅、李宁/高校理论战线/2005.9
市场转型与下岗工人/谢桂华/社会学研究/2006.1
布朗族女性婚恋方式的变迁及其影响/张晓琼/民族研究/2006.1
弘扬长征精神/深化国史研究/李正华/中华魂/2006.11
正确认识和处置史料的五种方法/瞿林东/河北学刊/2007.2
正确把握和谐文化建设的社会主义方向/张星星/当代中国史研究/2007.2
正确总结建国后的反面经验/孙欲声/青海社会科学/1995.3
民革十年来参政议政实绩及其启示/民革中央调研部/团结/2007.1
民族地区民营经济发展问题初探/喻国华/民族问题研究/2007.1
民族地区自然生态利益探析/雷振扬/民族研究/2004.3
民营企业发展及其社会责任演进/张道航/国家行政学院学报/2008.4
民营经济发展和民营企业成长研究/企业调查总队课题组/经济研究参考/2004.22
永嘉燎原生产责任制研究/李强/中国经济史研究/2006.1
立法视角下的西藏人权保障历程/韩小兵、喜饶尼玛/中国藏学/2007.4
记忆的岁月在歌声中永恒——新中国歌曲创作历程回望/晨风/歌曲/2006.1
记取历史经验,坚持稳步前进/房维中/当代中国史研究/2006.5
全面建设小康社会与发展农村社会保障的关系研究/郭殿生/当代经济研究/2003.5
全面繁荣农村经济是解决“三农”问题的重要条件/许经勇/当代经济研究/2003.7
全球化:当代中国对外发展方略的基本视角/杨鲁慧/世界经济与政治/2003.5
全球化时代中共对西半球国家之经济外交/邓中坚/现代国际关系/2005.10
全球化进程与中国“和平崛起”的历史方位/王永贵/理论探讨/2004.6
全球化视野中的中国国家安全问题/张文木/世界经济与政治/2002.3
共和国50事/党史博采/1999.10
共和国历史上四次有代表性的国庆阅兵/张志辉/世纪桥/1999.3
共和国史、当代史与现代史三者关系的思考/朱佳木/当代中国史研究/2007.3
共和国政治制度研究述评/陈明显/党史研究与教学/2002.4
关于“三农”问题/王云坤/理论前沿/2004.23
关于90年代“抓住机遇,加快发展”决策的研究/陈理/当代中国史研究/1999.2
关于口头文化遗产抢救工作重要性的认识/李萍/北京文博/2006.1
关于口述史的思考/梁景和/首都师范大学学报·社科版/2007.5
关于大学史研究的基本构想/张斌贤/北京大学教育评论/2005.3
关于马克思主义史学遗产传承中的几个问题/张广智/复旦学报·社科版/2005.4
关于中日钓鱼岛争端的几点认识/张景全/东北亚论坛/2005.2
关于中国当代文学史研究的思考/董健等/天津社会科学/2006.1
关于中国当代史学科建设中的几个问题/朱佳木/当代中国史研究/2003.6
关于中德关系中西藏问题的探究/欧阳潇潇/湖北省社会主义学院学报/2009.1
关于历史认识的价值判断/于沛/历史研究/2008.1

关于史学研究和海外中国学研究的若干问题/朱正惠/探索与争鸣/2007.1

关于农村税费改革的回顾与思考/车俊/经济社会体制比较/2003.2

关于当代中国史研究中的几个问题——“当代中国社会发展”国际学术研讨会综述/杨凤城、吴志军/当代中国史研究/2004.6

关于改革开放史研究的若干思考/章百家/北京党史/2008.6

关于国史学理论的若干思考/张世飞/求索/2007.5

关于国史研究方法论的几个问题/关海庭/当代中国史研究/2001.3

关于国史研究的几个问题/杨凤城/当代中国史研究/2001.3

关于国有资产管理问题的研究综述/王守法/经济学动态/2005.11

关于国情的若干经济分析——在中华人民共和国国史学会第二届会员代表大会上的讲话(一九九八年六月二十八日)/邓力群/当代思潮/1998.6

关于建国以来监察体制的探索与实践/彭勃/当代中国史研究/1995.1

关于竞争与效率问题的若干误区探讨/李保明/当代经济研究/2003.6

关于编写中华人民共和国历史的若干意见/胡乔木/当代中国史研究/1999.Z1

关于新一轮农村信用社体制改革的文献综述/阮红新/武汉金融/2006.8

关于新中国外交方针的几个问题/蒋建农/当代中国史研究/1996.2

关于新中国经济增长与发展阶段(1949—2004)的探索/董志凯/中国经济史研究/2004.4

关于新民主主义社会与社会主义初级阶段的差异/罗平汉/当代中国史研究/2007.5

再论历史规律——兼谈唯物史观的发展问题/王和/清华大学学报·哲社版/2008.1

军民融合寓军于民——新时期军民关系的新发展/廖莉娟、余莉/决策与信息/2008.7

军事体育的历史演变及发展趋势/陈晓鹏等/中华军事体育进修学院学报/2006.4

军事资料编纂工作的历史回顾与思考/李平、李明计/军事历史/2008.5

军费开支对外债影响问题实证研究——中国1985—2006/苑小丰/全国商情·经济理论研究/2009.4

农业合作化与家庭联产承包责任制的实施比较研究/董悦华/当代中国史研究/1998.4

农业改革的两个飞跃与新集体经济——兼与晓亮研究员商榷/孙咏梅等/理论前沿/2006.22

农业现代化进程中的农地制度创新/黄丽萍、蔡雪雄/当代经济研究/2002.7

农民工的阶级属性及其向工人阶级的转化/李明等/科学社会主义/2006.1

农民需要怎样的“集体主义”——民间组织资源与现代国家整合/秦晖/东南学术/2007.1

农地产权制度效率:历史分析与启示/张光宏/农业经济问题/2005.6

农村土地市场化改革与社会主义新农村建设/陈耀/中国国土资源经济/2006.10

农村公共医疗卫生体系建设的积极探索——农村公共医疗卫生体系建设研讨会综述/刘凤彦、李玉勤/农业经济问题/2004.5

农村汉族和少数民族劳动力转移的比较/丁赛/民族研究/2006.5

农村传统文化对农民体育发展的影响/杨小明/山东体育学院学报/2007.3

农村合作医疗制度差异性研究/吴新慧等/理论前沿/2004.5

农村医疗保障财政制度责任的制度变迁/李莉/软科学/2007.1

农村改革反思/张神根/当代中国史研究/1998.6

农村社会保障体系建设的目标、思路及制度/华迎放/经济要参/2005.56

农村宗族问题研究综述/陈德顺/云南民族大学学报·哲学社会科学版/2005.4

农村信用社市场化改革探索/刘民权等/金融研究/2005.4

创新与实践:住房制度改革深化的经济学评析/刘大海、杨灿智/经济体制改革/1996.4

合作两利 对抗两损——关于中美关系战略定位的思考/马振岗/国际问题研究/2006.2
后冷战国际体系变动与中欧关系/吴白乙/欧洲研究/2005.5
回忆录的写作与当代史的存史/王海光/理论学刊/2007.4
回归十年香港经济发展回顾论析/郭国灿/广东社会科学/2007.6
回到整体的历史科学/沈湘平/北京师范大学学报/2008.2
回顾中国农村改革历程/田纪云/炎黄春秋/2004.6
回顾中国社会主义市场经济体制的建立/陈锦华/中共党史资料/2004.4
在全面建设小康社会进程中实现富国和强军的统一/管黎荔/理论导刊/2008.7
在改革开放的大潮中拥抱世界——改革开放以来的民间外交/李小林/求是/2009.4
在探索中走向辉煌——党的全国代表大会政治报告历史回顾/刘晓根、裴明慧/世纪桥/2008.1
地区间生产效率——与全要素生产率增长率分解:1978—2003/王志刚等/中国社会科学/2006.2
多种经济模式并存的历史与启示——以七里营与刘庄为个案/郭晓平/中国经济史研究/2004.3
如何评价改革开放以来的中国政治体制改革/刘杰/科学社会主义/2008.3
如何运用史料解决疑难问题/李裕民/史学月刊/2009.1
如何撰写中国家庭史/张国刚/清华大学学报·哲社版/2008.4
安全与发展的目标及全球化背景下中国外交战略分析/王庆东/世界经济与政治/2002.4
寻租理论在我国的研究与发展/李政军/经济社会体制比较/2002.3
年鉴学派的史学思想理论对中共历史研究的启示/韩璐/北京党史/2007.2
当代人要做当代史研究综述/汪振友/黑龙江史志/2008.5
当代大学生传统文化现状综述及原因分析/陈晓芸/漳州师范学院学报·哲学社会科学版/2005.1
当代中国三次西部开发的历史比较/孙泽学/华中师范大学学报·人文社会科学版/2001.3
当代中国工人阶级先进性研究综述/梁波/科学社会主义/2003.4
当代中国户籍制度形成与沿革的宏观分析/王海光/中共党史研究/2003.4
当代中国史学思潮与马克思主义历史观的发展/蒋大椿/历史研究/2001.4
当代中国史研究与口述史学/宋学勤/史学集刊/2006.5
当代中国史研究中的文献史料问题/张注洪/当代中国史研究/2006.5
当代中国外交的根本转型与分期问题——一个外交政策分析理论的视角/李承红/外交评论·外交学院学报/2008.6
当代中国军队的等级制度发展沿革概况/刘岩/当代中国史研究/2004.1
当代中国农民的信访权/周作翰、张英洪/当代世界与社会主义/2006.1
当代中国体制改革的环境和特征分析/关海庭/当代中国史研究/1998.6
当代中国村民自治以来的乡村治理模式研究述评/蔺雪春/中国政治/2006.5
当代中国社会利益分化研究综述/何海兵/上海行政学院学报/2003.4
当代中国社会救助史研究论略/李小尉/辽宁师范大学学报·社会科学版/2006.5
当代中国社团发展的制度环境简析/黄粹/辽宁行政学院学报/2008.7
当代中国和平外交思想的发展历程/王英/党史研究与教学/2006.5
当代中国现代化进程中财富观的变迁及其影响/龚昕/前沿/2009.2
当代中国的历史转折/杨耕/中国高等教育/2009.1
当代中国的企业立法/万其刚/当代中国史研究/1999.3
当代中国的城市化与教育发展/赖德胜、郑勤华/北京师范大学学报·社科版/2005.5
当代中国城乡关系的历史考察及思考/完世伟/贵州师范大学学报·社科版/2008.4
当代中国政府管制研究述评——背景、表现和问题/刘广登/江苏社会科学/2003.3

当代中国政治文化的分化与整合/唐云/文史博览(理论)/2007.10

当代中国研究:历史、现状与发展/李宝梁/江西社会科学/2006.1

当代中国家庭结构变动分析/王跃生/中国社会科学/2006.1

当代中国海峡两岸政治关系的历史透视——政治领袖心态的案例分析/梁柱/湖南科技大学学报·社科版/2005.2

当代中国盐业产销的变迁/董志凯/中国经济史研究/2006.3

当代中国婚姻文化嬗变之探析/吴宗友/安徽大学学报·哲社版/2008.3

当代中国渐进性政治改革的价值及定位/王庆五/江海学刊/2007.4

当代中国精神文化建设发展述论/曾丽雅/求实/2006.7

当代中非关系发展阶段划分之我见/张永蓬/西亚非洲/2007.1

当代少数民族文学批评:反思与重建/刘大先/文艺理论研究/2005.2

当代文学史写作的治史理念与价值立场/古大勇/中山大学学报论丛/2007.2

当代社会史是国史研究亟待拓展的领域/田居俭/中国社会科学院院报/2008.3.25

当代散文思潮的发展演变/陈剑晖/广东社会科学/2005.1

当前中国农民政治参与研究综述/王志强/中国农村观察/2004.4

当前县乡村体制存在的主要问题/贺雪峰/经济社会体制比较/2003.6

当前我国社会保障问题研究综述/秦雷/探索/2005.2

执政历程中理论联系实际的回顾与思考/李福/玉溪师范学院学报/2001.S1

执政时期的党内民主公开问题论纲——基于党的全国代表大会的历史分析/李洪河、王晶/东北师大学报·哲社版/2006.5

扬弃斯大林模式坚持走中国特色社会主义光明大道/陆南泉/探索与争鸣/2009.2

有关"软权力"与"负责任大国"的若干问题——以中国参与联合国维持和平行动为分析视角/赵磊、陈庆鸿/中国党政干部论坛/2009.3

江泽民与香港回归/齐鹏飞/当代中国史研究/2007.3

江泽民历史教育思想体系的构建及其现实意义/李祖平/教育探索/2007.2

江泽民外交思想的价值析论/王文欣/辽宁行政学院学报/2008.2

江泽民关怀"二炮"建设/苏振兰/党史天地/2004.2

江泽民创新思想发展述论/周一平/当代中国史研究/2007.1

江泽民同志关心军事科学院建设纪事/包国俊、陈杰/军事历史/2004.2

江泽民同志论国防和军队建设的战略转移/李薇、张平远/毛泽东思想研究/2007.4

江泽民同志减灾防灾思想研究/吴燕/毛泽东思想研究/2008.3

江泽民同志教育创新思想的实践意义探析/陈军/毛泽东思想研究/2006.5

江泽民成人教育思想初探/赵国峰/继续教育研究/2005.4

江泽民西部大开发思想研究综述/韩同友/邓小平理论、"三个代表"重要思想/2006.5

江泽民国防和军队建设思想的阶段划分、基本内容和主要特点举要/刘庭华/军事历史/2008.6

江泽民法治思想缕析/任舒泽/社会主义研究/2004.5

江泽民的世界相互依存观与我国的亚太战略选择/赵桂兰/郑州轻工业学院学报·社科版/2007.5

江泽民战略思想研究述评/杨秀萍/邓小平理论、"三个代表"重要思想/2006.6

江泽民科学发展思想的历史考察/汪青松/当代中国史研究/2007.1

百年来中国大学的三次转型发展的历史回顾/孟中媛/黑龙江高教研究/2008.5

纪念建党七十九周年全国党史学术讨论会综述/包晓峰/中共党史研究/2000.5

网络数字时代的历史研究/陈东林/当代中国史研究/2001.3

行政管理体制改革思路综述/苏保忠/中国行政管理/2006.4
西方的当代中国研究/[澳]腓特烈·泰伟斯/当代中国史研究/2004.6
西方新社会运动与中国:历史、反思与现实/周穗明/当代世界社会主义问题/2008.4
西北大城市少数民族流动人口若干特点论析——以甘肃省兰州市为例/汤夺先/民族研究/2006.1
西南少数民族婚姻迁移问题研究/杨筠/新疆农垦经济/2008.2
西部大开发中民族利益关系协调机制的建设/王文长/民族研究/2004.3
西部大开发五年得失/王健君/瞭望/2004.46
西藏人口结构现状的描述性研究/方晓玲/西藏研究/2006.1
西藏民族干部队伍建设40年/张祖文/中国藏学/2005.3
西藏民族区域自治背景下的藏汉双语新闻传播/周德仓/西藏民族学院学报·哲社版/2006.4
西藏民族手工业发展模式初探/贡秋扎西/中国藏学/2006.4
西藏地方与尼泊尔贸易试述/董莉英/中国藏学/2008.1
西藏宗教50年/刘洪记/中国藏学/2009.1
西藏经济增长方式初探/贡秋扎西、杨斌/西藏研究/2006.1
论1989年至1997年中国对美政策/杜明才/社会主义研究/2005.3
论二十世纪晚期台湾公营企业民营化/杨志军/湖南商学院学报/2005.4
论人大代表选举及其相关问题/江启疆/江苏社会科学/2002.5
论中印战略合作伙伴关系/欧斌等/东岳论丛/2006.2
论中国民族事务行政管理机制的发展和创新/周竞红/民族研究/2004.3
论中国共产党对中国现代化的历史贡献/申富强/传承/2007.5
论中国社会主义市场经济发展的六个阶段/毛传清/当代中国史研究/2004.5
论中国的国际角色转换与对外安全战略的基本定位/孟祥青/世界经济与政治/2002.7
论中国特色国防理论的创新/王忠/军事历史研究/2008.3
论历史认识的特殊性/万斌/青海社会科学/2007.5
论历史评价的合理性/王学川/理论与现代化/2007.2
论文化在构建社会主义和谐社会中的重要作用/梁柱/高校理论战线/2007.2
论文学史视野中的中国类后现代小说叙事/张立群/人文杂志/2006.1
论半个世纪的国共关系演变及启示/王瑶/佳木斯大学社会科学学报/1997.2
论民间外交/王玉贵/盐城师范学院学报·人社版/2008.5
论民族共同语和新中国文学的双重建构/何平、朱晓进/当代作家评论/2008.4
论全国人大的对外交往/王春英/北京行政学院学报/2007.1
论共和国的五十年/陈雪薇/党的文献/2000.1
论共和国的包容性与社会现代化转型/王继/中国现代史/2006.9
论地方文献在社会发展中的资治、教化、存史作用——兼论上海新方志为改革开放和现代化建设提供智力支持/朱敏彦/中国地方志/2005.6
论当代中国公民政治文化的历史演进/李传柱/理论学刊/2001.2
论当代中国少数民族社会的变迁/李普者/云南社会科学/2008.1
论江泽民同志世界新军事革命思想/于保中、杨明伟/毛泽东思想研究/2008.1
论江泽民的伙伴外交战略/王贵锋、胡吉良/社会主义研究/2005.3
论江泽民的科技开放观/陈洪波/理论月刊/2009.1
论我国军队现代化建设的跨越式发展/颜世忠/中央党校学报/2004.4
论我国改革开放的历史必然性/庞贺峰/南方论刊/2008.12

论我国国庆的深刻历史意义/陆剑杰/南京晓荘学院学报/1999.3

论我国国家元首制度的演变及其未来发展/杨凤春/当代中国史研究/1997.6

论我国城乡二元化社会保障制度的改革/石宏伟/江苏大学学报/2006.6

论改革开放与发展中国特色社会主义的逻辑与历史/向红/中共福建省委党校学报/2009.2

论改革开放以来中共党史研究的价值取向/宋学勤/学习与探索/2008.3

论改革开放以来农民群体文化的显著变化/李丽华/求实/2009.3

论进一步坚持和完善我国的民族区域自治制度/龚学增/当代中国史研究/1997.5

论和谐而有中国特色的民族概念/龚永辉/广西民族研究/2005.3

论国史研究与构建社会主义和谐社会/刘国新/当代中国史研究/2007.3

论国有企业的改革进程/赵士刚/党的文献/1999.3

论学习实践科学发展观与国史研究/宋月红/红旗文稿/2008.23

论宗教当代发展的俗世情缘及消极影响/李冬清/重庆社会科学/2007.3

论建立农村土地使用权有偿转让制度/冯子标/当代经济研究/2000.5

论建国以来中国土地制度的第四次改革/杜小伟/重庆邮电学院学报/2005.5

论建国后党的农村土地政策的发展演变/郑建敏/石家庄学院学报/2006.5

论建国后高校国防教育指导思想的转变/黄妍等/天府新论/2006.1

论党的第三代中央领导集体坚持和发展马克思主义的新路径/徐其清/江淮论坛/2004.2

论档案与共和国史研究的关系/李海红/新乡师范高等专科学校学报/2005.1

论铁路与新疆的城镇发展/黄达远/中国边疆史地研究/2006.1

论唯物史观研究的微观维度及当代意义/郭艳君/史学理论研究/2007.2

论新中国文艺政策的文化选择/周晓风/西南大学学报·社科版/2008.1

论新中国农业机械化进程及经验教训/莫江平/湖南师范学院学报·社科版/2007.1

论新中国社会主义经典电影体系/尹鸿/清华大学学报/2006.4

论新中国建立后中国共产党中医文化思想发展进程与实践/王茂森等/毛泽东思想研究/2009.1

论新中国的历史分期/葛仁钧/当代中国史研究/1996.4

论新中国的农业机械化进程及经验教训/莫江平/湘潭师范学院学报·社科版/2007.1

论新中国城乡二元社会制度的形成——从粮食计划供应制度的视角/汤水清/江西社会科学/2006.8

论新中国剧社的管理智慧/李江/戏剧(中央戏剧学院学报)/2008.4

论新中国探索民营经济问题的历史经验/黄淑婷/商场现代化/2008.25

论新时期中国主流经济理论的发展/王毅武/贵州财经学院学报/2009.1

论新时期中国行政价值体系重构的观念转型/张继、徐凌/社会科学研究/2006.2

论新时期我军军事斗争准备基点的三次转变/赵耀辉/南京政治学院学报/2006.4

论新时期国史的分期/胡安全/当代中国史研究/2004.2

论新时期的图书馆管理/陈燕群/浙江工商职业技术学院学报/2005.3

论新时期档案工作改革/常凤霞/大庆社会科学/2007.6

论新时期高等教育管理体制改革的时代背景/徐光寿/高校教育管理/2009.2

阶层化:居住空间、生活方式、社会交往与阶层认同——我国城镇社会阶层化问题的实证研究/刘精明、李路路/社会学研究/2005.3

阶层结构变化对区域政治体制改革的影响/尹德慈/经济社会体制比较/2005.4

两次实施经济调整八字方针的比较/孙大力/中共党史研究/2000.3

两岸关系新思维/石齐平/台声/2004.5

体制性约束、经济失衡与财政政策——解析1998年以来的中国转轨经济/吕炜/中国社会科学/2004.2

体制变革的中国模式/王建芹/理论月刊/2009.2

作为一种新史学的环境史/王利华/清华大学学报·哲社版/2008.1

克林顿总统时期美国对华政策形成的特点——以总统、国会在对华贸易最惠国待遇问题上的争论为例/孙君健/史学月刊/2005.6

冷战后中印关系的特点与态势/陈宗海/华中师范大学学报/2007.2

冷战后中国在东南亚地区实力运用:中国与东盟外交关系/徐敬毅/中共石家庄市委党校学报/2007.4

冷战后中国参与多边外交的特点分析/张清敏/国际论坛/2006.2

冷战后中美关系简析/谢芝芹/和田师范专科学校学报/2007.5

冷战后日本的"价值观外交"与中国/黄大慧/现代国际关系/2007.5

冷战后的美国对华军事出口管制评析/王涛/世界经济与政治论坛/2007.2

冷战后美国强化对华人权外交及其原因/张郁慧/当代世界/2005.8

努力开创国史研究工作的新局面/李力安/当代中国史研究/2000.4

劳动力转移:社会变迁与家庭关系——以保安族为例/马艳/青海民族研究/2007.12

劳动力流动与工资差异/钟笑寒/中国社会科学/2006.1

吴德、吴忠与林彪、江青集团的覆灭/李维赛/军事历史/2004.3

坚定不移地走中国特色的精兵之路——对党的三代领导集体关于军队精简整编的理论与实践的回顾/隋东升/当代中国史研究/2004.1

坚定走军民结合、寓军于民之路——国防科技工业体制改革的历史回顾/袁和平/国防科技工业/2008.10

坚持和发展唯物史观与构建社会主义和谐社会/朱佳木/历史研究/2007.1

忧患意识与史学思想/吴怀祺/天津社会科学/2008.2

我与南水北调规划/林一山/湖北文史资料/2001.2

我们需要什么样的历史观/李捷/高校理论战线/2008.10

我任外长所经历的最艰难时期/钱其琛/湖南文史/2004.5

我军培养军人道德人格的主要历史经验/徐星/军事历史研究/2006.2

我向联合国递交《中英联合声明》/凌青/纵横/1997.5

我国20年来财政改革与发展的八大趋势/余天心、王石生/当代中国史研究/1998.6

我国人口重心、就业重心与经济重心空间演变轨迹分析/康晓梅/人口学刊/2007.3

我国人文社会科学研究的转型、专制、转轨/顾海兵/学术界/2005.3

我国人民代表大会制度的形成与发展/万其刚/当代中国史研究/2005.1

我国个体和私营经济法律地位的历史演变/冯辉/当代中国史研究/2004.1

我国乡镇行政区划的演变特点及其改革路径/柳成焱/天津社会科学/2006.4

我国土地使用权流转机制的缺陷与完善/刘乐山/当代经济研究/2002.3

我国大学制度的变迁与发展/江涌/学术交流/2007.12

我国工业化、城镇化进程中的土地问题/韩长赋/求是/2004.22

我国五次宏观调控比较分析/刘树成/经济学动态/2004.9

我国区域发展差距的实证分析/国家统计局课题组/中国国情国力/2004.3

我国区域经济协调发展的历史考察及其启示/周耀、张国镛/西南农业大学学报·社科版/2007.5

我国反补贴法律制度的回顾与展望/李英/国际关系学院学报/2006.6

我国引智机构的历史沿革和变化特点/张建国/国际人才交流/2008.9

我国文化体制改革的时代意义/王立/甘肃理论学刊/2008.3

我国东西部区域经济合作的发展阶段及其特征/李娅等/经济问题探索/2005.6

我国失地农民问题研究综述/杨涛、施国庆/求实/2006.9

我国民主法制建设的历史进程及主要经验/王鑫/毛泽东邓小平理论研究/2004.5

我国民间慈善事业的历史、现状及其发展对策/谢维营/山西师范大学学报·社科版/2007.6

我国民政福利事业的历史演变及其构建/苏振芳/福建论坛·人社版/2007.4

我国民族自治地方"自治"与"发展"问题思考/杨淑萍/民族问题研究/2007.1

我国民营科技企业的发展及其特点/张鹏等/科技管理研究/2005.2

我国农业合作化与农村发展问题研究探析/王桂强、杨丽娟/党史研究与教学/2005.6

我国农业在国家工业化建设进程中的贡献分析/韩永文/当代中国史研究/1999.2

我国农业保险发展的历程、问题及对策/司春玲/高校社科动态/2008.1

我国农村义务教育二十年研究状况之研究/王贤/北京教育学院学报/2009.1

我国农村义务教育实现免费的路径回探——改革开放以来我国农村义务教育财政政策的演变/赵慧君、杨清溪/教育科学研究/2009.2

我国农村公共品供给制度历史考察/李燕凌/农业经济问题/2008.8

我国农村合作经济组织研究评述/万江红、徐小霞/农村经济/2006.4

我国农村基础设施投资的变迁(1950—2006年)/董志凯/当代中国史研究/2008.6

我国农村剩余劳动力转移与城市化进程正相关性研究/武国定/科学社会主义/2005.6

我国农村剩余劳动力跨地区转移的历史阶段和制约因素分析/赵涤非/农业经济/2005.6

我国农村集体经济发展的历程回顾与展望/董亚珍/经济纵横/2008.8

我国农垦体制改革回顾与辨析——以黑龙江、海南两省为例/郑有贵/中国经济史研究/2004.4

我国合同立法的现状、问题及完善/万其刚/当代中国史研究/1997.6

我国成人高等教育发展的历史偏差与改革途径/吴洪富/成人教育/2007.6

我国西部地区发展少数民族传统体育与提高体育人口促进经济可持续发展关系的研究/房嘉怡/商场现代化/2006.11

我国住房保障制度的演变/李鹏、武振霞/中国住宅设施/2009.2

我国体育体制改革历程与展望/刘振东/现代农业/2009.2

我国医疗卫生体制改革历程及动力机制/董虹/商业时代/2007.9

我国宏观调控的演变/刘国光/经济研究参考/2004.95

我国抗灾减灾工作的经济效益/常建勇、郑珺/经济研究参考/2007.23

我国改革开放以来基督教发展的原因探析/姚力/当代中国史研究/2004.3

我国社会转型起始点论析/夏东民/南京林业大学学报·人文社会科学版/2006.3

我国社会保障制度改革的几个问题/李剑阁/经济社会体制比较/2002.2

我国周边安全环境的发展态势及对外关系分析/谢守明/内蒙古电大学刊/2006.10

我国国防科技工业参与国际合作的发展历程及规律性认识/周敏/军事经济研究/2006.12

我国居民消费方式的演变分析/庄庄/辽宁行政学院学报/2008.1

我国征地制度改革与农地征购市场的构建/李建建/当代经济研究/2002.10

我国所有制变革的理论与实践/陈文通/科学社会主义/2008.4

我国牧区畜牧业经营形式的历史沿革、分析及改革思路/任治/中国畜牧/2006.10

我国物资管理体制的建立与发展/袁宝华/中共党史资料/2005.3

我国经济体制改革历程及其历史经验/杨名声/当代中国史研究/1999.2

我国金融业改革成效、问题和前瞻/李德/经济要参/2005.54
我国城乡二元结构演变的制度分析/蓝海涛/宏观经济管理/2005.3
我国城乡居民消费差距实证分析:1985—2005/张启春/学术界/2007.4
我国城市化进程中的新文化生态建设问题/陈宇飞/科学社会主义/2006.5
我国城镇化发展的特征及发展方向/邹德慈/城乡建设/2008.9
我国城镇化过程中农民工子女失学根源初探/叶晨/厦门教育学院学报/2009.1
我国宪法内容历次变动的思路、重点、特点及其原因分析/李正华/当代中国史研究/2003.6
我国宪法的内涵、发展及其实施/封丽霞/理论视野/2004.6
我国政府职能转变的成效、特点和方向/唐铁汉/国家行政学院学报/2007.2
我国政治体制改革的历史回顾及辩证思考/张兰芳、周晓阳/南华大学学报·社科版/2008.6
我国政策性金融研究综述/王学人/求索/2006.7
我国研制“两弹一星”的辉煌成就及其主要经验/程立/军事历史研究/1999.3
我国科技体制改革的回顾及展望/方新、柳卸林/求是/2004.5
我国科技投入体制改革的主要成就和经验/张缨/中国科技投资/2008.7
我国科技投入的现状、成效、问题与任务/专题组/经济研究参考/2004.90
我国海外华人双重国籍的理性思考/闵剑/信阳师范学院学报·哲社版/2008.1
我国海洋经济的发展周期划分/殷克东、孟彦辉/统计与决策/2006.20
我国竞技体育可持续发展的历史思考/赵婷、杨学达/科技创新导报/2008.27
我国高新技术产业化的历程和成就/王亚平/当代中国史研究/1999.5
我国基础教育十五年:基于统计公报的分析/张天雪/教育科学/2007.3
我国情报学的历史回顾/马费成、宋恩梅/情报学报/2005.4
我国第三社会部门的发展与政府治理模式的变革/朱虹/重庆科技学院学报·社科版/2008.1
我国森林公安的历史发展/胡建刚/黑龙江史志/2008.8
我国税种的历史沿革与收入不对称关系的演变/朱小琼/学术论坛/2006.10
我国集体经济发展的轨迹与理论思考/孙志明、徐颖、张春凤/社会科学战线/2006.4
我国新闻改革进程中传媒业和传媒机构的社会定位/张咏华/新闻爱好者·理论版/2008.12
我国粮食政策的重大转变/许经勇、黄爱东/当代经济研究/2003.3
我所知道的建国后制宪修宪经过/于光远/炎黄春秋/2004.3
我亲历的上海经济体制改革/徐匡迪/党建/2009.1
我党三代领导人对马克思主义科技观的发展/杜新年/社会主义研究/2004.5
我党统一战线名称演变考略/胡炳成/重庆社会主义学院学报/2006.1
批判封建主义:改革开放以来中国社会主义文化建设的基本路向/叶剑锋/当代世界与社会主义/2004.6
把当代社会史提上研究日程/田居俭/当代中国史研究/2007.3
改革开放与马克思主义中国化的历史进程/冷溶/科学社会主义/2009.1
改革开放与中国对发展中国家关系的调整/赵干城/国际问题研究/2008.6
改革开放与中国国际主义战略的转型/张殿军/中共天津市委党校学报/2009.1
改革开放与中国特色社会主义民族理论体系的形成/蒋连华/中央社会主义学院学报/2008.6
改革开放与我国国防建设/姜汉斌/科学社会主义/2009.1
改革开放中的社会流动与社会发展/杨兴林/青海社会科学/2005.5
改革开放历史进程的回顾与启示/陆水明/南京政治学院学报/2008.2
改革开放以来“三农”政策的创新与发展/张文礼/中国经济史研究/2005.2

改革开放以来小康社会理论的形成与发展/何爱国/安徽史学/2008.5

改革开放以来马克思主义中国化的三次理论飞跃/徐晓宗/四川文理学院学报/2008.6

改革开放以来中国共产党治军理念的三次转变/卓爱平/世纪桥/2008.16

改革开放以来中国共产党的农村政策取向演变的历史考察/王盛开、方彬/求实/2006.12

改革开放以来中国农村社区的精神文化变迁/陈宇海/云南社会科学/2007.1

改革开放以来中国城镇居民消费结构变动及区域差异/蒋云飞/经济地理/2008.3

改革开放以来中国商业信用制度的诱致性变迁/赵学军/中国经济史研究/2005.2

改革开放以来毛泽东史学理论的发展/许殿才/河北学刊/2007.1

改革开放以来民族地区村落家族的复兴及原因/毕跃光/贵州民族研究/2006.6

改革开放以来收入分配对资本积累及投资结构的影响/汪同三、蔡跃洲/中国社会科学/2006.1

改革开放以来我国工农业发展比例关系的演变/马晓河/当代中国史研究/1996.1

改革开放以来我国民族区域自治制度的发展和实践/李养第、韩英/当代中国史研究/2002.4

改革开放以来我国收入分配制度改革的路径与成效——以公平与效率的双重标准为视角/刘承礼/北京行政学院学报/2009.1

改革开放以来我国宏观调控的历程/魏加宁/百年潮/2008.5、6

改革开放以来我国投资与经济波动的实证研究/杨召文、刘志杰/湖南商学院学报/2005.4

改革开放以来我国社会阶层结构变迁的若干特征/游龙波、徐彬/东南学术/2007.6

改革开放以来我国国有经济总量和结构的演变/戚聿东/当代财经/2009.2

改革开放以来我国国有资产管理体制的演变——兼论其对国有资产购并重组的影响/钟瑛/当代中国史研究/2003.5

改革开放以来我国所有制改革中的三次重大突破/萧贵毓/科学社会主义/2005.6

改革开放以来我国科技战略的发展——兼论现代化建设与科技发展的互动/卢彪/毛泽东邓小平理论研究/2008.4

改革开放以来我国道德建设的基本经验/张运霞/社会主义研究/2007.3

改革开放以来国史研究的理论发展及其趋势/曹守亮/高校理论战线/2008.7

改革开放以来欧盟国家中的中国大陆新移民/傅义强/世界民族/2009.1

改革开放以来的中国外交/杨洁篪/求是/2008.18

改革开放以来的中国农村社会劳动力转移/徐平华/中共中央党校学报/2008.5

改革开放以来的历史认识论研究/李振宏/史学月刊/2008.7

改革开放以来党关于屯垦戍边理论的创新及特点/王小平/石河子大学学报·哲社版/2008.6

改革开放以来党的领导集体关于武警部队建设的指导理论与实践/张维业/军事历史/2008.6

改革开放以来海外华商在中国大陆的投资及其作用/薛承/党史研究与教学/2006.6

改革开放以来意识形态创新的历史考察/萧功秦/天津社会科学/2006.4

改革开放以前新中国经济增长存在的问题及原因分析/郭根山/河南师范大学学报·哲社版/2007.4

改革开放后中国对外贸易与外来直接投资发展的同步性/曲韵/中国经济史研究/2006.4

改革开放后中国煤矿体制变迁/李纬娜/财经/2004.25

改革开放后我国利益格局变迁的轨迹和特点/谢海军/科学社会主义/2008.5

改革开放后我国经济增长与发展理论的演进轨迹/罗润东/南开学报/2004.2

改革开放和社会主义建设事业进入新阶段的1992年/范希春/当代中国史研究/2004.4

改革开放沿着正确方向进行的根本前提——社会主义基本制度在中国全面确立的历史意义概论之一/高宝柱/党史文汇/2006.10

改革开放沿着正确方向进行的根本前提——社会主义基本制度在中国全面确立的历史意义概论之二/高宝柱/党史文汇/2006.11

改革开放沿着正确方向进行的根本前提——社会主义基本制度在中国全面确立的历史意义概论之三/高宝柱/党史文汇/2006.12

改革开放的伟大成就和面临的新形势/杜鹰/中国科技投资/2008.7

改革开放战略的成功实践——天津经济技术开发区20年发展历程的调查/本刊政治编辑部调研组/求是/2004.22

改革开放是决定中国命运的关键抉择/高尚全/学术研究/2008.1

改革开放新时期与马克思主义中国化新飞跃——兼论中国特色社会主义理论体系的历史地位、科学内涵和本质特征/包心鉴/中共石家庄市委党校学报/2009.1

改革开放新时期历史阶段划分的探讨/刘国新等/北京党史研究/1998.3

改革以来中国乡村和农民问题研究的回顾/周作翰/当代世界与社会主义/2007.3

改革后农村工业化对农户劳动力分配及收入变动影响之相关分析/杨德才/当代中国史研究/2001.3

改革期间东北地区与东部地区经济增长比较分析/宋冬林、赵震宇/社会科学战线/2007.1

时代主题的转换与中国特色社会主义发展战略的形成和发展/肖枫/当代世界与社会主义/2007.6

时代的选择——青藏铁路决策的曲折历程/江世杰/时代潮/2003.18

时过境未迁——关于中国当代史研究的几个问题/王海光/党史研究与教学/2004.5

村落公共空间演变及其对村庄秩序重构的意义——简论社会变迁中村庄秩序的生成逻辑/曹海林/天津社会科学/2005.6

杨尚昆军队建设思想刍议/韩亮/重庆科技学院学报·社科版/2008.6

牢记历史使命　锐意改革创新——中国科学院实施知识创新工程十周年/路甬祥/中国科学院院刊/2008.4

社会、市场、价值观：整体变迁的征兆——从职业评价与择业趋向看中国社会结构变迁的研究/许欣欣/社会学研究/2005.4

社会公正研究的现状及趋向——近年来国内学术界社会公正研究述评/吴忠民/学术界/2007.2

社会公正研究综述/徐琛/学术论坛/2005.7

社会分层、住房产权与居住质量分析——对中国“五普”数据分析/边燕杰、刘勇利/社会学研究/2005.3

社会主义和谐社会与历史学研究——以编纂大众历史读物的指导思想为例/张海鹏/当代中国史研究/2007.2

社会主义建设前期失误的认识论根源/李曙新/西北师大学报·社会科学版/2007.6

社会主义基本经济制度的创新与完善/刁永祚/马克思主义研究/2004.6

社会组织与当代中国社会组织法制建设/杨素云/江苏社会科学/2003.5

社会转型期中国农村人际关系的变迁/闫丽娟、胡兆义/长白学刊/2007.6

社会变革与当代农村婚姻家庭变动研究的回顾和思考/王跃生/当代中国史研究/2002.5

社会流动模式改变对大跃进时期教育的影响/李若建/中山大学学报·社科版/2004.2

社会资源何以成为社会资本——以朝鲜族经济生活变迁为例/何杨、杨林/大庆师范学院学报/2006.4

社会救济与西藏社会保障制度变迁/旦增遵珠·李文武/西藏研究/2004.4

苏联与俄罗斯学者关于中华人民共和国史的研究/[俄]符·尼·乌索夫/当代中国史研究/2004.5

财政、货币政策作用空间的历史变迁及其启示——基于中国财政、货币政策实践/崔建军/经济学

家/2008.3

走向史学的“常规状态”——改革开放以来的史学规范研究/周祥森/史学月刊/2008.8

走向科学发展：中国发展观的演进与建构/孙国梁/北京行政学院学报/2008.4

走向破裂的结盟：中苏同盟研究的新进展/徐思彦/清华大学学报·哲社版/2008.5

走向繁荣：唯物史观视野中中国发展奇迹之深层探究/张早林/兰州学刊/2008.10

走自己的道路——共和国50年历史经验的结晶/李捷/当代中国史研究/1999.5

走自己的路，建设有本国特色的社会主义——20世纪社会主义运动的经验教训总结/澍林/中共山西省委党校学报/1999.6

运用矛盾法则研究中华人民共和国史——兼谈对国史中几个问题的看法（上）/张启华/高校理论战线/1996.11

运用矛盾法则研究中华人民共和国史——兼谈对国史中几个问题的看法（下）/张启华/高校理论战线/1996.12

近10年北京经济职能的发展变化/梁进社等/地理学报/2005.4

近15年国史研究述略/杨亲华/当代中国史研究/1994.1

近20年来我国农村土地制度模式研究综述/黄荣华等/中国经济史研究/2004.2

近50年历史人物评价标准问题述评/高希中/山东社会科学/2007.5

近50年新疆水土开发及引发的生态环境问题/钱亦兵/生态环境与保护/2006.8

近二十年来新中国国防建设史研究述评/张广宇/当代中国史研究/2007.4

近二十年新中国历次五年计划研究综述/李彩华/中共党史研究/2006.1

近几年学术界关于中国共产党的领导方式和执政方式研究综述/耿春亮/安徽职业技术学院学报/2006.2

近十五年来中国与东盟经贸合作评析/许宁宁/外交评论/2006.6

近十年关于日军侵华罪行和遗留问题研究综述/郭德宏等/中国现代史/2006.7

近十年来中国民族主义研究述评/崔明德、曹鲁超/民族问题研究/2006.4

近十年来中国近代灾荒史研究综述/阎永增、池子华/唐山师范学院学报/2001.1

近十年来关于中国海权问题研究述评/史春林/现代国际关系/2008.4

近十年来国内中国现代政治思想史研究综述/阎书钦/中共党史研究/2003.5

近十年来俄罗斯史学界对中共党史的研究/马贵凡/中共党史研究/2000.6

近十年哈尼族研究综述/解鲁云/民族问题研究/2007.2

近半个世纪以来中国城市化进程的总结与评价/李文/当代中国史研究/2002.5

近年来中华人民共和国史研究评述/敏先/东北师大学报·哲学社会科学版/1996.3

近年来中华人民共和国史研究述评/罗平汉/桂海论丛/1999.6

近年来中华人民共和国史研究概况/吴敏先/当代中国史研究/1996.4

近年来中国农民组织建设问题研究述评/王习明/中国政治/2006.2

近年来中国特色社会主义理论若干问题研究综述/朱启友/社会主义论丛/2006.8

近年来先进文化问题研究综述/赵存生、宇文利、王永浩/高校理论战线/2006.2

近年来共和国史研究视点回顾/吴敏先/东北师大学报·哲学社会科学版/2004.4

近年来关于我党党政关系问题的研究/田湘波/当代中国史研究/2002.3

近年来江泽民外交思想研究综述/孙存良/山东省青年管理干部学院学报/2004.2

近年来我国地方保护主义研究综述/李世源、叶育新/中国政治/2006.6

近年来剥削问题研究综述/何俊生、谢秦/社会主义论丛/2006.3

近两年中国现代史研究成果概况/高峻/党史研究与教学/1995.2

进一步加强史学理论学科的建设/徐浩/史学理论研究/2008.4
进一步加强国史学历史理论的研究/张世飞/甘肃社会科学/2007.3
阿拉伯国家的变革与中阿关系的发展/姚匡乙/国际问题研究/2005.3
依法治国基本方略实施考察/张金才/当代中国史研究/2005.1
制度变迁与我国城市的发展及空间结构的历史演变/胡军、孙莉/人文地理/2005.1
参与中英香港问题谈判的四任香港总督/何立波/侨园/2007.3
和平发展视野下的中国周边安全/高子川/国际问题研究/2006.2
和平解决台湾问题的回顾/王长生/文史精华/1994.4
和谐世界理念与外交大局中的文化交流——近年来我国对外文化工作的回顾和思考/孟晓驷/求是/2006.20
固定资产投资与产业结构调整——基于我国1978—2006年情况的分析/汪菁/中共浙江省委党校学报/2008.3
国内行政道德研究综述/朱岚/行政与法/2006.5
国内学者关于当代民族主义研究综述/花永兰/理论前沿/2004.8
国史学科建设座谈会综述/当代中国史研究/1995.2
国史研究中的党性和立场问题/张启华/党史文汇/2008.5
国史研究应发扬探索和开拓的精神/陈其泰/当代中国史研究/2001.3
国史研究的几个认识问题/苏志纬/西安航空技术高等专科学校学报/2000.2
国史研究要以科学、敬谨的态度对待/陈奎元/当代中国史研究/2007.6
国史研究理论与方法的思考/邹兆辰/当代中国史研究/2001.3
国外当代中国史研究的概况与评析/张注洪/当代中国史研究/2007.1
国企改革理论的重大进展——关于"使股份制成为公有制主要实现形式"的讨论综述/郭克莎/新视野/2004.3
国有商业银行股份制改革的回顾与思考/赵鹏/学术界/2008.1
国际关系的演化变迁与中印"兄弟"情谊的大起大落/尚劝余/史学集刊/2007.4
国际体系和中国国际定位的历史性变化/陈启懋/国际问题研究/2006.6
国际资本流动与我国经济增长:1984—2005/宋勃/湖南科技大学学报·社科版/2007.2
我国现代化与西部大开发学术讨论会综述/陈廷湘/中共党史研究/2001.1
国家干部援藏政策初探及实施若干问题研究/张涛/西藏发展论坛/2007.3
国家灾害救助标准的历史沿革/来红州/中国减灾/2007.11
国家社科基金项目的学科与地区分布研究/凤元杰、范全青/学术界/2005.3
国情调研与国史理论建设/宋月红/当代中国史研究/2008.3
国策到国法——中国计划生育历程回顾/侯亚非/新视野/2004.3
图书馆开展口述历史工作的意义及其方法/刘晓莉/图书馆论坛/2005.4
学术史视角下的当代中国史研究/耿化敏/教学与研究/2006.7
宗教社会学田野调查的几点认识/王再兴/四川师范大学学报/2006.3
建立全民族的中国史学史/汪受宽/兰州大学学报·社科版/2007.1
建国50年中国经济社会的发展及在国际比较中的优势和差距/朱庆芳/当代中国史研究/1999.5
建国以来中长期科技规划的理念探索/陈正洪/自然辩证法研究/2007.8
建国以来中央诸办事小组考述/方海兴/前沿/2008.7
建国以来中国共产党改进治国方式的历史考察/祝彦/党史研究与教学/2006.4
建国以来中国共产党的纪念活动探析/胡国胜/党史研究与教学/2008.1

建国以来中国经济和社会发展的国际比较/吕书正/中共党史研究/2000.5
建国以来区域经济发展战略布局的历史演进及其特点/高伯文/当代中国史研究/1998.3
建国以来主流意识形态的变迁及启示/张娟/求实/2006.6
建国以来对非公有制经济的认识及政策变化/赵美玲/历史教学/1998.11
建国以来民族干部工作的回顾与思考/李建辉/当代中国史研究/1996.4
建国以来关于"整理国故"问题的研究综述/王存奎/徐州师范大学学报·哲学社会科学版/2008.2
建国以来军队建设的思路转换及其历史经验/胡长水/中共党史研究/1996.1
建国以来农业剩余劳动力转移的历史进程和特点/陈廷煊/当代中国史研究/1996.1
建国以来农民非农化进程的历史考察/漆向东/江西社会科学/2007.3
建国以来因私普通护照版本变化的回顾与思考/梁治寇/当代中国史研究/2001.6
建国以来我国义务教育阶段体育课程改革的评述/张艳花/山西师大体育学院学报/2008.S2
建国以来我国社会运行激励机制的演变/谭桂娟/山西高等学校社会科学学报/2006.10
建国以来我国国防战略的四次重大调整/叶晖南/当代中国史研究/1999.3
建国以来我国思想观念变革的价值及所反映出的基本特点/蒋菊琴/社会科学战线/2003.6
建国以来我国科技政策分析/李婕/理论界/2007.8
建国以来我国党政关系的历史考察与反思/支娜娜、于颖/理论界/2006.4
建国以来我国高等教育管理体制改革演变论略/李庆刚/当代中国史研究/2001.3
建国以来我国蝗灾防治工作的历史考察/高冬梅/河北师范大学学报·哲学社会科学版/2005.1
建国以来我党对中国现代化发展战略的探索与实践/杨琰华/兰州学刊/2003.3
建国以来社会动员制度的变迁/夏少琼/唯实/2006.2
建国以来社会经济发展水平的综合评价/朱庆芳/当代中国史研究/1998.6
建国以来国家与社会关系的嬗变历程剖析/文红玉/党政干部论坛/2005.9
建国以来的几次乡镇规模调整/乡镇论坛/2002.10
建国以来经济社会发展战略比较研究/刘明定/喀什师范学院学报/2006.1
建国以来若干军事战略方针探析/胡哲峰/当代中国史研究/2000.4
建国以来党和国家领导制度的历史考察/李诸平/攀登/2006.6
建国以来党的知识分子政策的曲折历程/周艳丽/重庆邮电学院学报·社会科学版/2004.5
建国以来党群关系的回顾与思考/赵士红/党史文苑/2005.18
建国以来淮河流域水患灾害及其治理/于文善、胡亚魁/党史研究与教学/2005.6
建国后人民解放军大军区沿革(上、下)/徐平/军事史林/2004.5、6
建国后人民解放军的10次大裁军/刘炳峰/党史博览/2004.9
建国后工资制度的建立及其沿革/张薇/贵阳文史/2008.5
建国后中国共产党的知识分子政策探析/李铁/新疆石油教育学院学报/2005.3
建国后中国国家与社会关系研究综述/朱春雷/广州社会主义学院学报/2007.1
建国后历史学理论学术论辩之主要辩题/杨舒眉/兰州学刊/2008.1
建国后党对知识分子阶级属性认定的艰辛历程/徐庆全/湘潮/2007.5
昂首阔步的55年/宗寒/中华魂/2004.10
构建与开拓:改革开放以来的中国地方史研究/杨军/史学集刊/2008.5
构建中国特色、中国风格和中国气派的中国口述史学——关于口述史料与口述史学的若干问题/周新国/当代中国史研究/2004.4
构建我国集体土地产权制度的基本思路/李建功/经济社会体制比较/2002.5
构筑相互信任长期稳定的友好关系——纪念中日邦交正常化25周年/吕乃澄/外交学院学

报/1997.3

治学要特别重视第一手材料——论档案和档案的作用/于光远/学术界/2006.1

沿海地区产业转移与欠发达地区农村劳动力模式的演变——以珠江三角洲为例/彭连清/当代经济研究/2007.5

法国学术界对当代中国政治研究综述/齐建华/中国政治/2006.7

浅论20世纪90年代中国大众文艺的勃兴/李明军、葛鑫/内蒙古民族大学学报·社科版/2005.4

浅论江泽民同志优先发展教育的思想/王小拉/毛泽东思想研究/2004.5

浅析中国不同历史时期消费结构的形成/黄莹/哈尔滨商业大学学报·社科版/2008.1

浅析中国竞技体育的发展史及发展方向/杨钊/科技创新导报/2008.22

浅析有关"韬光养晦"战略的争论/赵晓春/中国外交/2007.1

浅析我国劳动力价值的决定、实现及其特点/田本国/经济体制改革/1996.5

浅析我国经济转型期的收入分配特征/刘富华/商业时代/2006.11

浅析新中国成立以来党对私有制的政策及认识/尹业香/党史研究与教学/1999.5

浅析新中国成立后政府改革的制度变迁/王民祥/今日南国·理论版/2008.10

浅析新时期以来农民流动的成因/赵南南、李全喜/安徽农业科学/2009.4

浅析新时期军队建设指导思想的战略性转变/谢国钧/当代中国史研究/1996.6

浅述江泽民同志对邓小平生态环境建设思想的继承和发展/蔡孝恒/毛泽东思想研究/2006.5

浅谈中国现代高等教育发展模式转换及教育理念发展/郭蕾/黑龙江科技信息/2008.19

浅谈历史学的人类学转向:历史人类学/刘瑞/重庆科技学院学报·社科版/2008.9

浅释中国地区收入差距:1952—2002/董先安/经济研究/2004.9

环境史与历史新思维/袁立峰/首都师范大学学报·社科版/2007.5

现代口述史的兴起与研究述要/李宝梁/社科纵横/2007.7

现代大学制度发展的若干特点分析/胡钦晓/现代大学教育/2005.3

现代化背景下的民族认同与民族关系——以海南三亚凤凰镇回族为例/孙九霞/民族研究/2004.3

现当代史教学应贯彻"三个代表"重要思想/章翊中/江西科技师范学院学报/2003.5

知识经济与江泽民同志高科技产业化思想/杨名刚/毛泽东思想研究/2004.3

知青上山下乡与民工潮之比较研究/宋燕华/法制与社会/2009.4

经济全球化与中国国防经济安全/王贵明/军事经济研究/2008.6

经贸与移民互动:东南亚与中国关系的新发展——兼论近20年中国人移民东南亚的原因/庄国土/当代亚太/2008.2

试论"学术自由"在我国的发展历程/刘英/山西煤炭管理干部学院学报/2008.3

试论口述史研究的分类/陈旭清/晋阳学刊/2008.2

试论小泉政府对华政策给中日关系造成的影响/张历历/国际论坛/2006.1

试论中国外交中的负责任行为/储新宇/理论前沿/2006.23

试论中国共产党的发展价值观/李斌雄、李平贵/武汉大学学报/2007.1

试论中国当代社会史的研究对象和研究内容/张世飞/贵州社会科学/2008.5

试论中国国际战略理念的转型/汤光鸿/世界经济与政治/2003.1

试论全方位发展的中国与中亚国家关系/石泽/国际论坛/2006.2

试论当代中国婚姻家庭伦理关系的新变化/周立梅/青海师范大学学报·哲社版/2006.5

试论江泽民对马克思主义文化思想的坚持与发展/张远新/毛泽东思想研究/2006.2

试论江泽民的"三农"思想/王骏/党的文献/2003.5

试论我国区域经济的协调发展/王园林/现代经济/2005.3

试论我国实施五年计划的历史经验/武力/中共党史研究/2006.6
试论我国城镇居民体育生活及其方式/李仕丰/福州大学学报/2008.2
试论建国以来军队精简整编的历史经验/刘随清/当代中国史研究/1998.4
试论澳门回归及其世纪性意义/钱宗范/广西右江民族师专学报/2000.1
试析“以问题为中心”的国史分期理论/张世飞/当代中国史研究/2008.3
试析1992年以来经济体制改革的特点/张神根/当代中国史研究/2001.5
试析中央财政与地方财政关系的发展与演进/关晓丽、孙德超/天津社会科学/2008.3
试析中共历代领导人对台政策的基本思路/谢雪屏/湖北省社会主义学院学报/2008.4
试析中国政治体制改革的任务、经验及目标模式/吕嘉、刘永海/北京行政学院学报/2005.3
试析我国社会主义经济体制的历史变革/杨素明/党的文献/1999.6
试析改革开放对中国体育事业的影响/罗美娟、张俊忠/黑龙江科技信息/2008.19
试析近年来中国领事保护机制的新发展/夏莉萍/国际论坛/2005.3
试析影响中英关于香港问题谈判的因素/吴勇、边春梅/社会科学论坛/2005.10
试述建国以来乡村民主化的坎坷历程/季丽新/世纪桥/2000.3
贫困地区发展农村社会主义市场经济的思考/代鹏、周延明/经济体制改革/1994.1
转轨过程中的最终费用结算与绩效评价/吕炜/中国社会科学/2005.1
转型中的中国社会救助制度之发展/王思斌/文史哲/2007.1
转型时期成人教育发展思考/申秀清/社会科学研究/2006.2
转型期中国竞技体育管理体制与运行机制构建研究/陈少坚/东南学术/2006.4
转型期我国收入分配制度变迁的回顾与思考/刘新萍、李锦峰/理论学刊/2007.12
钓鱼岛问题的现状与中日关系/石家铸/毛泽东邓小平理论研究/2004.4
青海民族传统体育文化渊流及演进中几个问题的探讨/方协邦/北京体育大学学报/2009.1
青藏铁路——50年的故事/向以华/党史天地/2004.3
非物质文化遗产保护视野中的口述档案/吕鸿/甘肃社会科学/2008.3
非洲新形势与中非关系/王莺莺/国际问题研究/2004.2
俄罗斯对中华人民共和国史的研究/当代中国研究所赴俄访问团/当代中国史研究/2004.1
俄罗斯亚太战略及对中俄合作的意义/宋魁/当代亚太/2007.1
俄罗斯的强国外交与中俄关系/左凤荣/中共中央党校学报/2008.3
俄罗斯科学院远东所第二十八届“改革开放时期中国国内政治进程”学术研讨会述要/孙艳玲编译/中共党史研究/2003.6
养老金基金的投资及管理——国内理论研讨与实践综述/李绍光/经济社会体制比较/2001.1
南方谈话十年来民主政治参与的有序发展与社会政治稳定/俞歌春/中共党史研究/2003.2
南方谈话与中国共产党的理论创新/陈瑞泉/马克思主义与现实/2004.5
城市土地制度的改革与优化/刘美平/当代经济研究/2002.10
城市少数民族权益保障研究综述/汪霞/民族问题研究/2006.11
城市新型社区居民自治组织的实证研究/夏建中/学海/2005.4
城郊农民集体维权行动的缘起、方式与机理分析/李一平/中共中央党校学报/2005.3
宪政视野下的中国立法模式变迁——从“变革性立法”走向“自治性立法”/秦前红/中国法学/2005.3
思想史家眼中之艺术史——读2000年以来出版的若干艺术史著作和译著有感/葛兆光/清华大学学报·哲社版/2006.5
思路的四次转变——怎样建设社会主义的历史考察/薛汉伟/中国特色社会主义研究/2004.2

总结十一届三中全会以来的历史经验必须坚持的几个原则/张全景/当代中国史研究/2008.6

战后五十年日本人的中国观念——纪念中日邦交正常化25周年/日本研究/1997.3

按照“三个代表”要求开展国史研究/当代中国研究所理论学习中心组/当代中国史研究/2002.5

挑战·应对·构建——中国多边外交探析/刘青建/思想理论教育导刊/2005.9

政治与经济失衡的中日关系演进/莽景石/日本学论坛/2005.3

政治协商会议组织演变述论/秦立海/党史研究与教学/2006.4

政治体制改革是社会主义政治制度的自我完善和发展/王一程/政治学研究/2006.2

政治—社会史:深化史学研究的新路径/徐永志、郑维宽/史学月刊/2007.1

研究国史的几个方法问题/张启华/当代中国史研究/1995.3

祖国大陆对台贸易逆差的现状与特点/周方/台湾周刊/2004.16

科技进步对经济增长的贡献分析——基于我国东、中、西部地区的实证研究/唐德祥等/工业技术经济/2009.1

科学发展观、可持续发展观与生态经济学的方法论特征——略评1978年以来中国经济发展模式/李超/经济师/2007.3

科学史中“内史”与“外史”划分的消解——从科学知识社会学的立场看/刘兵、章梅芳/清华大学学报·哲学社会科学版/2006.1

科学总结和认识改革开放伟大历史进程/奚广庆/今日中国论坛/2008.1

统一战线理论和实践问题研究成果综述/庄聪生/中国政治/2006.3

美国在台湾问题中的政策变迁与角色演化/李因才/延安大学学报·社科版/2008.2

美国国会涉华联线体制分析——以西藏问题为中心/张植荣/美国研究/2007.2

美国国防转型对中国安全环境的影响/周建明/复旦学报·社会科学版/2005.3

美国学者的中国妇女史研究——美国加州大学圣克鲁分校历史学教授贺萧访谈录/曹晋等/中国现代史/2006.6

胡绳晚年对新民主主义与过渡时期总路线的思考拾零/林蕴晖/历史研究/2002.3

轻工集体经济改革开放20年的回顾与思考/季龙/当代中国史研究/1999.3

重大公共事件中社会保障的和谐稳定作用:以“非典”事件中社会保障的支持作用为实例/周慧文/生产力研究/2005.7

重温汪辜会谈/金绮寅/黄埔/2007.4

重新审视“史料”的定义问题/张连生/河北学刊/2007.2

首脑外交视角下的中美关系——基于冷战后中美元首间外交的实证研究/张磊/国际观察/2007.1

香港回归要事录/杨天模/铁道知识/1997.4

党史与国史:在怎样的意义上应有区别?/李向前/当代中国史研究/2001.3

党的十一届三中全会以来我国民族理论研究的状况回顾/宋全/当代中国史研究/1998.6

党的三代领导核心关于西藏工作的重要论述与决策回顾/李养第/当代中国史研究/2001.4

党的三代领导集体区域经济思想探析/温晓明/经济体制改革/2001.6

党的三代领导集体对共同富裕思想的探索与创新/李汝德/当代世界与社会主义/2004.2

党的代表大会常任制的发展脉络及其启示/颜杰峰/江淮论坛/2006.4

党的先进性建设和多党合作制度的巩固和发展/李燕奇/北京行政学院学报/2007.1

党的第三代中央领导集体关于西部大开发的战略决策述略/伊胜利/党的文献/2001.5

党的第三代领导集体关于宗教理论的创新/佟宝山/中南民族大学学报·人社版/2008.1

家庭承包制下的农地制度比较分析/杨德才、朱奎/当代经济研究/2003.8

恩格斯的历史认识论——兼论唯物史观是世界观、认识论、方法论、知识论的统一/李杰/史学理论

研究/2007.12

校史编研：当代史研究的一个新领域/王杰/当代中国史研究/2004.4

浙江农村工业化的发展与启示/黄祖辉、朱允卫/中国经济史研究/2006.2

浙江城市化研究的回顾与展望/钱陈、史晋川/浙江社会科学/2006.5

海外中国公民安全状况分析/夏丽萍/国际论坛/2006.1

海外华商投资中国大陆：阶段性特征与发展趋势/龙登高、赵亮、丁骞/华人华侨历史研究/2008.2

海峡两岸经贸关系发展与台湾经济结构调整/陈其林、韩晓婷/厦门大学学报·哲社版/2004.3

海峡两岸政策演变的历史考察/王争印/山西青年管理干部学院学报/2005.2

海洋思维下的中国与亚洲关系/庞中英/世界知识/2004.20

真理、规律与历史研究——兼论历史是科学还是艺术之争/庞卓恒/江海学刊/2008.2

素质教育的历史脉络与未来取向——兼论新中国教育目的之演进/程天君/教育理论与实践/2007.21

谈谈国史研究中的党性和立场问题/张启华/当代中国史研究/2007.6

谈谈经济史研究方法问题/吴承明/中国经济史研究/2005.1

资本市场化与经济发展——中国改革的经验：1980—2003/王汝芳、王健/中国流通经济/2008.7

透析中国国防费国防经济研究/卫和/人民日报/2009.3.7

透视历史与现实：台湾问题与中美俄三边关系/王新/史林/2006.3

高扬唯物史观理论旗帜的20年/于沛/史学理论研究/2007.1

高投资、宏观成本与经济增长的持续性/经济增长前沿课题组/中国社会科学文摘/2006.1

高校中国当代史教学散论/王玉贵/历史教学问题/2007.5

高等教育公平的历史轨迹——云南大学近五十年不同社会阶层子女接受高等教育机会探析/张建新/清华大学教育研究/2008.6

唯物史观及其创新的"中国经验"/张曙光/哲学研究/2008.9

唯物史观及其指引的历史学的科学品格/庞卓恒等/历史研究/2008.1

唯物史观史学方法论的中国化问题/李杰/史学理论研究/2006.3

唯物史观的历史规律学说再思考/侯树栋/社会科学/2005.9

唯物史观是发展的理论/王和/史学集刊/2006.1

唯物史观派史学的学术重塑/王学典/历史研究/2007.1

基于"中国近现代史纲要"课程改革的思考/韩晓华/浙江工业大学学报·社会科学版/2008.4

基于性别平等的少数民族农村留守妇女教育救助——以广西上林县农村留守妇女教育救助调查为例/黄约/浙江学刊/2009.1

婚检制度改革的背景、缺陷及完善/王怀章、朱晓燕/云南大学学报·法学版/2005.2

探索和开创富国与强军统一之路/张星星/中国社会科学院院报/2008.3.25

探索国史编撰体例上迈出的可喜一步/杨文利/博览群书/2008.6

深入研究和把握改革的历史经验与历史启示录/赵凌云/教学与研究/2006.7

深化区域史研究的一点思考/李文海/安徽大学学报·哲社版/2007.3

深化新中国历史研究/陈述/理论视野/2009.2

略论20世纪中国的经济保守主义思潮及其对当前经济现代化的启示/何爱国/学习与实践/2006.4

略论中国民族政策体系/李建辉/当代中国史研究/1997.5

略论中国现代文学史分期诸问题/冯济平/东南学术/2007.1

略论历史研究与现实问题的关系/肖庆华/兵团党校学报/2008.3

略论我国农村土地制度变革的进程/王妮利/学术界/2007.6

略论国家商业银行信用政策的演变/赵学军、吴俊丽/中国经济史研究/2006.4
盛世危言:江泽民忧患意识论析/魏继昆/党的文献/2003.2
第三代中央领导集体的农业发展战略思想/韩广富/当代经济研究/2002.8
第三次台海危机:台湾的“军事反攻”与美国政府的政策/余子道/军事历史研究/2006.1
银行破产法理论诞生的背景考察/吴敏/学术界/2006.2
博鳌亚洲论坛的成立与四次大会/陈锦华/中共党史资料/2005.2
尊重自然改善生态发展经济——我国防沙治沙综述/刘毅/生态环境与保护/2006.9
朝鲜族农村文化建设的特殊性/朴今海/民族问题研究/2007.2
森林卫士——武警森林部队的战斗历程和发展沿革/孙辉、王进举/军事历史/2006.8
港台关系:十年回顾与未来展望/邢魁山/黄埔/2007.4
港台学者对中国大陆经济改革若干重大问题研究述略/周云/当代中国史研究/2007.3
税费改革对国家与农民关系之影响/周飞舟/社会/2006.3
粤港澳经济区的几个理论问题/施汉荣/广东社会科学/2004.6
葛洲坝水利枢纽工程兴建始末/刘大中/湖北文史/2004.1
超时加班与就业困难——1991—2005 年中国经济就业弹性下降分析/程连升/中国经济史研究/2006.4
超越决定论:改革开放以来马克思主义历史观的重大变革/陈峰/东岳论丛/2009.1
越南—中国关系正常化 15 年来的回顾与展望/杜进森/东南亚纵横/2007.2
韩国毛泽东思想研究述评/李泰/毛泽东思想研究/2006.4
黑龙江贫困地区农民科技文化素质状况的调查研究/李志/理论探讨/2006.1
新乡村建设思想史脉络浅议/王景新/广西民族大学学报·哲社版/2007.2
新中国“两弹一星”的研制及其对国防科技发展的启示/肖学祥、张伟/国防科技/2006.10
新中国 45 年:爱国·反霸·社会主义/金隆德/当代中国史研究/1995.1
新中国 50 多年来宅基地立法的历史沿革/姜爱林、陈海秋/理论学刊/2007.12
新中国 50 年所有制结构的变迁/刘国光、董志凯/当代中国史研究/1999.5
新中国人口政策的形成/汤兆云/钟山风雨/2009.1
新中国人口统计走过 55 年/冯乃林/数据/2008.9
新中国人权立法的回顾与前瞻/王广辉/郑州大学学报·哲社版/2007.6
新中国三代基础教育课程改革的教学观审视/孙艳/内蒙古师范大学学报·教科版/2008.12
新中国三代领导核心的国防科技思想探析/段进东/毛泽东邓小平理论研究/2004.9
新中国中小学教师职后教育内容的历史嬗变/董江华、阎青/兵团教育学院学报/2008.3
新中国五十年大事记要(1949—1999 年)/江同宗/统计与信息/1999.3
新中国五十年的历史发展/石仲泉/中共党史研究/1999.4
新中国区际粮食流通的三次变化及其原因分析/瞿商、苏少之/当代中国史研究/2003.2
新中国区域协调发展管理体制变迁/袁朱/宏观经济管理/2009.1
新中国历次教育方针变革及评论/蒋华/四川师范大学学报·社科版/2007.3
新中国反腐斗争的历史回顾/张志才/党史纵览/2002.9
新中国外债研究的几个问题/金普森/浙江大学学报·人文社科版/2005.5
新中国农业保险的历史演变/罗艳/北京党史/2008.4
新中国农地政策的历史嬗变及逻辑启示/李岳云/南京农业大学学报·社会科学版/2004.1
新中国农村体育发展历程/夏成前、田雨普/体育科学/2007.10
新中国妇女运动的历史与现状/李正华/当代中国史研究/1996.6

新中国成人教育公平问题的历史发展/晋银峰/成人教育/2007.10

新中国成立以来中国共产党三代中央领导人处理新疆问题的历史启示/刘江海/新疆社会科学/2002.6

新中国成立以来中国共产党城乡政策的历史演变/张新华/历史教学问题/2007.3

新中国成立以来发展观与发展模式的历史互动/赵凌云、张连辉/当代中国史研究/2005.1

新中国成立以来江浙两省行政区划沿革/郑定铨/经济研究参考/2007.51

新中国成立以来党政关系的历史演变及启示/刘琳/马克思主义研究/2005.3

新中国成立以来焦作地区水利建设的成败得失/田清春/焦作师范高等专科学校学报/2008.2

新中国成立后历史考证学的新境界/陈其泰/当代中国史研究/2003.5

新中国行业体育协会的历史变迁/曹继红、孟亚南/体育学刊/2008.5

新中国社会主义卫生事业和防疫体系的创立与发展/胡克夫/当代中国史研究/2003.5

新中国社会主义法治进程回眸/何峻/党的文献/1999.5

新中国社会阶层分析/刘晓林/观察与思考/2004.18

新中国国防现代化与经济现代化互动论析/张广宇、韩文琦/军事历史研究/2008.3

新中国建立以来民族关系历史记忆建构的反思/陈玉屏/西南民族大学学报·人社版/2007.6

新中国的农业合作化与农村工业化/王玉玲/当代中国史研究/2007.2

新中国的庆典活动与礼宾改革/欧阳凡/纵横/1997.6

新中国经济建设历程的回顾与联想/陈东林/当代中国史研究/2009.1

新中国城乡关系的经济基础与城市化问题研究/崔晓黎/中国经济史研究/1997.4

新中国宪法50年/肖蔚云/求是/2004.18

新中国面对国际救援46年/王硕、张旭/廉政瞭望/2008.6

新中国党的经济理论和思想发展的回顾与评析/卫兴华/当代中国史研究/2003.1

新中国海洋防卫思想史话之积极的近海防御——第二代海洋防卫思想/刘忠民、桑红/海洋世界/2007.2

新中国盐业管理体制50年回眸/程龙刚/盐业史研究/2000.1

新中国监察制度的演变与特色/单民、薛伟宏/法学杂志/2008.1

新历史使命呼唤历史学科大发展/张宏毅/史学理论研究/2008.1

新世纪以来中国村民自治发展的走向/徐勇/学习与探索/2005.4

新世纪以来的中古关系/毛相麟、刘维广/当代世界/2009.1

新世纪凉山州彝族贫困地区扶贫问题研究——以喜德县为例/王卓/社会科学研究/2006.2

新农村建设、城镇化进程与流动人口问题——我国"三农"问题的双重视野、双向效应和双轨路径/潘捷军/浙江师范大学学报·社科版/2007.1

新机制·新希望·新问题——农村义务教育财政政策回顾与展望/袁桂林/人民教育/2006.10

新时期人口政策思考/蒋正华/中国人口科学/2006.6

新时期乡土文学叙事:从个体历史到家族史/皇甫风平/武汉科技大学学报·社科版/2008.5

新时期乡镇政权体制改革问题探析/王宏波/生产力研究/2007.9

新时期大学组织特性研究/谷建春/学术界/2008.3

新时期工人阶级构成变化与利益关系调整/孙居涛、田杨群/社会主义研究/2004.2

新时期马克思主义中国化的世界历史眼光/余源培、沈玉梅/毛泽东邓小平理论研究/2008.12

新时期中国乡村基层建制的变化及其特点/李正华/天津行政学院学报/2006.4

新时期中国共产党发展理念的飞跃/吴佩芬/广西社会科学/2007.8

新时期中国共产党国际战略与中国现代化建设/王真/党的文献/1999.4

新时期中国制度创新的思考/周清/沈阳干部学刊/2005.5

新时期中国的外交思想和外交政策/朱达成/当代世界/2008.1

新时期中国的睦邻外交政策/刘清才/国际观察/2005.5

新时期历史认识论和方法论研究的成就/张剑平/河北学刊/2007.1

新时期反腐败斗争的历程和基本经验/罗忠敏/当代中国史研究/1999.3

新时期少数民族地区政治文化建设/谭卫国/湖北师范学院学报·哲社版/2009.1

新时期文学生成的时代文化语境/房福贤/山东师范大学学报·人文社科版/2006.5

新时期东南亚华人工作研究/廖小健/广州社会主义学院学报/2008.1

新时期以来中国马克思主义史学的新发展/张越/天津社会科学/2007.4

新时期以来国内"改革和完善党的领导体制"研究综述/杨德山/教学与研究/2006.7

新时期史学主体性问题研究的理论缘起/朱玉票/巢湖学院学报/2007.5

新时期民族文化工作的几个问题/丹珠昂奔/西南民族大学学报·人社版/2008.1

新时期边疆城镇体系构建和口岸小城镇发展/杜宏茹等/人文地理/2005.3

新时期军事战略理论创新与发展的几点思考/曹若天/国防科技/2007.6

新时期农村民间组织生长机制研究——基于张高村民间组织建设实验观察/楚成亚、陈恒彬/东南学术/2007.1

新时期农村社区体育发展模式的研究/但艳芳/体育世界·学术版/2008.4

新时期农村爱国卫生运动可持续发展策略的思考/史明丽/中国初级卫生保健/2007.3

新时期执政党建设的历史进程与基本经验/王先俊/当代中国史研究/1999.3

新时期我国与大国的经济关系/赵晋平/对外贸易实务/2008.2

新时期我国史学理论研究的嬗变/张耕华/探索与争鸣/2008.10

新时期我国农村建设的基本经验回顾/张富良/中国特色社会主义研究/2006.3

新时期我国高增长行业的产业政策分析/周叔莲/中国工业经济/2008.9

新时期国防科技工业的改革与发展/张庆伟/求是/2008.3

新时期建立农田水利建设新机制的探讨/赵军、张乃军/中国农村水利水电/2007.1

新时期环境文学解读/张卓/社会科学战线/2006.1

新时期的中日关系:从思考走向构建/崔立如等/现代国际关系/2007.10

新时期青海蒙古族传统与政治价值观的调查与分析/韩官却加/青海民族研究/2006.3

新时期城市农民工体育发展的若干模式探讨/潘政彬/体育科技文献通报/2009.2

新时期城镇集体经济发展中的若干问题及其成因分析/李正华、赵秀芝/当代中国史研究/1998.1

新时期统一战线民族制度的结构分析/王良云/毛泽东思想研究/2008.4

新时期党的创建研究述评/邵维正/党的文献/2001.1

新时期党的教育方针发展变化述评/王先俊/中共党史研究/2003.5

新时期留守子女的教育与管理/陈斌/江西教育/2009.Z1

新时期最鲜明的特点是改革开放——唯物史观视野的认知和展望/余源培/探索与争鸣/2008.4

新时期税收制度的改革与发展/胡军/当代中国史研究/1996.4

新疆民族发展报告:2000—2005年/李建生/新疆师范大学学报·哲社版/2006.3

新疆生产建设兵团和新疆军区隶属关系考/岳廷俊/石河子大学学报·哲学社会科学版/2007.2

新疆哈萨克族人物质生活及民俗文化变迁的探讨——以伊犁霍城县萨尔布拉克乡的调查为例/冯瑞、艾买提/西北民族大学学报·哲社版/2008.3

新疆霍尔果斯口岸贸易史研究(1983—2000年)/任冰心/新疆大学学报·哲社版/2007.3

简论我国农村义务教育公共财政制度的建立和完善/陶红/中共中央党校学报/2006.2

粮食价格管制、制度安排与农民出路/杨君/经济体制改革/2001.6

粮食供求波动的轨迹、走势及其平抑措施/肖国安、王文涛/湖南科技大学学报·社会科学版/2005.3

粮食流通体制改革:政策演变及其绩效分析/郑有贵/当代中国史研究/1998.4

解放军步兵的四大跨越/牛俊峰/环球军事/2008.5

解析中国和平发展的环境与资源问题/杨朝飞/中共中央党校学报/2005.1

解析中美贸易摩擦的特有性/王亚非/当代世界/2008.1

解析当代中国军人退役安置制度面临的矛盾/罗平飞/理论前沿/2005.24

解析社区服务发展不平衡的一个理论分析框架/孙双琴/北京行政学院学报/2007.1

跨越两个时期三个阶段的中日关系/王少普/日本研究/1997.3

暧昧时代的历史镜像——对90年代以来大众历史文化现象的考察/姚爱斌/粤海风/2005.6

精英高等教育与大众高等教育:两个体系的解读/邹晓平/高等教育研究/2005.7

缩小差距——中国教育政策的重大命题/课题组/北京师范大学学报/2005.3

增进睦邻友好　扩大互利合作——纪念中俄建交55周年/李辉/求是/2004.20

墨西哥的中国问题研究述评/王爱云、谢文泽/中国现代史/2006.5

影响三代领导核心科技决策的深层次因素探析/杨名刚/广东社会科学/2006.3

影响中日关系发展的深层原因解析/黄大慧/日本学论坛/2005.4

影响中罗关系曲折发展的若干因素/刘勇/当代中国史研究/2003.4

德国的中国文化大革命研究/李长山/当代中国史研究/2007.4

霍尔果斯口岸对外贸易发展演变及前景展望/竹效民/中共乌鲁木齐市委党校学报/2008.2

藏传佛教与社会主义社会相适应的历史考察/沈桂萍/中央社会主义学院学报/2008.6

警惕“加快城市化进程”的负面效应/王毓敏/经济师/2005.6

警惕在中国近现代史断限问题上的“理论陷阱”/朱佳木/高校理论战线/2008.10

二

著　作

“一国两制”:实践在澳门/杨允中著/澳门基本法推广协会/2002.3

“一国两制”与台湾/中华全国台湾同胞联谊会编/九州出版社/2005.3

“一国两制”与国家理论/陈道华主编/中共中央党校出版社/2002.1

“一国两制”与建设有中国特色社会主义/伍杰主编/青岛出版社/1993.7

“一国两制”与海峡两岸关系/张同新、何仲山主编/中国人民大学出版社/1998

“一国两制”的理论与实践/经济科学出版社/1998.12

“三个代表”与新时期党的建设/本书编写组编/中央文献出版社/2001

“三个代表”思想与民族工作/文精主编/民族出版社/2002

《一个中国的原则与台湾问题》白皮书及问答/国务院台湾事务办公室新闻局编/九洲图书出版社/2000

1976年以来的中国/汤应武著/经济日报出版社/1997

1979—2006中国金融大变革/李利明、曾人雄著/上海人民出版社/2007.9

1993—1994年中国:社会形势分析与预测/江流等主编/中国社会科学出版社/1994.1

1994—1995年中国:社会形势分析与预测/江流等主编/中国社会科学出版社/1995.1
1995—1997年中国宏观经济运行轨迹/国家统计局国民经济核算司编著/中国统计出版社/1998
1996年中国农村经济发展年度报告/中国社会科学院农村发展研究所、国家统计局农村社会经济调查总队著/中国社会科学出版社/1997
1999年中国发展状况与趋势/季野等主编/经济日报出版社/1999
2000中国发展报告/国家统计局编/中国统计出版社/2000
2000年中国的国防/中华人民共和国国务院新闻办公室编/新星出版社/2000.10
2001中国发展报告:中国的"九五"/国家统计局编/中国统计出版社/2001
2001年两岸关系研究报告/许世铨主编/九州出版社/2003
2002中国发展报告/中华人民共和国国家统计局编/中国统计出版社/2002
2002中国教育新闻大事记/中华人民共和国教育部新闻办公室编/中国人民大学出版社/2003.5
2002年中国的国防/中华人民共和国国务院新闻办公室编/新星出版社/2002
20世纪中国文艺思想史论:历史·思潮/葛红兵主编/上海大学出版社/2006.7
20世纪中国文艺思想史论:论争·文类/葛红兵主编/上海大学出版社/2006.7
20世纪中国艺术史(上下)/吕澎著/北京大学出版社/2007.2
20世纪的中国·体育卫生卷/汪智主编/甘肃人民出版社/2000
20世纪的中国高等教育/龚海泉等主编/高等教育出版社/2003
20年经济改革:回顾与展望/张卓元等主编/中国计划出版社/1998
21世纪中国外交战略/陈洁华著/时事出版社/2001.1
21世纪初期的中美日战略关系/刘建飞、林晓光著/中共中央党校出版社/2002
25年:1978—2002年中国大陆四分之一世纪巨变的民间观察/王安著/世界知识出版社/2003.9
90年代乡镇企业发展透视/丁永仁、万解秋主编/同济大学出版社/1993.10
'92中国发展报告/国家统计局编/中国统计出版社/1993.5
'92中国农村住户调查年鉴/国家统计局农村社会经济调查总队编/中国统计出版社/1993.1
'93中国发展报告/国家统计局编/中国统计出版社/1994.2
'94中国发展报告/国家统计局编/中国统计出版社/1994
'95中国发展报告/国家统计局编/中国统计出版社/1995
'96中国发展报告:中国的"八五"/国家统计局编/中国统计出版社/1996
'96中国发展报告/国家统计局编/中国统计出版社/1996
'97中国发展报告/国家统计局编/中国统计出版社/1997
'98中国发展报告/国家统计局编/中国统计出版社/1998
'99中国发展报告/国家统计局编/中国统计出版社/1999
一国两制与台湾/王长鱼主编/华文出版社/1996.12
一国两制论:一国两制的理论基础与实践意义/王新生等著/湖南人民出版社/1998.12
七十年法律要览/蓝全普著/法律出版社/1997.4
九十年代两岸关系/杨荣华主编/武汉出版社/1997.10
九十年代改革开放与经济发展/刘国光等著/湖南科学技术出版社/1993.1
九论社会主义和资本主义发展的历史进程/戴舟主编/红旗出版社/2001
二十一世纪的中国军事/苗晓平等编著;军事科学院战略部四室编著/党建读物出版社/2002.6
二十世纪中国文化思潮史/史炳军著/陕西人民出版社/2001
二十世纪中国的新闻学与传播学/徐培汀著/党建读物出版社/2002
二十世纪中国思想史/陈哲夫等著/山东人民出版社/2002

二十世纪中国科学技术史稿/杨德才、关铃、李庆祝、鲁宗智编著/武汉大学出版社/1998.3

人民日报社论选(1978.12—1998.10)/许中田主编/人民日报出版社/1998.12

人民军队法制建设八十年/丛文胜主编/军事科学出版社/2007.7

人民政协视察工作五十年/全国政协联络局编/中国文史出版社/2007.1

人权史话/郑杭生、谷春德主编/北京出版社/1994.4

入世后农业、农村、农民发展探索/石建社主编/中国财政经济出版社/2002.1

八十年代文化意识/甘阳主编/上海人民出版社/2006.7

八十年来中共党史研究/田子渝、曾成贵主编/湖北人民出版社/2001

十三届四中全会以来改革开放成就概览/陶传友、马继胜主编;本书编写组编/中央文献出版社/2002.11

十三届四中全会以来的成就与经验/李君如、郭德宏主编/中共中央党校出版社/2003.8

十五大后的中国经济/志远、三鼎编著/中国经济出版社/1998

十四大以来国有企业改革和发展大事纪要/中共中央文献研究室第四编研室编/中央文献出版社/1999.11

十四大以来宣传思想工作的理论与实践/中共中央宣传部政策法规研究室编/学习出版社/1997.4

十年观察:激荡中的台湾问题/许世铨著/九州出版社/2007.5

十年改革:中国科技政策/中华人民共和国科学技术委员会加拿大国际发展研究中心编/北京科学技术出版社/1998.6

三大突破:新中国走向世界的报告/柴成文等著/解放军出版社/1994.12

三中全会以来重大决策的形成和发展/中共中央文献研究室本书编写组编/中央文献出版社/1998.12

三代领导集体与统一战线/王文、董志铭、齐彪著/华文出版社/1999.9

三农问题与世纪反思/温铁军著/三联书店/2005.7

三农问题研究/许毅编著/经济科学出版社/2004.3

上海对外开放战略和政策/潘名山著/上海财经大学出版社/1999

卫海强军:新军事革命与中国海军/曲令泉、郭放编著/海潮出版社/2004.1

大国方略:科教兴国知识与创新(上、下卷)/陈红主编/中国物资出版社/1998.11

小城镇发展研究/陈光著/天津人民出版社/2000

工读教育史/夏秀荣、兰宏生主编/海南出版社/2000.10

广东五十年 1949—1999/广东省人民政府办公厅广东省统计局合编/中国统计出版社/1999.9

广东改革开放的实践与探索/黄慰慈主编/中共党史出版社/1993.12

广东高等教育发展史/张耀荣主编/广东高等教育出版社/2002

马克思列宁主义毛泽东思想邓小平理论“三个代表”重要思想基本原理教程/郑昌华主编/湖南教育出版社/2003

与时俱进的中国——从南方谈话到中共十六大/庞松、孙学敏著/中共党史出版社/2003

中小学教育史/卓晴君、李仲汉著/海南出版社/2000.9

中心城市综合改革论/林凌主编/经济科学出版社/1992.9

中日友好交流 30 年(1978—2008)(共三卷)/王新生等主编/社会科学文献出版社/2008.11

中日文化交流史大系(1—10)/王晓秋、大庭修等主编/浙江人民出版社/1996.11

中日关系史话/王建朗著/社会科学文献出版社/2000.9

中日关系——复交 30 周年的思考/金熙德著/世界知识出版社/2002

中外关系史研究/卢苇著/兰州大学出版社/2000

中央电视台的第一与变迁:1958—2003/唐世鼎主编/东方出版社/2003.8

中央第三代领导与少数民族/李德洙主编/中央民族大学出版社/1999.9

中共十一届三中全会以来大事记/张小平主编;人民出版社编辑部编/人民出版社/1998.11

中共十三届四中全会以来大事记/中共中央文献研究室编/中央文献出版社/2002.11

中共三代中央领导集体与新疆/朱培民、段良著/新疆人民出版社/2002

中共山东八十年简史/中共山东省委党史研究室编/中共党史出版社/2001

中共中央关于制定国民经济和社会发展第十个五年计划的建议/中央财经领导小组办公室主编/人民出版社/2000.10

中共中央机构沿革实录/邹锡明编/档案出版社/1998.10

中共党史纵横谈/吴家萃主编/贵州人民出版社/2001

中共党史重大事件述评/郭德宏、李玲玉主编/中共中央党校出版社/1998

中共党史新探索/郭德宏、姜士林主编/当代世界出版社/1997

中共湖南简史/王碧峰著/湖南人民出版社/2001

中华人民共和国/刘国新编著/中国青年出版社/1995.8

中华人民共和国 1949—1999 事典/李学昌主编/上海人民出版社/1999.9

中华人民共和国 36 位军事家/陈宇编著/上海文艺出版社/2002.7

中华人民共和国 50 年回顾与思考(上、下)/谢忱编著/新华出版社/1999.9

中华人民共和国 50 年成就大图典(上、下卷)/杨正泉主编/人民中国出版社/1999.11

中华人民共和国 50 年图集:1949—1999/方孔木、林谷良主编/上海人民出版社/1999.9

中华人民共和国 55 年要览:1949—2004/杨元华等主编/福建人民出版社/2006.1

中华人民共和国大事记(1949—2004)(上、下)/新华月报社编/人民出版社/2004.8

中华人民共和国大事记:1989—1994/徐进等主编/科学技术文献出版社/1995

中华人民共和国大事纪事本末/周华虎等主编/四川辞书出版社/1993.7

中华人民共和国大典/《中华人民共和大典》编委会编/中国经济出版社/1994.6

中华人民共和国广播电视简史:1949—2000/徐光春主编/中国广播电视出版社/2003.6

中华人民共和国专题史稿:卷五·世纪新篇(1990—2002)/郭德宏、王海光、韩钢主编/四川人民出版社/2004.4

中华人民共和国五十年大事记/高山等主编/山东人民出版社/1999

中华人民共和国历史纪实·大潮涌动:1990—1992/宇剑编/红旗出版社/1994.2

中华人民共和国历史知识问答/陈述主编/中共中央党校出版社/2004.10

中华人民共和国历史故事/国家教委基础教育司主编/中国少年儿童出版社/1994.1

中华人民共和国历史简编/陈述著/中共中央党校出版社/2004.10

中华人民共和国文化史/张顺清、李金山主编/黑龙江教育出版社/1992.6

中华人民共和国日史:1992/许嘉璐等主编/四川人民出版社/2003.8

中华人民共和国日史:1993/许嘉璐等主编/四川人民出版社/2003.8

中华人民共和国日史:1994/许嘉璐等主编/四川人民出版社/2003.8

中华人民共和国日史:1995/许嘉璐等主编/四川人民出版社/2003.8

中华人民共和国日史:1996/许嘉璐等主编/四川人民出版社/2003.8

中华人民共和国日史:1997/许嘉璐等主编/四川人民出版社/2003.8

中华人民共和国日史:1998/许嘉璐等主编/四川人民出版社/2003.8

中华人民共和国日史:1999/许嘉璐等主编/四川人民出版社/2003.8

中华人民共和国风云实录/苏东海、方孔木主编/河北人民出版社/1994.8

中华人民共和国主要事件人物/朱宗玉等主编/福建人民出版社/1994
中华人民共和国史(2版)/何沁主编/高等教育出版社/1999.9
中华人民共和国史/何沁主编/高等教育出版社/1997.7
中华人民共和国史/何理主编/中国档案出版社/1995
中华人民共和国史/励维志主编/高等教育出版社/2001.12
中华人民共和国史/吴本祥主编/高等教育出版社/1999
中华人民共和国史/陈显明主编/北京理工大学出版社/1993.12
中华人民共和国史/秦愉庆主编/陕西人民出版社/1994
中华人民共和国史·增订本/何理主编、高化民等撰写/中国档案出版社/1995.4
中华人民共和国史纲/朱宗玉等主编/福建人民出版社/1993.3
中华人民共和国史纲/张模超等主编/重庆大学出版社/1997
中华人民共和国史研究/焦春荣等主编/档案出版社/1989
中华人民共和国史简明教材/高平平主编/同济大学出版社/2005.9
中华人民共和国史简编/张启华等著/当代中国出版社/1997
中华人民共和国史稿/邓力群主编/当代中国出版社/1996
中华人民共和国民法史/何勤华、殷啸虎主编/复旦大学出版社/1999.12
中华人民共和国全纪录:1949.10—1999.7(1—5卷)/李罗力、张春雷主编/海天出版社/2000.1
中华人民共和国全国人民代表大会及其常务委员会大事记·1949—1993/全国人大常委会办公厅研究室编/法律出版社/1994.3
中华人民共和国军事院校教育发展史·武警卷/张广平主编/军事科学出版社/2005.8
中华人民共和国地质矿产史(1949—2000)/朱训、陈洲其主编/地质出版社/2003.8
中华人民共和国体育科技发展史/黄汉升主编/科学出版社/2002
中华人民共和国财政税收史论纲/赵梦涵编著/山东大学出版社/1993.12
中华人民共和国事典/陈明显、罗正楷主编/中国青年出版社/1994.9
中华人民共和国国史全鉴(1—15卷)/刘海藩主编;中共中央党校理论研究室编/中央文献出版社/2004.12
中华人民共和国国史全鉴:1949—1995(六卷)/本书编委会编/团结出版社/1996.4
中华人民共和国国史纪事/国际文化交流音像出版社/2004.1
中华人民共和国国家机构通览/程湘清主编/中国民主法制出版社/1998.11
中华人民共和国实录(1—5卷)/刘国新等主编/吉林人民出版社/1994.6
中华人民共和国法制史/杨一凡、陈寒枫主编/黑龙江人民出版社/1996.11
中华人民共和国法制通史(1949—1995)/韩延龙主编/中共中央党校出版社/1998.11
中华人民共和国经济大事辑要(1978—2001年)/白和金主编/中国计划出版社/2002.5
中华人民共和国经济发展全史(1—12卷)/王博主编/中国经济文献出版社/2006.10
中华人民共和国经济史/武力主编/中国经济出版社/1999.10
中华人民共和国经济史:1949—1952/吴承明、董志凯主编/中国财政经济出版社/2001.12
中华人民共和国经济建设简史:1949—1994/陈国权等主编/中国物资出版社/1995
中华人民共和国政务工作全书/汪玉凯主编/研究出版社/2001.6
中华人民共和国政治制度/浦兴祖主编/上海人民出版社/2005.2
中华人民共和国科技传播史/司有和主编/重庆出版社/2005.11
中华人民共和国党政军群领导人名录/本书编辑组编/中共党史出版社/1990.12
中华人民共和国通鉴/龙德等主编/学苑出版社/1994.5

中华人民共和国教育历史传统与基础/王炳照等主编/海南出版社/2000.8
中华人民共和国教育史纲/方晓东等主编/海南出版社/2002.3
中华人民共和国编年史/廖盖隆、庄浦明主编/河南人民出版社/2000
中华人民共和国新闻史/张涛著/经济日报出版社/1992.6
中华人民共和国简史(1949—2004)/金春明著/中共党史出版社/2004.10
中华人民共和国简史(1949—2007)/金春明著/中共党史出版社/2009.2
中华人民共和国简史/卜万平、陆水明主编/黄河出版社/1993
中华人民共和国简史/庞松、陈述著/上海人民出版社/1999.9
中华人民共和国跨世纪实用政策全书(上、中、下册)/中共中央政策研究室综合组编;张勤德主编/世界图书出版公司/1999.9
中华开放史/冯天瑜等著/湖北人民出版社/1996
中华腾飞论:毛泽东、邓小平、江泽民三代领导集体的理论创新/王东著/中国人民大学出版社/2001.11
中国民间组织30年——走向公民社会/王名主编/社会科学文献出版社/2008.12
中苏外交亲历记:首席俄语翻译的历史见证/李越然著/世界知识出版社/2001.8
中阿关系史/江淳、郭应德著/经济日报出版社/2001
中国/人民日报社编/人民出版社/1996.10
中国:新时期改革大思路/范恒山著/中国经济出版社/1996
中国"走出去"战略研究报告/肖勤福主编/中共中央党校出版社/2004.10
中国·1993·潮打"关"门/李道钧等编著/四川大学出版社/1993.1
中国20世纪文艺学学术史/杜书瀛、钱竞主编/上海文艺出版社/2001
中国20世纪后20年文学思潮/陈传才著/中国人民大学出版社/2001.4
中国人民大学中国社会发展研究报告/郑杭生主编/中国人民大学出版社/1998
中国人民大学社会发展报告/郑杭生主编/中国人民大学出版社/1996
中国人民银行五十年:中央银行制度的发展历程/戴相龙主编/中国金融出版社/1998.11
中国人民解放军(上、下)/张爱萍主编;当代中国丛书编辑部编辑/当代中国出版社/1994.3
中国人民解放军70年图集/中国军事博物馆编纂/上海人民出版社/1997.7
中国人民解放军史话/荣维木著/社会科学文献出版社/2000.9
中国人民解放军民主制度的理论与实践/陈舟著/军事科学出版社/1993.4
中国人民解放军全史·全十卷/军事历史研究部,军事图书馆等编著/军事科学出版社/2000.1
中国人民解放军军史上的第一/刘锡林编/解放军出版社/2000.12
中国人民解放军军事文化遗产/张云、张广宇、韩洪泉编著/上海大学出版社/2007.6
中国人民解放军的七十年(1927—1997)/军事科学院军事历史研究部著/军事科学出版社/1997.12
中国人民解放军组织工作大事记/总政治部组织部编/解放军出版社/2002
中国人民解放军组织沿革大事记/中国人民解放军历史资料丛书编委会编/解放军出版社/2002
中国人民解放军战史简编/国防大学《战史简编》编写组/解放军出版社/2002.1
中国人权发展五十年/中华人民共和国国务院新闻办公室发布/新星出版社/2000.2
中国人权建设/苏明主编/四川人民出版社/1994.8
中国三农问题:历史·现状·未来/荣兆梓、吴春梅主编/社会科学文献出版社/2005.10
中国乡村研究·第三辑/黄宗智主编/社会科学文献出版社/2005.6
中国乡镇经济发展探微/魏荣章著/中华工商联合出版社/1994
中国土地管理研究(上、下卷)/黄小虎主编/当代中国出版社/2006.11

中国土情/张凤荣编著/开明出版社/2000.12

中国农情/信乃诠、邓庆海编著/开明出版社/2002.1

中国大陆经济改革开放与发展研究/白玲著/内蒙古人民出版社/1998

中国大变化:1990—2003(1—4)/康健、晓韦、何建明主编/河南人民出版社/2003.8

中国大特区的十年变革/鲁兵、徐冰著/中共中央党校出版社/1998

中国大精简/王金年编著/济南出版社/1998

中国小额信贷十年/杜晓山等主编/社会科学文献出版社/2005.5

中国山情/姚昌恬主编/开明出版社/2003.1

中国工业五十年:新中国工业通鉴(1—20卷)/国家经济贸易委员会编/中国经济出版社/2000.1

中国工业化与"三农"问题研究/张彩丽著/人民出版社/2005.5

中国工业化进程报告:1995—2005年中国省域工业化水平评价与研究/陈佳贵等著/社会科学文献出版社/2007.7

中国工业发展报告·1996:从辉煌的"八五"走向更富挑战的世纪之交/中国社会科学院工业经济研究所编/经济管理出版社/1996

中国工业发展报告·1997:从数量扩张向提高素质转变/中国社会科学院工业经济研究所编/经济管理出版社/1997

中国工业发展报告·1998:制度创新、组织变迁与政策调整/中国社会科学院工业经济研究所编/经济管理出版社/1998

中国工业发展报告·2000:中国的新世纪战略:从工业大国走向工业强国/中国社会科学院工业经济研究所编/经济管理出版社/2000

中国工业发展报告·2001:经济全球化背景下的中国工业/中国社会科学院工业经济研究所编/经济管理出版社/2001

中国工业发展报告·2002:WTO规则下的企业和政府行为/中国社会科学院工业经济研究所编/经济管理出版社/2002

中国工业改革开放30年/吕政主编;中国社会科学院工业经济研究所编/经济管理出版社/2008

中国工业现代化问题研究/陈佳贵等著/中国社会科学出版社/2004.9

中国工业科技发展战略研究/蔡永生著/中国劳动出版社/1998.4

中国工程兵传奇/谭克明著/黄河出版社/1999

中国广播电视史初论/艾红红著/山东大学出版社/2002

中国与世界:和平发展的理论和实践/梁守德、李义虎主编/世界知识出版社/2008.5

中国与东盟国家关系/刘少华著/湖南人民出版社/2001

中国与朝鲜半岛关系史论/杨军、王秋彬著/社会科学文献出版社/2006.8

中国互联网发展报告·2002/中国互联网协会,中国互联网络信息中心编/人民邮电出版社/2003

中国少数民族和民族地区九十年代发展战略探讨/赵延年主编/中国社会科学出版社/1993.4

中国少数民族哲学·宗教·儒学/肖万源、张克武、伍雄武主编/当代中国出版社/1995.12

中国少数民族新闻传播史/白润生主编/民族出版社/2008.4

中国开放经济论/王伟民等编著/中山大学出版社/1991.8

中国文化研究二十年/邵汉明主编/人民出版社/2006.1

中国文艺副刊史/冯并著/华文出版社/2001

中国文学发展史/刘大杰著/百花文艺出版社/2007.8

中国文学史/张明非主编/广西师范大学出版社/2004.6

中国文学简史/林庚著/北京大学出版社/1995.7

中国计划体制改革/桂世镛等主编/中国财政经济出版社/1994.6
中国代表团出席联合国有关会议发言汇编/中国联合国协会编/世界知识出版社/2002
中国代表团出席联合国有关会议发言汇编:(1999年)/中国联合国协会编/世界知识出版社/2000.11
中国以色列建交亲历记/[以]泽夫·苏赋特(E. ZevSufott)著/新华出版社/2000
中国出版史话/方厚枢著/东方出版社/1996.8
中国北方经济史:以经济重心的转移为主线/程民生著/人民出版社/2004.12
中国台湾问题/本书编委会编/九洲图书出版社/1998.9
中国史学学科的产生和发展/周文玖著/北京师范大学出版社/2002
中国外交/中华人民共和国外交部政策研究室编/世界知识出版社/1996
中国外交/中华人民共和国外交部政策研究室编/世界知识出版社/2001
中国外交50年/曲星著/江苏人民出版社/2000
中国外交史:中华人民共和国时期1979—1994/谢益显主编/河南人民出版社/1995.7
中国外交官在联合国/李同成主编/山西人民出版社/2003.1
中国外交官亲历重大历史事件/李同成主编/山西人民出版社/2003.1
中国失地农民研究/廖小军著/社会科学文献出版社/2005.11
中国对外开放通论/吴振坤主编/北京工业大学出版社/1993.8
中国对外关系中的台湾问题/卢晓衡主编/经济管理出版社/2002
中国对外关系转型30年/王逸舟主编/社会科学文献出版社/2008.12
中国对外经济关系/刘赛力主编/中国经济出版社/1999
中国对外经济贸易体制改革全书/朱国兴等主编/对外经济贸易大学出版社/1995
中国对外经济贸易改革20年/尹集庆主编/中州古籍出版社/1998
中国市场发展报告/马洪主编/中国发展出版社/1997
中国市场发展报告·1995/孙尚清主编/中国发展出版社/1995.8
中国市场经济时代的传播战役与民族凝聚力/陈嬿如著/厦门大学出版社/2002
中国民办教育生存报告/张立勤著/中国社会科学出版社/2004.4
中国民主同盟六十年/中国民主同盟中央委员会编/群言出版社/2001
中国民主党派史丛书/薛启亮主编/河北人民出版社/2001
中国民兵史话/孙守方著/国防大学出版社/1992.12
中国民族工作五十年理论与实践/中央统战部民族宗教工作局编/中央民族大学出版社/1999.9
中国民族区域自治50年/《中国民族区域自治50年》课题组编/内蒙古人民出版社/1997.12
中国民族区域自治史纲/张尔驹著/民族出版社/1995.1
中国民族发展报告:2001—2006/赫时远、王希恩著/社会科学文献出版社/2006.5
中国民族团结考察报告/徐杰舜主编/民族出版社/2004.3
中国民族自治地方发展评估报告/国家民委民族问题研究中心/民族出版社/2006.12
中国民族自治地方政府发展论纲/方盛举著/人民出版社/2007.1
中国民族自治州的民族关系/金炳镐主编/中央民族大学出版社/2006.5
中国民族问题研究/刘先照著/中国社会科学出版社/1993.8
中国民族理论与实践/图道多吉主编/山西教育出版社/2001
中国民营经济研究/何金泉主编/西南财经大学出版社/2001
中国边疆与民族问题:当代中国的挑战及其历史由来/张植荣著/北京大学出版社/2005.4
中国产业发展报告/国家计委产业经济与技术经济研究所编著/中国经济出版社/1997

中国共产党:从一大到十五大(上、下)/韩泰华主编/北京出版社/1998.1

中国共产党"三农"思想研究/农业部农村经济研究中心、当代农业史研究室编/中国农业出版社/2002

中国共产党80年事典/朱敏彦等主编/上海人民出版社/2001

中国共产党八十年历史纪事/盖军主编/湖北人民出版社/2001

中国共产党八十年历史经验研究/尹书博等主编/中国经济出版社/2001

中国共产党八十年历史简编/盖军主编/中共中央党校出版社/2001

中国共产党八十年历程八十件大事/《八十年历程八十件大事》研究编著小组编著/新华出版社/2001

中国共产党八十年重大事件实录/张树军、史言主编/湖南人民出版社/2001

中国共产党与中国先进文化/本书编写组编/中共中央党校出版社/2001

中国共产党与中国农业发展道路/周志强著/中共党史出版社/2003.5

中国共产党与中国社会的变迁/杨汉卿主编/中共党史出版社/2002

中国共产党与中国的宗教问题:关于党的宗教政策的历史考察/陈金龙著/广东人民出版社/2006.8

中国共产党与少数民族地区的改革开放(上、下)/张万葆、郭振伦主编;中共宁夏回族自治区委员会党史研究室编/中共党史出版社/2001.10

中国共产党与民族区域自治制度的建立和发展(上、下)/张玉玺主编;中共新疆维吾尔自治区委员会党史研究室编/中共党史出版社/2000.11

中国共产党与社会主义和谐社会建设/辛逸、黄延敏著/中共党史出版社/2008.5

中国共产党与现代中国政治/丁俊萍、骆郁廷主编/武汉大学出版社/2002

中国共产党历次全国代表大会:从一大到十七大/陈峰、高敏编著/中共党史出版社/2008.1

中国共产党关于民族问题的基本观点和政策:干部读本/国家民族事务委员会编/民族出版社/2002.1

中国共产党军事史论/肖裕声著/中央文献出版社/2007.7

中国共产党农民社会主义教育50年/王艳成、龚志宏著/河南大学出版社/2003

中国共产党在湖北80年/王性初主编/中央文献出版社/2001

中国共产党执政五十年(1949—1999)/陈文斌等编/中共党史出版社/1999.10

中国共产党执政史鉴/蒋世琳、任大立主编/武汉理工大学出版社/2002

中国共产党红色里程盛会要览/邵维正、郎炳信主编/解放军出版社/2002.6

中国共产党的八十年简明读本/中国人民大学中共党史系编写组编著/中央编译出版社/2001

中国共产党的宗教政策/任杰著/人民出版社/2007.3

中国共产党经济思想史论/卫兴华、洪银兴主编/江苏人民出版社/1994

中国共产党经济政策发展史/刘勉玉主编/湖南人民出版社/2001

中国共产党统一战线编年史/孙信编著/华文出版社/2002

中国共产党重要会议纪事(1921—2001)/姜华宣、张尉萍编/中央文献出版社/2001.2

中国共产党重要会议纪事:1921—2006(增订本)/姜华宣等主编/中央文献出版社/2006.6

中国共产党编年史/《中国共产党编年史》编委会编/山西人民出版社;中共党史出版社/2002

中国共产党新时期历史大事记(1978.12—2002.5)/中共中央党史研究室编/中共党史出版社/2002.9

中国共产党新时期历史大事记/中共中央党史研究室编/中共党史出版社/2009.1

中国共产党新时期简史/中共中央党史研究室著/中共党史出版社/2009.1

中国共产党简史/中共中央党史研究室著/中共党史出版社/2001

中国关税制度改革/杨圣明主编/中国社会科学出版社/1997
中国军队第三次现代化论纲/王文荣主编/解放军出版社/2005.2
中国军转民实录/怀国模主编/国防工业出版社/2006.6
中国农业、农村与农民/王振中主编/社会科学文献出版社/2006.6
中国农业发展报告·2000/中华人民共和国农业部编/中国农业出版社/2000
中国农业发展报告·2001/中华人民共和国农业部编/中国农业出版社/2001
中国农业发展报告·2002/中华人民共和国农业部编/中国农业出版社/2002
中国农业发展报告·'95/中华人民共和国农业部编/中国农业出版社/1995
中国农业发展报告·'96/中华人民共和国农业部编/中国农业出版社/1996
中国农业发展报告·'97/中华人民共和国农业部编/中国农业出版社/1997
中国农业发展报告·'98/中华人民共和国农业部编/中国农业出版社/1998
中国农业发展报告·'99/中华人民共和国农业部编/中国农业出版社/1999
中国农业现代化道路的探索/陆世宏著/人民出版社/2006.10
中国农业的结构与变动/[日]田岛俊雄著/经济科学出版社/1998
中国农业组织的结构性变迁/石磊著/山西经济出版社/1999.9
中国农业家庭经营制度:理论检视与创新设计/阮文彪著/中国经济出版社/2005.12
中国农业演变之探索/毛育刚著/社会科学文献出版社/2001.7
中国农民工考察/余红、丁骋骋著/昆仑出版社/2004.5
中国农民工问题/刘怀廉著/人民出版社/2005.3
中国农民调查/陈桂棣、春桃著/人民文学出版社/2004.1
中国农场改革之路/中国农垦经济研究中心编/农业出版社/1992.7
中国农村50年/农业部产业政策与法规司编著/中原农民出版社/1999
中国农村土地制度的世纪变革/王景新著/中国经济出版社/2001.12
中国农村反贫困与政府干预/刘冬梅著/中国财政经济出版社/2003.7
中国农村开放与发展/卢文、裴长洪、魏唯著/农业出版社/1997.3
中国农村可持续发展区域评价与对策研究/杨友孝著/中国财政经济出版社/2002
中国农村巨变/何焕炎主编/山西经济出版社/1992.12
中国农村合作经济:组织形式与制度变迁/傅晨著/中国经济出版社/2006
中国农村劳动力的转移与就业/陈晓华、张红宇主编/中国农业出版社/2005.12
中国农村投融资体制改革研究/李光著/中国财政经济出版社/2005.9
中国农村改革20年/史万里、李玉珠、徐柏园等著/中州古籍出版社/1998.12
中国农村奔小康的成功之路/国务院研究室课题组主编/新华出版社/1993.9
中国农村现代化道路与规律/张郭研究、冯治著/人民出版社/2004.4
中国农村的改革理论与实践/万宝瑞主编/中国农业出版社/1999
中国农村经济分析和对策研究:2001—2003/宋洪远、赵长保等著/中国农业出版社/2003.9
中国农村经济制度创新分析/国风著/商务印书馆/2000
中国农村金融史略/徐唐龄著/中国金融出版社/1996.2
中国农村金融市场研究/刘民权主编/中国人民大学出版社/2006.8
中国农村研究报告:(1990—1998)/农业部农村经济研究中心著/中国财政经济出版社/1998.12
中国农村新型合作组织探析/魏道南、张晓山主编/经济管理出版社/1998.3
中国合作经济概观/何光主编/经济科学出版社/1998
中国在联合国:共同缔造更美好的世界/田进、俞孟嘉等著/世界知识出版社/1999

中国年鉴史料/李维民主编/北京志鉴研究院/2003.10
中国当代文艺思潮/陆贵山主编/中国人民大学出版社/2002.6
中国当代文学发展史/金汉总主编/上海文艺出版社/2002
中国当代文学史/郑万鹏著/北京语言文化大学出版社/2000
中国当代文学史/洪子诚著/北京大学出版社/1999.8
中国当代文学史教程/陈思和主编/复旦大学出版社/1999.9
中国当代史/柏福临著/吉林大学出版社/1996
中国当代史问答一百题/沈渭滨主编/河南教育出版社/1987.10
中国当代外交史/谢益显主编/中国青年出版社/1997.8
中国当代外交史/谢益显主编/中国青年出版社/2002
中国当代私营经济的现状和发展/韩明希主编/改革出版社/1992.4
中国当代经济政策及其理论/谢百三主编/北京大学出版社/2001
中国纪事/许知远著/海南出版社/2008.1
中国行政管理体制和机构改革/张志坚主编/中国大百科全书出版社/1994.1
中国西部四十年/[美]鲍大可著/东方出版社/1998.12
中国西部减贫与可持续发展/郑易生主编/社会科学文献出版社/2008.12
中国体育通史·第七卷(1993—2005年)/崔乐泉总主编;曹守和卷主编/人民体育出版社/2008
中国利用外资的历程/季崇威著/中国经济出版社/1999.1
中国劳动力资源与妇女就业问题研究/李慧京、吴国兰主编/中国民航出版社/1995
中国劳动和社会保障发展研究报告/张怀富主编/中国财政经济出版社/2002
中国县级政府机构改革/叶维钧、潘小娟主编/社会科学文献出版社/1996.6
中国宏观经济政策大思路/米建国主编/新华出版社/2000.7
中国投资/中华人民共和国对外经济贸易合作部中国投资管理局编/中国对外贸易出版社/1999.12
中国投资体制改革/姚振炎等主编/中国财政经济出版社/1994.6
中国报刊图史/李焱胜著/湖北人民出版社/2005.4
中国改革大纪录(1—4卷)/魏地春、王均伟主编/红旗出版社/1997.9
中国改革与发展报告/《中国改革与发展报告》专家组编/上海远东出版社/1998
中国改革与发展报告/《中国改革与发展报告》专家组编/中国财政经济出版社/1995
中国改革与发展报告/林凌主编/上海远东出版社/1996
中国改革开放二十年(上、下卷)/本书编委会编;胡绳主编/北京出版社/1998.11
中国改革开放以来经济大事辑要/武力等主编/经济科学出版社/2000
中国改革开放以来税收制度的发展/刘佐著/中国财政经济出版社/2001
中国改革开放辞典/荣长海等主编/天津社会科学院出版社/1993.7
中国改革政策大典/陈俊生主编/红旗出版社/1993.12
中国社会主义建设新时期经济简史/徐棣华、王亚平编著/中国物资出版社/1993.1
中国社会主义经济建设简明辞典/王书文等主编/河北科学技术出版社/1992.6
中国社会主义革命和建设史/邬正洪等编著/华东师范大学出版社/1993.7
中国社会主义新农村建设研究/瞿振元、李小云、王秀清主编/社会科学文献出版社/2006.3
中国社会保障制度的改革与发展/王东进主编/法律出版社/2001
中国社会变迁30年/李强主编/社会科学文献出版社/2008.11
中国财政史/孙文学主编/东北财经大学出版社/1997
中国财政改革20年/何盛明主编/中州古籍出版社/1998.12

中国走向世界的求索/罗元铮著/中国计划出版社/1996
中国走向法治 30 年/蔡定剑、王晨光主编/社会科学文献出版社/2008.12
中国近代开发西部的思想与政策研究:1840—1949/程霖、王昉、张薇著/上海人民出版社/2007.6
中国近现代外交史/熊志勇、苏浩著/世界知识出版社/2005.11
中国近现代财政简史/曲绍宏、白丽健编著/南开大学出版社/2006.8
中国近现代经济热点及重大事件/冯宗容、游光中主编/中国经济出版社/1995.3
中国周边安全环境与安全战略/朱听昌主编/时事出版社/2002
中国和平发展中的民族宗教问题/恭学增、胡岩编著/中共中央党校出版社/2006.12
中国和平发展中的国防和军队建设/总参课题组/中共中央党校出版社/2006.12
中国和平发展道路之历史比较/徐伟新、陈锋、何忠国著/中共中央党校出版社/2007.8
中国和平崛起/夏立平、江西元著/中国社会科学出版社/2004.9
中国国有资产管理体制改革与创新/刘忠俊著/经济科学出版社/2002
中国国防经济历史形态/姜鲁鸣著/国防大学出版社/1995.9
中国国际广播电台部门志/中国国际广播电台史志办公室编/中国国际广播出版社/2001
中国图书馆百年纪事:1840—2000/陈源蒸等编/北京图书馆出版社/2004.5
中国废除不平等条约的历程/王建朗著/江西人民出版社/2000
中国建设新道路的开端/陈述著/辽宁人民出版社/1997
中国所有制改革 30 年(1978—2008)/邹东涛、欧阳日辉著/社会科学文献出版社/2008.12
中国林业五十年:1949—1999/国家林业局编/中国林业出版社/1999.9
中国林情/黄鹤羽、王志学主编/开明出版社/2000.12
中国治理变迁 30 年/俞可平主编/社会科学文献出版社/2008.12
中国沿海与内地经济发展关系/魏世恩、郭志仪主编/兰州大学出版社/1992.11
中国沿海经济开放区十年概览/金其桢主编/科学出版社/1992.7
中国沿海城市的对外开放/中共中央党史研究室第三研究部编/中共党史出版社/2007.1
中国法制史/王立民主编/上海人民出版社/2007.6
中国法治 30 年/中国社会科学院法学所编/社会科学文献出版社/2008.12
中国现代广播简史/赵玉明著/中国广播电视出版社/2001
中国现代文学三十年/钱理群等著/北京大学出版社/1998.7
中国现代文学史/郑万鹏著/华夏出版社/2007.1
中国现代文学史/程光炜等主编/中国人民大学出版社/2000.7
中国现代政治制度史/张皓著/北京师范大学出版社/2004.5
中国现代唯物史观史/吕希晨、何敬文主编/天津人民出版社/2003
中国现代新闻史/王洪祥主编/新华出版社/1997.1
中国的土地改革/杜润生主编/当代中国出版社/1996.8
中国的外交政策/张光著/世界知识出版社/1995.11
中国的外资经济:对增长、结构升级和竞争力的贡献/江小涓著/中国人民大学出版社/2002.7
中国的声音:中国领导人和政府代表在联合国系统重大国际会议讲话专辑/中国联合国协会编/世界知识出版社/1999.4
中国的宗教问题和宗教政策/王作安著/宗教文化出版社/2002.11
中国的经济体制改革/许飞青主编/中国财政经济出版社/1988.8
中国直升机五十年/熊宪利主编;《中国直升机五十年》编委会编/航空工业出版社/2006.10
中国矿业法制史/傅英主编/中国大地出版社/2001

中国空军百年史/华强、奚纪荣、孟庆龙著/上海人民出版社/2006.1

中国经济:改革、发展与稳定/桂世镛著/经济管理出版社/1996

中国经济大论战/张问敏等编/经济管理出版社/1996

中国经济开放与社会结构变迁/胡耀苏、陆学艺主编/社会科学文献出版社/1998

中国经济发展与外商直接投资问题研究/康君、赵喜仓编著/中国统计出版社/2005.10

中国经济发展五十年大事记:(1949.10—1999.10)/中央财经领导小组办公室编/人民出版社/1999.10

中国经济发展和体制改革报告.No.1:中国改革开放30年(1978—2008)/邹东涛主编/社会科学文献出版社/2008.6

中国经济史/侯家驹著/新星出版社/2008.1

中国经济史/贺耀敏著/人民出版社/1994

中国经济问题/田纪云著/中国三峡出版社/1994

中国经济体制改革十年/国家经济体制改革委员会编/经济管理出版社、改革出版社/1988

中国经济改革与社会结构调整/胡耀苏、陆学艺主编/社会科学文献出版社/2000

中国经济改革开放大事典/高尚全等主编/北京工业大学出版社/1993.10

中国经济改革开放简史/张同乐著/国防大学出版社/2000

中国经济的发展、改革与借鉴/杨德明著/当代中国出版社/1995

中国经济转型30年/蔡昉主编/社会科学文献出版社/2008.12

中国经济转型研究:政府证券市场的作用/厉放著/北京大学出版社/2000.1

中国经济特区建设的回顾与前瞻/何佳声等著/鹭江出版社/1993.12

中国经济特区的建立与发展/中共海南省委党史研究室编/中共党史出版社/1997

中国经济特区的建立与发展/中共珠海市委党史研究室编/中共党史出版社/1996

中国经济特区的建立与发展/深圳市史志办公室编/中共党史出版社/1997

中国经济特区的精神文明建设/中共珠海市委党史研究室编/中共党史出版社/2001

中国经济通史/朱伯康、施正康著/中国社会科学出版社/1995.5

中国经济基础与上层建筑变革关系研究/陈荣荣、刘英骥主编/经济管理出版社/2004.3

中国货币和外汇体制改革:一种渐进主义的试验/[美]梅赫恩(Mehran.H.)等著、康以同、仲雨虹译/中国金融出版社/1997.4

中国转型时期的金融发展与收入分配/郑长德著/中国财政经济出版社/2007.1

中国金融体制改革/陈元主编/中国财政经济出版社/1994.6

中国金融体制改革20年/赵海宽、郭田勇著/中州古籍出版社/1998.12

中国金融体制简论/殷乃平著/社会科学文献出版社/2000.10

中国金融改革30年/李扬著/社会科学文献出版社/2008.12

中国金融改革与发展/戴相龙、桂世镛主编;殷介炎、唐铁汉副主编/中国金融出版社/1997.5

中国金融制度的结构与变迁/张杰著/山西经济出版社/1998.12

中国保险业改革与发展前沿问题/江生忠等著/机械工业出版社/2005.9

中国城市化之路:经济支持与制度创新/叶裕民著/商务印书馆/2001.5

中国城市化问题研究/汪冬梅著/中国经济出版社/2005.11

中国城市化的道路及其发展趋势/王保畲、罗正齐著/学苑出版社/1993.1

中国城市发展30年/牛凤瑞等主编/社会科学文献出版社/2009.1

中国城市行政系统建设与改革/王续琨等著/大连理工大学出版社/1998

中国城市的历史发展与政府体制/萧斌主编/中国政法大学出版社/1993.3

中国政府体系与政治:概念、总结与探索/陈红太著/河南人民出版社/2005.12

中国政府层级与区划改革强县扩权与省直管县的突破(上、下)/中国管理科学研究院北京国发研联经济中心课题组编/2006.1

中国政府制度/李寿初著/中共中央党校出版社/2005.6

中国政治体制改革研究/何增科等著/中央编译出版社/2008.4

中国科技发展研究报告·1999/《中国科技发展研究报告(1999)》研究组编/经济管理出版社/1999

中国科技发展研究报告·2000·科技全球化及中国面临的挑战/《中国科技发展研究报告》研究组编/社会科学文献出版社/2000

中国科技发展研究报告·2001·中国技术跨越战略研究/中国科技发展战略研究小组编/中共中央党校出版社/2002

中国科技发展研究报告·2002·中国制造与科技创新/中国科技发展战略研究小组编/经济管理出版社/2003

中国科技国情分析报告/游光荣著/中国青年出版社/2001

中国科学院/《当代中国》丛书编辑部编辑/当代中国出版社/1994.3

中国结:两岸关系重大事件内幕/王永钦主编/新华出版社/2003.5

中国美术简史/中央美术学院美术史系中国美术史教研室编著/中国青年出版社/2002

中国草情/卢欣石主编/开明出版社/2002.12

中国革命与对外关系/杨云若等著/安徽人民出版社/1995

中国革命与建设史研究/甘观仕著/汕头大学出版社/1996

中国革命史/罗正楷主编/经济科学出版社/1999

中国革命和改革开放的历程:1840—2006/李俊著/中共中央党校出版社/2007.3

中国革命和建设史论/贺伯清主编/陕西人民出版社/1995

中国旅游业50年/何光暐主编/中国旅游出版社/1999

中国核工业四十年/中国核工业总公司编/原子能出版社/1995.1

中国特色社会主义与新闻工作/新华社新闻研究所编/新华出版社/1994.4

中国特色社会主义文化/李道中著/经济科学出版社/1998.12

中国特色社会主义军事理论的崭新篇章/刘成军、刘源主编/中国军事科学出版社/2007.11

中国特色社会主义研究/沈宝祥著/中共中央党校出版社/1994.7

中国特色社会主义理论体系形成与发展大事记(1978—2008年)/中共中央文献研究室编/中央文献出版社/2009.1

中国特色的民族问题理论/龚学增主编/中共中央党校出版社/1996.3

中国特色城市发展理论与实践/傅崇兰、周明俊主编/中国社会科学出版社/2003.4

中国特色城镇化道路/王梦奎、冯并、谢伏瞻主编/中国发展出版社/2004.3

中国畜牧业一体化十年/农业部畜牧兽医司等编/农业出版社/1993.10

中国资本主义工商业的社会主义改造/李定主编/当代中国出版社/1997.10

中国资本市场的培育和发展/张汉亚主编/人民出版社/2002.1

中国铁路大事记:1876—1995/中国铁路史编辑研究中心编/中国铁道出版社/1996.8

中国铁路改革与发展研究:1978—1998/王致中、魏丽英著/当代中国出版社/2001.8

中国铁路国际联运大事记:1950—1999/王馨源著/中国铁道出版社/2002.3

中国高等教育的改革与发展/方惠坚、范德清主编/清华大学出版社/2001

中国商业通史·第一卷/吴慧主编/中国财政经济出版社/2004

中国商业通史·第二卷/吴慧主编/中国财政经济出版社/2004

中国商业通史·第三卷/吴慧主编/中国财政经济出版社/2005

中国商业银行业务百科/崔扬、杨宗澜主编/当代中国出版社/1996.10

中国商品流通体制改革20年/闫克庆主编;张春生副主编/中州古籍出版社/1998.12

中国教育发展与政策30年/张秀兰主编/社会科学文献出版社/2008.12

中国教育问题报告:入世背景下中国教育的现实问题和基本对策/程方平主编/中国社会科学出版社/2002.11

中国教育体制改革20年/郝克明主编/中州古籍出版社/1998.12

中国教育改革与创新/苏晓环著/五洲传播出版社/2002

中国理论经济学史/于光远主编/河南人民出版社/1996

中国奥林匹克运动通史/崔乐泉著/青岛出版社/2008

中国媒体概览(上下卷)/新闻出版总署信息中心编/新华出版社/2004.1

中国—朝鲜·韩国关系史/杨昭全、何彤梅著/天津人民出版社/2001

中国税收制度改革/张忠诚主编/中国财政经济出版社/1994.6

中国税制/潘明星主编/东北财经大学出版社/1999.12

中国装甲兵传奇/杨震、左东著/黄河出版社/1999

中国新时期小说主潮/许志英、丁帆主编/人民文学出版社/2002

中国新时期农村的变革·山东卷/中共山东省委党史研究室、山东省农业委员会编/中共党史出版社/1998.9

中国新时期农村的变革·山西卷/陈文斌等主编,梁志祥、张国祥主编/中共党史出版社/1998.10

中国新时期农村的变革·广东卷/陈文斌等主编,颜学亮、陈弘君主编/中共党史出版社/1998.11

中国新时期农村的变革·广西卷·上下/陈文斌等主编,莫正荣主编/中共党史出版社/1999.4

中国新时期农村的变革·中央卷·上中下/陈文斌等主编/中共党史出版社/1998.12

中国新时期农村的变革·云南卷/陈文斌等主编,贾尚清、王元辅主编/中共党史出版社/1999.5

中国新时期农村的变革·内蒙古卷/陈文斌等主编,侯秉权主编/中共党史出版社/1999.12

中国新时期农村的变革·天津卷/陈文斌等主编,李文芳、陈向东主编/中共党史出版社/1999.3

中国新时期农村的变革·北京卷/陈文斌等主编,王修身、赵友福主编/中共党史出版社/1998.10

中国新时期农村的变革·甘肃卷/陈文斌等主编,杨安民主编/中共党史出版社/1998.10

中国新时期农村的变革·辽宁卷/陈文斌等主编,陈文清、周玉、朱绍毅主编/中共党史出版社/1998.7

中国新时期农村的变革·吉林卷/陈文斌等主编,金城镇、李桂春主编/中共党史出版社/1998.11

中国新时期农村的变革·安徽卷/陈文斌等主编,刘传增、刘彦培主编/中共党史出版社/1999.1

中国新时期农村的变革·江苏卷/陈文斌等主编,彭思铸、王由礼、周政兴主编/中共党史出版社/1998.10

中国新时期农村的变革·河北卷/中共河北省委党史研究室、中共河北省委农村工作部编/中共党史出版社/1998.6

中国新时期农村的变革·河南卷/陈文斌等主编,中共河南省委党史研究室编/中共党史出版社/1998.11

中国新时期农村的变革·陕西卷/陈文斌等主编,吴崇信主编/中共党史出版社/1998.10

中国新时期农村的变革·青海卷/陈文斌等主编,毛军、李泽启、唐明鑫主编/中共党史出版社/1998.12

中国新时期农村的变革·贵州卷/陈文斌等主编,中共贵州省委党史研究室编/中共党史出版社/1998.12

中国新时期农村的变革·海南卷/陈文斌等主编，邢诒孔、林鸿范主编/中共党史出版社/1998.12
中国新时期农村的变革·湖北卷/陈文斌等主编，中共湖北省委党史研究室/中共党史出版社/1998.12
中国新时期农村的变革·黑龙江卷/陈文斌等主编，元仁山、李元玺主编/中共党史出版社/1998.10
中国新时期报告文学史稿/王吉鹏、何蕊编著/吉林人民出版社/2002
中国新闻传播史/方汉奇主编/中国人民大学出版社/2002
中国新闻传播史新编/胥亚著/湖南人民出版社/2002
中国新闻事业发展史/黄瑚著/复旦大学出版社/2001
中国新闻事业史教程/袁军、哈艳秋著/中国广播电视出版社/2001
中国新闻事业编年史/方汉奇主编/福建人民出版社/2000.9
中国新闻通史/刘家林著/武汉大学出版社/2005.7
中国睦邻史·中国与周边国家关系/刘宏煊主编/世界知识出版社/2001.5
中国粮食安全研究/肖国安著/中国经济出版社/2005.8
中国粮食批发市场发展研究报告/国家粮食局课题组著/经济管理出版社/2004.1
中拉建交纪实/黄志良著/上海辞书出版社/2007.8
中法关系史/杨元华著/上海人民出版社/2006.1
中法关系史话/葛夫平著/社会科学文献出版社/2000.9
中英关系史话/孙庆等著/社会科学文献出版社/2000.9
中俄关系史话/薛衔天著/社会科学文献出版社/2000.9
中俄关系的历史与现实/栾景河主编/河南大学出版社/2004.9
中南海三代领导集体与共和国外交实录(上、中、下)/张树军等主编/中国经济出版社/1998.3
中南海三代领导集体与共和国军事实录(上、中、下)/蒋建农主编/中国经济出版社/1998.4
中南海三代领导集体与共和国经济实录(上、中、下)/王瑞璞主编/中国经济出版社/1998.1
中南海大事:建国以来重大政治事件全纪录(上下)/李健编著/中共党史出版社/2006.6
中南海开始决策/韩泰华主编/北京出版社/1999
中美日三边关系/任晓、胡泳浩等著/浙江人民出版社/2002
中美关系/马耀邦著/当代中国出版社/2008.10
中美关系100年/陶文钊、仲掌生主编/中国社会科学出版社/2001
中美关系风云录/周溢潢著/山西人民出版社/2003.1
中美关系史(上、中、下)/陶文钊著/上海人民出版社/2004.7
中美关系史全编/项立岭著/华东师范大学出版社/2002
中美关系史话/陶文钊著/社会科学文献出版社/2000.9
中美棋局中的台湾问题/唐正瑞著/上海人民出版社/2000
中朝关系史/白新良主编/世界知识出版社/2002
中葡关系史:1513—1999(上、中、下)/黄庆华著/黄山书社/2006.3
中德关系史话/杜继东著/社会科学文献出版社/2000.9
中德建交亲历记/王殊著/世界知识出版社/2002
云南民族传统文化变迁研究/郭大烈主编/云南大学出版社/1997
云南的改革开放与发展/和志强著/中共中央党校出版社/1995
五十年来/袁木、季龙、马蓥伯、刘日新著/中央文献出版社/2006.1
五星红旗下的大使们/沈建、沈力编著/江苏人民出版社/1993.8
从"东亚病夫"到体育强国/高翠编著/四川人民出版社/2003.9

从一大到十六大(上、下)/李颖编/中央文献出版社/2003.1

从广安到广西/朱方榈、宾恩信主编/广西民族出版社/2001

从历史走向未来:中国与发展中国家关系析论/郭新宁、徐弃郁著/时事出版社/2007.4

从毛泽东到江泽民:中国特色社会主义理论的形成轨迹/刘建武著/湖南教育出版社/2003.12

从邓小平到江泽民/宋士昌著/山东人民出版社/2002

从边缘到中心:当代中国政治体系构建之路/唐亚林著/华东理工大学出版社/2006.5

从共同共有到按份共有的变革/黄中廷、陈涛主编/中国农业出版社/2004.3

从压力型体制向民主合作体制的转变:县乡两级政治体制改革/荣敬本、崔之元等著/中央编译出版社/1998.7

从屈辱走向辉煌/苏开华等著/海风出版社/1999

从保税区到自由贸易区:中国保税区的改革与发展/成思危主编/经济科学出版社/2003.10

从封闭型经济走向开放型经济/戴园晨等著/鹭江出版社/1993.1

从革命到改革/王海光著/法律出版社/2000

从郭兴福教学法到科技大练兵/李德生主编/国防大学出版社/2001

六十年来中国与日本(第1—8卷)/王芸生编著/生活·读书·新知三联书店/2005.7

内陆地区改革开放研究/辛文主编/四川大学出版社/1995

历史的跨越:中华人民共和国国民经济和社会发展"一五"至"十一五"规划要览·1953—2010/郭德宏主编/中共党史出版社/2006.3

双重转型:"九七"以来香港的行政改革与发展/汪永成著/社会科学文献出版社/2002.8

反对霸权主义维护世界和平/邓中好著/学习出版社/1999.1

少年宫教育史/许德馨主编/海南出版社/2002.3

开放后的中国/胡兆量等著/中国环境科学出版社/1996

开放条件下的中国农业发展/郭剑雄著/中国社会科学出版社/2004.10

文化记忆:1978—2008/尚伟/中央文献出版社/2008.12

文化的回顾与展望/张岱年、季羡林、周一良、汤一介等著/北京大学出版社/1994.12

文图并说中国人民解放军大事聚焦/李殿仁主编/解放军出版社/2002.7

日本外交与中日关系/金熙德著/世界知识出版社/2001

毛泽东邓小平与中国出版/袁亮著/中国书籍出版社/1995

毛泽东思想邓小平理论发展史/曹军编著/陕西人民出版社/2002

水利辉煌50年/《水利辉煌50年》编委会编/中国水利水电出版社/1999.12

邓力群文集·第1—3卷/邓力群著/当代中国出版社/1998.12

邓小平:富有魅力的政治家/宋海庆著/中央文献出版社/2002

邓小平与大西南/中共重庆市委党史研究室等编/中央文献出版社/2000

邓小平与中共党史重大事件/刘金田、张爱茹著/中央文献出版社/2001

邓小平与中国社会的变迁/郭学旺著/中国言实出版社/1998

邓小平与中国铁路/孙连捷编著/中共中央党校出版社/1995

邓小平与六十人/齐欣等编著/上海人民出版社/2000

邓小平与共和国重大历史事件/武市红、高屹主编/人民出版社/2000

邓小平与香港/陈雪英主编/当代世界出版社/1997.5

邓小平发展生产力思想初探/徐信华著/中国广播电视出版社/1997

邓小平外交/张植荣等著/海南出版社/1996

邓小平军队院校教育思想研究/杨稳泉、欧新民著/军事科学出版社/2000

邓小平决策理论与实践研究/彭漪涟、蒋建民著/上海人民出版社/2001
邓小平在重大历史关头/宫力等著/中共中央党校出版社/2000
邓小平改革开放思想研究/冉苒、俞文冉著/武汉水利电力大学出版社/2000
邓小平时代的中国/高屹、缪德修主编/光明日报出版社/1996
邓小平财经思想研究/杨圣明、刘溶沧主编/经济管理出版社/1997
邓小平国际战略思想概论/颜声毅等著/长征出版社/2002
邓小平的外交艺术/傅耀祖等编著/中共中央党校出版社/1999.1
邓小平的现代化观念与中国现代化/叶耀培主编/四川人民出版社/2000
邓小平经济发展思想研究/冯世新、陆卫明著/经济科学出版社/1996
邓小平非公有制经济理论研究/李学明著/四川人民出版社/2001
邓小平南方谈话与当代中国/刘德军等主编/济南出版社/2002
邓小平南巡后的中国/元上、汉竹著/改革出版社/1992.10
邓小平政治发展思想概论/李贺林著/北京出版社/2002
邓小平政治体制改革理论研究/黄家驹等著/广东人民出版社/1998
邓小平理论与当代中国社会阶层结构变迁/陆学艺等著/经济管理出版社/2002
邓小平新时期军队政治工作思想概论/国防大学军队政治工作教研室编/国防大学出版社/2000
邓小平新时期国防经济思想研究/于保中、庄太祥著/黄河出版社/1996
邓小平新时期国防经济思想研究/蒋宝琪等著/军事科学出版社/1997
邓小平新时期党的建设理论研究/蔡长水等著/安徽人民出版社/1996
风云际会联合国/万经章、张兵主编/新华出版社/2008.1
风雨兼程 20 年/中国对外经贸企协储运委员会编/中国对外经济贸易出版社/1999
世纪丰碑:纪念党的十一届三中全会和改革开放二十年/新华出版社编/新华出版社/1998.12
世纪之交:中国经济改革/迟福林主编/外文出版社/1999
世纪之交的内蒙古/刘明祖著/中共中央党校出版社/1998
世纪转折时期的中国影视文化/尹鸿著/北京出版社/1998.6
世纪跨越/朱地等著/中国工人出版社/2000
世界华侨华人经济研究/萧效钦、李定国主编/汕头大学出版社/1996
世界经济与政治和当代中国外交/李广民著/中国书籍出版社/2001
世界新军事变革中的中国国防和军队建设/黄宏、洪保秀著/人民出版社/2004.6
东方明珠的新纪元:香港回归/赵卫平著/中国物资出版社/1998.10
东北老工业基地振兴与区域经济创新/崔万田等著/经济管理出版社/2008.4
东南亚"华人问题"的形成与发展:泰国菲律宾马来西亚印度尼西亚案例研究/方金英著/时事出版社/2001.10
丝路新韵:新中国和阿拉伯国家 50 年外交历程/安惠侯、黄舍骄、陈大维、杨健主编/世界知识出版社/2006.9
出版史话/刘俐娜著/社会科学文献出版社/2000.9
北京与莫斯科:从联盟走向对抗/李丹慧编/广西师范大学出版社/2002
北京五十年纪实/当代北京史研究会、当代中国的北京编辑部编/同心出版社/1999
发展与代价:中国少数民族发展问题研究/罗康隆、黄贻修著/民族出版社/2006.6
台海危机:过去・现在・未来/[美]詹姆斯・利雷楚克・唐斯主编,华宏勋译/新华出版社/2001.1
台海安全考察/李鹏著/九州出版社/2005.7
台港澳大辞典/李健、苏真主编,《台港澳大辞典》编委员会编/中国广播电视出版社/1992.3

台湾 1998/姜殿铭、许世铨主编/九洲图书出版社/1999.6
台湾 1999/姜殿铭、许世铨主编/九洲图书出版社/2000.10
台湾军力写真/中国国防报编辑部编/长征出版社/2001
台湾军队透视/董玉洪著/九洲图书出版社/2001
台湾军情透视/刘永新主编/经济管理出版社/2000
台湾问题与中日关系论集/郑海麟主编/海峡学术出版社/2005.1
台湾问题与统一之路/李永铭、毛磊、陈宗海著/武汉出版社/2002.12
台湾问题实录(上、下)/曹治洲、余克礼主编;全国台湾研究会编/九州出版社/2002.7
台湾局势与两岸关系观察/穆怀阁著/九州出版社/2006.4
台湾经济发展史/陈正茂编著/新文京开发出版股份有限公司/2003.4
台湾政治转型与两岸关系/姜南杨著/武汉出版社/1999.3
台湾研究 25 年精粹·历史篇/李祖基主编/九州出版社/2005.6
台湾研究 25 年精粹·文学篇/徐学主编/九州出版社/2005.6
台湾研究 25 年精粹·两岸篇/李非主编/九州出版社/2005.6
台湾研究 25 年精粹·经济篇/邓利娟主编/九州出版社/2005.6
台湾研究 25 年精粹·政治篇/孙云主编/九州出版社/2005.6
台湾香港澳门经济史略/苏东斌、李沛然主编/广东经济出版社/2002
台湾秘密档案解密/高群服著/台海出版社/2008.1
台湾新闻事业史/陈扬明等著/中国财政经济出版社/2002
外交十记/钱其琛著/世界知识出版社/2003.10
外交舞台上的新中国领袖/李越然著/外语教学与研究出版社/1994.10
外债史话/陈争平著/社会科学文献出版社/2000.9
外商对华直接投资研究/滕家国著/武汉大学出版社/2001
外援在中国/周弘、张浚、张敏著/社会科学文献出版社/2007.2
对峙五十年/宋连生、巩小华等编著/台海出版社/2000.11
市场经济与人权:社会主义市场经济条件下的人权问题/王建均著/社会科学文献出版社/2006.12
布赫谈民族工作/布赫著/人民出版社/1997.11
民族工作大全/千里原主编/中国经济出版社/1994.7
民族地区农村社会保障研究/唐新民著/人民出版社/2008.1
民族地区改革开放纵横谈/图道多吉主编/民族出版社/1994
民族问题与中国的发展/吴仕民著/学习出版社/2000.3
民族教育史/朴胜一、程方平著/海南出版社/2001.8
甘肃四十年经济简史/黎中主编/甘肃人民出版社/1992.12
甘肃经济史/李清凌主编/兰州大学出版社/1996
生命之源的危机/刘贵贤著/昆仑出版社/1989.10
石家庄改革开放实录/中共石家庄市委党史研究室编/中共党史出版社/1995
立法与监督:李鹏人大日记/李鹏著/新华出版社/2006
亚太地区与中日关系/蔡建国主编/上海社会科学院出版社/2002
亚非雄风:团结合作的亚非会议/夏仲成著/世界知识出版社/1998.1
传承与超越:当代民族艺术之路/宋生贵著/人民出版社/2007.8
传播史上的结构和变革/陈力菲著/江苏文艺出版社/2001
全球化与中国“三农”/中国 21 世纪议程管理中心可持续发展战略研究组著/社会科学文献出版

社/2005.9
全球视野中的中国国家安全战略·上卷/张文木著/山东人民出版社/2008.2
共和国之最/王必胜著/浙江文艺出版社/1999
共和国历史上的邓小平/阎润鱼著/河北人民出版社/2000
共和国历程大写真/李明主编/档案出版社/1994.1
共和国反腐之路/张湛彬主编/中国经济出版社/1999
共和国文学50年/杨匡汉、孟繁华主编/中国社会科学出版社/1999.8
共和国外交实录/"《纵横》精品丛书"编委会编/中国文史出版社/2002.6
共和国军队回眸:重大事件决策和经过写实/杨贵华、陈传刚编著/军事科学出版社/1999.11
共和国军事见闻/"《纵横》精品丛书"编委会编/中国文史出版社/2002
共和国军事秘闻录/《纵横》编辑部编/中国文史出版社/2001
共和国陆军写真/比石编著/军事科学出版社/1999.6
共和国的历程/王晓维、李哲夫编著/西苑出版社/1999
共和国的记忆/李庄主编/人民出版社/1994
共和国的足迹/裘石等编著/山东教育出版社/1992.4
共和国的辉煌/秦力编著/西苑出版社/1999
共和国空军写真/傅万春、王权翔编著/军事科学出版社/1999.1
共和国经济风云/赵士刚主编/经济管理出版社/1997.1
共和国珍闻/文兴、梁德编著/延边大学出版社/1993.4
共和国要事口述史/朱元石主编/湖南人民出版社/1999
共和国重大历史事件述实/中国革命博物馆党史研究室编/人民出版社/1999
共和国重大事件和决策内幕/邱石编/经济日报出版社/1998
共和国档案:影响新中国历史进程的100篇文章/江山主编/团结出版社/1996.9
共和国海军写真/童能编著/军事科学出版社/1999.1
共和国晨曲/赵丽江、祝勋龙主编/湖北人民出版社/1994.6
共和国盛典:1999中华人民共和国成立50周年庆典/首都庆祝中华人民共和国成立50周年活动筹委会,中共北京市委宣传部编/京华出版社/2000.3
关贸总协定与中国/贾明德编著/西安电子科技大学出版社/1992.12
关贸总协定与中国改革开放/雷继唐等编著/天津科技翻译出版公司/1993.6
再谈农村改革与发展/吴象著/经济科学出版社/1997
军史集要/中国人民解放军总参谋部政治部宣传部编/上海人民出版社/1997.7
军制史话/牛俊法、张陆著/社会科学文献出版社/2000.9
军旗:中国人民解放军的"第一"记录/尚伟、徐军主编/中央文献出版社/2007
农一师简史/邓熙主编/新疆人民出版社/2002
农业·农村·农民:新时期改革和建设的重大问题/毛致用著/中共中央党校出版社/1997.1
农业与发展/牛若峰主编/浙江人民出版社/2000
农民、市场与社会变迁:冀中11村透视并与英国乡村比较/侯建新著/社会科学文献出版社/2002.10
农民工:中国进城农民工的经济社会分析/李培林主编/社会科学文献出版社/2003.4
农民经济的历史变迁:中英乡村社会区域发展比较/徐浩著/社会科学文献出版社/2002.6
农村义务教育:税费改革下的政策执行/张强等著/中国社会科学出版社/2004.10
农转工:失地农民的劳动与生活/张汝立著/社会科学文献出版社/2006.1

农垦改革发展足迹/王永树著/中国环境科学出版社/2006.10
冲撞——思想解放备忘录/陈述著/广西人民出版社/1998
决策与跨越/雷国珍、刘宋斌著/解放军文艺出版社/1999.1
划时代的历史转折/中国社会科学院近代史研究所编/四川人民出版社/2002
划时代的转换:邓小平的法思想与法实践/钟枢著/广西师范大学出版社/1997.12
华侨史话/陈民、任贵祥著/社会科学文献出版社/2000.9
华侨华人与国共关系/任贵祥、赵红英著/武汉出版社/1999.10
华侨华人概述/卢海云、王垠主编,国务院侨办侨务干部学校编著/九州出版社/2005.10
印中关系风云录/赵蔚文著/时事出版社/2000
吕秀莲"台独"言论批判/国务院台湾事务办公室新闻局编/九州图书出版社/2000.5
回眸中美关系演变的关键时刻/王立著/世界知识出版社/2008.4
在发展中消除贫困专著/中国发展研究基金会编写/中国发展出版社/2007
在共和国决策关头/于淑云等著/福建人民出版社/2002
地缘政治与中国国防战略/楼耀亮著/天津人民出版社/2002.6
师范教育史/金长泽、张贵新主编/海南出版社/2002.3
当代中日关系/吴学文、林连德、徐之先著/时事出版社/1995.8
当代中国人口流动与城镇化:跨世纪的社会经济工程/辜胜阻、简新华主编/武汉大学出版社/1994.11
当代中国土地管理(上、下)/邹玉川主编/当代中国出版社/1998.5
当代中国工人阶级和工会运动/倪与福主编/当代中国出版社/1997.6
当代中国马克思主义理论的创新与发展/刘渊主编/中共党史出版社/2002
当代中国与人权/钟瑞添著/广西师范大学出版社/1998.6
当代中国与世界/王劲、张新平主编/兰州大学出版社/2001
当代中国公民有序政治参与研究/魏星河等著/人民出版社/2007.9
当代中国史/王幼樵、肖效钦主编/首都师范大学出版社/1994
当代中国外交概论/李宝俊著/中国人民大学出版社/1999.12
当代中国对外关系概论:1949—1999/李峰主编/中国社会科学出版社/2004.9
当代中国民族问题的特点和发展规律/何润主编/民族出版社/1992.11
当代中国民族宗教问题研究/龚学增主编/中共中央党校出版社/1998.10
当代中国石油工业(上、下)/本书编委会/当代中国出版社/2009.1
当代中国军队的政治工作/周克玉主编/当代中国出版社/1994.6
当代中国农业变革与发展研究/郑有贵主编/中国农业出版社/1998
当代中国农村公共政策研究/刘伯龙、竺乾威、程惕洁等著/复旦大学出版社/2005.12
当代中国农村的发展与改革/王瑞璞、陈高桐等著/中共中央党校出版社/1998.12
当代中国地方政府/周平主编/人民出版社/2007.1
当代中国地方政府间竞争/刘亚平著/社会科学文献出版社/2007.3
当代中国扫盲和农村成人教育的回眸与前瞻/廖其发主编/西南师范大学出版社/2002
当代中国曲艺/罗扬主编/当代中国出版社/1998.10
当代中国杂技/夏菊花等主编/当代中国出版社/1997.3
当代中国县政改革研究/暴景升著/天津人民出版社/2007.1
当代中国改革与发展/胡天赐、余振主编/清华大学出版社/2001
当代中国改革和发展之省思/徐其清著/安徽人民出版社/2006.7

当代中国社会制度的变迁/何玉长著/河北大学出版社/2004.1

当代中国使节外交生涯·第一辑/外交部外交史研究室编/世界知识出版社/1995.1

当代中国物资流通/柳随年主编/当代中国出版社/1993.2

当代中国的人民政协/彭友今主编/当代中国出版社/1993.3

当代中国的人事管理/张志坚主编/当代中国出版社/1994.7

当代中国的工商税收/金鑫主编/当代中国出版社/1994.12

当代中国的公安工作/王芳主编/当代中国出版社/1992.2

当代中国的文化发展/许明等著/中国大百科全书出版社/2008

当代中国的文字改革/王均主编/当代中国出版社/1995.5

当代中国的出版事业/《当代中国》丛书编辑部编辑/当代中国出版社/1993.8

当代中国的民主党派/刘延东主编/当代中国出版社/1999.12

当代中国的民政(上、下)/崔乃夫主编/当代中国出版社/1994.6

当代中国的民族工作(上、下)/黄光学主编/当代中国出版社/1993.3

当代中国的电力工业/张彬主编/当代中国出版社/1994.12

当代中国的农业合作制(上、下)/杜润生著/当代中国出版社/2002.4

当代中国的兵器工业/王立等主编/当代中国出版社/1993.12

当代中国的劳动保护/何光主编/当代中国出版社/1992.9

当代中国的邮电事业/杨泰芳主编/当代中国出版社/1993.12

当代中国的国防科技事业/谢光主编/当代中国出版社/1992.10

当代中国的国防科技事业(缩编本)/谢光主编,《当代中国的国防科技事业》编辑部编辑/当代中国出版社/1995.4

当代中国的图书馆事业/杜克主编/当代中国出版社/1995.5

当代中国的宗教工作(上、下)/赤耐主编/当代中国出版社/1999.1

当代中国的青年和共青团(上、下)/徐世光主编/当代中国出版社/1998.5

当代中国的信用合作事业/卢汉川主编/当代中国出版社/1998.9

当代中国的科技文化变革/段治文著/浙江大学出版社/2006.9

当代中国的统一战线(上、下)/江平主编/当代中国出版社/1996.11

当代中国的钢铁工业/周传典等主编/当代中国出版社/1996.12

当代中国的旅游业/韩克华主编/当代中国出版社/1994.4

当代中国的船舶工业/程望主编/当代中国出版社/1992.2

当代中国的黄金工业/邓力群主编/当代中国出版社/1996.5

当代中国的博物馆事业/吕济民主编/当代中国出版社/1998.9

当代中国保险/马永伟、施岳群主编/当代中国出版社/1996.9

当代中国城市的改革与发展/陈光著/天津人民出版社/1996

当代中国政府过程/朱光磊著/天津人民出版社/2002

当代中国政治制度/浦兴祖主编/复旦大学出版社/1999.8

当代中国政治研究报告·III/黄卫平、汪永成主编,深圳大学当代中国政治研究所编/社会科学文献出版社/2004.9

当代中国政治研究报告·IV/黄卫平、汪永成主编,深圳大学当代中国政治研究所编/社会科学文献出版社/2005.11

当代中国音乐/李焕之主编/当代中国出版社/1997.7

当代中国党的知识分子理论与实践/曲峡、夏从亚、赵金鹏、李秀忠著/石油大学出版社/1996.7

当代中国海关/宿世芳主编/当代中国出版社/1992.11

当代中国海洋石油工业/本书编委会/当代中国出版社/2009.1

当代中国商业/邓力群主编/当代中国出版社/1996.5

当代中国商业简史/万典武主编/中国商业出版社/1998.3

当代中国教育/何东昌主编/当代中国出版社/1992.6

当代中国银行体制改革思想/朱纯福著/人民出版社/2001.4

当代中国舞蹈/吴晓邦主编/当代中国出版社/1993.11

当代内蒙古简史:1949—1995/王铎主编/当代中国出版社/1998.5

当代宁夏简史/张远成著/当代中国出版社/2002.10

当代对外传播/郭可著/复旦大学出版社/2004.8

当代辽宁简史/朱川、沈显惠主编/当代中国出版社/1999.11

当代江西简史/本书编委会编/当代中国出版社/2002.4

当代江苏简史/刘定汉主编/当代中国出版社/1999.2

当代西藏简史/丹增主编/当代中国出版社/1996.8

当代河南民兵(1949—1995年)/王英洲、张建中主编/当代中国出版社/1996.12

当代河南的文化艺术/本书编委会编;刘景亮主编/当代中国出版社/1996.12

当代春秋/李文江等著/中国青年出版社/1999

当代浙江简史:1949—1998/中共浙江省委党史研究室、当代浙江研究所编/当代中国出版社/2000.4

当代湖南简史:1949—1995/《当代湖南简史》编委会编/当代中国出版社/1997.12

当代新疆简史/党育林、张玉玺主编/当代中国出版社/2003.7

当前中国农民犯罪研究/王智民等著/中国人民公安大学出版社/2001

当前中国重大经济问题探索/陈文通著/中国农业出版社/2000

戍边五十年/王民信主编/云南人民出版社/2000

成人教育史/董明传等著/海南出版社/2002.3

成就辉煌的20年/国家统计局编/中国统计出版社/1998.8

执政为民执政兴国(1949—2004)/中共中央党史研究室第二研究部编著/中共党史出版社/2004.12

扬州改革开放十四年/赵昌智主编/江苏人民出版社/1993.3

收入分配与我国养老保险制度改革/刘俊霞著/中国财政经济出版社/2004.8

曲折发展的岁月/丛进著/河南人民出版社/1996

有中国特色社会主义理论探源/许庆朴、李爱华主编/人民出版社/2002.4

有中国特色的社会主义民主政治/吴大英、杨海蛟等著/社会科学文献出版社/1999.6

有中国特色的国防建设理论/刘义昌、库桂生主编/军事科学出版社/1993.10

江西百年沧桑/王建农主编/中国统计出版社/2001

江泽民"三个代表"重要思想研究/杭晓平著/苏州大学出版社/2001

江泽民国防和军队建设思想学习纲要/彭小枫主编/中央文献出版社/2002.10

江泽民科技思想研究/许先春、林振义著/浙江科学技术出版社/2002

百年工农产品比价与农村经济/陈其广著/社会科学文献出版社/2002.4

百年中国大事要览·经济卷/朱汉国、郝瑞庭总主编,赖辉亮主编,周洁等撰写/党建读物出版社/2002

百年历史的回顾与沉思/刘敏编著/黑龙江教育出版社/1993.7

百年金融制度变迁与金融协调/孔祥毅等著/中国社会科学出版社/2002

红色决策:中国共产党重大会议实录(上、下)/张树军、齐生主编/湖南出版社/2006.5

自然资源综合考察研究四十年/中国科学院国家计划委员会自然资源综合考察委员会编/中国科学技术出版社/1996

西北经济史/李清凌著/人民出版社/1997.12

西部大开发与民族问题/杨发仁主编/人民出版社/2005.3

西藏:边贸市场建设与个体私营经济发展/肖怀远、卓扎多基主编/西藏人民出版社/1994.3

西藏50年·历史卷/黄颢、刘洪记著/民族出版社/2001.5

西藏发展史/郑汕主编/云南民族出版社/1992.12

西藏地方与中央政府关系史/黄玉生等编著/西藏人民出版社/1995

西藏改革/爱泼斯坦著/外文出版社/2004.1

西藏的宗教和中国共产党的宗教政策/江平、李佐民、宋盈亭、辛文波著/中国藏学出版社/1996.5

西藏经济概述/吴健礼著/中国藏学出版社/1995

西藏经济简史/多杰才旦、江村罗布主编/中国藏学出版社/1995

西藏教育五十年/周润年著/甘肃教育出版社/2002.8

论"一国两制"下中央和香港特区的关系/宋小庄著/中国人民大学出版社/2003

论中国价格改革与物价问题/张卓元著/经济管理出版社/1995.2

论民族问题/赵延年主编/民族出版社/1994.7

论回归意识/杨允中著/澳门经济学会/1999.4

论当代中国民族问题/郭大烈等著/民族出版社/1994.2

论改革开放/袁木著/中共中央党校出版社/1997

论改革是中国的第二次革命/郑新立著/中国物价出版社/2001

迈向21世纪的行动纲领:学习党的十四大报告/袁木等编著/新华出版社/1992.10

迈向新世纪的中国经济改革/王珏著/中国财政经济出版社/2001

两个十年/郭振西编著/地震出版社/2001

两岸"双赢"之路:试论"一国两制"的台湾模式/李家泉著/中国友谊出版公司/2001.3

两岸风云冷眼观/黄嘉树著/中国言实出版社/1997.7

两岸关系纵横论/胡公展著/学林出版社/2006.12

两岸谈判研究/黄嘉树、刘杰著/九州出版社/2003.10

两岸谋和足迹追踪/李健编著/华文出版社/1996.8

体坛杂话五十年/郝克强著/人民体育出版社/2003

兵役法与兵役工作全书/盖新琦主编/长城出版社/1999.2

冷战后中印外交关系研究(1991—2007)/陈宗海著/世界知识出版社/2008

冷战后中美关系的走向/楚树龙著/中国社会科学出版社/2001

冷战后的中日安全关系/[德]杜浩(R. F. Drife)著;陈来胜译/世界知识出版社/2004.3

别样风雨:新中国外交亲历/张兵主编/新华出版社/2007.1

坚持党的基本路线不动摇:全国社会主义时期党史学术讨论会论文集/中共中央党史研究室科研部,中国中共党史学会编/中共党史出版社/1996.7

形成中的中国社会主义市场经济法律规范/国家计划委员会政策研究室编/中国检察出版社/1993.9

我国各民族的繁荣发展/戈柳、周竞红著/华文出版社/1999.9

我国多党合作的历程/张树桐著/华文出版社/1999.9

我国和平统一的进程/刘文丽、李松林著/华文出版社/1999.9

我国居民消费问题研究/曾璧钧著/中国计划出版社/1997
我国的宗教信仰自由/赵匡为著/华文出版社/1999.9
我国政府投资治理制度改革研究/丁茂战主编/中国经济出版社/2006.12
报刊史话/李仲明著/社会科学文献出版社/2000.9
改革开放20年重大决策述要/王成福、高广温主编/中国经济出版社/1999.1
改革开放十四年纪事：十一届三中全会到十四大/盖军主编/中共中央党校出版社/1994.4
改革开放与市场经济/许树立著/河北大学出版社/1998
改革开放中出现的最新人口问题/邬沧萍主编/高等教育出版社/1996
改革开放中的广播电视/刘习良主编/中国国际广播出版社/2001
改革开放中的文化艺术/曲润海、郑琅主编/学习出版社/2000.7
改革开放中的农村政策/王栾生主编/浙江科学技术出版社/1994
改革开放以来党的农村经济政策发展研究/胡映兰著/中央文献出版社/2005.10
改革开放后的中国私营经济/王长富编著/中国人民大学出版社/1997
改革开放的中国：献给改革开放二十周年/中国市场出版合作公司编辑部编/经济日报出版社/1998.12
改革开放探索(上、下)/李铁映著/中国人民大学出版社/2008.4
时代特征与中国对外政策/亓成章、何中顺著/经济科学出版社/1998.12
李岚清教育访谈录/李岚清著/人民教育出版社/2003.11
村民委员会选举研究/肖立辉著/中国社会出版社/2002
杜润生自述：中国农村体制变革重大决策纪实/杜润生著/人民出版社/2005.8
社会与发展：中国社会发展地区差距研究/胡鞍钢、邹平著/浙江人民出版社/2000
社会主义与中华民族的伟大复兴(上、中、下)/中华人民共和国国史学会学术部编/当代中国出版社/2000.3
社会主义与新中国五十年/沙健孙、龚书铎主编/中国统计出版社/2001
社会主义初级阶段文化论/于幼军著/人民出版社/1999.12
社会主义初级阶段的民族矛盾研究/唐鸣著/中国社会科学出版社/2002.1
社会主义初级阶段的农村经济/孙孔文著/中国工人出版社/1998
社会主义时期党史研究综述/中共中央党史研究室第二研究部编，杨先材主编/中共党史出版社/1995.12
社会主义革命和建设时期的中国共产党/郭艳梅、闫社喜主编/华文出版社/2002.8
社会主义精神文明建设论纲/杨立新著/红旗出版社/2000
私营企业主的政治参与/王晓燕著/社会科学文献出版社/2007.3
谷牧回忆录/谷牧著/中央文献出版社/2009.1
财政与发展/贾康、白景明著/浙江人民出版社/2000
财政五十年：若干财政理论问题研究/孙翊刚主编/经济科学出版社/1999.9
走出国门的邓小平/刘金田著/河北人民出版社/2001
走出误区——我观共和国之路/林蕴晖著/济南出版社/2002
走向21世纪的中国三农问题研究/孙家驹、虞梅生主编/江西人民出版社/1997
走向21世纪的中国区域经济/李京文主编/广西人民出版社/1999
走向市场经济的行动纲领——学习党的十四届三中全会决定/刘国光主编/新华出版社/1993.11
走向现代化的人民军队/黄宏、程卫华主编/人民出版社/2007.7
走向政治文明的民主：民主发展与政治文明/刘俊杰著/江西高校出版社/2006.3

走向辉煌/钟起煌、刘国雄主编/江西人民出版社/1994
走向辉煌/程秀龙等著/国防大学出版社/1995
走进东方的梦/王景伦著/时事出版社/1994.7
近二十年台湾文学流脉/朱双一著/厦门大学出版社/1999
进军大上海/望阳著/复旦大学出版社/1999
进军西部:高层领导谈西部大开发/本书编辑组编/中央文献出版社/2001.1
邮政史话/修晓波著/社会科学文献出版社/2000.9
陈云与中共党史重大事件/赵士刚主编/中央文献出版社/2001
陈云和邓小平在十一届三中全会前后/刘杰、徐绿山/中央文献出版社/2008.12
陈云政策思想与实践研究/刘雪明、江泰然、周秀泠著/中央文献出版社/2005.6
制度创新与国家成长:中国的探索/林尚立等著/天津人民出版社/2005.10
制度变迁与农业私营企业成长/成新华著/社会科学文献出版社/2006.2
周恩来外交风云/杨明伟、陈扬勇著/解放军文艺出版社/1995.12
和平方略:中国外交策略研究/徐成芳著/时事出版社/2001.11
和平外交与建设有中国特色社会主义/邓中好主编/青岛出版社/1993.7
和谐社会散议/邓伟志著/上海人民出版社/2007.8
国土整治与土地资源可持续利用/高向军、罗明主编/中国大地出版社/2005.9
国门红地毯:新中国外交50年(上、下)/解力夫编著/世界知识出版社/1999.3
国务院研究室优秀研究成果选/魏礼群主编;国务院研究室编/中国言实出版社/2006.9
国史与国情/共青团中央宣传部编/中共中央党校出版社/1999
国史纪事本末/魏宏运主编/辽宁人民出版社/2003
国共关系70年纪实/黄修荣著/重庆出版社/1994
国防信息化建设的基础工程:834工程/国防信息技术研究会编/国防工业出版社/2006.1
国防部长浮沉记/马辂等著/昆仑出版社/1989.8
国际关系与西藏问题/张植荣著/旅游教育出版社/1994.9
国际环境与中国的战略机遇期/徐坚主编/人民出版社/2004
国家气象中心50年/裘国庆主编/气象出版社/2000
国家利益高于一切:新疆稳定问题的观察与思考/马大正著/新疆人民出版社/2003.4
奇迹——中国人/伍仁轩著/国际文化出版公司/1991
学校艺术教育史/杨力、宋尽贤主编/海南出版社/2002.1
学校体育史/李晋裕等著/海南出版社/2000.12
建立和完善农村社会保障制度/孙文基著/社会科学文献出版社/2006.7
建设节约型社会/王梦奎、马凯主编/人民出版社/2005.12
建设有中国特色社会主义新时期的中国共产党/刘建军、尹小满主编/华文出版社/2002.8
建设坚固的新长城:学习邓小平关于社会主义国家军队和国防建设的理论/黄宏主编/学习出版社/1998.12
建设社会主义新农村若干问题研究/农业部课题组编/中国农业出版社/2005.11
建国以来十大经济成就/张衔、林静主编/中国经济出版社/1994.12
建国以来十大经济观/刘朝明、张衔编著/中国经济出版社/1995.1
建国以来十大经济热点/杨江著/中国经济出版社/1995.1
建国以来中国史学论文集篇目索引初编/张海惠、王玉芝编/中华书局/1992.5
建国以来中国共产党科技政策研究/崔禄春著/华夏出版社/2002.10

建国以来云南的禁毒斗争/中共云南省委党史研究室、中共云南省公安厅委员会编/云南民族出版社/1997.12

建国以来军史百桩大事/李澄、晓季、王立兵主编/知识出版社/1992.7

建国以来党政干部违法违纪大案要案索引/《建国以来党政干部违法违纪大案要案索引》编写组编/法律出版社/2004.2

拉丁美洲和中拉关系/李明德主编/时事出版社/2001

明月几时圆:两岸关系的发展/李媛著/中国物资出版社/1998.10

治国安邦的一条基本经验/王成福主编/当代中国出版社/1995.5

波澜起伏:中美关系演变的曲折历程/王立著/世界知识出版社/1998.1

现代国防大典(上、中、下)/张勤德、戴旭主编/中央文献出版社/1999.6

现实主义文学在当代中国:1976—1996/张学正著/南开大学出版社/1997.5

细说邓小平/李君如主编/河南人民出版社/2001

经济发展、改革与政策/国务院发展研究中心 UNDP 项目组编/社会科学文献出版社/1994

经济发展中的中央与地方关系/胡书东著/上海人民出版社、上海三联书店/2001

经济发展中的制度变迁/江佐中著/中共中央党校出版社/2000

经济全球化与中国粮食问题/严瑞珍、程漱兰主编/中国人民大学出版社/2001.10

经济全球化背景下中国农村经济可持续发展/廖卫东、王万山著/江西人民出版社/2002.9

经济体制改革研究/董辅礽著/经济科学出版社/1995

经济转型时期的理论与实践/侯宗宾著/中国青年出版社/1995

经济脉动/陈国栋、罗彤华主编/中国大百科全书出版社/2005.4

经济特区风云录/林里著/中央文献出版社/1998.9

若干重大决策与事件的回顾/薄一波著/人民出版社/1997

话说国防:张召忠教授演讲实录/张召忠著/国防大学出版社/2000.4

转轨经济中的税收政策/王道树著/人民出版社/1999.10

转变中的中国人口与发展总报告/邬沧萍主编/高等教育出版社/1996

转型中国的治理与发展/张昕著/中国人民大学出版社/2007.3

转型期农村经济制度的演化与创新:以沿海省份为例的研究/金祥荣、柯荣住等著/浙江大学出版社/2005.8

金融史话/陈争平著/社会科学文献出版社/2000.9

举世无双的军队/蔡仁照编著/中共党史出版社/2007.7

亲历八十年辉煌/文汇报、新华社解放军分社编/中国致公出版社/2007.7

信息时代与军事后勤/徐根初主编/当代中国出版社/1998.1

南方谈话以后的中国/吕书正著/中央文献出版社/2002.3

变革二十年:交通银行与中国银行业嬗变/吴雨珊、王海明著/中国金融出版社/2007.7

变革中的中国公共政策/马德普、霍海燕、高卫星主编/中国经济出版社/1998.1

咸阳改革开放二十年/高存德、孙万保主编/陕西人民出版社/1998

战后中日关系文献集:1971—1995/田桓主编/中国社会科学出版社/1997.8

战后中日关系史年表:1945—1993/田桓主编/中国社会科学出版社/1994.8

战后日本舆论、学界与中国/诸葛蔚东著/中国社会科学出版社/2003.4

指点江山/李晓文等著/中国工人出版社/1998

政治体制改革与法制建设/吴大英、刘瀚主编/社会科学文献出版社/2007.4

春天的故事/陈锦泉著/中央文献出版社/2002

春潮涌动/贺耀敏等著/中国工人出版社/2000
科技兴国:中国迈向21世纪的重大战略决策/朱丽兰等编著/中共中央党校出版社/1995.6
科技富国论/李京文著/社会科学文献出版社/1995
科教兴国战略/席巧娟主编/北京科学技术出版社/2002.6
突围——国门初开的岁月/李岚清著/中央文献出版社/2008.11
给共和国领导人做翻译/蒋本良著/上海辞书出版社/2007.8
统一财经为新中国奠基立业/李海等主编/当代中国出版社/2008.1
统一战线与一国两制/李道湘、刘春梅主编/华文出版社/2002
统一战线与多党合作/郑宪、王志功主编/华文出版社/2002
统战史研究/李玉荣著/山东教育出版社/2001
美术史话/龚产兴著/社会科学文献出版社/2000.9
美国与中日关系的演变/廉德瑰著/世界知识出版社/2006.1
美国与近现代中国/陶文钊、梁碧莹主编/中国社会科学出版社/1996.12
美国与国共关系和海峡两岸关系/王海琳等主编/武汉出版社/2001
美国对华政策内幕:1949—1998/郝雨凡著/台海出版社/1998.6
胜利在1971:新中国重返联合国纪实/陈敦德著/解放军文艺出版社/2004.1
胡乔木谈新闻出版/《胡乔木传》编写组编/人民出版社/1999.9
面向新世纪的中国宗教和宗教工作/王作安主编/学习出版社/2000.3
香港:东西方文化的交汇处/钱益兵、贺耀敏著/中国人民大学出版社/1995
香港文学史/刘登翰主编/人民文学出版社/1999.4
香港回归历程:钟士元回忆录/钟士元著/中文大学出版社/2001.5
香港驻军十年/苏玉光、节延华、陈道阔著/解放军出版社/2007.6
香港政治发展:1980—2004/周平著/中国社会科学出版社/2006.3
党史札记末编/龚育之著/中共党史出版社/2008.1
党史理论纵横谈/谢萌明、陈静主编/中共党史出版社/2001
党在社会主义建设新时期的主要历史经验/中共中央宣传部理论局组织编写/学习出版社/2000.1
党和国家高层智慧/王瑞璞主编/中国经济出版社/2002
党的十一届三中全会以来共青团重要文件汇编/共青团中央办公厅编/中国青年出版社/2001
党的建设七十年/张天荣等主编/中共党史出版社/1992.5
党的第三代领导集体与跨世纪的中国/中共中央党史研究室第二研究部著/中共党史出版社/2002.10
浙江工业发展五十年/本书编委会编/中国计划出版社/2000
浙江改革与发展总览/中国经济体制改革研究会、浙江省经济体制改革研究会编/浙江大学出版社/1997
浙江改革开放20年的理性思考/万斌主编/浙江人民出版社/2001
浙江经济发展五十年/潘家玮主编/浙江人民出版社/2000
海外华人华侨与中国改革开放/任贵祥主编/中共党史出版社/2009.2
海军征战纪实/黄传会、舟欲行著/解放军文艺出版社/2000.10
海南特区改革开放与发展/钟业昌著/中国社会科学出版社/1995
海峡两岸关系40年/马建离等著/湖北教育出版社/1995.2
海峡两岸关系史·第一卷,开发·融合/张春英主编,蔡放波等撰稿/福建人民出版社/2004.12
海峡两岸关系史·第二卷,变乱·回归/张春英主编,马德茂等撰稿/福建人民出版社/2004.12

海峡两岸关系史·第三卷,内争·对峙/张春英主编,张春英等撰稿/福建人民出版社/2004.12

海峡两岸关系史·第四卷,缓和·统一/张春英主编,李明强等撰稿/福建人民出版社/2004.12

海峡两岸经贸关系研究/李宏硕主编/中国致公出版社/1994

珠海20年的跨越与思考/中共珠海市委宣传部编/红旗出版社/2001

真情与真理之间:二十世纪中国艺术文化史论略/刘岳兵著/当代中国出版社/2002.11

航运史话/张后铨著/社会科学文献出版社/2000.9

谁能撼我长城/曹建等著/新疆人民出版社/1996

较量的背后:中共与西方的对抗和合作(上、下)/黄修荣主编;宋彬游战兴编著/吉林人民出版社/1999.6

速读中国/《北京晚报》深度报道部著/北京出版社/2002.11

铁路史话/龚云著/社会科学文献出版社/2000.9

难忘的20年:1978—1998/王火主编/北京出版社/1999.2

高等教育史/郝维谦、龙正中主编/海南出版社/2000.7

崛起与辉煌/刘宋斌著/解放军文艺出版社/1999.1

惊鸿一瞥 文学中国:1949—1999/杨匡汉主编/陕西人民教育出版社/1999.9

探索与代价/韩泰华主编/北京出版社/1999

探索与奋进的80年/桑学成、王云骏编著/南京大学出版社/2001

教育史话/朱从兵著/社会科学文献出版社/2000.9

教育国际交流与合作史/于富增等著/海南出版社/2001.8

旌勇里国史讲座(第二辑)/刘国新主编/当代中国出版社/2009.1

检察制度史纲要/刘方著/法律出版社/2007

深圳实践与中国特色社会主义/中共深圳市委宣传部编/广东人民出版社/2002

渐进式的超越:中俄两国转型模式的调整与深化/关海庭、吴群芳主编/北京大学出版社/2006.6

第一动力:当代中国的科技战略问题/何翔皓等著/今日中国出版社/1998.2

第三代领导集体与中国的对外开放/陈理著/四川人民出版社/2002

第三产业法律指南/《求是》杂志社总编室编/红旗出版社/1992.10

职业教育史/闻友信、杨金梅著/海南出版社/2000.9

强国之路20年/刘书林主编/中国青年出版社/1998.4

强国历程/韩泰华主编/北京出版社/1999

税费改革背景下的乡镇体制研究/李昌平、董磊明主编/湖北人民出版社/2004.9

装甲兵/中国人民解放军历史资料丛书编审委员会编著/解放军出版社/2001

超越对抗:中美三次大冲突/文衎编著/金城出版社/1998.4

超越国境的历史认识:来自日本学者及海外中国学者的视角/刘杰、三谷博、杨大庆等著/社会科学文献出版社/2006.5

辉煌五十年(上、中、下卷)/刘利民主编/红旗出版社/1998.10

辉煌的十年/李冰梅著/吉林文史出版社/2002

辉煌的五年/本社编/人民日报出版社/1997.9

辉煌的历程:中国改革开放二十年/张皓若主编/中国商业出版社/1998.5

辉煌的历程 崇高的使命/国防大学邓小平理论研究中心编/长征出版社/2001

辉煌的四十五年:中华人民共和国国史研究论文集/张启华主编/当代中国出版社/1995.1

辉煌的里程碑:全国纪念十一届三中全会召开二十周年研讨会论文集/黄顺通主编,中共厦门市委党史研究室编/中央文献出版社/1999.6

黑龙江五十年:1949—1999/贺全宾、李志范主编/中国统计出版社/1999
数读中国30年/中国产业地图编委会/社会科学文献出版社/2008.11
新中国50年(上、中、下)/韩泰华主编/红旗出版社/1999.12
新中国50年:1949—1999/闵凡路主编/湖北教育出版社/1999.8
新中国人口五十年/路遇主编/中国人口出版社/2004.8
新中国万岁(1949—1999)/高凯、于玲、邱金利、申联彬主编/中国国际广播出版社/1999.4
新中国万岁/高凯等主编/中国国际广播出版社/1999
新中国大博览/李默主编/广东旅游出版社/1993.2
新中国马克思主义哲学50年/任俊明主编/人民出版社/2006.5
新中国与苏联的高层往来/徐晓天等著/吉林人民出版社/2001
新中国五十年/陈明显编著/北京理工大学出版社/1999.5
新中国五十年大事记(上、下)/《新华月报》编辑部编/人民出版社/1999.9
新中国五十年统计资料汇编/国家统计局国民经济综合统计司编/中国统计出版社/1999.11
新中国六次反侵略战争实录/李健编/中国广播电视出版社/1992.1
新中国反贪污贿赂理论与实践/钟澍钦主编/人民出版社/1995.8
新中国反腐败通鉴/李雪勤主编/天津人民出版社/1993.12
新中国反腐败第一大案:枪毙刘青山、张子善纪实/鲁兵等编著/法律出版社/1990.5
新中国文学史(上、下)/张炯编著/海峡文艺出版社/2000.12
新中国水利50年/中华人民共和国水利部编/中国水利水电出版社/1999.11
新中国出版五十年纪事/刘杲、石峰主编/新华出版社/1999.12
新中国史话/胡悌云等著/当代中国出版社/1996
新中国史略/孙瑞鸢、腾文藻等著/陕西人民出版社/1991.9
新中国司法解释大全·增补本/梁国庆主编/中国检察出版社/1993.2
新中国四十五年研究/陈明显等撰稿/北京理工大学出版社/1994.1
新中国外交50年(上、中、下)/王泰平主编/北京出版社/1999.9
新中国外交大写意/《纵横》编辑部编/中国文史出版社/2001.1
新中国外交五十年/《新中国外交五十年》编委会编/世界知识出版社/1999.9
新中国外交风云·第三辑/外交部外交史研究室编/世界知识出版社/1994.3
新中国外交风云·第四辑/《新中国外交风云》编委会编/世界知识出版社/1996.5
新中国外交风云·第五辑/《新中国外交风云》编委会编/世界知识出版社/1999.8
新中国外交思想——从毛泽东到邓小平:毛泽东、周恩来、邓小平外交思想比较研究/叶自成著/北京大学出版社/2001.6
新中国对外汉语教学发展史/程裕祯主编/北京大学出版社/2005.3
新中国民族工作十讲/国家民族事务委员会研究室编/民族出版社/2006.4
新中国电影史:1949—2000/尹鸿、凌燕著/湖南美术出版社/2002.11
新中国立法概述/顾昂然著/法律出版社/1995.10
新中国传媒五十年:1949—1999/许中田总主编,中国新闻年鉴编辑委员会编/中国新闻年鉴社/2001
新中国军事大事纪要/张驭涛主编/军事科学出版社/1998.2
新中国农田水利史略:1949—1998/丁泽民主编/中国水利水电出版社/1999.3
新中国刑法学研究历程/高铭暄、赵秉志编著/中国方正出版社/1999
新中国刑法科学简史/高铭暄等撰/中国人民公安大学出版社/1993.5

新中国戏剧史:1949—2000/傅谨著/湖南美术出版社/2002.11
新中国成人高等教育发展研究/何红玲著/中国社会科学出版社/2004.5
新中国行政管理简史:1949—2000/中国行政管理学会编/人民出版社/2002.2
新中国劳动保障史话:1949—2003/刘贯学著/中国劳动社会保障出版社/2004.11
新中国沉重的一幕/叶永烈著/作家出版社/1993.12
新中国社会科学五十年/中国社会科学院科研局编/中国社会科学出版社/2000.5
新中国财政税收史论纲/赵梦涵著/经济科学出版社/2002
新中国国防科技体系的形成与发展研究/吴远平、赵新力、赵俊杰著/国防工业出版社/2006.1
新中国宗教工作大事概览:1949—1999/罗广武编著/华文出版社/2001.1
新中国建设大辞典/范茂发、朱元珍主编/中国轻工业出版社/1994.3
新中国往事/邓力群主编/中央文献出版社/2006.1
新中国法制建设的回顾与反思/李龙主编/中国社会科学出版社/2004.4
新中国法制研究史料通鉴·第一卷·军管法制篇/张培田主编/中国政法大学出版社/2003.9
新中国法制研究史料通鉴·第二卷·镇反肃反法制篇/张培田主编/中国政法大学出版社/2003.9
新中国法制研究史料通鉴·第三卷·民主建设法制篇/张培田主编/中国政法大学出版社/2003.9
新中国法制研究史料通鉴·第四卷·经济法制篇/张培田主编/中国政法大学出版社/2003.9
新中国法制研究史料通鉴·第五卷·农业法制篇/张培田主编/中国政法大学出版社/2003.9
新中国法制研究史料通鉴·第六卷·工业法制篇/张培田主编/中国政法大学出版社/2003.9
新中国法制研究史料通鉴·第七卷·民政法制篇/张培田主编/中国政法大学出版社/2003.9
新中国法制研究史料通鉴·第八卷·商业法制篇/张培田主编/中国政法大学出版社/2003.9
新中国法制研究史料通鉴·第九卷·文化教育法制篇/张培田主编/中国政法大学出版社/2003.9
新中国法制研究史料通鉴·第十卷·外交法制篇/张培田主编/中国政法大学出版社/2003.9
新中国法制研究史料通鉴·第十一卷·综合篇/张培田主编/中国政法大学出版社/2003.9
新中国经济史/苏星著/中共中央党校出版社/1999.9
新中国经济建设史/张奕曾、王玉玲主编/黑龙江人民出版社/1996
新中国经济建设评析/张寿春、金鑫著/东南大学出版社/1996.10
新中国经济思想史纲要/胡寄窗、谈敏主编/上海财经大学出版社/1997
新中国经济理论史/赵晓雷著/上海财经大学出版社/1999.9
新中国诞生实录/庞松著/浙江人民出版社/2001.12
新中国金融五十年/尚明主编/中国财政经济出版社/2000
新中国城市50年/黄朗辉主编/新华出版社/1999
新中国城市五十年/国家统计局城市社会经济调查总队编/新华出版社/1999.12
新中国城市经济50年/王茂林主编/经济管理出版社/2000
新中国宪政之路:1949—1999/殷啸虎著/上海交通大学出版社/2000.7
新中国思想理论教育史/张雷声、郑吉伟、李玉峰编著/高等教育出版社/2005.4
新中国政治学的回顾与展望/杨海蛟主编/世界知识出版社/2000.7
新中国统一战线五十年大事年表:(1949—1999)/中共中央统战部研究室编著/华文出版社/2000.6
新中国美术史:1949—2000/邹跃进著/湖南美术出版社/2002.11
新中国要事述评/林志坚主编/中共党史出版社/1994.7
新中国轻工业三十年:1949—1979·上册/轻工业部政策研究室编/轻工业出版社/1981.8
新中国轻工业三十年:1949—1979·中册/轻工业部政策研究室编/轻工业出版社/1980.12
新中国轻工业三十年:1949—1979·下册/轻工业部政策研究室编/轻工业出版社/1981.2

新中国重大决策纪实/中共中央文献研究室等编/中国文联出版社/1999.10
新中国音乐史:1949—2000/居其宏著/湖南美术出版社/2002.11
新中国哲学研究50年:中国社会科学院哲学研究所50周年学术文集(上、中、下)/李景源主编/人民出版社/2005.9
新中国海战档案/崔京生著/中国青年出版社/2007.7
新中国留学归国学人大词典/中华人民共和国人事部主编/湖北教育出版社/1993.7
新中国探索“三农”问题的历史经验/张新华主编/中共党史出版社/2007.6
新中国教育历程/高奇著/河北教育出版社/1999.1
新中国领事实践/《新中国领事实践》编写组编/世界知识出版社/1991.3
新中国舞蹈史:1949—2000/冯双白著/湖南美术出版社/2002.11
新世纪中国人权/中国人权研究会编/团结出版社/2005.10
新世纪新阶段中国国防和军队建设/徐明善、方永刚主编/人民出版社/2007.8
新旧经济体制转换期的经济与统计/郑家亨著/中国统计出版社/1996
新农村建设战略研究/农业部课题组编/中国农业出版社/2006
新体制的探索与思考/吉炳轩著/中共中央党校出版社/1995
新体制的雏形:十四大以来中国城市改革的实践/张皓若、洪虎主编/改革出版社/1998.4
新时期人口问题探索/张枫主编/中国人口出版社/2003
新时期人大工作实践/于兴隆著/内蒙古人民出版社/2001
新时期人民内部矛盾问题研究/梁周敏、衡彩霞著/人民出版社/2001
新时期人民政协概论/张作祖著/新疆人民出版社/2001
新时期乡镇计划生育工作探讨/李传旭著/中国人口出版社/2003
新时期工业发展战略与政策/郭克莎等著/人民出版社/2004.7
新时期中国土地管理研究(上、下)/黄小虎主编/当代中国出版社/2006.5
新时期中国共产党的建设简史/中共中央党史研究室著/中共党史出版社/2009.1
新时期中国新闻传播评述/姚福申主编/复旦大学出版社/2002
新时期文艺新潮评析/程代熙主编/河南大学出版社/1997.4
新时期文史资料工作学术研究论文选集/安徽省政协文史资料委员会编/安徽人民出版社/1997
新时期四川经济发展战略/四川省青年联合会编/西南财经大学出版社/1996
新时期对外宣传论稿/黄泽存著/五洲传播出版社/2002
新时期民族区域自治制度与法制建设/吴仕民主编/民族出版社/2002
新时期民族宗教工作的实践与思考/朱晓明著/华文出版社/2003.9
新时期民族宗教理论与实践/陈祥骥主编/宁夏人民出版社/1999
新时期民族政策的理论与实践/王铁志主编/民族出版社/2001
新时期农村发展战略研究/农业部课题组编/中国农业出版社/2005.11
新时期农村政策法规理论与实践/胡述宝主编/中国言实出版社/2002
新时期体育改革发展之研究/国家体育总局干部培训中心编/北京体育大学出版社/2001
新时期我国经济的宏观调控/王梦奎等编著/人民出版社/1994.4
新时期社会主义论纲/王玉海主编/山东人民出版社/2001
新时期财会审计的改革与发展/中国中青年财务成本研究会秘书处编/东北财经大学出版社/1997
新时期的陕西回族/马复员著/陕西人民出版社/1997
新时期的统一战线/屈增民主编/陕西人民出版社/2001
新时期城镇集体经济的改革与发展/国务院研究室工业交通司编/中国言实出版社/1996

新时期统战民族宗教问题论文集/黄铸著/华文出版社/2003
新时期海军后勤干部拒腐防变论纲/韩毅主编/解放军出版社/2002
新时期监狱改革发展的成功探索/杜雨主编/当代中国出版社/2001
新时期部队思想政治建设纵横谈/王峰著/解放军出版社/2003
新时期新闻实践及其散论/佟伟杰著/长征出版社/1999
新型农民专业合作经济组织发展研究/孙亚范著/社会科学文献出版社/2006.3
新闻事业的辉煌/郑梦熊、栗国安主编/江西人民出版社/2000
新编中共党史教程/田荣山主编/贵州人民出版社/2002
新编中国法制史/杨一凡主编，王志强等撰稿/社会科学文献出版社/2005.10
新编中国经济史/孔经纬著/吉林大学出版社/1993.4
福建省志·总概述/福建省地方志编纂委员会编/方志出版社/2002.1
简明中国文学史/孙静、周先慎编著/北京大学出版社/2001.9
简明中国文学史/骆玉明著/复旦大学出版社/2004.11
简明中国经济史/刘克祥著/经济科学出版社/2001
简明中国教育史/王炳照等编/北京师范大学出版社/1994.1
粮食安全:市场化进程中主销区粮食问题研究/闻海燕著/社会科学文献出版社/2006.3
腾飞的龙/[韩]金夏中著/世界知识出版社/2002
解决“三农”问题之路:中国共产党“三农”思想政策史/武力、郑有贵主编/中国经济出版社/2004.1
解放思想与当代社会主义改革/王跃著/江苏人民出版社/2001
解析台湾的大陆政策/杨丹伟著/群言出版社/2007.1
跨世纪的中国外交:“中国外交辉煌50年”研讨会论文集/杨福昌主编/世界知识出版社/2000.4
跨世纪的中国改革开放与国际环境/黄范章著/经济科学出版社/2002
跨世纪的农业/刘占昌、贺耀敏著/中共中央党校出版社/1994
模式中国:经济突围与制度变迁的7个样板/余映丽、李进杰著/新华出版社/2002.10
漩涡/韩泰华主编/北京出版社/1999
澳门政治发展史/吴志良著/上海社会科学院出版社/1999.7
激荡三十年:中国企业1978—2008.上/吴晓波著/中信出版社/2007.1
激荡三十年:中国企业1978—2008.下/吴晓波著/中信出版社/2008.1
薄一波经济思想研究/李高泉著/青海人民出版社/1993.11
繁荣与代价——对改革开放30年中国发展的解读/中国21世纪可持续发展战略研究组编写/社会科学文献出版社/2008.12

三

工具书

20世纪中国学术大典/吴阶平、季羡林总主编/福建教育出版社/2002
一国两制重要文献选编/中共中央文献研究室编/中央文献出版社/1997.5
十一届三中全会以来党的历次全国代表大会中央全会重要文件选编/中共中央文献研究室编/中央文献出版社/1997.9
十一届三中全会以来党的历次全国代表大会中央全会重要文件选编(上下册)/中共中央文献研究

室编/中央文献出版社/1997.10

十四大以来国有企业改革和发展大事纪要/中共中央文献研究室第四编研室编/中央文献出版社/1999.11

十四大以来重要文献选编(上)/中共中央文献研究室编/人民出版社/1996.2

十四大以来重要文献选编(中)/中共中央文献研究室编/人民出版社/1997.12

十四大以来重要文献选编(下)/中共中央文献研究室编/人民出版社/1999.10

十四大以来党和国家领导人论国有企业改革和发展/中共中央文献研究室编/中央文献出版社/1999.10

万里论人民民主与法制建设/全国人大常委会办公厅万里论著编辑组编/中国民主法制出版社/1996.10

中共十三届四中全会以来历次全国代表大会中央全会重要文献选编/中共中央文献研究室编/中央文献出版社/2002

中华人民共和国1995年第三次全国工业普查资料汇编:地区卷/第三次全国工业普查办公室编/中国统计出版社/1997.6

中华人民共和国1995年第三次全国工业普查资料汇编:综合·行业卷/第三次全国工业普查办公室编/中国统计出版社/1997.3

中华人民共和国1995年第三次全国工业普查资料摘要/第三次全国工业普查办公室编/中国统计出版社/1996.12

中华人民共和国工业企业基本概况·电力工业卷/第三次全国工业普查办公室电力工业部普查领导小组办公室编/中国电力出版社/1996.10

中华人民共和国工业企业基本概况·纺织工业卷(上、下册)/中国纺织总会第三次全国工业普查办公室编/中国统计出版社/1996.12

中华人民共和国主席令(1—4册)/孙琬钟等编/吉林人民出版社/2001.4

中华人民共和国史词典·修订版/黄文安主编/中国档案出版社/1994.6

中华人民共和国幼儿教育重要文献汇编/中国学前教育研究会编/北京师范大学出版社/1999.10

中华人民共和国全国分县市人口统计资料:1994年/中华人民共和国公安部编/群众出版社/1995.6

中华人民共和国全国分县市人口统计资料:1996年/中华人民共和国公安部编/中国人民公安大学出版社/1997.4

中华人民共和国地名录/中国地名委员会编/中国社会科学出版社/1994.3

中华人民共和国地图集/中国地图出版社/1994.6

中华人民共和国地图集/总参谋部测绘局编制/星球地图出版社/2000.5

中华人民共和国年鉴·1997/中华人民共和国年鉴编辑部编辑/中华人民共和国年鉴社/1997

中华人民共和国年鉴·1998/中华人民共和国年鉴编辑部编辑/中华人民共和国年鉴社/1999

中华人民共和国年鉴·1999/中华人民共和国年鉴编辑部编辑/中华人民共和国年鉴社/1999

中华人民共和国年鉴·2000/中华人民共和国年鉴编辑部编辑/中华人民共和国年鉴社/2000

中华人民共和国年鉴·2001/中华人民共和国年鉴编辑部编辑/中华人民共和国年鉴社/2001

中华人民共和国年鉴·2002/中华人民共和国年鉴编辑部编辑/中华人民共和国年鉴社/2002

中华人民共和国百科之最大辞典/张守强、于华夫主编/哈尔滨出版社/1993.1

中华人民共和国自然地图集/中国科学院编制/中国科学院出版社/1965.10

中华人民共和国行政区划沿革地图集/陈潮主编/中国地图出版社/2003.10

中华人民共和国行政区划简册2000/中华人民共和国民政部编/中国地图出版社/2000.4

中华人民共和国投资法规文件汇编(上、下)/全国人大内务司法委员会内务室编/地震出版社/2001.5

中华人民共和国典章制度全书(1—6卷)/中华人民共和国典章制度编委会编/中国民主法制出版社/1999.7

中华人民共和国国务院令(全四卷)/全国人民代表大会常务委员会法制工作委员会审定/吉林人民出版社/2001.4

中华人民共和国国务院部门规章·1994/国务院法制局办公室编/中国政法大学出版社/1996.2

中华人民共和国国史百科全书/邓力群主编/中国大百科全书出版社/1999.7

中华人民共和国国家机构通览/程湘清主编/中国民主法制出版社/1998.11

中华人民共和国国家普通地图集/国家地图集编纂委员会编/中国地图出版社/1995.1

中华人民共和国法规汇编·1992年1月至12月/国务院办公厅法制局编/法律出版社/1993.6

中华人民共和国法规汇编·1993年1月至12月/国务院办公厅法制局编/法律出版社/1994.7

中华人民共和国法规汇编·1994年1月至12月/国务院办公厅法制局编/法律出版社/1995.6

中华人民共和国法律汇编·1994/全国人民代表大会常务委员会法制工作委员会编/人民出版社/1995.2

中华人民共和国法律汇编·1996/全国人民代表大会常务委员会法制工作委员会编/人民出版社/1997.2

中华人民共和国法律法规全书/全国人大常委会法制工作委员会审定/中国民主法制出版社/1994.4

中华人民共和国重要教育文献(1991—1997)/何东昌主编/海南出版社/1998.9

中华人民共和国重要教育文献(1998—2002)/何东昌主编/海南出版社/2003.5

中华人民共和国党政军群领导人名录/本书编辑组编/中共党史出版社/1990.12

中华人民共和国涉外法规汇编·1993/国务院法制局编/中国法制出版社/1994.5

中华人民共和国涉外法律法规常用手册·经济卷/全国人大常委会法制工作委员会审定/法律出版社/1994.7

中华人民共和国第九届全国人民代表大会第一次会议文件汇编/全国人民代表大会常务委员会办公厅编/人民出版社/1998.4

中华人民共和国第九届全国人民代表大会第二次会议文件汇编/全国人民代表大会常务委员会办公厅编/人民出版社/1999.4

中华人民共和国第九届全国人民代表大会第三次会议文件汇编/全国人民代表大会常务委员会办公厅编/人民出版社/2000.4

中华人民共和国第九届全国人民代表大会第四次会议文件汇编/全国人民代表大会常务委员会办公厅编/人民出版社/2001.3

中华人民共和国第九届全国人民代表大会第五次会议文件汇编/全国人民代表大会常务委员会办公厅编/人民出版社/2002.3

中华人民共和国澳门特别行政区基本法/人民出版社/1997.8

中华人事行政法律大典/彭勃、徐颂陶主编/中国人事出版社/1995

中华文化大辞海(1—5)/本书编委会编;史仲文、胡晓林主编/中国国际广播出版社/1998.1

中国人口统计年鉴·1993/国家统计局人口与就业统计司编/中国统计出版社/1993.10

中国人口统计年鉴·1994/国家统计局人口与就业统计司编/中国统计出版社/1994.11

中国人口统计年鉴·1995/国家统计局人口与就业统计司编/中国统计出版社/1995.11

中国人口统计年鉴·1996/国家统计局人口与就业统计司编/中国统计出版社/1996.12

中国人口统计年鉴·1998/国家统计局人口与就业统计司编/中国统计出版社/1998.8

中国人口统计年鉴·1999/国家统计局人口和社会科技统计司编/中国统计出版社/1999.11

中国人口统计年鉴·2000/国家统计局人口和社会科技统计司编/中国统计出版社/2000.11

中国人民共和国国家经济地图集/国家地图集编纂委员会编/中国地图出版社/1993.6

中国人民政治协商会议年鉴·1994/朱训主编/人民出版社/1996

中国人民政治协商会议年鉴·1995/朱训主编/人民出版社/1997

中国人民政治协商会议年鉴·1996/朱训主编/人民出版社/1997

中国人民政治协商会议年鉴·1997/郑万通主编/中国文史出版社/1998

中国人民政治协商会议年鉴·1998/郑万通主编/中国文史出版社/1999

中国人民政治协商会议年鉴·1999/郑万通主编/人民出版社/2000

中国人民政治协商会议年鉴·2000/郑万通主编/人民出版社/2001

中国人民政治协商会议年鉴·2001/郑万通主编/人民出版社/2002

中国人民政治协商会议年鉴·2002/郑万通主编/人民出版社/2003

中国人物年鉴·1992/李方诗等主编/华艺出版社/1992.10

中国人物年鉴·1993/李方诗等主编/华艺出版社/1993.10

中国人物年鉴·1994/中华名人协会主办/华艺出版社/1994.10

中国人物年鉴·1995/本书编委会编/中国社会出版社/1996.5

中国人物年鉴·1996/本书编委会编/中国社会出版社/1996.10

中国卫生年鉴·1993/《中国卫生年鉴》编辑委员会编/人民卫生出版社/1993

中国卫生年鉴·1994/《中国卫生年鉴》编辑委员会编/人民卫生出版社/1994

中国卫生年鉴·1995/《中国卫生年鉴》编辑委员会编/人民卫生出版社/1995

中国卫生年鉴·1996/《中国卫生年鉴》编辑委员会编/人民卫生出版社/1996

中国卫生年鉴·1997/《中国卫生年鉴》编辑委员会编/人民卫生出版社/1997

中国卫生年鉴·1998/《中国卫生年鉴》编辑委员会编/人民卫生出版社/1998

中国卫生年鉴·1999/《中国卫生年鉴》编辑委员会编/人民卫生出版社/1999

中国卫生年鉴·2000/《中国卫生年鉴》编辑委员会编/人民卫生出版社/2000

中国卫生年鉴·2001/《中国卫生年鉴》编辑委员会编/人民卫生出版社/2001

中国卫生年鉴·2002/刘新明、刘益清主编;《中国卫生年鉴》编辑委员会编/人民卫生出版社/2002

中国工业年鉴·1993/《中国工业年鉴》编辑委员会编辑/《中国工业年鉴》编辑部/1993

中国工业年鉴·1994/《中国工业年鉴》编辑部编/《中国工业年鉴》编辑部/1994

中国工业经济统计年鉴·2001/国家统计局工业交通统计司编/中国统计出版社/2001.12

中国工业经济统计年鉴·2002/任才方主编;国家统计局工业交通统计司编/中国统计出版社/2002.11

中国广播电视年鉴·1992—1993/李振水主编;《中国广播电视年鉴》编辑委员会编/北京广播学院出版社/1993

中国广播电视年鉴·1994/《中国广播电视年鉴》编辑委员会编/北京广播学院出版社/1994

中国广播电视年鉴·1995/《中国广播电视年鉴》编辑委员会编/北京广播学院出版社/1995

中国广播电视年鉴·1996/《中国广播电视年鉴》编辑委员会编/北京广播学院出版社/1996

中国广播电视年鉴·1997/《中国广播电视年鉴》编辑委员会编/北京广播学院出版社/1997

中国广播电视年鉴·1998/广播电影电视部《中国广播电视年鉴》编辑委员会编/北京广播学院出版社/1998

中国广播电视年鉴·1999/国家广播电影电视总局《中国广播电视年鉴》编辑委员会编/中国广播电

视年鉴社/1999

中国广播电视年鉴·2000/国家广播电影电视总局《中国广播电视年鉴》编辑委员会编/中国广播电视年鉴社/2000

中国广播电视年鉴·2001/国家广播电视总局、《中国广播电视年鉴》编辑委员会编/中国广播电视年鉴社/2001

中国广播电视年鉴·2002/赵玉明主编;国家广播电影电视总局,《中国广播电视年鉴》编辑委员会编/中国广播电视年鉴社/2002

中国中西部地区开发年鉴·1997/陈耀邦主编/改革出版社/1997.11

中国中西部地区开发年鉴·1998/刘江主编/改革出版社/1998.12

中国历史学年鉴·1992/中国史学会《中国历史学年鉴》编辑部编/三联书店/1993.7

中国历史学年鉴·1994/李侃主编/三联书店/1995.7

中国开放年鉴·1995/经济日报社编/经济日报出版社/1995.9

中国开放年鉴·1997/经济日报社编/经济日报出版社/1998.1

中国文化年鉴·2001/孙家正主编/新华出版社/2002.7

中国文化年鉴·2002—2003/孙家正主编/新华出版社/2004

中国气象年鉴·1992/《中国气象年鉴》编辑部编/气象出版社/1992

中国气象年鉴·1993/《中国气象年鉴》编辑部编/气象出版社/1993

中国气象年鉴·1994/《中国气象年鉴》编辑部编/气象出版社/1994

中国气象年鉴·1995/《中国气象年鉴》编辑部编/气象出版社/1995

中国气象年鉴·1996/《中国气象年鉴》编辑委员会编/气象出版社/1996

中国气象年鉴·1997/张桂森等编辑/气象出版社/1997

中国气象年鉴·1998/张桂森等编辑/气象出版社/1998

中国气象年鉴·1999/《中国气象年鉴》编辑委员会编/气象出版社/1999

中国气象年鉴·2000/朱祥瑞主编,《中国气象年鉴》编辑部编辑/气象出版社/2000

中国气象年鉴·2001/毛耀顺主编,《中国气象年鉴》编辑部编辑/气象出版社/2001

中国气象年鉴·2002/毛耀顺主编,《中国气象年鉴》编辑部编辑/气象出版社/2002

中国水利年鉴·1992/朱尔明主编,《中国水利年鉴》编纂委员会编/中国水利水电出版社/1993.3

中国水利年鉴·1993/朱尔明主编,《中国水利年鉴》编纂委员会编/中国水利水电出版社/1994.1

中国水利年鉴·1994/《中国水利年鉴》编纂委员会编/中国水利水电出版社/1995.6

中国水利年鉴·1995/《中国水利年鉴》编纂委员会编/中国水利水电出版社/1996.2

中国水利年鉴·1996/朱尔明主编,《中国水利年鉴》编纂委员会编/中国水利水电出版社/1997.3

中国水利年鉴·1997/朱尔明主编,《中国水利年鉴》编纂委员会编/中国水利水电出版社/1997.12

中国水利年鉴·1998/朱尔明主编,《中国水利年鉴》编纂委员会编/中国水利水电出版社/1998.12

中国水利年鉴·1999/《中国水利年鉴》编纂委员会编/中国水利水电出版社/1999.12

中国水利年鉴·2000/朱尔明主编,《中国水利年鉴》编纂委员会编/中国水利水电出版社/2000.11

中国水利年鉴·2001/《中国水利年鉴》编纂委员会编/中国水利水电出版社/2001.11

中国水利年鉴·2002/朱尔明主编,《中国水利年鉴》编纂委员会编/中国水利水电出版社/2002.11

中国水利年鉴·1995/《中国水利年鉴》编纂委员会编/中国水利水电出版社/1996.2

中国水利年鉴·1999/《中国水利年鉴》编纂委员会编/中国水利水电出版社/1999.12

中国计划生育年鉴·1996/《中国计划生育年鉴》编辑委员会编/本书编辑部出版/1996.12

中国出版年鉴·1992/中国出版年鉴社编辑/中国出版年鉴社/1993

中国出版年鉴·1993/中国出版年鉴社编辑/中国出版年鉴社/1994.6

中国出版年鉴·1994/中国出版年鉴社编辑/中国出版年鉴社/1994.12
中国出版年鉴·1995/中国出版年鉴社编辑/中国出版年鉴社/1995
中国出版年鉴·1996/中国出版年鉴社编辑/中国出版年鉴社/1996.11
中国出版年鉴·1997/中国出版年鉴社编辑/中国出版年鉴社/1997
中国出版年鉴·1998/中国出版年鉴社编辑/中国出版年鉴社/1998
中国出版年鉴·1999/中国出版年鉴社编辑/中国出版年鉴社/1999
中国出版年鉴·2000/中国出版年鉴社编辑/中国出版年鉴社/2000
中国出版年鉴·2001/中国出版年鉴社编/中国出版年鉴社/2001
中国出版年鉴·2002/潘国彦主编/中国出版年鉴社/2002
中国对外经济统计年鉴·1994/国家统计局贸易外经统计司编/中国统计出版社/1995.6
中国对外经济统计年鉴·1999/国家统计局贸易外经统计司编/中国统计出版社/1999.12
中国对外经济统计年鉴·2000/国家统计局贸易外经统计司编/中国统计出版社/2001.1
中国对外经济贸易年鉴·1996—1997/《中国对外经济贸易年鉴》编辑委员会编/中国经济出版社/1996.9
中国对外经济贸易年鉴·1997—1998/《中国对外经济贸易年鉴》编辑委员会编/中国经济出版社/1997.9
中国对外经济贸易年鉴·1998—1999/《中国对外经济贸易年鉴》编辑委员会编/中国经济出版社/1998.10
中国对外经济贸易年鉴·2000/《中国对外经济贸易年鉴》编辑委员会编/中国对外经济贸易出版社/2000.9
中国对外经济贸易年鉴·2001/对外贸易经济合作部、《中国对外经济贸易年鉴》编辑委员会主编/中国对外经济贸易出版社/2001.9
中国对外经济贸易年鉴·2002/《中国对外经济贸易年鉴》编辑委员会编/中国对外经济贸易出版社/2002.10
中国市场经济大辞典/杨卓舒主编/中国经济出版社/1993.2
中国市场统计年鉴·1993/国家统计局贸易物资统计司编/中国统计出版社/1993.12
中国市场统计年鉴·1994/国家统计局贸易外经统计司编/中国统计出版社/1995.6
中国市场统计年鉴·1995/国家统计局贸易外经统计司编/中国统计出版社/1996.7
中国市场统计年鉴·1997/国家统计局贸易外经统计司编/中国统计出版社/1998.3
中国市场统计年鉴·1998/国家统计局贸易外经统计司编/中国统计出版社/1999.8
中国市场统计年鉴·1999/国家统计局贸易外经统计司编/中国统计出版社/1999.12
中国市场统计年鉴·2001/国家统计局贸易外经统计司编/中国统计出版社/2002.2
中国民政统计年鉴·2000/民政部财务和机关事务司编/中国统计出版社/2000.8
中国民族工作年鉴·2001/赵显人主编,《中国民族工作年鉴》编辑委员会编辑/中国民族工作年鉴编辑委员会/2001.12
中国民族工作年鉴·2002/赵显人主编,《中国民族工作年鉴》编辑部编辑/中国民族工作年鉴编辑委员会/2002
中国民族年鉴·1995/《中国民族年鉴(1995)》编委会编/民族出版社/1996
中国民族年鉴·1996/《中国民族年鉴(1996)》编委会编/辽宁民族出版社/1997
中国民族年鉴·1997/《中国民族年鉴(1997)》编委会编/中央民族大学出版社/1998
中国民族年鉴·1998/春世增主编,《中国民族年鉴(1998)》编委会编/民族出版社/1999
中国民族年鉴·1999/齐宝和主编,《中国民族年鉴(1999)》编委会编/民族出版社/2000

中国民族年鉴·2000/齐宝和主编,《中国民族年鉴(2000)》编委会编/民族出版社/2001

中国民族年鉴·2001/《中国民族年鉴》编辑部编辑/民族出版社/2002

中国民族年鉴·2002/齐宝和总编,《中国民族年鉴(2001)》编委会编/民族出版社/2003

中国民族研究年鉴·1996—1997/于宝林、华祖根主编/民族出版社/1998.10

中国民族统计年鉴·1949—1994/国家民族事务委员会经济司、国家统计局国民经济综合统计司编/民族出版社/1994.8

中国民族统计年鉴·1995/国家民族事务委员会经济司、国家统计局国民经济综合统计司编/民族出版社/1995.10

中国民族统计年鉴·1996/国家统计局国民经济综合统计司/民族出版社/1997.10

中国民族统计年鉴·1997/国家民族事务委员会经济司、国家统计局国民经济综合统计司编/民族出版社/1997.10

中国民族统计年鉴·1998/国家民族事务委员会经济司、国家统计局国民经济综合统计司编/民族出版社/1998.10

中国民族统计年鉴·1999/国家民族事务委员会经济司、国家统计局国民经济综合统计司编/民族出版社/1999.12

中国民族统计年鉴·2000/国家民族事务委员会经济司、国家统计局国民经济综合统计司编/民族出版社/2000.12

中国电力年鉴·1993/《中国电力年鉴》编辑委员会编/中国电力出版社/1995.12

中国电力年鉴·1994/《中国电力年鉴》编辑委员会编/中国电力出版社/1996.7

中国电力年鉴·1995/《中国电力年鉴》编辑委员会编/中国电力出版社/1996.12

中国电子工业年鉴·2001/《中国电子工业年鉴》编辑委员会编/电子工业出版社/2001.9

中国电影年鉴·1992/《中国电影年鉴》编辑委员会编纂/中国电影出版社/1993

中国电影年鉴·1993/《中国电影年鉴》编辑委员会编纂/中国电影出版社/1994

中国电影年鉴·1994/《中国电影年鉴》编辑委员会编纂/中国电影出版社/1995

中国电影年鉴·1995/《中国电影年鉴》编辑委员会编纂/中国电影出版社/1996

中国电影年鉴·1996/中国电影年鉴社编纂/中国电影出版社/1997

中国电影年鉴·1997/中国电影年鉴社编纂/中国电影出版社/1998

中国电影年鉴·1998—1999/张兆龙主编,《中国电影年鉴》社编纂/中国电影出版社/1998

中国电影年鉴·2000/张兆龙主编,《中国电影年鉴》社编纂/中国电影出版社/2000

中国电影年鉴·2001/俞小一主编,《中国电影年鉴》社编纂/中国电影年鉴社/2001

中国电影年鉴·2002/俞小一主编,《中国电影年鉴》社编纂/中国电影年鉴社/2002

中国石油天然气工业年鉴·1996/中国石油天然气总公司编/石油工业出版社/1996.11

中国交通年鉴·2000/《中国交通年鉴》社编辑/中国交通年鉴社/2000.9

中国交通年鉴·2001/《中国交通年鉴》社编辑/中国交通年鉴社/2001.9

中国企业管理年鉴·1992/《中国企业管理年鉴》编委会编/企业管理出版社/1992.11

中国企业管理年鉴·1993/《中国企业管理年鉴》编委会编/企业管理出版社/1993.11

中国企业管理年鉴·1994/《中国企业管理年鉴》编委会编/企业管理出版社/1994.11

中国企业管理年鉴·1995/《中国企业管理年鉴》编委会编/企业管理出版社/1995.11

中国企业管理年鉴·1997/《中国企业管理年鉴》编委会编/企业管理出版社/1997.11

中国会计年鉴·1996/《中国会计年鉴》编辑委员会编/中国财政杂志社/1997

中国会计年鉴·1997/《中国会计年鉴》编辑委员会编/中国财政杂志社/1997

中国会计年鉴·1998/《中国会计年鉴》编辑委员会编/中国财政杂志社/1998

中国会计年鉴·1999/《中国会计年鉴》编辑委员会编辑/中国财政杂志社/1999
中国会计年鉴·2000/《中国会计年鉴》编辑委员会编辑/中国财政杂志社/2000
中国会计年鉴·2001/《中国会计年鉴》编辑委员会编辑/中国财政杂志社/2001
中国会计年鉴·2002/《中国会计年鉴》编辑委员会编辑/中国财政杂志社/2002
中国共产党历届中央委员会大辞典:1921—2003/中共中央组织部、中共中央党史研究室编/中共党史出版社/2004.11
中国共产党主要领导人论民族问题/刘先照主编,国家民族事物委员会政策研究室编/民族出版社/1994.7
中国共产党党风廉政建设文献选编/中共中央纪律检查委员会办公厅编/中国方正出版社/2001
中国共产党第十四次全国代表大会文件汇编/人民出版社/1992.10
中国军事百科全书(增补)/《中国军事百科全书》编审委员会编/军事科学出版社/2002.11
中国军事著作大辞典/《中国军事著作大辞典》编写组编著/解放军出版社/1996.10
中国农业年鉴·1992/《中国农业年鉴》编辑委员会编/农业出版社/1992.11
中国农业年鉴·1993/《中国农业年鉴》编辑委员会编/农业出版社/1993.12
中国农业年鉴·1994/《中国农业年鉴》编辑委员会编/中国农业出版社/1994
中国农业年鉴·1995/《中国农业年鉴》编辑委员会编/中国农业出版社/1995
中国农业年鉴·1996/《中国农业年鉴》编辑委员会编/中国农业出版社/1996
中国农业年鉴·1997/《中国农业年鉴》编辑委员会编/中国农业出版社/1997
中国农业年鉴·1998/《中国农业年鉴》编辑委员会编/中国农业出版社/1998
中国农业年鉴·1999/《中国农业年鉴》编辑部编/中国农业出版社/1999
中国农业年鉴·2000/沈镇昭、梁书升主编,《中国农业年鉴》编辑委员会编/中国农业出版社/2000
中国农业年鉴·2001/沈镇昭、梁书升主编,《中国农业年鉴》编辑委员会编/中国农业出版社/2001
中国农业年鉴·2002/沈镇昭、梁书升主编,《中国农业年鉴》编辑委员会编/中国农业出版社/2002
中国农村住户调查年鉴·2000/国家统计局农村社会经济调查总队编/中国统计出版社/2000.7
中国农村统计年鉴·1993/国家统计局农村社会经济统计司编/中国统计出版社/1993.11
中国农村统计年鉴·1994/国家统计局农村社会经济调查队编/中国统计出版社/1994.11
中国农村统计年鉴·1996/国家统计局农村社会经济调查总队编/中国统计出版社/1996.11
中国农村统计年鉴·1997/国家统计局农村社会经济调查总队编/中国统计出版社/1997.10
中国农村统计年鉴·1998/国家统计局农村社会经济调查总队编/中国统计出版社/1998.11
中国农村统计年鉴·1999/国家统计局农村社会经济调查总队编/中国统计出版社/1999.11
中国农村统计年鉴·2000/国家统计局农村社会经济调查总队编/中国统计出版社/2000.9
中国年鉴·1992/《中华人民共和国年鉴》编辑部编辑/中国年鉴社/1993.12
中国年鉴·1993/《中华人民共和国年鉴》编辑部编辑/中国年鉴社/1993.12
中国年鉴·1994/《中华人民共和国年鉴》编辑部编辑/中国年鉴社/1994.12
中国年鉴·1995/《中华人民共和国年鉴》编辑部编辑/中国年鉴社/1995.12
中国年鉴·1996/《中华人民共和国年鉴》编辑部编辑/中国年鉴社/1996.11
中国机械工业年鉴·1996/《中国机械工业年鉴》编辑委员会编/机械工业出版社/1996
中国机械工业年鉴·1997/《中国机械工业年鉴》编辑委员会编/机械工业出版社/1997
中国机械工业年鉴·1998/《中国机械工业年鉴》编辑委员会编/机械工业出版社/1998
中国机械工业年鉴·1999/《中国机械工业年鉴》编辑委员会编/机械工业出版社/1999
中国机械工业年鉴·2000/《中国机械工业年鉴》编辑委员会编/机械工业出版社/2000
中国机械工业年鉴·2001/《中国机械工业年鉴》编辑委员会编/机械工业出版社/2001

中国体育年鉴·1992—1993/国家体委编/人民体育出版社/1998

中国体育年鉴·1994—1995/国家体育运动委员会编/中国体育年鉴社/1996

中国体育年鉴·1996/伍绍祖主编,《中国体育年鉴》编辑部编辑/中国体育年鉴社/1999

中国体育年鉴·1997年/袁伟民主编,《中国体育年鉴》编辑部编辑/中国体育年鉴社/2000

中国体育年鉴·1998年/袁伟民主编,《中国体育年鉴》编辑部编辑/中国体育年鉴社/2000

中国体育年鉴·1999/伍绍祖主编/中国体育年鉴社/1999

中国体育年鉴·2000/袁伟民主编,《中国体育年鉴》编辑部编辑/中国体育年鉴社/2000

中国体育年鉴·2001/袁伟民主编,国家体育总局编/中国体育年鉴社/2001

中国体育年鉴·2002/袁伟民主编,国家体育总局编/中国体育年鉴社/2002

中国劳动统计年鉴·1994/国家统计局人口与就业统计司、劳动部综合计划与工资司编/中国统计出版社/1994.11

中国劳动统计年鉴·1995/国家统计局人口与就业统计司、劳动部综合计划与工资司编/中国统计出版社/1996.1

中国劳动统计年鉴·1996/国家统计局人口与就业统计司、劳动部综合计划与工资司编/中国统计出版社/1996.10

中国劳动统计年鉴·1997/国家统计局人口与就业统计司、劳动部综合计划与工资司编/中国统计出版社/1997.10

中国劳动统计年鉴·1998/国家统计局人口与就业统计司、劳动部综合计划与工资司编/中国统计出版社/1998.10

中国劳动统计年鉴·1999/国家统计局人口和社会科技统计司、劳动和社会保障部规划财务司编/中国统计出版社/1999.10

中国劳动统计年鉴·2000/国家统计局人口和社会科技统计司、劳动和社会保障部规划财务司编/中国统计出版社/2000.10

中国证券业年鉴·1993:创刊号/《中国证券业年鉴》编辑委员会编/新华出版社/1993.10

中国证券业年鉴·1994/《中国证券业年鉴》编辑委员会、赛格国际信托投资公司编/新华出版社/1994

中国证券业年鉴·1995/辛业江、任正德主编,《中国证券业年鉴》编辑委员会编/新华出版社/1995

中国证券业年鉴·1996/《中国证券业年鉴》编辑委员会等编/新华出版社/1996

中国证券业年鉴·1997/《中国证券业年鉴》编辑委员会等编/新华出版社/1997

中国证券业年鉴·1998/《中国证券业年鉴》编辑委员会编/中国经济出版社/1998

中国证券业年鉴·1999/《中国证券业年鉴》编辑委员会编/中国经济出版社/1999

中国证券业年鉴·2000/陈乃进等总编辑,《中国证券业年鉴》编辑委员会编/中国经济出版社/2000

中国证券业年鉴·2001/陈乃进等总编辑,北京中证鉴文化传播有限公司,《中国证券业年鉴》编辑委员会编/中国经济出版社/2001

中国证券业年鉴·2002/陈乃进等总编辑,《中国证券业年鉴》编辑委员会编/中国经济出版社/2003

中国财政年鉴·1992/《中国财政年鉴》编辑委员会编/中国财政杂志社/1992

中国财政年鉴·1993/《中国财政年鉴》编辑委员会编/中国财政杂志社/1993

中国财政年鉴·1994/《中国财政年鉴》编辑委员会编/中国财政杂志社/1994

中国财政年鉴·1995/《中国财政年鉴》编辑委员会编/中国财政杂志社/1995

中国财政年鉴·1996/《中国财政年鉴》编辑委员会编/中国财政杂志社/1996

中国财政年鉴·1997/《中国财政年鉴》编辑委员会编/中国财政杂志社/1997

中国财政年鉴·1998/《中国财政年鉴》编辑委员会编/中国财政杂志社/1998

中国财政年鉴·1999/《中国财政年鉴》编辑委员会编/中国财政杂志社/1999
中国财政年鉴·2000/《中国财政年鉴》编辑委员会编/中国财政杂志社/2000
中国财政年鉴·2001/《中国财政年鉴》编辑委员会编/中国财政杂志社/2001
中国财政年鉴·2002/《中国财政年鉴》编辑委员会编/中国财政杂志社/2002
中国固定资产投资统计年鉴·1997/国家统计局固定资产投资统计司编/中国统计出版社/1997.10
中国固定资产投资统计年鉴·1998/国家统计局固定资产投资统计司编/中国统计出版社/1998.9
中国固定资产投资统计年鉴·1999/国家统计局固定资产投资统计司编/中国统计出版社/1999.11
中国国有经济大辞典/张建功主编/陕西人民出版社/1998
中国审计年鉴·1994—1998/《中国审计年鉴》编辑委员会编/中国审计出版社/1999
中国审计年鉴·1999/《中国审计年鉴》编辑委员会编/中国审计出版社/2000
中国审计年鉴·2000/《中国审计年鉴》编辑委员会编/中国时代经济出版社/2001
中国审计年鉴·2001—2002/《中国审计年鉴》编委会编辑/中国时代经济出版社/2002
中国建筑业年鉴·1992—1993/《中国建筑年鉴》编委会编/中国建筑工业出版社/1994.3
中国建筑业年鉴·1994/《中国建筑业年鉴》编委会编/中国建筑工业出版社/1995
中国建筑业年鉴·1995/《中国建筑业年鉴》编委会编/中国建筑工业出版社/1995
中国建筑业年鉴·1996/《中国建筑业年鉴》编委会编/中国建筑工业出版社/1996
中国建筑业年鉴·1997/《中国建筑业年鉴》编委会编/中国建筑工业出版社/1998
中国建筑业年鉴·1998/《中国建筑业年鉴》委员会编/中国建筑工业出版社/1999
中国建筑业年鉴·1999/《中国建筑业年鉴》委员会编/中国建筑工业出版社/2000.4
中国建筑业年鉴·2000/田世宇主编,《中国建筑业年鉴》编委会编辑/中国建筑业年鉴社/2001
中国建筑业年鉴·2001/徐义屏主编,《中国建筑业年鉴》编委会编辑/中国建筑业年鉴社/2002
中国建筑业年鉴·2002/徐义屏主编,《中国建筑业年鉴》编委会编辑/中国建筑业年鉴社/2003
中国林业年鉴·2001/国家林业局编纂/中国林业出版社/2001.12
中国林业年鉴·2002/国家林业局编纂/中国林业出版社/2002.12
中国法律年鉴·1992/《中国法律年鉴》编辑部编/中国法律年鉴社/1992.10
中国法律年鉴·1993/《中国法律年鉴》编辑部编/中国法律年鉴社/1993.10
中国法律年鉴·1994/孙琬锺主编,《中国法律年鉴》编辑部编/中国法律年鉴社/1994
中国法律年鉴·1995/《中国法律年鉴》编辑部编辑/中国法律年鉴社/1995
中国法律年鉴·1996/《中国法律年鉴》编辑部编辑/中国法律年鉴社/1996
中国法律年鉴·1997/《中国法律年鉴》编辑部编辑/中国法律年鉴社/1997
中国法律年鉴·1998/《中国法律年鉴》编辑委员会编/中国法律年鉴社/1998
中国法律年鉴·1999/《中国法律年鉴》编辑部编辑/中国法律年鉴社/1999
中国法律年鉴·2000/孙琬锺主编,《中国法律年鉴》编辑部编辑/中国法律年鉴社/2000
中国法律年鉴·2001/孙琬锺主编,《中国法律年鉴》编辑部编辑/中国法律年鉴社/2001
中国法律年鉴·2002/孙琬锺主编,《中国法律年鉴》编辑部编辑/中国法律年鉴社/2002
中国物价及城镇居民家庭收支调查统计年鉴·1996/国家统计局城市社会经济调查总队编/中国统计出版社/1996.12
中国物价及城镇居民家庭收支调查统计年鉴·1997/国家统计局城市社会经济调查总队编/中国统计出版社/1997.7
中国物价及城镇居民家庭收支调查统计年鉴·1998/国家统计局城市社会经济调查总队编/中国统计出版社/1998.8
中国物价年鉴·1992/《中国物价年鉴》编辑部编/中国物价出版社/1992.10

中国物价年鉴·1993/《中国物价年鉴》编辑部编/中国物价出版社/1993

中国物价年鉴·1994/《中国物价年鉴》编辑部编/中国物价出版社/1994

中国物价年鉴·1995/《中国物价年鉴》编辑部编/中国物价出版社/1995

中国物价年鉴·1996/《中国物价年鉴》编辑部编/中国物价出版社/1996

中国物价年鉴·1997/《中国物价年鉴》编辑部编/中国物价出版社/1996

中国物价年鉴·1998/《中国物价年鉴》编辑部编/中国物价出版社/1998

中国物价年鉴·1999/《中国物价年鉴》编辑部编/中国物价年鉴编辑部/1999

中国物价年鉴·2000/王兴家主编,《中国物价年鉴》编辑部编辑/中国物价年鉴编辑部/2000

中国物价年鉴·2001—2002/汪洋主编,《中国物价年鉴》编辑部编辑/中国物价年鉴编辑部/2002

中国物价统计年鉴·1992/国家统计局城市社会经济调查总队编/中国统计出版社/1992.7

中国物价统计年鉴·1994/国家统计局城市社会经济调查总队编/中国统计出版社/1994.12

中国环境年鉴·1992/《中国环境年鉴》编辑委员会编/中国环境科学出版社/1992

中国环境年鉴·1993/《中国环境年鉴》编辑委员会编/中国环境科学出版社/1993

中国环境年鉴·1994/《中国环境年鉴》编辑委员会编/中国环境年鉴社/1994

中国环境年鉴·1995/《中国环境年鉴》编辑委员会编/中国环境年鉴社/1995

中国环境年鉴·1996/《中国环境年鉴》编辑委员会编/中国环境年鉴社/1996

中国环境年鉴·1997/《中国环境年鉴》编辑委员会编/中国环境年鉴社/1997

中国环境年鉴·1998/《中国环境年鉴》编辑委员会编/中国环境年鉴社/1998

中国环境年鉴·1999/《中国环境年鉴》编辑委员会编/中国环境年鉴社/1999

中国环境年鉴·2000/《中国环境年鉴》编辑委员会编/中国环境年鉴社/2000

中国环境年鉴·2001/于越峰主编,《中国环境年鉴》编辑委员会编/中国环境年鉴社/2001

中国环境年鉴·2002/于越峰主编,《中国环境年鉴》编辑委员会编/中国环境年鉴社/2002

中国环境年鉴·2003/于越峰主编,《中国环境年鉴》编辑委员会编/中国环境年鉴社/2003

中国知识产权年鉴·2000/国家知识产权局主办/知识产权出版社/2001

中国知识产权年鉴·2001—2002/林炳辉主编/知识产权出版社/2002

中国经济年鉴·1992/《中国经济年鉴》编辑委员会编辑/经济管理出版社/1992

中国经济年鉴·1993/国务院发展研究中心主办,《中国经济年鉴》编辑委员会编辑/中国经济出版社/1993

中国经济年鉴·1994/国务院发展研究中心主办,《中国经济年鉴》编辑委员会编辑/中国经济出版社/1994

中国经济年鉴·1995/《中国经济年鉴》编辑委员会编辑/中国经济年鉴社/1995.12

中国经济年鉴·1996/《中国经济年鉴》编辑委员会编辑/经济管理出版社/1996

中国经济年鉴·1997/《中国经济年鉴》编辑委员会编辑/中国经济年鉴社/1997

中国经济年鉴·1998/《中国经济年鉴》编辑委员会编辑/中国经济年鉴社/1998

中国经济年鉴·1999/《中国经济年鉴》编辑委员会编辑/中国经济年鉴社/1999

中国经济年鉴·2000/薛暮桥主编,《中国经济年鉴》编辑委员会编/中国经济年鉴社/2000

中国经济年鉴·2001/薛暮桥等主编,《中国经济年鉴》编辑委员会编辑/中国经济年鉴社/2001

中国经济年鉴·2002/薛暮桥等主编,《中国经济年鉴》编辑委员会编辑/中国经济年鉴社/2002

中国经济体制改革年鉴·1990/国家经济体制改革委员会编/改革出版社/1991.12

中国经济体制改革年鉴·1991/国家经济体制改革委员会编/改革出版社/1992.12

中国经济体制改革年鉴·1992/国家经济体制改革委员会编/改革出版社/1993.12

中国经济体制改革年鉴·1993/国家经济体制改革委员会编/改革出版社/1994.12

中国经济体制改革年鉴·1994/国家经济体制改革委员会编/改革出版社/1995.11
中国经济体制改革年鉴·1996/国家经济体制改革委员会编/改革出版社/1997.2
中国经济体制改革年鉴·1997/国家经济体制改革委员会编/改革出版社/1998.2
中国经济科学年鉴·1993/李京文等主编/中国统计出版社/1993.11
中国经济科学年鉴·1994/李京文等主编/中国统计出版社/1994.9
中国经济贸易年鉴·2000/《中国经济贸易年鉴》编辑委员会编/中国经济出版社/2000
中国经济贸易年鉴·2001/《中国经济贸易年鉴》编辑委员会编/中国经济出版社/2001
中国经济贸易年鉴·2002/李荣融主编,《中国经济贸易年鉴》编委会编辑/中国经济出版社、中国经济贸易年鉴社/2002
中国经济特区开发区年鉴·1997/葛洪升主编/改革出版社/1997.12
中国经济特区开发区年鉴·1998/葛洪升主编/改革出版社/1999.3
中国金融年鉴·1998/中国金融学会编/中国金融年鉴编辑部/1998.10
中国金融年鉴·2000/《中国金融年鉴》编辑部编/中国金融出版社/2000.11
中国金融年鉴·2001/《中国金融年鉴》编辑部编/中国金融年鉴社/2001.11
中国保险年鉴·1981—1997/冯晓增主编,《中国保险年鉴》编辑委员会编辑/中国保险年鉴编辑部/2001
中国保险年鉴·1998/《中国保险年鉴》编辑委员会编辑/中国保险年鉴编辑部/1999
中国保险年鉴·1999/吴定富主编,《中国保险年鉴》编委员会编辑/中国保险年鉴编辑部/1999
中国保险年鉴·2000/冯晓增主编,《中国保险年鉴》编委会编/中国保险年鉴编辑部/2000
中国保险年鉴·2001/冯晓增主编,《中国保险年鉴》编委会编/中国保险年鉴编辑部/2001
中国保险年鉴·2002/冯晓增主编,《中国保险年鉴》编委会编/中国保险年鉴编辑部/2002
中国城市年鉴·1993/陈俊生、刘国光主编;中国城市经济社会发展研究会,中国行政管理学会主办/中国城市年鉴社/1993.12
中国城市年鉴·1994/刘国光主编/中国城市年鉴社/1994
中国城市年鉴·1995/刘国光主编/中国城市年鉴社/1995
中国城市年鉴·1996/刘国光主编/中国城市年鉴社/1996
中国城市年鉴·1997/刘国光主编/中国城市年鉴社/1997
中国城市年鉴·1998/刘国光主编/海南年鉴社/1998
中国城市年鉴·1999/刘国光主编/中国城市年鉴社/1999
中国城市年鉴·2000/厉有为主编/中国城市年鉴社/2000
中国城市年鉴·2001/厉有为主编/中国城市年鉴社/2001
中国城市年鉴·2002/厉有为主编/中国城市年鉴社/2002
中国城市经济社会年鉴·1991/中国城市经济社会发展研究会、中国行政管理学会主办/中国城市出版社/1991.12
中国城市统计年鉴·1992/国家统计局城市社会经济调查总队编/中国统计出版社/1992.9
中国城市统计年鉴·1993—1994/国家统计局城市社会经济调查总队编/中国统计出版社/1995
中国城市统计年鉴·1995/国家统计局城市社会经济调查总队编/中国统计出版社/1996.7
中国城市统计年鉴·1996/国家统计局城市统计社会经济调查总队编/中国统计出版社/1997.5
中国城市统计年鉴·1997/国家统计局城市统计社会经济调查总队编/中国统计出版社/1998.8
中国城市统计年鉴·1998/国家统计局城市统计社会经济调查总队编/中国统计出版社/1999.6
中国城市统计年鉴·1999/国家统计局城市统计社会经济调查总队编/中国统计出版社/2000.7
中国城市统计年鉴·2000/国家统计局城市统计社会经济调查总队编/中国统计出版社/2001.5

中国科技统计年鉴·1992/国家统计局、国家科学技术委员会编/中国统计出版社/1993

中国科技统计年鉴·1993/国家统计局、国家科学技术委员会编/中国统计出版社/1994

中国科技统计年鉴·1994/国家统计局、国家科学技术委员会编/中国统计出版社/1994

中国科技统计年鉴·1995/国家统计局、国家科学技术委员会编/中国统计出版社/1996

中国科技统计年鉴·1996/国家统计局、国家科学技术委员会编/中国统计出版社/1997

中国科技统计年鉴·1997/国家统计局、国家科学技术委员会编/中国统计出版社/1997

中国科技统计年鉴·1998/国家统计局、国家科学技术部编/中国统计出版社/1999

中国科技统计年鉴·2000/国家统计局、科学技术部编/中国统计出版社/2000

中国科技统计年鉴·2001/国家统计局、科学技术部编/中国统计出版社/2002

中国科技统计年鉴·2002/国家统计局、科学技术部编/中国统计出版社/2002

中国统计年鉴·1992/国家统计局编/中国统计出版社/1992.10

中国统计年鉴·1993/国家统计局编/中国统计出版社/1993.8

中国统计年鉴·1994/国家统计局编/中国统计出版社/1994.11

中国统计年鉴·1995/国家统计局编/中国统计出版社/1995.8

中国统计年鉴·1996/国家统计局编/中国统计出版社/1996.9

中国统计年鉴·1997/国家统计局编/中国统计出版社/1998.1

中国统计年鉴·1998/国家统计局编/中国统计出版社/1998.9

中国统计年鉴·1999/国家统计局编/中国统计出版社/1999.9

中国统计年鉴·2000/国家统计局编/中国统计出版社/2000.6

中国统计年鉴·2001/国家统计局编/中国统计出版社/2001.9

中国统计年鉴·2002/国家统计局编/中国统计出版社/2002.6

中国轻工业年鉴·1995年创刊/陈德惠主编;《中国轻工业年鉴》编辑委员会编/中国轻工业出版社/1995

中国轻工业年鉴·1996/《中国轻工业年鉴》编辑部编/中国轻工业出版社/1996

中国轻工业年鉴·1997/《中国轻工业年鉴》编辑委员会编/中国轻工业年鉴出版社/1997

中国轻工业年鉴·1998/《中国轻工业年鉴》编辑委员会编/中国轻工业年鉴出版社/1998

中国轻工业年鉴·1999/杨自鹏主编/中国轻工业年鉴社/1999

中国轻工业年鉴·2000/杨自鹏主编/中国轻工业年鉴社/2000

中国轻工业年鉴·2001/杨自鹏主编/中国轻工业年鉴社/2001

中国轻工业年鉴·2002/杨自鹏主编/中国轻工业年鉴社/2002

中国旅游年鉴·1996/李泽儒主编/中国旅游出版社/1996.10

中国旅游年鉴·1997/李泽儒主编/中国旅游出版社/1997.9

中国海洋年鉴·1991—1993/《中国海洋年鉴》编纂委员会、《中国海洋年鉴》编辑部编/海洋出版社/1994

中国海洋年鉴·1994—1996/《中国海洋年鉴》编纂委员会、《中国海洋年鉴》编辑部编/海洋出版社/1997

中国海洋年鉴·1997—1998/《中国海洋年鉴》编纂委员会、《中国海洋年鉴》编辑部编/海洋出版社/1999

中国海洋年鉴·1999—2000/《中国海洋年鉴》编纂委员会、《中国海洋年鉴》编辑部编/海洋出版社/2001

中国海洋年鉴·2001/孙志辉主编,《中国海洋年鉴》编纂委员会、《中国海洋年鉴》编辑部编/海洋出版社/2002

中国海洋年鉴·2002/孙志辉主编,《中国海洋年鉴》编纂委员会编/海洋出版社/2003
中国特色社会主义年鉴·1997/江流、刘枫主编/中国法制出版社/1998.5
中国畜牧业年鉴·1999/《中国畜牧业年鉴》编辑委员会编/中国农业出版社/2000
中国畜牧业年鉴·2000/沈镇昭主编,《中国畜牧业年鉴》编辑委员会编/中国农业出版社/2001
中国畜牧业年鉴·2001/沈镇昭等主编,《中国畜牧业年鉴》编辑委员会编/中国农业出版社/2002
中国畜牧业年鉴·2002/沈镇昭等主编,《中国畜牧业年鉴》编辑委员会编/中国农业出版社/2003
中国铁道年鉴·1999/铁道部档案史志中心编/中国铁道出版社/1999
中国铁道年鉴·2000/彭开宙主编,《中国铁道年鉴》编辑部编/铁道部档案史志中心/2000
中国铁道年鉴·2001/彭开宙主编,《中国铁道年鉴》编辑部编/铁道部档案史志中心/2001
中国铁道年鉴·2002/解高潮主编,《中国铁道年鉴》编辑部编/铁道部档案史志中心/2002
中国高技术产业发展年鉴·2002/曾培炎主编/北京理工大学出版社/2002
中国教育年鉴·1992/《中国教育年鉴》编辑部编/人民教育出版社/1993
中国教育年鉴·1993/《中国教育年鉴》编辑部编/人民教育出版社/1994
中国教育年鉴·1994/《中国教育年鉴》编辑部编/人民教育出版社/1994
中国教育年鉴·1995/《中国教育年鉴》编辑部编/人民教育出版社/1996
中国教育年鉴·1996/《中国教育年鉴》编辑部编/人民教育出版社/1997
中国教育年鉴·1997/《中国教育年鉴》编辑部编/人民教育出版社/1998
中国教育年鉴·1998/郑树山主编,《中国教育年鉴》编辑部编/人民教育出版社/1999
中国教育年鉴·1999/郑树山主编,《中国教育年鉴》编辑部编/人民教育出版社/1999
中国教育年鉴·2000/郑树山主编,《中国教育年鉴》编辑部编/人民教育出版社/2000
中国教育年鉴·2001/郑树山主编,《中国教育年鉴》编辑部编/人民教育出版社/2001
中国教育年鉴·2002/郑树山主编,《中国教育年鉴》编辑部编/人民教育出版社/2002
中国检察年鉴·1992/《中国检察年鉴》编辑部编/中国检察出版社/1992.11
中国检察年鉴·1993/《中国检察年鉴》编辑部编/中国检察出版社/1994.5
中国检察年鉴·1997/《中国检察年鉴》编辑部编/中国检察出版社/1998.5
中国渔业年鉴·2000/农业部渔业局主编/中国农业出版社/2001
中国渔业年鉴·2001/农业部渔业局主编/中国农业出版社/2002
中国渔业年鉴·2002/农业部渔业局主编/中国农业出版社/2002
中国领导人和中国代表团出席联合国有关会议发言汇编/中国联合国协会编/世界知识出版社/2002
中国期刊年鉴·2002年卷·创刊号/张伯海、田胜立主编/《中国期刊年鉴》编辑部/2002
中国税务年鉴·1993/本书编辑部编/中国税务出版社/1993.10
中国税务年鉴·1995/本书编辑部编/中国税务出版社/1995.12
中国税务年鉴·1996/本书编辑部编/中国税务出版社/1996.12
中国税务年鉴·1997/本书编辑部编/中国税务出版社/1997.12
中国税务年鉴·2000/本书编辑部编/中国税务出版社/2002.10
中国税务年鉴·2001/本书编辑部编/中国税务出版社/2001.10
中国税务年鉴·2002/本书编辑部编/中国税务出版社/2002.10
中国新闻出版统计资料汇编/新闻出版署计划财务司编/中国劳动社会保障出版社/2000
中国新闻年鉴·1992/中国社会科学院新闻研究所编/中国社会科学出版社/1993.7
中国新闻年鉴·1993/中国社会科学院新闻研究所编/中国社会科学出版社/1994
中国新闻年鉴·1994/《中国新闻年鉴》杂志社编/中国新闻年鉴杂志社/1994

中国新闻年鉴·1995/《中国新闻年鉴》杂志社编/中国新闻年鉴杂志社/1995

中国新闻年鉴·1996/《中国新闻年鉴》杂志社编/中国新闻年鉴杂志社/1996

中国新闻年鉴·1997/《中国新闻年鉴》杂志社编/中国新闻年鉴杂志社/1997

中国新闻年鉴·1998/《中国新闻年鉴》杂志社编/中国新闻年鉴杂志社/1998

中国新闻年鉴·1999/梁博祥主编/中国新闻年鉴杂志社/1999

中国新闻年鉴·2000/梁博祥主编/中国新闻年鉴杂志社/2000

中国新闻年鉴·2001/中国新闻年鉴社编辑/中国新闻年鉴社/2001

中国新闻年鉴·2002/梁博祥、阎焕书主编;中国新闻年鉴社编辑/中国新闻年鉴社/2002

中国煤炭工业年鉴·1992/《中国煤炭工业年鉴》编审委员会编/煤炭工业出版社/1992.12

中国煤炭工业年鉴·1993/《中国煤炭工业年鉴》编审委员会编/煤炭工业出版社/1993

中国煤炭工业年鉴·1994/《中国煤炭工业年鉴》编审委员会编/煤炭工业出版社/1995.5

中国精神文明建设年鉴·1998—1999/胡振民、翟卫华主编/学习出版社/2002.11

中国精神文明建设年鉴·2000/胡振民主编/学习出版社/2001.3

中国精神文明建设年鉴·2001/胡振民主编/学习出版社/2002.2

中国精神文明建设年鉴·2002/胡振民、翟卫华主编/学习出版社/2003.9

中俄元首联合声明和宣言汇编/欧祎编/世界知识出版社/2003/

中美关系辞典/夏林根、于喜元主编/大连出版社/1992.11

历届全国人大、全国政协重要文献资料汇编/人民日报社新闻信息中心制/2004.1

毛泽东邓小平江泽民论科学发展/中共中央文献研究室编/中央文献出版社/2008.9

邓小平论行政管理体制和机构改革/中央机构编制委员会办公室编/中央文献出版社/1996.12

邓小平论祖国统一/中国国民党革命委员会中央委员会祖国和平统一促进委员会编/团结出版社/1995.2

世界华商经济年鉴·1995/《世界华商经济年鉴》编辑委员会编/企业管理出版社/1995.10

世界华商经济年鉴·1996—1997/《世界华商经济年鉴》编辑委员会编/企业管理出版社/1996.11

世界华商经济年鉴·1997—1998/《世界华商经济年鉴》编辑委员会编/企业管理出版社/1998.3

台湾问题重要文献资料汇编/台湾事务办公室编著/红旗出版社/1997.4

台湾事务法律政策选编/国务院台湾事务办公室新闻局编/九洲图书出版社/2001

叶剑英军事文选/叶剑英著/解放军出版社/1997.3

民族工作文献选编(1990—2002)/中共中央文献研究室编/中央文献出版社/2003.3

全国小城镇试点改革政策要览/国家体改委农村司编/改革出版社/1996

全国主要社会经济指标排序年鉴·1992/国家统计局综合司编/中国统计出版社/1993.2

全国主要社会经济指标排序年鉴·1993/国家统计局综合司编/中国统计出版社/1993.12

关于国民经济和社会发展第十个五年计划纲要的报告:2001年3月5日在第九届全国人民代表大会第四次会议上/朱镕基著/人民出版社/2001.3

江泽民论有中国特色社会主义(专题摘编)/中共中央文献研究室编/中央文献出版社/2002.8

西藏工作文献选编(1949—2005)/中共中央文献研究室、西藏自治区委员会编/中央文献出版社/2005.9

论科学技术/江泽民著/中央文献出版社/2001.1

两岸对话与谈判重要文献选编/海峡两岸关系协会编/九州出版社/2004.7

改革开放三十年重要文献选编/中共中央文献研究室编/中央文献出版社/2008.1

社会主义精神文明建设文献选编/中共中央文献研究室编/中央文献出版社/1996.10

走向市场之路/魏忠勇著/新华出版社/2000

国有企业改革重要法规汇编/中共中央文献研究室编/中央文献出版社/1997.8

现代国防大典(上、中、下卷)/张勤德、戴旭主编/中央文献出版社/1999.6

南海问题文献汇编/吴士存主编/海南出版社/2001

香港回归历程:基本法及有关文件汇编/香港协进联盟/1997.4

香港经济年鉴·1997/《经济导报》社编辑/中国经济出版社/1997.10

香港经济年鉴·1998/《经济导报》社编辑/中国经济出版社/1998.11

香港经济年鉴·1999/《经济导报》社编辑/中国经济出版社/1999.11

香港经济年鉴·2000/《经济导报》社编辑/中国经济出版社/2000.11

香港经济年鉴·2001/《经济导报》社编辑/中国经济出版社/2001.10

香港经济年鉴·2002/《经济导报》社编辑/中国经济出版社/2002.10

党的十一届三中全会以来共青团重要文件汇编/共青团中央办公厅编/中国青年出版社/2001

新中国五十年农业统计资料/国家统计局农村社会经济调查总队编/中国统计出版社/2000.12

新时期民族工作文献选编/中共中央文献研究室、国家民委编/中央文献出版社/1990.9

新时期农业和农村工作重要文献选编/中共中央文献研究室编/中央文献出版社/1996.3

新时期劳动和社会保障重要文献选编/劳动和社会保障部、中共中央文献研究室编/中国劳动社会保障出版社、中央文献出版社/2002

新时期宗教工作文献选编/中共中央文献研究室综合研究组,国务院宗教事务局政策法规司编/宗教文化出版社/1995.8

新时期环境保护工作文献选编/国家环境保护局、中共中央文献研究室编/中央文献出版社、中国环境科学出版社/2001.5

新时期经济体制改革重要文献选编/中共中央文献研究室编/中央文献出版社/1998.11

新时期科学技术工作重要文献选编/中共中央文献研究室、国务院发展研究中心编/中央文献出版社/1995.5

新时期党和国家领导人论林业与生态建设/中共中央文献研究室、国家林业局编/中央文献出版社/2001

新编中华人民共和国常用法律法规全书/国务院法制办公室编/中国法制出版社/2000.4

新编中国工会百科全书/李明义主编/中国城市出版社/2003

简明中华百科全书/《中国大百科全书》编辑部编/中国大百科全书出版社/1994.10